znak uvozující změn

flat [flæt] *adj* **1** ploc
(*hovor.*) úplně švorc / dutý; ~ **out** (*hovor.*) plnou parou, na plné pecky . . .

Tilda nahrazuje základní heslo.

Středník odděluje slova se vzdálenějšími významy, může po něm také následovat příklad, který se těsně(ji) váže k předcházejícímu významu.

busy [bizi] *adj* **1** . . . **2** živý, čilý, rušný; **a ~ day** rušný den **3** (*místnost, telefon*) obsazený . . .

Čárka odděluje synonymní výrazy, používá se ale i všude tam, kde si to pravidla jazyka vynucují – k oddělení větných členů, před spojkami atp.

Kolmička odděluje neměnnou část slova od měnící se části.

oblo|ha sky; **na -ze** in the sky

Neměnnou část nahrazuje *oddělovník*, k němuž je připojena změněná koncovka.

PRAKTICKÝ SLOVNÍK

ANGLICKO – ČESKÝ
ČESKO – ANGLICKÝ

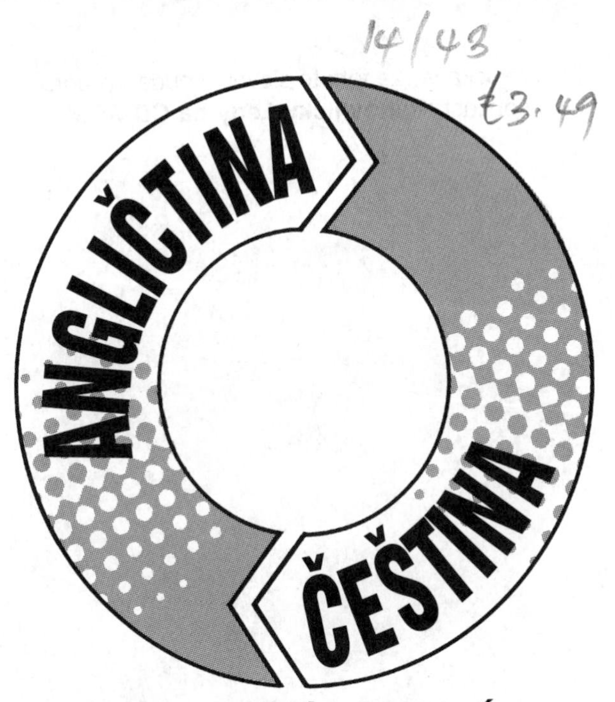

PRAKTICKÝ SLOVNÍK

Karel Hais
Břetislav Hodek

LEDA 1999

Elektronická verze tohoto slovníku bude vydána jako součást **Knihovničky Ledy na CD-ROM.**

Odpovědná redaktorka PhDr. Jiřina Svobodová
Obálka Marek Jodas
Sazba AMD, v. o. s., Návrší Svobody 26, 623 00 Brno
Tisk FINIDR, s. r. o., Český Těšín
Vydala LEDA, spol. s r. o., 263 01 Voznice 64
http://www.leda.cz
Dotisk 1. vydání, 2004

ISBN 80-85927-24-1

Předmluva

Tento slovník je první z řady praktických slovníků nakladatelství LEDA. Jeho základem je dříve vydaný „Kapesní anglicko-český a česko-anglický slovník" dr. Karla Haise.

Oproti tzv. kapesním slovníkům na našem současném trhu je obsahově mnohem větší (přibližně 13 500 základních hesel v každé části, nepočítaje v to dále v heslech uváděnou frazeologii a příklady) a formálně zpracován tak, aby byl „kapesní" a „příruční" zároveň, tj. čitelný a přehledný natolik, aby se v něm snadno, rychle a přesně vyhledávalo. Dostatečně silná obsahová náplň a její pragmatické zpracování s uvedením příkladů užití, předložkových vazeb, idiomů atd. uspokojí běžného uživatele, a to včetně škol všech typů.

Používání slovníku je dále usnadněno tím, že na předsádce uvádíme podrobný návod, jak jednotlivým znakům, popisům, typům písma apod. rozumět. Věříme, že slovník uspokojí i učitele, kteří by měli naučit děti a mládež umění efektivně vyhledávat relevantní informace z různých příruček, a tedy ve slovníku jim ukázat, že např. nemusejí vždy číst celý dlouhý zápis hesla, protože pomocný aparát jim ukáže přímo to místo v textu, kde najdou správnou informaci.

Autor spolu s nakladatelstvím hodlají každé dva až tři roky vydávat novou, aktuálnější a dokonalejší verzi tohoto slovníku. Proto bychom velmi uvítali, kdybyste nám vy, uživatelé našich slovníků, zasílali své poznámky a připomínky (věcné i týkající se formální stránky slovníku) i vaše návrhy na doplňky či změny – co jste zde nenašli, co se vám zdá nesprávné nebo přebytečné.

Redakce

Transkripční znaky

odpovídají zavedené praxi v českých slovnících, jedinečné znaky zůstávají:

[æ] široké „a" (vyslovované jako „e" s mluvidly nastavenými na výslovnost „a") – man [mæn]

[ə] samohláska „e" neurčitého zabarvení (vyslovovaná jako druhé „e" v českém dětském „ee") – sister [sistə]

[ŋ] nosová souhláska „ng" (vyslovovaná jako v české „Anka") – song [soŋ]

[θ] neznělé „s" (vyslovované se špičkou jazyka opřenou o horní zuby) – thin [θin]

[ð] znělé „(d)z" (vyslovované se špičkou jazyka opřenou o horní zuby) – brother [braðə]

[w] obouretné „v" (blížící se k „u") – way [wei]

[:] dvojtečka po samohlásce označuje její délku – father [fa:ðə]

['] horní kolmička označuje hlavní přízvuk slova. Pokud je hlavní přízvuk na začátku slova, není značen.

[ˌ] dolní kolmička označuje vedlejší přízvuk slova, který je méně důrazný – irreconcilable [iˌrekən'sailəbl]

Seznam zkratek

AU	australský výraz	*interj*	citoslovce	*pron*	zájmeno
adj	přídavné jméno	*jaz.*	jazykověda	*přen.*	přenesený význam
adv	příslovce	*kuch.*	kuchařství	*sb.*	somebody (někdo)
archit.	architektura	*let.*	letectví	*sg*	jednotné číslo
bot.	botanika	*mat.*	matematika	*slang.*	slangový výraz
conj	spojka	*med.*	lékařství	*sport.*	sportovní výraz
div.	divadelnictví	*motor.*	motorismus	*sth.*	something (něco)
ekon.	ekonomie	*n*	podstatné jméno	*tech.*	technický výraz
elektr.	elektrotechnika	*např.*	například	*telef.*	telefon
fot.	fotografování	*obch.*	obchod	*úřed.*	úřední výraz
fyz.	fyzika	*odb.*	odborný výraz	*US*	americký výraz
GB	britský výraz	*particle*	částice	*v*	sloveso
geol.	geologie	*pl*	množné číslo	*voj.*	vojenství
geom.	geometrie	*poč.*	výpočetní technika	*vulg.*	vulgární výraz
hanl.	hanlivý výraz	*pojišť.*	pojišťovnictví	*zeměp.*	zeměpis
hovor.	hovorový výraz	*polit.*	politika	*zprav.*	zpravidla
hud.	hudební věda	*polygr.*	polygrafie	*zvl.*	zvláště
chem.	chemie	*práv.*	právnictví		
inf	infinitiv	*prep*	předložka		
-ing	ingový tvar slovesa				

A

a, an [ə, ən, *v důrazu* ei, æn] **1** (*člen neurčitý*) **2** jeden (**a friend of mine** jeden můj přítel) **3** jakýsi (**a Mr White has called** byl tu jakýsi pan White) **4** každý (**twice a month** dvakrát za měsíc, **three pounds a week** tři libry týdně)
aback [ə'bæk]: **be taken ~** být překvapen, být zmaten
abandon [ə'bændən] **1** opustit **2** vzdát se čeho (**~ all hope** vzdát se veškeré naděje) **3** přerušit (*sportovní zápas*) **4 ~ oneself to** oddávat se čemu
abbey [æbi] opatství
abbreviate [ə'bri:vieit] zkrátit; zestručnit
abbreviation [əˌbri:vi'eišn] **1** zkrácení **2** zkratka
ABC, abc [eibi:'si:] **1** abeceda **2** základy (*oboru*) **3** jízdní řád (*s abecedním seznamem stanic*)
abdicate [æbdikeit] **1** vzdát se čeho **2** vzdát se trůnu
abdomen [æbdəmen] břicho
abide* [ə'baid] **1** dodržet (**by a promise** slib) **2** zůstat
ability [ə'biliti] **1** schopnost **2** inteligence
able [eibl] schopen; **be* ~** moci
abnormal [æb'no:ml] abnormální, nezvyklý; zvláštní
aboard [ə'bo:d] na palubě, na palubu (*lodi, letadla*) ♦ **all ~ !** nastupovat!
abolish [ə'boliš] zrušit
abolition [æbə'lišn] zrušení, odstranění
abominable [ə'bominəbl] odporný; ohavný (**weather** počasí)
aboriginal [æbə'ridžinl] domorodec
abortion [ə'bo:šən] (*umělý*) potrat
abound [ə'baund] **1** oplývat **in** čím **2** hojně se vyskytovat
about [ə'baut] *prep* **1** po, kolem (**walk ~ the town** chodit po městě) **2** u, při, na (**I haven't any money ~ me** nemám u sebe peníze, **there is nothing strange ~ it** na tom není nic divného) **3** o (**talk ~ the weather** hovořit o počasí) ♦ **how / what ~ ...?** a co ...?; **what is it all ~ ?** co to má všechno znamenat, oč jde?; **what are you ~ ?** co máte za lubem?; **be ~ to +** *inf* chystat se • *adv* **1** asi **2** sem a tam, kolem **3** poblíž, nablízku ♦ **A~ turn!** Čelem vzad!
above [ə'bav] *prep* nad ♦ **~ all** především; **the book is ~ me** ta kniha je pro mne nesrozumitelná • *adv* **1** nahoře; **from ~** shora **2** shora, výše, dříve; **as was stated ~** jak bylo uvedeno shora
abrasion [ə'breižn] odřenina
abreast [ə'brest] v jedné řadě ♦ **keep / be ~ of** držet krok s
abridge [ə'bridž] zkrátit, zestručnit (*text*)
abroad [ə'bro:d] v cizině, do ciziny; **travel ~** cestovat do ciziny; **visitors from ~** zahraniční návštěvníci
abrupt [ə'brapt] **1** náhlý, neočekávaný **2** nesouvislý,

trhaný (*styl řeči*) **3** strohý, příkrý **4** prudký (*svah*)
absence [æbsəns] **1** nepřítomnost (**from school** ve škole) **2** absence; ~ **without leave** neomluvená absence **3** nedostatek; **in the ~ of evidence** pro nedostatek důkazů; ~ **of mind** roztržitost
absent [æbsənt] *adj* **1** nepřítomný (**from school** ve škole) **2** roztržitý • *v* [æb'sent] ~ **oneself** nedostavit se, nepřijít **from** kam
absentee [æbsən'ti:] absentér, bulač
absent-minded [æbsənt'maindid] roztržitý
absolute [æbsəlu:t] *adj* **1** naprostý, úplný **2** absolutní • *n* **the A~** absolutno
absolutely [æbsəlu:tli] **1** naprosto, úplně (**impossible** nemožné) **2** (*hovor.*) určitě, rozhodně
absolve [əb'zolv] zprostit **from** čeho, osvobodit **from / of** od
absorb [əb'so:b] **1** pohltit **2** sát **3** upoutat (*pozornost*); **be ~ed in** být upoután čím / ponořen do
absorption [əb'so:pšn] **1** pohlcení; vstřebávání **2** ponoření **in** do
abstain [əb'stein] **1** zdržet se **from** čeho **2** nepít (*alkohol*)
abstention [əb'stenšn] **1** zdržení se; zdrženlivost **2** zdržení se hlasování; kdo se zdržel hlasování
abstinence [æbstinəns] abstinence
abstract [æbstrækt] *adj* abstraktní • *n* výtah (*z knihy*) • *v* [æb'strækt] **1** oddělit **2** shrnout, pořídit výtah **3** (*hovor.*) odstranit, přemístit (*ukrást*)
abstraction [æb'strækšn] **1** abstrakce **2** roztržitost
absurd [əb'sə:d] **1** absurdní, nesmyslný, nemožný **2** hloupý **3** směšný
absurdity [əb'sə:diti] nesmyslnost, absurdita
abundance [ə'bandəns] **1** hojnost; **food in ~** hojnost jídla **2** nadbytek (**of food** jídla)
abundant [ə'bandənt] **1** hojný; **be ~** hojně se vyskytovat **2** bohatý **in** na co / čím
abuse *n* [ə'bju:s] **1** zneužití **2** zlořád **3** nadávky • *v* [ə'bju:z] **1** zneužít **2** tupit
abyss [ə'bis] propast, (*též přen.*)
A/C, a/c 1 account current běžný účet **2** alternating current **střídavý proud**
academic [ækə'demik] **1** akademický; univerzitní, vysokoškolský **2** teoretický
academician [əˌkædə'mišn] akademik, člen Akademie
academy [ə'kædəmi] akademie
accede [ək'si:d] **1** souhlasit **to** s čím, přistoupit na co **2** nastoupit (**to an office** do funkce, **to the throne** na trůn)
accelerate [æk'seləreit] zrychlit (se), urychlit (se)
acceleration [əkˌselə'reišn] urychlení; zrychlení, akcelerace
accelerator [ək'seləreitə] (*motor.*) plynový pedál
accent [æksənt] *n* **1** přízvuk **2** akcent, čárka (*nad písmenem*) **3** akcent, *též* způsob výslovnosti; **speak with a foreign ~** mluvit s cizím přízvukem • *v* [ək'sent] dávat přízvuk na
accentuate [ək'sentjueit] zdůraznit, vyzdvihnout, klást důraz na
accept [ək'sept] **1** přijmout **2** akceptovat (**a bill** směnku)

acceptable [ək'septəbl] přijatelný; **prove ~** být přijatelný
acceptance [ək'septəns] **1** přijetí **2** akcept(ace) (*směnky*)
access [ækses] přístup; **easy of ~** snadno přístupný
accessible [ək'sesibl] přístupný, dostupný
accession [æk'sešn] **1** nastoupení **to** do / na **2** přírůstek
accessories [ək'sesəriz] *pl* **1** příslušenství (**of a car** auta) **2** doplňky (**~ of a woman's dress** dámské módní doplňky)
accessory [ək'sesəri] spoluviník (**before / after the fact** před činem / po činu)
accident [æksidənt] **1** náhoda; **by ~** náhodou **2** nehoda; **meet with / have an ~** mít nehodu, být obětí (*dopravní*) nehody
accidental [æksi'dentl] **l** náhodný **2** způsobený nehodou; **~ death** smrtelný úraz **3** vedlejší (**colours** barvy)
accommodate [ə'komədeit] **1** ubytovat, umístit; **a cinema accommodating 2000 spectators** kino pro 2000 diváků **2** vyhovět komu **3** přizpůsobit **to** čemu
accommodation [əˌkomə'deišn] **1** ubytování **2** přizpůsobení **to** čemu
accompaniment [ə'kampənimənt] doprovod (**to the ~ of** s doprovodem koho / čeho)
accompany [ə'kampəni] (do)provázet ♦ **accompanied luggage** spoluzavazadlo
accomplish [ə'kampliš] (*úspěšně*) provést, dokázat
accomplished [ə'kamplišt] dokonalý, kvalifikovaný, perfektní
accomplishment [ə'kamplišmənt] **1** výkon, čin; (*dosažený*) úspěch **2 ~s** *pl* znalosti, dovednosti
accord [ə'ko:d] *n* souhlas, shoda ♦ **of one's own ~** sám, samovolně, dobrovolně; **with one ~** jednomyslně
• *v* **1** udělit (**he was ~ed a warm welcome** dostalo se mu vřelého uvítání) **2** souhlasit **with** s
accordance [ə'ko:dəns]: **in ~ with** ve shodě s, podle čeho
according to [ə'ko:diŋ] podle koho / čeho
accordingly [ə'ko:diŋli] **1** proto **2** podle toho
account [ə'kaunt] *n* **1** účet (**with a bank** u banky); **current ~, ~ current** běžný účet **2** popis, zpráva; **give an ~ of** popsat, vylíčit co **3** uvážení; **take into ~** vzít v úvahu **4** důvod, příčina ♦ **on ~ of** pro, kvůli; **on my ~** kvůli mně; **on no ~** v žádném případě
• *v* **1** považovat za **2 ~ for** vysvětlit co
accountable [ə'kauntəbl] zodpovědný **for** za
accountant [ə'kauntənt] účetní, revizor účtů
accredit [ə'kredit]: **be* ~ed** být akreditován / zplnomocněn **to** u
accumulate [ə'kju:mjuleit] nahromadit (se), přirůstat, narůstat
accumulation [əˌkju:mju'leišn] **1** (na)hromadění **2** hromada
accuracy [ækjurəsi] přesnost
accurate [ækjurit] přesný
accusation [ækju'zeišn] obvinění; **bring an ~** vznést obvinění **of sth.** z čeho **against sb.** proti komu
accuse [ə'kju:z] *v* obvinit, obžalo-

vat **sb. of sth.** koho z čeho
• *n* **the ~d** obžalovaný
accustom [ə'kastəm] **oneself to** zvyknout si na
accustomed [ə'kastəmd] navyklý, obvyklý; **be ~ to** být zvyklý na; **become / get ~ to** zvyknout si na
ache [eik] *n* bolest, bolení; **have a head~** mít bolení hlavy • *v* bolet; **my head ~s** bolí mě hlava
achieve [ə'či:v] dosáhnout čeho (**one's aim** svého cíle)
achievement [ə'či:vmənt] **1** dosažení, splnění **2** (*velký*) čin, výkon; úspěch
acid [æsid] *adj* **1** kyselý, (*též přen.*) **2** kousavý, sarkastický • *n* kyselina
acknowledge [ək'nolidž] **1** uznat, přiznat (**one's mistake** svou chybu) **2** potvrdit (*příjem*); **~ his greeting** odpovědět mu na pozdrav
acknowledgement [ək'nolidžmənt] **1** uznání; **in ~ of your help** jako uznání za vaši pomoc **2** potvrzení (*příjmu*)
acorn [eiko:n] žalud
acoustic [ə'ku:stik] akustický
acoustics [ə'ku:stiks] **1** *sg* akustika (*věda*) **2** *pl* akustika (*sálu*)
acquaint [ə'kweint] seznámit; **~ oneself with** seznámit se s, obeznámit se s
acquaintance [ə'kweintəns] **1** obeznámenost, znalost; **make sb.'s ~** seznámit se s kým **2** známý; **an ~ of mine** jeden můj známý
acquire [ə'kwaiə] **1** získat **2** osvojit si
acquisition [ækwi'zišn] **1** získávání, nabývání **2** získaná věc; přírůstek
acquit [ə'kwit] **(tt)** **1** osvobodit, zprostit **of sth.** čeho **2 ~ oneself of sth.** zhostit se čeho ♦ **~ oneself well** osvědčit se **like** jako
acre [eikə] akr (*asi 4000 m^2*); **God's A~** boží pole (*hřbitov*)
across [ə'kros] *prep* **1** přes (**the river** řeku) **2** na druhé straně (**the street** ulice) ♦ **~ from** *US* naproti čeho / čemu • *adv* na druhou stranu
act [ækt] *n* **1** čin, skutek **2** zákon **3** jednání, dějství (*hry*) ♦ **put on an ~** hrát divadlo, předstírat • *v* **1** jednat ♦ **~ for the best** mít ten nejlepší úmysl **2** působit **as** jako, dělat; **~ as an interpreter** dělat tlumočníka **3** fungovat **4** hrát (*roli, divadlo*)
action [ækšn] **1** činnost; **take ~** jednat; **put / set in ~, bring into ~** uvést v činnost **2** čin, skutek; **a man of ~** muž činu **3** soudní pře; **bring an ~ against sb.** žalovat koho **4** bitva
active [æktiv] **1** činný, aktivní; **on ~ service** v činné službě; **~ voice** (*jaz.*) činný rod **2** čilý, živý
activity [æk'tiviti] **1** aktivita **2 activities** *pl* činnost
actor [æktə] herec
actress [æktris] herečka
actual [ækčuəl] skutečný
actuality [ækču'æliti] **1** skutečnost **2** aktualita
actually [ækčuəli] **1** skutečně **2** ve skutečnosti, zatím **3** vlastně
acute [ə'kju:t] **1** ostrý, bystrý **2** akutní, náhlý
A.D. [ei'di:] = **Anno Domini** léta Páně

Adam [ædəm] Adam ♦ **~'s apple** ohryzek (*na hrtanu*); **not know sb. from ~** vůbec někoho neznat
adapt [ə'dæpt] **1** přizpůsobit **2** upravit, adaptovat
adaptation [ædæp'teišn] **1** přizpůsobení **2** úprava, adaptace
adapter, adaptor [ə'dæptə] adaptér, rozvodka
add [æd] **1** přidat; přičíst **2** dodat (*v řeči*), podotknout
add up **1** sečíst **2** (*hovor.*) dávat smysl
adder [ædə] zmije
addict [ædikt] oběť (návyku); **a drug ~** narkoman
addition [ə'dišn] **1** přidání, připočtení; dodatek; **in ~** kromě toho, také; **in ~ to sth.** kromě čeho **2** sčítání **3** přírůstek
additional [ə'dišənl] další
address [ə'dres] *n* **1** adresa **2** projev, proslov **3** oslovení • *v* **1** oslovit **2** pronést projev; **~ a meeting** mít projev na schůzi **3** adresovat (**a letter** dopis)
addressee [ædre'si:] adresát
adequate [ædikwət] přiměřený, dostačující
adhere [əd'hiə] **1** lpět **to** na, držet na **2** držet se **to** čeho; **~ to one's views** držet se svých názorů
adherence [əd'hiərəns] **1** lpění **to** na **2** zachovávání, dodržování
adhesive [əd'hi:siv] přilnavý, lepivý; **~ tape** lepicí páska
adjacent [ə'džeisənt] přilehlý, sousední, vedlejší
adjective [ædžiktiv] přídavné jméno
adjoin [ə'džoin] sousedit s
adjoining [ə'džoiniŋ] sousedící, sousední
adjourn [ə'džə:n] **1** odložit, odročit **2** přerušit **3** odebrat se **to** kam
adjust [ə'džast] **1** přizpůsobit; **~ oneself to the circumstances** přizpůsobit se okolnostem **2** upravit, regulovat
adjustment [ə'džastmənt] **1** přizpůsobení **2** úprava
administer [əd'ministə] **1** spravovat, řídit **2** poskytnout (*pomoc*); podat (*lék*)
administration [əd,mini'streišn] **1** správa, řízení **2 the A~** *US* vláda, státní správa **3** podání (*léku*); poskytnutí (*pomoci*)
admirable [ædmrəbl] podivuhodný, vynikající
admiral [ædmərl] admirál
admiralty [ædmərəlti] admiralita; **the A~** *GB* ministerstvo námořnictví
admiration [ædmi'reišn] obdiv **of / for** k; **the ~** předmět obdivu
admire [əd'maiə] obdivovat se (komu / čemu)
admission [əd'mišn] **1** přístup; **~ free** vstup volný **2** vstupné **3** přiznání **4** přijetí **into** kam
admit [əd'mit] **(tt)** **1** vpustit **2** přijmout; **be ~ted to a school / into membership** být přijat do školy / za člena **3** připustit, uznat
admittance [əd'mitəns] přístup, vstup; **No ~** Vstup zakázán
adolescence [ædə'lesəns] dospívání
adolescent [ædə'lesənt] *adj* dospívající • *n* dospívající člověk; výrostek
adopt [ə'dopt] **1** adoptovat

2 přijmout, převzít
3 odhlasovat, schválit
adoption [ə'dopšn] **1** adoptování
2 přijetí, převzetí **3** schválení
adore [ə'do:] zbožňovat
adorn [ə'do:n] zdobit
adult [ædalt] dospělý
♦ **~ education** osvěta
adulterate [ə'daltəreit] **1** falšovat (*potraviny*) **2** ředit (*nápoj vodou*)
adultery [ə'daltəri] cizoložství
advance [əd'va:ns] *n* **1** postup
2 pokrok **3** zvýšení (**in the cost of living** životních nákladů)
4 záloha **on** na **5 ~s** *pl* pokus o sblížení; **make ~s** ucházet se o přátelství **to** koho ♦ **(well) in ~** předem, (opravdu) včas • *v*
1 postoupit, pokročit **2** posunout vpřed **3** povýšit **4** zvýšit (**prices** ceny) **5** dát zálohu • *adj* zařízený / daný předem / s předstihem;
~ copies recenzní výtisky (*knihy*)
advanced [əd'va:nst] pokročilý;
~ in years v pokročilém věku
advancement [əd'va:nsmənt]
1 postup (*vpřed*) **2** povýšení **to** na **3** záloha
advantage [əd'va:ntidž] **1** výhoda
2 užitek, zisk; **take ~ of** využít, zneužít čeho
advantageous [ædvən'teidžəs] výhodný
adventure [əd'venčə] dobrodružství
adventurer [əd'venčərə]
1 dobrodruh **2** hochštapler
adventurous [əd'venčərəs] dobrodružný
adverb [ædvə:b] příslovce
adversary [ædvəsəri] protivník, odpůrce
adverse [ædvə:s] **1** nepříznivý **to** čemu **2** nepřátelský **to** komu
adversity [əd'və:siti] **1** nepřízeň osudu **2** neštěstí
advertise [ædvətaiz] **1** inzerovat, dát si inzerát **for** na **2** dělat reklamu čemu
advertisement [əd'və:tismənt]
1 inzerát **2** reklama
advice [əd'vais] **1** rada (**on what to do** co dělat); **take / follow sb.'s ~** dát si poradit od koho;
on the ~ of sb. na čí radu;
a piece / a word of good ~ dobrá rada **2** zpráva
♦ **a letter of ~** návěstí, avízo;
~ note návěstí, oznámení, avízo
advisable [əd'vaizəbl] doporučeníhodný; vhodný; rozumný
advise [əd'vaiz] **1** (po)radit **on** v čem; **you would be well ~d to** + *inf* doporučuje se, abyste
2 varovat **against** před
3 (*obch.*) oznámit
adviser [əd'vaizə] poradce
advisory [əd'vaizəri] poradní
♦ **~ opinion** dobrozdání
advocate *n* [ædvəkit] **1** zastánce
2 advokát (*ve Skotsku*)
• *v* [ædvəkeit] **1** obhajovat
2 zasazovat se o
aerial [eəriəl] *adj* **1** vzdušný; vzduchový **2** visutý **3** letecký
• *n* anténa
aeroplane [eərəplein] *GB* letadlo
aesthetic [i:s'θetik] estetický
afar [ə'fa:] v dálce; **from ~** zdaleka
affair [ə'feə] **1** záležitost, věc;
Ministry of Foreign A~s ministerstvo zahraničních věcí;
state of ~s současná situace
2 milostný poměr, pletka **3** aféra

affect [ə'fekt] **1** působit, mít vliv na **2** dojmout **3** postihnout
affection [ə'fekšn] náklonnost, láska
affectionate [ə'fekšənət] láskyplný; milující
affirm [ə'fə:m] (po)tvrdit
affirmation [æfə'meišn] tvrzení; ujištění
affirmative [ə'fə:mətiv] kladný; **the answer is in the ~** odpověď je kladná
affix [ə'fiks] **1** připojit **2** přilepit **to** k / na
afflict [ə'flikt] soužit; postihnout **with** čím
affliction [ə'flikšn] **1** soužení, utrpení **2** bída
affluence [æfluəns] hojnost, nadbytek
afford [ə'fo:d] **1** dopřát si, dovolit si; **I can't ~ it** nemohu si to dovolit **2** poskytnout, skýtat, dávat
affront [ə'frant] *n* urážka • *v* urazit
afloat [ə'fləut] **1** plovací, nad vodou; **keep ~** držet se nad vodou **2** nezakotvený, (*též přen.*) **3** v oběhu
afraid [ə'freid]: **be ~ of** bát se čeho; **be ~ for** bát se o; **I'm ~** bohužel
afresh [ə'freš] znovu
Africa [æfrikə] Afrika
African [æfrikən] *adj* africký • *n* Afričan
after [a:ftə] *prep* **1** po; **~ dark** po setmění **2** za; **shut the door ~ you** zavři za sebou dveře **3** podle; **a painting ~ Rubens** malba podle Rubense ♦ **~ all** konec konců, přece jenom; **day ~ day** den co den • *adv* později, potom • *conj* když
after-effects [a:ftəri'fekts] *pl* následky
aftermath [a:ftəmæθ] (*nepříznivé*) následky, dozvuky
afternoon [a:ftə'nu:n] odpoledne
afters [a:ftəz] (*GB, hovor.*) zákusek, moučník
afterwards [a:ftəwədz] potom, později
again [ə'gen] opět, zase, znovu, ještě jednou ♦ **now and ~** občas; **time and ~** znovu a znovu; **as much / many ~** dvakrát tolik
against [ə'genst] proti (**the stream** proudu); před (**pickpockets** kapesními zloději); o (**lean ~ the wall** opírat se o zeď)
age [eidž] *n* **1** věk **2** stáří **3 ~s** *pl (hovor.)* dlouho, věčnost ♦ **at your ~** v tvém věku; **come of ~** dosáhnout zletilosti; **be your ~** chovej se jako dospělý člověk, nedělej hlouposti; **I haven't seen you for ~s** neviděl jsem tě, ani nepamatuji • *v* stárnout
aged **1** [eidžd] starý; **a boy ~ ten** chlapec starý deset let **2** [eidžid] (velmi) starý, letitý; **an ~ man** stařec
agency [eidžənsi] **1** jednatelství, agentura, zastoupení **2** předprodej (*vstupenek*) **3** působení, vliv
agenda [ə'džendə] **1** *sg* pořad, program (*jednání*) **2** *pl* agenda, věci k projednávání
agent [eidžənt] **1** činitel **2** zástupce, agent
aggravate [ægrəveit] **1** zhoršit **2** (*hovor.*) zlobit, rozčilovat
aggravating [ægrəveitiŋ]: **~ circumstances** přitěžující okolnosti

agile [ædžail] čilý, živý, bystrý; agilní
agitate [ædžiteit] **1** zmítat (se), lomcovat (sebou), třepat **2** rozrušit **3** agitovat **for** pro, **against** proti
agitated [ædžiteitid] rozrušený
agitation [ædži'teišn] **1** vzrušení **2** agitace
ago [ə'gəu] (*za určením času*) před; **two days** ~ před dvěma dny; (**not**) **long** ~ (ne)dávno
agonizing [ægənaiziŋ] nesmírně bolestivý; mučivý
agony [ægəni] muka; agónie
agrarian [ə'greəriən] zemědělský, agrární
agree [ə'gri:] **1** souhlasit **to / with** s kým / čím, **about** v čem **2** dohodnout se **on** na **3** svědčit, dělat dobře **with** komu ♦ **coffee does not ~ with me** po kávě mi není dobře; **~ to differ** ponechat si každý svůj názor
agreeable [ə'gri:əbl] **1** příjemný, sympatický **2** svolný, srozuměný; **I'm ~** jsem pro
agreement [ə'gri:mənt] **1** souhlas, shoda; **be in ~ on sth.** souhlasit spolu v čem **2** dohoda; **come to an ~ with sb.** dohodnout se s kým
agriculture [ægrikalčə] zemědělství
ahead [ə'hed] vpřed(u); dopředu; předem ♦ **~ of** před; **get ~ of** předhonit koho; **go ~** pokračovat
aid [eid] *n* **1** pomoc; **first ~** první pomoc **2** pomůcka; **teaching ~s** učební pomůcky • *v* pomáhat, podporovat ♦ **~ed student** stipendista
aide [eid] poradce
AIDS [eidz] = **Acquired Immune Deficiency Syndrome** syndrom získaného selhání imunity
ailment [eilmənt] zdravotní potíž; onemocnění, neduh
aim [eim] *n* **1** míření; cíl **2** účel • *v* **1** mířit, zaměřit (se) **at** na; **~ high** mířit vysoko **2** usilovat **at** o
air [eə] *n* **1** vzduch, ovzduší, atmosféra **2** nápěv, melodie **3** vzhled, chování ♦ **in the open ~** pod širým nebem; **be on the ~** vysílat / být vysílán rozhlasem / televizí; **give oneself / put on ~s** dělat se důležitým, předvádět se • *v* (pro)větrat, ventilovat, (*též přen.*)
airbase [eəbeis] letecká základna
airbed [eəbed] nafukovací matrace
air-conditioning [eəkəndišəniŋ] klimatizace
aircraft [eəkra:ft] *sg,pl* letadlo, letadla ♦ **~ carrier** mateřská letadlová loď
aircrew [eəkru:] posádka letadla
airfield [eəfi:ld] letiště (*plocha*)
airforce [eəfo:s] (*voj.*) letectvo ♦ **Air Force One** letadlo prezidenta USA
airhostess ['eəˌhəustis] letuška
airing [eəriŋ] větrání, (*též přen.*)
airlift [eəlift] *n* doprava leteckým mostem • *v* dopravovat letecky
airline [eəlain] letecká linka; **~s** *pl* aerolinie
airmail [eəmeil] *n* letecká pošta • *adv* leteckou poštou
airman [eəmən] letec
airplane [eəplein] *US* letadlo
airport [eəpo:t] letiště (*letištní plocha s veškerým zařízením*)
air raid [eəreid] nálet
airsick [eəsik]: **get ~** udělat se komu špatně v letadle

airstrip [eəstrip] (*nouzová*) startovací / přistávací plocha
air terminal [eətə:minl] terminál aerolinek (*ve středu města*)
air ticket [eətikit] letenka
airtight [eətait] neprodyšný
aisle [ail] ulička (*podél hlavní lodi kostela, v hledišti divadla*)
ajar [ə'dža:] pootevřený
alarm [ə'la:m] *n* **1** poplach **2** leknutí; znepokojení • *v* polekat, vylekat; znepokojit
alarm clock [ə'la:mklok] budík
alarmist [ə'la:mist] panikář
Alaska [ə'læskə] Aljaška
Albania [æl'beinjə] Albánie
Albanian [æl'beinjən] *adj* albánský • *n* **1** Albánec **2** albánština
album [ælbəm] album
alcohol [ælkəhol] alkohol
ale [eil] (*světlé*) pivo
alert [ə'lə:t] *adj* ostražitý • *n* **1** (*voj.*) pohotovost **2** letecká výstraha ♦ **on the ~** ve střehu
algebra [ældžibrə] algebra
Algeria [æl'džiəriə] Alžírsko
Algiers [æl'džiəz] Alžír
alien [eiljən] *adj* cizí • *n* cizinec, cizí státní příslušník
alienate [eiljəneit] **1** odcizit **2** zcizit
alight[1] [ə'lait] **1** zapálen, v plamenech **2** osvětlen
alight[2] [ə'lait] **1** vystoupit, sestoupit (**from a bus** z autobusu) **2** snést se (*z výšky*), přistát
align [ə'lain] vyřídit (se), sešikovat (se)
alignment [ə'lainmənt] **1** vyřízení, zákryt **2** seskupení
alike [ə'laik] *adj* podobný; stejný • *adv* podobně; stejně
alive [ə'laiv] žijící, naživu; zaživa; **be ~ to sth.** uvědomovat si co; **be ~ and kicking** mít se čile k světu
all [o:l] *adj* celý, všechen, veškerý ♦ **~ day long** celý den; **beyond ~ doubt** nad veškerou pochybnost; **why help him, of ~ people?** proč pomáhat právě jemu? • *pron* všechno, všichni ♦ **~ of us** my všichni; **(not) at ~** vůbec (ne); **not at ~** není zač (odpověď na **thank you**); **that's ~ there is to it** v tom to vězí; **from ~ I know** co já vím; **once for ~** jednou provždy; **~ in** *1.* vyčerpán *2.* včetně; **~ in ~** celkem • *adv* úplně, docela ♦ **~ along** (*hovor.*) od začátku; **~ the better** tím lépe; **~ at once** najednou, náhle; **~ but** téměř; **~ over** *1.* celý; **~ over the world** po celém světě *2.* skončen, u konce
allegation [æli'geišn] tvrzení
allege [ə'ledž] tvrdit, uvádět
alleged [ə'ledžd] domnělý, údajný
allegory [æligəri] alegorie
alleviate [ə'li:vieit] zmírnit
alley [æli] **1** ulička; **blind ~** slepá ulička, (*též přen.*) **2** alej, stromořadí; zahradní cesta ♦ **~ cat** toulavá kočka; **that's up my ~** *US* to je něco pro mne, to je moje
alleyway [æliwei] ulička
alliance [ə'laiəns] **1** spojení, spojenectví **2** příbuznost
allocate [æləkeit] přidělit (**a flat to sb.** byt komu)
allocation [ælə'keišn] přidělení, příděl
allot [ə'lot] **(tt)** **1** přidělit **2** vyhradit, vymezit
allotment [ə'lotmənt] (*přidělená*) parcela, zahrádka

all-out [o:l'aut] **1** totální **2** všeobecný, celkový
allow [ə'lau] **1** dovolit, povolit **2** uznat, připustit ♦ **~ for** vzít v úvahu co, počítat s čím; **~ of** připouštět; **be ~ed** smět
allowance [ə'lauəns] **1** příspěvek; renta; kapesné **2** sleva ♦ **family ~** rodinný přídavek; **make ~(s) for** brát ohled na, vzít v úvahu co
alloy [æloi] slitina
all-purpose [o:l'pə:pəs] všestranný, univerzální
all right [o:l'rait] v pořádku, dobrá
all-round [o:l'raund] všestranný
allude [ə'lu:d] narážet **to** na, zmínit se o
allure [ə'ljuə] vábit, lákat
allusion [ə'lu:žn] narážka **to** na, zmínka o
ally *n* [ælai] spojenec • *v* [ə'lai] spojit (se)
almighty [o:l'maiti] všemohoucí; (*hovor.*) obrovský
almond [a:mənd] mandle
almost [o:lməust] skoro, téměř
aloft [ə'loft] nahoře, ve výšce; nahoru, do výšky
alone [ə'ləun] *adj* sám, samoten, sám o sobě • *adv* jenom, jedině, výhradně ♦ **let / leave me ~** nech mě být; **let ~** neřku-li, natož (pak)
along [ə'loŋ] *prep* **1** podél **2** po (**the street** ulici); **~ here** tudy • *adv* dále, vpřed ♦ **come ~** tak pojď; **~ with** spolu s kým; **get ~ with** vycházet s kým (*dobře / špatně*); **be ~** přijít, přijet, dostavit se
alongside [əloŋ'said] podél, vedle, po straně
aloud [ə'laud] nahlas, hlasitě
alphabet [ælfəbet] abeceda, (*též přen.*)
alpine [ælpain] **1** alpský **2** vysokohorský
Alps [ælps]: **the ~** Alpy
already [o:l'redi] již, už; **have the shops closed ~ ?** to už mají obchody zavřeno?
also [o:lsəu] také; kromě toho, rovněž ♦ **not only … but ~** nejen …, ale také
altar [o:ltə] oltář
altar boy [o:ltəboi] (*nedospělý*) ministrant
alter [o:ltə] **1** (z)měnit (se) **2** upravit, přešít
alteration [o:ltə'reišn] **1** (*pravidelné*) střídání **2** přešití **3** (*malá*) změna
alternate *adj* [o:l'tə:nit] **1** střídavý **2** každý druhý; **on ~ days** ob den **3** vzájemný **4** protilehlý (**angles** úhly) • *v* [o:ltəneit] **1** střídat (se) **with** s **2** kolísat **between** mezi
alternative [o:l'tə:nətiv] *adj* druhý možný, vzájemně se vylučující • *n* volba, alternativa
alternatively [o:l'tə:nətivli] jinak, eventuálně, nebo
although [o:l'ðəu] ačkoli, třebaže, i když
altitude [æltitju:d] výška
alto [æltəu] **1** alt **2** kontratenor **3** viola
altogether [o:ltə'geðə] **1** naprosto, úplně; vůbec **2** dohromady, celkem **3** celkem vzato
aluminium [ælu:'miniəm] *GB*, **aluminum** [æ'lu:minəm] *US* aluminium, hliník
always [o:lwəz] vždy(cky), stále; od (samého) začátku
am [æm, əm]: **I am** jsem

a.m., **A.M.** [ei'em] ráno; dopoledne
amalgamate [ə'mælgəmeit] spojit (se), sloučit (se)
amass [ə'mæs] (na)hromadit
amateur [æmətə] **1** amatér **2** ochotník; **~ dramatics** ochotnické divadlo **3** diletant
amateurish [æmətəriš] **1** amatérský **2** diletantský
amaze [ə'meiz] udivit, naplnit úžasem; **~d at** udivený čím, užaslý nad
amazement [ə'meizmənt] ohromení, úžas
amazing [ə'meiziŋ] ohromující, úžasný
ambassador [æm'bæsədə] velvyslanec (**to France** ve Francii)
amber [æmbə] **1** jantar(ový) **2** žlutá (*dopravní světlo*)
ambiguous [æm'bigjuəs] **1** dvojsmyslný **2** dvojznačný, nejasný, problematický
ambition [æm'bišn] ctižádost, ambice
ambitious [æm'bišəs] ctižádostivý, ambiciózní
ambulance [æmbjuləns] sanitka
ambush [æmbuš] *n* číhaná, léčka; **lie in ~ for** číhat na
• *v* přepadnout ze zálohy
amend [ə'mend] **1** polepšit (se), napravit (se) **2** pozměnit
amendment [ə'mendmənt] **1** náprava; oprava, zlepšení **2** pozměňovací návrh **3** *US* změna, dodatek, doplněk (zákona)
amends [ə'mendz] náhrada škody; **make ~** *1.* napravit (*křivdu*) *2.* nahradit **to sb. for sth.** komu co
amenities [ə'mi:nitiz] *pl* (kulturní) zařízení, vybavení, vybavenost
America [ə'merikə] Amerika
American [ə'merikən] *adj* americký
• *n* **1** Američan(ka); občan(ka) USA **2** americká angličtina
amiable [eimjəbl] roztomilý; laskavý
amicable [æmikəbl] přátelský
amid [ə'mid]**, amidst** [ə'midst] uprostřed
amiss [ə'mis] chybně, špatně
♦ **come ~** přijít nevhod; **take sth. ~** vykládat si co ve zlém; **there is sth. ~** tady něco neklape
ammonia [ə'məunjə] čpavek
ammunition [æmju'nišn] střelivo, munice
amnesty [æmnəsti] amnestie
among(st) [ə'maŋ(st)] mezi (*více než dvěma*)
♦ **who ~ you** kdo z vás; **be ~ the best** patřit k nejlepším; **~ other things** mezi jiným, kromě jiného; **they had a pound ~ them** měli dohromady jednu libru
amorous [æmərəs] zamilovaný; milostný
amount [ə'maunt] *n* **1** částka **2** množství • *v* **1** činit, obnášet **to** (*kolik*) **2** znamenat; **it ~s to the same thing** to je vlastně totéž
amphibious [æm'fibiəs] obojživelný
ample [æmpl] **1** hojný, (*více než*) postačující **2** rozsáhlý, obsažný
amplifier [æmplifaiə] zesilovač
amplify [æmplifai] **1** rozšířit (si) **2** zesílit, zesilovat; zvýšit, zvětšit **3** zdůraznit, opakovat, říkat více
amply [æmpli] bohatě
amputate [æmpjuteit] amputovat

amuse [ə'mju:z] bavit, obveselovat **with** čím, rozesmát
amusing [ə'mju:ziŋ] zábavný, legrační
amusement [ə'mju:zmənt] **1** pobavení **2** zábava, kratochvíle; ~ **park** *US* zábavní park (*např. Disneyland*)
an [æn, ən] (*tvar neurč. členu před samohl., též*) jeden
an(a)emia [ə'ni:mjə] chudokrevnost
an(a)esthetic [ænis'θetik] anestetikum
ana(e)sthetist [æ'ni:sθətist] anesteziolog
analogous [ə'næləgəs] analogický, obdobný
analogy [ə'nælədži] analogie, obdoba **between** mezi, **to** s
♦ **on the ~ of**, **by ~ with** analogicky podle
analyse [ænəlaiz] **1** analyzovat, rozebrat **2** podrobit psychoanalýze
analysis [ə'nælisis] analýza, rozbor
analytic [ænə'litik] analytický
anarchy [ænəki] anarchie
anatomy [ə'nætəmi] anatomie
ancestor [ænsistə] předek, předchůdce, praotec
anchor [æŋkə] *n* kotva; **cast ~** spustit kotvu; **weigh ~** zvednout kotvu; **be / lie at ~** kotvit
• *v* **1** (za)kotvit **2** *US* moderovat televizní zpravodajství
anchovy [ænčəvi] sardelka
ancient [einšənt] *adj* starý, starobylý, odvěký • *n* **~s** *pl* staří Řekové / Římané, klasikové
and [ænd, ənd, ən] a; **bread ~ butter** chléb s máslem; **nice ~ warm** hezky teplo, teploučko; **try ~ come** snaž se přijít
Andrew [ændru:] Ondřej
anecdote [ænikdəut] anekdota
anemone [ə'neməni] sasanka
anew [ə'nju:] znovu
angel [eindžəl] anděl, (*též přen.*)
anger [æŋgə] *n* zlost, vztek **with** na koho, **at** na co
• *v* (roz)zlobit se, (roz)hněvat se
angle[1] [æŋgl] **1** úhel (**acute** ostrý, **obtuse** tupý), (*též přen.*); hledisko **2** roh (*dvou ploch*)
angle[2] [æŋgl] **1** lovit na udici, (*též přen.*) **2** lovit, shánět **for** co
Anglican [æŋglikən] *adj* anglikánský • *n* anglikán
Anglo-Saxon [æŋgləu'sæksən] *n* Anglosas • *adj* anglosaský
angry [æŋgri] **1** rozhněvaný, rozzlobený, zlostný **with** na koho, **at / about** na co; **be ~ with** zlobit se na koho; **get ~** rozzlobit se **2** (*zranění*) podebraný
anguish [æŋgwiš] úzkost; muka
angular [æŋgjulə] hranatý
animal [æniml] *n* živočich, zvíře
• *adj* živočišný
animate *v* [ænimeit] oživit
• *adj* [ænimət] živý
animated [ænimeitid] **1** oživený **2** puzený **by** čím **3** živý, vzrušený (**debate** diskuse)
♦ **~ cartoon** kreslený film
animosity [æni'mositi] nepřátelství, animozita, zášť
ankle [æŋkl] kotník na noze
♦ **~ socks** (krátké) ponožky
annals [ænəlz] *pl* kronika, anály, letopisy
annex *n* [æneks] přístavek
• *v* [ə'neks] **1** připojit, anektovat **2** zabrat, uchvátit
annexation [ænək'seišn] připojení; anexe

annihilate [ə'naiəleit] (*úplně*) zničit, zprovodit ze světa, rozdrtit
annihilation [əˌnaiə'leišn] (*úplné*) zničení
anniversary [æni'və:sri] **1** výročí **2** oslava výročí
announce [ə'nauns] oznámit, ohlásit
announcement [ə'naunsmənt] **1** oznámení, (o)hlášení **2** prohlášení **3** zpráva, sdělení
announcer [ə'naunsə] hlasatel(ka)
annoy [ə'noi] **1** zlobit; **be ~ed** zlobit se **with** na koho, **at** na co **2** obtěžovat, trápit, znepokojovat
annoyance [ə'noiəns] **1** trápení; rozmrzelost, zlost; **much to our ~** k naší velké zlosti **2** mrzutost, otrava (*přen.*), nepříjemná záležitost
annoying [ə'noiiŋ] mrzutý, nepříjemný, otravný
annual [ænjuəl] *adj* **1** roční; **~ ring** letokruh **2** každoroční; celoroční **3** výroční • *n* **1** ročenka **2** jednoletá rostlina
annuity [ə'njuiti] roční důchod
annul [ə'nal] **(ll)** anulovat, zrušit
anomalous [ə'noməlǝs] nenormální, odlišný, anomální, podivný, zvláštní
anonymous [ə'noniməs] anonymní
anorak [ænəræk] *GB* větrovka s kapucí
another [ə'naðə] **1** jiný; **~ time** jindy **2** ještě jeden, další; **~ cup of tea** ještě jeden šálek čaje; **~ two hours** další dvě hodiny **3** druhý; **he is ~ Einstein** to je druhý Einstein; ♦ **one after ~** jeden po druhém; **in one way or ~** tak či onak, nějak
answer [a:nsə] *n* odpověď; **in ~ to your letter** v odpověď na Váš dopis • *v* **1** odpovědět (**a question** na otázku); opětovat (**the fire** palbu); reagovat; **~ the door / the bell** jít otevřít; **~ back** odmlouvat **2** odpovídat, vyhovovat (**a purpose** účelu, **to a description** popisu) **3** (z)odpovídat **for** za
answerable [a:nsərəbl] zodpovědný **to** komu **for** zač
answerphone [a:nsəfəun] telefon se záznamníkem
ant [ænt] mravenec ♦ **~ hill** mraveniště
antagonize [æn'tægənaiz] znepřátelit si, popudit proti sobě
Antarctic [ænt'a:ktik] *adj* antarktický; **the ~ Circle** jižní polární kruh • *n* **the ~** Antarktida
antecedent [ænti'si:dənt] *n* **1** předchůdce **2** předchozí událost **3 ~s** *pl* předkové
antenna [æn'tenə] **1** *pl* **-nae** [ni:] tykadlo **2** *pl* **~s** anténa
anteroom [æntirum] **1** předpokoj, předsíň **2** čekárna
anthem [ænθəm] **1** chorál **2** hymna; **national ~** národní hymna
anti-aircraft [ænti'eəkra:ft] protiletecký
antibiotic [æntibai'otik] *n* antibiotikum • *adj* antibiotický
anticipate [æn'tisipeit] **1** očekávat **2** předvídat; předcházet čemu **3** předbíhat (*při vyprávění*)
anticipation [æntisi'peišn] **1** očekávání **2** předtucha ♦ **in ~** předem
anticlockwise [ænti'klokwaiz] proti směru otáčení hodinových ručiček
antidote [æntidəut] protilék

antipathy [æn'tipəθi] antipatie
antipodes [æn'tipədi:z] *pl* protinožci
antiquary [æntikwəri] starožitník
antiquated [æntikweitid] zastaralý, staromódní
antique [æn'ti:k] *adj* **1** antický **2** starodávný, starobylý • *n* **1** starožitnost; ~ **shop** obchod se starožitnostmi **2** antické umění
antiquity [æn'tikwiti] **1** starověk, antika **2** stáří, starobylost **3 antiquities** *pl* starožitnosti, starobylé / starověké památky
anti-Semite [ænti'si:mait] *n* antisemita • *adj* antisemitský
antiseptic [ænti'septik] *adj* antiseptický • *n* antiseptikum
antlers [æntləz] *pl* parohy
anxiety [æŋ'zaiəti] **1** úzkost, starost **for / about** kvůli **2** touha **for** po, **to** + *inf* aby **3** tísnivý pocit, stres
anxious [æŋkšəs] **1** znepokojený (**about / for one's health** o své zdraví) **2** znepokojivý **3** dychtivý **for** čeho; **be** ~ *1.* dělat si starosti **about / for** kvůli 2. usilovat **for** o, být zvědav na *3.* velmi si přát, snažit se (**to please** vyhovět)
any [eni] *adj*, *pron* **1** jakýkoli, kterýkoli; každý **2** (*v otázce a při podmínce*) nějaký, některý **3** (*při záporu*) žádný; **at ~ rate** alespoň; **in ~ case** v každém případě • *adv* **1** (o) něco, (o) trochu; **is he ~ better?** je mu trochu lépe? **2** (*při záporu*) o nic **3** vůbec; **if it's ~ good** stojí-li to vůbec za něco; **not in ~ way** nijak
anybody [enibodi] **1** kdokoli, každý **2** někdo **3 not** ~ nikdo
anyhow [enihau] **1** nedbale, nepořádně **2** ať je to jak chce, stejně, vůbec **3** v každém případě, tak jako tak, stejně
anyone [eniwan] *viz* **anybody**
anything [eniθiŋ] **1** cokoli, všechno **2** (*v otázce a při podmínce*) něco **3** (*při záporu*) nic; ~ **but** všechno jenom ne / až na
anyway [eniwei] *viz* **anyhow**
anywhere [eniweə] **1** kdekoli, kamkoli; všude, kde / kam **2** (*v otázce a při podmínce*) někde, někam **3 not** ~ nikde, nikam; ~ **near** (*hovor.*) zdaleka ne
apart [ə'pa:t] **1** stranou, od sebe **2** odděleně
♦ ~ **from** nehledě na; krom toho, že; **tell / know** ~ rozeznat; **set** ~ vyhradit **for** pro; **take** ~ rozebrat na části; **joking** ~ žerty stranou
apartment [ə'pa:tmənt] **1** pokoj **2** *US* byt **3 ~s** *pl* honosný pokoj, komnata; (*hotelové*) apartmá; ~ **house** *US* činžák; *GB* penzión
ape [eip] *n* opice, (*též přen.*); lidoop • *v* opičit se po
aperture [æpəčə] **1** otvor, štěrbina **2** (*fot.*) světelnost, závěrka
apiece [ə'pi:s] **1** za kus **2** každému
apologize [ə'polədžaiz] omluvit se **to** komu **for** zač
apology [ə'polədži] **1** omluva **2** obrana **3** (*ubohá*) náhražka **for** za co / čeho
apoplexy [æpəpleksi] mrtvice
apostle [ə'posl] apoštol, (*též přen.*)
appal [ə'po:l] (**ll**) (po)děsit, konsternovat
appalling [ə'po:liŋ] děsivý, úděsný, hrůzný
apparatus [æpə'reitəs] aparát, přístroj

apparent [ə'pærənt] **1** zjevný, jasný, očividný **2** zdánlivý
apparently [ə'pærəntli] jak se zdá, podle všeho
appeal [ə'pi:l] *n* **1** žádost, prosba **to** ke komu **for** o co **2** odvolání, stížnost **3** přitažlivost **to** pro, působivost • *v* **1** apelovat, obrátit se **to** na koho **for** proč; dovolávat se svědectví **2** odvolat se (**to a higher court** k vyšší instanci) **3** přitažlivě působit **to** na koho, dělat dojem na, líbit se komu
appealing [ə'pi:liŋ] **1** prosebný, dojemný **2** půvabný, přitažlivý
appear [ə'piə] **1** objevit se **2** dostavit se **3** vystoupit (**on the stage** na jevišti) **4** vyjít (*tiskem*), objevit se na trhu **5** zdát se, vypadat, jevit se; **it ~s to me that** zdá se mi, že
appearance [ə'piərəns] **1** zjev, vzhled; zdání **2** vystoupení ♦ **to all ~s** podle všeho; **keep up ~s** udržovat zdání; **~s are deceptive** zdání klame; **put in an ~** objevit se, dostavit se
appease [ə'pi:z] **1** zmírnit, uklidnit **2** usmířit, uspokojit
appeasement [ə'pi:zmənt] **1** uklidnění; smiřování **2** politika ústupků
appendix [ə'pendiks] *pl též* **-dices** [-disi:z] **1** přívěsek; dodatek **2** slepé střevo
appetite [æpitait] chuť k jídlu
appetizer [æpitaizə] **1** aperitiv **2** předkrm
applaud [ə'plo:d] **1** tleskat **2** chválit, (*vřele*) schvalovat
applause [ə'plo:z] potlesk, aplaus
apple [æpl] jablko; jabloň ♦ **upset sb.'s ~cart** (*hovor.*) udělat komu čáru přes rozpočet
appliance [ə'plaiəns] zařízení, přístroj; domácí spotřebič
applicant [æplikənt] žadatel
application [æpli'keišn] **1** žádost **for** o; **on ~** na požádání; **~ form** formulář žádosti; **~s are invited for** vypisuje se konkurs na **2** použití, upotřebení **3** píle **4** obklad; léčebný prostředek
apply [ə'plai] **1** přiložit (**a compress** obklad) **2** (po)žádat **to** koho **for** oč **3** použít, aplikovat **4** týkat se **to** koho / čeho, platit o; **~ oneself to** cele se věnovat čemu
appoint [ə'point] **1** určit, stanovit **2** jmenovat, ustanovit
appointment [ə'pointmənt] **1** ustanovení, určení, jmenování do funkce **2** schůzka, setkání; **have an ~** mít domluvenou návštěvu, být objednán / ohlášen **3** místo, zaměstnání
appraise [ə'preiz] (z)hodnotit, odhadnout
appreciate [ə'pri:šieit] **1** oceňovat, hodnotit **2** vážit si, nepodceňovat; mít porozumění pro, uznávat; být vděčen za
appreciation [əˌpri:ši'eišn] **1** (*kladné*) ocenění, hodnocení **2** uznání **of** čeho **3** smysl **of** pro, chápání čeho
apprehension [æpri'henšn] **1** pochopení **of** čeho, porozumění čemu **2 ~(s)** (*zlá*) předtucha, obava, obavy **3** zatčení
apprehensive [æpri'hensiv] obávající se **of** čeho, **for** o, **that** že
apprentice [ə'prentis] učeň
apprenticeship [ə'prentisšip] učení, učňovská léta

approach [ə'prəuč] *n* **1** přiblížení; **make ~(es) to** začít (*zkusmo*) hovořit o **2** příchod, přístup; **easy / difficult to ~** snadno / těžko přístupný **3** poměr, postoj, vztah (**to work** k práci) • *v* **1** (při)blížit se **2** navázat styk s (**customers** zákazníky) **3** obrátit se na koho (*s žádostí*)

approbation [æprə'beišn] (*úřední*) schválení, souhlas

appropriate *adj* [ə'prəupriit] vhodný, přiměřený (**to** pro koho, **for** pro co) • *v* [ə'prəuprieit] **1** přivlastnit si **2** zpronevěřit

approval [ə'pru:vl] souhlas **of** s čím, schválení čeho; **on ~** na ukázku, na zkoušku

approve [ə'pru:v] **1** souhlasit **of** s čím **2** schválit, schvalovat

approximate *adj* [ə'proksimit] přibližný • *v* [ə'proksimeit] (při)blížit (se)

apricot [eiprikot] meruňka

April [eiprəl] duben; **A~ Fool's Day** 1. duben, apríla

apt [æpt] **1** schopný, obratný; inteligentní **2** případný; vhodný, šikovný, trefný **3** náchylný **to** k

aptitude [æptitju:d] schopnost, vlohy, talent **for** k

aquatic [ə'kwætik] vodní

Arab [ærəb] **1** Arab **2** arabský kůň ♦ **street ~** dítě ulice

Arabia [ə'reibjə] Arábie

Arabic [ærəbik] *adj* arabský • *n* arabština

arable [ærəbl] orný

arbiter [a:bitə] rozhodčí, arbiter

arbitrary [a:bitrəri] **1** libovolný **2** svévolný

arc [a:k] oblouk; **~ lamp** oblouková lampa

arch [a:č] **1** oblouk (*ve stavitelství*) **2** klenba (*nohy*)

archaeology [a:ki'olədži] archeologie

archaic [a:'keiik] zastaralý, archaický

archbishop [a:č'bišəp] arcibiskup

archer [a:čə] lukostřelec

archetype [a:kitaip] prototyp

architect [a:kitekt] architekt, stavitel

architecture [a:kitekčə] architektura, stavitelství

archives [a:kaivz] *pl* archív

archway [a:čwei] **1** klenutá chodba, podloubí **2** brána (*vchodu*)

arctic [a:ktik] arktický, polární; **the A~ Circle** polární kruh

ardent [a:dənt] **1** horoucí, vřelý, vášnivý **2** horlivý

arduous [a:djuəs] svízelný, pracný, náročný

area [eəriə] **1** plocha; plošná výměra **2** oblast; zóna **3** vyhrazené místo ♦ **grey ~** (*přen.*) nejistá kompetence

Argentina [a:džn'ti:nə], **the Argentine** [a:džntain] Argentina

argue [a:gju:] **1** přít se, vyměňovat si názory **2** dokazovat, argumentovat, tvrdit **3** přemluvit **sb. into doing sth.** koho aby, **sb. out of doing sth.** koho aby ne

argument [a:gjumənt] **1** důvod **2** tvrzení **3** debata **4** spor, hádka **5** souhrn, synopsis **6** děj, zápletka

arise* [ə'raiz] **1** vzniknout **2** nastat, vyskytnout se

aristocrat [æristəkræt] šlechtic

arithmetic [ə'riθmətik] aritmetika; počty

arithmetical [æriθ'metikl] aritmetický
Arkansas [a:kənso:] *stát a řeka v USA*
arm[1] [a:m] **1** paže, ruka; **with open ~s** s otevřenou náručí; **keep sb. at ~'s length** držet si koho od těla **2** rukáv **3** větev **4** rámě, rameno **5** opěradlo (*křesla*); postranice (*brýlí*)
arm[2] [a:m] *n* **1** zbraň **2 ~s** *pl* zbraně; **take up ~s** chopit se zbraní; **~ wrestling** přetlačování (*s lokty na stole*)
• *v* ozbrojit (se), vyzbrojit (se)
armament [a:məmənt] **1** (*obvykle*) **~s** *pl* výzbroj **2** zbrojení
armistice [a:mistis] příměří
armoured [a:məd] obrněný, pancéřovaný, pancéřový; **~ car** obrněné auto
armoury [a:məri] zbrojnice, (*též přen.*)
armpit [a:mpit] podpaží
army [a:mi] **1** armáda **2** vojenská služba, vojna
around [ə'raund] *prep* kolem (**the world** světa); za (**the corner** rohem)
• *adv* **1** kolem dokola **2** poblíž, nablízku ♦ **he's been ~ a lot** (*hovor.*) viděl kus světa, vyzná se
arouse [ə'rauz] **1** vzbudit (**from sleep** ze spánku, **sb.'s suspicion / anger** něčí podezření / hněv) **2** podnítit, vyvolat **3** vzrušit
arrange [ə'reindž] **1** urovnat, uspořádat, dát do pořádku **2** zařídit, zorganizovat **sth. / for sth.** co; **to +** *inf*, **for sth. to +** *inf* aby **3** dohodnout se **with sb.** s kým **for / about sth.** o čem **4** upravit, aranžovat (**a piece of music** skladbu)
arrangement [ə'reindžmənt] **1** uspořádání, úprava **2** dohoda, ujednání; **a matter of ~** věc dohody **3 ~s** *pl* opatření, plán, příprava, program, dispozice; **make ~s for** zařídit, aby; **make your own transport ~s** dopravu si zařiďte sám **4** úprava, aranžmá (*hudební skladby*)
arrears [ə'riəz] *pl* nedoplatek, dluh; **be in ~ with the rent** být pozadu s placením činže
arrest [ə'rest] *v* **1** zatknout **2** zastavit, zadržet **3** upoutat (*pozornost*)
• *n* **1** zatčení; **be under ~** být zatčen **2** zastavení, zástava (*srdce*)
arrival [ə'raivl] **1** příchod, příjezd, přílet **at / in** kam **2** dosažení **at** čeho, dospění k čemu **3** příchozí, host
arrive [ə'raiv] **1** přijít, přijet, připlout, přiletět **at / in** kam; nastat (*událost*) **2** dosáhnout **at** čeho, dospět k čemu
arrogance [ærəgəns] arogance, povýšenost, domýšlivost
arrow [ærəu] **1** šíp **2** šipka
arse [a:s] (*vulg.*) *n* **1** prdel **2** blbec, vůl • *v* **~ about / around** flákat se, prdelit se
arsenal [a:sənl] **1** skladiště zbraní, arzenál **2** zbrojovka
arson [a:sn] žhářství
art [a:t] **1** umění (*zvl. výtvarné*); **a work of ~** umělecké dílo; **~ gallery** obrazárna; **fine ~(s)** malířství, sochařství, hudba **2** zručnost, technika, umění (*přen.*) **3** vychytralost, lest, trik
artery [a:təri] tepna (*též dopravní*)

artful [a:tful] prohnaný, rafinovaný
article [a:tikl] **1** předmět; kus; část; **~s of clothing** části oděvu; **toilet ~s** toaletní potřeby **2** článek, stať; **leading ~** úvodník **3** článek, bod **4** (*jaz.*) člen
articulate *adj* [a:'tikjulit] **1** artikulovaný **2** výmluvný • *v* [a:'tikjuleit] artikulovat
articulated [a:'tikjuleitid] kloubový (**bus** autobus); **~ lorry** tahač s návěsem
articulation [a:tikju'leišn] **1** artikulace; dikce **2** (*bot.*) kolénko
artificial [a:ti'fišl] **1** umělý, syntetický **2** vyumělkovaný, falešný, strojený
artisan [a:ti'zæn] řemeslník
artist [a:tist] **1** umělec **2** výtvarník, malíř, sochař
artiste [a:'ti:st] **1** artista **2** estrádní umělec
artistic [a:'tistik] umělecký
artless [a:tlis] naivní, bezelstný
art nouveau [a:nu:'vəu] secese
as [æz, əz] *adv* **1** jako; **~ usual** jako obyčejně; **~ a rule** zpravidla **2** tak; **twice ~ large** dvakrát tak velký; **just ~ good** stejně (tak) dobrý • *conj* **1** jak; **~ I said before** jak už jsem řekl **2** když, zatímco, jak **3** protože **4** ačkoli, i když; **old ~ he is** i když je starý ♦ **~ (old) ~** tak (starý) jako; **~ far ~ Stratford** až do Stratfordu; **~ for** co se týče, pokud jde o; **~ good ~ (new)** téměř (nový); **~ if / though** jako kdyby; **~ it were** jaksi; **~ it is** stejně, beztoho; **~ long ~** pokud; **~ soon ~** jakmile; **~ to** co se týče; **~ well** rovněž, také; **~ well ~** jakož (i), a (také); **~ yet** až dosud
ascend [ə'send] stoupat, vystupovat na; zvedat se; **~ the throne** nastoupit na trůn
ascent [ə'sent] výstup (**of a mountain** na horu)
ascertain [æsə'tein] zjistit
ascetic [ə'setik] *adj* asketický • *n* asketa
ascribe [ə'skraib] připisovat **to** komu / čemu, přisuzovat
ash[1] [æš] jasan
ash[2] [æš] popel; **~es** *pl* popel (člověka)
ashamed [ə'šeimd] zahanbený ♦ **be ~ of** stydět se za; **be ~ of yourself** styď se
ashore [ə'šo:] na břeh(u)
ashtray [æštrei] popelník
Asia [eišə] Asie; **~ Minor** Malá Asie
Asian [eišn] *adj* asijský • *n* Asijec, Asiat
aside [ə'said] stranou; **lay ~** odložit; **put ~** rezervovat; **step ~** ustoupit stranou
ask [a:sk] **1** ptát se; **~ the way** ptát se na cestu; **may I ~ you a question?** smím se vás na něco zeptat?; **~ after sb.** ptát se na koho; **~ sb.'s health** ptát se na čí zdraví; **~ for sb.** ptát se po kom **2** žádat (**for help** o pomoc, **a favour** o laskavost) **3** pozvat (**to dinner** na oběd) ♦ **you have ~ed for it** sám sis o to koledoval; **~ me another** to se mě moc ptáš
askance [ə'skæns] kose, šikmo; **look ~ at** dívat se s nedůvěrou na
askew [ə'skju:] nakřivo
aslant [ə'sla:nt] *adv* šikmo • *prep* napříč přes

asleep [ə'sli:p] spící; **be ~** spát; **fall ~** usnout
asparagus [ə'spærəgəs] chřest
aspect [æspekt] **1** vzhled, vzezření **2** vyhlídka; **a southern ~** vyhlídka na jih **3** zřetel, hledisko, stránka
aspiration [æspi'reišn] snaha, úsilí, touha **for / after** po
aspire [ə'spaiə] usilovat **after / to** o co
ass[1] [æs] osel, (*též přen.*)
ass[2] [æs] (*vulg.*) *US* = **arse**
assail [ə'seil] **1** napadnout **sb.** koho **with** čím **2** pustit se s vervou do (**the task** úkolu)
assassin [ə'sæsin] vrah (*politika*), atentátník
assassinate [ə'sæsineit] zavraždit (*zvl. z polit. důvodů*)
assassination [əˌsæsi'neišn] (*politická*) vražda, atentát **of** na
assault [ə'so:lt] *n* **1** útok **2** přepadení **3** (pokus o) znásilnění ♦ **~ and battery** těžké ublížení na těle • *v* **1** přepadnout **2** (pokusit se) znásilnit (*ženu*)
assemblage [ə'semblidž] montáž
assemble [ə'sembl] **1** shromáždit (se) **2** (s)montovat
assembly [ə'sembli] **1** shromáždění; shromažďování **2** montáž **3** *US, AU* dolní sněmovna ♦ **~ hall** zasedací síň; školní aula; **~ line** montážní linka; **National A~** Národní shromáždění
assent [ə'sent] *n* souhlas **to** s, schválení čeho • *v* souhlasit **to** s, schválit
assert [ə'sə:t] **1** tvrdit **that** že **2** trvat na, prosazovat **3 ~ oneself** prosazovat se, drát se vpřed
assertion [ə'sə:šn] **1** tvrzení **2** prosazování **of** čeho
assess [ə'ses] odhadnout, ocenit **at** na
assessment [ə'sesmənt] **1** (vy)hodnocení, ocenění, odhad **2** výměr (*daně*)
assets [æsets] *pl* aktiva
assiduous [ə'sidjuəs] pilný, vytrvalý
assign [ə'sain] **1** přidělit koho **to** kam; uložit (*úkol*) **to** komu **2** určit, stanovit (**a limit** hranici) **3** přisuzovat **to** čemu, vysvětlovat čím
assignment [ə'sainmənt] **1** (*zadaný*) úkol, pověření **2** stanovení, specifikace
assimilate [ə'simileit] asimilovat (se), přizpůsobit (se) **to / with** čemu
assist [ə'sist] pomoci **sb.** komu **in / with** při / v, asistovat **at** při
assistance [ə'sistəns] pomoc, podpora
assistant [ə'sistənt] **1** pomocník **to** koho, spolupracovník **2** náměstek; **~ manager** náměstek ředitele **3** *též* **shop ~** prodavač(ka)
associate *adj* [ə'səušiit] **1** přidružený **2** mimořádný; **~ professor** *US* docent, mimořádný profesor • *v* [ə'səušieit] **1** spojovat (se), sdružovat (se) **2** stýkat se **with** s
association [əˌsəusi'eišn] spojení; sdružení, asociace; **A~ football** kopaná
assort [ə'so:t] roztřídit, uspořádat, sestavit (*sortiment*)
assorted [ə'so:tid] různých druhů, míchaný, smíšený

assortment [ə'so:tmənt] **1** kolekce **2** sortiment
assume [ə'sju:m] **1** předpokládat; usuzovat, domnívat se **2** převzít (**full responsibility for** plnou odpovědnost za) **3** přijmout (**a new name** nové jméno)
assumption [ə'sampšn] **1** domněnka; předpoklad; **on the ~ that** za předpokladu, že **2** převzetí, uchopení (**of power** moci) **3 The A~** Nanebevzetí Panny Marie
assurance [ə'šuərəns] **1** ujištění, ujišťování **of** čím **2** jistota, důvěra **3** sebedůvěra; domýšlivost, troufalost **4** pojištění; **life ~** životní pojistka
assure [ə'šuə] **1** ujistit, ujišťovat **of** čím **2** zajistit, zaručit **3** pojistit (**sb.'s life** na život **with** u)
asterisk [æstərisk] hvězdička
astonish [ə'stoniš] udivit, naplnit úžasem, překvapit; **be ~ed to see** s úžasem vidět; **be ~ed at the news** být udiven zprávou
astonishment [ə'stonišmənt] úžas; **to my ~** k mému úžasu
astray [ə'strei]: **go ~** zabloudit, ztratit se; **lead ~** svést ze správné cesty
astronaut [æstrəno:t] kosmonaut
astronomer [ə'stronəmə] astronom
astronomic(al) [æstrə'nomik(l)] astronomický
astronomy [ə'stronəmi] astronomie
asylum [ə'sailəm] útočiště; azyl
at [ət] **1** (*o místě*) u, v, ve, při, na; **~ the door** u dveří; **~ the theatre** v divadle; **~ the corner** na rohu; **~ a lesson** při hodině; **~ table** při jídle; **~ Reading** v Readingu; **~ the station** na nádraží; **~ home** doma **2** (*o čase*) v, ve, o, k, ke; **~ night** v noci; **~ three o'clock** ve tři hodiny; **~ that time** v té době, tehdy; **~ the moment** v tomto okamžiku, teď; **~ Christmas** o Vánocích; **~ any moment** kdykoli; **~ (the age of) six** v šesti letech; **~ December 31** *(stav)* k 31. prosinci **3** (*o činnosti*) při, v(e); **~ work** při práci, v zaměstnání **4** (*o stavu*) v(e); **~ war** ve válce; **~ peace** v míru **5** (*o ceně*) po; **~ 10 crowns a piece** po deseti korunách za kus ♦ **what are you ~ now?** čím se teď zabýváte?; **be hard ~ it** pilně pracovat; **be ~ one** být zajedno; **~ full speed** plnou rychlostí; **~ that** *(hovor.)* a k tomu (ještě)
atheist [eiθiist] ateista
athlete [æθli:t] **1** atlet **2** sportovec
athletic [æθ'letik] **1** atletický **2** sportovní
athletics [æθ'letiks] **1** atletika (*zvl. lehká*) **2** sport(ovní činnost)
Atlantic [ət'læntik] *adj* atlantský, atlantický • *n* **the A~** Atlantský oceán
atlas [ætləs] atlas
atmosphere [ætməsfiə] atmosféra, ovzduší
atmospheric [ætməs'ferik] atmosférický
atmospherics [ætməs'feriks] *pl* atmosférické poruchy
atom [ætəm] atom
atomic [ə'tomik] atomový; **~ energy** atomová energie; **~ pile** atomový reaktor; **~ weight** atomová váha
atrocious [ə'traušəs] **1** surový,

brutální 2 (*hovor.*) odporný, hnusný, ohavný
atrocity [ə'trositi] krutost, zvěrstvo
attach [ə'tæč] 1 připojit, přilepit **to** k; ~ **oneself** připojit se **to** k 2 připisovat, přikládat (**much importance to sth.** velkou důležitost čemu) 3 (*vina*) lpět **to** na; (*hana*) padat **on** na 4 (*práv.*) zabavit, obstavit, zkonfiskovat ♦ **be ~ed to** lpět na, lnout k
attachment [ə'tæčmənt] 1 připojení 2 oddanost
attaché [ə'tæšei] atašé, přidělenec; ~ **case** příruční kufřík (*na dokumenty*)
attack [ə'tæk] *n* 1 útok **on** na, **against** proti 2 záchvat (*nemoci*), (*též přen.*) • *v* 1 napadnout, zaútočit na, přepadnout 2 (*nemoc*) postihnout, zachvátit 3 pustit se do
attain [ə'tein] 1 dosáhnout (**one's object** svého cíle) 2 (*vývojem, úsilím*) dospět (**to prosperity** k blahobytu)
attempt [ə'tempt] *n* pokus **at** o ♦ ~ **on sb.'s life** (pokus o) atentát na koho • *v* pokusit se **sth / to do sth.** o co; ~ **sb.'s life** spáchat atentát na koho
attend [ə'tend] 1 věnovat se **to** komu / čemu; **have you been ~ed to?** byl jste už obsloužen? 2 navštěvovat (**school** školu), chodit na (**meetings** schůze) 3 léčit, ošetřovat (**patients** pacienty); pečovat, starat se **on** o 4 hledět si **to** čeho; vyřizovat (**one's correspondence** svou korespondenci)
attendance [ə'tendəns] 1 návštěva **at** kde, docházka do 2 péče; ošetření; **medical** ~ lékařská péče 3 obsluha ♦ **be in** ~ být přítomen **at** kde, mít službu; **hours of** ~ návštěvní hodiny / doba; **the doctor in** ~ službu mající lékař; ~ **list** prezenční listina
attendant [ə'tendənt] *n* 1 sluha, zřízenec; uvaděč, biletář; vrátný, dozorce 2 návštěvník, divák 3 družička • *adj* 1 mající službu 2 průvodní, s tím spojený (**bad weather and its ~ problems** špatné počasí a s tím spojené problémy)
attention [ə'tenšn] 1 pozornost, zaujetí; **pay ~ to** věnovat pozornost čemu; **call / draw sb.'s ~ to sth.** upozornit koho nač 2 pozor (*též voj.*); **stand at / to ~** stát v pozoru
attentive [ə'tentiv] pozorný **to** na / k
attenuate [ə'tenjueit] zeslabit (se), ztenčit (se), zmírnit (se)
attic [ætik] podkrovní místnost, mansarda
attitude [ætitju:d] 1 **to / towards** postoj k, poměr k, osobní reakce na / vůči, stanovisko k / na 2 (*divadelní*) póza
attorney [ə'tə:ni] 1 zmocněnec, plnomocník; **power of ~** plná moc 2 *zvl. US* právní zástupce, advokát; **A~ General** *1.* generální prokurátor *2. US* ministr spravedlnosti
attract [ə'trækt] 1 přitahovat 2 vábit, soustředit na sebe (**attention** pozornost)
attraction [ə'trækšn] 1 přitažlivost; půvab 2 atrakce
attractive [ə'træktiv] přitažlivý, půvabný, lákavý
attribute *n* [ætribju:t] 1 vlastnost, příznak, rys 2 (*jaz.*) přívlastek

• *v* [ə'tribju:t] přisuzovat, připisovat **to** komu / čemu
aubergine [əubəži:n] baklažán
auburn [o:bən] (*vlasy*) kaštanový, zlatohnědý
auction [o:kšn] dražba, aukce; **sell by / at ~** prodat v dražbě
audacious [o:'deišəs] **1** odvážný **2** drzý
audible [o:dibl] slyšitelný
audience [o:diəns] **1** posluchači, diváci, obecenstvo, publikum; čtenářská obec **2** audience **with** u
audio-visual [o:diəu'vižuəl] audiovizuální (**aids** pomůcky)
audit [o:dit] revidovat (*účty*)
audition [o:'dišn] konkursní vystoupení (*umělce*), konkurs
auditor [o:ditə] revizor (*účtů*); auditor
auditorium [o:di'to:riəm] hlediště; posluchárna, sál
August [o:gəst] srpen
aunt [a:nt] teta
au pair [əu'peə] (*zahraniční*) pomocnice v domácnosti (*za byt, stravu a malé kapesné*)
austere [o:'stiə] **1** přísný, strohý, asketický (**life** život) **2** prostý, jednoduchý, střízlivý (**style** sloh)
Australia [o:'streiljə] Austrálie
Australian [o:'streiljən] *adj* australský • *n* Australan
Austria [o:striə] Rakousko
Austrian [o:striən] *adj* rakouský • *n* Rakušan
authentic [o:'θentik] **1** autentický, původní, pravý **2** důvěryhodný **3** věrohodný, věrný (**portrait** portrét)
author [o:θə] autor, tvůrce; spisovatel
authoritative [o:'θoritətiv] **1** autoritativní, směrodatný; úřední **2** autoritářský, panovačný
authority [o:'θoriti] **1** autorita; odborník **on** v / na **2** pravomoc, úřední moc **3 authorities** *pl* úřady
authorize [o:θəraiz] **1** schválit **2** zmocnit; oprávnit
authorship [o:θəšip] **1** autorství **2** (*výdělečná*) literární činnost
autobiography [o:təubai'ogrəfi] vlastní životopis
automatic [o:tə'mætik] **1** automatický **2** bezděčný, samovolný ♦ **~ transmission** automatická převodovka
automation [o:tə'meišn] automatizace
automobile [o:təməu'bi:l] (*zvl. US*) auto
autonomous [o:'tonəməs] samosprávný, autonomní
autonomy [o:'tonəmi] samospráva, autonomie
autopsy [o:təpsi] soudní pitva
autumn [o:təm] podzim (**in ~** na podzim), *též přen.*: **in the ~ of one's life** v podzimu svého života
autumnal [o:'tamnl] podzimní (**equinox** rovnodennost)
auxiliar|y [o:g'ziljəri] *adj* pomocný (**verb** sloveso); nápomocný **to** čemu; výpomocný • *n* **1** pomocník, asistent **2** pomocné zařízení **3 -ies** *pl* (*voj.*) (*spojenecké*) pomocné sbory
avail [ə'veil] *n* užitek, prospěch; **be of / to no ~** nebýt k ničemu • *v* **~ oneself of** použít, využít čeho
available [ə'veiləbl] **1** dostupný, přístupný, po ruce, k dispozici **2** k dostání, na skladě

avalanche [ævəla:nš] lavina
avaricious [ævə'rišəs] lakomý
avenge [ə'vendž] **1** pomstít **2** ~ **oneself** pomstít se **on** komu **for** za
avenue [ævənju:] **1** alej **2** (*městská*) třída (*zvl. lemovaná stromy*), bulvár **3** (*přen.*) cesta
average [ævəridž] *n* **1** průměr; **above** ~ nadprůměrný; **below** ~ podprůměrný; **on** ~ průměrný **2** (*pojišť.*) havárie, pojistná událost • *adj* průměrný • *v* průměrně obnášet / činit; ~ **out** vyrovnat se na průměr, průměrně činit
aversion [ə'və:šn] **1** odpor **to** k, nechuť **2** předmět odporu
avert [ə'və:t] **1** odvrátit **from** od **2** zabránit čemu (**an accident** neštěstí)
aviation [eivi'eišn] letectví
avoid [ə'void] vyhnout se čemu, (vy)varovat se čeho
await [ə'weit] očekávat, čekat na
awake* [ə'weik] *v* **1** probudit (se), procitnout, (*též přen.*) **2** uvědomit si **to** co • *adj* bdící, vzhůru; **be** ~ **to sth.** uvědomovat si co
awaken [ə'weikn] probudit (se), vzbudit (se)
award [ə'wo:d] *n* **1** rozhodnutí (*poroty*) **2** (*udělená*) cena, odměna • *v* **1** přiznat, udělit (*cenu*) **2** (*soudce, rozhodčí*) udělit, nařídit
aware [ə'weə] **1** uvědomělý, informovaný **2** citlivý ♦ **be** ~ **of** uvědomovat si co, být si vědom čeho
away [ə'wei] *adv* **1** pryč **from** od, (*daleko*) odtud **2** pořád, v jednom kuse, neustále; **he was grumbling** ~ pořád mu nebylo něco po chuti ♦ **an** ~ **match** zápas na cizím hřišti; **right / straight** ~ rovnou, hned; **far and** ~ **the best** daleko nejlepší
awe [o:] *n* (*posvátná*) úcta, bázeň • *v* naplnit úctou / bázní
awful [o:ful] hrozný, strašný, (*též přen.*)
awfully [o:fli] (*hovor.*) děsně, hrozně, strašně (**cold** studený, **nice** krásný)
awkward [o:kwəd] **1** nešikovný, nevhodný; dělající potíže (**an** ~ **door to open** dveře, které se špatně otvírají) **2** nemotorný, neobratný, nešikovný **3** nepříjemný, trapný (**silence** mlčení) ♦ **the** ~ **age** telecí léta
awry [ə'rai] nakřivo, křivě ♦ **go** ~ zhatit se
axe, ax *US* [æks] sekera ♦ **get the** ~ (*hovor.*) *1.* dostat padáka *2.* (*plán*) být smeten se stolu (*pro nedostatek financí*); **have an** ~ **to grind** (*hovor.*) ohřívat si svou polívčičku
axis [æksis] osa
axle [æksl] náprava; nosný hřídel
azure [æžə] *n* blankyt, azur • *adj* blankytně modrý, azurový

B

B.A. [bi:'ei] = **Bachelor of Arts** bakalář svobodných umění

babble [bæbl] **1** blábolit **2** žvatlat **3** ~ (**out**) vyzvonit, vykecat (**a secret** tajemství) **4** bublat

babe [beib] **1** dítě **2** *US* (*slang.*) holka, kotě

baboon [bə'bu:n] pavián

baby [beibi] **1** nemluvně, kojenec **2** benjamínek

baby-minder [beibimaində] osoba k dětem

baby-sit* [beibisit] **(tt)** hlídat cizí dítě (*za odměnu*)

baby-sitter [beibisitə] dozor u dítěte

bachelor [bæčlə] **1** svobodný muž, starý mládenec **2** bakalář; **B~ of Science** bakalář přírodních věd

back [bæk] *n* **1** záda; hřbet; **behind one's ~** komu za zády; **turn one's ~ on** obrátit se zády k; **the ~ of one's hand** hřbet ruky **2** opěradlo (**of a chair** židle) **3** druhá / zadní strana, pozadí **4** (*sport.*) obránce • *adj* **1** zadní **2** prošlý, starší; **a ~ number** starší číslo (*časopisu, novin*) • *adv* **1** vzadu, dozadu; **stand ~** ustupte **2** zpět; **there and ~** tam a zpět; **be / come ~** vrátit se; **put it ~** dejte to zpátky **3** před; **20 years ~** před 20 lety; **~ in 1900** již v roce 1900 ♦ **go ~ upon one's word** nedodržet slovo • *v* **1 ~ (up)** podporovat **2** sázet (**a horse** na koně)

back away couvnout **from** před, vycouvat z

back down shýbnout se, podrobit se

back out vycouvat, vyvléknout se, vyzout se **of** z

back up **1** podpírat; podložit; podporovat **2** couvat (**the car** s vozem) **3** (*poč.*) pořídit rezervní kopii, zálohovat

backache [bækeik] bolest v zádech

backbone [bækbəun] páteř ♦ **to the ~** až do morku kostí

backbreaking [bækbreikiŋ] vyčerpávající

backfire [bækfaiə] **1** (*karburátor*) střílet **2** selhat

background [bækgraund] **1** pozadí; **against a dark ~** na tmavém pozadí **2** prostředí (*společenské, rodinné, kulturní*); minulost; výchova, vzdělání

backing [bækiŋ] **1** podpora **2** vyztužení **3** hudební doprovod (*zpěváka*)

backlash [bæklæš] zpětný náraz; prudká reakce

backlog [bæklog] nahromadění práce, nedodělávky

backpack [bækpæk] *n* krosna • *v* jít (a tábořit) s krosnou

backpedal [bæk'pedl] **(ll)** **1** šlapat zpět **2** ustoupit **on** od (*názoru, slibu*)

backside [bæksaid] zadnice

backslide [bæk'slaid] recidivovat

backstage *n* [bæk'steidž] zákulisí • *adj* [bæksteidž] zákulisní • *adv* [bæk'steidž] v zákulisí, (*též přen.*)

backstairs [bæksteəz] tajný, podloudný, skandální; **~ gossip** pavlačové drby

backstroke [bækstrəuk] (*sport.*) plavání naznak, znak
backup [bækap] **1** podpora **2** rezerva, náhrada **3** nahromadění, městnání
backward [bækwəd] *adj* **1** opožděný, zaostalý **2** nesmělý **3** obrácený zpět, zpětný • *adv* ~(s) **1** zpět, dozadu **2** pozpátku ♦ **bend / lean over ~s** div se nepřetrhnout (*horlivostí*)
backwater [bækwo:tə] **1** stojatá voda **2** zapadákov
backwoods [bækwudz] kraj, kde lišky dávají dobrou noc
backyard [bæk'ja:d] dvorek za domem
bacon [beikn] slanina, špek; **~ and eggs** slanina s vejci ♦ **bring home the ~** postarat se o rodinu
bad [bæd] *adj* **1** špatný, zlý **2** (*mravně*) špatný, nemravný **3** zkažený; **go ~** zkazit se **4** nemocný **5** škodlivý **6** vážný, silný, těžký; **a ~ mistake** vážná chyba; **a ~ headache** silné bolení hlavy ♦ **~ blood / feeling** zlá krev; **~ language** *1.* klení, nadávky *2.* oplzlé řeči; **call sb. ~ names** nadávat komu; **a ~ lot** (*hovor.*) ničema; **that's too ~** to je moc zlé; **from ~ to worse** od desíti k pěti; **feel ~** cítit se špatně • *n* **the ~** to zlé; **go to the ~** chátrat
badge [bædž] odznak
badly [bædli] **1** špatně **2** nutně, naléhavě ♦ **be ~ off** mít se špatně
baffle [bæfl] **1** zmást **2** zmařit; **it ~s all description** to se nedá popsat
bag [bæg] *n* **1** pytel, vak; brašna, taška, kabela; pytlík, sáček; cestovní vak, zavazadlo; váček; **~s below the eyes** váčky pod očima **2** lovecká brašna; úlovek **3** (*často*) **old ~** (*hanl.*) stará škatule / čarodějnice **4 ~s** *pl* kalhoty ♦ **~ and baggage** se vším všudy, sakumprásk; **~s of** (*hovor.*) spousty, moře čeho; **~ of bones** kostroun, hubeňour; **it's in the ~** máme vyhráno; **pack one's ~s** sbalit si kufry (*a odejít*) • *v* **(gg) 1** dát do pytle, pytlovat **2** ulovit (*zvíře*); sestřelit (*letadlo*) **3** nahrabat si (*jmění*); štípnout, sebrat, shrábnout (**a prize** cenu)
baggage [bægidž] **1** *zvl. US* zavazadla; **~ room** úschovna zavazadel **2** (*voj.*) bagáž
bagpipes [bægpaips] *pl* dudy
bail [beil] kauce; **release on ~** propustit na kauci; **stand / put up / go ~** složit kauci **for** za
bail out 1 vymoci (*komu*) propuštění na kauci **2** vybírat vodu (*z člunu*)
bait [beit] *n* návnada, vnadidlo • *v* **1** nasadit návnadu **2** týrat, mučit **3** štvát (*zvíře*)
bake [beik] *v* **1** péct (**bread** chléb); (*přen.*) péct se (*horkem*) **2** pálit (**bricks** cihly) **3** opalovat se **4** péct, pálit; **it's baking today!** dneska to ale pálí! • *n* várka, (*jedno*) pečení
baker [beikə] pekař ♦ **~'s dozen** třináct
bakery [beikəri] pekařství, pekárna
balance [bæləns] *n* **1** (*misková*) váha, váhy **2** rovnováha (*též přen.*) **3** *též* **~ sheet** rozvaha, bilance; **strike a ~** sestavit bilanci; **~ of trade** obchodní

bilance 4 zůstatek ♦ **be / hang in the ~** být na vážkách • *v* 1 balancovat 2 vyrovnat (**the budget** rozpočet) 3 být v rovnováze 4 porovnávat **against** s

balcony [bælkəni] balkón

bald [bo:ld] 1 lysý, holý, holohlavý, plešatý 2 (*sloh*) nudný, suchý, suchopárný 3 neomalený (**lie** lež)

baldly [bo:ldli] otevřeně, rovnou

baldness [bo:ldnis] plešatost

bale [beil] žok (**of cotton** vlny)

Balkans [bo:lkənz]: **the ~** *pl* Balkán

ball[1] [bo:l] 1 koule, kulka, kulička 2 míč(ek) 3 klubko 4 **~s** *pl* (*vulg.*) koule (*varlata*) ♦ **~s!** (*vulg.*) blbost!, kecy!, hovno!; **the ~ is in your court** teď jsi na řadě ty; **start the ~ rolling** rozjet to; **be on the ~** rozumět své věci; **play ~** hrát s sebou, spolupracovat; **~ of the foot** bříško chodidla; **on the ~** schopný; bdělý

ball[2] [bo:l] 1 ples, bál 2 velmi příjemná zábava

ballad [bæləd] balada

ballast [bæləst] balast, zátěž

ball bearing [bo:l'beəriŋ] kuličkové ložisko

ballet [bælei] balet

ball game [bo:lgeim] (*hovor.*) 1 *US* baseball 2 situace, věc; **that's a different ~** to je úplně jiná věc

ballistic [bə'listik] balistický

ballistics [bə'listiks] *sg* balistika

balloon [bə'lu:n] *n* 1 balón(ek) 2 bublina (*s textem na karikatuře*) ♦ **the ~ goes up** *1.* balón stoupá *2.* (*přen.*) už to začíná • *v* (*též*) **~ out** nafouknout se, zvětšovat se

ballot [bælət] *n* 1 hlasovací kulička / lístek, kandidátka 2 tajné hlasování, volby; **take a ~** hlasovat 3 počet odevzdaných hlasů • *v* hlasovat **for** pro

ballot box [bælətboks] volební urna

ballpoint [bo:lpoint], **~ pen** [bo:lpoint'pen] kuličkové pero, propiska

ballroom [bo:lrum] taneční sál

ballyhoo [bæli'hu:] dryáčnická reklama

balm [ba:m] balzám

balmy [ba:mi] hojivý

baloney [bæ'ləuni] nesmysl, kecy

Baltic [bo:ltik] baltský, baltický

bamboo [bæm'bu:] bambus

bamboozle [bæm'bu:zl] (*hovor.*) napálit, (o)balamutit

ban [bæn] *n* 1 (úřední) zákaz **on** čeho 2 klatba • *v* (**nn**) zakázat

banal [bə'na:l] banální

banana [bə'na:nə] banán; **~ skin** banánová slupka

band[1] [bænd] 1 pás(ek), páska; obruč 2 řemen; pouto 3 vlnové pásmo

band[2] [bænd] *n* 1 tlupa, banda houf, parta 2 kapela, orchestr (*zvl. taneční*) • *v* (*často*) **~ together** spojit (se), sdružovat se **against** proti

bandage [bændidž] *n* obvaz • *v* obvázat (**a wound** ránu)

bandmaster [bændma:stə] kapelník

bandstand [bændstænd] hudební pavilón

bang [bæŋ] *n* 1 rána, třesk; exploze 2 (*slang.*) šus (*injekce drogy*) 3 (*vulg.*) šoust ♦ **go off with a ~** mít ohromný úspěch • *v* 1 tlouci, bít; praštit 2 uhodit se (**one's**

head do hlavy); prásknout čím (**the door** dveřmi) **3** bušit **into** do **4** třesknout, bouchnout **5** zbít koho **6** (*vulg.*) šoustat **7** (*slang.*) dát si šus (*injekci drogy*)
• *adv* rovnou, přímo, přesně
• *interj* bum!, bác!, prásk!

banish [bæniš] **1** vypovědět (*ze země*) **2** odstranit; pustit z hlavy, zahnat (**gloom** chmury)

banisters [bænistəz] *pl* zábradlí (*schodiště*)

bank[1] [bæŋk] *n* **1** násep, val **2** svah, sklon (*zatáčky*) **3** břeh (*řeky*) **4** návěj (*sněhu*) **5** hradba (*mraků*)
• *v* (*též*) ~ **up** nakupit (se)

bank[2] [bæŋk] **1** banka, (*též přen.*) **2** (*hry*) bank; **break the ~** rozbít bank

banker [bæŋkə] bankéř

banking [bæŋkiŋ] bankovnictví

banknote [bæŋknəut] bankovka

bankrupt [bæŋkrapt] *n* konkursní dlužník, bankrotář, (*též přen.*)
• *adj* insolventní, zkrachovaný, (*též přen.*)
• *v* přivést k úpadku, zkrachovat

bankruptcy [bæŋkrapsi] úpadek, konkurs, bankrot

bank statement [baŋk 'steitmənt] výpis z bankovního účtu

banner [bænə] **1** prapor(ec) **2** standarta **3** transparent (*s heslem*)

banns [bænz] *pl* ohlášky

banquet [bæŋkwit] *n* banket, hostina • *v* pořádat hostinu; zúčastnit se hostiny, hodovat

banter [bæntə] *v* žertovat, vtipkovat • *n* žertování, vtipkování

baptism [bæptizm] křest

baptize [bæp'taiz] (po)křtít

bar [ba:r] *n* **1** tyč; tyčinka; tabulka (*čokolády*); kousek, kostka (*mýdla*) **2** závora; trám, břevno **3** překážka **to** čeho **4** (*hud.*) taktová čára; takt **5** výčep, bar **6 the B~** povolání baristera, právnické povolání; soud **7** prýmek (*na uniformě*) ♦ **behind ~s** za mřížemi
• *v* **(rr)** **1** přehradit, (u)zavřít, zatarasit (**the way** cestu) **2** zakázat (**smoking** kouření) • *prep* kromě, až na; ~ **none** bez výjimky

barbarian [ba:'beəriən] *n* barbar
• *adj* barbarský

barbecue [ba:bikju:] *n* **1** rožeň (*na pečení celých zvířat*); zvíře pečené na rožni **2** posezení (u táboráku) s opékáním masa (na rožni)
• *v* opékat na rožni / na otevřeném ohni

barbed wire [ba:bd'waiə] ostnatý drát

barber [ba:bə] holič

barbershop [ba:bəšop] *US* holičství, holírna

bare [beə] *adj* **1** holý; nahý **2** prostý, pouhý; **a ~ majority** těsná většina; **a ~ 10 pounds** pouhých 10 liber • *v* obnažit, odhalit, odkrýt; **~ one's teeth** vycenit zuby; **~ one's head** smeknout; **~ one's heart** otevřít své srdce

barefaced [beəfeist] nestoudný

barefoot [beəfut], **~ed** [beə'futid] bos(ý)

bareheaded [beə'hedid] prostovlasý

barely [beəli] **1** nuzně **2** sotva, stěží, taktak

bargain [ba:gin] *n* **1** obchodní dohoda **2** výhodná koupě; výhodně koupená věc ♦ **a ~ sale** výprodej; **make / strike a ~** uzavřít dobrý

obchod, dohodnout se; **into the** ~ navíc ještě • *v* **1** dohadovat se, vyjednávat **2** smlouvat **3** očekávat **for** co, počítat s
bargain away zašantročit
barge [ba:dž] říční člun
bark[1] [ba:k] kůra (*stromu*)
bark[2] [ba:k] *n* štěkání, štěkot • *v* štěkat, (*též přen.*) ♦ **~ up the wrong tree** být na špatné adrese
barley [ba:li] ječmen
barn [ba:n] stodola
barometer [bə'romitə] tlakoměr, barometr
baron [bærən] **1** baron **2** magnát
baroque [bə'rok] *n* baroko • *adj* barokní
barracks [bærəks] *sg i pl* kasárny
barrage [bæra:ž] **1** přehrada **2** (*voj.*) uzavírací palba
barrel [bærəl] **1** sud **2** hlaveň (*střelné zbraně*)
barren [bærən] **1** neplodný, neúrodný; **~ land** úhor **2** suchopárný, nezajímavý, planý
barricade [bæri'keid] *n* barikáda • *v* zabarikádovat
barrier [bæriə] **1** závora, přepážka, bariéra, přehrada, (*též přen.*); **language ~** jazyková bariéra **2** překážka **to** čeho
barring [ba:riŋ] kromě
barrister [bæristə] *GB* barister, advokát
barrow [bærəu] **1** kolečko, trakař **2** *zvl. GB* kára, dvoukolový vozík (*zvl. jako prodejní stánek s plachtou*)
barter [ba:tə] *v* **1** směňovat zboží **for** za **2** smlouvat • *n* výměnný obchod, směna (*zboží, též přen.*)
base[1] [beis] *n* základ; základna ♦ **be off ~** *US* (*hovor.*) být úplně vedle (*na omylu, nepřipravený*) • *v* **1** založit, zakládat **(up)on** na; **be ~d on** zakládat se na **2 ~ oneself on** spoléhat se na • *adj* **1** základní **2** opěrný
base[2] [beis] **1** nízký, nečestný, podlý **2** falešný (**coin** mince)
baseless [beislis] neopodstatněný
baseline [beislain] základní čára (*např. v tenise*)
basement [beismənt] suterén
bash [bæš] (*hovor.*) *v* **1** praštit, bacit; mlátit, bušit do (**the typewriter** psacího stroje) **2** narazit **into / against** na / do • *n* **1** úder, šupa **2** zábava, večírek; **have a ~ at** zkusit (si) co
bashful [bæšful] stydlivý, upejpavý
basic [beisik] základní, elementární ♦ **~ industry** těžký průmysl
basically [beisikli] v podstatě
basin [beisn] **1** nádrž, bazén; umyvadlo **2** miska; pánev (*též geol.*) **3** povodí
basis [beisis] základ(na)
bask [ba:sk] slunit se, (*též přen.*)
basket [ba:skit] koš, (*též přen.*), košík
basketball [ba:skitbo:l] košíková, basket(bal)
bass [beis] *n* **1** bas **2** basista • *adj* basový
bassoon [bə'su:n] fagot
bastard [bæstəd] *adj* **1** nemanželský **2** nepravý, falešný; zvrhlý • *n* **1** nemanželské dítě, bastard; kříženec **2** (*slang.*) parchant, rošťák, hajzl, pacholek (*často též mazlivě*) **3** nepříjemnost; **a ~ of a rain** potvora déšť
bat[1] [bæt] netopýr

♦ **he has ~s in the belfry** přeskočilo mu, straší mu ve věži
bat[2] [bæt] *(sport.)* pálka
♦ **off one's own ~** bez cizí pomoci, z vlastní vůle; **off the ~** (*hovor.*) v cuku letu
bat[3] [bæt] **(tt)**: **not ~ an eyelid** ani nemrknout
batch [bæč] **1** kupa **2** várka; skupina, série
bated [beitid]: **with ~ breath** se zatajeným dechem
bath [ba:θ] *n* **1** vana; vanová lázeň, koupel; **have / take a ~** vykoupat se **2 ~s** [ba:ðz] *pl* lázně
• *v* (vy)koupat se (*ve vaně*)
bathe [beið] *v* **1** (vy)koupat se (*v řece, moři apod.*)
2 (vy)koupat (**one's eye** oko)
3 omývat (*břehy*)
• *n* koupel, vykoupání, lázeň; **go for / have a ~** jít se koupat
bathing dress / suit [beiðiŋ dres / sju:t] plavky
bathroom [ba:θrum] **1** koupelna **2** *US* toaleta
bathtub [ba:θtab] vana
baton [bætən] **1** (*policejní*) obušek, pendrek **2** taktovka, kapelnická hůl **3** (*štafetový*) kolík
battalion [bə'tæljən] (*voj.*) prapor
batter[1] [bætə] **1** bušit **at / on** do **2** tlouct, otloukat
batter[2] [bætə] šlehané / třené těsto
battered [bætəd] otlučený; opotřebovaný, obnošený, pomačkaný
battery [bætəri] *n* baterie • *adj* bateriový, na baterky (**set** přijímač)
battle [bætl] *n* bitva; boj **for** o; **the ~ of Britain** bitva o Británii
• *v* bojovat **against** proti
bawdy [bo:di] rozverný; (*vesele*) oplzlý, košilatý (**jokes** vtipy)
bawl [bo:l] křičet, řvát, hulákat
bay[1] [bei] vavřín; **~ leaf** bobkový list
bay[2] [bei] mořský záliv, chobot
bay[3] [bei] **1** výklenek **2** *též* **~ window** arkýřové okno
bay[4] [bei] *n* štěkot
♦ **hold / keep at ~** držet v šachu
• *v* štěkat
bayonet [beiənit] bodák, bajonet; bajonetový uzávěr
bazaar [bə'za:] bazar
BBC [bi:bi:'si] = **British Broadcasting Corporation** Britská rozhlasová společnost
B.C. [bi:'si:] = **Before Christ** před Kristem (*letopočet*)
B/E = **Bill of Exchange** směnka
be* [bi:] **1** být **2** stát kolik; **how much is it?** kolik to stojí? ♦ **I am to see him tomorrow** mám ho zítra navštívit; **it was not to be found** nedalo se to najít; **don't ~ long** nebuď tam dlouho; **~ it ...** ať už jde o ...; **the mayor to ~** budoucí starosta; **a would-~ poet** rádoby básník; **has the postman been yet?** už tady byl listonoš?
beach [bi:č] pláž
beacon [bi:kən] světelný signál; světlo na přechodu pro chodce
bead [bi:d] **1** kulička, korálek **2** kapka
beak [bi:k] zobák
beaker [bi:kə] pohárek
beam [bi:m] *n* **1** trám **2** paprsek
• *v* zářit (**with satisfaction** spokojeností)
bean [bi:n] **1** bob, fazole **2** kávové zrno **3** (*hovor.*) peníze; **I haven't a ~** nemám ani floka **4** *US* (*slang.*) palice, kokos (*hlava*)

bear[1] [beə] medvěd; **Great / Little B~** Velká / Malá medvědice
bear[2]* [beə] **1** nést **2** snášet, trpět; **I can't ~ him** nemohu ho vystát **3 ~ oneself** chovat se **4** (po)rodit **5** vést, zahýbat, dát se; **the road ~s to the left** cesta zahýbá vlevo ♦ **~ on sth.** týkat se čeho
bear out potvrdit, podepřít (**a statement** tvrzení)
bearable [beərəbl] snesitelný
beard [biəd] *n* vous, vousy • *v* odvážně se postavit komu
beardless [biədlis] bezvousý
bearer [beərə] **1** nositel **2** doručitel
bearing [beəriŋ] **1** ložisko **2** vztah (**up**)**on** k, spojitost s, dosah **of** čeho **3** držení těla; chování **4** (*zprav.*) **~s** *pl* poloha, směr; **take one's ~s** orientovat se; **lose one's ~s** ztratit orientaci
beast [bi:st] (*čtvernohé*) zvíře, šelma, bestie, (*též přen.*)
beastly [bi:stli] *adj* **1** zvířecký, surový, brutální, bestiální **2** (*hovor.*) ohavný, mizerný • *adv* ohavně, hnusně, jako zvíře (**drunk** opilý)
beat* [bi:t] *v* **1** bít, tlouct; klepat; šlehat (**the eggs** vejce) **2** (*slunce*) pražit **3** prohledat (**the wood** les); prošlapat (**the path** cestu) **4** porazit, zdolat, zvítězit nad (**at tennis** v tenisu) ♦ **there's nothing to ~ it** tomu se nic nevyrovná; **~ a record** překonat rekord; **~ time** udávat takt; **~ about the bush** chodit okolo horké kaše; **~ it!** *US* (*hovor.*) zmiz! • *n* **1** úder; tep, puls; tikot, tlukot **2** rytmus, takt, tempo; rock, beat **3** obchůzka; obvod, rajón **4** (*hovor.*) píseček, parketa (*obor*); **that is outside my ~** to není moje parketa • *adj* **1** beatový **2** (*často*) **dead ~** (*slang.*) vyplivnutý, úplně vyčerpaný
beat down 1 vyrazit (**the door** dveře) **2** usmlouvat (**the price** cenu **to** na)
beat up 1 surově zbít **2** ušlehat (**an egg** vejce) **3** vybičovat (**enthusiasm** nadšení)
beaten [bi:tn] **1** zbitý **2** tepaný **3** vyšlapaný; **keep to the ~ track** jít po vyšlapané cestě
beating [bi:tiŋ] **1** bití, výprask **2** porážka; **take a lot of / some ~** být těžko k překonání
beautician [bju:'tišn] kosmetik, kosmetička
beautiful [bju:tiful] krásný
beauty [bju:ti] **1** krása **2** kráska, krasavec ♦ **Sleeping B~** Šípková Růženka; **~ sleep** první spánek (*před půlnocí*)
beaver [bi:və] bobr
because [bi'koz] protože; **~ of** pro co, kvůli komu / čemu
beckon [bekn] pokynout, pokývnout **to** komu
become* [bi'kam] **1** stát se (*jakým, čím*); **~ accustomed to** zvyknout si na **2** stát se **of** s, být z; **what will ~ of the child?** co z toho dítěte bude? **3** slušet komu
becoming [bi'kamiŋ] slušivý
bed [bed] *n* **1** postel, lůžko; **go to ~** jít spát; **be in ~** ležet (*pro nemoc*); **take to / keep one's ~** zůstat v posteli (*pro nemoc*); **make the ~** ustlat **2** dno (*toku, moře*) **3** záhon **4** ložisko, sloj **5** podložka, podklad

♦ ~ **and board** nocleh se stravou
• *v* **(dd)** **1** uložit, dát nocleh komu; dostat do postele (*dívku*) **2** jít / chodit spát (**early** brzy) **3** pevně usadit, uložit **in** kde
bed-clothes [bedkləuðz] *pl* ložní prádlo, povlečení; lůžkoviny
bedding [bediŋ] **1** lůžkoviny, ložní souprava (*matrace, ložní prádlo atd.*) **2** podestýlka **3** podklad
bedevil [bi'devl] **(ll)** **1** sužovat, trápit **2** zmást, (z)komplikovat
bedfellow [bedfeləu] **1** spolubydlící **2** společník, kamarád
bedridden [bedridn] upoutaný na lůžko; **be ~ with / by flu** ležet s chřipkou
bedroom [bedrum] *n* ložnice
• *adj* **1** ložnicový, jen k přespání **2** postelový (**comedy** komedie)
bedside [bedsaid] *n* místo u lůžka (**at his ~** u jeho postele)
• *adj* (*četba*) lehký, zábavný
bedsitter [bed'sitə] *(hovor.),* **bedsitting room** [ˌbedsitiŋ 'rum] obytná ložnice
bedspread [bedspred] pokrývka na postel, přehoz
bedstead [bedsted] postel (*bez lůžkovin*)
bedtime [bedtaim] doba, kdy je čas jít spát; ~ **story** pohádka na dobrou noc
bee [bi:] včela
♦ **have a ~ in one's bonnet about** být posedlý myšlenkou na
beech [bi:č] *n* buk • *adj* bukový
beef [bi:f] *n* **1** hovězí maso **2** (*hovor.*) svaly, síla
• *v* (*slang.*) runcat **about** kvůli
beef up vylepšit
beefsteak [bi:fsteik] hovězí řízek, biftek, roštěnka
beef stock [bi:fstok] hovězí vývar / bujón
beehive [bi:haiv] úl, (*též přen.*)
beeline [bi:lain] přímá čára, vzdušná čára ♦ **make a ~ for** hnát se přímo kam
beep [bi:p] *v* pípat • *n* pípání
beer [biə] pivo; ~ **mat** pivní tácek
♦ **life is not all ~ and skittles** život není pořád jenom samá zábava
beet [bi:t] **1** červená řepa **2** cukrovka; ~ **sugar** řepný cukr
beetle [bi:tl] brouk; šváb
beetroot [bi:tru:t] červená řepa (*stolní*)
before [bi'fo:] *prep* **1** před (*o čase*); ~ **the war** před válkou; **the day ~ yesterday** předevčírem; ~ **long** zanedlouho, brzy **2** před (*o místě*); ~ **my eyes** před mýma očima
• *adv* (již) dříve, předtím; **the day ~** den předtím; **long ~** dávno předtím; **never ~** ještě nikdy
• *conj* (dříve) než, spíše než
beforehand [bi'fo:hænd] **1** předem; **book seats ~** koupit lístky předem **2** předtím, dříve
beg [beg] **(gg)** **1** žebrat **for** o **2** (*naléhavě*) žádat, prosit o; **I ~ your pardon** *1.* promiňte 2. prosím? **3** dovolit si; **I ~ to differ** dovoluji si nesouhlasit
beggar [begə] **1** žebrák **2** *(hovor.)* chlapík, človíček; **you lucky ~ !** ty máš z pekla štěstí!
begin* [bi'gin] **(nn)** začít; **to ~ with** předně
beginner [bi'ginə] začátečník
beginning [bi'giniŋ] začátek; **at**

the ~ of na začátku čeho; **in the ~** zpočátku; **from ~ to end** od začátku do konce
behalf [bi'ha:f]: **on / *US* in ~ of** pro koho, za, v zájmu, jménem; kvůli komu
behave [bi'heiv] **1** chovat se (**well** dobře, **badly** špatně); **~ oneself** chovat se slušně **2** reagovat; (*stroj*) fungovat
behaviour [bi'heivjə] chování **towards** k / vůči
behind [bi'haind] *prep* za; **~ your back** za tvými zády ♦ **~ time** opožděný; **he is ~ the times** zaspal dobu • *adv* vzadu; **be ~ with / in sth.** být pozadu s čím / v čem • *n (hovor.)* zadek, prdýlka
beige [beiž] béžový
being [bi:iŋ] **1** bytí; **come into ~** vzniknout **2** bytost; **a human ~** člověk
belated [bi'leitid] **1** opožděný **2** pozdní, zastižený tmou
belch [belč] **1** chrlit (**smoke** kouř) **2** říhat
belfry [belfri] **1** zvonice **2** kostelní věž
Belgian [beldžən] *adj* belgický • *n* Belgičan
Belgium [beldžəm] Belgie
belief [bi'li:f] **1** víra **in** v; **beyond / past ~** neuvěřitelný **2** přesvědčení ♦ **to the best of my ~** podle mého nejlepšího svědomí
believe [bi'li:v] **1** věřit; **~ or not** věřte tomu nebo ne **2** domnívat se, myslit **3 ~ in** věřit v / na; **I don't ~ in sport** já na sport nevěřím
belittle [bi'litl] **1** podceňovat, bagatelizovat **2** zastiňovat
bell [bel] **1** zvon(ek) **2** rolnička **3** (*sport.*) gong
bellboy [belboi] hotelový poslíček, pikolík
bellow [beləu] **1** bučet **2** křičet, řvát
bellows [beləuz] *pl* měch(y)
belly [beli] **1** břicho, (*též přen.*) **2** žaludek
belong [bi'loŋ] náležet, patřit
belongings [bi'loŋiŋz] *pl* majetek
beloved [bi'lavid] milovaný
below [bi'ləu] *prep* pod; **~ zero** pod nulou; **~ the average** pod průměrem; **it is ~ my dignity** je to pod moji důstojnost • *adv* **1** dole **2** níže, dále v textu; **as stated ~** jak je uvedeno níže
belt [belt] *n* **1** pás, opasek **2** pásmo (**of high pressure** vysokého tlaku) **3** hnací řemen **4** *též* **highway ~** dopravní okruh • *v* **1** připevnit pásem **2** zbít, spráskat
belt up **1** (*slang.*) zavřít klapačku, kušovat **2** (*hovor.*) připoutat se (*v autě, letadle*)
belting [beltiŋ] výprask
bench [benč] **1** lavice, lavička; (*sport.*) střídačka **2** ponk **3 the ~** soud
bend* [bend] *v* **1** ohnout (se) **2** shýbnout se **3** zahýbat, odbočovat • *n* **1** ohyb **2** zatáčka
beneath [bi'ni:θ] *prep* pod ♦ **it is ~ me / my dignity** to je pod moji důstojnost; **~ contempt** pod veškerou kritiku • *adv* dole, vespod
beneficial [beni'fišl] blahodárný (**to the health** pro zdraví)

beneficient [bi'nefišnt] dobročinný
benefit [benifit] *n* **1** užitek, prospěch; **for your** ~ ve tvůj prospěch; **of (much)** ~ **to** prospěšný pro; **a** ~ **performance** benefice; **2** dobrodiní; **a** ~ **concert** dobročinný koncert **3** podpora; **unemployment** ~ podpora v nezaměstnanosti; **sickness** ~ nemocenské • *v* prospět, udělat dobře komu; **fresh air will** ~ **you** čerstvý vzduch ti prospěje; ~ **by / from** mít prospěch z
benevolence [bi'nevələns] blahovůle, laskavost; projev shovívavosti
benign [bi'nain] **1** laskavý, vlídný, dobrotivý **2** (*klima*) mírný **3** (*med.*) benigní, nezhoubný
bent [bent] *adj* **1** ohnutý, zakřivený **2** zaměřený **(up)on** na, náchylný k, usilující o; **be** ~ **on** usilovat o, vzít si do hlavy co **3** (*slang.*) křivácký; zkorumpovaný • *n* sklon **for / to** k, dispozice pro
bequeath [bi'kwi:ð] odkázat (*závětí*) **to** komu
bequest [bi'kwest] odkaz (*závětí*)
bereavement [bi'ri:vmənt] bolestná ztráta
beret [berei] baret, rádiovka
berry [beri] bobule
berth [bə:θ] **1** lůžko (*na lodi, ve vlaku*) **2** přístaviště, kotviště **3** (*pracovní*) místo, zaměstnání ♦ **give a wide** ~ **to sth.** zdaleka se vyhnout čemu
beside [bi'said] vedle, u, při; **sit** ~ **me** sedni si vedle mne ♦ **this is** ~ **the point** to nepatří k věci; **be** ~ **oneself** být bez sebe (**with joy** radostí)
besides [bi'saidz] *prep* kromě, mimo • *adv* kromě toho, mimo to, ještě navíc, k tomu; ostatně
besiege [bi'si:dž] obléhat
bespectacled [bi'spektəkld] obrýlený
bespoke [bi'spəuk] zakázkový (**suit** oblek, **tailor** krejčí)
best [best] *adj* nejlepší ♦ ~ **man** ženichův svědek; **the** ~ **part of an hour** skoro hodina; **do one's** ~ snažit se; **to the** ~ **of my knowledge** pokud vím; **make the** ~ **of sth**. využít čeho • *adv* **1** nejlépe; **as** ~ **you can** jak nejlépe umíš **2** nejvíce, nej-; **the** ~ **hated man in the country** nejnenáviděnější člověk v zemi • *n* **1 the** ~ to / ten / ta nejlepší **of** z **2 one's** ~ to nejlepší, maximum ♦ **all the** ~ všechno nejlepší (*přání*); **at** ~ *1.* v nejlepším případě *2.* nanejvýš; **get the** ~ **of** zvítězit nad; **make the** ~ **of** *1.* využít čeho *2.* smířit se s čím; **make the** ~ **of a bad job** zachránit, co se dá; **my (Sunday)** ~ moje sváteční šaty • *v* vyzrát na
bestial [bestiəl] bestiální
bestow [bi'stəu] **1** poskytnout; udělit **2** umístit, položit, složit kam
bestseller [best'selə] **1** bestseller (*kniha, která jde na dračku*) **2** autor bestselleru
bet* [bet] *v* **(tt) 1** sázet, vsadit (*peníze*) **on** na **2** sázet se ♦ **you** ~ *(hovor.)* to si můžeš být jist; **you can** ~ **your life** na to můžeš vzít jed • *n* sázka
betray [bi'trei] **1** zradit **2** prozradit, prozrazovat, dávat najevo

betrayal [bi'treiəl] **1** zrada **2** prozrazení
better [betə] *adj* lepší ♦ **no ~ than** o nic lepší než; **know ~** mít lepší rozum; **he is ~ today** je mu dnes lépe • *adv* lépe, raději; více; **you had ~ go** bylo by lépe, kdybys šel; měl bys raději jít • *n* **the ~** (ten) lepší; **he is my ~** je lepší než já ♦ **for ~ or worse** v dobrém i ve zlém; **get the ~ of** (*city*) přemoci koho, ovládnout koho, zvítězit nad kým (*v soutěži*) • *v* zlepšit; **~ oneself** polepšit se
betterment [betəmənt] zlepšení
between [bi'twi:n] *prep* **1** mezi (*dvěma*); **there is no love lost ~ them** nemají se rádi **2** dohromady; **we had five pounds ~ us** měli jsme dohromady pět liber • *adv* **1** mezi čím **2** uprostřed, doprostřed
beverage [bevəridž] nápoj
beware [bi'weə] dát si pozor **of** na
bewilder [bi'wildə] zmást, vyvést z míry
bewilderment [bi'wildəmənt] zmatek
bewitch [bi'wič] očarovat, okouzlit
beyond [bi'jond] *prep* **1** za (**the bridge** mostem) **2** nad (**one's income** svoje příjmy) **3** (*po záporu*) kromě; až na, nic než ♦ **that's going ~ a joke** tady přestává legrace; **it's quite ~ me** to mi vůbec nejde na rozum; **~ repair** neschopný opravy • *adv* **1** na druhé straně, v dálce **2** navíc, nadto • *n* **the (great) ~** onen svět
bias [baiəs] *n* **1** sklon, záliba **toward** k / pro **2** předpojatost **against** proti ♦ **on the ~** šikmo, napříč, diagonálně • *v* ovlivnit (*zvl. nepříznivě*) **against** proti
bib [bib] slintáček
Bible [baibl] bible
bibliography [bibli'ogrəfi] bibliografie
bicarb [baika:b] užívací soda
bicycle [baisikl] *n* jízdní kolo • *v* jezdit na kole
bid* [bid] *v* **(dd)** **1** nabídnout (*cenu*) **2** (po)přát (**good morning** dobré jitro); nařídit, přikázat • *n* **1** nabídka (*při dražbě*) **of** kolik **for** za **2** ucházení se **for** o
big [big] **(gg)** *adj* **1** velký **2** starší, dospělý **3** báječný (**idea** nápad) ♦ **the ~ toe** palec u nohy; **~ business** velkopodnikání; **~ with child** těhotná • *adv* **1** velkohubě; **talk ~** naparovat se **2** ohromně, skvěle
Big Dipper [big'dipə] **1** horská dráha **2** (*hvězd.*) Velký vůz
big wheel [big'wi:l] ruské kolo
bike [baik] (*hovor.*) *n* kolo • *v* jezdit na kole
bilberry [bilbəri] (*evropská*) borůvka
bile [bail] **1** žluč **2** žlučovitost
bilingual [bai'liŋgwəl] dvoujazyčný
bilious [biljəs] **1** žlučníkový **2** žlučovitý
bill[1] [bil] zobák
bill[2] [bil] *n* **1** účet; účtenka; **the ~, please** platit! **2** oznámení, divadelní cedule; plakát; **stick no ~s** lepení plakátů zakázáno **3** návrh zákona **4** *US* bankovka ♦ **~ of exchange** směnka; **~ of fare** jídelní lístek • *v* **1** předložit účet komu **2** veřejně

oznámit **3** dát na program **4** obsadit (*herce*) do role **as** jako
billboard [bilbo:d] velká plakátovací plocha, bilbord
billiards [biljədz] *sg* kulečník
billion [biliən] **1** *GB* bilión **2** *US* miliarda
billy goat [biligəut] kozel
bin [bin] **1** nádoba **2** *též* **dust / rubbish** ~ popelnice **3** truhla; koš
bind* [baind] *v* **1** (s)vázat, (*též přen.*); zavázat **2** spojit **3** zavázat se (*právně*); ~ **oneself to do sth.** zavázat se k čemu / že ♦ **I'll be bound** na to dám krk; **he is bound up in his work** je úplně zabrán do práce • *n* (*hovor.*) šlamastyka
binding [baindiŋ] *n* **1** vazba **2** vázání (*též lyžařské*) • *adj* závazný **on** pro
binoculars [bi'nokjuləz] *pl* triedr
biography [bai'ogrəfi] životopis
biology [bai'olədži] biologie
birch [bə:č] *n* bříza • *adj* březový • *v* (z)mrskat březovou metlou
bird [bə:d] **1** pták; ~ **of prey** dravý pták; ~ **of passage** stěhovavý pták ♦ **kill two ~s with one stone** zabít dvě mouchy jednou ranou; **~'s-eyeview** pohled z ptačí perspektivy **2** (*hovor.*) ptáček, pavouk, patron; **a queer** ~ divný patron
biro [biərəu] kuličkové pero, propiska
birth [bə:θ] **1** narození; porod; **be present at** ~ být přítomen při porodu; **give ~ to** porodit koho **2** vznik, původ; **by** ~ rodem
birth control ['bə:θ kən,trəul] prevence početí, antikoncepce
birthday [bə:θdei] narozeniny
birthplace [bə:θpleis] rodiště
birthrate [bə:θreit] porodnost
biscuit [biskit] *GB* keks, suchar, sušenka
bishop [bišəp] **1** biskup **2** střelec (*v šachu*)
bit [bit] **1** kousek **2** chvilka, okamžik **3** *US* 1/8 dolaru ♦ ~ **by** ~ kousek po kousku, postupně; **a ~ tired** trochu unaven; **wait a** ~ počkej chvilku; **not a** ~ vůbec ne; **a ~ of good news** dobrá zpráva
bitch *n* [bič] **1** fen(k)a **2** (*hanl.*) mrcha, bestie, děvka, čubka • *v* stále nadávat
bite* [bait] *v* **1** kousat; ~ **one's lips** kousat se do rtů; ~ **at** chňapnout po; ~ **off** ukousnout **2** kousnout, štípnout, bodnout **3** štípat, pálit **4** zabrat; **the wheel would not** ~ kolo nechtělo zabrat • *n* **1** kousnutí, štípnutí, uštknutí **2** sousto; **I haven't had a ~ since early morning** od rána jsem neměl v ústech; **have a little ~ of sth.** sněz si něco malého
biting [baitiŋ] řezavý, kousavý, štiplavý; sarkastický
bitter [bitə] *adj* **1** hořký **2** trpký, (*též přen.*); **to the ~ end** až do trpkého konce **3** řezavý (**wind** vítr) **4** krutý • *n* **1** *GB* (*druh světlého piva*) **2 ~s** *sg,pl* hořká, žaludeční likér
bituminous coal [bi'tju:minəs kəul] černé uhlí
B.L. [bi:'el] = **Bachelor of Law** bakalář práv
black [blæk] *adj* černý ♦ **be ~ and blue** být samá modřina; **in ~ and white** černé na bílém; **give sb. a ~ look** zle se na koho podívat

• *n* 1 čerň; **dressed in ~** oblečený v černém 2 černoch • *v* načernit; začernit
black out 1 zatemnit 2 omdlít 3 potlačit (*zprávu*)
blackberry [blækbəri] ostružina
blackbird [blækbə:d] kos
blackboard [blækbo:d] školní tabule
blackcurrant [blæk'karənt] černý rybíz
blacken [blækn] 1 černat 2 načernit 3 očernit
blackjack [blækdžæk] 1 pirátská vlajka 2 *US* obušek; zabiják (*obušek plněný olovem*) 3 jednadvacet (*karetní hra*)
blackleg [blækleg] stávkokaz
black-list [blæklist] *n* černá listina • *v* dát na černou listinu
blackmail [blækmeil] *n* vydírání, vyděračství • *v* vydírat
blackout [blækaut] *n* 1 dočasná ztráta paměti / vědomí 2 zatemnění; náhlá tma (*na jevišti*); přerušení vysílání 3 potlačení informací • *v* zatemnit
black pudding [ˌblæk'pudiŋ] 1 jelito 2 tmavá tlačenka
blacksmith [blæksmiθ] kovář
black tie [ˌblæk'tai] černý motýlek (*ke smokingu*); (*přen.*) smoking
bladder [blædə] 1 měchýř 2 duše (*míče*)
blade [bleid] 1 čepel, ostří 2 čepelka, žiletka 3 stéblo (**of grass** trávy) 4 list (*pily, vrtule*); lopatka (*vesla*)
blame [bleim] *v* vinit, dávat vinu; svádět **sb. for sth. / sth. on sb.** co na koho; **who is to ~ ?** čí je to vina? • *n* 1 hana 2 vina; **put / lay the ~ for sth. on sb.** dávat vinu komu zač
blameworthy [bleimwə:ði] zasluhující výtku, vinný, odpovědný
bland [blænd] fádní, neslaný nemastný, (*též přen.*)
blank [blæŋk] *adj* 1 prázdný, nepopsaný 2 nevyplněný 3 bezvýrazný
♦ **~ cartridge** slepý náboj
• *n* 1 prázdnota 2 prázdné místo, mezera 3 *US* blanket
blanket [blæŋkit] *n* vlněná přikrývka, houně, (*též přen.*)
♦ **a wet ~** suchý patron, suchar
• *adj* paušální • *v* přikrýt; pokrýt
blare [bleə] troubit, vřeštět, vřískat; *též* **~ out** vyřvávat, vytrubovat
blasphemy [blæsfəmi] rouhání
blast [bla:st] *n* 1 náraz větru 2 výbuch, exploze, (*též přen.*); vzduchová vlna 3 tah (*pece*); **~ furnace** vysoká pec 4 zvuk (*trubky, rohu*) ♦ **(at / in) full ~** naplno, plnou parou, na celé kolo
• *v* 1 vyhodit do vzduchu, trhat (*trhavinami*) 2 spálit (*mrazem, bleskem*); rozdrtit, (*též přen.*)
♦ **~ it!** (*hovor.*) čert aby to vzal!
blatant [bleitənt] očividný, nehorázný (**lie** lež)
blaze [bleiz] *n* 1 plamen 2 požár 3 záře 4 výbuch (**of anger** vzteku) ♦ **a ~ of lights** moře světel
• *v* 1 plápolat, hořet; *též* **~ up** vzplanout 2 zářit (*barvami*)
blazer [bleizə] sportovní sako, blejzr
bleach [bli:č] *v* 1 bílit (se) 2 odbarvit (*vlasy*) • *n* bělidlo
bleak [bli:k] 1 pustý, ponurý

2 (*počasí*) syrový, drsný, větrný a studený

bleary [bliəri] (*zrak*) unavený, zakalený

bleed* [bli:d] **1** krvácet; **~ to death** vykrvácet **2** odebrat krev, pouštět žilou komu

blemish [blemiš] *n* **1** vada **2** skvrna; **without a ~** bez poskvrny • *v* poskvrnit, pošpinit, očernit

blend* [blend] *v* **1** (s)míchat (se), mísit (se) **2** hodit se k sobě, ladit dohromady • *n* směs

bless [bles] **1** (po)žehnat komu / čemu / co **2** velebit **3 ~ oneself** pokřižovat se
♦ **B~ me!**, **B~ my soul!** Můj ty Bože!; **be ~ed with good health** těšit se dobrému zdraví

blessed [blesid] **1** blahoslavený **2** požehnaný **3** (*hovor.*) prokletý
♦ **not a ~ soul** ani živá duše

blessing [blesiŋ] **1** požehnání **2** milost; štěstí **3** modlitba před jídlem, (*též přen.*)
♦ **~ in disguise** štěstí v neštěstí

blind [blaind] *adj* **1** slepý; **~ in one eye** slepý na jedno oko; **~ to sb.'s faults** slepý k něčím chybám **2** nečitelný; (*dopis*) nedoručitelný **3** neviditelný (**stitch** steh)
♦ **turn a ~ eye to sth.** přimhouřit oko nad čím, snažit se nevidět co; **~ drunk** *(slang.)* opilý na mol; **~ flying** létání naslepo
• *n* **1** roleta; žaluzie **2 the ~** *pl* slepci **3** (*fot.*) clona
• *v* **1** oslepit **2** oslnit, (*též přen.*)

blindfold [blaindfəuld] *v* zavázat oči komu • *adv* se zavázanýma očima, poslepu

blind spot [blaind 'spot] slepé místo (*na sítnici, špatně viditelné místo ve zpětném zrcátku*), slabina (*mezera ve vědomostech*)

blink [bliŋk] *v* **1** mrkat, mrknout **at** na **2** mžourat **at** na **3** (*světlo*) blikat **4** nevidět, přehlížet, zavírat oči **at** před
• *n* **1** mrknutí **2** záblesk

blinkers [bliŋkəz] **1** klapky na oči **2** *US* blinkry (*auta*)

bliss [blis] blaženost, blaho

blister [blistə] puchýř

blistering [blistəriŋ] **1** pekelný (**speed** rychlost, **heat** vedro) **2** sžíravý (**criticism** kritika)

blitz [blic] *n* bleskový útok (*zvl. letecký*) • *v* bombardovat

blizzard [blizəd] sněhová bouře, vánice

bloated [bləutid] napuchlý, nadmutý, nafouklý, (*též přen.*); **~ prices** vyšroubované ceny

block [blok] *n* **1** špalek **2** blok, kvádr **3** poznámkový blok **4** blok (*sedadel, akcií, domů*); **a ~ of flats** nájemný dům, činžák **5** překážka, zátaras, dopravní zácpa **6** stavební / stavebnicová kostka; **~s** *pl* stavebnice, kostky (*hračka*) ♦ **~ letters** tiskací / hůlková písmena
• *v* zatarasit, blokovat, ucpat

block off zablokovat, uzavřít (**the road** silnici)

blockade [blo'keid] *n* blokáda; **raise / lift the ~** zrušit blokádu
• *v* uzavřít blokádou

blockage [blokidž] **1** blokování **in** čeho **2** překážka

blockhead [blokhed] hlupák, tupec

bloke [bləuk] *GB* (*hovor.*) muž, člověk, chlap

blond [blond] plavý, světlovlasý

blonde [blond] plavovláska, blondýna
blood [blad] krev, (*též přen.*)
♦ **~ count** krevní obraz; **~ donor** dárce krve; **~ group** krevní skupina; **~ poisoning** otrava krve; **~ vessel** céva
bloodhound [bladhaund] **1** (*rasa psa*) **2** (*přen.*) slídil, čmuchal
bloodshed [bladšed] krveprolití
bloodshot [bladšot] krví podlitý
bloodthirsty [bladθə:sti] krvežíznivý, krvelačný, (*též přen.*); **~ movie** film-krvák
bloody [bladi] **1** zakrvácený, krvácející **2** potřísněný krví, krvavý **3** zatracený, pitomý
bloom [blu:m] *n* **1** květ; **the roses are in full ~ now** růže jsou teď v plném květu **2** rozkvět, rozmach **3** pel, půvab • *v* (roz)kvést, (*též přen.*), vykvést **into** v
blossom [blosəm] *n* květ(y) (*na stromě*); **be in ~** kvést • *v* kvést
blossom out rozkvést; rozvinout se (*přen.*)
blot [blot] *n* **1** skvrna, kaňka **2** škraloup (*přen.*)
• *v* **(tt) 1** poskvrnit, udělat kaňku **2** vysát pijákem (*inkoust*)
blot out přeškrtat, vymazat
blotter [blotə], **blotting paper** ['blotiŋ,peipə] pijavý papír, piják
blouse [blauz] blůza, halenka
blow[1] [bləu] *n* rána, (*též přen.*); úder; **at one / a single ~** jednou ranou, rázem
blow[2] [bləu] *v* foukat, vanout, fičet
♦ **~ a fuse** spálit pojistku; **~ one's nose** vysmrkat se
blow out 1 sfouknout, zhasit **2** (*pojistka, pneumatika*) prasknout
blow up 1 vyhodit do vzduchu **2** zvětšit (*fotografii*)
blowlamp [bləulæmp] pájecí lampa
blue [blu:] *adj* **1** modrý; zmodralý (**with cold** zimou) **2** smutný, sklíčený **3** oplzlý, košilatý (*vtip*), porno-; sprostý, nevymáchaný (**language** jazyk)
♦ **things are looking ~** vypadá to bledě; **once in a ~ moon** jednou za uherský rok
• *n* **1** modř **2** modré nebe; **out of the ~** zčistajasna
blueberry [blu:bəri] *US* borůvka
blueprint [blu:print] **1** modrák (*technický výkres*) **2** plán, program, návrh
blues [blu:z] *sg,pl* **1** blues (*hudba*) **2 the ~** melancholická nálada, deprese, splín
bluff [blaf] *n* bluf • *v* blufovat
• *adj* drsně upřímný, neotesaný
blunder [blandə] *v* **1** *též* **~ about** tápat, motat se **2** dělat hloupé chyby **3** *též* **~ out** vybreptnout
• *n* chyba z hlouposti / nedbalosti, bota
blunt [blant] *adj* **1** tupý, (*též přen.*) **2** neomalený **3** otevřený, upřímný; **speak ~ly** mluvit bez obalu
• *v* otupit
blur [blə:] *n* skvrna; změť
• *v* **(rr)** rozmazat
blurt out [blə:t 'aut] vyhrknout
blush [blaš] *v* (za)červenat se; **~ for / with shame** červenat se hanbou • *n* ruměnec
B.M. [bi:'em] = **Bachelor of Medicine** bakalář lékařství
B-movie ['bi:,mu:vi] laciný / nepříliš dobrý film

boa [bəuə] **1** hroznýš královský **2** boa
boar [bo:] kanec
board [bo:d] *n* **1** prkno; **the ~s** *pl* prkna, divadlo **2** bok (*lodi*), roubení (*paluby*); **go on ~** vstoupit na palubu lodi / letadla **3** stůl **4** rada, komise, výbor **5** strava **6** lepenka, deska ♦ **above ~** s otevřenými kartami, čestně; **B~ of Trade** *GB* ministerstvo obchodu; **~ and lodging** byt se stravou; **take on ~** *též* naprosto pochopit / přijmout • *v* **1** poskytovat stravu komu; stravovat se **at** kde **2** nastoupit (**a train** do vlaku)
board out stravovat se mimo domov
boarder [bo:də] **1** strávník **2** žák v internátní škole
boarding card [bo:diŋka:d] palubní lístek (*v letadle*)
boarding house [bo:diŋhaus] penzión
boarding school [bo:diŋsku:l] internátní škola
boast [bəust] *n* **1** chlouba, chlubení **2** chlouba, pýcha, ozdoba • *v* **1** chlubit se **about / of** čím, **that** že **2** honosit se čím
boat [bəut] *n* člun, loď ♦ **burn one's ~s** spálit za sebou mosty • *v* plout člunem, jezdit na loďce
bobsled [bobsled], **bobsleigh** [bobslei] závodní saně, bob
bodily [bodili] *adj* tělesný • *adv* **1** osobně **2** jako celek
body [bodi] **1** tělo **2** mrtvola **3** těleso; karosérie (*auta*) **4** hlavní voj (*armády*) **5** sbor, soubor, kolektiv, masa ♦ **~ building** kulturistika; **keep ~ and soul together** jakžtakž živořit; **~ stocking** trikot
bodywork [bodiwə:k] karosérie
bog [bog] **1** bahno, močál **2** (*GB, slang.*) hajzl (*záchod*); **~ roll** toaletní papír (*v roli*)
bog down [bog] **(gg)** zůstat trčet, uváznout; **get ~ged down** zabřednout **in** do
bogey [bəugi] strašák
Bohemian [bə'hi:mjən] *n* bohém • *adj* **1** bohémský **2** český (*týkající se Čech*)
bogus [bəugəs] falešný, vymyšlený
boil[1] [boil] *v* vařit (se), vřít, (*též přen.*); **~ing point** bod varu • *n* bod varu (*neodb.*) ♦ **go off the ~** *též* ztratit zájem
boil[2] [boil] nežit
boiler [boilə] kotel; **~ room** kotelna; **~ suit** montérky
boisterous [boistrəs] bouřlivý, hlučně veselý
bold [bəuld] **1** odvážný, smělý **2** zřetelný **3** troufalý; drzý
bold-faced [bəuldfeist] **1** drzý **2** (*polygr.*) (polo)tučný
bolster [bəulstə] *n* (*válcový*) podhlavník; polštář • *v* podepřít
bolt [bəult] *n* **1** závora **2** šroub (*s maticí*) **3** blesk (**from the blue** z čista jasna) • *v* zavřít, zavírat (se) na závoru
bomb [bom] *n* bomba, puma • *v* bombardovat
bombardment [bom'ba:dmənt] bombardování
bombshell [bomšel] (*přen.*) bomba
bond [bond] *n* **1** závazek; dohoda, smlouva **2** obligace; cenný papír **3** (*zvl. přen.*) svazek, pouto **4 ~s** *pl* pouta ♦ **in ~** v celním skladišti

• *v* **1** spojit, (s)vázat **2** lpět **to** na **3** umístit do celního skladiště
bondage [bondidž] poddanství, otroctví
bone [bəun] *n* **1** kost **2** kostice ♦ **close to / near the ~** téměř neslušný; **~ of contention** jablko sváru; **have a ~ to pick with sb**. mít nevyřízený účet s kým; **make no ~s about sth**. neotálet s čím, nedělat okolky s čím • *v* **1** vykostit **2** vyztužit kosticemi
bonfire [bonfaiə] hranice, oheň (*v přírodě*), táborák
bonnet [bonit] **1** čepec **2** *GB* kapota **3** skotská čapka
bonus [bəunəs] prémie
bony [bəuni] kostnatý
book [buk] *n* **1** kniha **on / about** o; **~ of reference** příručka **2** sešit(ek); **~ of stamps** sešitek známek **3 the ~s** *pl* účetní knihy • *v* **1** zapsat do knihy **2** rezervovat (si), objednat (si) **3** koupit si předem (**a theatre seat** lístek do divadla)
book in **1** rezervovat pokoj v hotelu **2** (při)hlásit se, oznámit příchod
bookable [bukəbl]: **seats are not ~ in advance** lístky nelze koupit v předprodeji
bookbinder [bukbaində] knihař
bookcase [bukkeis] knihovna (*skříň*)
booking [bukiŋ] *GB* rezervace; **~ office** pokladna, předprodej
bookish [bukiš] knižní, (*též přen.*) odtržený od života ♦ **a ~ person** knihomol, sčetlý člověk
bookkeeper [bukki:pə] účetní
bookkeeping [bukki:piŋ] účetnictví
booklet [buklit] knížečka; sešitek, brožura
bookmark(er) [bukma:k(ə)] záložka (*v knize*)
bookplate [bukpleit] ex libris
bookworm [bukwə:m] knihomol, náruživý čtenář
boom [bu:m] *n* **1** rozmach, konjunktura **2** prudké stoupání cen • *v* letět do výše, prosperovat
boomerang [bu:məræŋ] *n* bumerang • *v* vrátit se jako bumerang
boon [bu:n] dobrodiní
boost [bu:st] *v* **1** zvýšit; stupňovat **2** dělat reklamu pro, propagovat • *n* podpora, povzbuzení
booster [bu:stə] **1** podporovatel **2** přídatný raketový motor, první stupeň (*vícestupňové rakety*) **3** *též* **~ shot** druhá injekce (*na posílení první*)
boot [bu:t] *n* **1** bota **2** *GB* kufr (*v autě*) **3** kopnutí, kopanec; **get the ~** *(hovor.)* dostat vyhazov • *v* **1** kopat **2** *US* dát botičku (*na kolo auta*)
booth [bu:ð] **1** bouda, budka, prodejní stánek; kóje **2** box (*např. v restauraci*)
bootlace [bu:tleis] tkanička, šněrovadlo
booty [bu:ti] kořist, lup
border [bo:də] *n* **1** okraj, lem; lemovka **2** pohraničí, pomezí **3** hranice • *v* **1** ovroubit, ohraničit **2** hraničit **upon** s, (*též přen.*)
borderline [bo:dəlain] pomezní čára, hranice ♦ **~ case** mezní případ
bore[1] [bo:] *v* (pro)vrtat • *n* **1** vrt **2** vrtání (*hlavně*), světlost
bore[2] [bo:] *v* nudit, otravovat • *n* nudná osoba / činnost, otrava
boredom [bo:dəm] nuda

boring [bo:riŋ] nudný
born [bo:n] **1** narozen **2** rozený; **be** ~ narodit se
borough [barə] město; městská část (*s částečnou samosprávou*)
borrow [borəu] (vy)půjčit si
Borstal [bo:stəl], *též* ~ **Institution** nápravné zařízení pro mladistvé provinilce
bosom [buzəm] prsa, ňadra
♦ **a ~ friend** důvěrný přítel
boss [bos] *n* pán, šéf
• *v* řídit, vést, šéfovat
boss about / around komandovat, sekýrovat koho
botany [botəni] botanika
botch [boč] zpackat, zfušovat
both [bəuθ] oba (dva); ~ **of us, we** ~ my oba; ~ **(you) and (I)** jak (ty), tak (i já); nejen (ty), ale také (já); **it is ~ good and cheap** je to nejen dobré, ale také levné
bother [boðə] *v* **1** obtěžovat, rušit, trápit, otravovat **2** trápit se, dělat si starosti **with** s, **about** kvůli / pro • *n* obtíž, nesnáz
bottle [botl] láhev
♦ ~ **bank** kontejner na odpadové sklo; **hit the** ~ dát se na pití
bottom [botəm] *n* **1** dno, (*též přen.*) **2** dolní část; spodek; **at the ~ of the page** dole na stránce **3** (*hovor.*) zadní část těla, zadek
♦ **at the** ~ v podstatě; **from the ~ of my heart** z hloubi srdce; **get to the ~ of sth.** dostat se na kloub čemu; ~ **line** výsledná částka, (*celkový*) výsledek
• *adj* **1** spodní, dolní **2** nejnižší (**prices** ceny) **3** poslední (**dollar** dolar) **4** základní
bough [bau] (*hlavní / silná*) větev
boulder [bəuldə] balvan
bounce [bauns] *v* **1** skákat, vyskočit; odskočit **2** vřítit se **into** do **3** narazit **against** na / do **4** houpat (*na kolenou*) **5** (*šek*) být vrácen bankou • *n* **1** odraz, odskok **2** verva, elán
bouncer [baunsə] vyhazovač (*z nočního podniku*)
bound[1] [baund] *n* skok
♦ **advance by leaps and ~s** postupovat mílovými kroky
• *v* skočit, skákat, vyskakovat
bound[2] [baund] *n* mez, hranice, (*též přen.*) • *v* ohraničit; omezit
bound[3] [baund] směřující **for** do, mající namířeno kam; **where are you ~ (for)?** kam máte namířeno?; **a ship ~ for Canada** loď plující do Kanady
bound[4] [baund] **1** vázaný, vázán **2** povinen, nucen; **he is ~ to come** určitě přijde
boundary [baundri] hranice, mez
boundless [baundlis] nekonečný, bezmezný
bounty [baunti] **1** štědrost **2** štědrý dar
bouquet [bu'kei] **1** kytice **2** kytka, buket (*vína*)
bourgeois [buəžwa:] *n* měšťák • *adj* buržoazní, měšťácký
bourgeoisie [buəžwa:'zi:] buržoazie
bow[1] [bəu] **1** luk **2** smyčec; smyk (*smyčce*) **3** oblouk; obloukový arkýř **4** klička; **tie in a** ~ zavázat na kličku **5** stuha; motýlek (*vázanka*) ♦ **have two strings to one's** ~ mít dvě želízka v ohni
bow[2] [bau] *v* **1** uklonit se, poklonit se **to** před **2** ohnout, sehnout, sklonit • *n* úklona, poklona
bow[3] [bau] (*často* **~s** *pl*) příď (*lodě*)

bowels [bauəlz] *pl* vnitřnosti; útroby, (*též přen.*)
bowl [bəul] **1** (*hlubší*) mísa **2** miska, šálek, číše **3** amfiteátr
bow-legged [ˌbəu'legid] s nohama do O
bowler [bəulə], *též* **~ hat** tvrdý klobouk, buřinka
box[1] [boks] **1** krabice, krabička; bedýnka, truhlík; pouzdro, kazeta **2** box (*např. v restauraci*); lóže (*v divadle*); budka **3** (*slang.*) bedna (*televizor*)
box[2] [boks] *n* úder rukou; **a ~ on the ear** pohlavek, facka
• *v* boxovat
boxer [boksə] boxer
boxing [boksiŋ] box
Boxing Day [boksiŋ dei] druhý vánoční svátek, sv. Štěpána
box office [boksofis] pokladna (*divadla, kina apod.*)
boy [boi] *n* chlapec, hoch
• *interj US* (*hovor.*, *vyjadřuje úžas*) páni (inženýři)!
boyish [boiiš] chlapecký
boycott [boikot] *n* bojkot
• *v* bojkotovat
boyfriend [boifrend] (*stálý*) přítel, milý (*děvčete*)
bra [bra:] (*hovor.*) podprsenka
brace [breis] **1** podepřít, zpevnit **2** vzpružit, osvěžit **3 ~ oneself up** vzchopit se, dodat si odvahy
bracelet [breislit] náramek
braces [breisiz] *pl GB* šle
bracket [brækit] *n* **1** podpěra; nosič, držák, konzola **2** závorka **3** skupina, kategorie
• *v* dát do závorky
braid [breid] **1** cop **2** prýmek
brain [brein] **1** mozek; (*často* **~s** *pl*) mozek, rozum, inteligence, hlava **2** mozeček (*jídlo*)
♦ **rack one's ~s** lámat si hlavu; **turn sb.'s ~** poplést komu hlavu; **~s trust** mozkový trust (*poradní skupina odborníků*)
brain-washing [breinwošiŋ] vymývání mozku (*násilné názorové přeškolování*)
brainy [breini] chytrý, inteligentní
braise [breiz] dusit (*maso*)
brake [breik] *n* brzda
• *v* (za)brzdit, (*též přen.*)
branch [bra:nč] *n* **1** větev, (*též přen.*) **2** pobočka, filiálka **3** odvětví, obor
• *v* větvit se, rozbíhat se
branch off odbočovat **from** odkud **into** kam
branch out rozšířit svou činnost **into** o / na
brand [brænd] *n* **1** vypálené znamení, (*též přen.*); stigma **2** (*obchodní*) značka, známka
• *v* **1** opatřit značkou, označit **2** vypálit znamení komu, (o)cejchovat
brand-new [ˌbrænd'nju:] úplně nový
brandy [brændi] **1** brandy, vínovice, koňak (*nesprávně*) **2** destilát, pálenka; **plum ~** slivovice
brass [bra:s] **1** mosaz **2 the ~** (*hud.*) žestě **3** (*hovor.*) drzost
♦ **~ band** dechová kapela, dechovka; **get down to ~ tacks** přejít k (jádru) věci; **~ hat** (*slang.*) lampasák
brat [bræt] spratek
brave [breiv] *adj* statečný, odvážný
• *v* vzdorovat, čelit čemu
bravery [breivəri] statečnost, odvaha

brawl [bro:l] (*hlučná*) hádka, rvačka (*zvl. na veřejnosti*), výtržnost
brazen [breizn] *adj* **1** mosazný; kovový, břeskný (*zvuk*) **2** drzý, nestoudný
• *v* ~ **sth. out** drze zapírat, chovat se (ohledně čeho) jako by nic
Brazil [brə'zil] Brazílie
Brazilian [brə'ziljən] *adj* brazilský
• *n* Brazilec
brazil nut [brə,zil 'nat] para ořech
breach [bri:č] *n* **1** porušení, nedodržení; **a ~ of the peace** porušení veřejného pořádku; **a ~ of promise** nedodržení slibu manželského **2** roztržka, rozvrat **3** průlom **into** do, (*též přen.*)
• *v* **1** nedodržet, porušit **2** prolomit, udělat průlom do
bread [bred] chléb; **a loaf of ~** bochník chleba; **~ and butter** chléb s máslem
breadcrumbs [bredkramz] *pl* strouhanka
breadth [bredθ] **1** šíře, (*též přen.*), šířka; **escape by a hair's ~** uniknout o vlas **2** tolerance, liberálnost, velkorysost
break* [breik] *v* **1** zlomit (se), rozbít (se), přetrhnout (se), prasknout; **~ (in)to pieces** rozbít se na kusy **2** ulomit **3** porušit, nedodržet (**one's word** slovo) **4** přerušit (**one's journey** cestu) **5** vloupat se **into** do **6** rozejít se **with** s; skončit s ♦ **the day ~s** rozednívá se; **~ a record** překonat rekord; **~ the bad news to sb.** šetrně sdělit špatnou zprávu komu; **~ a horse (in)** zkrotit koně
• *n* **1** prasklé / puklé místo **2** přerušení, přestávka **3** náhlá změna **4** (*hovor.*) příležitost, šance
break away 1 uniknout **2** zbavit se **from** čeho **3** odpadnout
break down 1 zlomit **2** rozbít se **3** zhroutit se
break off 1 přerušit **2** ustat
break out 1 uprchnout **2** vypuknout
break through prolomit, prorazit
break up 1 rozbít **2** rozptýlit **3** (*škola*) končit **4** rozpadnout se **5** rozorat
breakdown [breikdaun] **1** havárie; **~ gang** havarijní četa **2** zhroucení
breakfast [brekfəst] *n* snídaně
• *v* snídat
breakneck [breiknek] krkolomný
breakthrough [breikθru:] průlom, (*též přen.*)
breast [brest] **1** prs **2** prsa, hruď ♦ **~ pocket** náprsní kapsa; **~ stroke** prsa (*plavecký styl*); **make a clean ~ of sth.** otevřeně přiznat co
breast-feed* [brestfi:d] kojit
breath [breθ] **1** dech; **out of ~** bez dechu; **with bated ~** se zatajeným dechem; **take ~** oddechnout si; **take a deep ~** zhluboka se nadechnout; **take sb.'s ~ away** vzít komu dech, překvapit koho **2** nádech, náznak; **not a ~ of suspicion** ani stín podezření
breathe [bri:ð] **1** dýchat; **~ down sb.'s neck** dýchat komu na krk, být těsně za kým, ostře sledovat koho **2** vdechnout **3** hlesnout
breathing [bri:ðiŋ] dýchání
breathtaking [breθteikiŋ] **1** úchvatný **2** závratný (**speed** rychlost)
breed* [bri:d] *v* **1** plodit, (*též*

přen.) **2** množit se **3** chovat zvířata **4** vychovávat
• *n* plemeno, rasa, odrůda
breeding [bri:diŋ] (*dobré*) vychování
breeze [bri:z] *n* vánek, větřík
• *v* (*hovor.*) ~ **in** přifrčet, vplout (kam); ~ **out** odfrčet, vyplout **of** z
breezy [bri:zi] **1** svěží **2** žoviální
brevity [breviti] stručnost, krátkost
brew [bru:] **1** vařit (**beer** pivo); nechat vyluhovat (**tea** čaj) **2** připravovat (se), chystat (se), hrozit (*bouřka*)
brewery [bruəri] pivovar
bribe [braib] *n* úplatek
• *v* podplácet, korumpovat
bribery [braibəri] podplácení, úplatkářství, korupce
brick [brik] *n* **1** cihla; **drop a ~** (*hovor.*) dopustit se netaktnosti **2** kostka (*dětské stavebnice*)
• *adj* cihlový, zděný • *v* ~ **up / in** zazdít, vyzdít, obezdít
bricklayer [brikleiə], **brickie** [briki] (*GB, hovor.*) zedník
brickwork [brikwə:k] zdivo
brickyard [brikja:d] cihelna
bride [braid] **1** nevěsta **2** novomanželka
bridegroom [braidgrum] **1** ženich **2** novomanžel
bridesmaid [braidzmeid] družička
bridge[1] [bridž] *n* **1** most; můstek **2** kobylka (*houslí*); nosník (*brýlí*)
• *v* přemostit; překlenout, (*též přen.*)
bridge[2] [bridž] bridž
bridgehead [bridžhed] předmostí
bridgework [bridžwə:k] *US* (*zubní*) můstek
bridle [braidl] *n* uzda
• *v* **1** držet na uzdě **2** vzdorně zvednout hlavu
brief[1] [bri:f] krátký, stručný
♦ **be ~** mluvit stručně; **in ~** zkrátka a dobře
brief[2] [bri:f] *v* instruovat, informovat **about** o
• *n* **1** informace pro právního zástupce **2** právní případ
briefcase [bri:fkeis] aktovka
briefs [bri:fs] **1** slipy **2** (*dámské*) kalhotky
brigade [bri'geid] **1** brigáda **2** (*uniformovaný*) sbor, četa
bright [brait] **1** jasný, zářivý **2** veselý **3** bystrý, chytrý **4** slibný (**future** budoucnost)
brights [braits] *US* (*hovor.*) dálková světla
brighten (**up**) [braitən (ap)] vyjasnit (se); oživit
brilliant [briljənt] *adj* zářivý, skvělý; brilantní • *n* briliant
brim [brim] *n* **1** okraj **2** krempa (*klobouku*) **3** kraj, práh; pokraj
• *v* (**mm**) ~ **over** přetékat
bring* [briŋ] **1** přinést, přivést, přivézt, dopravit; **~ to an end** ukončit; **~ up-to-date** *1.* zmodernizovat *2.* dát nejnovější informace **2** přimět, pohnout **3** vynášet kolik **4** zahájit (*řízení*)
bring about způsobit, přivodit
bring in **1** vynášet kolik **2** uvést (*důkaz*) **3** rozvinout, uplatnit **4** nosit domů, vydělávat kolik
bring off úspěšně dokončit, zvládnout
bring out **1** ukázat, zdůraznit **2** vydat, uveřejnit, uvést (*hru*) **3** rozvinout, uplatnit
bring round / to přivést k sobě, vzkřísit

bring up 1 vychovat 2 dát k úvaze, uvést, nadhodit, zmínit se o 3 zvrátit (*jídlo*)
brink [briŋk] (o)kraj, pokraj; **on the ~ of war** na pokraji války
brisk [brisk] živý, čilý, křepký
Britain [britn] Británie
British [britiš] *adj* britský • *n* **the ~** Britové
Briton [britən] (*hovor.*) Brit
brittle [britl] *adj* 1 křehký 2 povrchní • *n* griliáš
broach [brəuč] 1 narazit (*sud*) 2 nadhodit (*téma*), zavést řeč na
broad [bro:d] 1 široký, (*též přen.*), širý 2 úplný; **~ daylight** jasný den 3 přibližný, hrubý; **in ~ outline** v hrubých rysech 4 velkorysý, tolerantní, liberální; **~ views** tolerantní názory
broadcast* [bro:dka:st] *v* 1 vysílat rozhlasem / televizí 2 rozhlásit • *n* vysílání, přenos
brochure [brəušə] brožura; leták
broil [broil] *US* péct na rožni, grilovat
broke [brəuk]: **be ~** (*hovor.*) být bez haléře, být dutý
broken [brəukn] 1 rozbitý, zlomený 2 nedodržený (*slib*) ♦ **~ marriage** ztroskotané manželství; **~ French** lámaná francouzština
broker [brəukə] broker, dohodce, makléř
bronze [bronz] *n* bronz • *adj* bronzový
brooch [brəuč] brož
brood [bru:d] 1 sedět na vejcích 2 dumat, přemýšlet
brook [bruk] potok
broom [bru:m] koště ♦ **a new ~ sweeps clean** nové koště dobře mete
Bros. = **brothers** bří, bratři (*v názvu firmy*)
broth [broθ] masový vývar, bujón
brother [braðə] bratr
brotherhood [braðəhud] bratrství; bratrstvo
brother-in-law [braðrinlo:] švagr
brotherly [braðəli] bratrský
brow [brau] 1 (*jedno*) obočí; **knit one's ~s** svraštit obočí 2 čelo 3 vrchol (*kopce*)
browbeat* [braubi:t] zastrašovat
brown [braun] *adj* hnědý ♦ **~ bread** černý chléb; **~ paper** balicí papír; **be ~ed off** (*hovor.*) mít toho po krk, být znechucený / otrávený **with** čím • *n* hnědá barva, hněď • *v* obarvit na hnědo; opálit (se) do hněda; opéct
browse [brauz] *v* 1 pást se 2 prohlížet si **through** co, listovat čím • *n* 1 (*nezávazná*) prohlídka; letmé přečtení 2 pastva
bruise [bru:z] *n* pohmožděnina, modřina • *v* pohmoždit (se), zranit (se), (*přen.*) zranit (*čí city*)
brunch [branč] snídaně a oběd v jednom (**breakfast + lunch**)
brunt [brant] plná tíha (**of war** války)
brush[1] [braš] *n* 1 kartáč(ek); smeták, smetáček; **give the clothes a good ~** dobře vykartáčovat šaty 2 štětec, štětka • *v* 1 kartáčovat, čistit kartáč(k)em 2 (*lehce*) zavadit, otřít se **against** o
brush up oprášit, osvěžit (*znalosti*)
brush[2] [braš] 1 chrastí 2 houští, křoviska
Brussels [braslz] Brusel ♦ **~ sprouts** *pl* růžičková kapusta
brutal [bru:tl] brutální, surový

brutality [bru'tæliti] brutalita, surovost
brute [bru:t] *n* zvíře, hovado; surovec
• *adj* zvířecký, hrubý (**force** síla)
B.Sc. [bi:es'si:] = **Bachelor of Science** bakalář přírodních věd
BSkyB [bi:skai'bi:] satelitní televize
BST [bi:es'ti:] = **British Summer Time** britský letní čas
bubble [babl] *n* bublin(k)a
• *v* bublat
bubbly [babli] **1** plný bublinek, šumivý **2** překypující energií
buck [bak] *n* **1** kozel; samec **2** *US* (*hovor.*) dolar
• *v* ~ **up 1** vyskočit; pospíšit si **2** vzpružit (se), dát hlavu vzhůru
bucket [bakit] vědro, kbelík, džber
♦ ~ **and spade** *GB* / **sand pail** *US* kyblíček a lopatička
buckle [bakl] *n* přezka, spona • *v* **1** zkroutit se **2** ~ **up** připoutat (se)
bud [bad] *n* **1** poupě, pupen **2** zárodek; **nip in the** ~ zničit v zárodku • *v* **(dd) 1** pučet, klíčit **2** očkovat (*stromy*)
budge [badž] hnout se, ustoupit; **he won't ~ an inch** neustoupí o krok
budgerigar [badžəriga:] andulka (*papoušek*)
budget [badžit] rozpočet
buffer [bafə] **1** nárazník **2** výpomoc **3** vyrovnávací paměť (*počítače*)
buffet [bufei] **1** bufet, automat, bistro **2** *US* příborník
bug [bag] *n* **1** štěnice; *US* brouk **2** štěnice (*odposlouchávácí zařízení*) **3 ~s** *pl* mouchy (*vady*)
♦ **big** ~ (*hovor.*) velké zvíře
• *v* **(gg) 1** instalovat odposlouchávací zařízení kde **2** štvát, namíchnout koho
bugger [bagə] **1** chudák, chudinka **2** (*vulg.*) buzerant, teplouš
♦ ~ **all** hovno (*nic*)
build* [bild] *v* **1** stavět, postavit **2** ~ **up** (vy)budovat, vytvářet
• *n* tělesná konstituce, postava
builder [bildə] stavitel; budovatel
♦ **~'s merchant** obchodník se stavebninami
building [bildiŋ] stavba, budova; stavění; ~ **block** (kostka) stavebnice
built-in [bilt'in] vestavěný
built-up [bilt'ap] (*prostor*) zastavěný
bulb [balb] **1** hlíza, cibule, bulva **2** kulička (*teploměru*) **3** žárovka
Bulgaria [bal'geəriə] Bulharsko
Bulgarian [bal'geəriən] *adj* bulharský • *n* **1** Bulhar **2** bulharština
bulge [baldž] *v* **1** nacpat **2** vydouvat se; **his eyes ~d** oči mu vylézaly z důlků
• *n* náhlý nárůst **in** čeho
bulk [balk] *n* **1** hromada, masa, kvanta **of** čeho; většina **2** lodní náklad **3** objem
• *v* zdát se, jevit se; ~ **large** zdát se velkým / důležitým
bulky [balki] **1** velký, objemný **2** neskladný
bull [bul] **1** býk **2** samec
bulldozer [buldəuzə] buldozer, (*též přen.*)
bullet [bulit] střela, kulka
bullhorn [bulho:n] *US* megafon
bully [buli] *n* tyran, postrach (*slabších*) • *v* zastrašovat, tyranizovat, šikanovat
bulwark [bulwək] val, bašta, (*též přen.*)

bum[1] [bam] *n US* (*slang.*) tulák, vandrák, pobuda • *adj* (*slang.*) mizerný, pitomý, bezcenný • *v* loudit o

bum[2] [bam] (*slang.*) zadek, prdýlka

bump [bamp] *n* **1** rána, náraz **2** boule **3** hrbol(ek) • *v* **1** narazit **into / against** do / na, vrazit **against** do; uhodit se **against** o **2** kodrcat

bumper [bampə] *n* nárazník (*auta*) • *adj* neobvykle velký; **a ~ harvest** rekordní sklizeň

bun [ban] **1** *GB* rozinkový bochánek **2** *US* žemle **3** drdol

bunch [banč] **1** svazek, chomáč, hrozen **2** skupina, parta ♦ **a ~ of flowers** kytice; **a ~ of keys** svazek klíčů

bundle [bandl] *n* ranec, uzel; otýpka • *v* **1** nacpat, naházet **2** *též* **~ up** svázat do rance

bungalow [baŋgələu] přízemní domek, bungalov

bunk [baŋk] palanda

buoy [boi] bóje, plavatka

burden [bə:dn] *n* **1** břemeno; přítěž **2** hlavní bod, těžiště (*přen.*) • *v* obtížit, zatížit **with** čím

bureau [bjuərəu] **1** *GB* americký psací stůl (*s roletou*) **2** úřad, agentura, byró **3** *US* prádelník **4** *US* odbor (*státní instituce*)

bureaucracy [bju'rokrəsi] (*hanl.*) byrokracie

burger [bə:gə] **1** hamburger **2** karbanátek; **cheese~** sýrový karbanátek

burglar [bə:glə] lupič

burial [beriəl] pohřeb

Burma [bə:mə] Barma

burn* [bə:n] *v* **1** (s)pálit **2** (s)hořet **3** propálit; upálit • *n* **1** popálenina, spálenina **2** zažehnutí motoru rakety

burn up **1** rozhořet se **2** spálit; shořet **3** (*slang.*) dožírat, štvát ♦ **be ~ed up** (*slang.*) být posedlý

burner [bə:nə] hořák ♦ **put sth. on the back ~** odložit co na neurčito

burst* [bə:st] *v* **1** prasknout, puknout **2** protrhnout, prorazit; vrazit **3** překypovat **with** čím ♦ **~ into tears** propuknout v pláč; **~ out laughing** dát se do smíchu • *n* **1** výbuch, bouře, (*též přen.*); záchvat; nával **2** prasknutí, prasklina

bury [beri] **1** pohřbít, pochovat, zakopat, (*též přen.*) **2** skrýt, schovat

bus [bas] autobus ♦ **go by ~** jet autobusem; **miss the ~** zmeškat autobus, (*přen.*) propást příležitost

bush [buš] keř ♦ **~ telegraph** tamtamy, šeptanda

bushel [bušl] bušl (*asi 36 l*)

business [biznis] **1** zaměstnání; **on ~** služebně, úředně **2** záležitost, věc; starost, povinnost, úkol **3** obchod **4** branže, řemeslo, (*též přen.*) ♦ **let's get down to ~** přistupme k věci; **mind your own ~** starejte se o sebe; **~ as usual** normálka, vše je v pohodě, stav normální

businessman [biznismən] obchodník, podnikatel

bust[1] [bast] **1** bysta **2** ženské poprsí

bust[2] [bast] (*hovor.*) *v* **1** rozbít **2** zašít, sebrat **3** udělat razii kde **4** degradovat • *interj* šmytec, utrum (*je po všem*) • *n US* krach

bustle [basl] *n* hemžení, shon

• *v* **1** činit se, hodit sebou **2** ~ **about** pobíhat (*hlučně*)

busy [bizi] *adj* **1** (*zcela*) zaměstnaný **at / in / with / over** čím; **be** ~ mít mnoho práce **2** živý, čilý, rušný; **a ~ day** rušný den **3** (*místnost, telefon*) obsazený • *v* ~ **oneself with** zaměstnávat se čím

busybody [bizibodi] kdo do všeho strká nos, všetečka

but [bat, bət] *conj* ale, avšak, nýbrž, jenomže • *adv* jenom, teprve; aspoň • *prep* kromě ♦ **all** ~ skoro; **nothing** ~ nic než; **the last lesson ~ one** předposlední lekce; ~ **for your help** nebýt tvé pomoci

butcher [bučə] *n* řezník; **~'s** řeznictví • *v* **1** porážet (*dobytek*), zabíjet (*drůbež*) **2** (*brutálně*) povraždit, (z)masakrovat

butt [bat] hlavou narazit, vrazit **against** do

butt in plést se do něčeho; **excuse my ~ing in** promiňte, že vám skáču do řeči

butter [batə] *n* máslo • *v* (na)mazat máslem

butterfly [batəflai] motýl

buttocks [batəks] *pl* hýždě

button [batn] *n* **1** knoflík; tlačítko **2** pupen • *v* zapnout (se)

buy* [bai] *v* koupit (si); ~ **up** skoupit ♦ ~ **for a song** koupit za babku • *n* (*hovor.*) koupě

buyer [baiə] kupec, kupující; nákupčí

buzz [baz] *v* bzučet; hučet; **my ears** ~ hučí mi v uších • *n* **1** bzukot, hučení **2** (*hovor.*) brnknutí (*zatelefonování*); **give me a** ~ brnkni mi

buzzer [bazə] bzučák

by [bai] *prep* **1** vedle, u, blízko **2** pomocí, prostřednictvím; ~ **air** letecky **3** do; ~ **tomorrow** do zítřka; **it must be ready ~ now** teď už je to jistě hotové **4** podle; **an actor ~ profession** povoláním herec **5** za; **take ~ the hand** vzít za ruku ♦ ~ **oneself** sám; ~ **night** za noci; **sell ~ the yard** prodávat na yardy; **know ~ the name** znát jménem; ~ **mistake** omylem; ~ **my watch** podle mých hodinek; **one ~ one** jeden po druhém • *adv* vedle, kolem, stranou ♦ ~ **and** ~ později, brzy; ~ **the** ~, ~ **the way** mimochodem, ostatně; ~ **and large** všeobecně řečeno

by-election ['baiiˌlekšn] doplňovací volby

bygone [baigon] *adj* uplynulý, minulý • *n* odbytá věc, stará mrzutost; **let ~s be ~s** odpusťme si, co jsme si

bylaw [bailo:] (*místní*) nařízení, předpis, regule

bypass [baipa:s] *n* objížďka • *v* objíždět

by-product [baiprodakt] vedlejší produkt

bystander [baistændə] náhodný / nezúčastněný divák

byway [baiwei] vedlejší / postranní cesta

byword [baiwə:d] synonymum (*přen.*)

C

C/A = **current account** běžný účet
cab [kæb] **1** taxi; **~ rank** stanoviště taxi, štafl (*hovor.*); drožka **2** kabina pro řidiče
cabbage [kæbidž] **1** kapusta **2** hlávkové zelí
cabin [kæbin] **1** kabina, kajuta **2** chatrč; chata ♦ **log ~** srub
cabinet [kæbinit] **1** skříň, vitrína **2** pokojík; kabinet **3** kabinet, užší vláda
cable [keibl] *n* **1** lano **2** kabel **3** telegram
♦ **~ car** kabina (*visuté lanovky*); **~ railway** (*pozemní*) lanovka
• *v* kabelovat; telegrafovat
cactus [kæktəs] kaktus
café [kæfei] **1** kavárna (*mimo Británii*) **2** (*nealkoholická*) lidová restaurace
cafeteria [kæfi'tiəriə] restaurace se samoobsluhou
cage [keidž] *n* klec
• *v* zavřít do klece
cake [keik] *n* **1** buchta, dort, koláč; moučník **2** (*oblý / tvarovaný*) kus, kousek; **a ~ of soap** kousek mýdla; **a ~ of chocolate** tabulka čokolády; **a fish ~** rybí karbanátek ♦ **~s and ale** radovánky; **you can't eat your ~ and have it** nemůžete chtít, aby se vlk nažral a koza zůstala celá
calamity [kə'læmiti] pohroma, neštěstí, katastrofa
calculate [kælkjuleit] **1** (vy)počítat, (*též přen.*) **2** počítat **on** s, spoléhat na
calculating [kælkjuleitiŋ] vypočítavý, rafinovaný
calculation [kælkju'leišn] **1** vypočítání; uvažování **2** výpočet
calculus [kælkjuləs] **1** kámen, kamínek (**renal** ledvinový) **2** počet; **differential ~** diferenciální počet; **integral ~** integrální počet
Calcutta [kæl'katə] Kalkata
calender [kælində] **1** kalendář **2** *US* diář
calf[1] [ka:f] tele
calf[2] [ka:f] lýtko
call [ko:l] *n* **1** volání, (*též přen.*) **2** (telefonní) rozhovor; **give sb. a ~** zavolat komu **3** krátká návštěva; **pay a ~ on sb.** přijít ke komu na (krátkou) návštěvu **4** potřeba, nutnost **5** poptávka
• *v* **1** volat **2** zavolat, zatelefonovat **3** nazývat, říkat jak; **what is it ~ed in English?** jak se to řekne anglicky? **4** vzbudit **5** svolat (**a meeting** schůzi) **6** přijít; **he was out when I ~ed** byl pryč, když jsem tam přišel **7** zastavit se **at / for** pro, krátce navštívit **on** koho **8** volat **for** po čem, vyžadovat co **9** vyzvat **on** koho, apelovat na ♦ **~ sb. names** nadávat komu; **~ a spade a spade** nazývat věci pravým jménem; **let's ~ it a day** pro dnešek končíme
call down 1 svolávat (*hrozby*) **2** *US* (*hovor.*) zpražit
call in zavolat, přivolat (**the doctor** lékaře)
call off odvolat
call out 1 vykřiknout, zvolat **2** povolat (*policii, vojsko*)
call up 1 povolat k vojenské

službě **2** *US* telefonovat komu **3** vyvolat (*vzpomínku*)
call box [ko:lboks] telefonní budka
caller [ko:lə] **1** návštěvník **2** telefonující
calling [ko:liŋ] povolání, zaměstnání; profese
callous [kæləs] **1** (*kůže*) ztvrdlý **2** otrlý, bezcitný
callus [kæləs] ztvrdlá kůže
calm [ka:m] *adj* bezvětrný, klidný, tichý • *n* bezvětří, klid, ticho • *v* ~ **(down)** uklidnit (se), utišit (se)
calorie [kæləri] kalorie
calorific [kælə'rifik] **1** výhřevný **2** (*hovor.*) jdoucí na sádlo
calumny [kæləmni] pomluva **against** koho, nactiutrhání koho
camcorder [kæmko:də] přenosná videokamera s (video)přehrávačem
camel [kæml] velbloud
camera [kæmərə] kamera; fotoaparát ♦ **in ~** s vyloučením veřejnosti
cameraman [kæmrəmæn] kameraman
camomile [kæməmail] heřmánek
camouflage [kæmufla:ž] *n* kamufláž • *v* zamaskovat
camp [kæmp] *n* tábor, (*též přen.*) • *v* tábořit ♦ **go ~ing** jet tábořit
camp out spát ve stanu
campaign [kæm'pein] *n* **1** kampaň **2** vojenské tažení • *v* vést kampaň; (z)účastnit se kampaně
campsite [kæmpsait] kemp, (auto)kempink
can[1] [kæn] *n* **1** plechovka **2** konzerva • *v* **(nn)** konzervovat
can[2]* [kæn, kən] **1** moci **2** umět **3** smět; **I ~ hear / see you** já tě slyším / vidím
Canada [kænədə] Kanada
canal [kə'næl] **1** kanál, průplav **2** trubice
canapé [kænəpei] chuťovka, jednohubka
canary [kə'neəri] kanár
cancel [kænsl] **(ll)** **1** přeškrtnout; přerazítkovat **2** zrušit, odvolat, stornovat
cancel out rušit se navzájem, vyrovnat se
cancer [kænsə] **1** rakovina **2 C~** Rak (*souhvězdí*)
candid [kændid] upřímný
candidate [kændidət] kandidát, uchazeč **for** o
candied [kændid] **1** kandovaný **2** (*přen.*) sladký, přeslazený
candle [kændl] svíčka
candour [kændə] upřímnost
candy [kændi] **1** kandysový cukr **2** *US* cukroví
candyfloss [kændiflos] cukrová vata
cane [kein] **1** třtina; **~ sugar** třtinový cukr **2** rákoska **3** hůl, hůlka
canine [kænain] psí ♦ **~ tooth** špičák
canister [kænistə] plechovka, dóza (*na potraviny*); kanystr, plechový sud
cannabis [kænəbis] **1** konopí **2** hašiš
cannibal [kænibl] lidožrout, kanibal
canning [kæniŋ] (*domácí*) zavařování
cannon [kænən] dělo, kanón
cannot [kænət] (*zápor slovesa* **can**);**I cannot but** musím
canoe [kə'nu:] kánoe
canonize [kænənaiz] svatořečit
can't [ka:nt] (*zápor slovesa* **can**)

canteen [kæn'ti:n] **1** kantýna, závodní jídelna **2** polní láhev **3** příbor (*v kazetě*)
canvas [kænvəs] **1** plátno (*malířské*); obraz na plátně **2** plachta (*stanová, lodní*) ♦ **~ camp** stanový tábor; **~ town** stanové městečko; **under ~** *1.* pod stany *2.* s napjatými plachtami
canvass [kænvəs] **1** prodiskutovat **2** agitovat **for** pro **3** shánět **for** co
canyon [kænjən] kaňon
cap [kæp] **1** čepice; čepec **2** víčko **3** kapsle
capability [keipə'biliti] schopnost
capable [keipəbl] **1** schopný, zdatný, talentovaný **2** schopen **of** čeho
capacity [kə'pæsiti] **1** kapacita **2** obsah, objem **3** chápavost **4** schopnost **5** funkce; **in my ~ of / as** jakožto
cape [keip] mys
capillary [kə'piləri] vlásečnice, kapilára
capital [kæpitl] *n* **1** hlavní město **2** velké písmeno **3** kapitál • *adj* **1** (*práv.*) hrdelní **2** hlavní, důležitý ♦ **a ~ letter** velké písmeno
capitalism [kæpitəlizm] kapitalismus
capitalist [kæpitəlist] *n* kapitalista • *adj* kapitalistický
capitulate [kə'pitjuleit] kapitulovat
capricious [kə'prišəs] vrtošivý, vrtkavý
Capricorn [kæpriko:n] Kozoroh
capsize [kæp'saiz] převrhnout (se)
capsule [kæpsju:l] **1** (*bot.*) tobolka **2** (*med.*) oplatka (*s práškem*), dražé, kapsle **3** kabina (*astronauta, pilota*)
captain [kæptin] kapitán
caption [kæpšn] **1** titulek **2** podtitulek
captivate [kæptiveit] upoutat
captive [kæptiv] *adj* **1** zajatý **2** upoutaný (**balloon** balón) • *n* zajatec
captivity [kæp'tiviti] zajetí
capture [kæpčə] *v* **1** zajmout **2** dopadnout **3** dobýt **4** zaujmout • *n* **1** zajetí **2** dobytí **3** kořist
car [ka:] **1** auto **2** (*železniční*) vagón **3** vůz
caravan [kærəvæn] **1** přívěs **2** maringotka **3** karavana
caraway seeds [kærəweisi:dz] *pl* kmín (*koření*)
carbon [ka:bən] **1** uhlík **2 ~ (paper)** uhlový papír **3 ~ (copy)** průklep, kopie
carburettor [ka:bəretə] karburátor
carcass, carcase [ka:kəs] **1** poražené dobytče **2** zdechlina, mršina
card [ka:d] **1** kartička, lístek **2** pohlednice, dopisnice **3** legitimace **4** (*hrací*) karta; **play ~s** hrát karty; **show one's ~s** odkrýt karty; **hold all the ~s** (*přen.*) mít všechny trumfy v ruce
cardboard [ka:dbo:d] lepenka, kartón
cardigan [ka:digən] (*zapínací*) svetr, pletená vesta (*s rukávy*)
cardinal [ka:dinl] *adj* základní; **~ numbers** základní číslovky; **~ points** hlavní světové strany • *n* kardinál
care [keə] *n* **1** péče **2** opatrnost; **take ~ (that)** dát pozor (aby) **3** dohled **4** starost; **take ~ of**

postarat se o; ~ **of Mr S.** na adresu pana S.
• *v* **1** dbát **for / about** o co, mít rád, chtít co; **I don't ~ for soup** já polévku nerad **2** starat se **for** o ♦ **I couldn't ~ less** mně je to úplně jedno; **she doesn't ~ a hang / pin** je jí to úplně jedno

career [kə'riə] životní dráha, kariéra, profese; ~ **woman** žena, pro niž je nejdůležitější zaměstnání

carefree [keəfri:] bezstarostný

careful [keəful] **1** opatrný, dávající si pozor **with** na; **be ~ (not) to** + *inf* dávat pozor, aby (ne); **be ~ about / while -ing** dávat si pozor při čem; **be ~ of** dbát na co **2** pečlivý

careless [keəlis] **1** neopatrný **2** nedbalý **3** bezstarostný

caretaker [keəteikə] správce domu; domovník

carfare [ka:feə] *US* místní jízdné

cargo [ka:gəu] lodní náklad

caricature [kærikəčuə] *n* karikatura • *v* karikovat

carnation [ka:'neišn] karafiát

carnival [ka:nivl] karneval

carnivorous [ka:'nivərəs] masožravý

carol [kærəl] *též* **Christmas ~** (vánoční) koleda

carousel [kærə'sel] **1** *US* kolotoč **2** karusel, vykladač, odbavovací pás (*na zavazadla*)

carp [ka:p] kapr

carpenter [ka:pintə] tesař

carpet [ka:pit] koberec

carriage [kæridž] **1** vůz, kočár **2** *US* železniční vagón **3** doprava, dopravné; ~ **forward** dopravné hradí příjemce; ~ **paid / free** vyplaceně **4** držení těla **5** lafeta; vozík (*psacího stroje*)

carrier [kæriə] **1** nosič; nositel **2** dopravce ♦ ~ **bag** nákupní / odnosná taška; ~ **pigeon** poštovní holub; ~ **rocket** nosná raketa

carrot [kærət] mrkev; **the ~ and stick method** metoda cukru a biče

carry [kæri] **1** nést, nosit; ~ **oneself** nést se **2** dopravovat **3** prosadit (**a motion** návrh, **one's point** svoje stanovisko) **4** převést (**to a new account** na nový účet) **5** mít u sebe **6** získat podporu ♦ ~ **(a lot of) weight** mít velkou váhu (*důležitost*); ~ **the day** mít úspěch

carry away 1 odnést, odvést **2** strhnout (**the audience** posluchače); **get carried away** dát se strhnout

carry off hladce získat / vyhrát

carry on 1 pokračovat (**(with) one's work** v práci) **2** provozovat **3 be ~ing on** (*hovor.*) *1.* plkat *2.* mít poměr **with sb.** s kým, tahat se s

carry out 1 provést, vyřídit **2** splnit, uskutečnit

cart [ka:t] *n* kára, vozík; dvoukolák • *v* (od)vézt (jako) na vozíku

cartilage [ka:tilidž] chrupavka

carton [ka:tən] kartón, krabice

cartoon [ka:'tu:n] **1** (*politická*) karikatura **2 (animated) ~** kreslený film **3** kartón (*předloha fresky, mozaiky*)

cartridge [ka:tridž] **1** náboj **2** vložka do přenosky (*gramofonu*) **3** náplň do pera; ~ **pen** pero s vyměnitelnou náplní

carve [ka:v] **1** vyřezávat **2** krájet (*tepelně zpracované maso*)
case[1] [keis] **1** případ **2** (*soudní*) případ, proces **3** (*jaz.*) pád
♦ **in ~** pro případ, že; jestliže; **in ~ of** v případě (**fire** požáru); **in any ~** v každém případě, rozhodně; **in no ~** za žádných okolností; **if that is the ~** je-li tomu tak; **just in ~** pro každý případ; **as the ~ may be** popřípadě, eventuálně
case[2] [keis] **1** pouzdro **2** krabice; bedna **3** kufr, kufřík
cash [kæš] *n* **1** hotové peníze **2** peněžní prostředky
♦ **~ down** za hotové; **~ on delivery** na dobírku; **be short of ~** (*hovor.*) mít málo peněz
• *v* **1** proplatit **2** inkasovat
cash in on (*hovor.*) vytlouci kapitál z čeho
cash dispenser ['kæš diˌspensə] bankomat
cashier [kæ'šiə] pokladní(k)
cash register ['kæšˌredžistə] pokladna (*v obchodu*)
casket [ka:skit] **1** kazeta, šperkovnice **2** *US* rakev
cassette [kə'set] kazeta (*s magnetickým páskem, filmem*)
cast* [ka:st] *v* **1** házet; vrhat (**a shadow** stín) **2** shodit **3** odevzdat (**a vote** hlas) **4** (od)lít; **~ iron** litina
• *n* **1** hod, vrh **2** forma; odlitek; sádrový obvaz **3** obsazení (*hry, filmu*) ♦ **a ~ in the eye** šilhavost
cast about / around poohlížet se **for** po
cast off **1** odvázat, vyvázat (*loď*) **2** odložit, vyhodit
cast on nahodit (*první řadu při pletení*)
caste [ka:st / kæst] kasta
castle [ka:sl] *n* **1** hrad; zámek; **~s in the air / in Spain** vzdušné zámky **2** věž (*v šachu*)
• *v* udělat rochádu
castor oil [ˌka:stər'oil] ricinový olej
castor sugar ['ka:stəˌšugə] práškový cukr
casual [kæžuəl] **1** náhodný, nahodilý; bezděčný; zběžný; **in a ~ way** jakoby nic, bezděčně **2** nevšímavý **3** nedbalý; **~ clothes** pohodlné / neformální oblečení **4** příležitostný (**labour** práce)
casualty [kæžuəlti] **1** nehoda, neštěstí **2** oběť nehody, (*též přen.*); **casualties** *pl* ztráty (*při bojové akci*) **3** *GB* pohotovost (*nemocniční oddělení*)
cat [kæt] **1** kočka; kočkovitá šelma **2** (*GB, hanl.*) baba
♦ **it's raining ~s and dogs** lije jako z konve
catalogue [kætəlog] katalog, ceník
catarrh [kə'ta:] katar
catastrophe [kə'tæstrəfi] katastrofa
catcall [kætko:l] pískání, volání (*v divadle / při sportovním utkání*)
catch* [kæč] *v* **1** (za)chytit **2** porozumět ♦ **~ me riding a bus!** Já a jet autobusem!; **~ (a) cold** nachladit se; **~ fire** vznítit se; **~ sight / a glimpse of** zahlédnout koho / co • *n* **1** úlovek, kořist **2** háček, zádrhel; **there's a ~ in it somewhere** někde to vázne
catch on **1** ujmout se, zabrat **2** začít chápat
catch out nachytat

catch up dohonit, dohnat, dohánět **with sb.** koho / **on sth.** co
catchphrase [kæčfreiz] (módní) fráze
categorical [kæti'gorikl] kategorický
category [kætigəri] kategorie
cater [keitə] **1** zásobovat potravinami **for** koho, starat se o pohoštění pro **2** poskytovat zábavu **for** komu, sloužit
caterpillar [kætəpilə] **1** housenka **2** housenkový pás; ~ **tractor** pásový traktor
cathedral [kə'θi:drəl] katedrála
Catholic [kæθəlik] *n* katolík • *adj* katolický
catkin [kætkin] jehněda
cattle [kætl] dobytek
catty [kæti] zlomyslný
Caucasus [ko:kəsəs], **the** ~ Kavkaz
cauliflower [koliflauə] květák
causality [ko:'zæliti] příčinná souvislost
cause [ko:z] *n* **1** příčina, důvod **2** věc **3** předmět sporu; soudní pře ♦ **give ~ for concern** vzbuzovat obavy • *v* **1** způsobit, být příčinou čeho **2** přimět **sb. to do sth.** koho udělat / aby udělal co
caution [ko:šn] **1** opatrnost **2** výstraha; napomenutí ♦ **with** ~ opatrně
cautious [ko:šəs] opatrný, obezřelý; dávající pozor
cavalry [kævlri] jezdectvo, jízda
cave [keiv] jeskyně
cavern [kævən] velká jeskyně
cavity [kæviti] dutina; zubní kaz, kavita
CD player ['si:di:ˌpleiə] přehrávač kompaktních desek
cease [si:s] *v* **1** přestat **2** zastavit • *n:* **without** ~ bez přestání
ceasefire [si:sfaiə] zastavení palby, klid zbraní, příměří
ceaseless [si:slis] neustálý
cedar [si:də] cedr
ceiling [si:liŋ] strop, (*též přen.*)
celebrate [selibreit] **1** slavit (**Christmas** Vánoce) **2** oslavovat **3** sloužit, celebrovat (*mši*)
celebrated [selibreitid] slavný, proslavený **for** čím
celebration [seli'breišn] oslava
celebrity [si'lebriti] **1** sláva **2** proslulá osobnost, hvězda
celery [seləri] celer (*zvl. stonky*)
celibacy [selibəsi] celibát
cell [sel] **1** cela **2** článek, baterie **3** buňka, (*též přen.*)
cellar [selə] sklep
cello [čeləu] (violon)cello
cellular [seljulə] buněčný
Celt [kelt / selt] Kelt
Celtic [keltik / seltik] keltský
cement [si'ment] *n* cement • *v* upevnit, stmelit, (*též přen.*)
cemetery [semitri] hřbitov
censor [sensə] *n* cenzor • *v* cenzurovat
censorship [sensəšip] cenzura
censure [senšə] *v* **1** pokárat; odsuzovat **2** vyslovit nedůvěru komu • *n* **1** ostrá výtka, pokárání; nepříznivá kritika **2** odsouzení ♦ **vote of** ~ (*odhlasovaný*) projev nedůvěry
census [sensəs] sčítání lidu
cent [sent] cent (*setina dolaru*)
centenary [sen'ti:nəri], **centennial** [sen'teniəl] *US* sté výročí
centimetre [sentimi:tə] centimetr
central [sentrəl] **1** střední

2 blízko centra města **3** ústřední
♦ ~ **heating** ústřední topení
centre [sentə] *n* **1** střed, centrum, (*též přen.*); ~ **of gravity** těžiště
2 středisko; **a shopping ~** nákupní středisko
• *v* soustředit (se) **upon** na
century [senčəri] století
ceramic [si'ræmik] keramický
ceramics [si'ræmiks] *pl* keramika
cereals [siriəlz] *pl* obilniny, obiloviny
ceremonial [seri'məuniəl] *adj* slavnostní, formální; obřadný
• *n* ceremoniál
ceremony [seriməni] obřad, ceremonie; **stand on ~** chovat se s upjatou zdvořilostí
certain [sə:tn] **1** jistý, nezvratný **2** jist, přesvědčen **3** určitý, jakýsi
♦ **on ~ conditions** za určitých podmínek; **to a ~ extent** do určité míry; **for ~** určitě, s určitostí; **it is ~ to happen** určitě se to stane; **know for ~** s určitostí vědět; **make ~** *1.* přesvědčit se *2.* zajistit **of sth.** co; **for a ~ reason** z určitého důvodu
certainly [sə:tnli] **1** jistě, určitě **2** zajisté; prosím (*odpověď na prosbu / přání*)
♦ **~ not** v žádném případě
certainty [sə:tnti] jistota, určitost; **for a ~** určitě, s určitostí
certificate [sə'tifikit] vysvědčení, osvědčení; potvrzení; **a ~ of birth / marriage** křestní / oddací list; **a health ~** lékařské vysvědčení
certify [sə:tifai] **1** potvrdit, dosvědčit; **this is to ~ that** potvrzuje se, že **2** ověřit správnost čeho, legalizovat **3** kvalifikovat (**a physician** lékaře), aprobovat (**a teacher** učitele)
certitude [sə:titju:d] jistota; (*pevné*) přesvědčení
cessation [se'seišn] zastavení, ukončení (**of hostilities** bojových akcí)
chain [čein] *n* řetěz, (*též přen.*); **~ mail** drátěná košile; **~ reaction** řetězová reakce; **~ store** filiální prodejna, filiálka • *v* spoutat
chain up přivázat, připoutat (*řetězem*)
chair [čeə] *n* **1** židle, křeslo **2** předsednictví **3** stolice, katedra
♦ **take a ~** posadit se; **take the ~** předsedat
• *v* předsedat (**a meeting** schůzi)
chairman [čeəmən] předseda
chairwoman [čeəwumən] předsedkyně
chalet [šælei] **1** horská bouda **2** chata, bungalov
chalk [čo:k] *n* křída
• *v* psát / kreslit křídou
chalk up **1** zapsat; připsat **2** vysvětlovat
challenge [čælindž] *n* **1** výzva, apel, 'hozená rukavice' **2** úkol, problém • *v* **1** vyzvat **2** namítat **3** popírat **4** brát v pochybnost **5** mít námitky proti, odmítnout (*člena poroty*)
challenge cup [čælindžkap] putovní pohár
challenging [čælindžiŋ] **1** provokující, vyzývavý **2** fascinující
chamber [čeimbə] **1** komora; **C~ of Commerce** obchodní komora **2** komnata
chambermaid [čeimbəmeid] pokojská

chamber music [čeimbəmju:zik] komorní hudba
chamois [šæmwa:] **1** kamzík **2** *též* ~ **leather** jelenice
champagne [šæm'pein] šampaňské
champion [čæmpjən] **1** zastánce; bojovník **of** za **2** přeborník, šampión
championship [čæmpjənšip] šampionát, přebor, mistrovství
chance [ča:ns] *n* **1** náhoda **2** možnost, příležitost ♦ **by ~** náhodou; **on the off ~** co kdyby náhodou; **stand a ~** mít naději; **take one's ~** riskovat, pokusit se o štěstí; **the ~ of a lifetime** jedinečná příležitost • *adj* náhodný, nahodilý
chancellor [ča:nsələ] kancléř
chandelier [šændə'liə] lustr
change [čeindž] *n* **1** změna, přeměna **2** drobné (*peníze*); nazpět ♦ **for a ~** pro změnu; **a ~ for the better** změna k lepšímu; **a ~ of heart** změna smýšlení; **here's your ~** zde máte nazpět • *v* **1** (z)měnit (se) **2** vyměnit (si) **3** proměnit (*peníze*) ♦ **~ one's clothes** převléci se; **~ into** *1.* proměnit (se) v *2.* převléci se do; **~ hands** změnit majitele; **~ one's mind** rozmyslit se; **~ trains** přesednout; **~ to a bus** přesednout na autobus; **~ gear** přeřadit rychlost; **~ up / down** zařadit vyšší / nižší rychlost
change over 1 úplně změnit / přeměnit **2** vyměnit si místo
changeable [čeindžəbl] proměnlivý (**weather** počasí)
channel [čænl] **1** řečiště **2** kanál, průliv; **the English C~** průliv La Manche **3** kanál, záznamová stopa **4** cesta; **through diplomatic ~s** diplomatickou cestou
chaos [keios] chaos, zmatek
chaotic [kəi'otik] chaotický
chap [čæp] (*hovor.*) člověk, chlapík
chapel [čæpl] **1** kaple **2** modlitebna **3** (*odborové*) sdružení typografů / novinářů
chapter [čæptə] **1** kapitola **2** kapitula
char [ča:] *v* **(rr)** spálit (se) na uhel • *n* dřevěné / živočišné uhlí
character [kæriktə] **1** charakter, povaha **2** postava (*ve hře*) **3** kádrový posudek **4** pověst, reputace **5** písmeno
characteristic [kærəktə'ristik] *adj* charakteristický, typický • *n* vlastnost
characterize [kærəktəraiz] charakterizovat; **be ~d by sth.** vyznačovat se čím
charcoal [ča:kəul] dřevěné uhlí
charge [ča:dž] *n* **1** nálož, náboj **2** úkol **3** poplatek **4** péče, dozor **5** osoba svěřená něčí péči, svěřenec **6** obvinění (**of murder** z vraždy) **7** útok ♦ **be in ~ of** mít na starosti co, být zodpovědný za co; **bring a ~ against sb.** obvinit koho; **take ~ of** ujmout se čeho; **free of ~**, **without ~** zdarma • *v* **1** nabít (*střelnou zbraň*) **2** pověřit **sb.** koho **with sth.** čím **3** obvinit **sb.** koho **with sth.** z čeho **4** účtovat, počítat cenu; **he ~d me two pounds for it** počítal mi za to dvě libry **5** napadnout (**the enemy** nepřítele)
charitable [čæritəbl] dobročinný
charity [čæriti] **1** láska k bližní-

mu 2 dobročinnost ♦ ~ **begins at home** bližší košile nežli kabát
Charles [ča:lz] Karel
charm [ča:m] *n* 1 kouzlo 2 půvab ♦ **like a** ~ dokonale • *v* okouzlit
charming [ča:miŋ] okouzlující, roztomilý
chart [ča:t] 1 lodní mapa 2 diagram, tabulka; žebříček (*popularity*)
charter [ča:tə] *n* charta; listina; ~ **flight** speciál (*let(adlo) mimo pravidelný letový řád*) • *v* najmout loď / letadlo
chartered accountant [ˌča:təd əˈkauntənt] autorizovaný / přísežný účetní znalec
chary [čeəri] 1 opatrný **of** na 2 skoupý **of** na
chase [čeis] *n* lov, hon(ba); **give sb. a** ~ prohnat koho • *v* 1 honit, lovit **(after) sb.** koho 2 shánět
chase off rozprchnout se
chasm [kæzm] propast, (*též přen.*)
chaste [čeist] cudný
chastise [čæsˈtaiz] trestat
chastity [čæstiti] cudnost
chat [čæt] *v* **(tt)** povídat si, hovořit • *n* hovor, povídání, beseda
chatter [čætə] *v* 1 tlachat, žvanit, brebentit 2 (*zuby*) cvakat, jektat • *n* tlachání
chatty [čæti] upovídaný
chauffeur [šəufə] (*profesionální*) řidič, šofér (*soukromého vozu*)
cheap [či:p] *adj* levný, laciný, (*též přen.*) • *adv* lacino
cheapen [či:pn] zlevnit
cheat [či:t] *v* napálit, podvést; ošidit **sb.** koho **out of sth.** o co • *n* podvodník
check [ček] *n* 1 zadržení, zastavení; překážka 2 kontrola, revize **on** koho / čeho 3 lístek (*od šatny*); *US* účet v restauraci 4 šach 5 kostkovaný vzor; kostkovaná látka 6 *US* šek ♦ **hold in** ~ držet pod kontrolou; **run a** ~ kontrolovat • *adj* kostkovaný, károvaný, pepita • *v* 1 zastavit, zarazit 2 (z)kontrolovat, ověřit si; porovnat 3 dát šach 4 dát (si) do šatny
check in 1 ubytovat se v hotelu 2 přihlásit se (*jako přítomný*), zaregistrovat se
check off 1 zatrhnout, odfajfkovat (*hovor.*) 2 vyřadit, eliminovat
check out prověřovat; ~ **of a hotel** odhlásit se z hotelu (*zaplatit účet a odejít*)
check over překontrolovat
check up 1 zkontrolovat 2 ověřit si **on sth.** co
checked [čekt] kostkovaný, pepita
checkmate [čekmeit] *n* mat • *v* dát mat
checkup [čekap] (*hovor.*) celkové lékařské vyšetření
cheek [či:k] 1 tvář, líce; ~ **by jowl** v těsném sousedství 2 (*hovor.*) drzost; **What a ~!** To je ale drzost!
cheekbone [či:kbəun] lícní kost
cheeky [či:ki] (*hovor.*) drzý
cheer [čiə] *n* 1 nálada 2 ovace, volání slávy ♦ **~s!** na zdraví! (*přípitek*); **three ~s for ...** ať žije ..., třikrát hip hip hurá!; **be of good** ~ být dobré mysli, neztrácet naději • *v* 1 povzbudit 2 radostně uvítat
cheer up 1 utěšit, povzbudit 2 ~ **up!** hlavu vzhůru!
cheerful [čiəful] veselý, radostný; bodrý
cheerio [čiəriˈəu] (*hovor.*)

1 nazdar!, ahoj! 2 na tvoje zdraví!
cheese [či:z] sýr
chef [šef] šéfkuchař
chemical [kemikl] chemický
chemist [kemist] 1 chemik 2 *GB* lékárník; **~'s (shop)** lékárna
chemistry [kemistri] chemie
cheque [ček] šek
chequered [čekəd] 1 károvaný, kostkovaný 2 pestrý (**career** životní dráha)
cherish [čeriš] 1 pečovat o 2 chovat, mít (**hope** naději, **illusions** iluze)
cherry [čeri] třešeň; třešně ♦ **lose one's ~** ztratit panenství; **~ on the cake / top** něco příjemného navíc
chess [čes] šachy
chessboard [česbo:d] šachovnice
chessman [česmæn] šachová figurka
chest [čest] 1 bedna, truhla; **~ of drawers** prádelník 2 hruď, prsa; **get sth. off one's ~** svěřit se komu s čím
chestnut [česnat] kaštan
chew [ču:] žvýkat
chewing gum [ču:iŋgam] žvýkací guma, žvýkačka
chicken [či:kin] 1 slepice 2 kuře 3 (*přen.*) bačkora, bábovka
chicken pox [čikinpoks] plané neštovice
chief [či:f] *n* 1 náčelník, velitel, šéf 2 přednosta, představený, ředitel; **in ~** hlavně, především • *adj* vrchní, nejvyšší, hlavní ♦ **~ constable** policejní ředitel
chiefly [či:fli] hlavně, především, zejména
chieftain [či:ftən] náčelník
child [čaild] dítě; **be with ~** být v jiném stavu; **~ benefit** přídavek na dítě; **~'s play** úplná hračka
childhood [čaildhud] dětství
childish [čaildiš] 1 dětský 2 dětinský, naivní
childlike [čaildlaik] 1 dětský 2 dětsky prostý, upřímný
chill [čil] *n* 1 chlad, zima 2 nachlazení; **catch a ~** nachladit se • *adj* chladný, studený, mrazivý; **a ~ welcome** mrazivé přijetí • *v* 1 ochladit, zchladit; **~ed to the bone** promrzlý na kost 2 způsobit, že běhá mráz po zádech komu
chill out *US* (*hovor.*) uklidnit se
chilly [čili] chladný, studený
chime [čaim] *n* (*často*) **~s** *pl* zvonková hra, zvonění • *v* 1 vyzvánět 2 odbíjet hodiny
chime in vmísit se do hovoru
chimney [čimni] komín
chimpanzee [čimpən'zi:] šimpanz
chin [čin] brada ♦ **keep one's ~ up** držet hlavu vzhůru, nedat se
China [čainə] Čína
china [čainə] porcelán
Chinese [čai'ni:z] *n* 1 Číňan 2 čínština • *adj* čínský ♦ **~ lantern** lampión
chink[1] [čiŋk] štěrbina
chink[2] [čiŋk] *v* cinkat • *n* cinkot
chintz [činc] kartoun
chip [čip] *n* 1 tříska, odštěpek 2 **~s** *pl US* smažené brambůrky; *GB* hranolky, pomfrity ♦ **he is a ~ of the old block** jablko nepadlo daleko od stromu • *v* **(pp)** štípat
chip away odlámat kousek po kousku, oddrolit
chip in (*hovor.*) 1 přerušit, vmísit

se do hovoru **2** přispět svou částkou peněz
chiropody [ki'ropədi] pedikúra
chirp [čə:p] *n* cvrkot, cvrlikání
• *v* cvrlikat
chisel [čizl] *n* dláto
• *v* **(ll)** vysekat dlátem
chit [čit] **1** krátká (*psaná*) zpráva, lístek **2** stvrzenka, účtenka, paragon
chivalrous [šivəlrəs] rytířský, galantní
chivalry [šivəlri] **1** rytířství **2** rytířskost
chloride [klo:raid] chlorid
chlorine [klo:ri:n] chlór
choc-ice [čokais] nanuk
chock-full [čok'ful] (*hovor.*) přeplněný, nabitý k prasknutí
chocolate [čoklit] **1** čokoláda (*též nápoj*) **2** čokoládový bonbón **3 ~s** bonboniéra
choice [čois] *n* volba, výběr **of** čeho; **take your ~** vyberte si; **~ of a career** volba povolání
• *adj* vybraný; výběrový
choir [kwaiə] **1** pěvecký sbor **2** chór; kněžiště
choke [čəuk] **1** dusit se; zakuckat se; nebýt schopen slova **2** škrtit **3** ucpat
choke back / down polykat (**one's tears** slzy)
choke off zarazit **sb. from doing sth.** koho, aby ne
cholera [kolərə] cholera
choose* [ču:z] **1** zvolit si, vybrat si **2** rozhodnout se; **I cannot ~ but** nezbývá mi, než
choosey, choosy [ču:zi] až příliš vybíravý, náročný
chop [čop] *n* **1** (*vysoká*) kotleta, žebírko **2** seknutí, sek; (*šikmá*) rána, úder ♦ **get the ~** (*GB, hovor.*) *1.* dostat padáka *2.* (*plán*) být úředně potopen
• *v* **(pp)** sekat, štípat (**wood** dříví); krájet (**onion** cibuli)
chop off useknout
chop up nasekat
chopper [čopə] **1** sekáček **2** (*hovor.*) helikoptéra
chopstick [čopstik] (*jídelní*) hůlka, tyčinka
chord [ko:d] **1** akord **2** (*přen.*) struna ♦ **strike the right ~** uhodit na správnou strunu; **vocal ~s** *pl* hlasivky; **spinal ~** mícha
chorus [ko:rəs] *n* **1** pěvecký sbor **2** refrén • *v* sborově říkat / zpívat
chorus girl [ko:rəsgə:l] revuální tanečnice / zpěvačka
Christ [kraist] Kristus
christen [krisn] (po)křtít
christening [krisniŋ] křest
Christian [krisčən] *adj* křesťanský ♦ **~ name** křestní jméno
• *n* křesťan
christianity [kristi'æniti] křesťanství
Christmas [krisməs] Vánoce; **at ~ (time)** o Vánocích ♦ **~ Day** Boží hod vánoční, první vánoční svátek; **~ Eve** Štědrý den / večer; **~ tree** vánoční stromek
chromium [krəumjəm] chróm
chromium-plated [krəumjəm-'pleitid] pochromovaný
chronic [kronik] chronický
chronicle [kronikl] kronika
chronological [kronə'lodžikl] chronologický
chronology [krə'nolədži] chronologie
chubby [čabi] buclatý
chuck [čak] (*hovor.*) **1** házet

2 nechat čeho; ~ **it!** nech toho!, jdi od toho!; ~ **up one's job** pověsit práci na hřebík
chuckle [čakl] tiše se zasmát **at / over sth.** čemu
chum [čam] kamarád
chunk [čaŋk] kus, špalek
church [čə:č] **1** kostel **2** církev
churchyard [čə:čja:d] hřbitov (*u kostela*)
chute [šu:t] **1** skluzavka **2** odpadová šachta
cider [saidə] **1** *GB* jablečné víno, (*alkoholický*) mošt **2** *US* (*nealkoholický*) mošt
c.i.f. = cost, insurance, freight výlohy, pojištění, dopravné
cigar [si'ga:] doutník
cigarette [sigə'ret] cigareta; ~ **holder** cigaretová špička
cinch [sinč] (*hovor.*) **1** hračka **2** hotovka, beton
cinder [sində] **1** struska, škvára **2** ~**s** *pl* popel
Cinderella [sində'relə] Popelka
cinder track [sindətræk] škvárová dráha
cine-camera [sinikæmərə] (*ruční*) kinokamera
cine-film [sinifilm] kinofilm
cinemascope [siniməskəup] (promítání na) široké plátno
cinematography [siniməˈtogrəfi] kinematografie
cinerama [sini'ra:mə] promítání na trojrozměrné plátno
cinnamon [sinəmən] skořice
cipher [saifə] *n* **1** nula, (*též přen.*) **2** cifra, číslice **3** šifra • *v* **1** počítat **2** šifrovat
circle [sə:kl] *n* **1** kruh; kroužek **2** balkón (*v divadle*) **3** cyklus • *v* kroužit
circuit [sə:kit] **1** obvod **2** okruh **3** okružní cesta **4** (*sport.*) kolo, kruh, dráha ♦ **make a ~ of** obejít co, objet, obeplout; **short** ~ zkrat
circular [sə:kjulə] *adj* **1** kruhový, kulatý (**table** stůl) **2** okružní ♦ ~ **saw** cirkulárka • *n* **1** oběžník **2** propagační materiál
circulate [sə:kjuleit] **1** obíhat **2** dávat do oběhu, rozšiřovat **3** pohybovat se od hosta k hostu, cirkulovat
circulating library ['sə:kju:leitiŋˌlaibrəri] veřejná knihovna, půjčovna knih
circulation [sə:kju'leišn] **1** oběh **2** průměrný počet prodaných výtisků (*novin*)
circumference [sə'kamfrəns] obvod (*kruhu*)
circumspect [sə:kəmspekt] obezřelý
circumstance [sə:kəmstəns] (*zprav. pl*) ~**s** okolnosti; **in / under the ~s** za těchto okolností; **in / under no ~s** za žádných okolností
circumstantial [sə:kəm'stænšl] **1** podmíněný okolnostmi; náhodný **2** detailní, rozvláčný **3** obřadný, ceremoniální ♦ ~ **evidence** indicie
circumvent [sə:kəm'vent] obejít (**a law** zákon)
circus [sə:kəs] **1** cirkus **2** kruhové náměstí
cistern [sistən] cisterna, rezervoár
citation [sai'teišn] **1** pochvalná zmínka **for** za **2** citát
cite [sait] citovat, uvádět
citizen [sitizn] **1** měšťan **2** občan; státní příslušník

citizenship [sitiznšip] občanství; státní příslušnost
city [siti] město, velkoměsto; **the C~** londýnská City; **the ~ fathers** *US* obecní starší
civic [sivik] občanský
civics [siviks] *sg* občanská výchova
civil [sivil] **1** občanský; **~ law** občanské právo; **~ war** občanská válka **2** civilní; **the C~ Service** státní služba **3** zdvořilý
civilian [si'viljən] *n* civilista • *adj* civilní
civility [si'viliti] zdvořilost
civilization [sivilai'zeišn] civilizace
civvies [siviz] *pl* (*hovor.*) civilní oděv, civil
claim [kleim] *v* **1** požadovat, činit si nárok na **2** vyžádat si, vyzvednout si **3** tvrdit • *n* **1** nárok **to** na co; **lay ~ to** činit si nárok na; **put in a ~ for** přihlásit se o **2** požadavek **3** (*obch.*) reklamace
clam [klæm] *n* škeble • *v* **(mm)** sbírat škeble
clam up (*slang.*) zavřít zobák, oněmět
clamber [klæmbə] lézt, šplhat
clamour [klæmə] *n* křik, hluk • *v* křičet, volat
clamp [klæmp] *n* **1** svěrák **2** botička (*na kolo auta)* • *v* **1** sevřít **2** dát botičku
clamp down učinit přítrž **on** čemu
clan [klæn] klan, rod
clandestine [klæn'destin] tajný
clap [klæp] *v* **(pp)** **1** klepat, pleskat **2** tleskat, aplaudovat • *n* **1** rána, úder; **a ~ of thunder** zahřmění **2** zatleskání
clarify [klærifai] **1** vyjasnit (se), objasnit **2** vyčistit
clarity [klæriti] jasnost
clash [klæš] *n* **1** srážka **2** konflikt **3** třesk, (za)řinčení • *v* **1** srazit se, (*též přen.*) **2** kolidovat **3** narážet na sebe (*s řinkotem*)
clasp [kla:sp] *n* **1** sponka, spona **2** sevření • *v* **1** sevřít, svírat; **with ~ed hands** se sepjatýma rukama **2** zapnout sponkou; upevnit
class [kla:s] *n* **1** třída **2** ročník **3** hodina (*vyučovací*); **~es** *pl* kurs
classic [klæsik] *adj* klasický (*vzorný*) • *n* klasik
classical [klæsikl] **1** klasický (*antický*); **a ~ education** humanitní vzdělání **2** klasický (*na rozdíl od moderního*)
classification [klæsifi'keišn] klasifikace, třídění
classified [klæsifaid] **1** (*úředně*) utajovaný, tajný **2** roztříděný ♦ **~ ad** inzerát v malém oznamovateli
classify [klæsifai] klasifikovat, třídit
classroom [kla:srum] třída (*místnost*)
clatter [klætə] *n* **1** dusot; řinkot, řinčení **2** změť hlasů • *v* řinčet, rachotit
clause [klo:z] **1** klauzule, doložka, odstavec **2** (*jaz.*) vedlejší věta
claw [klo:] *n* dráp, spár • *v* **1** popadnout; chňapnout **at** po **2** škrábat, drápat
clay [klei] hlína, jíl
clean [kli:n] *adj* **1** čistý, (*též přen.*) **2** čistotný ♦ **~ bill of health** *1.* zdravotní pas *2.* osvědčení o bezúhonnosti

• *adv* úplně; **I ~ forgot about it** úplně jsem na to zapomněl
• *v* čistit
clean up vyčistit, uklidit
cleanliness [klenlinis] čistotnost
cleanly [klenli] čistotný
cleanse [klenz] očistit **of / from** od
clear [kliə] *adj* **1** jasný; průzračný; čistý; **a ~ conscience** čisté svědomí **2** zřetelný; **make oneself ~** vyjádřit se jasně **3** (*obch.*) čistý, netto • *adv* jasně, zřetelně
• *v* **1** vyčistit; uklidit (**the table** stůl / se stolu); **~ one's throat** odkašlat si **2** přeskočit (**six feet** šest stop) **3** těsně minout **4** odbavit (**a ship** loď) **5** vyjasnit (se)
clear away uklidit / sklidit se stolu
clear off vypadnout, zmizet
clear out 1 vybrat (**the ashes** popel) **2** přebrat / uklidit a zbytečné vyhodit **3** (*hovor.*) ztratit se, zmizet
clear up 1 uklidit **2** vyjasnit (se)
clearance sale [kliərəns seil] výprodej
clearing [kliəriŋ] mýtina
clearly [kliəli] **1** jasně, zřetelně **2** samozřejmě
clear-sighted [kliə'saitid] jasnozřivý, bystrozraký, (*též přen.*)
cleave* [kli:v] **1** rozštípnout (se) **2** zůstat věrný **to** komu / čemu
cleft stick [ˌkleft'stik]: **be in a ~** být v prekérní situaci
clemency [klemənsi] mírnost; shovívavost
clench [klenč] sevřít; **~ one's teeth** zatnout zuby
clergy [klə:dži] duchovenstvo
clergyman [klə:džimən] duchovní
clerical [klerikl] **1** kněžský (**collar** kolárek) **2** kancelářský; **a ~ error** písařská chyba, přepsání; **~ work** kancelářská práce
clerk [kla:k] (*nižší*) úředník; kancelářský zaměstnanec
clever [klevə] **1** chytrý, inteligentní **at** na **2** obratný ♦ **too ~ by half** (*GB, hovor.*) přechytralý
click [klik] **1** cvaknout; **~ one's fingers** lusknout prsty; **~ one's tongue** mlasknout jazykem **2** (*hovor.*) mít štěstí / úspěch
client [klaiənt] klient, zákazník
cliff [klif] útes
cliffhanger [klifhæŋə] (*hovor.*) **1** nervák **2** (*rozhlasový / televizní*) seriál (*jehož díly končí v okamžiku napětí*)
climate [klaimət] podnebí
climatic [klai'mætik] klimatický
climax [klaimæks] **1** vyvrcholení **2** orgasmus
climb [klaim] *n* výstup kam
• *v* **1** šplhat, lézt (**(up) a tree** na strom) **2** stoupat
climb down 1 sešplhat, slézt, lézt dolů **2** uznat chybu
climbing frame [klaimiŋfreim] (*dětská*) prolézačka
clinch [klinč] **1** sevřít **2** rozhodnout; dotvrdit, uzavřít (*smlouvu*)
cling* [kliŋ] **1** lpět **to** na, viset na, lnout k; držet se čeho **2** těsně přiléhat **to** k, lepit se na
cling together (*přátelé*) držet pohromadě
clinic [klinik] klinika
clink [kliŋk] *v* cinkat • *n* cinkot
clip[1] [klip] *n* svorka, klips
• *v* **(pp)** sepnout
clip[2] [klip] **(pp) 1** (o)stříhat, zastřihnout; **~ the wings of sb.**

přistřihnout křídla komu
2 proštípnout (**a ticket** lístek)
clipper [klipə] **1** rychlá plachetnice, klipr; dopravní letadlo **2 ~s** *pl* holičský strojek; kleštičky na nehty
clipboard [klipbo:d] psací deska s klipsem
clipping [klipiŋ] **1** výstřižek z novin **2** ústřižek, odstřižek
cloak [kləuk] *n* **1** plášť **2** (*přen.*) pláštík • *v* zahalit; maskovat
cloakroom [kləukrum] **1** šatna **2** toaleta
clock [klok] *n* hodiny
♦ **around the ~** ve dne v noci, po celých 24 hodin • *v* měřit (*čas*)
clock in / on píchat příchod do zaměstnání
clock out / off píchat odchod ze zaměstnání
clockwise [klokwaiz] ve směru hodinových ručiček
clockwork [klokwə:k] hodinový stroj; **run like ~** jít jako hodinky
clod [klod] hrouda
clog [klog] **(gg) 1** ucpat (se), zanést (se) **2** přecpat
cloister [kloistə] **1** ambit, křížová chodba **2** klášter
close[1] [kləus] *adj* **1** blízký **2** těsný **3** podrobný, důkladný **4** dusný **5** tajný
♦ **keep sth. ~** držet co v tajnosti; **a ~ shave / thing** únik o vlas • *adv* blízko, těsně **to sth.** u čeho; **~ by** blízko; **~ (up)on** téměř
close[2] [kləuz] *n* závěr, konec
♦ **draw / bring sth. to a ~** ukončit co; **~ season** doba hájení • *v* (u)zavřít (se)
close down 1 zavřít (**a factory** továrnu) **2** ukončit vysílání
close in 1 stahovat se kolem **2** (*noc*) nastávat
close up uzavřít, zatarasit
closed circuit television [ˌkləuzdsə:kit 'telivižn] průmyslová televize
closely [kləusli] zblízka; pozorně, přísně
closet [klozit] *US* vestavěná skříň
close-up [kləusap] záběr zblízka
closing time [kləuziŋtaim] zavírací doba (*hostince*)
clot [klot] *n* **1** chuchvalec **2** sedlina, sraženina (*zvl. krve*) • *v* **(tt)** srážet se
cloth [kloθ] látka, sukno, plátno
clothe [kləuð] obléci, odít
clothes [kləuðz] *pl* **1** šaty; **in plain ~** v civilu **2** prádlo
clothesline [kləuðzlain] prádelní šňůra
clothing [kləuðiŋ] šaty, oděv; **articles of ~** kusy oděvu; **~ industry** oděvní průmysl
cloud [klaud] *n* mrak, oblak • *v* potáhnout (se) mraky
cloudburst [klaudbə:st] průtrž mračen
clouded [klaudid] zamračený
clout [klaut] **1** hadr, hadřík; **a dish ~** hadr na nádobí **2** (*hovor.*) štulec
clover [kləuvə] jetel; **live in ~** mít se jako prase v žitě
clown [klaun] *n* klaun, šašek • *v* šaškovat
cloy [kloi] **1** (*sladkost*) přesytit, zaplácat žaludek **2** přejíst se
club[1] [klab] *n* kyj, hůl • *v* **(bb)** utlouci holí
club[2] [klab] klub
clue [klu:] **1** stopa (*k záhadě*) **2** legenda (*křížovky*) ♦ **not to have a ~** nemít zdání / tušení

clump[1] [klamp] skupina (**of trees** stromů)
clump[2] [klamp] belhat se, jít těžkým krokem
clumsy [klamzi] **1** neobratný, nemotorný **2** netaktní
cluster [klastə] *n* trs, chomáč, hrozen; shluk • *v* kupit se
clutch [klač] *v* uchopit; sáhnout **at** po • *n* spojka (*motoru*); **let in the** ~ sešlápnout spojku; **let out the** ~ pustit spojku
clutter [klatə] *n* nepořádek • *v* ~ **(up)** **1** uvést do nepořádku; zaneřádit **2** přeplnit, přecpat
Co. = **Company** [kampəni] *(obch.)* společnost
c/o = **care of** [keərəv] do rukou koho, k rukám koho
coach [kəuč] *n* **1** kočár **2** železniční vagón **3** autokar, autobus; ~ **station** autobusové nádraží **4** soukromý učitel **5** trenér • *v* **1** připravovat ke zkoušce **2** trénovat
coal [kəul] uhel; uhlí ♦ **carry ~s to Newcastle** nosit dříví do lesa
coalfield [kəulfi:ld] uhelný revír
coalition [kəuə'lišn] koalice
coalmine [kəulmain] uhelný důl
coarse [ko:s] hrubý, drsný, (*též přen.*)
coast [kəust] mořský břeh, pobřeží ♦ **the ~ is clear** vzduch je čistý (*přen.*)
coastline [kəustlain] pobřežní čára
coat [kəut] *n* **1** kabát, plášť **2** nátěr • *v* pokrýt, natřít; obalit, potáhnout
coating [kəutiŋ] nátěr
coat hanger [kəuthæŋə] ramínko na šaty
coat of arms [kəutəv'a:mz] erb
coatrack ['kəut,ræk] věšák
coax [kəuks] **1** (*lichocením*) přimět **to do / into doing** aby **2** vyloudit, vymámit
cobalt [kəubo:lt] kobalt
cobblestone [koblstəun] oblý dlažební kámen, kočičí hlava
cobweb [kobweb] pavučina
cocaine [kə'kein] kokain
cock [kok] *n* **1** kohout **2** kohoutek **3** (*vulg.*) penis • *v* zvednout, postavit
cockchafer [kokčeifə] chroust
cockney [kokni] **1** rodilý Londýňan **2** lidová londýnská angličtina, londýnské nářečí
cockpit [kokpit] kabina pilota, kokpit
cockroach [kokrəuč] šváb
cocksure [kok'šuə] příliš jistý, domýšlivý
cocktail [kokteil] koktejl (*zprav. alkoholický*)
cocoa [kəukəu] kakao
coconut [kəukənat] kokosový ořech
C.O.D. = **cash on delivery** na dobírku
cod [kod] treska
cod-liver oil [kodlivər'oil] rybí tuk
code [kəud] *n* **1** zákoník **2** kód; **the Morse** ~ Morseova abeceda • *v* šifrovat
co-education [kəuedju'keišn] koedukace
coefficient [kəui'fišnt] koeficient
coerce [kəu'ə:s] donutit **into doing sth.** k čemu
coercion [kəu'ə:šn] přinucení; **under** ~ z donucení
coexistence [kəuig'zistəns] koexistence

coffee [kofi] káva; **two black ~s** dvě černé kávy
coffee-bar [kofiba:] bistro, menší restaurace (*nealkoholická*)
coffee house [kofihaus] (*středoevropská*) kavárna
coffin [kofin] rakev
cognate [kogneit] *adj* příbuzný
cogwheel [kogwi:l] ozubené kolo
cohabit [kəu'hæbit] žít spolu (*jako druh a družka*)
coherence [kəu'hiərns] souvislost, soudržnost
coherent [kəu'hiərnt] souvislý
cohesion [kəu'hi:žn] koheze, soudržnost; přilnavost
coil [koil] *v* svinout (se), stočit (se) • *n* **1** kotouč; závit **2** cívka; spirála, vinutí
coin [koin] *n* peníz, mince; **~ box telephone** telefonní automat • *v* razit (*mince, nová slova*)
coincide [kəuin'said] **1** spadat v jedno **2** shodovat se
coincidence [kəu'insidns] shoda okolností, náhoda
coke [kəuk] **1** koks **2** (*hovor.*) kola
cold [kəuld] *adj* studený, chladný, (*též přen.*)
♦ **I am / feel ~** je mi zima; **in ~ blood** chladnokrevně; **have ~ feet** mít strach; **~ war** studená válka
• *n* **1** chlad, zima **2** nachlazení; **catch (a) ~** být nachlazený, dostat rýmu; **common ~, ~ in the head** rýma **3** (*v dětské hře*) samá voda
cold-blooded [kəuld'bladid] chladnokrevný
cold-shoulder [kəuld'šəuldə] chovat se chladně ke komu, ignorovat koho
collaboration [kə,læbə'reišn] spolupráce
collaborator [kə'læbəreitə] **1** spolupracovník **2** kolaborant
collapse [kə'læps] *v* zhroutit se • *n* zhroucení
collapsible [kə'læpsibl] skládací (**chair** židle)
collar [kolə] *n* **1** límec **2** obojek **3** chomout
♦ **~ bone** klíční kost; **hot under the ~** rozzlobený; vzrušený
• *v* **1** chytit (*(jako) za límec*) **2** (*hovor.*) vzít (si) sám
colleague [koli:g] kolega
collect [kə'lekt] **1** sbírat **2** usazovat se; **dust ~s** prach se usazuje **3** (*hovor.*) jít pro, vyzvednout (si) **4** inkasovat **5** soustředit (**one's thoughts** myšlenky)
♦ **call ~** *US* telefonovat na účet volaného
collection [kə'lekšn] **1** sbírání; sbírka **2** souprava (**of samples** vzorků) **3** *GB* vybírání poštovních schránek **4** inkaso
collective [kə'lektiv] kolektivní, hromadný
collector [kə'lektə] sběratel
college [kolidž] **1** vysoká škola, fakulta, kolej **2** kolegium
collide [kə'laid] srazit se; střetnout se
collier [koliə] **1** (*GB, hovor.*) horník **2** loď pro dopravu uhlí
collision [kə'ližn] srážka **between** čeho s čím, **with** s
colloquial [kə'ləukwiəl] hovorový
cologne [kə'ləun] **1 C~** Kolín nad Rýnem **2** *též* **eau de ~** kolínská voda
colon [kolən] dvojtečka
colonel [kə:nl] plukovník
colonial [kə'ləuniəl] koloniální
colony [koləni] kolonie

Colorado [kolə'ra:dəu] *řeka a stát v USA*; ~ **beetle** mandelinka bramborová
colossal [kə'losl] obrovitý
colour [kalə] *n* **1** barva **2** ~**s** *pl* barvy (*klubu, školy*) **3** ~**s** vlajka, prapor ♦ **change** ~ změnit barvu; **local** ~ místní kolorit; **be off** ~ necítit se dobře; **join the** ~**s** dát se na vojnu; **with flying** ~**s** vítězně • *v* **1** barvit (se), obarvit, přibarvit **2** červenat se
colour in vybarvit (*omalovánku*)
colour bar [kaləba:] rasová diskriminace
colour-blind [kaləblaind] barvoslepý
coloured [kaləd] barevný (*též hanl.*); barevné pleti
colourfast [kaləfa:st] stálobarevný
colourful [kaləful] **1** pestrý, pestrobarevný **2** barvitý
colt [kəult] hříbě
Columbia [kə'lambiə] Kolumbie
column [koləm] **1** sloup **2** sloupec **3** kolona
comb [kəum] *n* hřeben; hřebínek • *v* (pro)česat
combat *n* [kombət] boj • *v* [kəm'bæt] bojovat (**diseases** proti nemocem)
combination [kombi'neišn] **1** spojení, kombinace **2** ~**s** *pl* vlněný trikot (*s rukávy a nohavicemi*)
combine *v* [kəm'bain] spojovat (se) • *n* [kombain] **1** kombinát **2** kombajn
combustible [kəm'bastibl] *adj* hořlavý • *n* hořlavina
combustion [kəm'basčn] spalování; ~ **engine** spalovací motor
come* [kam] **1** přijít, přijet **2** pocházet (**from a town** z města, **of a good family** z dobré rodiny) **3** dospět **at** k **4** zdědit **into** co (**money** peníze) **5** náhodou potkat **upon** koho, narazit na **6** (*vulg.*) udělat se (*mít orgasmus*) ♦ ~ **and see** navštívit; ~ **and have lunch with** jít na oběd s; ~ **expensive** přijít draho; ~ **here** pojď sem; ~ **this way** pojďte tudy; **how** ~ **...** jak to přijde, že ...; **(now that I)** ~ **to think of it** teď mě napadá; ~ **true** vyplnit se
come about **1** přihodit se **2** (*vítr, loď*) otočit se
come across **1** setkat se s **2** mít úspěch
come along **1** zlepšovat se **2** pospíšit si
come away ulomit se
come back **1** vrátit se **2** odseknout
come by získat, přijít k čemu
come down **1** klesnout **2** tradovat se **3** redukovat se **to** na **4** onemocnět **with** čím **5** vrhnout se **on** na; ostře kritizovat, tepat
come forward vystoupit, předstoupit
come in **1** přicházet **2** přijít do módy **3** vstoupit ♦ ~ **handy / useful** přijít vhod
come off **1** utrhnout se **2** spadnout **3** mít úspěch, uskutečnit se ♦ ~ **it!** (*hovor.*) přestaň s tím!, nech toho!
come on postupovat, pokračovat; ~ **!** pospěš si!
come out **1** vypadnout **2** dopadnout **3** vyjít **4** vyjít najevo **5** vstoupit do stávky ♦ ~ **in spots** dostat vyrážku, osypat se
come round **1** nabýt vědomí, přijít k sobě; vzpamatovat se **2** přijít na návštěvu

come to přijít k sobě
come up **1** stát se, přihodit se **2** vynořit se **3** rovnat se **to** čemu **4** dohonit **with** koho **5** narazit **against** na
comedian [kə'mi:djən] komik
comedy [komidi] komedie
comely [kamli] půvabný
comet [komit] kometa
come-uppance [kam'apəns] (*hovor.*) (*zasloužený*) trest, (*zasloužená*) zlá odměna
comfort [kamfət] *n* **1** pohodlí **2** útěcha • *v* utěšit
comfortable [kamftəbl] pohodlný
comfortably off [ˌkamftəbli 'of] zámožný
comforter [kamfətə] utěšitel
comfy [kamfi] (*hovor.*) pohodlný
comic [komik] *adj* komický • *n* komik
comical [komikl] směšný
comics [komiks] *US* (*nedělní novinová*) příloha s kreslenými seriály
coming [kamiŋ] nadcházející, budoucí
comma [komə] čárka
command [kə'ma:nd] *v* **1** poroučet, rozkazovat **2** velet **3** ovládat **4** disponovat čím **5** vzbuzovat (**respect** úctu) • *n* **1** rozkaz **2** velení **3** ovládání, znalost (**of English** angličtiny)
commander [kə'ma:ndə] velitel; **~ in chief** vrchní velitel
commandment [kə'ma:ndmənt] přikázání
commando [kə'ma:ndəu] přepadový oddíl, komando
commemorate [kə'meməreit] připomínat památku / výročí
commence [kə'mens] začít
commencement [kə'mensmənt] **1** začátek **2** *US* slavnostní závěr školního / akademického roku
commend [kə'mend] **1** chválit; doporučit **2** svěřit
commendable [kə'mendəbl] doporučeníhodný, chvályhodný
comment [koment] *n* poznámka; komentář **on** k / o; **no ~** nemám k tomu co říct • *v* komentovat **on sth.** co
commentary [koməntəri] komentář **on** k / o
commentator [koməntеitə] komentátor; reportér
commerce [komə:s] obchod
commercial [kə'mə:šl] *adj* obchodní • *n* reklama (*v rozhlase / televizi*)
commission [kə'mišn] *n* **1** úkol **2** komise **3** provize • *v* **1** zmocnit, pověřit **2** objednat si (*umělecké dílo*)
commissioner [kə'mišənə] komisař, zmocněnec
commit [kə'mit] **(tt)** **1** spáchat (**suicide** sebevraždu), dopustit se (**a mistake** chyby) **2** svěřit; **~ to memory** naučit se zpaměti **3 ~ oneself** zavázat se
commitment [kə'mitmənt] závazek
committed [kə'mitid] **1** upnutý **to** na, zanícený pro **2** angažovaný
committee [kə'miti] výbor; komise
commodity [kə'moditi] předmět spotřeby, zboží
common [komən] *adj* **1** společný **2** obecný **3** obyčejný, běžný **4** hrubý, nevychovaný; sprostý ♦ **it is ~ knowledge that** je všeobecně známo, že; **the ~ people** obyčejní lidé; **~ sense**

zdravý / selský rozum
• *n* **1** náves **2** společenství
♦ **have nothing in ~ with** nemít nic společného s; **in ~ with** spolu s; **out of the ~** nezvyklý, neobyčejný
commonly [kamənli] obvykle, obecně
commons [komənz] *pl* prostí občané; **the House of C~** *GB* Dolní sněmovna
commonwealth [komənwelθ] společenství národů; **the C~** Britské společenství národů
commotion [kə'məušn] **1** otřes **2** zmatek, pozdvižení, rozruch, vzrušení
commune [komju:n] **1** obec **2** komuna
communicate [kə'mju:nikeit] **1** sdělit, oznámit **2** být spojen; souviset **3** dorozumívat se, komunikovat
communication [kə,mju:ni'keišn] **1** sdělení; zpráva; projev **2** spojení, komunikace ♦ **~ cord** *GB* záchranná brzda (*ve vlaku*)
communicative [kə'mju:nikətiv] **1** sdílný, hovorný **2** sdělný
communiqué [kə'mju:nikei] komuniké
community [kə'mju:niti] **1** společenství **2** obec **3** veřejnost
commutation [komju'teišn] **1** změna, zmírnění (*trestu*) **from** z **to** na **2** výměna
commute [kə'mju:t] **1** změnit, zaměnit **2** dojíždět (do města) do zaměstnání
commuter [kə'mju:tə] kdo dojíždí pravidelně do zaměstnání
compact[1] *adj* [kəm'pækt] pevný, kompaktní
• *n* [kompækt] pudřenka
compact[2] [kompækt] smlouva, dohoda
compact disk [,kompækt 'disk] kompakt(ní disk), cédéčko (*hovor.*)
companion [kəm'pænjən] **1** druh, společník **2** průvodce (*kniha*)
company [kampəni] **1** společnost **2** (*voj.*) rota ♦ **~ car** služební auto; **keep sb. ~** dělat komu společníka; **in ~ with** spolu s; **be good ~** být dobrým společníkem; **present ~ excepted** samozřejmě s výjimkou přítomných
comparable [komprəbl] srovnatelný
comparative [kəm'pærətiv] *adj* **1** poměrný **2** srovnávací • *n* (*jaz.*) komparativ, druhý stupeň
compare [kəm'peə] srovnávat **with** s; přirovnávat **to** k; **~ favourably with** dobře obstát ve srovnání s
comparison [kəm'pærisn] **1** srovnání; **in ~ with** ve srovnání s, v porovnání s; **there's no ~ between them** ty dva nelze srovnávat **2** (*jaz.*) stupňování
compartment [kəm'pa:tmənt] **1** oddělení **2** kupé
compass [kampəs] **1** kompas **2** *též* **~es** *pl* kružítko **3** pole působnosti, okruh
compassion [kəm'pæšn] soucit **for** s
compassionate [kəm'pæšənit] soucitný
compatible [kəm'pætəbl] slučitelný, kompatibilní **with** s
compatriot [kəm'pætriət] krajan
compel [kəm'pel] **(ll)** **1** přinutit **2** vynutit

compelling [kəm'peliŋ] 1 udržující pozornost, napínavý 2 nutný, nutkavý
compensate [kompənseit] nahradit; odškodnit
compensation [kompən'seišn] náhrada, odškodné
compere [kompeə] *GB n* konferenciér • *v* konferovat
compete [kəm'pi:t] soutěžit
competence [kompitəns] 1 schopnost, kvalifikace 2 příslušnost, kompetence
competent [kompitənt] 1 kompetentní, příslušný 2 schopný, kvalifikovaný; šikovný
competition [kompi'tišn] 1 soutěž; konkurence 2 konkurs
competitive [kəm'petitiv] 1 soutěživý 2 konkurenční (**prices** ceny)
competitor [kəm'petitə] 1 soupeř, konkurent 2 závodník, soutěžící
compilation [kompi'leišn] kompilace
compile [kəm'pail] sestavit, (z)kompilovat
complacence [kəm'pleisəns], **complacency** [kəm'pleisənsi] samolibost
complacent [kəm'pleisənt] samolibý
complain [kəm'plein] stěžovat si **about / of** na, **that** že
complaint [kəm'pleint] 1 stížnost **about** na 2 nemoc, neduh; **liver ~** onemocnění jater
complement [komplimənt] *n* 1 (*jaz.*) doplněk 2 plný stav, plný počet • *v* doplňovat
complementary [kompli'mentəri] doplňkový (**angle** úhel) ♦ **~ medicine** alternativní lékařství
complete [kəm'pli:t] *adj* 1 úplný, naprostý 2 dokončený • *v* 1 doplnit 2 dokončit
completely [kəm'pli:tli] úplně, naprosto
completion [kəm'pli:šn] 1 doplnění 2 dokončení
complex [kompleks] *adj* složitý • *n* komplex
complexion [kəm'plekšn] 1 pleť 2 vzhled, vzezření, ráz 3 povaha, dispozice
compliance [kəm'plaiəns] souhlas, ochota, poddajnost; **in ~ with** v souhlase s, podle
compliant [kəm'plaiənt] ochotný, poddajný, povolný
complicate [komplikeit] komplikovat
complicated [komplikeitid] složitý
complication [kompli'keišn] komplikace
compliment *n* [komplimənt] 1 poklona, pochvala 2 **~s** *pl* blahopřání, pozdrav, přání, poručení • *v* [kompliment] blahopřát **sb.** komu **on sth.** k čemu
complimentary [kompli'mentəri] 1 zdvořilý; pochvalný, lichotivý; zdvořilostní 2 čestný ♦ **~ copy** volný / recenzní výtisk; **~ ticket** čestná vstupenka
comply [kəm'plai] 1 přizpůsobit se **with sth.** čemu 2 vyhovět
component [kəm'pəunənt] složka
compose [kəm'pəuz] 1 skládat; komponovat 2 sázet (*rukopis*) 3 ovládnout (**one's feelings** své city); **~ yourself** uklidněte se 4 urovnat (**a quarrel** spor)
composed [kəm'pəuzd] klidný

composer [kəm'pəuzə] skladatel
composition [kompə'zišn] **1** skladba **2** složení **3** písemná práce, kompozice **4** sazba, sázení
compost [kompost] kompost
composure [kəm'pəužə] klid
compound [kompaund] *n* **1** komplex, areál **2** (*chem.*) sloučenina **3** (*jaz.*) složenina • *adj* složený; ~ **fracture** komplikovaná zlomenina • *v* [kəm'paund] **1** sestavit; sloučit, smíchat **2** urovnat (**a quarrel** spor) **3** vyrovnat se (**with one's creditors** s věřiteli)
comprehend [kompri'hend] **1** pochopit **2** zahrnout
comprehensible [kompri'hensəbl] srozumitelný
comprehension [kompri'henšn] chápavost
comprehensive [kompri'hensiv] souhrnný, celkový; ~ **school** *GB* jednotná střední škola
compress *v* [kəm'pres] stlačit, stěsnat • *n* [kompres] obklad; obvaz
comprise [kəm'praiz] **1** obsahovat, zahrnovat, být složen z **2** skládat se z
compromise [komprəmaiz] *n* kompromis • *v* **1** uzavřít kompromis **2** kompromitovat **oneself** se
compulsion [kəm'palšn] **1** donucení; **under** ~ z donucení **2** nutkání
compulsory [kəm'palsri] **1** povinný **2** donucovací
compunction [kəm'paŋkšn] výčitky svědomí
computation [kompju'teišn] výpočet
compute [kəm'pju:t] (vy)počítat, kalkulovat
computer [kəm'pju:tə] počítač
concave [kon'keiv] (vy)dutý
conceal [kən'si:l] skrýt, zatajit **sth.** co **from sb.** před kým
concede [kən'si:d] připustit, přiznat
conceit [kən'si:t] domýšlivost, ješitnost
conceited [kən'si:tid] domýšlivý
conceive [kən'si:v] **1** počít (*dítě*) **2** vymyslit si; pojmout (**the idea** myšlenku); představit si
concentrate [konsntreit] *v* soustředit (se), koncentrovat (se) **on** na • *n* koncentrát
concentration [konsn'treišn] soustředění, koncentrace
concept [konsept] **1** pojem **2** pojetí; představa
conception [kən'sepšn] **1** pojetí; ponětí, představa; koncepce **2** početí
concern [kən'sə:n] *v* **1** týkat se; **as far as I am ~ed** pokud jde o mne; **he is ~ed with** jde mu o to, aby **2** ~ **oneself with** zajímat se o, zaměstnávat se čím **3** znepokojovat; **be ~ed about sth.** být znepokojen čím, dělat si starosti kvůli • *n* **1** zájem **2** záležitost **3** starost, účast **4** podnik, firma, koncern **5** znepokojení
concerning [kən'sə:niŋ] **1** pokud jde o **2** týkající se čeho
concert [konsət] koncert ♦ ~ **grand** koncertní křídlo; ~ **hall** koncertní síň; **in** ~ společně, v dohodě **with** s
concertina [konsə'ti:nə] malá tahací harmonika
concerto [kən'čə:təu] koncert (*pro sólový nástroj s orchestrem*)

concession [kən'sešn] **1** ústupek **2** úleva; sleva **3** koncese, výsada, povolení
conciliate [kən'silieit] smířit
conciliation [kənsili'eišn] smíření
conciliatory [kən'siliətri] smířlivý
concise [kən'sais] stručný, zhuštěný
conclude [kən'klu:d] **1** skončit, ukončit **2** dohodnout, uzavřít (**a treaty** smlouvu) **3** dospět k názoru
conclusion [kən'klu:žn] **1** konec, závěr **2** uzavření (**of a treaty** smlouvy) **3** závěr, úsudek ♦ **come to the ~ that** dojít k závěru, že; **in ~** na závěr, závěrem; **jump to ~s** dělat ukvapené závěry
conclusive [kən'klu:siv] přesvědčivý, nezvratný (**evidence** důkaz)
concord [koŋko:d] shoda
concrete [koŋkri:t] *adj* **1** konkrétní **2** betonový • *n* beton
concur [kən'kə:] **(rr)** **1** sběhnout se, probíhat současně **2** souhlasit, být zajedno
concussion [kən'kašn] otřes mozku
condemn [kən'dem] **1** odsoudit **as** jako, **to** k **2** určit k demolici
condemnation [kondem'neišn] odsouzení
condensation [konden'seišn] zhuštění; sražení, kondenzace
condense [kən'dens] zhustit, srazit, kondenzovat; **~d milk** (*slazené*) kondenzované mléko
condenser [kən'densə] kondenzátor
condition [kən'dišn] *n* **1** podmínka; **on ~ that** pod podmínkou, že; **on this ~** pod touto podmínkou; **on no ~** v žádném případě **2** stav; **in good ~** v dobrém stavu **3 ~s** *pl* poměry • *v* **1** podmínit, určit; **~ed reflex** podmíněný reflex **2** upravit (*např. vlasy kondicionérem*)
conditional [kən'dišənl] *adj* podmíněný • *n* (*jaz.*) podmiňovací způsob, kondicionál
condolence [kən'dəuləns] (*často pl*) **~s** soustrast
condom [kondom] kondom
condone [kən'dəun] odpustit, přehlédnout
conduct *n* [kondakt] **1** chování **2** vedení (**of the war** války) • *v* [kən'dakt] **1** vést, provádět (**visitors** návštěvníky) **2** vést (**electricity** elektřinu) **3 ~ oneself** vést si, chovat se **4** dirigovat
conductor [kən'daktə] **1** dirigent **2** vodič **3** *US* průvodčí (*ve vlaku*)
cone [kəun] **1** kužel **2** šiška (*jehličnatého stromu*) **3** kornout (*zmrzliny*)
confectioner [kən'fekšənə] cukrář
confectionery [kən'fekšənəri] **1** cukrářské zboží **2** cukrářství
confederation [kən,fedə'reišn] konfederace
confer [kən'fə:] **(rr)** **1** udělit, propůjčit (**a title on sb.** titul komu) **2** mít poradu, konferovat **with** s kým **on / about** o čem
conference [konfrəns] porada, jednání, konference; **he is in ~** je na poradě
confess [kən'fes] **1** přiznat se **2** zpovídat se
confession [kən'fešn] **1** doznání **2** zpověď
confide [kən'faid] **1** svěřit **2** důvěřovat **in sb.** komu
confidence [konfidəns] **1** důvěra

2 důvěrnost, tajemství 3 jistota ♦ **in strict ~** přísně důvěrně; **motion of no ~** vyslovení nedůvěry; **take sb. into one's ~** svěřit se komu; **~ trick** napálení, podvod; **a want of ~** nedostatek důvěry
confident [konfidənt] 1 přesvědčen **of** o; **feel ~ that** být přesvědčen, že 2 důvěřivý 3 sebejistý, sebevědomý; troufalý
confidential [konfi'denšl] důvěrný
confine [kən'fain] 1 omezit; **~ oneself to** omezit se na 2 zavřít, uvěznit
confinement [kən'fainmənt] 1 uvěznění 2 porod, slehnutí
confines [konfainz] hranice
confirm [kən'fə:m] 1 potvrdit 2 biřmovat; konfirmovat
confirmation [konfə'meišn] 1 potvrzení 2 biřmování; konfirmace
confirmed [kən'fə:md] zatvrzelý, nepolepšitelný
confiscate [konfiskeit] zabavit, (z)konfiskovat
confiscation [konfis'keišn] konfiskace
conflict *n* [konflikt] 1 spor 2 rozpor • *v* [kən'flikt] být v rozporu **with** s
confluence [konfluəns] soutok
conform [kən'fo:m] 1 být v souladu **to** s 2 přizpůsobit (se)
conformity [kən'fo:miti] 1 přizpůsobení **to sth.** čemu 2 shoda, souhlas; **in ~ with** ve shodě s, podle
confound [kən'faund] 1 zmást; splést 2 zaměnit
confront [kən'frant] 1 konfrontovat 2 čelit čemu, stát proti čemu
confuse [kən'fju:z] splést, zmást
confusion [kən'fju:žn] zmatek
congenial [kən'dži:njəl] 1 spřízněný (*zálibami*) 2 příjemný, sympatický
Congo [koŋgəu] Kongo
congratulate [kən'græčuleit] blahopřát **sb.** komu **on sth.** k čemu
congratulation [kən,græču'leišn] (*často pl*) **~s** blahopřání **on** k
congress [koŋgres] sjezd, kongres
conjugation [kondžu'geišn] (*jaz.*) časování
conjunction [kən'džaŋkšn] 1 spojení; spolupráce 2 (*jaz.*) spojka
conjunctivitis [kən,džaŋkti'vaitis] zánět spojivek
conjure (up) [kandžə] (vy)čarovat, vyvolat
conjurer [kandžərə] kouzelník, eskamotér
conker [koŋkə] (*koňský*) kaštan
connect [kə'nekt] 1 spojovat (se); připojit 2 mít (*dopravní*) přípoj **with / to** na ♦ **be ~ed with** *1.* mít vztah k *2.* být rodem spřízněn s
connection, connexion [kə'nekšn] 1 spojení, vztah; styk, známost; **in this ~** v této souvislosti; **in ~ with** ve spojení s 2 (*dopravní*) přípoj
connivance [kə'naivəns] shovívavost **at** k, nadržování čemu
connive [kə'naiv] 1 mlčky trpět **at** co, přimhuřovat oči nad čím 2 tajně spolupracovat **with** s
connoisseur [konə'sə:] znalec
conquer [koŋkə] 1 přemoci 2 dobýt co, zvítězit nad čím
conqueror [koŋkərə] dobyvatel
conquest [koŋkwest] dobytí, zábor
conscience [konšəns] svědomí

conscientious [konši'enšəs] svědomitý; ~ **objector** odpůrce vojenské služby z důvodů svědomí
conscious [konšəs] při vědomí ♦ **be ~ of sth.** být si vědom čeho, uvědomovat si co
consciousness [konšəsnis] vědomí
conscript *v* [kən'skript] odvést na vojnu • *n* [konskript] branec
conscription [kən'skripšn] **1** odvod **2** všeobecná branná povinnost
consecrate [konsikreit] **1** posvětit **2** zasvětit
consent [kən'sent] *n* souhlas **to** s • *v* souhlasit **to** s
consequence [konsəkwəns] **1** následek **2** důležitost, význam ♦ **in ~ of** následkem čeho; **it's of no ~** to není důležité; **take ~s** nést důsledky
consequently [konsikwəntli] proto, tedy
conservation [konsə'veišn] **1** zachování **2** péče o ochranu přírody
conservatism [kən'sə:vətizm] konzervatismus
conservative [kən'sə:vətiv] *adj* **1** konzervativní **2** zdrženlivý, umírněný (**estimate** odhad) • *n* konzervativec
conservatoire [kən'sə:vətwa:] konzervatoř
conservatory [kən'sə:vətri] **1** skleník **2** *US* konzervatoř
conserve [kən'sə:v] zachovat, konzervovat
consider [kən'sidə] **1** uvažovat o **2** brát ohled na **3** považovat **sb.** koho **to be** za / být čím **4** domnívat se ♦ **~ed opinion** uvážený názor
considerable [kən'sidrəbl] značný
considerate [kən'sidrət] ohleduplný, pozorný, taktní
consideration [kən,sidə'reišn] **1** ohled, zřetel **2** úvaha ♦ **in ~ of** vzhledem k, jako odměna za; **take into ~** vzít v úvahu, uvážit
considering [kən'sidriŋ] **1** vzhledem k **2** když se to tak vezme, uvážíme-li
consign [kən'sain] **1** svěřit **2** odeslat, konsignovat (*zboží*)
consignment [kən'sainmənt] zásilka (*zboží*); konsignace
consist [kən'sist] **1** skládat se **of** z **2** spočívat **in** v
consistency [kən'sistnsi] **1** důslednost **2** hustota
consistent [kən'sistənt] **1** důsledný **2** v souhlasu **with** s
consolation [konsə'leišn] útěcha; ~ **prize** cena útěchy
console [kən'səul] utěšit **with** čím
consolidate [kən'solideit] **1** upevnit (se) **2** konsolidovat
consonant [konsənənt] *n* souhláska • *adj* v souhlasu **with / to** s
conspicuous [kən'spikjuəs] nápadný **for sth.** čím; **make oneself ~** upozorňovat na sebe
conspiracy [kən'spirəsi] spiknutí
conspire [kən'spaiə] **1** spiknout se **2** přispět **to** k
constable [kanstəbl] strážník, policista
constabulary [kən'stæbjuləri] policejní okrsek
constant [konstənt] *adj* **1** neustálý **2** stejnoměrný; stálý, pevný, věrný • *n* konstanta
constantly [konstəntli] neustále
constellation [konstə'leišn] souhvězdí

consternation [konstə'neišn] úžas, ohromení, zděšení
constipation [konsti'peišn] zácpa
constituency [kən'stičuənsi] *GB* volební okres
constituent [kən'stičuənt] *adj* **1** podstatný **2** ustavující, ústavodárný • *n* **1** volič **2** složka, člen, prvek
constitute [konstitju:t] **1** ustanovit **2** ustavit **3** tvořit
constitution [konsti'tju:šn] **1** ústava **2** tělesná konstituce **3** složení
constitutional [konsti'tju:šənl] *adj* **1** ústavní **2** vrozený
constrain [kən'strein] (při)nutit; **be / feel ~ed to** + *inf* být nucen / muset udělat co
constraint [kən'streint] přinucení, (ná)tlak; **act under ~** jednat z přinucení / pod nátlakem
construct [kən'strakt] stavět, konstruovat, sestrojit
construction [kən'strakšn] **1** stavba, stavění; **under ~** ve výstavbě **2** konstrukce **3** budova **4** výklad; **put a wrong ~ in sth.** špatně si vykládat co
constructive [kən'straktiv] konstruktivní
consul [konsl] konzul
consulate [konsjulit] konzulát
consult [kən'salt] **1** dotázat se na radu, konzultovat (**a teacher** učitele); informovat se u **2** (po)radit se, konferovat **with** s ♦ **~ a dictionary** podívat se do slovníku
consultant [kən'saltənt] **1** poradce, konzultant **2** konzultující odborník, specialista; konziliář
consultation [konsəl'teišn] porada, konference, konzultace
consume [kən'sju:m] **1** spotřebovat **2** strávit
consumer [kən'sju:mə] spotřebitel ♦ **~ durables** *pl* předměty dlouhodobé spotřeby; **~ goods** *pl* spotřební zboží
consumption [kən'sampšn] spotřeba
contact [kontækt] *n* styk, kontakt; **be in ~ with** být ve styku s • *v* **1** navázat styk s, vejít ve styk s, spojit se s **2** dotýkat se • *adj* kontaktní
contagious [kən'teidžəs] **1** nakažlivý **2** nemocný infekční chorobou
contain [kən'tein] **1** obsahovat **2** (u)držet na uzdě, ovládnout (**one's wrath** zlost, **oneself** se)
container [kən'teinə] nádoba, kontejner
contaminate [kən'tæmineit] znečistit, nakazit; zamořit
contamination [kənˌtæmi'neišn] znečištění, zamoření
contemplate [kontempleit] **1** (*tiše*) pozorovat **2** rozjímat, přemýšlet **3** zamýšlet
contemporaneous [kənˌtempə'reiniəs] současný **with** s, souběžný
contemporary [kən'temprəri] *adj* současný, dnešní • *n* současník
contempt [kən'tempt] **1** pohrdání (**of death** smrtí); **~ of court** urážka soudu, pohrdání soudem **2** opovržení **for** k ♦ **beneath ~** nestojící ani za opovržení
contemptuous [kən'tempčuəs] opovržlivý; **be ~ of** opovrhovat čím

contend [kən'tend] **1** zápasit, bojovat **2** tvrdit
contender [kən'tendə] účastník soutěže; uchazeč
content [kən'tent] *adj* spokojený • *n* **1** obsah **2** spokojenost; **to one's heart's ~** do sytosti • *v* **1** uspokojit **2 ~ oneself with** spokojit se s
contention [kən'tenšn] **1** svár, spor **2** tvrzení ♦ **be in ~** být předmětem sporu
contentment [kən'tentmənt] spokojenost
contents [kontents] *pl* obsah (**of a book** knihy, **of the pocket** kapes)
contest *n* [kontest] zápas, závod, soutěž; **a piano ~** klavírní soutěž • *v* [kən'test] **1** bojovat, zápasit o **2** soutěžit **for** o **3** popírat, protestovat proti
context [kontekst] souvislost, kontext
continent [kontinənt] světadíl, pevnina; **the C~** (*západní*) Evropa (*bez Británie*)
continental [konti'nentl] **1** pevninský; vnitrozemský **2** kontinentální, evropský (*zvl. italský, francouzský*)
contingency [kən'tindžənsi] eventualita, možnost
continual [kən'tinjuəl] ustavičný, trvalý, neustálý
continuation [kən,tinju'eišn] pokračování
continue [kən'tinju:] pokračovat
continuity [konti'njuiti] souvislost, spojitost, návaznost
continuous [kən'tinjuəs] **1** nepřetržitý **2** (*jaz.*) průběhový
contort [kən'to:t] **1** zkřivit (**the face** obličej) **2** překroutit (**the meaning** smysl)
contraception [kontrə'sepšn] antikoncepce
contract[1] *n* [kontrækt] smlouva • *v* [kən'trækt] **1** smluvně zavázat **to** k **2** smluvně se dohodnout **with** s
contract out 1 vyvázat se ze (*smluvního*) závazku **2** nasmlouvat si externí práce / pracovníky
contract[2] [kən'trækt] **1** stáhnout (se), zmenšit (se) **2** dostat, chytit (**an illness** nemoc)
contraction [kən'trækšn] **1** stah, stažení **2** zmenšení **3** uzavření smlouvy
contractor [kən'træktə] (*stavební*) podnikatel, dodavatel
contradict [kontrə'dikt] **1** popírat (**a statement** tvrzení) **2** odporovat si **3** odmlouvat **sb.** komu
contradiction [kontrə'dikšn] **1** protiklad **2** nesrovnalost, rozpor; **~ in terms** protimluv **3** popření
contrary [kontrəri] *adj* **1** opačný; **~ to** v rozporu s, proti (**expectation** očekávání) **2** nepříznivý • *n* opak; **on the ~** naopak
contrast *n* [kontra:st] **1** opak, protiklad **2** kontrast **3** rozdíl; **in ~ to** na rozdíl od • *v* [kən'tra:st] **1** kontrastovat, lišit se **2** postavit proti sobě, srovnávat
contribute [kən'tribju:t] **1** přispět **to / towards** k / na **2** posílat články **to** do, přispívat do

contribution [kontri'bju:šn] příspěvek **to / towards** k / na
contrive [kən'traiv] **1** vynalézt, vymyslit **2** dokázat (*úsilím*)
control [kən'trəul] *n* **1** dozor **2** vláda, ovládání **3** kontrola **4 ~s** *pl* řízení stroje
♦ **bring under ~** mít opět pod kontrolou, znovu ovládat; **lose ~ over** přestat ovládat co
• *v* **1** řídit (**traffic** dopravu) **2** ovládat (**the situation** situaci, **one's feelings** své city, **oneself** se) **3** kontrolovat (**the accounts** účty)
controversial [kontrə'və:šl] sporný
controversy [kontrəvə:si] spor; polemika
convalescence [konvə'lesəns] rekonvalescence
convene [kən'vi:n] svolat (**a meeting** schůzi)
convenience [kən'vi:njəns] **1** pohodlí; **at your earliest ~** co nejdříve **2** výhoda **3 ~s** *pl* příslušenství, doplňky (*bytu, domu*) **4** *GB* (*veřejný*) záchodek
♦ **~ food** pokrmy v prášku, konzervách nebo mražené
convenient [kən'vi:niənt] **1** vhodný, příhodný; výhodný **2** blízko **for** čeho
convent [konvənt] (*ženský*) klášter
convention [kən'venšn] **1** shromáždění **2** konvence, dohoda **3** společenská zvyklost
conventional [kən'venšənl] konvenční, obvyklý, tradiční
converge [kən'və:dž] **1** sbíhat se **2** soustředit **on** na
conversation [konvə'seišn] konverzace, rozhovor
converse [kən'və:s] hovořit, povídat si **on / about** o, konverzovat
conversion [kən'və:šn] **1** přeměna **2** konverze, konvertování
convert [kən'və:t] *v* **1** přeměnit, přestavět (**a house into flats** dům na byty) **2** obrátit se, konvertovat (**to Christianity** na křesťanství)
• *n* konvertita
convertible [kən'və:təbl] *adj* **1** přeměnitelný; **~ bed** rozkládací gauč **2** (*měna*) konvertibilní
• *n US* kabriolet
convex [konveks] vypouklý
convey [kən'vei] **1** dopravit **2** rozvádět (*teplo*) **3** vyjádřit (**an idea** myšlenku); **this word ~s nothing to me** to slovo mi nic neříká
conveyance [kən'veiəns] **1** doprava **2** dopravní prostředek
conveyor (belt) [kən'veiə(belt)] běžící pás, dopravník
convict *n* [konvikt] trestanec
• *v* [kən'vikt] usvědčit **of** z; odsoudit
conviction [kən'vikšn] **1** usvědčení; uznání vinným **2** přesvědčení
♦ **carry ~** znít přesvědčivě
convince [kən'vins] přesvědčit **sb.** koho **of sth.** o čem; **be ~d that** být přesvědčen, že
convincing [kən'vinsiŋ] přesvědčivý
convoke [kən'vəuk] svolat (**Parliament** parlament)
convoy [konvoi] konvoj
convulse [kən'vals] svíjet se, zmítat se (jako) křečí
convulsion [kən'valšn] křeč
cook [kuk] *n* kuchař(ka)
• *v* vařit (se)

cookbook [kukbuk] kuchařka (*kniha*)
cooker [kukə] sporák
cookery [kukəri] kuchařské umění; ~ **book** kuchařka (*kniha*)
cookie [kuki] *US* sušenka, keks
cool [ku:l] *adj* **1** chladný, (*též přen.*) **2** chladnokrevný, klidný
♦ **play it** ~ neztratit nervy
• *v* ochladit (se)
cool down (z)chladnout, (*též přen.*); ochladnout, uklidnit (se)
co-op [kəuop] (*hovor.*) družstevní prodejna, konzum
co-operate [kəu'opəreit] spolupracovat
co-operation [kəuopə'reišn] spolupráce
co-operative [kəu'oprətiv] *adj* družstevní • *n* družstvo
coordinate *adj* [kəu'o:dinit] **1** rovnocenný, stejného významu / řádu **2** (*jaz.*) souřadný
• *n* souřadnice
• *v* [kəu'o:dineit] koordinovat
cop [kop] (*hovor.*) *n* polda
cope [kəup] stačit **with** na, umět si poradit s
copier [kopiə] kopírka, xerox
copper [kopə] měď
copulate [kopjuleit] pářit se
copy [kopi] *n* **1** opis, kopie; **fair** ~ čistopis; **rough** ~ koncept **2** výtisk, exemplář, číslo • *v* **1** opsat, kopírovat **2** napodobit
copy out doslova přepsat
copyright [kopirait] autorské právo
coral [korəl] korál
cord [ko:d] **1** šňůra; provaz, provázek **2** manšestr; ~**s** (*hovor.*) manšestráky
♦ **vocal** ~**s** hlasivky; **spinal** ~ mícha; **umbilical** ~ pupeční šňůra
cordial [ko:djəl] srdečný
corduroy [ko:dəroi] manšestr
core [ko:] **1** dřeň **2** jaderník **3** jádro; **get to the** ~ **of the subject** dostat se k jádru věci
cork [ko:k] *n* **1** korek **2** zátka
• *v* zazátkovat
corkscrew [ko:kskru:] vývrtka
corn[1] [ko:n] **1** obilí **2** *US* kukuřice
corn[2] [ko:n] kuří oko
corned beef [ˌko:nd'bi:f] hrubosekané hovězí v konzervě (*bez šťávy*)
corner [ko:nə] *n* **1** roh; **at the** ~ **of the street** na rohu ulice **2** kout **3** *též* ~ **kick** rohový kop • *v* **1** zahnat do kouta **2** ovládnout
cornflower [ko:nflauə] chrpa
coronation [korə'neišn] korunovace
coronary thrombosis [ˌkorənri θrom'bəusis] infarkt
coroner [korənə] koroner (*úřední ohledavač mrtvol*)
corporal [ko:pərl] *adj* tělesný
• *n* desátník
corporation [ko:pə'reišn] **1** sdružení **2** obchodní společnost
corps [ko:] (*voj.*) sbor
corpse [ko:ps] mrtvola
corpuscle [ko:pasl] **1** tělísko **2** krvinka
correct [kə'rekt] *adj* **1** správný **2** korektní
• *v* opravit, (z)korigovat
correction [kə'rekšn] oprava
♦ **subject to** ~ nezávazný; nezávazně
correspond [koris'pond] **1** odpovídat, vyhovovat **to sth.**

čemu **2** shodovat se **with** s **3** dopisovat si, korespondovat
correspondence [koris'pondəns] korespondence
correspondent [koris'pondənt] dopisovatel
corresponding [koris'pondiŋ] příslušný
corridor [korido:] chodba
corroborate [kə'robəreit] potvrdit, dosvědčit
corrode [kə'rəud] rozežírat; korodovat
corrosion [kə'rəužn] koroze
corrosive [kə'rəusiv] *adj* šžíravý • *n* žíravina
corrugated [korəgeitid] vlnitý (**iron** plech)
corrupt [kə'rapt] *adj* **1** zkažený, (*též přen.*); shnilý **2** úplatný, zkorumpovaný (**judge** soudce) **3** nemravný **4** zkomolený (**text** text) • *v* **1** (z)kazit (se) **2** podplácet
corruption [kə'rapšn] **1** zkaženost **2** zkomolenina **3** korupce
cortege [ko:'teiž] pohřební průvod
cosmetic [koz'metik] *adj* kosmetický • *n* kosmetický prostředek
cosmic [kozmik] kosmický
cosmopolitan [kozmə'politən] kosmopolitní
cosmos [kozmos] vesmír, kosmos
cost [kost] *n* **1** cena; náklady **2 ~s** *pl* soudní náklady ♦ **at all ~s** za každou cenu; **at the ~ of his own life** s nasazením života; **the ~ of living** životní náklady • *v** **1** stát, mít cenu **2** určit cenu, rozpočtovat ♦ **~ the earth** stát majlant (*hovor.*)
coster(monger) [kostə(maŋgə)] *GB* (pouliční) prodavač ovoce / zeleniny (*z vozíku*)
costly [kostli] drahý, nákladný
costume [kostju:m] kostým ♦ **~ jewellery** bižuterie; **national ~** kroj
cosy [kəuzi] *adj* útulný • *n* látkový nebo pletený poklop na konvici
cot [kot] dětská postýlka
cottage [kotidž] **1** chalupa, chaloupka **2** chata
cottage cheese [ˌkotidž'či:z] tvaroh
cotton [kotn] *n* **1** bavlna **2** bavlněná látka **3** nit • *adj* bavlněný
cotton wool [ˌkotn'wul] vata ♦ **wrap in ~** chovat ve vatičce
couch [kauč] pohovka, gauč
couchette [ku'šet] lehátko (*ve spacím voze*)
cough [kof] *n* kašel • *v* kašlat
council [kaunsl] rada; zasedání rady; **~ of war** válečná rada
counsel [kaunsl] **1** (po)rada; **hold ~ with** radit se s **2** advokát, právní zástupce; **~ for the defence** obhájce
counsellor [kaunsələ] poradce
count[1] [kaunt] hrabě (*mimo GB*)
count[2] [kaunt] *n* počítání, počet • *v* **1** počítat **2** počítat **on** s, spoléhat se na **3** počítat se, patřit **4** být důležitý ♦ **don't ~ your chickens before they are hatched** neříkej hop, dokud nepřeskočíš; **~ for nothing** nemít žádnou cenu
count down odpočítávat sekundy (*před startem rakety*)
count out 1 odpočítat (*kus po kuse*) **2** odpočítat (*ležícího boxera*) **3** vynechat, nepočítat s

countdown [kauntdaun] odpočítávání směrem k nule (*před startem rakety*)
countenance [kauntənəns] **1** tvář, výraz **2** klid, rozvaha **3** podpora, přízeň, souhlas ♦ **put sb. out of ~** vyvést koho z míry, uvést koho do rozpaků
counter[1] [kauntə] pult; přepážka ♦ **over the ~** bez lékařského před-pisu; **under the ~** pod pultem
counter[2] [kauntə] **1** počítač; počitadlo **2** žeton
counteract [kauntər'ækt] mařit; paralyzovat; jednat proti
counterattack [kauntərətæk] protiútok
counterfeit [kauntəfit] padělat
counterfoil [kauntəfoil] ústřižek, kupón
countermeasure [kauntəmežə] protiopatření
counterpart [kauntəpa:t] protějšek
counterpoint [kauntəpoint] kontrapunkt
country [kantri] **1** země; stát; **in this / our country** u nás **2** kraj **3** venkov; **in the ~** na venkově
country house [ˌkantri'haus] (*panské*) venkovské sídlo
countryman [kantrimən] **1** venkovan **2** krajan
countryside [kantrisaid] venkov, příroda
county [kaunti] *GB* hrabství
couple [kapl] pár, dvojice; **a married ~** manželé; **a ~ of** pár čeho, několik
coupon [ku:pon] **1** kupón, ústřižek, poukázka **2** tiket, sázenka
courage [karidž] odvaha; **pluck up / take ~** dodat si odvahy
courageous [kə'reidžəs] odvážný
course [ko:s] **1** běh, chod **2** dráha; směr **3** kurs (*učební*) **4** chod (*při jídle*) ♦ **in (the) ~ of time** během času; **in due ~** v pravý čas; **the ~ of events** průběh událostí; **as a matter of ~** jako samozřejmost; **of ~** samozřejmě, ovšem
court [ko:t] *n* **1** dvůr **2** soud **3** hřiště, kurt • *v* **1** hledět si **to** koho **2** dvořit se komu, mít známost s **3** říkat si o, riskovat; **~ trouble** sít vítr
courteous [kə:tjəs] zdvořilý
courtesy [kə:təsi] zdvořilost; projev zdvořilosti ♦ **by ~ of** s laskavým svolením koho; **~ call** zdvořilostní návštěva; **~ sign** pokyn řidiče, že ho lze / nelze předjet
court-martial [ˌko:t'ma:šl] válečný soud
courtship [ko:tšip] známost
courtyard [ko:tja:d] dvůr
cousin [kazn] bratranec, sestřenice
cover [kavə] *n* **1** pokrývka, příklop, víko; 'pláštík'; ochrana **2** obal, obálka, deska **3** úkryt, skrýše **4** úhrada, krytí ♦ **~ charge** kuvert; **read from ~ to ~** přečíst od A až do Zet; **under separate ~** současnou poštou, jako samostatná zásilka • *v* **1** (při)krýt, zakrýt **2** týkat se, vyčerpávat (**a subject** téma) **3** urazit (**ten miles** deset mil) **4** hradit (**the expenses** výdaje) ♦ **~ing letter** průvodní dopis
cover up **1** zabalit (se) **2** zastřít, zakrýt **3** (u)tutlat, (za)maskovat; krýt **for** koho
cow [kau] kráva ♦ **till the ~s come home** až naprší a uschne
coward [kauəd] zbabělec
cowardice [kauədis] zbabělost

cowardly [kauədli] **1** zbabělý **2** hanebný
cowboy [kauboj] pasák dobytka, kovboj; ~ **hat** stetson
coy [koi] stydlivý; nesmělý
crab [kræb] krab
crack [kræk] *v* **1** prasknout **2** rozbít; rozlousknout **3** práskat (**a whip** bičem); lusknout (**fingers** prsty); ~ **a joke** udělat vtip • *n* **1** trhlina **2** rána **3** drsný vtípek
cracker [krækə] **1** suchar **2** třaskavý bonbón
crackle [krækl] *v* praskat • *n* praskot
cradle [kreidl] **1** kolébka **2** vidlice (*telefonního přístroje*)
craft [kra:ft] **1** řemeslo **2** cech **3** dovednost **4** prohnanost, lstivost **5** plavidlo
craftsman [kra:ftsmən] řemeslník, mistr
cram [kræm] **(mm) 1** cpát **2** dřít (**for an exam** ke zkoušce)
cramp [kræmp] *n* křeč • *v* ochromit
cramped [kræmpt] omezený, stěsnaný ♦ **be ~ for room** mít málo místa; **a ~ flat** přeplněný byt
cranberry [krænbəri] brusinka
crane [krein] jeřáb
crank [kræŋk] *n* **1** klika **2** pomatenec, potrhlec, snílek; blázen, nadšenec; **a fresh air ~** fanda na čerstvý vzduch • *v* nahodit klikou (**an engine** motor)
crank up *US* chrlit
crash [kræš] *v* **1** spadnout, zřítit se, havarovat **2** narazit **into** na / do **3** zhroutit se • *n* **1** pád **2** rachot **3** havárie, katastrofa ♦ **an air ~** letecká katastrofa; **~ course** intenzivní kurs (*výuky*)
crater [kreitə] kráter, trychtýř
crave [kreiv] toužit **for / after** po
crawl [kro:l] *v* **1** plazit se **2** být zamořen **with** (*hmyzem*), (*též přen.*) • *n* kraul
crayfish [kreifiš] rak
craze [kreiz] *v* třeštit **about / for** po • *n* móda, třeštění
crazy [kreizi] **1** ztřeštěný **2** potřeštěný **about** po, zblázněný do **3** vratký ♦ **like ~** jako divý
creak [kri:k] *n* skřípot, vrzání • *v* skřípat, vrzat
cream [kri:m] *n* **1** smetana; **the ~ of society** smetánka **2** krém • *v* **1** zpěnit; udělat krém z **2** sesbírat smetanu z ♦ **~ed potatoes** bramborová kaše
crease [kri:s] *n* záhyb, varhánek; puk (*na kalhotách*); zmačkanina • *v* mačkat (se)
create [kri'eit] **1** stvořit; vytvářet **2** vyvolat, způsobit (**a bad impression** špatný dojem) **3** *GB* (*hovor.*) udělat scénu, vyvádět
creation [kri'eišn] **1** stvoření; **the C~** stvoření světa **2** vytvoření, tvorba **3** tvorstvo; výtvor
creative [kri'eitiv] tvořivý; tvůrčí
creator [kri'eitə] tvůrce; **the C~** Stvořitel
creature [kri:čə] tvor ♦ **~ comforts** hmotné potřeby
crèche [kreiš] **1** (*dětské*) jesle **2** *US* jesličky, betlém
credentials [kri'denšlz] *pl* **1** pověřovací listiny **2** osobní doklady
credibility [kredi'biliti] důvěryhodnost, spolehlivost
credit [kredit] *n* **1** úvěr **2** čest

3 víra ♦ **allow ~** povolit úvěr; **buy on ~** kupovat na úvěr; **be a / do ~ to** dělat čest komu; **be to sb.'s ~** být ke cti komu; **~ card** kreditní karta; **~ letter** akreditiv; **~ note / voucher** *US* dobropis; **~s = ~ titles** úvodní / závěrečné titulky (*filmu, TV pořadu*)
• *v* **1** (u)věřit **2** připsat k dobru
credulity [kri'dju:liti] důvěřivost
credulous [kredjuləs] důvěřivý
creed [kri:d] víra; vyznání víry
creek [kri:k] **1** *GB* (*úzká*) zátoka **2** *US* potok, říčka
creep* [kri:p] *v* lézt, plazit se, plížit se • *n pl* **~s** hrůza
creeper [kri:pə] popínavá rostlina
cremate [kri'meit] zpopelnit
crematorium [kremə'to:riəm] krematorium
crescent [kresnt] **1** půlměsíc **2** oblouková ulice
cress [kres] řeřicha
crest [krest] **1** hřebínek; chochol **2** hřeben (*pohoří*), vrchol
crestfallen [krestfo:ln] schlíplý, zpražený
Crete [kri:t] Kréta
crevice [krevis] puklina, štěrbina
crew [kru:] posádka; mužstvo
crib[1] [krib] **1** jesle; *GB* jesličky, betlém **2** dětská postýlka
crib[2] [krib] *n* (*hovor.*) tahák • *v* **(bb)** opisovat (*ve škole*)
cricket[1] [krikit] cvrček
cricket[2] [krikit] kriket ♦ **that's not ~** to není fér
crime [kraim] zločin
criminal [kriminl] *adj* **1** zločinný **2** trestní • *n* zločinec
crimson [krimzn] karmínový
cringe [krindž] hrbit se **before / to** před, podlézat komu
cripple [kripl] *n* mrzák • *v* zmrzačit
crisis [kraisis], *pl* **crises** [kraisi:z] krize
crisp [krisp] *n GB* bramborový lupínek • *adj* **1** křehký, křupavý **2** mrazivý **3** (*styl*) stručný a jasný; suchý
critic [kritik] kritik
critical [kritikl] kritický
criticism [kritisizm] **1** kritika **2** nepříznivá kritika, odsudek
criticize [kritisaiz] kritizovat
croak [krəuk] skřehotat
crockery [krokəri] *GB* (*kameninové / keramické*) nádobí
crocodile [krokədail] krokodýl
crocus [krəukəs] krokus; šafrán
crony [krəuni] (*hovor.*) kámoš
crook [kruk] *n* **1** hák; ohbí, ohyb **2** zátočina **3** (*zahnutá*) hůl (*pastýře*); (*biskupská*) berla **4** (*hovor.*) podvodník, darebák • *v* ohnout
crooked [krukid] **1** ohnutý, křivý **2** nepoctivý, zkorumpovaný
crop [krop] *n* **1** sklizeň, úroda **2** vole, volátko • *v* **(pp) 1** přistřihnout, zkrátit **2** osít **3** urodit se
crop up (*hovor.*) objevit se, vyskytnout se (*neočekávaně*)
cross[1] [kros] *n* **1** kříž **2** kříženec • *v* **1** (pře)křížit; **~ one's legs** dát si nohu přes nohu **2** přeškrtnout **3** přejít napříč, překročit
cross off / out přeškrtnout, vyškrtnout
cross[2] [kros] rozmrzelý; **be ~** zlobit se **with** na
crossbreed [krosbri:d] kříženec
cross-examine [krosig'zæmin] podrobit křížovému výslechu

crossing [krosiŋ] **1** přeplavba **2** křižovatka; přejezd
cross-legged [ˌkrosˈlegd] (*sedící*) se zkříženýma nohama
crossroads [krosrəudz] křižovatka; **at a ~** na křižovatce
crossword [kroswə:d] křížovka
crotch [kroč] rozkrok
crouch [krauč] krčit se
crow [krəu] *n* **1** vrána **2** (za)kokrhání **3** (za)broukání (*nemluvněte*) ♦ **as the ~ flies** vzdušnou čarou • *v** **1** kokrhat **2** broukat si (*šťastně*)
crowd [kraud] *n* zástup, tlačenice, množství • *v* shromáždit se; nacpat lidmi
crowd out vytlačit, vytísnit; odmítnout pro nedostatek místa / času
crowded [kraudid] plný lidí, nacpaný, přeplněný; **~ out** (*hovor.*) úplně narvaný
crown [kraun] *n* **1** věnec **2** koruna, korunka **3** vrchol • *v* **1** korunovat **2** dovršit **3** dát korunku (*na zub*) ♦ **to ~ it all** jako vrchol všeho
crucial [kru:šl] rozhodující **to / for** pro, kritický
crucifixion [kru:siˈfikšn] ukřižování
crucify [kru:sifai] ukřižovat
crude [kru:d] **1** surový (**sugar** cukr); syrový, nehotový **2** hrubý, primitivní
cruel [kruəl] krutý **to** na
cruelty [kruəlti] krutost; týrání (**to animals** zvířat)
cruet [kru:it] **1** (*stolní*) stojánek s přísadami **2** (*stolní*) karafa, lahvička
cruise [kru:z] *v* plout bez cíle / pro zábavu • *n* zábavní plavba
cruiser [kru:zə] křižník
crumb [kram] drobek; **~s** *pl* strouhanka
crumble [krambl] *v* (roz)drobit (se), rozpadat se • *n* drobenkový koláč
crumple [krampl] **1** mačkat (se) **2** zhroutit se
crusade [kru:ˈseid] **1** křížová výprava **2** tažení, kampaň
crush [kraš] *v* (roz)mačkat (se); (roz)drtit • *n* **1** tlačenice **2** (*hovor.*) poblouznění; **have a ~ on** (*hovor.*) být zabouchnutý do
crust [krast] kůra, kůrka
crustacean [kraˈsteišn] korýš
crutches [kračiz] *pl* berle; **walk on ~** chodit o berlích
crux [kraks] jádro / podstata problému
cry [krai] *n* **1** volání (**for help** o pomoc) **2** křik, výkřik **3** pláč; **have a good ~** jen se vyplač • *v* **1** křičet (**with pain** bolestí) **2** plakat (**for joy** radostí) **3** volat ♦ **for ~ing out loud** pro všechno na světě!; **~ over spilt milk** pozdě bycha honit; **~ wolf** volat zbytečně o pomoc, dělat zbytečný poplach
cry down podceňovat, bagatelizovat
cry off odvolat (*slib*)
crystal [kristl] **1** krystal **2** křišťál
cub [kab] mládě (*šelmy*): lvíče, medvídě, lišče, vlče; žraločí mládě
Cuba [kju:bə] Kuba
cube [kju:b] **1** krychle **2** kostka **3** třetí mocnina ♦ **~ root** třetí odmocnina

cubic [kju:bik] krychlový
cubicle [kju:bikl] kóje, kabina
cuckoo [kuku:] kukačka
cucumber [kju:kambə] okurka
cuddle [kadl] hýčkat, chovat v náručí
cuddle up tulit se **to** k
cue[1] [kju:] **1** narážka (*herci*) **2** pokyn, popud
cue[2] [kju:] tágo
cuff [kaf] manžeta
♦ ~ **links** *pl* knoflíčky do manžet; **off the ~** spatra
cuisine [kwi'zi:n] kuchyně (*způsob úpravy pokrmů*)
cul-de-sac [kaldəsæk] slepá ulice
culminate [kalmineit] vrcholit
culprit [kalprit] pachatel, viník
cult [kalt] kult
cultivate [kaltiveit] **1** pěstovat, (*též přen.*) **2** obdělávat
cultivation [kalti'veišn] **1** pěstování **2** obdělávání
cultivator [kaltiveitə] pěstitel
cultural [kalčərl] kulturní
culture [kalčə] kultura
cultured [kalčəd] kultivovaný; vzdělaný
cumbersome [kambəsəm] těžkopádný
cunning [kaniŋ] *adj* vychytralý, mazaný • *n* vychytralost
cup [kap] **1** šálek, hrnek **2** pohár, číše
cupboard [kabəd] skříň; **kitchen ~** kuchyňská kredenc
cuppa [kapə] (*GB, hovor.*) šálek čaje
curable [kjuərəbl] vyléčitelný
curb [kə:b] *n* **1** uzda **2** okraj chodníku • *v* držet na uzdě, brzdit
curdle [kə:dl] (*mléko*) srazit se, (*též přen.*)
curds [kə:dz] *pl* tvaroh
cure [kjuə] *v* **1** (vy)léčit **2** konzervovat; udit • *n* **1** (vy)léčení; kúra **2** lék **for** proti
curfew [kə:fju:] zákaz vycházení (*z domu*)
curiosity [kjuəri'ositi] **1** zvědavost; ~ **killed the cat** kdo se moc ptá, moc se doví **2** kuriozita
curious [kjuəriəs] **1** zvědavý **as to / about** na **2** podivný, zvláštní
curl [kə:l] *v* kadeřit (se), vlnit (se) • *n* kadeř, vlna
curler [kə:lə] natáčka (*do vlasů*)
curly [kə:li] kudrnatý
currant [karənt] **1** rozinka **2** rybíz
currency [karənsi] **1** oběh; doba oběhu **2** oběživo, měna
current [karənt] *adj* **1** běžný, obvyklý **2** současný
♦ ~ **account** běžný účet
• *n* **1** proud **2** směr
curriculum [kə'rikjuləm] školní osnovy
curse [kə:s] *n* kletba • *v* proklínat
curtail [kə:'teil] **1** zkrátit **2** oklestit
curtain [kə:tn] **1** záclona; **draw the ~s** zatáhnout záclony **2** opona; **the ~ rises / falls** opona jde nahoru / dolů; ~ **call** „opona" (*klanění herce před oponou*)
curve [kə:v] *n* křivka; zatáčka • *v* křivit se; zatáčet (se)
cushion [kušn] *n* polštář • *v* **1** ztlumit, zmírnit **2** chránit **against** před
custard [kastəd] **1** pudink; ~ **powder** pudinkový prášek **2** krém z vajec a mléka
custody [kastədi] **1** opatrování; úschova **2** vyšetřovací vazba

custom [kastəm] **1** zvyk **2** přízeň zákazníků; zákazníci
customary [kastəməri] obvyklý
customer [kastəmə] zákazník
♦ **a queer ~** divný pavouk
custom-house [kastəmhaus] celnice
custom-made [ˌkastəm'meid] na objednávku / míru, zakázkový
customs [kastəmz] **1** celnice **2** *též* **~ duty** clo
cut* [kat] *v* **(tt) 1** řezat, krájet; **2** stříhat **3** sekat **4** snížit (**prices** ceny) **5** zkrátit (**a speech** řeč); přerušit (**power** dodávku proudu); vynechat (**school** školu)
♦ **~ one's finger** říznout se do prstu; **~ fine** vycházet těsně / jen taktak; **to ~ a long story short** zkrátka a dobře; **~ no ice / not much ice with** nepadat na váhu u, nechávat chladným koho; **~ short** přerušit; zkrátit
• *n* **1** řez, říznutí **2** snížení (**in prices** cen) **3** škrt (**in an article** v článku) **4** střih (**of a coat** kabátu) **5** přerušení (**in power** v dodávce proudu)
cut away 1 uříznout **2** utéci
cut down snížit, zkrátit
cut off odříznout; přerušit
cut out vyříznout, vystřihnout
♦ **~ it out!** přestaň!, nech toho!
cut up 1 rozkrájet **2** *US* řádit
♦ **be ~ up** být hluboce dotčen
cutback [katbæk] (*plánované*) snížení, omezení
cute [kju:t] **1** bystrý **2** *US* rozkošný
cut glass [ˌkat'gla:s] broušené sklo
cutlery [katləri] příbory
cutlet [katlət] kotleta
cutting [katiŋ] **1** výstřižek **2** řízek (*rostliny*) **3** *US* výkop (*zeminy*)
♦ **~ room** střižna
cwt. = hundredweight (*50,8 kg*)
cycle [saikl] *n* **1** cyklus **2** jízdní kolo • *v* jet na kole
cyclist [saiklist] cyklista
cylinder [silində] válec
cymbal [simbl] činel
cynical [sinikl] cynický
cypress [saiprəs] cypřiš
Cyprus [saiprəs] Kypr
Czech [ček] *n* **1** Čech **2** čeština • *adj* český; **the ~ Republic** Česká republika

D

dab [dæb] **(bb)** *v* **1** ťuknout **2** nanést • *n* **1** skvrnka **2** ťuknutí; **be a ~ at sth.** (*hovor.*) vyznat se v čem
dabble [dæbl] **1** šplouchat se **2** fušovat **in / at** do
dad [dæd], **daddy** [dædi] (*hovor.*) tatínek
daffodil [dæfədil] narcis
daft [da:ft] (*GB, hovor.*) pitomý
dagger [dægə] dýka
dahlia [deiliə] jiřina
daily [deili] *adj* denní • *adv* denně • *n* **1** deník **2** (*hovor.*) posluhovačka
dainty [deinti] *n* pochoutka • *adj* **1** jemný; roztomilý **2** vyběravý **3** lahodný
dairy [deəri] mlékárna
dais [deiis] stupínek, pódium
daisy [deizi] sedmikráska
dam [dæm] *n* hráz, přehrada • *v* **(mm)** přehradit
damage [dæmidž] *n* **1** škoda **2 ~s** *pl* odškodné • *v* poškodit
damask [dæməsk] *n* damašek • *adj* damaškový
dame [deim] dáma (*titul*)
damn [dæm] *v* **1** zatratit, proklít **2** odsoudit ♦ **~ it!** zatraceně! • *n* (*slang.*) stará bela, houby
damned [dæmd] *adj* zatracený, prokletý; úplný (**fool** blázen) • *adv* zatraceně (**hot** horko)
damp [dæmp] *adj* vlhký • *n* vlhkost • *v* **1** navlhčit **2** tlumit
dampen [dæmpn] **1** zvlhčit **2** tlumit
dance [da:ns] *n* tanec • *v* tančit ♦ **~ attendance on** obskakovat koho, tancovat kolem koho
dancer [da:nsə] tanečník, tanečnice
dandelion [dændilaiən] pampeliška ♦ **~ clock** chmýří pampelišky
dandruff [dændraf] lupy
dandy [dændi] švihák
Dane [dein] Dán
danger [deindžə] nebezpečí; **out of ~** mimo nebezpečí
dangerous [deindžrəs] nebezpečný
dangle [dæŋgl] **1** houpat (se), kývat (se) **2** mávat
Danish [deiniš] *adj* dánský • *n* dánština
Danube [dænju:b], **the ~** Dunaj
dare* [deə] **1** odvážit se; **I ~ say** troufám si tvrdit, bezpochyby
daring [deəriŋ] *adj* odvážný; smělý • *n* odvaha
dark [da:k] *adj* tmavý, temný, šerý ♦ **it is getting ~** stmívá se; **keep sth. ~** udržovat co v tajnosti • *n* tma ♦ **in the ~** potmě; **before ~** před setměním; **keep sb. in the ~ about sth.** tajit před kým co
darkness [da:knis] tma
darling [da:liŋ] *n* miláček • *adj* drahý, milý
darn [da:n] látat
dart [da:t] *n* šipka • *v* **1** vyrazit **2** mrštit, vystřelit (*přen.*)
dash [dæš] *n* **1** úprk; **make a ~ for the tram** rozběhnout se k tramvaji **2** pomlčka • *v* **1** vrhnout, hodit **2** řítit se
dash off rychle nahodit (**a few lines** pár řádek)
date[1] [deit] *n* **1** datum **2** období

3 (*hovor.*) schůzka 4 (*hovor.*) mládenec / dívka ♦ **what's the ~ today?** kolikátého je dnes?; **~ as postmark** datum poštovního razítka; **out of ~** zastaralý; **up to ~** moderní, dnešní
• *v* 1 datovat (se) 2 pocházet **back to / from** z doby 3 dát si schůzku s kým 4 zastarávat

date[2] [deit] datle

daub [do:b] zamazat; potřísnit

daughter [do:tə] dcera

daughter-in-law [do:trinlo:] snacha

dauntless [do:ntlis] neohrožený

dawn [do:n] *n* úsvit; **at ~** za úsvitu
• *v* rozednívat se, svítat, (*též přen.*); **it ~ed on me that** svitlo mi, že

day [dei] den ♦ **all (the) ~** celý den; **~ and night** ve dne v noci; **by ~** za dne; **the ~ before yesterday** předevčírem; **the ~ after tomorrow** pozítří; **~ by ~** den co den; **one ~** jednou; **~ off** volný den, volno; **one of these ~s, some ~** jednou (*v budoucnosti*)

daybreak [deibreik] úsvit

daylight [deilait] bílý den
♦ **~ saving time** letní čas; **see ~** něco pochopit

daytime [deitaim]: **in the ~** za dne

daze [deiz] omámit

dazzle [dæzl] oslnit

dead [ded] *adj* mrtvý; neživý; **go ~** *1.* zdřevěnět 2. oněmět
• *adv* úplně, naprosto; **~ drunk** zpitý do němoty

deadline [dedlain] (*konečný*) termín

deadlock [dedlok] patová situace (*přen.*); **at a ~** na mrtvém bodě

deadly [dedli] 1 smrtící 2 úhlavní 3 mrtvolný 4 (*hovor.*) nudný

deaf [def] hluchý

deaf-and-dumb [ˌdefən'dam] hluchoněmý

deafen [defn] ohlušit

deaf-mute [ˌdef'mju:t] hluchoněmý

deal* [di:l] *v* 1 rozdělit, rozdat (**the cards** karty) 2 zasadit (**a blow** ránu) 3 jednat, vyjednávat 4 obchodovat **in sth.** čím 5 pojednávat **with** o
• *n* 1 dohoda; **it's a ~** dohodnuto 2 množství; **a great / a good ~** mnoho; mnohem

dealer [di:lə] obchodník, dealer

dealings [di:liŋz] *pl* jednání (*zvl. obchodní*)

dean [di:n] děkan

dear [diə] *adj* drahý (*též cena*); milý; **D~ Sir** Vážený pane (*oslovení*) • *adv* draho
• *n* drahoušek
• *interj* **Oh ~! / D~ me!** *1.* pro všechno na světě! 2. no maucta!

death [deθ] smrt; **put sb. to ~** popravit koho

death duties [deθdju:tiz] *pl* dědická daň

death rate [deθreit] úmrtnost

debase [di'beis] znehodnotit

debate [di'beit] *n* debata, diskuse
• *v* 1 debatovat 2 uvažovat **about** o, **whether** zdali

debit [debit] *n* dluh; má dáti
• *v* připsat na dluh komu, zatížit účet koho

debrief [di:'bri:f] vyslechnout hlášení (*po provedeném úkolu*)

debris [deibri / debri:] trosky

debt [det] dluh; **in ~** zadlužen; **run into ~** zadlužit se

debtor [detə] dlužník
decade [dekeid] desítiletí
decanter [di'kæntə] karafa
decathlon [di'kæθlon] desetiboj
decay [di'keit] *v* **1** rozkládat se, kazit se, hnít **2** rozpadat se, upadat • *n* **1** rozklad, úpadek **2** kažení (**of the teeth** zubů); zkažené místo, hnilobná tkáň (*zubu*)
decease [di'si:s] zemřít
♦ **the ~d** zesnulý
deceit [di'si:t] klam, podvod
deceive [di'si:v] klamat, podvádět
December [di'sembə] prosinec
decency [di:snsi] slušnost; mravopočestnost
decent [di:snt] **1** slušný **2** pořádný (**dinner** oběd)
decentralization [di:sentrəlai'zeišn] decentralizace
deception [di'sepšn] podvod, klam
deceptive [di'septiv] klamný
decide [di'said] **1** rozhodnout **2** rozhodnout se **on** o čem **3** přimět (k rozhodnutí)
decidedly [di'saididli] rozhodně
deciduous [di'sidjuəs] listnatý
decimal [desiml] desetinný; **~ point** desetinná čárka
decimetre [desimi:tə] decimetr
decipher [di'saifə] rozluštit, dekódovat
decision [di'sižn] **1** rozhodnutí; **come to / arrive at a ~** dospět k rozhodnutí **2** rozhodnost
decisive [di'saisiv] rozhodný; rozhodující
deck [dek] *n* **1** paluba; **on ~** na palubě, na palubu **2** plošina (*autobusu*) • *v* vyzdobit
deckchair [dekčeə] lehátko
declaration [deklə'reišn] prohlášení, vyhlášení
declare [di'kleə] **1** prohlásit (**a meeting open** schůzi za zahájenou); vyhlásit (**war on** válku proti) **2** proclít
decline [di'klain] *v* **1** naklánět se **2** upadat, chátrat **3** odmítnout • *n* **1** úpadek **2** pokles (**in prices** cen)
decode [di:'kəud] dekódovat
decompose [di:kəm'pəuz] rozkládat (se), rozložit (se)
décor [deiko:] **1** výzdoba a zařízení interiéru **2** (*div.*) výprava
decorate [dekəreit] **1** ozdobit, vyzdobit **2** malovat (**the flat** byt) **3** vyznamenat (**for bravery** za statečnost)
decoration [dekə'reišn] **1** ozdoba, výzdoba **2** malování (**of the flat** bytu) **3** řád, vyznamenání
decorative [dekərətiv] ozdobný
decorator [dekəreitə] malíř pokojů
decorum [di'ko:rəm] slušnost, slušné chování
decoy [di'koi] *n* vnadidlo • *v* navnadit, nalákat
decrease *v* [di'kri:s] zmenšit (se), ubývat • *n* [di:kri:s] úbytek, pokles
decree [di'kri:] *n* dekret; rozhodnutí; nařízení • *v* nařídit
decrepit [di'krepit] vetchý, sešlý
dedicate [dedikeit] **1** věnovat **2** zasvětit
dedicated [dedikeitid] nadšený (**sportsman** sportovec)
dedication [dedi'keišn] věnování
deduce [di'dju:s] vyvozovat, dedukovat
deduct [di'dakt] odečíst; slevit
deduction [di'dakšn] **1** srážka, sleva **2** závěr, dedukce
deed [di:d] **1** čin, skutek **2** listina

deejay [di:džei] diskžokej
deep [di:p] *adj* hluboký
• *adv* hluboko • *n* hlubina
deeply [di:pli] hluboce
deep-rooted [ˌdi:p'ru:tid] (*hluboce*) zakořeněný
deepen [di:pn] prohloubit (se)
deer [diə] jelen; vysoká zvěř
default [di'fo:lt] *n* nedodržení závazku
♦ **win by ~** vyhrát kontumačně
• *v* nedodržet závazek, nesplnit povinnost
defeat [di'fi:t] *v* porazit, zničit
• *n* porážka
defect [di'fekt] *n* nedostatek, vada
• *v* dezertovat
defective [di'fektiv] vadný
defence [di'fens] **1** obrana **2** obhajoba
defenceless [di'fenslis] bezbranný
defend [di'fend] bránit, hájit
defendant [di'fendənt] obžalovaný; odpůrce
defender [di'fendə] obránce
defensive [di'fensiv] *adj* obranný
• *n* defenzíva; **be on the ~** být v defenzívě
defer[1] [di'fə:] **(rr)** odložit (**one's departure** odjezd)
defer[2] [di'fə:] **(rr)** podrobit se (**to one's parents' wishes** přání rodičů)
deference [defrəns] úcta
deferential [defə'renšl] uctivý
deferment [di'fə:mənt] odklad; **ask for ~** žádat o odklad vojenské služby
defiance [di'faiəns] vzdor; **in ~ of sth.** navzdory čemu
defiant [di'faiənt] vzdorný
deficiency [di'fišnsi] nedostatek
defile [di'fail] **1** znečistit (**a river** řeku) **2** poskvrnit, kazit (*nečistotou*)
define [di'fain] **1** definovat, vymezit **2** jasně se rýsovat
definite [definit] určitý
definitely [definitli] rozhodně, určitě
definition [defi'nišn] definice
definitive [di'finitiv] rozhodný, konečný, definitivní
deflect [di'flekt] **1** stočit (se) stranou **from** od, odbočit z **2** odradit
deflection [di'flekšn] odchylka
deform [di'fo:m] znetvořit
deformity [di'fo:miti] deformita
defraud [di'fro:d] ošidit, podvodem připravit **of** o, defraudovat co
defrost [di:'frost] rozmrazit
deft [deft] hbitý, obratný, šikovný
defunct [di'faŋkt] **1** mrtvý, zesnulý **2** zaniklý, už neexistující
defy [di'fai] **1** vyzvat **2** vzpírat se, vzdorovat čemu
degenerate *adj* [di'dženərit] degenerovaný • *v* [di'dženəreit] degenerovat, zvrhnout se
degeneration [diˌdženə'reišn] degenerace
degradation [degrə'deišn] ponížení, degradace
degrade [di'greid] **1** degradovat **2 ~ oneself to** snížit se k
degree [di'gri:] **1** stupeň **2** akademická hodnost ♦ **by ~s** postupně; **to a (certain) ~** do určité míry; **take one's ~** promovat
deity [di:iti] božstvo
dejected [di'džektid] sklíčený, deprimovaný
dejection [di'džekšn] deprese
delay [di'lei] *v* **1** zdržet (se), zpozdit (se) **2** odložit, odsunout

3 otálet • *n* odklad, zdržení, prodlení; **without ~** bezodkladně
delegate *n* [deligit] delegát (**to a conference** na konferenci); zástupce
• *v* [deligeit] delegovat, pověřit
delegation [deli'geišn] delegace
Delhi [deli] Dillí
delete [di'li:t] škrtnout; vymazat, (*též přen.*)
deliberate *adj* [di'librit] **1** úmyslný **2** uvážlivý
• *v* [di'libəreit] radit se **upon / over** o; uvažovat **whether** jestli
deliberately [di'librətli] schválně, úmyslně
delicacy [delikəsi] **1** jemnost **2** delikátnost; **for reasons of ~** ze slušnosti **3** lahůdka, delikatesa
delicate [delikit] **1** jemný, delikátní **2** choulostivý, křehký **3** chutný, lahodný
delicatessen [delikə'tesn] **1** *pl* lahůdky **2 ~ (shop)** lahůdkářství
delicious [di'lišəs] lahodný; **taste ~** chutnat báječně
delight [di'lait] *v* těšit (se), mít radost **in** z; **be ~ed to** + *inf* / **that** být potěšen, že
• *n* potěšení, radost, rozkoš; **to my great ~** k mé velké radosti; **take ~ in** mít potěšení z
delightful [di'laitful] rozkošný
delinquency [di'liŋkwənsi] zločinnost, kriminalita (*zvl. mládeže*)
delirious [di'liriəs] v deliriu, třeštící, blouznící
deliver [di'livə] **1** doručit, dodat, odevzdat; vydat **2** pronést (**a lecture** přednášku) **3** zasadit (**a blow** ránu)
delivery [di'livəri] **1** dodání, dodávka **2** doručení, roznáška (*pošty*) **3** porod **4** přednes
♦ **~ note** dodací list; **~ room** porodní sál, slehárna
deluge [delju:dž] *n* potopa
• *v* zaplavit
delusion [di'lu:žn] přelud, klamná představa
♦ **~ of grandeur** velikášství
de luxe [də'luks / də'laks] luxusní
demagogue [deməgog] demagog
demand [di'ma:nd] *v* **1** žádat **2** vyžadovat • *n* **1** požadavek; **on ~** na požádání **2** poptávka (**for goods** po zboží); **our goods are in ~** po našem zboží je poptávka
demanding [di'ma:ndiŋ] náročný
demarcation [dima:'keišn] vymezení; **a line of ~** demarkační čára
demeanour [di'mi:nə] chování, vystupování
demobilization [di:məubilai'zeišn] demobilizace
democracy [di'mokrəsi] demokracie
democrat [deməkræt] demokrat
democratic [demə'krætik] demokratický
demolish [di'moliš] **1** zničit **2** zbourat, strhnout
demolition [demə'lišn] **1** zničení **2** zbourání, stržení, demolice
demonstrate [demənstreit] **1** ukázat, dokázat **2** demonstrovat, manifestovat
demonstration [demən'streišn] **1** důkaz; projev **2** demonstrace, výklad s ukázkami **3** demonstrace, manifestace
demonstrative [di'monstrətiv] **1** upřímný, otevřený (**person** člověk) **2** (*jaz.*) ukazovací **3** (*názorně*) ukazující **of** co, průkazný

demoralization [diˌmorəlai'zeišn] demoralizace
demoralize [di'morəlaiz] demoralizovat
demur [di'mə:] **(rr)** namítat **to** proti
demure [di'mjuə] **1** skromný **2** upejpavý, stydlivý
den [den] **1** doupě, pelech **2** (*hovor.*) kutloch
denationalize [di:'næšnəlaiz] privatizovat
denial [di'naiəl] **1** popření; **make a ~ of** popřít co; **official ~** dementi **2** odepření, odmítnutí
denims [denimz] *pl* džínsy
Denmark [denma:k] Dánsko
denomination [diˌnomi'neišn] **1** název **2** hodnota (*mince*) **3** (*náboženské*) vyznání
denominator [di'nomineitə] (*mat.*) jmenovatel
denote [di'nəut] označovat, znamenat
denounce [di'nauns] **1** veřejně odsoudit, (z)kritizovat **2** denuncovat, udat **3** vypovědět (**an agreement** dohodu)
dense [dens] hustý
density [densiti] hustota
dental [dentl] zubní; **a ~ surgeon** zubní lékař
dentist [dentist] zubní lékař, dentista
dentistry [dentistri] zubní lékařství
dentures [denčəz] umělý chrup
denude [di'nju:d] obnažit
denunciation [diˌnansi'eišn] **1** veřejné odsouzení **2** denunciace, udání **3** vypovědění (**of a treaty** smlouvy)
deny [di'nai] **1** zapřít, popřít **2** odepřít **oneself** si
depart [di'pa:t] **1** odjet **2** odchýlit se **from** od
department [di'pa:tmənt] **1** oddělení; **~ store** obchodní dům **2** *US* ministerstvo
departure [di'pa:čə] **1** odjezd **2** odchylka; odchýlení ♦ **~ lounge** odletová hala
depend [di'pend] **1** záviset **on** na; **that ~s, it all ~s** přijde na to **2** spoléhat se **on** na
dependable [di'pendəbl] spolehlivý
dependant [di'pendənt] rodinný příslušník
dependence [di'pendəns] **1** závislost **on** na **2** spolehnutí **on** na
dependent [di'pendənt] závislý **on** na
depict [di'pikt] líčit
deplete [di'pli:t] vyčerpat
deplorable [di'plo:rəbl] **1** politováníhodný **2** žalostný
deplore [di'plo:] želet, litovat (*čeho*)
deploy [di'ploi] rozvinout (se), rozestavit (se), rozmístit (se)
depose [di'pəuz] sesadit
deposit [di'pozit] *n* **1** vklad **2** záloha **3** nános, usazenina **4** bezpečnostní schránka ♦ **leave a ~** dát zálohu • *v* **1** uložit **2** vložit (**money in a bank** peníze do banky); deponovat **with** u **3** složit (*jako zálohu*)
deposition [depə'zišn] **1** sesazení **2** výpověď (**of a witness** svědka)
depository [di'pozitri] úschovna
depot [depəu] **1** skladiště

2 remíza autobusů, autobusové nádraží 3 [di:pəu] *US* nádraží
deprecate [deprikeit] odsuzovat
depreciate [di'pri:šieit] **1** podceňovat **2** zlevnit **3** klesnout v ceně
depress [di'pres] **1** stlačit, stisknout **2** snížit **3** deprimovat
depressing [di'presiŋ] chmurný, depresivní
depression [di'prešn] **1** důlek **2** tlaková níže **3** deprese **4** krize
deprive [di'praiv] zbavit **of sth.** čeho
deprived [di'praivd] žijící chudě / bez lásky
depth [depθ] hloubka; hlubina; **be out of / beyond one's ~** nestačit, (*též přen.*)
deputation [depju'teišn] deputace
deputy [depjuti] **1** zástupce, náměstek **2** poslanec (*mimo GB*)
derail [di:'reil] vykolejit; způsobit vykolejení
derelict [derilikt] opuštěný, zpustlý
derisive [di'raisiv] posměšný, výsměšný
derision [di'rižn] posměch, výsměch
derisory [di'raizəri] směšný, k smíchu
derivation [deri'veišn] **1** původ **2** (*jaz.*) odvozování (**of words** slov)
derive [di'raiv] **1** odvozovat **2** pocházet **3** mít (**pleasure from reading** potěšení z četby)
derogatory [də'rogətri] utrhačný, hanlivý
derrick [derik] **1** jeřáb **2** těžní věž
descend [di'send] **1** sestoupit (**the stairs** ze schodů); svažovat se **2** dědit se, (*dědictví*) přejít **from** z **to** na **3** vrhnout se **on** na **4** snížit se **to** k
♦ **be ~ed from** pocházet od / z
descendant [di'sendənt] potomek
descent [di'sent] **1** sestup; klesání **2** původ **3** nájezd
describe [di'skraib] **1** popsat, vylíčit **2** opsat (**a circle** kruh) **3** označit **sth.** co **as** za / jako
description [di'skripšn] **1** popis, líčení **2** druh, typ
♦ **beyond** ~ nepopsatelný; **of every** ~ všeho druhu
descriptive [di'skriptiv] popisný
desecrate [desikreit] znesvětit
desert *v* [di'zə:t] **1** opustit **2** dezertovat
• *adj* [dezət] pustý, opuštěný
• *n* [dezət] poušť
deserter [di'zə:tə] dezertér
deservedly [di'zə:vidli] zaslouženě
design [di'zain] *v* **1** určit **2** plánovat, projektovat; navrhnout; vymyslit • *n* **1** návrh, nárys, projekt **2** vzor **3** úmysl, záměr; **by** ~ záměrně
designate [dezigneit] **1** určit, označit **2** předurčit, ustanovit
designation [dezig'neišn] označení
designer [di'zainə] *n* **1** návrhář; projektant; konstruktér **2** výtvarník • *adj* **1** značkový, 'originál' **2** módní
desirable [di'zaiərəbl] žádoucí
desire [di'zaiə] *n* touha **for** po; přání • *v* toužit po, přát si
♦ **it leaves a lot / much to be ~d** má to ještě mnoho nedostatků, dá se tomu leccos vytknout
desk [desk] **1** psací stůl **2** lavice
desktop publishing [ˌdesktop'pablišiŋ] stolní publikování, stolní typografie

desolate [desəlit] bezútěšný; opuštěný, pustý
despair [di'speə] *n* zoufalství
• *v* vzdát se naděje **of** na
despatch = dispatch
desperate [desprit] zoufalý
desperation [despə'reišn] zoufalství
despicable [di'spikəbl] opovrženíhodný
despise [di'spaiz] opovrhovat čím
despite [di'spait] přes, navzdory čemu
despondency [di'spondənsi] malomyslnost, skleslost, zoufalost, deprese
despondent [di'spondənt] malomyslný, skleslý, zoufalý
despotic [de'spotik] despotický
dessert [di'zə:t] dezert, zákusek; moučník
destination [desti'neišn] místo určení; cíl cesty
destiny [destini] osud
destitute [destitju:t] bez prostředků, ve velké bídě
destroy [di'stroi] **1** zničit **2** utratit (*zvíře*)
destruction [di'strakšn] zničení, zkáza
destructive [di'straktiv] ničivý, destruktivní
detach [di'tæč] oddělit
detachable [di'tæčəbl] odpínací
detached [di'tæčt] **1** nestranný, objektivní (**opinion** názor) **2** samostatný, izolovaný (**house** dům)
detachment [di'tæčmənt] **1** odloučení, oddělení **2** (*voj.*) oddíl, detašovaná jednotka **3** nezainteresovanost, nestrannost
detail [di:teil] *n* podrobnost, detail; **go into ~s** zacházet do podrobností
• *v* **1** (*voj.*) vyčlenit **2** podrobně vylíčit / referovat, specifikovat
detailed [di:teild] podrobný
detain [di'tein] **1** zdržet; **be ~ed somewhere** zdržet se někde **2** zadržet **3** nechat ve vazbě
detect [di'tekt] odkrýt, objevit
detection [di'tekšn] vypátrání (**of crime** zločinu); odhalení
detective [di'tektiv] *adj* detektivní; **a ~ story / novel** detektivka
• *n* detektiv
détente [deitont] uvolnění mezinárodního napětí
detention [di'tenšn] **1** zadržení **2** vazba **3** trest „po škole"
♦ **~ camp** internační tábor
deter [di'tə:] **(rr)** odstrašit **from** od
detergent [di'tə:džnt] saponát
deteriorate [di'tiəriəreit] zhoršit se
determination [di,tə:mi'neišn] rozhodnutí, odhodlání
determine [di'tə:min] **1** (*přesně*) určit, stanovit **2** rozhodnout (se) **3** mít rozhodující vliv na
determined [di'tə:mind] rozhodný, odhodlaný
deterrent [di'terənt] odstrašující prostředek
detest [di'test] hnusit si
detestable [di'testəbl] odporný
detonation [detə'neišn] výbuch, detonace
detract [di'trækt] umenšovat, zlehčovat **from** co
detrimental [detri'mentl] škodlivý **to** pro
deuce [dju:s] **1** dvě, dvojka (*počet ok*) **2** shoda, (*stav*) 40-40 (*v tenisu*) **3** (*hovor.*) čert, ďas; **where the ~ ...?** kde u čerta ...?

devaluation [di:ˌvælju'eišn] devalvace
devastate [devəsteit] zpustošit
devastation [devəs'teišn] zpustošení, zkáza
develop [di'veləp] **1** vyvinout (se) **2** rozvést, rozpracovat **3** dostat, chytit (**a disease** nemoc) **4** (*fot.*) vyvolat **5** zvelebit, využít zlepšením **6** zastavět
developer [di'veləpə] **1** stavební projektant (*i firma*) **2** (*fot.*) vývojka
development [di'veləpmənt] **1** vývoj, rozvoj **2** zástavba
deviation [di:vi'eišn] odchylka
device [di'vais] **1** plán, nápad **2** zařízení; prostředek **3** přístroj
devil [devl] **1** ďábel, čert **2** (*hovor.*) dobrodruh; chlap ♦ **poor ~** chudinka, ubožák; **where the ~ ...?** kde u čerta ...?
devise [di'vaiz] vymyslit, navrhnout
devoid [di'void] zbavený **of** čeho, bez
devote [di'vəut] věnovat
devoted [di'vəutid] **1** oddaný **2** nadšený (**admirer** obdivovatel)
devotion [di'vəušn] oddanost
devour [di'vauə] hltat
devout [di'vaut] zbožný
dew [dju:] rosa
dexterous [dekstrəs] obratný
diabetes [daiə'bi:ti:z] cukrovka
diagonal [dai'ægənl] *adj* úhlopříčný, diagonální ♦ **~ cloth** šikmo pruhovaná látka • *n* úhlopříčka, diagonála
diagram [daiəgræm] diagram
dial [daiəl] *n* **1** ciferník **2** stupnice (*rozhlasového přijímače*) • *v* (**ll**) vytočit, vyťukat (*číslo*)
dialect [daiəlekt] nářečí
dialogue [daiəlog] dialog
diameter [dai'æmitə] průměr
diamond [daiəmənd] *n* **1** diamant **2** (*karta*) káro • *adj* károvaný ♦ **~ jubilee** diamantové výročí (*šedesáté*)
diaper [daiəpə] *US* (*dětská*) plenka
diaphragm [daiəfræm] **1** bránice **2** membrána
diary [daiəri] **1** deník **2** diář; kapesní kalendář
dice [dais] *n* kostka • *v* **1** nakrájet na kostičky **2** hrát kostky; hodit si kostkou **for** o
dictate *v* [dik'teit] diktovat • *n* [dikteit] diktát, příkaz
dictation [dik'teišn] diktát; diktování
dictator [dik'teitə] diktátor
dictatorship [dik'teitəšip] diktatura
dictionary [dikšənri] slovník
die [dai] zemřít (**of an illness** na nemoc, **from a wound** na zranění) ♦ **never say ~** nikdy neházej flintu do žita; **dying wish** poslední přání (*na smrtelném loži*)
die away odumřít
die out vymřít
diesel [di:zl] **1** (*motorová*) nafta **2** diesel (*auto*)
diet [daiət] **1** strava **2** dieta; **be on a ~** mít dietu; **put sb. on a ~** předepsat dietu komu
differ [difə] **1** lišit se **from** od **2** nesouhlasit **from sb.** s kým **about / on sth.** v čem
difference [difrəns] **1** rozdíl; **it makes no ~ to me** to je mi jedno; **what's the ~ ?** co na tom záleží? **2** spor; **settle a ~** urovnat spor
different [difrənt] **1** různý

2 odlišný, rozdílný; **be ~ from** lišit se od **3** jiný; **that's a ~ matter** to je něco jiného
differently [difrəntli] jinak
differentiate [difə'renšieit] **1** rozlišovat **2** odlišovat se
difficult [difiklt] těžký, obtížný; problematický (**child** dítě); **he's a ~ person** s ním se dá těžko vyjít; **don't be ~** nedělejte potíže
difficulty [difiklti] obtíž, potíž, nesnáz; **without much ~** bez velkých potíží; **make difficulties** dělat potíže, mít námitky
diffident [difidənt] ostýchavý, skromný
dig* [dig] *v* **(gg) 1** kopat; rýt **2** pátrat **for** po **3** rýpnout (**in the ribs** do žeber) **4** pečlivě zkoumat **into** co • *n* rýpnutí
dig in 1 zakopat (se) **2** (*hovor.*) usadit **oneself** se
digest *v* [dai'džest] **1** strávit **2** zestručnit • *n* [daidžest] výtah z knihy, zhuštění
digestion [di'džesčn] trávení
digit [didžit] číslice (*od 0 do 9*)
digital [didžitl] digitální, číslicový
dignified [dignifaid] důstojný
dignify [dignifai] poctít, vyznamenat
dignitary [dignitəri] hodnostář
dignity [digniti] důstojnost; **with ~** důstojně; **beneath my ~** pod moji důstojnost
digress [dai'gres] odbočit, odchýlit se
digression [dai'grešn] odchylka, odbočka
digs [digz] *pl* (*hovor.*) kvartýr
dike [daik] hráz
dilapidated [di'læpideitid] polorozpadlý
dildo [dildəu] robertek
dilemma [di'lemə] rozpaky, těžké rozhodování, dilema
diligence [dilidžəns] píle
diligent [dilidžənt] pilný
dill [dil] kopr
dilute [dai'lju:t] zředit
dim [dim] *adj* **1** šerý, kalný, nejasný, matný **2** (*hovor.*) přihlouplý ♦ **take a ~ view of** dívat se černě / s nedůvěrou na • *v* **(mm) 1** zakalit, zamlžit **2** pohasínat **3** ztlumit (**the headlights** světla)
dime [daim] *US* deseticent
dimension [d(a)i'menšn] rozměr
diminish [di'miniš] zmenšit (se)
diminutive [di'minjutiv] *adj* **1** maličký **2** (*jaz.*) zdrobnělý • *n* (*jaz.*) zdrobnělina
dimmer [dimə] tlumič světla, reostat
dimple [dimpl] důlek, dolíček (*ve tváři*)
din [din] *n* hluk, hřmot • *v* **(nn) 1** hlučet; **~ in one's ears** znít v uších **2** vtloukat (**into sb.'s ears** komu do hlavy)
dine [dain] večeřet; **~ out** jít na večeři do restaurace
dinghy [diŋgi] **1** veslovací člun (*lodi*) **2** (*nafukovací*) gumový člun
dingy [dindži] **1** špinavý **2** zašlý, ošumělý
dining car [dainiŋka:] jídelní vůz
dining room [dainiŋrum] jídelna
dining table [dainiŋteibl] jídelní stůl
dinner [dinə] hlavní jídlo dne (*oběd / večeře*)
dinner jacket [dinədžækit] smokink

dinner lady [dinəleidi] paní rozdávající dětem obědy (*ve škole*)
dioxide [dai'oksaid] kysličník, dioxid
dip [dip] **(pp)** potopit (se), ponořit (se)
diphtheria [dif'θiəriə] záškrt
diphthong [difθoŋ] dvojhláska
diploma [di'pləumə] diplom
diplomacy [di'pləuməsi] diplomacie
diplomat [dipləmæt] diplomat
diplomatic [diplə'mætik] diplomatický
diplomatist [di'pləumətist] diplomat
Dipper [dipə], *též* **Big ~** *US* Velký vůz
direct [d(a)i'rekt] *adj* přímý ♦ **~ current** stejnosměrný proud; **~ dial** (*telefon*) s přímo volitelnou státní linkou • *adv* přímo • *v* **1** řídit, vést **2** namířit **3** ukázat směr, cestu **4** adresovat **5** obrátit, zaměřit (**one's attention** pozornost) **6** nařídit, dát pokyn (komu)
direction [d(a)i'rekšn] **1** řízení, vedení, správa **2** směr **3** instrukce, pokyn, návod; **~s for use** *pl* návod k použití
directly [d(a)i'rektli] *adv* **1** přímo **2** ihned **3** za okamžik • *conj* jakmile
director [d(a)i'rektə] **1** ředitel **2** režisér
directory [d(a)i'rektəri] **1** adresář **2** telefonní seznam
dirt [də:t] špína ♦ **~ cheap** za babku, téměř zadarmo
dirty [də:ti] **1** špinavý **2** (*počasí*) šeredný **3** obscénní
disabled [dis'eibld] invalida, vozíčkář
disabuse [disə'bju:z] vyvést z omylu
disadvantage [disəd'va:ntidž] nevýhoda
disadvantageous [dis,ædvən'teidžəs] nevýhodný
disagree [disə'gri:] **1** nesouhlasit **2** nesvědčit, nedělat dobře **with sb.** komu
disagreeable [disə'griəbl] nepříjemný
disagreement [disə'gri:mənt] neshoda, nesouhlas
disappear [disə'piə] zmizet
disappearance [disə'piərəns] zmizení
disappoint [disə'point] zklamat
disappointment [disə'pointmənt] zklamání
disapproval [disə'pru:vl] nesouhlas **of** s
disapprove [disə'pru:v] neschvalovat **of** co, nesouhlasit s kým / čím
disarm [dis'a:m] odzbrojit
disarmament [dis'a:məmənt] odzbrojení
disaster [di'za:stə] neštěstí, katastrofa, (*též přen.*)
disastrous [di'za:strəs] katastrofální
disband [dis'bænd] rozpustit (**an army** armádu)
disc [disk] **1** terč, kotouč **2** disk, disketa; deska (*též gramofonová*); **~ jockey** diskžokej
discard [dis'ka:d] **1** vyhodit **2** zbavit se čeho, odložit (**one's winter clothing** zimní oblečení); odhodit (*kartu*)
discern [di'sə:n] rozeznat, rozlišit
discernible [di'sə:nəbl] rozeznatelný

discerning [di'sə:niŋ] pronikavý, bystrý, vytříbený; náročný
discharge [dis'ča:dž] *v* **1** vyložit (**a cargo** náklad) **2** vylít, vyprázdnit; vypouštět **3** vypálit, vystřelit **4** propustit **5** (vy)konat, (s)plnit (**one's duty** povinnost) **6** zaplatit (**a debt** dluh)
• *n* [disča:dž] **1** vyložení (**of a cargo** nákladu) **2** výtok **3** odpálení, výstřel **4** propuštění **5** elektrický výboj **6** splnění (**of one's duty** povinnosti)
disciple [di'saipl] žák, učedník
discipline [disiplin] kázeň
disclose [dis'kləuz] odhalit, prozradit
disclosure [dis'kləužə] odhalení, prozrazení
disco [diskəu] diskotéka
discomfort [dis'kamfət] nepohodlí
disconcert [diskən'sə:t] **1** vyvést z konceptu; uvést do rozpaků **2** zvrátit, překazit, zhatit (**plans** plány)
disconnect [diskə'nekt] vypnout, přerušit spojení
discontent [diskən'tent] nespokojenost
discontented [diskən'tentid] nespokojený
discontinue [diskən'tinju:] přestat s čím, zastavit
♦ **~d line** typ zboží, který se přestal vyrábět; zbytky
discontinuous [diskən'tinjuəs] přerušovaný, nesouvislý
discord [disko:d] **1** nesvár, neshoda **2** disharmonie
discount [diskaunt] *n* skonto, srážka, sleva; **at a ~** se slevou
• *v* **1** eskontovat **2** [dis'kaunt] nevšímat si čeho
discourage [dis'karidž] **1** zastrašit, vzít odvahu **2** zrazovat **sb.** koho **from doing sth.** od čeho
discouragement [dis'karidžmənt] **1** zrazování **2** překážka
discourse *n* [disko:s] **1** rozprava; proslov **2** pojednání, stať
• *v* [dis'ko:s] rozmlouvat; kázat
discover [dis'kavə] **1** objevit, odkrýt **2** zjistit
discovery [dis'kavəri] objev; objevení
discredit [dis'kredit] *v* **1** (z)diskreditovat, poškodit dobrou pověst koho **2** odmítnout **3** pochybovat o, otřást vírou v
• *n* špatná pověst, ostuda
discreet [dis'kri:t] taktní, diskrétní
discrepancy [dis'krepənsi] nesoulad, nesouzvuk **between** mezi
discretion [dis'krešn] **1** soudnost, rozvaha **2** volnost jednání; **at your ~** podle vašeho uvážení **3** taktnost, diskrétnost **4** shovívavost
discriminate [dis'krimineit] rozlišovat
discrimination [diskrimi'neišn] **1** rozlišování; soudnost **2** diskriminace
discus [diskəs] (*sport.*) disk
discuss [dis'kas] hovořit, pojednávat o, diskutovat o
discussion [dis'kašn] rozhovor, debata, diskuse
disdain [dis'dein] *v* **1** pohrdat čím **2** nesnížit se **to** + *inf* k čemu
• *n* pohrdání
disease [di'zi:z] choroba, nemoc
disembark [disim'ba:k] vylodit (se)
disenchanted [disin'ča:ntid] rozčarovaný

disfigure [dis'figə] znetvořit
disgrace [dis'greis] **1** nemilost **2** hanba, ostuda • *v* uvalit hanbu na; zneuctít
disgraceful [dis'greisful] ostudný, zahanbující
disguise [dis'gaiz] *v* přestrojit, převléci, zamaskovat; **~ one's voice** změnit hlas • *n* **1** převlek, přestrojení **2** přetvářka
disgust [dis'gast] *n* odpor, ošklivost • *v* pobouřit, zhnusit; **be ~ed** být zhnusen **at** čím
disgusting [dis'gastiŋ] odporný
dish [diš] *n* **1** mísa; **the ~es** *pl* nádobí **2** parabolická anténa, talíř **3** jídlo, pokrm; chod • *v* **~ out / up** servírovat
dishcloth [diškloθ] utěrka
dishevelled [di'ševld] rozcuchaný
dishonest [dis'onist] nepoctivý, nečestný
dishonesty [dis'onisti] nepoctivost
dishonour [dis'onə] *n* hanba • *v* **1** zneuctít **2** nezaplatit (*směnku*)
disillusion [disi'lu:žn] rozčarovat
disillusionment [disi'lu:žənmənt] rozčarování
disinclination [disinkli'neišn] nechuť **for / towards** k
disinfect [disin'fekt] dezinfikovat
disinfectant [disin'fektənt] dezinfekční prostředek, dezinfekce
disinformation [disinfə'meišn] lživá informace, (*záměrná*) dezinformace
disinherit [disin'herit] vydědit
disinterested [dis'intristid] **1** nesobecký, nezištný **2** nezaujatý **3** nemající zájem **in** o; **become ~ in** ztratit zájem o
disjointed [dis'džointid] nesouvislý, trhaný
disk [disk] = **disc**
diskette [dis'ket] disketa
dislike [dis'laik] *n* nechuť, nelibost, odpor **to / of / for** k; **take a ~ to** pojmout odpor k • *v* nemít rád
dislodge [dis'lodž] uvolnit (se); vypudit
disloyal [dis'loiəl] neloajální
dismal [dizml] ponurý, zasmušilý; **fail ~ly** žalostně selhat
dismatle [dis'mæntl] rozmontovat, rozebrat
dismay [dis'mei] *n* hrůza, zděšení • *v* polekat, vyděsit
dismember [dis'membə] rozebrat; roztrhat
dismiss [dis'mis] **1** propustit **2** rozpustit; **D~!** *(voj.)* Rozchod! **3** pustit z hlavy, pominout **4** odmítnout; zamítnout projednání **5** jen stručně se zmínit o
dismissal [dis'misl] propuštění
dismount [dis'maunt] **1** sestoupit, slézt **from** z **2** demontovat
disobedience [disə'bi:djəns] neposlušnost
disobey [disə'bei] neposlouchat; neuposlechnout
disorder [dis'o:də] **1** nepořádek **2** porucha **3 ~s** *pl* nepokoje
disorderly [dis'o:dəli] **1** nepořádný **2** vzpurný, výtržnický
disparage [dis'pæridž] **1** odsuzovat **2** zlehčovat
disparate [disprit] neslučitelný, nesourodý
dispassionate [dis'pæšənit] nezúčastněný, bez zaujetí
dispatch [di'spæč] *v* odeslat, vypravit • *n* **1** odeslání, odbavení; rychlé vyřízení **2** depeše, zpráva ♦ **~ rider** (*jízdní /*

motorizovaný) kurýr; **with all ~** s největším urychlením
dispel [di'spel] **(ll)** rozptýlit, rozehnat
dispensable [di'spensəbl] postradatelný
dispense [di'spens] **1** rozdílet, rozdávat **2** vykonávat (**justice** spravedlnost) **3** obejít se **with** bez; učinit zbytečným co ♦ **~ prescriptions** (*lékárna*) vydávat léky připravené podle receptů
dispenser [di'spensə] **1** lékárník **2** prodejní automat; kontejner, nádobka (*např. s tekutým mýdlem*)
dispensing chemist [di,spensiŋ 'kemist] lékárník
disperse [di'spə:s] rozptýlit (se); rozehnat
displace [dis'pleis] **1** vytlačit z místa; **~d person** bezdomovec **2** zaujmout místo koho
display [di'splei] *v* **1** vystavit, vyložit (**goods** zboží); vyvěsit (**a notice** vyhlášku); zobrazit (*na počítači*) **2** projevit • *n* **1** předvedení, výstava; zobrazení **2** výloha, výklad **3** displej; zobrazení (*na obrazovce*) **4** projev
displease [dis'pli:z] znelíbit se komu
displeasure [dis'pležə] nelibost
disposal [di'spəuzl] **1** naložení s čím **2** právo disponovat **of sth.** čím ♦ **at my ~** mně k dispozici; **~ of property** disponování majetkem; **~ of rubbish** odvoz odpadků; **~ of troops** rozmístění jednotek
dispose [di'spəuz] **1** uspořádat **2** naladit koho **3** zbavit se **of** čeho; vyřídit co, skoncovat s čím; prodat co ♦ **be well ~d towards** být nakloněn čemu; **I am ~d to think that** chce se mi věřit, že
disposition [dispə'zišn] **1** uspořádání; rozmístění **2** povaha **3** nálada **4** dispoziční právo
disproportion [disprə'po:šn] nepoměr
disprove [dis'pru:v] vyvrátit
dispute [di'spju:t] *v* **1** přít se **2** popírat • *n* spor; **beyond ~** beze sporu
disqualify [dis'kwolifai] **1** učinit nezpůsobilým **for / from** k **2** diskvalifikovat
disregard [disri'ga:d] *v* nedbat čeho, přehlížet co • *n* nedbání, přehlížení; neúcta **for** k
disrespect [disris'pekt] neúcta
disrespectful [disris'pektful] neuctivý
disrupt [dis'rapt] **1** roztrhnout **2** rozvrátit **3** přerušit **4** zničit
dissatisfaction [dis,sætis'fækšn] nespokojenost
dissatisfied [dis'sætisfaid] nespokojený
dissection [di'sekšn] rozpitvávání; pitva
dissent [di'sent] *v* nesouhlasit **from** s • *n* nesouhlas
dissociate [di'səušieit] oddělit, odtrhnout; **~ oneself** distancovat se **from** od
dissolute [disəlu:t] zhýralý, prostopášný
dissolution [disə'lu:šn] rozpuštění (*parlamentu*); likvidace (*firmy*); ukončení (*manželství*)
dissolve [di'zolv] **1** rozpustit (se) **2** rozplynout se, ztratit se **3** rozpustit, zlikvidovat, ukončit **4** dojmout, vzít za srdce

distance [distəns] vzdálenost, (*i časová*) doba
♦ **at a ~** opodál, zdálky; **at a ~ of two miles** na vzdálenost dvou mil; **in the ~** v dálce; **keep sb. at a ~** držet si koho od těla; **a little ~ away from** kousek od
distant [distənt] vzdálený
distaste [dis'teist] nechuť, odpor **for** k
distasteful [dis'teistful] odporný
distil [di'stil] **(ll)** destilovat, pálit
distillation [disti'leišn] destilace
distillery [di'stiləri] lihovar, palírna
distinct [di'stiŋkt] **1** zřetelný **2** odlišný
♦ **as ~ from** na rozdíl od
distinction [di'stiŋkšn] **1** rozdíl; rozlišování; **draw a ~** dělat rozdíl, rozlišovat; **in ~ to** na rozdíl od **2** výjimečnost; **a writer of ~** vynikající spisovatel **3** vyznamenání
distinguish [di'stiŋgwiš] **1** rozlišovat **between** mezi, rozlišit **from** od **2 ~ oneself** vynikat
distinguished [di'stiŋgwišt] **1** významný; vynikající **2** elegantní, distingovaný
distort [di'sto:t] **1** zkroutit, zkřivit **2** překroutit, zkreslit (*smysl*)
distortion [di'sto:šn] **1** zkřivení **2** překroucení, zkreslení
distract [di'strækt] **1** odvrátit, odvést (**attention** pozornost) **2** zmást; zneklidnit, rušit
distraction [di'strækšn] **1** rozptýlení **2** vyrušování, zmatek **3** zábava
distress [di'stres] *n* **1** úzkost **2** tíseň **3** nouze, bída **4** tělesné vyčerpání • *v* rozrušit, sklíčit
distressed [di'strest] postižený, v nouzi; **~ areas** postižené oblasti
distressing [di'stresiŋ] skličující
distribute [di'stribju:t] **1** rozdělit; rozložit, rozmístit **2** roznést, rozeslat, distribuovat
distribution [distri'bju:šn] **1** rozdělení, rozdělování **2** rozšíření **3** distribuce
district [distrikt] okres, obvod, oblast ♦ **~ attorney** *US* okresní návladní / prokurátor; **~ nurse** *GB* ambulantní sestra
distrust [dis'trast] *n* nedůvěra **of** k • *v* nedůvěřovat, nevěřit komu
distrustful [dis'trastful] nedůvěřivý
disturb [di'stə:b] **1** rušit, vyrušovat **2** rozrušit ♦ **~ the peace** rušit veřejný pořádek
disturbance [di'stə:bəns] **1** výtržnost **2** rušení
ditch [dič] *n* příkop, strouha • *v* (*hovor.*) hodit přes palubu, pustit k vodě
divan (bed) [di'væn (bed)] divan, válenda
dive [daiv] *v* **1** potápět se **2** skočit do vody • *n* **1** skok do vody **2** (*hovor.*) putyka
diver [daivə] **1** potápěč **2** skokan do vody
diversion [dai'və:šn] **1** objížďka; odklon **2** rozptýlení; zábava
diversity [dai'və:siti] rozmanitost **of** čeho
divert [dai'və:t] **1** odchýlit (*směr*); odvrátit (*pozornost*) **2** bavit
divide [di'vaid] (roz)dělit (se)
dividend [dividend] dividenda
divine [di'vain] *adj* božský • *v* **1** věštit, hádat **2** proutkařit
division [di'vižn] **1** (roz)dělení

2 divize 3 hlasování (*v britském parlamentu*) 4 rozkol
divorce [di'vo:s] *n* rozvod; **seek a ~** žádat o rozvod
• *v* 1 rozvést (*manžele*) 2 odloučit **from** od, odtrhnout; **~d from life** odtržený od života
Dixie (Land) [diksi(lænd)] *jižní státy USA*
dizzy [dizi] 1 závratný 2 trpící závratěmi; **feel ~** mít závrať
D.M. = Doctor of Medicine doktor lékařství
do* [du:] *v* 1 dělat, činit 2 spokojit se **with** čím, vystačit s 3 obejít se **without** bez
♦ **that will ~** to bude stačit, to půjde; **he's ~ing well** vede si dobře; **How ~ you ~?** těší mě, dobrý den (*při představování*); **have sth. to ~ with** mít co společného s; **nothing ~ing** nedá se nic dělat; **~ one's best** vynasnažit se, dát si záležet; **~ sb. a favour** prokázat službu komu; **~ one's hair** učesat se; **~ one's homework** udělat domácí úkol; **~ one's lessons** připravit se do školy; **~ one's military service** konat vojenskou službu; **~ the rooms** uklidit byt; **~ a sum** vypočítat příklad; **~ a town** prohlédnout si město; **~ a translation** udělat překlad • *n* (*hovor.*) 1 *GB* sešlost, mejdan 2 akce
do away with zrušit, odstranit co, skoncovat s čím
do out vyčistit, uklidit (*vyčistěním*)
do over 1 přemalovat, přelakovat 2 *US* předělat, přepracovat
do up 1 zapnout, zavázat, zabalit 2 obléci (se), naparádit (se)
doc [dok] (*hovor.*) doktor
docent [dəu'sent] *US* průvodce
docile [dəusail] učenlivý
dock [dok] 1 dok 2 lavice obžalovaných
docker [dokə] dokař
dockyard [dokja:d] loděnice
doctor [doktə] lékař; doktor
doctrine [doktrin] nauka, doktrína
document [dokjumənt] dokument, listina, doklad
dodge [dodž] 1 vyhnout se čemu 2 klikatit se
dog [dog] pes ♦ **~ in the manger** nepřející závistník; **let sleeping ~s lie** co tě nepálí, nehas; **things are going to the ~s with me** jde to se mnou z kopce
dog collar ['dogˌkolə] 1 obojek 2 (*hovor.*) kolárek
dog-eared [dog'iəd] (*kniha*) s oslíma ušima
dogged [dogid] umíněný, zarputilý
doggy bag, doggie bag [dogibæg] *US* (*restaurací poskytovaná*) igelitka na nedojedený pokrm, sáček na zbytky
dogmatic [dog'mætik] dogmatický
doily [doili] (*ozdobný*) ubrousek (*např. pod dort*)
doings [du:iŋz] *pl* jednání, činy
doldrums [doldrəmz] *pl* deprese
♦ **be in the ~** stagnovat
dole [dəul] podpora v nezaměstnanosti; **be on the ~** brát podporu
doll [dol] 1 panenka, panáček, loutka· 2 (*hovor.*) kus, kočka (*atraktivní mladá žena*)
dollar [dolə] dolar
dolphin [dolfin] delfín
dome [dəum] 1 kupole 2 klenba
domestic [də'mestik] 1 domácí 2 tuzemský, vnitrostátní
domicile [domisail] domov, trvalé bydliště

dominant [dominənt] **1** převládající, dominantní **2** vysoko čnící, dominující
dominate [domineit] **1** ovládat **2** převyšovat; čnět, tyčit se, dominovat
domination [domi'neišn] (nad)vláda
dominion [də'minjən] **1** nadvláda **2** dominium
don [don] *v* **(nn)** obléknout si • *n* vysokoškolský učitel
done [dan] *minulé příčestí slovesa* **do**; **D~ !** souhlasím, přijímám; **be ~ for** být zničen / vyřízen; **be ~ in** být vyčerpán; **be ~ up** být vyřízen / zruinován; **have ~ with** skoncovat s kým
donkey [doŋki] osel
donor [dəunə] dárce, donátor
doom [du:m] **1** osud **2** záhuba **3** poslední soud
doomed [du:md] odsouzený (**to failure** k neúspěchu)
Doomsday [du:mzdei] den posledního soudu, soudný den
door [do:] dveře ♦ **answer the ~** jít otevřít; **be on the ~** mít službu u vchodu; **next ~** vedle; **out of ~s** venku
doorman [do:mən] vrátný
dope [dəup] *n* narkotikum, droga; dopingová látka • *v* podat drogu komu; dopovat
dormer [do:mə] střešní okno
dormitory [do:mitri] **1** (*společná*) ložnice, dormitář **2** *US* (*studentská*) kolej
dose [dəus] **1** dávka **2** záchvat (*nemoci*) ♦ **like a ~ of salts** (*hovor.*) v cuku letu, natotata
dossier [dosiei] **1** dokumenty, akta, fascikl **2** kádrový materiál
dot [dot] *n* tečka; puntík ♦ **~s and dashes** tečky a čárky, morseovka; **on the ~** na vteřinu přesně • *v* **(tt)** opatřit tečkou; posázet puntíky
dot down poznamenat si
dote [dəut] nekriticky lpět **(up)on** na, nedat dopustit na
dotted line [ˌdotid'lain] **1** tečkovaná čára **2** udaná linie, nalinkovaný směr ♦ **sign on the ~** (*přen.*) podrobit se
double [dabl] *adj* dvojitý, dvojnásobný; dvakrát větší než • *adv* dvakrát, dvojnásobně, dvojmo • *n* **1** dvojnásobek **2** dvojník **3** čtyřhra ♦ **at / on the ~** (*hovor.*) poklusem, ihned • *v* zdvojnásobit (se); zdvojit; složit dvojmo
double up prohýbat se (**laughing** smíchy)
double bed [dabl'bed] manželská postel
double bill [dabl'bil] dvouprogram
double-breasted [dabl'brestid] dvouřadový
double-cross [dabl'kros] (*hovor.*) podvést, podfouknout
double-decker [dabl'dekə] patrový autobus
double-dutch [dabl'dač] hatmatilka
double-quick [dabl'kwik] (*hovor.*) bleskem, bleskově
doubt [daut] *n* pochybnost, nejistota; **there is no ~ about it** o tom není pochyb; **beyond ~** nad veškerou pochybnost; **without / no ~** bezpochyby • *v* pochybovat
doubtful [dautful] pochybný; **be ~ about** mít pochybnosti o
doubtless [dautlis] nepochybně, pravděpodobně
douche [du:š] sprcha

dough [dəu] **1** těsto **2** (*slang.*) prachy
doughnut [dəunat] kobliha
dove [dav] holub; holubice
dovetail [davteil] *n* rybina, rybinové zubování
• *v* **1** spojit na rybinu **2** (*přen.*) přesně do sebe zapadat **with** s
dowdy [daudi] ošumělý, ošoupaný, nemoderní
down [daun] *adv* dolů, dole ♦ **D~ with the government!** Pryč s vládou!; **~ to the last man** až do posledního muže; **be ~ on sb.** mít spadeno na koho; **~ there** tam dole; **be ~ with flu** ležet s chřipkou; **be ~ and out** být na mizině
• *prep* dolů po; **~ the hill** z kopce; **~ the river** po proudu řeky; **~ the street** po ulici
downfall [daunfo:l] **1** pád **2** liják
downhill [daunhil] (*lyžařský*) sjezd
downpour [daunpo:] liják
downright [daunrait] *adj* přímý, vyložený
• *adv* rovnou, přímo, naprosto
downs [daunz] *pl* pahorkatina
downstairs [daunsteəz] dole, dolů (*po schodech*)
downstream [daun'stri:m] po proudu
down-to-earth [dauntə'ə:θ] realistický, věcný
downtown *US* [daun'taun] *adj* v centru města
• *adv* do centra města • *n* [dauntaun] obchodní centrum města
downtrodden [dauntrodən] ušlápnutý
doze [dəuz] dřímat; **~ off** usnout (*nechtěně*)
dozen [dazn] tucet; **~s of times** nesčetněkrát; **talk nineteen to the ~** mluvit a nevědět, kdy přestat
D.Phil. = **Doctor of Philosophy** doktor filozofie
drab [dræb] **1** šedavě hnědý **2** jednotvárný
draft [dra:ft] *n* **1** koncept **2** návrh **3** směnka **4** (*voj.*) záloha
• *v* **1** koncipovat **2** *US* povolat do zbraně
drag [dræg] *n* **1** přítěž **2** (*hovor.*) otrava • *v* **(gg)** táhnout, vléci (se)
drag down vyčerpat
drag in zatáhnout (*do rozhovoru*)
drag out protahovat
drag up **1** stále vytahovat, omílat **2** *GB* špatně vychovat
dragon [drægən] drak; dračice
drain [drein] *n* odtok; odvodňovací stoka; **~s** *pl* kanalizace ♦ **go down the ~** přijít nazmar; **laugh like a ~** řehtat se na celé kolo
• *v* **1** odvodnit, vyprázdnit **2** vysušit se, vyschnout, odkapat
drainpipe [dreinpaip] **1** okapová roura **2** **~s** = **~ trousers** trubky (*kalhoty*)
draining board [ˌdreiniŋ 'bo:d] odkapávací deska
drake [dreik] kačer
drama [dra:mə] drama, činohra
dramatic [drə'mætik] dramatický; divadelní
dramatist [dræmətist] dramatik
drapery [dreipəri] **1** látky, textil **2** drapérie
drastic [dræstik] drastický
draught [dra:ft] **1** tah; zátah; **~ beer** točené pivo **2** průvan **3** doušek **4** skica
draughts [dra:fts] *pl* dáma (*hra*)
draw* [dro:] *v* **1** táhnout, vytáhnout, zatáhnout; přitahovat

2 čepovat 3 vyzvednout (*peníze z banky*); čerpat (**on one's savings** z úspor) 4 kreslit 5 vydat směnku (**on sb. for a sum** na koho na částku) 6 (*sport.*) hrát nerozhodně ♦ ~ **one's attention to** upozornit koho na; ~ **lots** losovat; ~ **near** blížit se k; ~ **into** vjet do • *n* 1 nerozhodná hra; **end in a** ~ skončit nerozhodně 2 lákadlo, tahák

draw off odtáhnout

draw up 1 sestavit, koncipovat 2 zastavit (**at the gate** u brány)

drawback [dro:bæk] stinná stránka; nedostatek

drawer [dro:ə] zásuvka

drawing [dro:iŋ] 1 kreslení 2 kresba ♦ ~ **board** kreslicí prkno; ~ **pin** napínáček

drawing room [dro:iŋrum] přijímací pokoj, salón

dread [dred] *v* bát se čeho • *n* strach **of** z

dreaded [dredid] obávaný

dreadful [dredful] hrozný, příšerný

dream [dri:m] *n* 1 sen 2 snění • *v** 1 mít sen 2 snít **of / about** o

dreary [driəri] 1 ponurý, pustý, smutný 2 únavný

dredge[1] [dredž] *v* 1 hloubit pod vodou, bagrovat 2 prohledávat; (vy)lovit (*vlečnou sítí*)

dredge up vykutat, vyšťourat (*informaci, zvl. z minula*)

dredge[2] [dredž] poprášit (*moukou / cukrem*)

dregs [dregs] *pl* 1 usazenina 2 (*společenská*) spodina, bahno (*přen.*)

drench [drenč] zmáčet, promáčet

dress [dres] *n* šaty, oděv ♦ ~ **circle** první balkón; ~ **coat** frak; **evening** ~ večerní šaty • *v* 1 obléci (se) 2 upravit, ochutit (**a salad** salát) 3 ošetřit (**a wound** ránu) 4 vyzdobit (**the streets** ulice)

dress down setřít koho, vyhubovat komu

dress up 1 obléci se **as** za 2 obléci se do gala

dresser [dresə] příborník, kredenc

dressing [dresiŋ] 1 obvaz 2 zálivka

dressing gown [dresiŋgaun] župan

dressing room [dresiŋrum] (*herecká*) šatna

dressing table [dresiŋteibl] toaletní stolek, toaletka

dressmaker [dresmeikə] švadlena

dress rehearsal [dresri'hə:sl] generální zkouška (*hry*)

dressy [dresi] elegantní

dried [draid] sušený; zaschlý; ~ **fruit** sušené ovoce; ~ **milk** sušené mléko

drift [drift] *n* 1 závěj 2 tendence • *v* 1 hnát (se) 2 být unášen; snášet se 3 hromadit se

drift along vznášet se

drill[1] [dril] *n* vrtačka • *v* vrtat

drill[2] [dril] secí stroj

drill[3] [dril] *n* vojenský výcvik; dril • *v* podrobit výcviku, cvičit, nacvičovat

drink* [driŋk] *v* pít; ~ **to sb.** připít komu • *n* nápoj; **have a** ~ napít se; dát si něco k pití

drip [drip] **(pp)** kapat; **he was ~ping sweat** lil z něho pot; **~ping wet** mokrý jako myš, úplně mokrý

drip-dry [drip'drai] *adj* rychle schnoucí, který není zapotřebí žehlit • *v* sušit vyvěšením

dripping [dripiŋ] vyškvařený tuk
drive* [draiv] *v* **1** hnát **2** řídit (**a car** auto) **3** jet (*autem*) **4** (s)vézt koho **5** pohánět (**machinery** stroje) **6** prorazit (**a tunnel** tunel) **7** narážet **at** na; **what are you driving at?** kam míříte? • *n* **1** jízda, projížďka, vyjížďka; **go for a ~** vyjet si **2** vjezd, (soukromá) příjezdová cesta **3** energie; pud **4** (*sport.*) úder (*v tenise*) **5** kampaň, akce
drivel [drivl] *US* žvanit nesmysly
driver [draivə] řidič
driving licence ['draiviŋ ˌlaisəns] řidičský průkaz
driving test ['draiviŋ ˌtest] řidičská zkouška
drizzle [drizl] mrholit
drool [dru:l] slintat
droop [dru:p] **1** klesat **2** spustit, svěsit (**one's head** hlavu)
drop [drop] *n* **1** kapka **2** pokles **in** čeho • *v* **(pp)** **1** padat, opadávat **2** upustit **3** (po)klesnout, svažovat se **4** vynechat **5** zanechat čeho **6** ustat **7** utrousit (**a hint** narážku); vhodit (**a letter in a letterbox** dopis do schránky) ♦ **~ me a line** napiš mi pár řádek
drop in navštívit na chvilku **on sb.** koho; zaskočit (si) (**to tea** na čaj)
drop off **1** odpadávat **2** usnout **3** vysadit (**sb.** koho **at a stop** na stanici)
drought [draut] sucho
drown [draun] utopit (se); **be / get ~ed** utopit se
drowse [drauz] **1** dřímat **2** být příjemně ospalý
drowsy [drauzi] ospalý
drudge [dradž] *n* dříč, otrok, nádeník • *v* dřít se
drudgery [dradžəri] dřina, nádeničina
drug [drag] *n* lék; droga • *v* **(gg)** otrávit; omámit
drug addict ['dragˌædikt] narkoman
druggist [dragist] *US* farmaceut
drugstore [dragsto:] *US* dragstór (*prodejna tabáku, cukrovinek a základních léků*)
drum [dram] *n* buben, bubínek • *v* **(mm)** **1** bubnovat **2** vtloukat **into** (**sb.'s head** komu do hlavy); vytloukat **out of** z
drum up (na)verbovat, získat
drumstick [dramstik] **1** palička (*na buben*) **2** (*smažené*) stehýnko (*drůbeže*)
drunk [draŋk] *adj* opilý; **get ~** opít se • *n* opilec
drunkard [draŋkəd] opilec; pijan, alkoholik
drunkenness [draŋkənnis] opilost; opilství
dry [drai] *adj* suchý (**as a bone** jako troud); **~ as dust** suchopárný • *v* **1** sušit; utřít (**one's hands on a towel** si ruce do ručníku) **2** uschnout
dry up **1** vysušit **2** vyschnout **3** přestat mluvit **4** zapomenout text (*na jevišti*)
dry-clean [drai'kli:n] chemicky čistit
dry cleaner's [drai'kli:nəz] chemická čistírna
dry goods [draigudz] *pl* **1** *GB* sypké zboží **2** *US* textil
dryness [drainis] sucho
D.Sc. = **Doctor of Science** doktor přírodních věd
dub [dab] **(bb)** dabovat (**a film** film)

dubious [dju:bjəs] **1** pochybný **2** mající pochybnosti **about** o

duchess [dačis] vévodkyně

duck [dak] *n* **1** kachna **2** (*GB, hovor.*) zlatíčko ♦ **~s and drakes** házení „žabiček" • *v* **1** sehnout (se); **~ one's head** sehnout hlavu **2** potopit (se) **3** (*hovor.*) vyhnout se (*nepříjemnosti*)

due [dju:] *adj* **1** patřičný, řádný; **in ~ time, in ~ course** v pravý čas **2** očekávaný (*podle jízdního řádu*); **the train is ~ at 5.15** vlak má přijet v 5.15 **3** dlužný; splatný • *adv* přímo • *prep* **~ to** kvůli čemu, pro co, následkem / vinou čeho • *n* **1** co komu patří **2** dluh **3 ~s** *pl* (*členské*) poplatky

duke [dju:k] vévoda

dull [dal] *n* **1** těžko chápavý, tupý **2** neživý, neslaný nemastný; nudný • *v* otupit (*přen.*)

duly [dju:li] řádně, náležitě, příslušně

dumb [dam] němý; **~ show** pantomima

dumbbell [dambel] (*sport.*) činka

dummy [dami] **1** atrapa; maketa **2** krejčovská panna, figurina **3** *GB* dudlík

dump [damp] *n* skládka • *v* **1** odložit na smetiště **2** prodávat pod cenou (*v cizině*)

dumpling [dampliŋ] knedlík

dunce [dans] tupec

dung [daŋ] hnůj

dungarees [daŋgə'ri:z] *pl* montérky

dungeon [dandžən] žalář

dunk [daŋk] namáčet si **in** do

duodenum [dju:ə'di:nəm] dvanácterník

dupe [dju:p] *n* hlupák, hejl • *v* nachytat, vyvést, podvést

duplicate *n* [dju:plikit] duplikát, opis; **in ~** dvojmo • *v* [dju:plikeit] **1** rozmnožovat **2** udělat duplikát čeho **3** přesně opakovat

duplicity [dju:'plisiti] obojetnost, neupřímnost

durability [djuərə'biliti] trvanlivost

durable [djuərəbl] trvanlivý

duration [dju'reišn] **1** (doba) trvání; **for the ~** po (celou) dobu **2** délka; minutáž

during [djuəriŋ] během, v průběhu, za

dusk [dask] soumrak, šero

dust [dast] *n* prach ♦ **~ jacket** přebal (*knihy*) • *v* **1** poprášit **2** oprášit, utřít prach (**the furniture** z nábytku)

dustbin [dastbin] popelnice

duster [dastə] prachovka

dustman [dastmən] popelář

dustpan [dastpæn] lopatka na smetí

dusty [dasti] zaprášený; prašný

Dutch [dač] *adj* holandský ♦ **~ courage** odvaha opilce; **go ~** platit každý sám za sebe (*v restauraci*) • *n* **the ~** Holanďané

Dutchman [dačmən] Holanďan

dutiable [dju:tiəbl] podléhající clu

dutiful [dju:tiful] poslušný, uctivý

duty [dju:ti] **1** povinnost **2** služba; **on ~** ve službě **3** poplatek; clo

duty-free [dju:tifri:] *adj* prostý cla, osvobozený od cla • *n* bezcelní zboží

dwarf [dwo:f] trpaslík

dwarfish [dwo:fiš] trpasličí, zakrslý

dwell* [dwel] **1** bydlit, zdržovat

se (kde) **2** prodlévat **(up)on** na, obírat se čím
dwelling [dweliŋ] obydlí
dwindle [dwindl] zmenšovat se, ztrácet se
dye [dai] *n* barva
• *v* (o)barvit (**blue** na modro)
dyke = dike
dynamic [dai'næmik] dynamický
dynamite [dainəmait] dynamit
dynasty [dinəsti] dynastie
dysentery [disntəri] úplavice
dyspepsia [dis'pepsiə] porucha trávení

E

E = **east** východ
each [i:č] každý; **a shilling ~** po šilinku; **~ other** jeden druhého, navzájem
eager [i:gə] dychtivý, rozdychtěný, horlivý
eagerness [i:gənis] dychtivost, horlivost
eagle [i:gl] orel
ear[1] [iə] **1** ucho **2** sluch ♦ **be all ~s** napjatě poslouchat; **up to the ~s in work** až po uši v práci; **~ for music** *1.* hudební sluch *2.* záliba v hudbě
ear[2] [iə] klas
eardrum [iədram] ušní bubínek
earl [ə:l] hrabě
early [ə:li] *adj* časný, brzký; urychlený; **in the ~ thirties** na začátku třicátých let ♦ **~ bird** ranní ptáče • *adv* časně, brzy; **~ next week** začátkem příštího týdne; **as ~ as May** již v květnu; **as ~ as possible** co nejdříve
earmark [iəma:k] *v* dát stranou (**a sum** částku) **for** na • *n* **1** značka na uchu (*domácího zvířete*) **2** znak (**of poverty** chudoby)
earn [ə:n] **1** vydělat si **2** zasloužit si
earnest[1] [ə:nist] vážný; **in ~** vážně, doopravdy; **be in ~** myslit to vážně
earnest[2] [ə:nist] záloha, závdavek
earnings [ə:niŋz] *pl* výdělek
earphones [iəfəunz] sluchátka
earpiece [iəpi:s] **1** sluchátko (*telefonní*) **2** naslouchátko
earring [iəriŋ] náušnice
earth [ə:θ] **1** země **2** hlína **3** svět; **how / what / where ... on ~** jak / co / kde ... pro všechno na světě
earthen [ə:θn] hliněný
earthenware [ə:θnweə] hliněné zboží, kamenina
earthly [ə:θli] pozemský
earthquake [ə:θkweik] zemětřesení
earthy [ə:θi] zemitý; hrubý
ease [i:z] *n* klid, pohoda; lehkost ♦ **with ~** lehce; **stand at ~** stát v pohovu; **be / feel at ~** chovat se nenuceně; **put sb. at his ~** zbavit rozpaků koho; **ill at ~** nesvůj; **take one's ~** odpočinout si • *v* **1** ulevit, ulehčit **2** povolit; uvolnit (se)
ease off / up polevit
east [i:st] *n* východ; **in the ~** na východě • *adj* východní • *adv* na východ **of** od
Easter [i:stə] Velikonoce
eastern [i:stən] východní
easy [i:zi] *adj* **1** snadný, lehký; **buy on ~ terms** kupovat na splátky **2** nenucený (**manners** chování) • *adv* lehce, nenuceně; **take it ~** nic si z toho nedělej; **E~!** Pohov!
easygoing [i:zi'gəuiŋ] bezstarostný
eat* [i:t] **1** jíst **2** rozežírat, korodovat **into** co
eat up sníst; dojíst
eater [i:tə] jedlík
eats [i:ts] *pl* (*hovor.*) jídlo
eaves [i:vz] *pl* okap
eavesdrop [i:vzdrop] (**pp**) tajně naslouchat **on sb.** komu, poslouchat za dveřmi

ebb [eb] *n* odliv; ~ **and flow** příliv a odliv • *v* 1 (*moře*) klesat 2 (*přen.*) ubývat, klesat, upadat
ebony [ebəni] eben
EC = European Community Evropské společenství
eccentric [ik'sentrik] výstřední
echo [ekəu] *n* ozvěna • *v* 1 vracet se ozvěnou 2 ozývat se (jako) ozvěnou, znít **with** čím 3 souhlasně opakovat
eclipse [i'klips] *n* zatmění • *v* zastínit
ecology [i'kolədži] ekologie
economic [ekə'nomik / i:kə'-] ekonomický, hospodářský
economical [ekə'nomikl / i:kə'-] 1 hospodárný, úsporný 2 šetrný, skromný
economics [ekə'nomiks / i:kə'-] ekonomie; ekonomika
economy [i'konəmi] 1 hospodaření 2 hospodářství, ekonomie
economy class [i'konəmi ˌkla:s] turistická třída (*při cestování letadlem*)
ecstasy [ekstəsi] vytržení, extáze
Eden [i:dn] ráj
edge [edž] 1 ostří; hrot 2 hrana, kraj ♦ **have the ~ on / over** být o poznání lepší než; **on the ~** *US* (*hovor.*) na pokraji šílenství; **set sb.'s teeth on ~** drásat nervy komu
edgy [edži] podrážděný, popudlivý
edible [edibl] jedlý
edit [edit] redigovat
edition [i'dišn] vydání
editor [editə] redaktor
editorial [edi'to:riəl] *adj* redakční • *n* úvodník
educate [edjukeit] vychovávat, vzdělávat
education [edju'keišn] 1 výchova, vzdělání 2 školství
eel [i:l] úhoř
eerie [iəri] tajuplný, naháněјící hrůzu
efface [i'feis] 1 vymazat 2 zahladit
effect [i'fekt] *n* 1 účinek, výsledek, následek; vliv **on** na 2 dojem; efekt 3 **~s** *pl* movitý majetek, svršky ♦ **in ~** ve skutečnosti, v praxi; **to the ~ that** v tom smyslu, že; **to this ~** v tomto smyslu; **bring / put into ~** uskutečnit • *v* 1 uskutečnit, provést, vykonat 2 uzavřít (**an insurance policy** pojistku)
effective [i'fektiv] 1 účinný 2 efektní
effeminate [i'feminit] zženštilý
effervescent [efə'vesnt] šumivý
efficacious [efi'keišəs] účinný
efficiency [i'fišnsi] výkonnost; zdatnost
efficient [i'fišnt] 1 výkonný; zdatný 2 vhodný, účelný
effigy [efidži] portrét; figura, figurina
effort [efət] 1 úsilí, námaha; **make an / every ~** vynasnažit se 2 výsledek úsilí, pokus
e.g. [i:'dži:] = **for example** např.
egg [eg] *n* vejce • *v* **~ on** povzbuzovat (*ke špatnému*)
eggplant [egpla:nt] *zvl. US* baklažán, lilek
egoist [egəuist] sobec
egoistic [egəu'istik] sobecký
Egyptian [i:'džipšn] *adj* egyptský • *n* Egypťan

eiderdown [aidədaun] prachová přikrývka
eight [eit] **1** osm **2** osma
eighteen [ei'ti:n] osmnáct
eighteenth [ei'ti:nθ] osmnáctý
eighth [eitθ] osmý
eightieth [eitiiθ] osmdesátý
eighty [eiti] osmdesát
Eire [eərə] Irská republika
either [aiðə] *adj* **1** každý (*ze dvou*), oba; (*v záporu*) žádný; **in ~ case** v každém případě, tak či onak; **at ~ end of the bridge** na obou stranách mostu; **I don't like it ~ way** nelíbí se mi to tak ani tak **2** jeden nebo druhý (*ze dvou*) • *adv* (*v záporu*) také ne; **I don't like it ~** mně se to také nelíbí • *conj* **~ ... or** buď ... anebo
eject [i'džəkt] **1** vypudit, vyhnat, vyhodit, vyrazit **from** z **2** být katapultován
elaborate *adj* [i'læbrit] **1** vypracovaný **2** komplikovaný **3** nákladný • *v* [i'læbəreit] **1** podrobně vypracovat, rozvést **2** šíře se rozhovořit
elapse [i'læps] uplynout
elastic [i'læstik] *adj* pružný, elastický • *n* (*prádlová*) guma
elasticity [ilæs'tisiti] pružnost
elated [i'leitid] hrdý, pyšný; radostně vzrušený, v povznesené náladě **at / by** z / nad
Elbe [elb], **the ~** Labe
elbow [elbəu] *n* **1** loket; **at one's ~** po ruce **2** koleno (*roury*) • *v* strkat (*loktem*), vytlačit (*lokty*); **~ one's way through** prodírat si cestu kudy
elder[1] [eldə] černý bez
elder[2] [eldə] *adj* (*člen rodiny*) starší; **my ~ brother** můj starší bratr • *n pl* **~s** starší lidé; **my ~s** lidé starší než já
elderly [eldəli] starší, postarší, obstarožní
eldest [eldist] (*člen rodiny*) nejstarší
elect [i'lekt] *v* (z)volit • *adj* zvolený (*ale ještě neúřadující*) • *n* vyvolený
election [i'lekšn] volba; **general ~(s)** všeobecné volby
elective [i'lektiv] **1** volený **2** fakultativní
elector [i'lektə] volič
electric [i'lektrik] elektrický
electrical [i'lektrikl] s elektřinou související; **~ engineering** elektroinženýrství; **~ appliance** elektrospotřebič
electrician [ilek'trišn] elektrotechnik, elektrikář
electricity [ilek'trisiti] elektřina
electrocution [i,lektrə'kju:šn] **1** zabití elektrickým proudem **2** poprava na elektrickém křesle
electrode [i'lektrəud] elektroda
electron [i'lektron] elektron
elegance [eligəns] elegance
elegant [eligənt] elegantní, vkusný
element [elimənt] **1** prvek **2** živel; **in one's ~** ve svém živlu **3** žhavicí tělísko (*ve spotřebiči*) **4 ~s** *pl* základy (*např. vědy*); živly, příroda
elemental [eli'mentl] živelný
elementary [eli'mentəri] základní
elephant [elifənt] slon
elevate [eliveit] zvednout, zvýšit; povýšit
elevation [eli'veišn] **1** povýšení; zvýšení, zvednutí **2** výšina **3** bokorys
elevator [eliveitə] *US* výtah

eleven [i'levn] jedenáct
elevenses [i'levnziz] (*dopolední*) káva, čaj, svačina
eleventh [i'levnθ] jedenáctý
elicit [i'lisit] vyloudit, vylákat **from** od
eligible [elidžibl] přicházející v úvahu, vhodný **for** pro
eliminate [i'limineit] vyloučit **from** z; odstranit
elimination [iˌlimi'neišn] vyloučení, odstranění, vypuštění; ~ **contest** vylučovací soutěž / závod
Elizabeth [i'lizəbeθ] Alžběta
Elizabethan [iˌlizə'bi:θən] alžbětinský
elk [elk] los (*zvíře*)
ellipse [i'lips] elipsa
elm [elm] jilm
elocution [elə'kju:šn] **1** (*zřetelná*) výslovnost **2** výřečnost **3** řečnické umění
elongate [i:loŋgeit] prodloužit (se)
elongation [i:loŋ'geišn] prodloužení
eloquence [eləkwəns] výmluvnost
eloquent [eləkwənt] výmluvný
else [els] **1** dále, mimoto, ještě **2 (or)** ~ jinak, anebo, sice ♦ **who** ~ kdo jiný, kdo ještě; **what** ~ co jiného; **somebody** ~ někdo jiný; **nothing** ~ už nic; **how** ~ jak jinak; **little** ~ už málo; **everybody** ~ každý jiný
elsewhere [els'weə] (někde) jinde, (někam) jinam
elucidate [i'lu:sideit] vyjasnit, vysvětlit
elude [i'lu:d] **1** uniknout, vyhnout se, vykroutit se **2** vzpírat se, přesahovat **3** nedostávat se, chybět
elusive [i'lu:siv] **1** těžko postižitelný **2** prchavý
emaciated [i'meišieitid] vyhublý, vyzáblý
emancipation [iˌmænsi'peišn] emancipace; osvobození
embalm [im'ba:m] balzamovat
embankment [im'bæŋkmənt] nábřeží
embargo [im'ba:gəu] **1** embargo **2** zákaz **on / against** čeho
embark [im'ba:k] **1** nalodit (se) **2** pustit se **(up)on** do
embarkation [emba:'keišn] nalodění
embarrass [im'bærəs] **1** uvést do rozpaků, pomást, poplést; **become / get ~ed** upadnout do rozpaků **2** překážet, vadit
embarrassing [im'bærəsiŋ] trapný
embarrassment [im'bærəsmənt] rozpaky
embassy [embəsi] velvyslanectví, ambasáda
embers [embəz] *pl* žhavé uhlíky, oharky
embezzle [im'bezl] zpronevěřit
embitter [im'bitə] roztrpčit
emblem [embləm] symbol, znak
embodiment [im'bodimənt] ztělesnění
embody [im'bodi] **1** ztělesňovat **2** vyjádřit, dát konkrétní formu čemu
embrace [im'breis] *v* **1** objímat, vzít do náručí **2** chopit se čeho **3** zahrnovat, obsahovat **4** (*ochotně*) přijmout, uvítat • *n* objetí
embroider [im'broidə] vyšívat
embroidery [im'broidəri] výšivka
embryo [embriəu] zárodek
emcee [em'si:] (*hovor.*) *n* moderátor, konferenciér

• *v* moderovat, konferovat, uvádět, mít průvodní slovo
emerald [emərəld] smaragd
emerge [i'mə:dž] vynořit se, objevit se
emergency [i'mə:džənsi] **1** nepředvídaná událost **2** případ nouze, naléhavá potřeba, naléhavost **3** náhlá příhoda
♦ **in an ~, in case of ~** v případě nutnosti; **state of ~** výjimečný stav; **~ brake** záchranná brzda; **~ exit** nouzový východ
emigrant [emigrənt] emigrant, vystěhovalec
emigrate [emigreit] vystěhovat (se)
emigration [emi'greišn] emigrace, vystěhování, vystěhovalectví
eminent [eminənt] skvělý, vynikající
emission [i'mišn] **1** vyzařování; vysílání **2** vydání, emise **3** výtok; výpar, pach
emit [i'mit] **(tt)** vyzařovat, vysílat; vydat (*zvuk*)
emotion [i'məušn] dojetí, cit
emotional [i'məušənl] citový
emperor [empərə] císař
emphasis [emfəsis] důraz; **place / lay / put special ~ (up)on** klást zvláštní důraz na
emphasize [emfəsaiz] zdůraznit
emphatic [im'fætik] důrazný
empire [empaiə] císařství, říše, impérium
employ [im'ploi] **1** zaměstnávat **2** použít; využít
employee [im'ploii: / emploi'i:] zaměstnanec
employer [im'ploiə] zaměstnavatel
employment [im'ploimənt] zaměstnání
empower [im'pauə] zmocnit
empress [empris] císařovna
empty [empti] *adj* **1** prázdný **2** bezvýrazný
• *v* vyprázdnit, vylít, vysypat
empty-handed [empti'hændid] s prázdnýma rukama
emulate [emjuleit] **1** snažit se dosáhnout čeho / napodobit koho **2** (*počítač*) emulovat
enable [i'neibl] dát možnost komu, umožnit
enact [i'nækt] uzákonit, ustanovit
enamel [i'næml] *n* email
• *v* **(ll)** poemailovat
Enc. = enclosure příloha
enchant [in'ča:nt] očarovat, okouzlit; začarovat
encircle [in'sə:kl] **1** obklíčit; obklopit **2** obejmout
encirclement [in'sə:klmənt] obklíčení
enclose [in'kləuz] **1** ohradit, obehnat **2** přiložit (*k dopisu*)
enclosure [in'kləužə] **1** ohražení, ohrada **2** příloha (*dopisu*)
encore [oŋko:] přídavek (*koncertu*)
encounter [in'kauntə] *n* **1** (*náhlé / nebezpečné*) setkání **2** utkání
• *v* **1** setkat se s **2** utkat se
encourage [in'karidž] povzbuzovat, dodávat odvahu komu
encouragement [in'karidžmənt] povzbuzení, podpora
encouraging [in'karidžiŋ] povzbudivý, nadějný, slibný
encumber [in'kambə] zatížit **with** čím
encyclop(a)edia [in,saiklə'pi:diə] naučný slovník, encyklopedie
end [end] *n* konec
♦ **at the ~ of sth.** na konci čeho; **in the ~** nakonec; **there is no ~ to**

it nemá to konce; **come to an ~** skončit; **put an ~ to sth.** skončit co; **no ~ of** spousta čeho; **make both ~s meet** vystačit s platem; **for weeks on ~** po celé týdny; **~ game** koncovka (*v šachu*) • *v* (u)končit, skončit (se) **in** čím
end up skončit
endanger [in'deindžə] ohrozit
endear [in'diə] **1** způsobit, že miluje **to** kdo **2 ~ oneself** přirůst k srdci **to sb.** komu
endeavour [in'devə] *v* snažit se, usilovat • *n* snaha, úsilí
ending [endiŋ] **1** konec **2** zakončení, koncovka
endless [endlis] nekonečný
endorse [in'do:s] **1** podepsat na rubu (*směnku*), indosovat **2** potvrdit správnost **3** podporovat, schvalovat (**a view** názor)
endow [in'dau] **1** založit nadaci pro **2** obdařit, vybavit **with** čím (*od narození*)
endurance [in'djuərəns] vytrvalost; trpělivost; **beyond ~** nesnesitelný
endure [in'djuə] vydržet, snést
enduring [in'djuəriŋ] trvalý
enema [enimə] klystýr
enemy [enimi] nepřítel
energetic [enə'džetik] energický, rázný
energy [enədži] energie, síla
enforce [in'fo:s] **1** vynutit (si) **2** prosadit, uvést v platnost (*nařízení*)
engage [in'geidž] **1** najmout, zaměstnat **2** zavázat se **3** (z)účastnit se **in** čeho **4** zasnoubit **5** zapadat **with** do
engaged [in'geidžd] **1** zaměstnán; **be ~ in** zaměstnávat se čím, být zabrán do **2** obsazený; zamluvený **3** upoután **by** čím **4** zasnoubený; **become ~** zasnoubit se **to** s
engagement [in'geidžmənt] **1** závazek; **without ~** nezávazně **2** zasnoubení **3** ujednání, schůzka **4** zaměstnání
engaging [in'geidžiŋ] okouzlující, půvabný, podmanivý
engine [endžin] **1** stroj; motor **2** lokomotiva ♦ **~ driver** strojvůdce; **facing the ~** ve směru jízdy
engineer [endži'niə] *n* **1** inženýr, technik **2** ženista **3** *US*, strojvůdce • *v* **1** (z)konstruovat **2** zosnovat, zmanipulovat
engineering [endži'niəriŋ] *n* strojírenství; technika; **civil ~** stavební inženýrství, stavitelství • *adj* inženýrský; technický
England [iŋglənd] Anglie
English [iŋgliš] *adj* anglický; **~ Channel** Kanál La Manche • *n* **1 the ~** Angličané **2** angličtina; **in ~** anglicky
Englishman [iŋglišmən] Angličan
Englishwoman [iŋglišwumən] Angličanka
engrave [in'greiv] vyrýt
engraver [in'greivə] rytec
engraving [in'greiviŋ] rytina
engrossed [in'grəust] ponořen, zahloubán **in** do
engulf [in'galf] pohltit
enhance [in'ha:ns] zvýšit, zvětšit
enigma [i'nigmə] záhada
enigmatic [enig'mætik] záhadný
enjoy [in'džoi] **1** mít potěšení / požitek z čeho **2** používat co, těšit se čemu **3 ~ oneself** bavit se, mít se dobře

enjoyable [in'džoiəbl] příjemný
enjoyment [in'džoimənt] požitek
enlarge [in'la:dž] **1** zvětšit (se), rozšířit **2** rozhovořit se **upon** o
enlargement [in'la:džmənt] zvětšenina
enlighten [in'laitn] osvítit; poučit
enlightenment [in'laitənmənt] **1** osvěta **2** **E~** osvícenství
enlist [in'list] **1** odvést (*na vojnu*) **2** odejít (**in the army** na vojnu) **3** *GB* zapsat se **in** do **4** zajistit si (**sb.'s help** něčí pomoc) ♦ **~ed men** *US* poddůstojníci a mužstvo
enliven [in'laivn] oživit
enmity [enmiti] nepřátelství
enormity [i'no:miti] **1** nestvůrnost **2** velikost
enormous [i'no:məs] obrovský
enough [i'naf] dosti; **be ~** stačit; **strangely ~** ačkoli je to s podivem, kupodivu
enquire, enquiry *viz* **inquire, inquiry**
enrage [in'reidž] rozzuřit
enrich [in'rič] obohatit
enrol(l) [in'rəul] **(ll)** zapsat se (**in a course** do kursu)
ensemble [on'sombl] **1** soubor **2** komplet, souprava (*oděv*)
ensign [ensain] **1** (*lodní*) státní vlajka **2** *US* podporučík (*námořnictva*)
enslave [in'sleiv] zotročit
ensuing [in'sju:iŋ] následující
ensure [in'šuə] **1** zajistit; zaručit **2** přesvědčit se
entail [in'teil] přinášet s sebou, mít za následek, vyžadovat
entangle [in'tæŋgl] zaplést, zamotat
entanglement [in'tæŋglmənt] **1** zapletení se, komplikace **2** (*voj.*) překážka z ostnatého drátu
enter [entə] **1** vstoupit (**a room** do místnosti) **2** vmísit se (**into a conversation** do rozhovoru) **3** zacházet (**into details** do podrobností) **4** nastoupit **upon** co (**one's duties** své povinnosti) **5** zapsat **6** zúčastnit se (**for a competition** soutěže)
enterprise [entəpraiz] **1** podnik; podnikání **2** akce
enterprising [entəpraiziŋ] podnikavý
entertain [entə'tein] **1** přijímat hosty, pořádat večírky **2** bavit **3** udržovat, pěstovat; chovat (**doubts** pochybnosti) **4** vzít v úvahu
entertainment [entə'teinmənt] zábava
enthral(l) [in'θro:l] okouzlovat, uvádět do vytržení
enthuse [in'θju:z] **1** rozplývat se nadšením **over** nad **2** budit nadšení
enthusiasm [in'θju:ziæzm] nadšení
enthusiastic [in,θju:zi'æstik] nadšený
enticing [in'taisiŋ] velmi půvabný, svůdný
entire [in'taiə] veškerý, naprostý, celý
entirely [in'taiəli] naprosto, úplně
entitle [in'taitl] **1** označit názvem, nazvat **2** opravňovat, dát právo komu ♦ **be ~d to** mít nárok na
entrails [entreilz] *pl* vnitřnosti
entrance [entrəns] **1** vchod **2** vstup ♦ **~ fee** vstupné; **~ examination** přijímací zkouška; **no ~** vstup zakázán
entreat [in'tri:t] prosit, naléhat

entrust [in'trast] **1** svěřit **2** pověřit
entry [entri] **1** vchod **2** vstup **3** příspěvek (**for a competition** do soutěže) **4** zápis; položka; (*slovníkové*) heslo
enumerate [i'nju:məreit] **1** vypočítávat **2** spočítat, zjistit počet, napočítat
envelop [in'veləp] za(o)balit, zahalit
envelope [enviləup] **1** obálka **2** (*přen.*) obal, plášť
enviable [enviəbl] záviděníhodný
envious [enviəs] závistivý
environment [in'vaiərənmənt] životní prostředí
environs [in'vaiərənz / envirənz] *pl* okolí
envisage [in'vizidž] **1** představovat si, mít názor na **2** (*realisticky*) předvídat, předpokládat
envoy [envoi] **1** vyslanec **2** posel
envy [envi] *n* **1** závist; **out of ~** ze závisti **2** předmět závisti • *v* závidět
epidemic [epi'demik] *adj* epidemický • *n* epidemie
epigram [epigræm] epigram
episcopacy [i'piskəpəsi] **1** biskupství **2** biskupové, episkopát
episode [episəud] epizoda
Epistle [i'pisl] epištola
epoch [i:pok] epocha
epoch-making ['i:pok,meikiŋ] epochální
equal [i:kwl] *adj* stejný, rovný; **be ~ to** rovnat se čemu; **be ~ to the occasion** být na výši situace • *v* **(ll)** rovnat se komu
equality [i'kwoliti] rovnost
equation [i'kweižn] rovnice
equator [i'kweitə] rovník
equatorial [ekwə'to:riəl] rovníkový
equilibrium [i:kwi'libriəm] rovnováha
equinox [i:kwinoks] rovnodennost
equip [i'kwip] **(pp) 1** vybavit, zařídit **2** vyzbrojit
equipment [i'kwipmənt] **1** vybavení **2** výstroj, výzbroj
equitable [ekwitəbl] spravedlivý
equivalent [i'kwivələnt] *adj* rovnocenný • *n* ekvivalent, protihodnota
era [iərə] éra, věk
eradicate [i'rædikeit] vykořenit, vyhubit
erase [i'reiz] **1** vygumovat, vymazat **2** vyhladit
eraser [i'reizə] guma (*na vymazávání*)
erect [i'rekt] *adj* zdvižený, vztyčený; **stand ~** stát zpříma • *v* **1** vztyčit **2** vystavět, zbudovat
erection [i'rekšn] **1** budova **2** erekce
erotic [i'rotik] erotický
err [ə:] chybovat
errand [erənd] posílka, pochůzka
errant [erənt] **1** bludný, potulný **2** pobloudilý, zbloudilý
erroneous [i'rəunjəs] mylný
error [erə] omyl, chyba
eruption [i'rapšn] **1** výbuch **2** vyrážka
escalation [eskə'leišn] eskalace, stupňování (**of war** války)
escalator [eskəleitə] pohyblivé schodiště, eskalátor
escape [i'skeip] *v* uniknout, utéci čemu; **his name ~d my memory** jeho jméno mi vypadlo z paměti

• *n* únik, útěk; **a narrow** ~ únik o vlas
escort *n* [esko:t] ochranný doprovod, eskorta
• *v* [is'ko:t] (do)provázet
Eskimo [eskiməu] Eskymák
esoteric [esə'terik] srozumitelný jen zasvěcencům, tajný, esoterický
ESP [i:es'pi:] = **extrasensory perception** mimosmyslové vnímání
especial [i'spešl] obzvláštní
especially [i'spešəli] obzvláště, zejména
espionage [espiə'na:ž] špionáž
essay [esei] **1** esej **2** písemná práce **3** pokus
essence [esns] **1** podstata, základ **2** esence
essential [i'senšl] *adj* podstatný, hlavní, nezbytný • *n pl* **~s 1** základy **2** nutnost, nezbytnost
essentially [i'senšli] **1** v podstatě **2** nutně
establish [i'stæbliš] **1** založit, zřídit **2** usadit; umístit, etablovat **3** prokázat (**one's innocence** svou nevinu)
establishment [i'stæblišmənt] **1** založení, zřízení **2** podnik, závod **3 E~** vládní orgány, vládnoucí řád
estate [i'steit] **1** pozemkový majetek; statek **2** majetek, jmění; **personal** ~ movitosti; **real** ~ nemovitosti; ~ **agent** realitní agent, obchodník s realitami **3** ~ **(car)** *GB* (*auto*) kombi, stejšn **4** stav
esteem [i'sti:m] *v* vážit si koho, ctít
• *n* vážnost, úcta
estimate *n* [estimit] odhad
• *v* [estimeit] odhadnout, ocenit
estranged [i'streindžd] **1** odcizený **from** komu **2** (*manželé*) žijící odděleně, separovaný
estuary [estjuəri / esčuəri] ústí (*řeky*)
etc. = **et cetera** [et'setrə] atd.
etch [eč] leptat
etching [ečiŋ] lept
eternal [i'tə:nl] věčný
eternity [i'tə:niti] věčnost
ether [i:θə] éter
ethics [eθiks] *pl* etika (*věda*)
Ethiopia [i:θi'əupjə] Etiopie
Europe [juərəp] Evropa
European [juərə'piən] *adj* evropský • *n* Evropan
evacuate [i'vækjueit] vystěhovat, evakuovat
evade [i'veid] vyhnout se čemu
evaluate [i'væljueit] hodnotit
evaluation [i,vælju'eišn] hodnocení
evangelist [i'vændžəlist] **1** hlasatel evangelia, kazatel (*cestující z místa na místo*) **2 E~** evangelista
evaporate [i'væpəreit] vypařit (se); **~d milk** kondenzované mléko (*neslazené*)
evaporation [i,væpə'reišn] vypařování
evasion [i'veižn] **1** únik (*např. daňový*) **2** vyhýbavá odpověď
evasive [i'veisiv] vyhýbavý
Eve [i:v] Eva
eve [i:v] předvečer; **on the ~ of** v předvečer čeho
even [i:vn] *adj* **1** rovný **2** stejný **3** rovnocenný **4** sudý • *adv* **1** dokonce (i); ~ **if / though / when** i když **2** ještě; ~ **better** ještě lepší; (*v záporné větě*) ~ **now** ani teď; ~ **so** přesto; **not** ~ ani
evening [i:vniŋ] **1** večer **2** večírek
♦ ~ **courses** *pl* večerní škola;

~ clothes *pl* / **dress** večerní šaty, frak; **~ paper** večerník; **~ long** celovečerní; **~ star** večernice
event [i'vent] **1** událost **2** případ; **in the ~ of** v případě čeho; **at all ~s** v každém případě **3** sportovní disciplína
even-tempered [i:vn'tempəd] vyrovnaný, klidný
eventful [i'ventful] bohatý na události, rušný; významný
eventual [i'venčuəl] konečný, výsledný
eventually [i'venčuəli] nakonec
ever [evə] **1** kdy; někdy **2** vždy, stále
♦ **an ~ greater number** stále větší počet; **for ~** navždy; **hardly ~** téměř nikdy; **~ since I was a boy** od malička; **~ so rich** sebebohatší
evergreen [evəgri:n] **1** vždyzelený strom / keř **2** evrgrýn, šlágr
everlasting [evə'la:stiŋ] věčný
every [evri] každý
♦ **~ last** (*hovor.*) úplně každý; **~ other** každý druhý; **~ other day** obden; **~ other line** ob řádek; **~ now and then** čas od času; **~ time** pokaždé (když)
everybody [evribodi] každý
everyday [evridei] každodenní
everyone [evriwan] každý
everything [evriθiŋ] všechno
everywhere [evriweə] všude
evict [i'vikt] vystěhovat (*soudně*)
evidence [evidns] **1** důkaz **2** svědectví; **give ~ in court** vypovídat / svědčit u soudu; **call sb. in ~** povolat koho za svědka
evident [evidnt] zřejmý, jasný
evil [i:vl] *adj* zlý, špatný • *n* zlo
evoke [i'vəuk] vyvolat
evolution [i:və'lu:šn] vývoj
evolutionary [i:və'lu:šnəri] evoluční, vývojový
evolve [i'volv] vyvinout (se)
ewe [ju:] ovce, bahnice
ex [eks] (*hovor.*) bývalý manžel, bývalá manželka
exacerbate [ig'zæsəbeit] **1** zjitřit, obnovit **2** podráždit
exact [ig'zækt] *adj* přesný, exaktní • *v* vyžadovat; vymáhat, vynucovat
exacting [ig'zæktiŋ] náročný
exactly [ig'zæktli] **1** přesně **2** ano, správně; **not ~** ne tak zcela
exactness [ig'zæktnis] přesnost
exaggerate [ig'zædžəreit] přehánět
exaggeration [ig,zædžə'reišn] přehánění, nadsázka
exalt [ig'zo:lt] **1** povýšit **2** vynášet (*chválou*)
examination [ig,zæmi'neišn] **1** *též* **exam** [ig'zæm] zkouška; **sit for / take an ~ in history** dělat zkoušku z dějepisu; **pass an ~** udělat zkoušku; **~ fever** tréma před zkouškou **2** vyšetření, prohlídka; **~ of conscience** zpytování svědomí
examine [ig'zæmin] **1** zkoušet **2** vyšetřovat, prohlížet, zkoumat
example [ig'za:mpl] příklad; **for ~** například; **make an ~** udělat varovný příklad; **set an ~** dát příklad
exasperation [ig,za:spə'reišn] podráždění, zlost
excavate [ekskəveit] vyhloubit, vykopat
excavation [ekskə'veišn] vykopávka
excavator [ekskəveitə] exkavátor, bagr
exceed [ik'si:d] překročit, převýšit

exceedingly [ik'si:diŋli] krajně, nesmírně
excel [ik'sel] **(ll)** vynikat **sb.** nad kým **at / in** v čem; **~ oneself** vytáhnout se, být vynikající
excellent [eksələnt] vynikající, výborný
except [ik'sept] *v* vyjmout • *prep* kromě, mimo; až na to, že; **~ for** až na
exception [ik'sepšn] výjimka ♦ **without ~** bez výjimky; **an ~ to the rule** výjimka z pravidla; **take ~ to** *1.* mít námitky proti, protestovat *2.* cítit se uražen čím
exceptional [ik'sepšənl] výjimečný
excess [ik'ses] **1** přemíra; krajnost **2** přebytek; **an ~ of** příliš čeho; **to ~** nadměrně; **in ~ of** více než, nad; **~ fare / postage** příplatek k jízdnému / poštovnému
excessive [ik'sesiv] krajní, přílišný, nadměrný
exchange [iks'čeindž] *n* **1** výměna; **bill of ~** směnka; **rate of ~** devizový kurs **2** burza **3** telefonní ústředna • *v* vyměnit (si)
Exchequer [iks'čekə] *GB* státní pokladna, ministerstvo financí; **Chancellor of the ~** ministr financí
excite [ik'sait] **1** vzrušit (*zvl. příjemně*) **2** vyvolat (**admiration** obdiv, **riots** nepokoje); vzbudit (**interest** zájem)
excited [ik'saitid] **1** nadšený; **nothing to get ~ about** za moc to nestojí **2** (*US, hovor.*) (*sexuálně*) vzrušený
excitement [ik'saitmənt] vzrušení; nadšení
exciting [ik'saitiŋ] vzrušující, napínavý
exclaim [ik'skleim] zvolat, vykřiknout
exclamation [ekskləˈmeišn] zvolání ♦ **~ mark** *GB* / **point** *US* vykřičník
exclude [ik'sklu:d] vyloučit
exclusive [ik'sklu:siv] **1** výlučný, výhradní **2** exkluzívní ♦ **~ of** nepočítaje v to co, bez čeho
excursion [ik'skə:šn] výlet; **go on an ~** jet na výlet
excuse *v* [ik'skju:z] **1** omluvit **2** odpustit ♦ **~ me** *1.* promiňte *2.* dovolte *3.* (*oslovení neznámé osoby*); **~ me for living** promiňte, že žiju; **~ sb. from a lesson** omluvit nepřítomnost při vyučování • *n* [ik'skju:s] omluva; **make ~s for** omlouvat se za
execute [eksikju:t] **1** vyřídit, provést **2** popravit
execution [eksi'kju:šn] **1** vyřízení, provedení **2** poprava
executive [ig'zekjutiv] *adj* výkonný • *n* **1** výkonná moc, exekutiva **2** vysoký úředník; zodpovědný činitel
exemplary [ig'zempləri] **1** příkladný, vzorný **2** exemplární, výstražný
exempt [ig'zempt] osvobozený **from** od
exercise [eksəsaiz] *n* **1** cvičení **2** vykonávání, provádění; vynaložení; výkon **3** pohyb **4** písemný úkol • *v* **1** cvičit **2** používat, uplatňovat (**one's rights** svá práva)
exert [ig'zə:t] uplatnit, vynaložit; **~ oneself** namáhat se, snažit se
exertion [ig'zə:šn] námaha

exhale [eks'heil] vydechnout
exhaust [ig'zo:st] *v* vyčerpat
• *n* **1** výfuk **2** výfukový plyn
exhaustion [ig'zo:sčn] vyčerpání
exhaustive [ig'zo:stiv] vyčerpávající
exhibit [ig'zibit] *v* **1** vystavit **2** ukázat, projevit
• *n* **1** exponát **2** doličný předmět
exhibition [eksi'bišn] **1** výstava; expozice **2** projev, ukázka
exile [egzail / eksail] *n* **1** exil, vyhnanství **2** emigrant
• *v* poslat do vyhnanství
exist [ig'zist] existovat, být, trvat
existence [ig'zistəns] existence, bytí, trvání
exit [egzit / eksit] **1** východ **from** (*odkud*) **2** odchod; **~ visa** výjezdní doložka
exorbitant [ig'zo:bitənt] přemrštěný
exotic [eg'zotik] exotický
expand [ik'spænd] rozšířit (se), rozpínat (se)
expansion [ik'spænšn] **1** rozpětí, rozšíření, zvětšení **2** rozpínavost, expanze
expansive [ik'spænsiv] **1** hovorný **2** rozsáhlý **3** blahobytný
expatriate *v* [eks'pætrieit / -'pei-] vypovědět z vlasti • *n* [eks'pætriət / -'pei-] expatriot, exulant
expect [ik'spekt] **1** očekávat **2** domnívat se; **I ~ so** domnívám se, že ano
expectant [ik'spektənt] netrpělivý, netrpělivě očekávající; **~ mother** nastávající matka
expectedly [ik'spektidli] jak se dalo čekat
expectation [ekspek'teišn] očekávání; **contrary to ~** proti všemu očekávání; **~s** *pl* naděje, vyhlídky
expecting [ik'spektiŋ] (*hovor.*) těhotná
expedient [ik'spi:djənt] *adj* vhodný, přiměřený
• *n* pomoc z nouze, trik
expedition [ekspi'dišn] **1** výprava **2** chvat
expel [ik'spel] **(ll)** vyhnat, vypudit; vyloučit
expend [ik'spend] **1** utratit, vydat; spotřebovat **2** vynaložit (**effort** úsilí)
expenditure [ik'spendičə] výdaje, vydání
expense [ik'spens] **1** výdaj, útraty; **at my ~** na můj účet, (*též přen.*) **2 ~s** *pl* náklady
expensive [ik'spensiv] drahý, nákladný
experience [ik'spiəriəns] *n* **1** zkušenost; **know by / from ~** vědět ze zkušenosti **2** zážitek
• *v* zakusit, zažít
experienced [ik'spiəriənst] zkušený
experiment *n* [ik'sperimənt] pokus, experiment
• *v* [ik'speriment] experimentovat, dělat pokusy
experimental [ik,speri'mentl] pokusný, experimentální
expert [ekspə:t] *adj* **1** zručný **2** odborný • *n* odborník
expiration [ekspi'reišn] **1** uplynutí **2** vydechnutí
expire [ik'spaiə] **1** uplynout, vypršet **2** vydechnout; zemřít
expiry [ik'spaiəri] uplynutí; **~ date** konec záruční doby / platnosti
explain [ik'splein] vysvětlit;

~ **oneself** vyjádřit se jasně; ospravedlnit se
explanation [ekspləˈneišn] vysvětlení, výklad
explicit [eksplisit] výslovný; **be ~** vyjádřit se jasně
explode [ikˈspləud] **1** vybuchnout, explodovat **2** přivést k výbuchu; zničit **3** vyvrátit
exploit *n* [eksploit] skvělý čin • *v* [ikˈsploit] vykořisťovat; využívat
explore [ikˈsplo:] prozkoumat, probádat
explorer [ikˈsplo:rə] badatel
explosion [ikˈspləužn] exploze, výbuch
explosive [ikˈspləusiv] *adj* výbušný • *n* výbušnina
export *v* [ikˈspo:t] vyvážet • *n* [ekspo:t] vývoz
expose [ikˈspəuz] **1** vystavit (**to the weather** vlivu počasí, **goods in a shop window** zboží ve výkladní skříni, **oneself to danger** se nebezpečí) **2** odhalit (**a plot** komplot); demaskovat **3** (*fot.*) exponovat
exposure [ikˈspəužə] **1** vystavení; vystavení vlivu **2** vystavení vlivu povětrnosti **3** odhalení, demaskování **4** (*fot.*) expozice
expound [ikˈspaund] vysvětlit, vyložit
express [ikˈspres] *v* **1** vyjádřit; **~ oneself** vyjádřit se **2** poslat expres • *adj* **1** výslovný **2** rychlý, spěšný • *n* expres, rychlík
expression [ikˈsprešn] výraz; **give ~ to** vyjádřit co; **with ~** výrazně; **beyond ~** nevýslovně
expressive [ikˈspresiv] **1** vyjadřující **2** výrazný
expressly [ikˈspresli] **1** výslovně **2** záměrně, speciálně
expulsion [ikˈspalšn] vyloučení; vypuzení
exquisite [ekskwizit] **1** vybraný, skvělý **2** (*bolest*) intenzívní
extemporize [ikˈstempəraiz] improvizovat
extend [ikˈstend] **1** táhnout se **2** prodloužit; natáhnout do šířky **3** zvýšit (**one's influence** svůj vliv, **one's qualifications** svoji kvalifikaci) **4** poskytnout (**hospitality** pohostinství); vyjádřit, nabídnout **5** vztahovat se **to** na
extension [ikˈstenšn] **1** prodloužení (**of one's stay** pobytu, **of delivery time** dodací lhůty) **2** rozšíření **3** (*telefonní*) linka ♦ **~ lead** *GB* / **cord** *US* prodlužovací šňůra
extensive [ikˈstensiv] rozsáhlý
extent [ikˈstent] rozloha, rozsah; **to a certain / to some ~** do určité míry; **to such an ~ that** natolik / do takové míry, že; **to a great ~** značně, velmi
extenuating [ikˈstenjueitiŋ] **circumstances** polehčující okolnosti
exterior [ikˈstiəriə] *adj* vnější • *n* **1** zevnějšek **2** exteriér **3** fasáda
exterminate [ikˈstə:mineit] vyhladit, vyhubit
external [ikˈstə:nl] **1** vnější **2** externí **3** zahraniční ♦ **for ~ use** k zevnímu použití
extinct [ikˈstiŋkt] **1** vyhaslý **2** vyhynulý; **become ~** vyhynout, vymřít
extinction [ikˈstiŋkšn] **1** uhašení **2** vyhynutí, vymření

extinguish [ik'stiŋgwiš] uhasit, zhasit
extinguisher [ik'stiŋgwišə] hasicí přístroj
extol [ikstəul] (**ll**) vynášet, vychvalovat, velebit
extort [ik'sto:t] **1** násilím vynutit **2** vydírat
extortion [ik'sto:šn] vydírání
extortionate [ik'sto:šnit] vyděračský, přemrštěný
extra [ekstrə] *adj* další, zvláštní, dodatečný; ~ **charges** vedlejší poplatky • *adv* **1** obzvláště **2** zvlášť • *n* **1** příplatek; **heating and light are ~s** topení a světlo se počítají zvlášť **2** statista **3** zvláštní vydání
extract *v* [ik'strækt] **1** vytáhnout, vytrhnout (**a tooth** zub) **2** vybrat; excerpovat • *n* [ekstrækt] **1** výtažek **2** výtah; ukázka, úryvek
extraction [ik'strækšn] **1** vytažení; vytrhnutí zubu **2** původ
extracurricular [ekstrəkə'rikjulə] **activities** *pl* mimoškolní činnost
extramural [ekstrə'mjuərəl] **studies** *pl* dálkové studium
extraordinary [ik'stro:dənri] **1** mimořádný **2** pozoruhodný, zvláštní
extravagant [ik'strævəgənt] **1** marnotratný **2** přemrštěný
extreme [ik'stri:m] *adj* krajní, extrémní • *n* krajnost, extrém; **go to ~s** jít do krajnosti
extremely [ik'stri:mli] nesmírně
extremities [ik'stremitiz] *pl* **1** končetiny **2** krajní opatření
extremity [ik'stremiti] **1** krajnost **2** krajní nouze, zoufalství
exult [ig'zalt] jásat
exultation [egzal'teišn] radost, jásot, triumf
eye [ai] *n* **1** oko; **blind in one ~** slepý na jedno oko; **be all ~s** mít oči na stopkách; **keep an ~ on** dohlédnout na, dát pozor na; **make ~s at** dělat (*zamilované*) oči na, koketovat s; **see ~ to ~ (with)** dobře si rozumět (s); **shut one's ~s to** zavírat oči před **2** očko **3** ouško (*jehly*) • *v* pozorovat (**with suspicion** podezíravě, **jealously** žárlivě)
eyeball [aibo:l] bulva
eyebrow [aibrau] obočí
eyelash [ailæš] oční řasa
eyelid [ailid] oční víčko
eye-opener ['ai,əupnə] (*poučné*) překvapení
eyesight [aisait] zrak
eyewitness [ai'witnis] očitý svědek

F

fable [feibl] bajka
fabric [fæbrik] **1** stavba, budova **2** tkanina
fabricate [fæbrikeit] **1** padělat **2** vymýšlet si
fabrication [fæbri'keišn] **1** padělek **2** výmysl
fabulous [fæbjuləs] **1** báječný **2** bájný
face [feis] *n* **1** obličej, tvář **2** drzost **3** líc, přední strana ♦ **~ to ~** tváří v tvář; **in the ~ of** navzdory čemu; **off the ~ of the earth** z povrchu země; **on the ~ of it** na první pohled; **pull a long ~** protáhnout obličej; **pull ~s** šklebit se • *v* **1** dívat se tváří v tvář komu, být obrácen čelem k; **facing the house** čelem k domu; **the problems facing us** problémy, které máme před sebou; **let's ~ it** přiznejme si to **2** čelit čemu **3** konfrontovat **with** s
face-cloth [feiskloθ] žínka
face value [feis'vælju:] nominální hodnota
facetious [fə'si:šəs] humorný, šprýmovný, nemístně vtipkující
facilitate [fə'siliteit] usnadnit, ulehčit
facility [fə'siliti] **1** lehkost **2** zručnost **3 facilities** *pl* možnosti, příležitost; zařízení **4** výhoda
fact [fækt] skutečnost, fakt; **~s of life** (*hovor.*) (*základní*) poučení o sexu; **know for a ~** bezpečně vědět; **as a matter of ~** ve skutečnosti, vlastně; **in ~** opravdu; vlastně
fact-finding [fæktfaindiŋ] vyšetřující
faction [fækšn] **1** frakce **2** (*politická*) klika **3** literatura faktu
factitious [fæk'tišəs] uměle vytvořený
factor [fæktə] činitel
factory [fæktəri] továrna, závod; **~ floor** tovární dílny / haly
fact sheet [fæktši:t] programový list (*např. TV*)
factual [fækčuəl] konkrétní, věcný
faculty [fæklti] **1** schopnost **2** fakulta
fad [fæd] **1** koníček, libůstka; bláznivý nápad, výstřelek **2** *GB* fanda na jídlo
fade [feid] **1** vadnout **2** ztrácet barvu, blednout, vyrudnout **3** ztrácet se, postupně mizet
fade in zesílit (se), rozetmít (se)
fade out stáhnout, zeslabit (se), zatmít (se)
faeces [fi:si:z] *pl* fekálie, výkaly
fag[1] [fæg] *v* **(gg)** **1** unavit, utahat **2** *GB* posluhovat staršímu spolužáku • *n* (*GB, hovor.*) **1** otravná dřina **2** ucho, poskok (*posluhující staršímu spolužákovi*) **3** cigareta
fag[2] [fæg] *US* (*slang.*) teplouš
fail [feil] **1** selhat, nepodařit se; nemít úspěch **2** propadnout (**(in) an examination** při zkoušce) **3** nechat propadnout **4** opominout, zanedbat **5** nechat na holičkách, opustit; **words ~ me** nedostává se mi slov

6 udělat úpadek 7 nemít **in sth.** co 8 (*zdravotní stav*) horšit se

failing [feiliŋ] *n* nedostatek, vada • *prep* není-li

failure [feiljə] 1 nezdar, neúspěch; **crop ~** neúroda 2 zanedbání, opominutí 3 propadnutí (*při zkoušce*) 4 (*obch.*) úpadek

faint [feint] *adj* 1 slabý, chabý, mdlý 2 dusný, tížívý • *v* 1 omdlít 2 slábnout • *n* bezvědomí

fair[1] [feə] 1 *GB* trh 2 veletrh 3 *GB* lunapark 4 (*dobročinný*) bazar ♦ **come a day after the ~** přijít s křížkem po funuse

fair[2] [feə] *adj* 1 poctivý, slušný, spravedlivý, čestný, fér 2 slušný, ucházející, dosti značný 3 světlý, blond, světlovlasý 4 krásný, hezký • *adv* 1 slušně, čestně 2 přímo

fair copy [feə'kopi] čistopis

fairly [feəli] dosti, slušně

fairy [feəri] skřítek, víla ♦ **~ lights** *pl GB* (*barevná*) světla na stromeček; **~ tale** pohádka

faith [feiθ] 1 víra; důvěra 2 věrnost 3 slib, ujištění, slovo

faithful [feiθful] *adj* věrný • *n* 1 věřící 2 stoupenec, věrný člen

faithfully [feiθfuli] 1 důrazně, výslovně 2 přesně, věrně ♦ **F~ yours / Yours ~** S veškerou úctou

faithless [feiθlis] 1 nevěrný 2 nikoliv věrný, zrádný

fake [feik] *v* 1 falšovat, padělat 2 vymyslit si • *n* padělek • *adj* falešný

falcon [fo:kən] sokol

fall* [fo:l] *v* 1 padat, klesat 2 upadnout 3 připadnout (**on a Monday** na pondělí) 4 vlévat se (**into the sea** do moře) 5 padnout, zahynout 6 snést se, nastat 7 dělit se **into** na 8 (*hovor.*) naletět **for** na; zamilovat se do ♦ **~ asleep** usnout; **~ in love with** zamilovat se do; **~ short of** nesplnit co • *n* 1 pád 2 pokles 3 dešťové / sněhové srážky 4 **~s** *pl* vodopád 5 *US* podzim

fall away odpadnout

fall back on najít oporu v

fall behind opožďovat se

fall in 1 zřítit se, propadnout se 2 dát se dohromady **with** s; náhodou potkat koho

fall off klesnout, opadnout

fall out 1 rozkmotřit se **with** s 2 dopadnout, skončit

fall to pustit se do jídla

fall through propadnout, nezdařit se

fallacy [fæləsi] 1 falešná představa, omyl, nesprávný názor 2 klam

fallback [fo:lbæk] rezerva, východisko z nouze

falling-out [fo:liŋ'aut] neshoda (*která může vést k roztržce*)

fallout [fo:laut] radioaktivní spad

fallow [fæləu] ležící ladem

fallow deer [fæləudiə] daněk

false [fo:ls] 1 nesprávný, chybný 2 klamný, falešný, nepravdivý 3 nevěrný, falešný; **play sb. ~** být nevěrný komu, podvádět

falsehood [fo:lshud] faleš, lež

falsies [fo:lsiz] vycpávky v podprsence

falsify [fo:lsifai] falšovat, padělat

falter [fo:ltə] 1 potácet se, klopýtat 2 zajíkat se; koktat (*rozpaky*)

fame [feim] 1 pověst 2 sláva

famed [feimd] slavný, proslulý, pověstný
familiar [fə'miljə] **1** dobře známý, důvěrný **2** obeznámený **with** s **3** všední
familiarity [fəmili'æriti] **1** důvěrnost **2** obeznámenost **with** s
family [fæmili] **1** rodina **2** rod ♦ **~ name** příjmení; **be in the ~ way** (*hovor.*) čekat rodinu; **start a ~** pořídit si dítě / děti; **~ tree** rodokmen
famine [fæmin] **1** hladomor **2** nedostatek
famish [fæmiš] **1** hladovět **2** vyhladovět; **be ~ed** (*hovor.*) mít hlad jako vlk
famous [feiməs] slavný
fan[1] [fæn] *n* **1** vějíř **2** ventilátor • *v* **(nn)** ovívat
fan[2] [fæn] (*hovor.*) nadšenec, fanoušek
fanatic [fə'nætik] *n* fanatik • *adj* fanatický
fancy [fænsi] *n* **1** fantazie, obrazotvornost **2** představa **3** touha, vrtoch; **take a ~ to** oblíbit si co, zamilovat se do koho; **catch the ~ of sb.** zaujmout koho • *adj* **1** módní, přepychový **2** ozdobný, zdobený • *v* **1** představit si, pomyslit si; **just ~ !** jen si představ! **2** mít rád, mít v oblibě
fancy dress [fænsi'dres] maškarní kostým
fancy-free [fænsi'fri:] nezadaný; nezamilovaný
fang [fæŋ] tesák; jedovatý zub (*hada*)
fantastic [fæn'tæstik] **1** fantastický **2** podivínský, přepjatý
fantasy [fæntəsi] fantazie
far [fa:] *adv* daleko; **~ and away** zdaleka; **~ and wide** široko daleko; **~ better** daleko lepší; **be ~ from good** zdaleka nebýt dobrý; **go ~** dotáhnout to daleko; **go too ~** zajít příliš daleko, přehnat to; **so ~** až dosud, zatím; **as ~ as the bridge** až k mostu; **as ~ back as the 14th century** až do 14. století; **as ~ as I know** pokud vím; **so ~ so good** zatím to šlo dobře, zatím je vše v pořádku • *adj* **1** vzdálený **2** dálný; **the F~ East** Dálný východ
farce [fa:s] fraška
fare [feə] **1** jízdné; **~ dodger** černý pasažér **2** zákazník, pasažér (*v taxi*) **3** strava; **bill of ~** jídelní lístek
farewell [feə'wel] sbohem; **~ party** večírek na rozloučenou
far-fetched [fa:'fečt] za vlasy přitažený
far-going [fa:'gəuiŋ] dalekosáhlý
farm [fa:m] *n* hospodářství, statek, farma • *v* **1** obdělávat **2** hospodařit
farmer [fa:mə] zemědělec, farmář, sedlák, rolník
far-reaching [fa:'ri:čiŋ] dalekosáhlý
far-sighted [fa:'saitid] **1** *US* dalekozraký **2** předvídavý, prozíravý
fart [fa:t] (*vulg.*) *n* **1** prd **2** prďola • *v* prdět, uprdnout se
fart about / around prdelit se kde, flákat se
farther [fa:ðə] *adv* dále, déle • *adj* vzdálenější, druhý
fascinate [fæsineit] fascinovat, okouzlit

fascination [fæsi'neišn] okouzlení
fascist [fæšist] *adj* fašistický • *n* fašista
fashion [fæšn] *n* **1** způsob; **in a strange** ~ divně; **after a** ~ jakž takž **2** móda; **in** ~ módní; **in the latest** ~ podle poslední módy; **out of** ~ nemoderní • *v* utvářet
fashionable [fæšnəbl] módní, moderní; elegantní
fast[1] [fa:st] *adj* **1** pevný, stálý, trvalý **2** rychlý
♦ **be ~ asleep** tvrdě spát; **colour** ~ stálobarevný; ~ **food** rychlé teplé občerstvení; **make** ~ uvázat; ~ **train** rychlík; **the watch is** ~ hodinky jdou napřed • *adv* **1** pevně **2** rychle
fast[2] [fa:st] *v* postit se • *n* půst
fasten [fa:sn] **1** upevnit, připevnit **2** zavírat se, zapínat se
fasten up zapnout, zavázat
fastener [fa:snə] **1** spona; klips **2** patentka, háček **3** olivka, knoflík, druk **4** zip
fastidious [fæs'tidiəs] vybíravý
fat [fæt] *adj* **(tt)** **1** tlustý, tučný; bachratý; ~ **chance** nulová šance **2** úrodný
• *n* tuk, sádlo; **the ~ is in the fire** je zle; **run to** ~ tloustnout
fatal [feitl] **1** osudný, fatální; smrtelný **2** (*hovor.*) nebezpečný
fatality [fə'tæliti] **1** neštěstí, pohroma **2** smrtelný úraz **3** osudnost; úmrtnost
fate [feit] **1** osud **2** zkáza, zhouba
father [fa:ðə] otec; **F~ Christmas** Ježíšek
father-in-law [fa:ðrinlo:] tchán
fatherland [fa:ðəlænd] otčina, vlast
fatigue [fə'ti:g] *n* **1** únava **2 ~s** *pl* pracovní uniforma • *v* unavit
fatso [fætsəu] (*hovor.*) tlusťoch
fatten [fætn] **1** vykrmit **2** ztloustnout
fatuous [fætjuəs / fæčuəs] hloupý, nesmyslný
fault [fo:lt] **1** chyba **2** vada **3** vina
♦ **find ~ with** *1.* vytýkat něco komu *2.* stále kritizovat koho / co *3.* stěžovat si na
faultless [fo:ltlis] bezvadný
faulty [fo:lti] chybný, vadný, nedokonalý
favour [feivə] *n* **1** přízeň **2** laskavost **3** prokázaná služba **4** prospěch ♦ **be in / out of** ~ být / nebýt populární; **be in ~ of** být pro, být zastáncem čeho; **in ~ of** ve prospěch koho / čeho; **do sb. a** ~ prokázat laskavost komu • *v* **1** poctít **sb.** koho **with** čím, laskavě poskytnout komu co **2** favorizovat
favourable [feivrəbl] příznivý
favoured [feivəd] **1** velice výhodný **2** privilegovaný, protekční
favourite [feivrit] *adj* oblíbený • *n* favorit
fawn [fo:n] *n* kolouch • *adj* plavý
fax [fæks] *n* fax • *v* faxovat
fear [fiə] *n* strach, obava; bázeň; **for ~ of / that** ze strachu před / že; **No ~ !** Žádné strachy! • *v* bát se čeho
fearful [fiəful] **1** bázlivý; mající strach **2** strašlivý
fearless [fiəlis] nebojácný
feasible [fi:zəbl] uskutečnitelný, proveditelný
feast [fi:st] *n* **1** svátek **2** slavnost **3** hostina, hody • *v* hodovat
feat [fi:t] čin; výkon

feather [feðə] pero, peří; ~ **in one's cap** vyznamenání
feature [fi:čə] *n* **1** rys, charakteristická stránka **2** ~**s** *pl* rysy obličeje **3** zajímavost (*v tisku, rozhlase apod.*) • *v* **1** uvést na význačném místě **2** uvést v hlavní roli **3** mít významné místo
feature film [fi:čəfilm] (*hraný*) celovečerní film
February [februəri] únor
federal [fedərl] federální, spolkový; *US* celostátní
federation [fedə'reišn] federace
fed up [fed'ap] (*hovor.*) namíchnutý, naštvaný; **be ~ with** mít plné zuby koho / čeho
fee [fi:] **1** honorář **2** poplatek
feeble [fi:bl] chabý
feed* [fi:d] **1** krmit, živit **2** pást se **3** zásobovat **4** přisunovat, přivádět; vkládat
feed up vykrmit
feel* [fi:l] *v* **1** cítit (se); **I ~ well / cold / hungry** je mi dobře / zima / mám hlad **2** (o)hmatat, tápat **3** cítit **with / for sb.** s kým **4** mít pocit, dojem
♦ ~ **like** cítit se na, mít chuť na • *n* hmat; **tell sth. by the ~** poznat co po hmatu
feeler [fi:lə] **1** tykadlo **2** (*přen.*) pokusný balónek
feeling [fi:liŋ] **1** cítění; (po)cit **2** pochopení
feet [fi:t] *viz* **foot** *n*
feign [fein] předstírat
feint [feint] *n* finta, trik; přetvářka • *v* předstírat
felicitate [fi'lisiteit] blahopřát
felicitations [fi,lisi'teišnz] *pl* blahopřání
fell [fel] kácet; porazit
fellow [feləu] **1** druh, kamarád **2** (*hovor.*) člověk **3** člen učené společnosti
fellow citizen [feləu'sitizn] spoluobčan
fellow feeling [feləu'fi:liŋ] pocit sounáležitosti, sympatie, soucit
fellowship [feləušip] **1** družnost, kamarádství **2** členství v učené společnosti
fellow traveller [feləu'trævlə] spolucestující
felt [felt] plsť
felony [feləni] těžký zločin
female [fi:meil] *adj* **1** ženský **2** samičí • *n* **1** žena **2** samička
feminine [feminin] ženský
femur [fi:mə] stehenní kost
fen [fen] močál, mokřina, bažina
fence[1] [fens] *n* plot
♦ **be / sit on the ~** zaujmout vyčkávací stanovisko; být neutrální; čekat, jak to dopadne • *v* oplotit
fence in ohradit, obehnat plotem
fence off oddělit plotem, zahradit
fence[2] [fens] *n* šerm • *v* šermovat
fender [fendə] **1** ochranná mřížka (*zvl. u krbu*) **2** nárazník, odrazník; *US* blatník
fennel [fenl] fenykl
ferment *n* [fə:ment] kvas, kvašení, (*též přen.*) • *v* [fə'ment] kvasit, (*též přen.*)
fermentation [fə:men'teišn] kvašení
fern [fə:n] kapradí
ferocious [fə'rəušəs] divoký; zuřivý
ferocity [fə'rositi] divokost; zuřivost
ferret [ferit] *n* **1** fretka **2** špeh, čmuchal • *v* slídit

ferret out **1** vyhnat z úkrytu **2** vyčenichat, vyčmuchat
ferry [feri] *n* **1** převoz **2** přepravní člun / letadlo; trajekt • *v* **1** převážet **across** přes, přepravit (se) **2** pravidelně vozit
fertile [fə:tail] úrodný
fertility [fə:'tiliti] úrodnost, plodnost
fertilization [fə:tilai'zeišn] zúrodňování; hnojení
fertilizer [fə:tilaizə] umělé hnojivo
fervent [fə:vənt] vřelý, vášnivý, zanícený
fervour [fə:və] žár, vroucnost
fester [festə] **1** zanítit se, podebrat se; hnisat **2** (*přen.*) hlodat, hrýzt
festival [festivl] **1** svátek **2** festival, slavnost
festive [festiv] **1** slavnostní **2** radostný
festoon [fe'stu:n] girlanda
fetch [feč] **1** dojít pro koho / co; přinést, přivést **2** vynést kolik ♦ ~ **and carry** posluhovat **for** komu
fetch up (*hovor.*) skončit (*cestu*)
fete [feit] **1** venkovní slavnost (*se zábavou a prodejem stánkařů*), pouť **2** (*církevní*) svátek (*světce*)
feud [fju:d] (*dlouhotrvající*) svár
feudal [fju:dl] feudální
feudalism [fju:dəlizm] feudalismus
fever [fi:və] horečka ♦ ~ **pitch** vrchol vzrušení / rozčilení
feverish [fi:vriš] **1** horečný; horečnatý **2** rozčilený
few [fju:] málo, nemnoho ♦ ~ **and far between** vzácný, zřídka se vyskytující; **no ~er than** neméně než; **a** ~ několik; **quite a** ~ nemálo
fiancé [fi'onsei] snoubenec, ženich; **~e** snoubenka, nevěsta
fib [fib] (*hovor.*) *v* **(bb)** zalhat si • *n* (*drobná*) lež
fibre [faibə] **1** vlákno **2** povaha, jádro
fibreglass [faibəgla:s] laminát
fickle [fikl] nestálý, vrtkavý
fiction [fikšn] **1** beletrie **2** smyšlenka
fictitious [fik'tišəs] smyšlený
fiddle [fidl] *n* **1** housle; **as fit as a** ~ v dokonalé kondici **2** (*hovor.*) podvod **3** nimračka • *v* **1** (po)hrát si **with** s **2** hrát na housle **3** *GB* zešvindlovat
fiddle about / around motat se, marnit čas
fidelity [fi'deliti] věrnost
fidget [fidžit] **1** vrtět se **2** hrát si **3** znervózňovat
field [fi:ld] *n* **1** pole **2** oblast, sféra ♦ **in the** ~ na místě, v terénu • *v* **1** zastavit a vrátit míč **2** zachytit, pochytit
field events ['fi:ldi,vents] *pl* technické disciplíny (*v lehké atletice*)
field glasses [fi:ldgla:siz] *pl* dalekohled, triedr
fierce [fiəs] prudký, divoký
fiery [faiəri] **1** ohnivý; pálivý, ostrý, kořeněný **2** výbušný, vznětlivý
fife [faif] píšťala
fifteen [fif'ti:n] patnáct
fifteenth [fif'ti:nθ] patnáctý
fifth [fifθ] pátý; ~ **column** pátá kolona
fiftieth [fiftiiθ] padesátý
fifty [fifti] padesát; **go ~ – ~** rozdělit se na půl
fig [fig] fík; **not care / give a** ~ nedbat ani za mák

fight* [fait] *v* bojovat, zápasit ♦ ~ **shy of** vyhnout se komu / čemu; ~ **one's way through** prodrat se čím / kudy • *n* **1** boj, zápas **2** bojovnost, bojechtivost
fight back bojovat, bránit se; zahánět
fight off zahnat
fight out vybojovat, vyřešit
fighter [faitə] **1** zápasník, bojovník **2** stíhačka
figure [figə] *n* **1** číslice, cifra **2** částka **3** postava **4** obrazec, diagram • *v* **1** vystupovat, figurovat ♦ **that ~s** (*hovor.*) to je rozumné, s tím jsem počítal **2** *US* usoudit, odhadnout
figure out 1 spočítat, vypočítat **2** vymyslet
figurehead [figəhed] (*přen.*) loutka, pouhá figura
figure skating [figəskeitiŋ] krasobruslení
file[1] [fail] *n* pilník • *v* pilovat
file[2] [fail] *n* **1** pořadač, kartotéka, šanon, rejstřík; desky, fascikl **2** soubor (*v počítači*) • *v* řadit do kartotéky, zařadit do pořadače / desek / souboru
file[3] [fail] *n* šik, řada; **in single / Indian ~** husím pochodem • *v* pochodovat v řadě za sebou
fill [fil] **1** naplnit (se) **2** zaplombovat (**a tooth** zub) **3** obsadit (**a vacancy** volné místo v zaměstnání)
fill in / up vyplnit (**a form** formulář)
fillet [filit] filé; řízek, plátek
filling [filiŋ] *n* **1** výplň **2** nádivka, plnění **3** plomba • *adj* (*pokrm*) sytý
filling station ['filiŋ,steišn] benzinová čerpací stanice
film [film] *n* **1** blána, vrstva **2** film • *v* filmovat
film strip [filmstrip] pás diapozitivů
filmy [filmi] (*látka*) průhledný
filter [filtə] *n* filtr • *v* **1** filtrovat **2** prosakovat
filter out odfiltrovat
filter through proniknout na veřejnost, rozkřiknout se
filth [filθ] špína, svinstvo
filthy [filθi] **1** špinavý, zamazaný **2** sprostý, obscénní
fin [fin] ploutev
final [fainl] *adj* **1** konečný, závěrečný; poslední **2** skončený, uzavřený • *n* **1** finále **2 ~s** *pl* závěrečné zkoušky
finally [fainəli] **1** konečně; nakonec **2** definitivně
finance [fainæns / fi'næns] *n* finance • *v* financovat
financial [f(a)i'nænšl] finanční, peněžní
finch [finč] pěnkava
find* [faind] *v* nalézt, najít; shledat ♦ **I ~ it difficult** zdá se mi to těžké; **~ oneself** *1.* uvědomit si své schopnosti *2.* ocitnout se; **~ one's feet** usadit se, zakotvit; **~ one's tongue** najít odvahu říct • *n* nález
find out zjistit, objevit
finding [faindiŋ] **1** nález **2** rozhodnutí, výrok (*poroty*) **3 ~s** *pl* zjištění, výsledky zkoumání, závěry
fine[1] [fain] *n* pokuta • *v* pokutovat
fine[2] [fain] **1** jemný **2** skvělý, pěkný, hezký; **one ~ day** jednoho krásného dne **3** vybraný, uhlazený ♦ **look ~** vypadat skvěle

fine arts [fain'a:ts] *pl* výtvarné umění
finger [fiŋgə] prst (*u ruky, nikoliv palec*) ♦ **be all ~s and thumbs** (*GB, hovor.*) být nešika; **have a ~ in every pie** (*hovor.*) mít ve všem prsty, být do všeho namočený; **keep one's ~s crossed (for)** držet palce (komu); **not lift a ~** nehnout prstem; **pull / take / get one's ~ out** (*GB, hovor.*) dát se do práce; **twist round one's little ~** otočit si kolem prstu
fingerprint [fiŋgəprint] otisk prstu
fingertip [fiŋgətip] špička prstu ♦ **have sth. at one's ~s** mít něco v malíčku
finical [finikl], **finicky** [finiki] příliš vybíravý
finish [finiš] *n* **1** konec, závěr **2** konečná úprava **3** apretura • *v* **1** dokončit **2** skoncovat **with** s
finish off 1 dokončit **2** dorazit
finish up 1 skončit **2** dojíst
finite [fainait] konečný; omezený
Finland [finlənd] Finsko
Finn [fin] Fin
Finnish [finiš] *adj* finský • *n* finština
fir [fə:] jedle
fire [faiə] *n* **1** oheň; **be on ~** hořet; **set on ~** zapálit; **set ~ to** zapálit co; **take / catch ~** chytnout **2** požár **3** topení; **make a ~** zatopit **4** palba, střelba; **open ~** zahájit palbu • *v* **1** zapálit **2** vystřelit; vypálit **3** chytit; podnítit **4** (*hovor.*) propustit z práce, vyhodit
fire up 1 zapálit **2** vzplanout, rozčílit se
firearm [faiəra:m] střelná zbraň
fire brigade ['faiəbri,geid] hasičský sbor, hasiči
fire engine ['faiə,rendžin] hasičská stříkačka
fire extinguisher ['faiərik,stiŋgwišə] hasicí přístroj
fireman [faiəmən] **1** hasič **2** topič
fireplace [faiəpleis] krb
fireproof [faiəpru:f] ohnivzdorný
firewood [faiəwud] palivové dříví
fireworks [faiəwə:ks] *pl* ohňostroj
firing squad ['faiəriŋ,skwod] popravčí četa
firm[1] [fə:m] firma, podnik
firm[2] [fə:m] *adj* **1** pevný, stálý **2** přísný **3** stálý, věrný; solidní • *adv* pevně
first [fə:st] *adj* první; **~ thing** hned • *adv* nejprve, předně; **at ~** zpočátku, nejprve; **~ of all** především
first aid [fə:st'eid] první pomoc
first-class [fə:st'kla:s] prvotřídní
firsthand [fə:st'hænd] *adj* přímý, osobní • *adv* přímo, z první ruky
firstly [fə:stli] za prvé, předně
first name [fə:stneim] (*křestní*) jméno
first night [fə:st'nait] premiéra
first-rate [fə:st'reit] prvotřídní
first refusal [,fə:st ri'fju:zl] právo první volby
fish [fiš] *n* ryba • *v* rybařit ♦ **~ for** hledat, lovit co
fisherman [fišəmən] rybář
fishery [fišəri] rybářská oblast
fishing [fišiŋ] rybaření, rybolov
fishing tackle ['fišiŋ,tækl] rybářské nářadí
fishmonger [fišmaŋgə] *GB* obchodník s rybami; **~'s** rybárna
fishy [fiši] **1** rybnatý **2** (*hovor.*) pochybný, podezřelý
fission [fišn] štěpení

fissure [fišə] puklina, prasklina, trhlina
fist [fist] pěst
fit[1] [fit] záchvat
fit[2] [fit] **(tt)** *adj* **1** vhodný, schopný **2** zdravý, fit ♦ ~ **as a fiddle / flea** zdravý jako řípa; **see / think ~ to do** pokládat za vhodné udělat • *n* fazóna; **the suit is a good ~** oblek dobře padne • *v* **1** hodit se, padnout, slušet **2** přizpůsobit, upravit
fit in **1** najít čas, vtěsnat do (*časového programu*); vtlačit, vtěsnat, umístit **2** zapadat **3** odpovídat **with** čemu, souhlasit s **4** dobře vycházet, rozumět si **with** s
fit on **1** zkoušet (*oděv*) **2** přimontovat, namontovat **to** k
fit out vybavit, vystrojit
fitter [fitə] montér, seřizovač, instalatér
fitting [fitiŋ] **1** zkouška (*oděvu*) **2 ~s** *pl* vybavení, zařízení **3** kování; instalační materiál
five [faiv] pět
fiver [faivə] (*hovor.*) búr: *GB* pětilibrovka, *US* pětidolarovka
fix [fiks] *n* (*hovor.*) **1** brynda, šlamastika, pěkná kaše **2** dohodnutý výsledek; lumpárna **3** šleh(nutí) (*dávka drogy*) • *v* **1** upevnit **2** upoutat **3** fixovat, ustálit **4** stanovit **5** zařídit
fix up (*hovor.*) zařídit, dát do pořádku, zorganizovat, sehnat
fixation [fik'seišn] **1** posedlost, obsese **2** zastavení ve vývoji, fixace
fixture [fiksčə] **1** instalované zařízení, příslušenství **2** (*přen.*) 'součást inventáře'
fizz [fiz] bublat, perlit se
fizzy [fizi] perlivý
flabbergast [flæbəga:st] (*hovor.*) ohromit, vyvést z míry
flabby [flæbi] **1** ochablý, schlíplý **2** nijaký, neslaný nemastný
flag[1] [flæg] vlajka
flag[2] [flæg] plochý kámen; kamenná / cementová dlaždice
flagrant [fleigrənt] **1** křiklavý; hrubý **2** nestoudný, nestydatý
flair [fleə] **1** talent, nadání, cit **2** dobrý nos, čich
flake [fleik] vločka
flaky pastry [fleiki'peistri] pečivo z lístkového těsta
flamboyant [flæm'boiənt] **1** hýřící barvami **2** okázalý, skvělý, nápadný
flame [fleim] *n* **1** plamen; **naked ~** otevřený oheň **2** (*přen.*) láska (**old** stará) • *v* plápolat
flame up vzplanout
flank [flæŋk] *n* bok • *n* lemovat
flannel [flænl] flanel; **~s** *pl* flanelový oblek; flanelové kalhoty (*sportovní*); flanelové prádlo
flap [flæp] *v* **(pp)** třepetat (se); mávat • *n* **1** pleskání, plácání **2** chlopeň; klapka **3** záložka (*knižního přebalu*)
flare [fleə] *v* **1** plápolat; **~ up** vzplanout **2** střihnout do zvonu; **~d skirt** zvonová sukně • *n* **1** třepotavé světlo **2** světelný signál, raketa
flash [flæš] *v* **1** zablesknout se; blesknout; **it ~ed upon me** najednou mi napadlo **2** vyzařovat **3** objevit se jako blesk **4** spěšně odeslat: odfaxovat, telegrafovat *atd.* • *n* **1** zablesknutí, záblesk **2** (*fot.*) blesk **3** okamžik

• *adj* (*hovor.*) vyparáděný, vyfintěný; módní
flashback [flæšbæk] retrospektiva
flashlight [flæšlait] **1** *GB* bleskové světlo **2** *US* baterka
flask [fla:sk] **1** baňka **2** polní láhev **3** termoska
flat [flæt] *adj* **1** plochý **2** nudný **3** naprostý, briskní, kategorický **4** jednotný **5** (*hud.*) snížený; **in A ~ major** v As dur • *adv* **1** nízko; **sing ~** zpívat nízko **2** rovnou **3** (*hovor.*) přesně (*nikoliv později*) ♦ **~ broke** (*hovor.*) úplně švorc / dutý; **~ out** (*hovor.*) plnou parou, na plné pecky
• *n* **1** byt **2** (*hud.*) bé, béčko (*předznamenání*); snížený tón
flatten [flætn] **1** uhladit, vyrovnat **2** srazit k zemi; rozdrtit, zničit **3** snížit (*o půltón*); intonovat nízko
flatter [flætə] lichotit, pochlebovat; **be ~ed** cítit se polichocen; **~ oneself** troufat si tvrdit
flattery [flætəri] lichotky, lichocení
flavour [fleivə] *n* chuť a vůně, aroma • *v* okořenit, ochutit
flaw [flo:] kaz
flawless [flo:lis] bezvadný
flax [flæks] len
flay [flei] **1** stáhnout (*kůži*) **2** strhat (*kriticky*)
flea [fli:] blecha ♦ **get / put a ~ in one's ear** dostat / dát co proto
flee* [fli:] utéci, uprchnout
fleet [fli:t] **1** loďstvo, flotila **2** vozový park
fleeting [fli:tiŋ] letmý
flesh [fleš] **1** (*syrové*) maso **2** tělo; smysly **3** dužina ♦ **in the ~** živý, ve skutečnosti; **pleasures of the ~** tělesné rozkoše; **put on ~** tloustnout
fleshy [fleši] **1** masitý; tlustý, korpulentní **2** barvy / chuti masa
flex [fleks] šňůra, kabel
flexible [fleksəbl] ohebný, pružný
flexitime [fleksitaim] *GB* pružná pracovní doba
flick [flik] *n* lehký úder, cvaknutí • *v* **1** klepnout, šlehnout **2** sklepnout, klepnutím odehnat, oklepat (**the ash** popel)
flicker [flikə] *v* blikat • *n* plamínek
flick knife [fliknaif] vystřelovací nůž
flicks [fliks] *pl* (*GB, hovor.*) kino
flier, flyer [flaiə] **1** letec **2** leták (*rozdávaný na ulici*)
flight[1] [flait] **1** let **2** tah (*ptáků*); hejno **3** letka **4** rameno schodů, schody (*mezi patry*)
flight[2] [flait] útěk; **put to ~** zahnat na útěk; **take (to) ~** dát se na útěk
flight ticket [flaittikit] letenka
flimsy [flimzi] tenký, křehký; slabý
fling* [fliŋ] hodit, mrštit
flip [flip] *n* **1** cvrnknutí **2** salto (*ve vzduchu*) • *v* **1** vyhodit do vzduchu, hodit si (**a coin** mincí) **2** cvrnknout; lusknout **3** vzrušit se; navztekat se
flippant [flipənt] prostořeký; lehkomyslný
flirt [flə:t] koketovat, flirtovat
flit [flit] **(tt)** přelétávat, poletovat
float [fləut] *v* **1** vznášet se, plout **2** spustit na vodu • *n* **1** plovák, splávek **2** vor **3** alegorický vůz **4** *US* nápoj se zmrzlinou
floating capital [ˌfləutiŋ'kæpitl] oběžný kapitál
flock [flok] *n* stádo, hejno • *v* shluknout se, (na)hrnout se

flog [flog] **(gg)** **1** mrskat **2** (*hovor.*) střelit (*prodat*) ♦ **~ a dead horse** (*hovor.*) marně se namáhat; **~ to death** (*hovor.*) zkazit stálým opakováním

flood [flad] *n* **1** záplava, povodeň **2** příliv • *v* zaplavit

floodlight [fladlait] *n* **1** slavnostní osvětlení **2** světlomet • *v* slavnostně osvítit

floodlit [fladlit] slavnostně osvětlený

floor [flo:] **1** podlaha; **take the ~** ujmout se slova **2** patro, poschodí

flooring [flo:riŋ] podlahová krytina

floor show [flo:šəu] varietní program (*v nočním podniku*)

flop [flop] *v* zhroutit se; praštit sebou • *n* (*hovor.*) neúspěch, fiasko

florist's [florists] květinářství

flounder [flaundə] *v* **1** házet sebou, zmítat se, plácat se **2** dělat chybu za chybou, 'plavat' • *n* platýs

flour [flauə] mouka

flourish [flariš] *v* **1** kvést, vzkvétat, prosperovat **2** mávat • *n* **1** mávnutí, zamávání **2** kudrlinka, ozdůbka (*při psaní*) **3** fanfáry

flout [flaut] **1** ohrnovat nos nad, bagatelizovat, tropit si posměch z **2** snižovat, vysmívat se **3** neuposlechnout (*rady*)

flow [fləu] *v* **1** téci **2** splývat • *n* tok

flower [flauə] *n* květ, květina • *v* kvést

flowerbed [flauəbed] záhon květin

flower girl [flauəgə:l] **1** *GB* pouliční květinářka **2** *US* družička (*nesoucí květiny*)

flowery [flauəri] květnatý

flu [flu:] (*hovor.*) chřipka; **catch the ~** dostat chřipku

fluctuate [flakčueit] **1** kolísat **2** fluktuovat

fluent [flu:ənt] plynný, plynulý

fluff [flaf] *n* chmýří • *v* **1** načepýřit **2** (*hovor.*) zpackat; (*herec*) mít okno

fluid [flu:id] *adj* **1** tekutý **2** nestálý, proměnlivý • *n* tekutina

fluke [flu:k] (*hovor.*) šťastná náhoda

fluorescent [fluə'resnt] zářivkový; **~ lamp** zářivka; **~ light** zářivkové osvětlení

flush [flaš] *v* **1** začervenat se **2** polít červení, rozrušit **3** spláchnout • *n* **1** nával, příval (*vody, krve atd.*) **2** zardění **3** splachovadlo • *adj* **1** ve stejné rovině **2** (*hovor.*) prachatý • *adv* (*hovor.*) rovnou, přímo

flute [flu:t] flétna

flutter [flatə] *v* třepotat (se) • *n* vzrušení

fly[1] [flai] moucha

fly[2] [flai] *v* **1** letět (**high** vysoko, **low** nízko) **2** prchat, utéci **3** běžet **4** dopravovat letecky • *n* poklopec, zapínání (*kalhot*)

flyer, flier [flaiə] letec

flying saucer [flaiiŋ'so:sə] létající talíř, UFO

flying squad [flaiiŋskwod] (*policejní*) komando

flyover [flaiəuvə] mimoúrovňová křižovatka

flypaper [flaipeipə] mucholapka

foal [fəul] hříbě

foam [fəum] *n* pěna; **~ rubber**

pěnová guma
• *v* pěnit se, tvořit pěnu
f.o.b. = **free on board** vyplaceně na místo určení
focal [fəukl] ohniskový; ~ **length** ohnisková vzdálenost
focus [fəukəs] *n* **1** ohnisko **2** (*přen.*) střed
• *v* zaostřit; soustředit
fodder [fodə] píce
fog [fog] *n* mlha • *v* **(gg)** zamlžit
fogey [fəugi] = **fogy**
foggy [fogi] mlhavý, zamlžený
♦ **not have the foggiest (idea)** nemít nejmenší tušení
fogy [fəugi] starý morous
foil [foil] *v* **1** zabránit **sb.** komu **in sth.** v čem **2** zmařit
• *n* pozadí (*ke zvýšení kontrastu*)
fold [fəuld] *n* záhyb
• *v* složit, přeložit
fold in pomalu vmíchat
fold up **1** zhroutit se **2** zkrachovat
foldaway [fəuldəwei] skládací, sklopný
folder [fəuldə] desky; fascikl, spis
foliage [fəuliidž] listí
folk [fəuk] **1** lidé **2** ~**s** *pl* příbuzní, rodina **3** ~ **(song)** národní píseň
♦ ~ **art** lidové umění; ~ **dance** národní tanec
folklore [fəuklo:] folklór
follow [foləu] **1** následovat, jít za **2** sledovat co, řídit se čím **3** vyplývat **4** chápat, rozumět komu / čemu ♦ ~ **the steps of sb.** jít ve stopách koho; ~ **suit** *1.* přiznat / ctít barvu (*v kartách*) *2.* řídit se daným příkladem, následovat; **to** ~ jako další chod
follow on pokračovat
follow up **1** vytrvale sledovat **2** dokončit, dovést až do konce **3** okamžitě připojit **sth.** k čemu **with** co
follower [foləuə] stoupenec, přívrženec, následovník
following [foləuiŋ] *adj* následující, další • *prep* po
follow-up [foləuap] pokračování **(to sth.** čeho)
folly [foli] bláhovost, pošetilost
fond [fond] **1** laskavý; shovívavý **2** mající rád; příliš milující / zamilovaný ♦ **be** ~ **of** mít rád koho / co; **be** ~ **of doing sth.** rád dělat co
food [fu:d] jídlo, potrava
foodstuff [fu:dstaf] potravina
fool [fu:l] *n* **1** pošetilec, hlupák, pitomec, blázen; **make a** ~ **of** dělat hlupáka / vola z, zesměšňovat koho; **play the** ~ dělat hloupého **2** šašek • *v* **1** žertovat, dělat hlouposti **2** ošidit, napálit
fool about flákat se, flinkat se
fool away hloupě promarnit
foolish [fu:liš] pošetilý
foolproof [fu:lpru:f] **1** spolehlivý, nikdy neselhávající **2** jednoduchý **3** (*stroj*) zabezpečený proti neodbornému zacházení
foot [fut], *pl* **feet** [fi:t] *n* **1** noha, chodidlo **2** stopa (30,5 cm) **3** spodek; úpatí **4** pěchota ♦ **my** ~ **!** starou belu!; **on** ~ pěšky; **put one's** ~ **in it** *GB* **/ in one's mouth** *US* (*hovor.*) šlápnout do toho, udělat faux pas; **put one's** ~ **down** dupnout si; **set** ~ **on** vkročit na; **at the** ~ **of the page** dole na stránce
• *v* **1** ~ **it** jít pěšky; tančit **2** ~ **the bill** (*hovor.*) zatáhnout to, zaplatit účet
footage [futidž] stopáž, metráž

football [futbo:l] **1** kopací / ragbyový míč **2** kopaná
footing [futiŋ] **1** pevná půda pod nohama; postavení, pozice **2** vztah, poměr **3** základ
footlights [futlaits] *pl* světla rampy, rampa
footnote [futnəut] poznámka pod čarou
footpath [futpa:θ] pěšina
footprint [futprint] stopa, šlépěj
footstep [futstep] **1** krok **2** šlépěj
footwear [futweə] obuv
for [fo: / fə] *prep* **1** pro, za **2** do; **leave ~ Prague** odjet do Prahy **3** po; **~ two years** po dva roky **4** k; **have ~ breakfast** mít k snídani **5** na; **appoint ~ Monday** určit na pondělí **6** za; **sell ~ 10p** prodat za deset pencí **7** přes, navzdory; **~ all your money** přes všechny tvoje peníze ♦ **~ good** nadobro; **~ all that** přes to přese všechno; **~ one thing ... and ~ another** za prvé ... a za druhé; **~ this reason** z tohoto důvodu; **~ the first time** poprvé • *conj* neboť
forage [foridž] píce
forbear* [fo:'beə] zdržet se čeho
forbid* [fə'bid] **(dd)** zakázat
forbidden [fə'bidn] zakázaný
force [fo:s] *n* **1** síla, moc **2 the (armed) ~s** *pl* ozbrojené síly **3** násilí **4** platnost ♦ **come into ~** vstoupit v platnost; **in ~** ve velkém počtu; **join ~s with** spojit se s • *v* nutit
forced [fo:st] (vy)nucený; **~ landing** nouzové přistání
forcible [fo:səbl] **1** (vy)nucený; násilný **2** účinný
ford [fo:d] *n* brod • *v* přebrodit
forearm [fo:ra:m] předloktí
foreboding [fo:'bəudiŋ] předtucha
forecast* *v* [fo:'ka:st] předpovídat • *n* [fo:ka:st] předpověď
forefather [fo:fa:ðə] předek
forefinger [fo:fiŋgə] ukazováček
foreground [fo:graund] popředí
forehead [fo:hed / forid] čelo
foreign [forin] **1** zahraniční **2** cizí ♦ **F~ Legion** cizinecká legie; **F~ Office** *GB* ministerstvo zahraničí; **~ trade** zahraniční obchod
foreigner [forinə] cizinec
foreman [fo:mən] **1** dílovedoucí, mistr **2** hlavní poradce
foremost [fo:məust] nejprve, napřed
forensic [fə'rensik] soudní
forerunner [fo:ranə] předchůdce
foresee* [fo:'si:] předvídat
foresight [fo:sait] prozíravost
forest [forist] les
forestall [fo:'sto:l] (*včas*) předejít koho / čemu
forestry [foristri] lesnictví
foretell* [fo:'tel] předpovědět
forever [fə'revə] **1** navždy **2** pořád ♦ **take ~** trvat celou věčnost
foreword [fo:wə:d] předmluva
forfeit [fo:fit] pozbýt čeho, přijít o
forge [fo:dž] *n* kovárna • *v* **1** kovat **2** padělat
forgery [fo:džəri] **1** padělání **2** padělek
forget* [fə'get] **(tt)** zapomenout; **~ it!** pusť to z hlavy!; **~ oneself** zapomenout se
forgetful [fə'getful] zapomnětlivý
forget-me-not [fə'getminot] pomněnka
forgive* [fə'giv] odpustit

forgiveness [fə'givnis] 1 odpuštění 2 ochota odpustit
fork [fo:k] *n* **1** (rycí) vidle 2 vidlička **3** vidlice, rozvětvení • *v* rozbíhat se, větvit se
forlorn [fə'lo:n] **1** opuštěný 2 zoufalý
form [fo:m] *n* **1** tvar, forma 2 formule **3** formulář, blanket 4 formalita **5** způsob, mrav 6 školní lavice; třída ♦ ~ **teacher** třídní učitel; **matter of** ~ formální záležitost • *v* **1** tvořit (se); utvářet (se) 2 formovat
formal [fo:ml] formální; ~ **dress** (*večerní*) společenský úbor
formality [fo:'mæliti] formalita
formation [fo:'meišn] 1 (u)tvoření 2 útvar
former [fo:mə] dřívější, dříve jmenovaný; **the ~ . . . the latter** první . . . druhý
formerly [fo:məli] dříve
formidable [fo:midəbl] **1** hrozivý 2 obrovský, úžasný
formula [fo:mjulə] **1** formule, vzorec 2 recept, předpis **3** rčení
formulate [fo:mjuleit] formulovat
fort [fo:t] pevnost
forthcoming [fo:θ'kamiŋ] **1** nadcházející, blížící se 2 vstřícný, ochotný
fortieth [fo:tiiθ] čtyřicátý
fortifications [fo:tifi'keišnz] *pl* opevnění
fortify [fo:tifai] **1** posílit 2 opevnit; **fortified wine** alkoholizované víno
fortitude [fo:titju:d] statečnost
fortnight [fo:tnait] čtrnáct dní
fortnightly [fo:tnaitli] *adj* čtrnáctidenní • *adv* čtrnáctidenně
fortress [fo:tris] pevnost
fortuitous [fo:'tju:itəs] náhodný
fortunate [fo:čnit] šťastný
fortunately [fo:čnitli] naštěstí
fortune [fo:čn] **1** osud; ~ **teller** věštkyně, kartářka **2** štěstí, šťastná náhoda **3** majetek, bohatství, jmění
forty [fo:ti] čtyřicet ♦ ~ **winks** (*hovor.*) šlofík
forty-five [fo:ti'faiv] **1** čtyřicet pět **2** (*hovor.*) pětačtyřicítka (*kolt, gramofonová deska*)
forum [fo:rəm] beseda
forward [fo:wəd] *adj* **1** přední 2 pokročilý **3** pokrokový 4 předčasně zralý **5** drzý • *adv* vpředu; vpřed, kupředu • *n* útočník (*v kopané*) • *v* 1 postrčit, popohnat **2** odeslat, poslat **3** doslat za adresátem
forwards [fo:wədz] vpředu; vpřed
fossil [fosl] **1** fosilní **2** zkostnatělý
foster [fostə] **1** starat se o, podporovat **2** chovat, pěstovat
foul [faul] *adj* **1** odporný 2 špinavý **3** zkažený **4** nečistý; nepoctivý **5** sprostý • *v* znečišťovat
foul up (*hovor.*) zkazit, zvorat
found [faund] založit
foundation [faun'deišn] **1** založení **2** ~**s** *pl* základy; ~ **stone** základní kámen **3** opodstatnění; **without** ~ neopodstatněný
founder[1] [faundə] zakladatel
founder[2] [faundə] slévač
foundling [faundliŋ] nalezenec
foundry [faundri] slévárna
fountain [fauntin] kašna, vodotrysk

fountain pen [fauntinpen] plnicí pero
four [fo:] čtyři
foureyes [fo:raiz] (*hovor.*) brejloun
fourfold [fo:fəuld] čtyřnásobný
fourteen [fo:'ti:n] čtrnáct
fourteenth [fo:'ti:nθ] čtrnáctý
fourth [fo:θ] čtvrtý
fowl [faul] **1** drůbež: slepice, kohout, kuře, kachna *atd.* **2** pernatá zvěř
fox [foks] liška
fraction [frækšn] zlomek
fractious [frækšəs] svárlivý, hádavý; podrážděný
fracture [frækčə] *n* zlomenina • *v* zlomit (se)
fragile [frædžail] křehký
fragment [frægmənt] **1** zlomek **2** úlomek
fragmentary [frægməntri] zlomkovitý
fragrance [freigrəns] vůně
fragrant [freigrənt] vonný
frail [freil] křehký; útlý
frame [freim] *n* **1** konstrukce, stavba **2** rám, kostra, lešení **3** řád, uspořádání **4** rozpoložení **5** **~s** *pl* rámečky (*brýlí*) ♦ **~ of mind** duševní rozpoložení • *v* **1** vytvořit, utvářet **2** přizpůsobit **3** zarámovat **4** falešně obvinit
frame-up [freimap] (*hovor.*) falešné obvinění, komplot, intrika
framework [freimwə:k] rámec
France [fra:ns] Francie
Francis [fra:nsis] František
franchise [frænčaiz] **1** volební právo **2** výsada, licence; franšíza
frank [fræŋk] upřímný
frankfurter [fræŋkfə:tə] klobása
frankly [fræŋkli] upřímně; abych řekl pravdu
frantic [fræntik] šílený (**with pain** bolestí)
fraternal [frə'tə:nl] bratrský
fraternize [frætənaiz] sbratřovat se, přátelit se
fraud [fro:d] **1** podvod **2** podvodník
fraudulent [fro:djulənt] podvodný
fraught [fro:t] plný **with sth.** čeho
fray [frei] třepit se
freak [fri:k] **1** vrtoch **2** podivín
freakish [fri:kiš] podivínský, groteskní
freckle [frekl] piha ♦ **~d** pihovatý
free [fri:] *adj* **1** svobodný, volný **2** bezplatný **3** dobrovolný • *v* osvobodit
freedom [fri:dəm] svoboda
freelance [fri:la:ns] na volné noze, nezávislý (*novinář*)
freemason [fri:meisn] svobodný zednář
freeway [fri:wei] *US* dálnice
freeze* [fri:z] **1** mrznout, zmrznout **2** zmrazit
freezer [fri:zə] **1** mraznička **2** mrazicí box (*v chladničce*)
freight [freit] **1** náklad **2** doprava **3** dopravné
freighter [freitə] nákladní loď / letadlo
French [frenč] *adj* francouzský ♦ **~ bread** bageta; **~ chalk** krejčovská křída; **~ fries** *US* pomfrity; **~ letter** (*hovor.*) prezervativ; **~ window** skleněné dveře; **take ~ leave** zmizet po anglicku • *n* **1 the ~** Francouzi **2** francouzština; **in ~** francouzsky
Frenchman [frenčmən] Francouz
frenzy [frenzi] šílenství; zuřivost

frequency [fri:kwənsi] frekvence
frequent *adj* [fri:kwənt] častý
• *v* [fri'kwent] často navštěvovat
fresh [freš] *adj* **1** čerstvý, svěží **2** nový **3** *US* (*hovor.*) dovolený, drzý • *adv* čerstvě
freshwater [frešwo:tə] sladkovodní
friction [frikšn] **1** tření **2** třenice
Friday [fraidi] pátek; **Good ~** Velký pátek
fridge [fridž] (*hovor.*) lednička
friend [frend] **1** přítel **2** známý; **make ~s with** spřátelit se s; **make ~s again** usmířit se
friendly [frendli] *adj* přátelský; přívětivý • *n* přátelské utkání
friendship [frendšip] přátelství
frighten [fraitn] polekat; děsit
frightful [fraitful] strašný
frigid [fridžid] studený, chladný
fringe [frindž] *n* **1** třepení, třásně **2** okraj **3** *GB* ofina ♦ **~ benefits** vedlejší výhody / požitky
• *v* (o)lemovat
frisk [frisk] **1** skotačit **2** bleskurychle prohledat
fritter [fritə] *n* medailonek v těstíčku (*ovoce, zeleniny, masa*)
• *v* **~ (away)** promarnit
frivolous [frivələs] lehkomyslný; pošetilý; povrchní
fro [frəu]: **to and ~** sem a tam
frog [frog] žába
frogman [frogmən] žabí muž
from [from] **1** od, z **2** podle ♦ **~ now on** od nynějška; **painted ~ nature** malováno podle přírody; **~ what I heard** podle toho, co jsem slyšel
front [frant] *n* **1** přední strana, průčelí; **in ~** vpředu; **in ~ of** před čím **2** fronta **3** náprsenka **4** smělost, drzost **5** fasáda, zástěrka (*přen.*)
• *adj* přední; **~ door** domovní dveře; **~ runner** *1.* vedoucí závodník *2.* nejvážnější uchazeč
• *v* být obrácen čelem k
frontier [frantiə] hranice
frost [frost] mráz
frostbite [frostbait] omrzlina
frosting [frostiŋ] **1** matný povrch (*skla, kovu*) **2** *US* ledová poleva
frosty [frosti] mrazivý
froth [froθ] *n* pěna
• *v* **1** pěnit (se) **2** mít pěnu u úst
frown [fraun] *v* **1** mračit se **at** na **2** neschvalovat **on** co
• *n* zamračení; hněvivý pohled
frugal [fru:gl] **1** šetrný **2** skromný
fruit [fru:t] **1** ovoce **2** plod
fruitful [fru:tful] plodný
fruitless [fru:tlis] neplodný; marný, bezvýsledný
frustrate [fra'streit] zmařit, zklamat
frustration [fra'streišn] zklamání; pocit méněcennosti, bezmocnost, nemohoucnost
fry [frai] smažit (se)
ft. = foot, feet stopa, stopy
fuel [fjuəl] **1** palivo **2** pohonná látka
fuck [fak] (*vulg.*) souložit (s)
fuck about / around 1 flinkat se **2** hmoždit se **with** s
fuck off odprejsknout
fuck up zvorat, posrat
fucking [fakiŋ] (*vulg.*) posraný, zasraný
fugitive [fju:džitiv] *adj* uprchlý
• *n* uprchlík
fulfil [ful'fil] **(ll)** splnit, vyplnit
full [ful] plný; **~ stop** tečka; **~ house** vyprodáno; **in ~** plně, nezkráceně; **~ moon** úplněk; **to**

the ~ dokonale, až do dna, úplně, docela; ~ up obsazeno
full-length [ful'leŋθ] **1** (*film*) celovečerní **2** (*šaty*) dlouhý
fullness [fulnis] plnost
full-time [fultaim] celodenní (**job** zaměstnání)
fully [fuli] plně, úplně, docela
fully-fashioned [fuli'fæšnd] tvarovaný
fully-fledged [fuli'fledžd] **1** (*pták*) opeřený **2** plně kvalifikovaný
fumes [fju:mz] *pl* výpary; výfukové plyny
fun [fan] žert, zábava, legrace ♦ **make ~ of** tropit si žerty z; **for ~**, **in ~** žertem, z legrace; **What ~!** To je legrace!; **have a ~** dobře se bavit
function [faŋkšn] *n* **1** funkce **2** činnost **3** úřad • *v* fungovat
fund [fand] **1** fond, zásoba **2 ~s** *pl* peněžní prostředky
fundamental [fandə'mentl] základní
funeral [fju:nərl] *n* pohřeb • *adj* pohřební
funfair [fanfeə] (*stěhovavý*) lunapark
fungus [faŋgəs], *pl* **fungi** [faŋgi: / fandžai] houba
funicular [fju:'nikjulə] lanová dráha
funnel [fanl] **1** trychtýř **2** lodní komín
funny [fani] **1** komický, zábavný **2** podivný, zvláštní
fur [fə:] kožišina
furious [fjuəriəs] zuřivý, divoký, rozzuřený; **be ~ with** vztekat se na
furnace [fə:nis] pec
furnish [fə:niš] **1** opatřit, zásobit, vybavit **with** čím **2** zařídit (*nábytkem*)
furniture [fə:ničə] nábytek
furrier [fariə] kožešník
furrow [farəu] brázda
further [fə:ðə] *adv* dále; kromě toho • *adj* **1** další **2** vzdálenější • *v* podporovat
furtive [fə:tiv] kradmý
fury [fjuəri] zuřivost, zběsilost
fuse[1] [fju:z] *v* **1** fúzovat, spojit (se) **2** (*přístroj*) přestat fungovat (*vyhozením pojistek*), zkratovat ♦ **~ the lights** spálit pojistky **3** svařit; smísit • *n* pojistka
fuse[2] [fju:z] doutnák, roznětka
fuss [fas] *n* povyk, zbytečný rozruch; **make a ~ over** rozčilovat se kvůli • *v* dělat zbytečný rozruch **over / about** kvůli
fussy [fasi] **1** nervózní, zbytečně se starající, úzkostlivý **2** vyparáděný, přeplácaný ozdobami
futile [fju:tail] marný, zbytečný
future [fju:čə] *n* budoucnost; **for the ~** pro budoucnost; **in ~** napříště; **in the near ~** v blízké budoucnosti • *adj* budoucí

G

gab [gæb]: (*hovor.*) **the gift of (the)** ~ dar jazyka, výřečnost
gabble [gæbl] brebentit
gable [geibl] lomenice
gadget [gædžit] **1** součástka **2** strojek, zařízení, mechanismus
gag [gæg] *n* **1** roubík **2** zákaz informací **3** (*hovor.*) fór; gag, špílec, improvizace • *v* **(gg)** **1** dát roubík, ucpat ústa **2** gagovat
gaggle [gægl] hejno (*hus*)
gaiety [geiəti] veselí
gaily [geili] vesele
gain [gein] *v* **1** získat, dosáhnout čeho **2** přibrat (**weight** na váze) **3** (*hodiny*) předcházet se **4** předhonit **(up)on** koho **5** dostat se kam • *n* **1** zisk; **~s** *pl* zisky, příjmy; vymoženosti **2** přírůstek (**in** čeho)
gainful [geinful] výdělečný; **~ly employed** výdělečně činný
galaxy [gæləksi] galaxie
gale [geil] **1** vichřice **2** výbuch, bouře (**of laughter** smíchu)
gall [go:l] žluč; ~ **bladder** žlučník
gallant **1** [gælənt] statečný **2** [gə'lænt] galantní
gallantry [gæləntri] **1** statečnost **2** galantnost
gallery [gæləri] galerie; **shooting** ~ střelnice
gallop [gæləp] cval
gallows [gæləuz] *sg* šibenice
gallstone [go:lstəun] žlučový kámen
galoshes [gə'lošiz] *pl* gumové přezůvky, holínky
gamble [gæmbl] *v* hrát (o štěstí); hazardovat • *n* **1** hazard **2** riziko, riskantní záležitost
gamble away prohrát
gambler [gæmblə] **1** hazardní hráč; karbaník **2** hazardér, spekulant
game [geim] *n* **1** hra (*podle pravidel*); **the Olympic G~s** Olympijské hry **2** zvěřina • *adj* (*hovor.*) ochoten, svolný; **I'm** ~ jsem pro, souhlasím
gander [gændə] houser ♦ **take a** ~ (*hovor.*) podívat se, mrknout se
gang [gæŋ] **1** oddíl, parta **2** banda
gangbang [gæŋbæŋ] hromadné znásilnění (*jedné ženy*)
gangster [gæŋstə] gangster, lupič
gangway [gæŋwei] **1** můstek **2** ulička
gaol [džeil] vězení
gap [gæp] **1** otvor **2** mezera
gape [geip] **1** zívat **2** zírat, čumět **3** zet
gaping [geipiŋ] zející
garage [gæra:ž] *n* garáž • *v* dát do garáže, garážovat
garbage [ga:bidž] **1** odpadky **2** literární brak
garble [ga:bl] překroutit, zkomolit
garden [ga:dn] zahrada ♦ ~ **party** zahradní slavnost
gardener [ga:dnə] zahradník
gargle [ga:gl] kloktat
gargoyle [ga:goil] chrlič
garish [geəriš] křiklavý
garland [ga:lənd] girlanda, věnec (*kolem krku*)
garlic [ga:lik] česnek
garment [ga:mənt] kus oděvu; **~s** *pl* šaty

garnish [ga:niš] ozdobit, obložit (*pokrm*)
garret [gærit] podkrovní místnost, mansarda
garrison [gærisn] *n* posádka • *v* (*posádka*) střežit
garrulous [gærulǝs] upovídaný
garter [ga:tǝ] podvazek; **the G~** Podvazkový řád
gas [gæs] *n* **1** plyn ♦ **~ burner** plynový hořák **2** *US* benzín ♦ **~ guzzler** [gazlǝ] (*hovor.*) 'chlastoun benzínu' (*auto s velkou spotřebou*) • *v* **(ss)** otrávit plynem
gash [gæš] *n* (*hluboká*) řezná / sečná rána • *v* rozříznout, rozseknout
gasoline [gæsǝli:n] *US* benzín
gasometer [gæ'somitǝ] plynojem
gasp [ga:sp] oddychovat; lapat po dechu
gate [geit] **1** brána, vrata; východ (*na letišti*) **2** **~s** *pl* závory, šraňky **3** počet diváků (*na sportovním utkání*)
gather [gæðǝ] **1** shromáždit (se); sbírat **2** nabrat (**a skirt** sukni) **3** podebírat se **4** usuzovat
gathering [gæðǝriŋ] **1** shromáždění, schůze **2** podebrané místo
gaudy [go:di] křiklavý
gauge, gage [geidž] **1** míra, norma **2** měřič, měřidlo **3** rozchod (*kolejí*)
gaunt [go:nt] hubený, vyzáblý
gauntlet [go:ntlit] (*dlouhá*) ochranná / pracovní rukavice ♦ **throw down / take up the ~** hodit / zvednout rukavici
gay [gei] **1** (*hovor.*) homosexuální **2** veselý, rozpustilý
gaze [geiz] *v* upřeně / pozorně se dívat **at / on** na • *n* pohled
gazette [gǝ'zet] noviny
gear [giǝ] *n* **1** soukolí **2** chod stroje **3** (*motor.*) rychlost; **in ~** zapnut, se spojkou; **out of ~** vypnut, bez spojky; **change ~** řadit • *v* **1** uvést do chodu **2** řadit
gear up / down zařadit vyšší / nižší rychlost
gearbox [giǝboks] rychlostní skříň, převodovka
gee [dži:] *US* (*hovor.*) jémine
gem [džem] drahokam
gender [džendǝ] (*mluvnický*) rod
general [dženǝrl] *adj* **1** (vše)obecný, celkový **2** obyčejný; **in ~** (vše)obecně; **the ~ public** široká veřejnost • *n* generál
generally [dženrǝli] **1** (vše)obecně; **~ speaking** (vše)obecně řečeno **2** obyčejně
general practitioner [dženǝrl præk'tišǝnǝ] praktický lékař
generate [dženǝreit] **1** vytvářet; plodit **2** vyrábět (**electricity** elektřinu)
generation [dženǝ'reišn] pokolení, generace
generosity [dženǝ'rositi] **1** ušlechtilost **2** štědrost
generous [dženrǝs] **1** ušlechtilý **2** štědrý **3** hojný
Geneva [dži'ni:vǝ] Ženeva
genial [dži:njǝl] **1** laskavý, srdečný, žoviální, bodrý **2** (*podnebí*) blahodárný
genius [dži:njǝs] **1** genius **2** nadání, talent; **a man of ~** geniální člověk **3** duch; **the ~ of a language** duch jazyka **4** strážný duch / anděl

gent [džent] (*hovor.*) džentlas; **G~s** Páni (*označení klozetu*)
gentle [džentl] mírný, jemný, něžný, laskavý; **~ sex** něžné pohlaví (*ženy*)
gentleman [džentlmən] **1** pán **2** vzdělanec **3** džentlmen **4** muž
gently [džentli] jemně; zlehka
genuine [dženjuin] **1** pravý, skutečný, nefalšovaný **2** upřímný
geography [dži'ogrəfi] zeměpis
geology [dži'olədži] geologie
geometry [dži'omətri] geometrie
George [džo:dž] Jiří
Georgia [džo:džjə] **1** Georgia (*v USA*) **2** Gruzie
germ [džə:m] **1** zárodek **2** mikrob; **~ warfare** bakteriologická válka
German [džə:mən] *adj* německý • *n* **1** Němec **2** němčina; **in ~** německy
Germanic [džə:'mænik] germánský
Germany [džə:məni] Německo
gesture [džesčə] **1** gesto **2** gestikulace; **make ~s in the air** šermovat rukama
get* [get] **(tt)** **1** dostat, obdržet, získat, obstarat (si) **2** (*hovor.*) rozumět **3** + *adj* stát se **4** dostat se (kam) ♦ **have got** mít; **have got to** + *inf* musit; **~ sb. to do sth.** přimět koho k čemu; **~ ready** připravit (se); **~ tired** unavit se; **~ well** uzdravit se; **~ wet** zmoknout; **~ sth. done** dát (si) něco udělat; **~ into one's head** vzít si do hlavy; **~ home** tít do živého; **~ to know** poznat, dozvědět se; **~ to like** oblíbit si; **~ started** vyrazit; **~ going** spustit; **~ the better of** vyzrát na; **~ rid of** zbavit se koho / čeho; **this won't ~ us anywhere** takhle se nikam nedostaneme
get about cestovat
get across **1** dostat se na druhou stranu **2** (*úspěšně*) vysvětlit, objasnit **3** být jasný / srozumitelný **to** komu
get along **1** dělat pokroky **2** vycházet **with** s **3** odejít ♦ **~ along with you!** *1.* ale jděte! *2.* koukejte zmizet!
get away uniknout; odejít ♦ **you won't ~ away with it** to vám neprojde
get back **1** dostat zpět **2** vrátit se **3** (*hovor.*) vyřídit si to **at** s, pomstít se komu
get behind mít zpoždění
get by projít; protlouci se
get down dát se (**to work** do práce)
get in **1** vstoupit **2** stýkat se **with** s
get off **1** vystoupit **2** svléknout; zout
get on **1** pokračovat, mít úspěch **2** nastoupit **3** vycházet **with sb.** s kým ♦ **be ~ting on in years** stárnout; **it's ~ting on for five** jde na pátou
get out **1** odejít **2** pustit (**of one's head** z hlavy) **3** vystoupit (**of the tram** z tramvaje)
get over překonat co, poradit si s
get round **1** obejít **2** najít si čas
get through **1** projít (*u zkoušky*) **2** dostat spojení, dovolat se
get together sejít se
get under zdolat (*požár*); potlačit (*vzpouru*)
get up **1** vstát **2** dávat dohromady, organizovat
geyser [gi:zə] **1** gejzír **2** průtokový ohřívač, karma

ghastly [ga:stli] strašný, příšerný
gherkin [gə:kin] (*nakládaná*) okurka
ghost [gəust] duch, strašidlo
GI [dži:'ai] *US* voják, vojín
giant [džaiənt] obr
gibberish [džibəriš] **1** drmolení, plácání **2** hatmatilka
giblets [džiblits] *pl* drůbky
giddy [gidi] závratný; **be / feel ~** mít závrať
gift [gift] **1** dar, dárek **2** nadání, talent
gifted [giftid] nadaný
gigantic [džai'gæntik] obrovský
giggle [gigl] hihňat se
gild [gild] pozlatit
gills [gilz] *pl* žábry ♦ **green / white about the ~** (*hovor.*) pobledlý
gilt [gilt] *n* pozlátko • *adj* pozlacený
gimmick [gimik] (*hovor.*) reklamní trik
gin [džin] džin
ginger [džindžə] zázvor; **~ ale / beer** zázvorová limonáda
gingerbread [džindžəbred] perník
ginseng [džinseŋ] ženšen
gipsy, gypsy [džipsi] cikán
giraffe [dži'ra:f] žirafa
girder [gə:də] nosník, traverza
girdle [gə:dl] **1** pás **2** podvazkový pás; bokovka, návlek
girl [gə:l] dívka, děvče; **~ friend** přítelkyně, kamarádka
gist [džist] jádro věci, podstata
give* [giv] **1** dát, podat, vydat, věnovat **2** povolit **3** vést **(up)on** kam, být obrácen (**to the garden** do zahrady) ♦ **~ a cry** vykřiknout; **~ sb. a smile** usmát se na koho; **~ or take** plus minus; **~ sb. to understand** dát komu na srozuměnou; **~ way** *1.* ustoupit, povolit **to** komu / čemu *2.* povolit, prasknout; **What ~s?** Co se děje?
give away **1** rozdat **2** udat **3** prozradit
give back vrátit
give in **1** povolit, ustoupit, vzdát se **2** odevzdat (**examination papers** kompozice)
give out **1** rozdat **2** oznámit **3** vydat **4** dojít (*zásoby*) **5** (*hovor.*) vyplivnout (*přestat fungovat*)
give over (*hovor.*) nechat toho, přestat
give up **1** vzdát se; vzdát se čeho, přestat, nechat toho **2** vydat, odevzdat
given [givn] **1** určený **2** oddaný, odevzdaný, propadlý
glacier [glæsjə] ledovec
glad [glæd] **1** potěšen, rád; **be ~ about / of sth.** mít radost z čeho; **be ~ to hear** rád slyšet **2** potěšující ♦ **~ rags** *pl* (*hovor.*) sváteční šaty
gladly [glædli] rád
glamorous [glæmərəs] okouzlující, půvabný, sexy
glamour [glæmə] kouzlo, půvab; **~ girl** sexy kráska
glance [gla:ns] *v* zběžně pohlédnout **at** na • *n* pohled
gland [glænd] žláza
glare [gleə] *v* **1** zářit **2** dívat se zlostně • *n* **1** záře; oslnění **2** zlostný pohled
glaring [gleəriŋ] **1** oslňující **2** sršící zlobou **3** do očí bijící
glass [gla:s] **1** sklo; skleněné zboží **2** sklenice **3** zrcadlo **4 ~es** *pl* brýle
glasshouse [gla:shaus] skleník

glaze [gleiz] **1** zasklít **2** leštit **3** polít polevou / glazurou
glazier [gleizjə] sklenář
gleam [gli:m] *n* záblesk • *v* lesknout se
glean [gli:n] **1** paběrkovat **2** sbírat; pochytit
glib [glib] **1** výmluvný, mnohomluvný **2** prázdný, jalový
glide [glaid] **1** klouzat **2** plachtit
glider [glaidə] kluzák, větroň
glimmer [glimə] světélko; blikání, záblesk; **a ~ of hope** jiskřička naděje
glimpse [glimps] záblesk; **get / catch a ~ of** letmo zahlédnout koho / co
glisten [glisn] lesknout se
glitter [glitə] *v* třpytit se • *n* třpyt
gloat [gləut] pást se (*škodolibě*) **over / (up)on** na
globe [gləub] **1** koule **2** zeměkoule **3** globus
gloom [glu:m] **1** temnota, šero **2** melancholie
gloomy [glu:mi] **1** temný **2** ponurý; zasmušilý
glorify [glo:rifai] oslavit, glorifikovat, (z)velebit
glorious [glo:riəs] **1** nádherný, skvělý; (*hovor.*) báječný **2** slavný
glory [glo:ri] *n* **1** sláva **2** nádhera • *v* radovat se **in** z
gloss [glos] lesk
glossy [glosi] lesklý
glove [glav] rukavice; **~ puppet** maňásek
glow [gləu] *v* sálat; žhnout • *n* žár; zápal
glue [glu:] *n* klih • *v* klížit; přilepit
glum [glam] smutný, mrzutý
glutton [glatn] nenasyta, hltoun
gluttony [glatəni] nenasytnost, žravost; obžerství
gnat [næt] komár
gnaw [no:] hryzat, hlodat; louskat
gnome [nəum] skřítek, trpaslík (*též zahradní*)
go* [gəu] *v* **1** jít, chodit **2** jet **3** cestovat **4** odejít, odjet **5** pokračovat **6** vejít se **7** (vy)stačit **8** povolit, zhroutit se **9** napadnout **for** koho **10** vyšetřit **into** co **11** hodit se **with** k **12** obejít se **without** bez **13** řídit se **by** čím ♦ **~ for a walk** jít na procházku; **~ on a trip** jet na výlet; **~ on a holiday** jet na dovolenou; **~ to the country** jet na venkov; **~ bathing** jít se koupat; **~ shopping** jít nakupovat; **~ bad** zkazit se; **~ blind** oslepnout; **~ to sleep** usnout; **~ to pieces** rozbít se na kusy; **it ~es without saying** rozumí se samo sebou; **be ~ing to** + *inf* hodlat • *n:* **at one ~** na jeden ráz; **have a ~ at sth.** zkusit co
go ahead 1 jít napřed **2** začít
go along 1 pokračovat **2** souhlasit
go away odejít, odjet
go back 1 vrátit se **2** sahat zpátky, pocházet už
go by 1 jet kolem **2** uplynout
go down 1 sestoupit **2** (po)klesnout **3** zapadat; potopit se, zřítit se **4** dát se spolknout **5** sahat až **to** k **6** onemocnět **with** čím
go in for 1 pěstovat **2** podrobit se (*zkoušce*)
go off 1 odejít **2** (*střelná zbraň*) spustit, vystřelit; (*bomba*) vybuchnout **3** nechat čeho, přestat s
go on 1 konat se **2** začít fungovat **3** pokračovat **4** stále kritizovat

go out 1 vyjít, odejít **2** zhasnout **3** odcestovat; vystěhovat se **4** zveřejnit **5** vyjít z módy **6** (s)končit
go over 1 přejít, přestoupit **2** přepnout
go together 1 jít k sobě **2** chodit spolu, mít známost
go up 1 stoupat, zvedat se **2** vyrůstat, růst **3** vyletět do povětří **4** jít na vysokou školu; (u)dělat kariéru
go-ahead ['gəuə,hed] **1** podnikavý, energický **2** pokrokový
goal [gəul] **1** cíl **2** branka **3** gól
goalkeeper [gəulki:pə] brankář
goalpost [gəulpəust] branková tyč
goat [gəut] koza
go-between ['gəubi,twi:n] prostředník, zprostředkovatel
god [god] bůh
godchild [godčaild] kmotřenec
godfather [godfa:ðə] kmotr
godless [godləs] bezbožný
godmother [godmaðə] kmotra
goggles [goglz] *pl* ochranné brýle
gold [gəuld] *n* zlato • *adj* zlatý
goldbrick [gəuldbrik] (*hovor.*) *n* **1** šunt **2** *US* ulejvák, flákač • *v* ulejvat se, 'hodit se marod'
golden [gəuldn] zlatý, (*též přen.*)
golf [golf] golf
good [gud] *adj* **1** dobrý; prospěšný, užitečný **2** hodný, laskavý ♦ **have a ~ time** dobře se bavit; **be ~ at sth.** dobře umět co, vynikat v čem; **be ~ for** platit (**a week** týden); **a ~ deal / many of** dosti čeho, mnoho; **as ~ as** téměř, skoro jako; **in ~ time** včas; **it's a ~ thing (that)** je dobře, že • *n* dobro; prospěch, užitek; **it's no ~ saying** nemá smysl říkat; **for ~** nadobro, navždy
goodbye [gud'bai] sbohem; **say ~** rozloučit se
good-for-nothing [gudfə'naθiŋ] budižkničemu
good-humoured [gud'hju:məd] v dobré náladě, dobře naložený; snášenlivý
good-looking [gud'lukiŋ] hezký
good-natured [gud'neičəd] dobromyslný, dobrácký
goodness [gudnis] dobrota, laskavost; **my ~!** pro všechno na světě!
goods [gudz] *pl* **1** zboží **2** vlastnictví, statky
goody [gudi] (*hovor.*) **1** dobrota; cukroví **2** klaďas (*ve filmu*)
goose [gu:s], *pl* **geese** [gi:s] husa
gooseberry [guzbəri] angrešt
gooseflesh [gu:sfleš] husí kůže
gorgeous [go:džəs] **1** nádherný, oslnivý **2** (*hovor.*) skvělý, báječný, senzační
gorilla [gə'rilə] gorila
gospel [gospl] evangelium; **~ truth** svatá pravda
gossamer [gosəmə] **1** babí léto; vlákno babího léta **2** pavučinka (*přen.*)
gossip [gosip] *n* **1** klep, kleveta, řeči **2** povídání, kus řeči **3** klepna • *v* klevetit; povídat si
Gothic [goθik] *adj* gotický • *n* gotika
gourd [guəd] tykev, dýně
gourmand [guəmænd] velký jedlík, nenasyta
gourmet [guəmei] znalec jídla a pití, labužník
govern [gavən] **1** vládnout **2** řídit **3** ovládat

governess [gavənis] vychovatelka, guvernantka
government [gavənmənt] vláda
governor [gavənə] **1** vládce, vladař **2** místodržící, guvernér **3** ředitel; člen řídícího sboru **4** [gavnə] (*GB, hovor.*) šéf
gown [gaun] **1** dámské šaty, róba **2** talár **3** župan **4** plášť (*chirurga*)
grab [græb] **(bb)** popadnout, shrábnout, urvat
grace [greis] *n* **1** půvab, šarm, elegance **2** milost
• *v* **1** poctít **2** zdobit
graceful [greisful] půvabný
gracious [greišəs] **1** milostivý **2** komfortní
grade [greid] *n* **1** stupeň **2** třída (*kvality*) **3** *US* třída, ročník
• *v* třídit
gradual [grædjuəl / grædžuəl] postupný
gradually [grædjuəli / -džuəli] postupně
graduate *v* [grædjueit / -džueit] **1** promovat **2** odstupňovat **3** *US* absolvovat (*školu*) • *n* [grædjuit / -džuit] absolvent vysoké školy
graduation [grædju'eišn / grædžu'eišn] **1** absolvování **2** promoce **3** kalibrování; stupnice
graffiti [grə'fi:ti] *pl* nápisy, kresby (*na zdech*)
graft[1] [gra:ft] *n* roub • *v* roubovat
graft[2] [gra:ft] *n* úplatky
• *v* podplácet
grain [grein] **1** zrno **2** zrní, obilí
grammar [græmə] mluvnice; **~ school** gymnázium
gramme [græm] gram
gramophone [græməfəun] gramofon
granary [grænəri] sýpka, obilnice
grand [grænd] *adj* **1** veliký **2** velkolepý, skvělý, ohromný
• *n* ~ **(piano)** křídlo
grandchild [grænčaild] vnuk, vnučka
granddaughter [grændo:tə] vnučka
grandfather [grænfa:ðə] dědeček
grandma [grænma] (*hovor.*) babi
grandmother [grænmaðə] babička
grandpa [grænpa:] (*hovor.*) děda
grand prix [gron'pri:] velká cena
grandson [grænsan] vnuk
granite [grænit] žula
granny [græni] (*hovor.*) babička
grant [gra:nt] *v* **1** vyhovět čemu, splnit **2** udělit, poskytnout **3** uznávat;
♦ **G~ed** ano, dobrá; **take for ~ed** považovat za samozřejmé
• *n* dotace, grant
granulated [grænjuleitid] zrnitý; granulovaný
grape [greip] zrnko vína; **a bunch of ~s** hrozen
grapefruit [greipfru:t] grapefruit
grapevine [greipvain] **1** réva **2** (*hovor.*) šeptanda
graphic [græfik] grafický
grasp [gra:sp] *v* **1** uchopit, chopit se **2** sevřít **3** pochopit
• *n* **1** uchopení **2** pochopení, ovládání (*věci*)
grass [gra:s] tráva
♦ **~ roots** obyčejní lidé; **~ snake** slepýš; **~ widow** slaměná vdova
grasshopper [gra:shopə] kobylka luční, koník
grate[1] [greit] rošt
grate[2] [greit] **1** (na)strouhat **2** (za)skřípat
grateful [greitful] vděčný

grater [greitə] struhadlo
gratify [grætifai] uspokojit
gratitude [grætitju:d] vděčnost
gratuity [grə'tjuiti] spropitné
grave[1] [greiv] vážný, důstojný
grave[2] [greiv] hrob
gravel [grævl] štěrk; hrubý písek
gravestone [greivstəun] náhrobek
gravitation [grævi'teišn] gravitace
gravity [græviti] **1** vážnost, závažnost **2** zemská tíže
gravy [greivi] šťáva (*z masa*); omáčka
gray [grei] *US* = **grey**
graze[1] [greiz] pást (se)
graze[2] [greiz] *v* **1** zavadit **against** o **2** škrábnout, poškrábat • *n* škrábnutí, odřenina
grease [gri:s] *n* **1** (*polotuhé*) sádlo; (*zvířecí*) tuk **2** mastnota; mazadlo • *v* mazat, namazat ♦ **~d lightning** (*hovor.*) namydlený blesk
greasy [gri:zi / -si] **1** mastný **2** kluzký **3** úlisný
great [greit] *adj* **1** velký **2** důležitý, významný **3** (*hovor.*) nádherný ♦ **a ~ age** vysoký věk; **~ with child** těhotná; **a ~ deal** velmi mnoho; **no ~ shakes** nic moc, žádný zázrak • *n* velikán
greatcoat [greitkəut] (*vojenský*) zimník
greatgrandfather [greit'grænfa:ðə] praděděček
greatly [greitli] velice
greatness [greitnis] velikost
Greece [gri:s] Řecko
greedy [gri:di] nenasytný; chamtivý
Greek [gri:k] *adj* řecký • *n* **1** Řek **2** řečtina; **it's ~ to me** to je pro mne španělská vesnice
green [gri:n] *adj* zelený • *n* **1** zelená barva **2 G~** člen strany Zelených
greengrocer's [gri:ngrəusəz] zelinářství
greenhouse [gri:nhaus] skleník
Greenland [gri:nlənd] Grónsko
greet [gri:t] (po)zdravit
greeting [gri:tiŋ] pozdrav
gremlin [gremlin] zlý skřítek (*působící poruchy stroje*)
grey [grei] *adj* šedivý • *n* šeď
grid [grid] **1** mříž; (*elektr.*) mřížka **2** síť elektrického vedení **3** rošt; zahrádka (*na střeše auta*) **4** souřadnicová síť
grief [gri:f] zármutek, hoře
grievance [gri:vəns] stížnost
grieve [gri:v] **1** způsobit bolest komu **2** rmoutit se
grill [gril] *n* rošt, rožeň, gril • *v GB* opékat na rožni, grilovat
grille [gril] **1** okenní mříž **2** zamřížovaná přepážka **3** maska (*chladiče*)
grim [grim] **(mm) 1** zachmuřený **2** zlý, neradostný, chmurný **3** odpudivý, studený **4** krutý, nelítostný ♦ **hold on like ~ death** držet se zuby nehty
grime [graim] (*zažraná, mastná*) špína
grimy [graimi] špinavý, ulepený
grin [grin] *v* **(nn) 1** (za)zubit se, usmát se zeširoka **2** (za)šklebit se • *n* **1** široký úsměv **2** úšklebek
grind* [graind] **1** mlít **2** brousit; **~ one's teeth** skřípat zuby **3** dřít, šprtat, biflovat (**for an exam** ke zkoušce)
grind out 1 vyhrávat **2** (*mechanicky*) chrlit
grindstone [graindstəun] brus

grip [grip] *n* uchopení, stisk
♦ **get / keep a ~ on oneself** vzchopit se, vzpamatovat se
• *v* **(pp)** **1** uchopit, sevřít **2** zaujmout
gripping [gripiŋ] napínavý, strhující, fascinující
grisly [grizli] příšerný, děsný
grit [grit] *n* drobný písek
• *v* posypat pískem
♦ **~ one's teeth** zatnout zuby
grizzled [grizld] prošedivělý
groan [grəun] *v* sténat
• *n* sténání, zaúpění
grocer [grəusə] obchodník s potravinami
grocery [grəusəri] **1** obchod smíšeným zbožím, hokynářství, koloniál **2 groceries** *pl* smíšené zboží; nákup (*smíšeného zboží*)
groin [groin] slabina
groom [gru:m] pečovat o zevnějšek
groove [gru:v] žlábek, drážka; kolej (*přen.*)
grope [grəup] tápat **for / after** po
gross [grəus] *adj* **1** tlustý **2** hrubý **3** celkový • *n* veletucet
• *v* celkově vynést, přinést tržbu
ground [graund] *n* **1** půda, země **2** hřiště **3** dno **4 ~s** *pl* důvody **5 ~s** *pl* zbytky, usazenina
• *v* **1** zakázat / znemožnit start (*letadla*) **2** zakládat se, spočívat **on** na **3** uzemnit
ground floor [graund'flo:] přízemí
grounding [graundiŋ] základní školení; základy
groundless [graundlis] bezdůvodný
group [gru:p] *n* skupina
• *v* seskupit (se)
grove [grəuv] háj
grovel [grovl] plazit se (**to** před kým)
groveller [grovlə] patolízal
grow* [grəu] **1** růst **2** pěstovat **3** stávat se; **~ old** stárnout; **~ pale** zblednout; **~ out of** vyrůst z čeho
grow up vyrůst, dospět
growl [graul] *v* vrčet • *n* zavrčení
grown-up [grəunap] dospělý
growth [grəuθ] **1** růst **2** (*patologický*) výrůstek
grub [grab] **1** ponrava **2** (*hovor.*) bašta, dlabanec
grudge [gradž] *v* nepřát **sb.** komu **sth.** co • *n* odpor, zášť; **have a ~ against** mít něco proti komu
grumble [grambl] reptat
grunt [grant] *v* chrochtat
• *n* (za)chrochtání
guarantee [gærən'ti:] *n* **1** záruka; **under ~** v záruce **2** ručení **3** ručitel • *v* ručit za, zaručovat
guard [ga:d] *n* **1** střeh **2** stráž, hlídka; dozorce **3** garda **4** průvodčí (*vlaku*)
• *v* střežit, hlídat
guardian [ga:djən] **1** strážce; **~ angel** anděl strážný **2** poručník
guerilla, guerrilla [gə'rilə] partyzán
guess [ges] *v* **1** hádat, uhádnout **2** tušit **3** *US* myslit
• *n* dohad, odhad
guesswork [geswə:k] dohady
guest [gest] host; **be my ~!** račte si posloužit
guide [gaid] *n* **1** vůdce, průvodce **2** vodítko **3** *též* **~ book** průvodce (*tištěný*) **4** *též* **railway ~** jízdní řád **5** *též* **girl ~** skautka
• *v* vést, řídit
guild [gild] cech
guilt [gilt] vina

guilty [gilti] viný; **plead ~** cítit se vinen
guinea pig [ginipig] morče
guitar [gi'ta:] kytara
gulf [galf] **1** záliv **2** propast, strž
gulp [galp] (s)polknout
gum[1] [gam] *n* lepidlo
• *v* **(mm)** lepit
gum[2] [gam] dáseň
gun [gan] střelná zbraň: revolver, puška, dělo
gunpowder [ganpaudə] střelný prach
gurgle [gə:gl] **1** bublat **2** kloktat **3** vrnět
gush [gaš] *v* stříkat
• *n* (*náhlá*) záplava, proud
gust [gast] závan větru
guts [gats] *pl* **1** vnitřnosti, střeva **2** (*hovor.*) odvaha **3** (*hovor.*) šťáva, říz
gutter [gatə] **1** okap **2** strouha, stoka
guy [gai] (*hovor.*) člověk, osoba
gymnasium [džim'neizjəm] tělocvična
gymnastics [džim'næstiks] *pl* **1** gymnastika **2** tělocvik
gym shoes [džimšu:z] *pl* cvičky, sálové tenisky
gyrate [džai'reit] kroužit, rotovat

H

haberdasher's [hæbədæšəz] obchod textilní galanterií
haberdashery [hæbədæšəri] **1** galanterní zboží **2** *US* obchod s pánskými oděvy
habit [hæbit] **1** zvyk; **be in the ~ of** mít ve zvyku co; **get into a ~** navyknout si; **from ~** ze zvyku **2** hábit; oděv
habitual [hə'bičuəl] navyklý, obvyklý, vrozený; ze zvyku
hack[1] [hæk] **1** (roz)sekat **2** získat neoprávněný přístup (**into a computer system** do počítačového systému), (*hovor.*) nabourat se
hack[2] [hæk] **1** škrabálek, pisálek **2** partajník **3** *US* taxi
hackneyed [hæknid] otřelý, otřepaný
hag [hæg] baba, čarodějnice
haggard [hægəd] přepadlý; vychrtlý
haggle [hægl] smlouvat
hail[1] [heil] *n* kroupy • *v*: **it is ~ing** padají kroupy
hail[2] [heil] **1** pozdravit **2** zastavit (*kolemjedoucí*), zavolat (**a taxi** taxi) ♦ **H~ Mary** Zdrávas Maria
hair [heə] **1** vlas, chlup; **not turn a ~** nehnout brvou; **to a ~** na vlas přesně **2** vlasy; srst; **it makes my ~ stand on end** hrůzou mi z toho vstávají vlasy ♦ **the / a ~ of the dog (that bit you)** co tě večer porazilo, to tě ráno postaví (*malá sklenka stejného alkoholu*)
haircut [heəkat] stříhání vlasů; sestřih
hairdo [heədu:] (*dámský*) účes
hairdresser [heədresə] kadeřník
hairdryer, -drier [heədraiə] vysoušeč vlasů, fén
hairgrip [heəgrip] pinetka
hairpin [heəpin] vlásenka, sponka
hair-raising [heəreiziŋ] hrůzostrašný
hair slide [heəslaid] spona (*do vlasů*)
hairspray [heəsprei] lak na vlasy
hairy [heəri] vlasatý; chlupatý, zarostlý
half [ha:f] *n* polovina ♦ **go halves** dělit se napůl; **by halves** polovičatě; **not ~ bad** ne zcela špatný, výborný • *adj* poloviční; **~ an hour** půl hodiny • *adv* napůl, zpola
half-hearted [ha:f'ha:tid] vlažný, bez nadšení
half moon [ha:f'mu:n] půlměsíc, srpek
half time [ha:f'taim] poločas
halfway [ha:fwei] na půl cestě; **meet sb. ~** vyjít vstříc komu
hall [ho:l] **1** sál, síň, hala, aula, dvorana **2** předsíň **3** (*vysokoškolská*) kolej
hallmark [ho:lma:k] punc
hallo, hello [hə'ləu] **1** haló! **2** ahoj, nazdar
halo [heiləu] **1** kruh kolem měsíce / slunce **2** svatozář, gloriola, aureola
halt [ho:lt] *n* zastávka; zastavení; **come to / make a ~** zastavit se • *v* **1** zastavit se **2** váhat
ham [hæm] šunka
hamlet [hæmlit] vesnička
hammer [hæmə] *n* kladivo ♦ **come under the ~** přijít do dražby

• *v* tlouci, bušit; zatlouci kladivem
hammer out 1 dosáhnout po dlouhém vyjednávání **2** vyklepat (*kladivem*)
hammock [hæmək] houpací síť
hamper [hæmpə] překážet, vadit
hamster [hæmstə] křeček
hand [hænd] *n* **1** ruka **2** ručička **3** rukopis **4** pracovník, pracovní síla ♦ **at ~** po ruce, blízko; **at first ~** z první ruky; **by ~** ručně; **change ~s** změnit majitele; **be in ~** být před dokončením; **~ in ~** ruku v ruce; **~ to mouth** z ruky do úst; **~s off!** ruce pryč!; **~s up!** ruce vzhůru!; **lend / give a ~** pomoci; **off ~** spatra; **on ~** k dispozici; **on the other ~** naproti tomu; **shake ~s with** podat ruku komu; **an old ~** odborník; **to ~** na dosah • *v* podat
hand back vrátit
hand down 1 předávat, dědit se, dochovat se **2** vyhlásit **3** odevzdat, předat, zaslat
hand in 1 předložit, podat **2** odevzdat
hand over odevzdat, předat
hand round podávat kolem, rozdávat
handbag [hændbæg] kabelka
handbill [hændbil] leták
handbook [hændbuk] příručka
handful [hændful] **1** hrst(ka) **2** (*hovor.*) 'kvítko'; 'fuška'
handicap [hændikæp] **(pp)** znevýhodnit
handicraft [hændikra:ft] řemeslo
handiwork [hændiwə:k] **1** ruční práce **2** dílo (**of terrorists** teroristů)
handkerchief [hæŋkəčif] kapesník
handle [hændl] *n* držadlo, rukojeť; klika • *v* **1** dotýkat se čeho **2** manipulovat s čím **3** poradit si, vědět si rady s čím **4** zacházet s **5** obchodovat s čím
hand luggage [hændlagidž] příruční zavazadlo
handpicked [hænd'pikt] pečlivě vybraný, výběrový
handsome [hænsəm] hezký
hands-on [hændzon] praktický (**training** výuka)
handy [hændi] po ruce, vhod; **come in ~** přijít vhod
handyman [hændimæn] **1** údržbář, mechanik **2** kutil
hang* [hæŋ] *v* **1** pověsit, zavěsit; oběsit **2** viset **3** držet se **on** čeho, podržet si co ♦ **~ one's head** sklopit hlavu • *n* způsob ♦ **get the ~ of** přijít na kloub čemu; **not care a ~** nedbat ani za mák
hang about / around potloukat se, postávat kolem, lelkovat
hang on nezavěšovat, zůstat na telefonu
hang out 1 vyvěsit, vystrčit ven **2** viset ven **3** (*hovor.*) trávit většinu času (kde)
hang together 1 držet pohromadě / spolu **2** být logický, zapadat do sebe
hang up zavěsit (**the receiver** sluchátko); pověsit na ramínko (**clothes** šaty)
hangar [hæŋgə] hangár
hanger [hæŋə] ramínko (*na šaty*)
hang gliding ['hæŋ,glaidiŋ] závěsné létání, let na rogalu
hangman [hæŋmən] kat
happen [hæpn] stát se, přihodit se; **I ~ed to meet him** náhodou

jsem ho potkal; **as it ~s / it just ~s that** náhodou
happening [hæpniŋ] událost, příhoda
happiness [hæpinis] štěstí
happy [hæpi] šťastný
harrass [hærəs] sužovat
harbour [ha:bə] *n* přístav
• *v* **1** přechovávat **2** chovat (**thoughts** myšlenky)
hard [ha:d] *adj* **1** tvrdý; **~ of hearing** nedoslýchavý **2** přísný, krutý; **be ~ on** být tvrdý k **3** těžký, obtížný, namáhavý
• *adv* **1** tvrdě, těžce **2** silně, hustě; **it's raining ~** hustě prší **3** namáhavě, pilně, intenzívně; **work ~** pracovat pilně
hardback [ha:dbæk] vázaná kniha
hard-boiled [ha:d'boild] **1** natvrdo uvařený **2** (*hovor.*) otrlý; naturalistický, drsný
hard disk [ha:d'disk] pevný disk
harden [ha:dn] **1** učinit tvrdým; zatvrdit **2** ztvrdnout **3** otužit (se)
hard luck [ha:d'lak] smůla
hardly [ha:dli] sotva, stěží; skoro ne
hardship [ha:dšip] strádání, nesnáz
hard up [ha:d'ap] (*hovor.*) bez peněz, dutý, švorc
hardware [ha:dweə] **1** železářské zboží **2** technické vybavení / prostředky (*počítače*)
hardy [ha:di] otužilý
hare [heə] zajíc
harebrained [heəbreind] ztřeštěný, potrhlý
harm [ha:m] *n* škoda
♦ **do more ~ than good** víc uškodit než prospět
• *v* poškodit, uškodit (komu)
harmful [ha:mful] škodlivý
harmless [ha:mlis] neškodný
harmonious [ha:'məunjəs] harmonický
harmonize [ha:mənaiz] **1** zpívat vícehlasně **2** shodovat se; ladit, jít dohromady
harness [ha:nis] *n* postroj
• *v* zapřáhnout; spoutat
harp [ha:p] harfa
harpoon [ha:'pu:n] harpuna
harsh [ha:š] **1** hrubý, drsný, příkrý **2** nevrlý, strohý
harvest [ha:vist] *n* žně, sklizeň; **~ festival** (*církevní*) díkůvzdání za sklizeň; **~ home** dožínky
• *v* sklidit
harvester [ha:vistə] **1** žnec **2** žací stroj; kombajn
hasbeen [hæzbi:n] vyřízená veličina, bývalý někdo
hash [hæš] *n* hašé; **make a ~ of sth.** zpackat co
• *v* rozsekat na kousky, rozemlít
hash up (*hovor.*) zkazit, zpackat, zvorat
haste [heist] *n* spěch, chvat; **make ~** pospíchat • *v* pospíchat
hasten [heisn] **1** spěchat **2** uspíšit
hasty [heisti] **1** kvapný, chvatný **2** ukvapený
hat [hæt] klobouk
♦ **at the drop of a ~** náhle, zčistajasna; **pass the ~ (around)** udělat sbírku; **talk through one's ~** říkat nesmysly, plácat, kecat
hatch [hæč] **1** vysedět (*z vajec*) **2** vymyslet
hatchet [hæčit] sekyrka
♦ **~ job** sekernická práce (*zdrcující kritika / útok*)
hate [heit] *v* nenávidět; **~ doing**

sth. velmi nerad dělat co
• *n* nenávist **for** k
hateful [heitful] nenáviděný; protivný
hatred [heitrid] nenávist, zášť **of / for** k
hatter [hætə] kloboučník
hat trick [hættrik] **1** (*sport.*) hattrick (*dosažení tří úspěchů za sebou*) **2** obratný manévr
haughty [ho:ti] povýšený, nadutý
haul [ho:l] *v* táhnout, vléci
• *n* **1** zátah, tah **2** úlovek, kořist
haulage [ho:lidž] (*dálková*) kamiónová doprava
haunt [ho:nt] **1** neodbytně se stále vracet **2** strašit; **the house is ~ed** v domě straší **3** (*hovor.*) často navštěvovat
have* [hæv / həv] **1** mít **2** dostat **3** vzít si (*k jídlu, na sebe*)
♦ **~ got** mít; **~ to** + *inf* musit; **~ on** mít na sobě; **~ a wash** umýt se; **~ a good time** mít se hezky; **~ sth. done** dát si co udělat; **~ sb. do sth.** přimět koho, aby udělal co; **~ him come over** ať sem přijde; **~ it in for sb.** mít spadeno na koho, spočítat to komu (*v budoucnosti*); **I've had it** (*hovor.*) jsem vyřízen; **~ it your own way** ať je tedy po tvém; **~ sth. to do with** mít co společného s
have out 1 dát si vytrhnout **2 ~ it out with** vyřídit si to s
have up (*hovor.*) hnát k soudu
haven [heivn] **1** přístav **2** útočiště
havoc [hævək] zkáza
hawk [ho:k] jestřáb, (*též přen.*)
hay [hei] seno ♦ **make ~** sušit seno; **make ~ while the sun shines** kuj železo, dokud je žhavé; **~ fever** senná rýma
haywire [heiwaiə] popletený, zmatený ♦ **go ~** (*hovor.*) začít bláznit; zbláznit se
hazard [hæzəd] *n* **1** hazard, riziko **2** náhoda • *v* riskovat, odvážit se
hazardous [hæzədəs] hazardní, riskantní; nebezpečný
haze [heiz] jemná mlha, opar
hazel [heizl] *n* líska
• *adj* oříškově hnědý
hazelnut [heizlnat] lískový oříšek
hazy [heizi] mlhavý, nejasný
he [hi:] on
head [hed] *n* **1** hlava **2** horní / přední část **3** ředitel; přednosta
♦ **at the ~ of the page** nahoře na stránce; **at the ~ of the procession** v čele průvodu; **come to a ~** vyvrcholit; **~ over heels** *1.* střemhlav *2.* až po uši; **keep one's ~** neztrácet hlavu; **not make ~ or tail of sth.** nebýt moudrý z čeho; **~ over heels** až po uši; **turn sb.'s ~** *1.* zamotat hlavu komu *2.* stoupnout do hlavy komu • *v* **1** vést co, stát v čele čeho **2 ~ for** jít vstříc (**trouble** nesnázím)
headache [hedeik] **1** bolení hlavy **2** (*hovor.*) těžký problém
header [hedə] *GB* **1** 'pohlavár' (*skok / pád střemhlav*) **2** hlavička (*v kopané*)
heading [hediŋ] záhlaví, nadpis, hlavička, titul
headlight [hedlait] přední světlo, reflektor (*auta*)
headline [hedlain] **1** novinový titulek **2 ~s** *pl* přehled zpráv
headlong [hedloŋ] *adv* po hlavě; překotně • *adj* ukvapený
headmaster [hed'ma:stə] ředitel školy

headphones [hedfəunz] *pl* sluchátka
headquarters [hedkwo:təz] *pl* **1** velitelství **2** ústředí, centrála
headstrong [hedstroŋ] tvrdohlavý
head waiter [hed'weitə] vrchní (*v restauraci*)
heal [hi:l] **1** léčit **2** zahojit se
healer [hi:lə] léčitel
health [helθ] zdraví; **in good ~** zdráv; **drink sb.'s ~** připít komu na zdraví
healthy [helθi] zdravý
heap [hi:p] *n* hromada; **~s of time** spousta času; **~s of times** mnohokrát
• *adv* **~s** mnohem (**better** lépe)
• *v* **~ (up)** (na)hromadit; naložit (**a plate with food** talíř jídlem)
hear* [hiə] **1** slyšet **2** poslouchat, vyslechnout **3** dovědět se; dostat zprávu **from sb.** od koho **of / about sth.** o čem
hear out vyslechnout až do konce
hearer [hiərə] posluchač
hearing [hiəriŋ] **1** sluch **2** slyšení; výslech
hearsay [hiəsei]: **know from ~** vědět z doslechu
hearse [hə:s] pohřební vůz
heart [ha:t] srdce ♦ **at ~** v podstatě, vlastně; **by ~** zpaměti; **have sth. at ~** mít na srdci co; **take ~** dodat si odvahu; **take sth. to ~** brát / vzít si co k srdci; **the ~ of the matter** jádro věci; **~ to ~** důvěrný
heartburn [ha:tbə:n] pálení žáhy
heartfelt [ha:tfelt] srdečný, upřímný
hearth [ha:θ] krb
heartless [ha:tlis] bez srdce, krutý
heartwarming [ha:two:miŋ] potěšující, oblažující
hearty [ha:ti] **1** srdečný, upřímný **2** (*jídlo*) pořádný, vydatný
heat [hi:t] *n* **1** horko, teplo, vedro, žár **2** (*sport.*) vylučovací závod, rozběh
• *v* **1** topit **2** ohřát, rozehřát
heath [hi:θ] **1** vřes **2** vřesoviště
heather [heðə] vřes
heating [hi:tiŋ] topení
heave* [hi:v] zvedat (se), dmout se
♦ **be heaving** (*hovor.*) být velice rušný
heaven [hevn] nebe; nebesa
heavenly [hevnli] nebeský; božský
heavily [hevili] těžce; **pay ~ for** draze platit za
heavy [hevi] **1** těžký **2** těžkopádný **3** silný; intenzívní; masívní ♦ **~ duty** vysoké clo; **~ going** obtížný, namáhavý; **~ rain** hustý déšť; **a ~ sea** rozbouřené moře; **make ~ weather of sth.** nadělat toho z
Hebrew [hi:bru:] **1** Hebrejec, Izraelita, Žid **2** hebrejština
hectare [hekta:] hektar
hectic [hektik] horečný
hedge [hedž] *n* živý plot
• *v* oplotit (*živým plotem*)
♦ **~ one's bets** *1.* mít výhrady **on** proti *2.* rozdělit / snížit riziko
hedgehog [hedžhog] ježek
heed [hi:d] *v* dávat pozor na, dbát čeho • *n* péče, pozornost
heedless [hi:dlis] nepozorný
heel [hi:l] *n* **1** pata **2** podpatek
♦ **at sb.'s ~s** komu v patách; **come to ~** přijít ke křížku; **take to one's ~s** vzít do zaječích
• *v* dát nové podpatky
height [hait] **1** výška **2** výšina **3** vrchol
heighten [haitn] zvýšit

heinous [heinəs] odporný, hnusný
heir [eə] dědic ♦ ~ **apparent** právoplatný dědic; následník trůnu
heiress [eəris] dědička
helicopter [helikoptə] vrtulník
helium [hi:ljəm] hélium
hell [hel] peklo; **Oh ~!** (*hovor.*) K čertu!
hello [he'ləu] **1** haló! **2** nazdar, ahoj
helm [helm] kormidlo
helmet [helmit] přílba
help* [help] *v* **1** pomoci **2** posloužit; ~ **oneself** posloužit si, vzít si ♦ **I can't ~ laughing** musím se smát; **it can't be ~ed** nedá se nic dělat
• *n* **1** pomoc **2** posluhovačka
help out vypomoci
helpful [helpful] prospěšný, užitečný; nápomocný
helping [helpiŋ] porce
helpless [helplis] bezmocný
hem [hem] *n* lem
• *v* **(mm)** obroubit
hem in sevřít, obklíčit
hemisphere [hemisfiə] polokoule
hemp [hemp] **1** konopí **2** hašiš
hen [hen] **1** slepice **2** samička (*ptáků*)
hence [hens] **1** odtud **2** proto
her [hə:, hə] **1** ji, jí **2** její
herald [herəld] *n* herold, posel; hlasatel • *v* hlásit, zvěstovat
herb [hə:b] **1** bylina **2** **~s** koření
herbal [hə:bl] bylinkový (**tea** čaj)
herd [hə:d] stádo
here [hiə] **1** zde **2** sem ♦ ~ **and there** tu a tam; ~ **you are** tady máte, tady je to; **that's neither ~ nor there** *1.* to sem nepatří *2.* na tom nesejde, to je úplně jedno
hereditary [hi'reditri] dědičný
heredity [hi'rediti] dědičnost
heresy [herisi] kacířství, bludařství
heritage [heritidž] dědictví, odkaz
hermetic [hə:'metik] vzduchotěsný, hermeticky uzavřený
hermit [hə:mit] poustevník
hero [hiərəu] hrdina
heroic [hi'rəuik] hrdinský
heroin [herəuin] heroin
heroine [herəuin] hrdinka
heroism [herəuizm] hrdinství
herring [heriŋ] sleď
herself [hə:'self] (ona) sama; se, sebe
hesitant [hezitənt] váhavý
hesitate [heziteit] váhat, zdráhat se
hesitation [hezi'teišn] váhání
heyday [heidei] **1** rozkvět, rozpuk **2** vrchol kariéry
hiccup, hiccough [hikap] *n* škytavka • *v* škytat
hide[1] [haid] kůže, useň
hide[2]* [haid] **1** skrýt (se), schovat (se) **2** zatajit ♦ **~-and-seek** schovávaná, (*též přen.*)
hideous [hidiəs] šeredný, ohyzdný
hiding [haidiŋ] (*hovor.*) výprask
hierarchy [haiəra:ki] hierarchie
hi-fi [haifai] = **high-fidelity** [haifi'deliti] dokonale reprodukující zvuk, hifi
high [hai] *adj* **1** vysoký **2** hlavní, důležitý **3** velmi příznivý **4** (*maso*) zamřelý
♦ **a ~ opinion of** příznivé mínění o; ~ **street** hlavní třída; ~ **tea** masitá odpolední svačina; **it's ~ time you went** je nejvyšší čas, abys šel
• *adv* vysoko
highbrow [haibrau] *n* intelektuál
• *adj* intelektuálský
high jump [haidžamp] skok vysoký

highland(s) [hailənd(z)] vysočina
highlight [hailait] zlatý hřeb
highly [haili] vysoce, velice; **speak ~ of** uznale mluvit o
highness [hainis] výsost
high school [haisku:l] vyšší / střední škola
highway [haiwei] silnice; **~ code** pravidla silničního provozu
hijack [haidžæk] unést (*letadlo*)
hike [haik] chodit na výlety (*pěšky*), pěstovat pěší turistiku
hiking [haikiŋ] pěší turistika
hilarious [hi'leəriəs] bujný, rozpustilý, rozverný
hill [hil] kopec, vrch
hilly [hili] kopcovitý
him [him] ho, jej; mu
himself [him'self] **1** (on) sám; **(all) by ~** (úplně) sám **2** se
hind[1] [haind] zadní
hind[2] [haind] laň
hinder [hində] překážet, bránit, být na překážku
hindrance [hindrəns] překážka
hinge [hindž] závěs, stěžej
hint [hint] *n* **1** (*nepřímý*) pokyn, narážka **2** (*přímý*) pokyn, upozornění **on** na
• *v* **1** naznačit, udělat narážku **2** pokynout, upozornit **at** na
hip[1] [hip] bok, kyčel
hip[2] [hip] šípek
hippopotamus [hipə'potəməs] hroch
hire [haiə] *v* najmout (si)
• *n* pronájem; **car ~** půjčovna aut
hire out pronajmout
hire purchase [haiə'pə:čəs] koupě na splátky
his [hiz] jeho
♦ **he did ~ best** dělal, co mohl
hiss [his] *v* syčet; **~ sb. off the stage** vypískat (*herce*)
• *n* syčení, sykot
historian [hi'sto:riən] historik
historic [hi'storik] historický (*památný*); **a ~ spot** historické místo
historical [hi'storikl] historický (*námětem*); **a ~ novel** historický román
history [histəri] **1** historie, dějiny, dějepis **2** historka, příběh
hit* [hit] *v* **(tt)** **1** udeřit; napálit, odpálit **2** zasáhnout, trefit
♦ **~ and run** zavinit nehodu a ujet; **~ the hay / sack** jít na kutě
• *n* **1** úder **2** zásah **3** trefa **4** šlágr
• *adj* (*hovor.*) velmi populární
hitch [hič] zádrhel; **where's the ~?** kde to vázne?; **without a ~** bez problémů, hladce
hitchhike [hičhaik] jet (auto)stopem
hive [haiv] úl
hive off [haiv'of] **1** oddělit, osamostatnit **2** (*GB, hovor.*) zmizet, ztratit se
hoarding [ho:diŋ] **1** dřevěná ohrada **2** plakátovací plocha
hoarfrost [ho:frost] jinovatka
hoarse [ho:s] chraplavý, ochraptělý
hoax [həuks] švindl, kanadský žertík
hobble [hobl] kulhat, belhat se
hobby [hobi] koníček, libůstka
hobo [həubəu] *US* (*hovor.*) tulák, vagabund
hockey [hoki] hokej
hoe [həu] *n* motyka
• *v* okopávat, plít
hog [hog] vepř
hoist [hoist] zvednout, vytáhnout do výše

hold[1]* [həuld] *v* **1** držet; ~ **tight!** pevně se držte! **2** pojmout **3** považovat za, domnívat se **4** zastávat **5** trvat **6** pořádat ♦ ~ **good** (*dohodnuté*) platit; ~ **it!** *US* pozor! • *n*: **get ~ of** *1.* sehnat co *2.* uchopit co
hold back 1 zadržet **2** nechávat si pro sebe; tajit
hold down 1 potlačovat **2** udržet si
hold off 1 zadržet **2** odložit
hold on držet se **to** čeho; vydržet; ~ **on!** nepokládejte sluchátko!, nezavěšujte!
hold out 1 vydržet **2** nabízet
hold over odložit
hold up 1 podpírat **2** zastavit **3** přepadnout
hold[2] [həuld] lodní prostor
holdall [həuldo:l] (*objemná*) kabela, kufr
holder [həuldə] **1** držitel **2** držák, držadlo **3** špička (*na cigarety*)
holding [həuldiŋ] **1** (*držená*) půda, statek **2** investice
holdup [həuldap] **1** zpoždění, zdržení; dopravní zácpa **2** loupežné přepadení
hole [həul] **1** díra, otvor **2** jamka
holiday [holid(e)i] **1** den pracovního volna **2** dovolená **3** svátek
holidays [holid(e)iz] prázdniny
Holland [holənd] Holandsko
hollow [holəu] *adj* dutý • *n* dutina • *v* vydlabat
holly [holi] cesmína
holy [həuli] svatý
homage [homidž] pocta
home [həum] *n* **1** domov; byt; **at ~** doma; **make oneself at ~** udělat si pohodlí, chovat se jako doma **2** domovina, vlast • *adj* **1** domácí, domovský **2** vnitřní, tuzemský • *adv* domů; doma; **Is he ~ yet?** Je už doma?
homeland [həumlænd] vlast
homeless [həumlis] *adj* bez domova; nebydlící • *n* bezdomovec
homely [həumli] domácký, útulný
home rule [ˌhəum'ru:l] (*politická*) samospráva
homesick [həumsik]: **I am ~** stýská se mi po domově
homespun [həumspan] *adj* **1** ručně předený, domácí, rukodělný **2** vesnický, lidový **3** prostý, upřímný • *n* hrubá vlněná látka
homework [həumwə:k] domácí úkol
homicide [homisaid] zabití člověka, vražda
homing pigeon [həumiŋpidžn] poštovní holub
honest [onist] *adj* počestný, čestný, poctivý • *interj* (*hovor.*) čestné slovo
honesty [onisti] poctivost
honey [hani] **1** med **2** miláček, drahoušek
honeycomb [hanikəum] plástev
honeymoon [hanimu:n] svatební cesta; líbánky
honorary [onrəri] čestný; honorární
honour [onə] *n* **1** čest **2** počest **3 ~s** *pl* pocty • *v* **1** ctít **2** poctít **3** proplatit (**a bill** směnku)
honourable [onrəbl] **1** čestný; ~ **mention** čestné uznání **2** ctihodný
hood [hud] **1** kapuce; pláštěnka **2** kapota
hoof [hu:f] kopyto
hook [huk] *n* **1** hák, háček **2** vidlice (*telefonu*) ♦ **by ~ or by crook** po dobrém nebo po

zlém; **swallow ~, line and sinker** spolknout i s navijákem
• *v* **1** zaháknout; zachytit; zapnout na háček **2** ulovit
hooligan [hu:ligən] chuligán
hoop [hu:p] **1** obruč **2** koš (*basketbalový*)
hoover [hu:və] *n* vysavač
• *v* čistit vysavačem, (vy)luxovat
hop[1] [hop] chmel (*rostlina*); **~s** *pl* chmel (*plodina*)
hop[2] [hop] *v* **(pp)** poskakovat
• *n* **1** skok **2** krátký let, etapa (*dlouhého letu*)
hope [həup] *n* naděje **of** na
• *v* doufat; **~ for the best** doufat v nejlepší; **~ against ~** kojit se marnými nadějemi, přece jenom doufat (*v beznadějné situaci*)
hopeful [həupful] **1** plný naděje **2** nadějný
hopeless [həuplis] **1** beznadějný **2** nenapravitelný
horizon [hə'raizn] obzor
horizontal [hori'zontl] horizontální, vodorovný
hormone [ho:məun] hormon
horn [ho:n] **1** roh; růžek **2** paroh **3** rohovina **4** tykadlo
horny [ho:ni] **1** rohovitý; z rohoviny **2** mozolnatý **3** (*vulg.*) sexuálně vzrušený
horrible [horibl] hrozný, strašný; odporný
horrify [horifai] poděsit, vyděsit
horror [horə] hrůza
horse [ho:s] kůň; **(straight) from the ~'s mouth** (*informace*) přímo od pramene
horsehair [ho:sheə] žíně
horseman [ho:smən] jezdec
horseshoe [ho:sšu:] podkova
hose [həuz] **1** hadice **2** punčochové zboží, punčochy
hosiery [həužəri] **1** stávkové zboží, punčochy **2** oddělení punčoch (*v obchodě*)
hospitable [hospitəbl] pohostinný
hospital [hospitl] nemocnice
hospitality [hospi'tæliti] pohostinnost, pohostinství
host[1] [həust] zástup; spousta
host[2] [həust] *n* hostitel
• *v* **1** dělat hostitele **2** konferovat
host[3] [həust] hostie
hostage [hostidž] rukojmí
hostel [hostl] **1** studentská kolej **2** noclehárna, ubytovna
hostess [həustis] **1** hostitelka **2** hosteska
hostile [hostail] nepřátelský
hostility [ho'stiliti] nepřátelství
hot [hot] **(tt) 1** horký; **I feel ~** je mi horko **2** (*chuť*) ostrý, pálivý
hotbed [hotbed] pařeniště; semeniště (**of crime** zločinu)
hotel [həu'tel] hotel; **put up at a ~** ubytovat se v hotelu; **stay at a ~** bydlit v hotelu
hothouse [hothaus] **1** skleník **2** (*přen.*) živná půda; pařeniště, semeniště
hound [haund] lovecký pes
hour [auə] **1** hodina; **on the ~** každou celou hodinu; **in the small ~s** brzy po půlnoci **2 ~s** *pl* pracovní doba; **after ~s** po pracovní době
hourglass [auəgla:s] přesýpací hodiny
hourly [auəli] *adv* každou hodinu
• *adj* hodinový; **~ wages** hodinová mzda
house *n* [haus] **1** dům; **a ~ of cards** domek z karet; **on the ~** (jako) pozornost podniku

2 sněmovna; **the H~ of Commons** *GB* Poslanecká sněmovna 3 domácnost; **keep ~** vést domácnost 4 rod, dynastie 5 divadlo; obecenstvo, návštěva; **a full ~** vyprodané hlediště • *v* [hauz] 1 ubytovat, umístit 2 bydlit
household [haushəuld] domácnost
house husband [haushazbənd] muž v domácnosti
housekeeper [hauski:pə] 1 hospodyně 2 *US* správce domu, domovník, vrátný
housemaid [hausmeid] služebná
housewife [hauswaif] paní domu, hospodyně; žena v domácnosti
housing [hauziŋ] 1 bydlení 2 bytová výstavba; **~ estate** *GB* / **development** *US* sídliště
hover [hovə] vznášet se
hovercraft [hovəkra:ft] vznášedlo (*dopravní prostředek*)
how [hau] jak; **~ much / many** kolik; **~ about ...?** a co ...?; **H~ are you?** Jak se máte?; **H~ come?** Jak je to možné?
however [hau'evə] *adv* jakkoli; **~ hard he tries** ať se snaží sebevíc • *conj* přece jenom, avšak, nicméně, jenomže
howl [haul] *v* výt • *n* (za)vytí; pískání; řev
HP, h.p. [eič'pi:] 1 **horse power** koňská síla 2 **hire purchase** koupě na splátky
hue [hju:] barva, barevný odstín ♦ **~ and cry** pokřik, hlasitý protest
hug [hag] *v* **(gg)** vzít do náruče, obejmout • *n* 1 objetí 2 (*sport.*) chvat
huge [hju:dž] obrovský
hull[1] [hal] trup (*lodi*)
hull[2] [hal] *n* slupka • *v* oloupat
hum [ham] **(mm)** 1 bzučet 2 mumlat ♦ **~ and haw** dělat stále „ehm, ehm", zajíkat se, koktat
human [hju:mən] lidský; **~ being** lidský tvor, člověk
humane [hju:'mein] humánní
humanity [hju'mæniti] 1 lidství 2 lidstvo 3 lidskost, humanita
humble [hambl] 1 ponížený, pokorný 2 skromný
humbug [hambag] 1 podvod 2 nesmysl 3 podvodník; pokrytec 4 *GB* větrový bonbón
humiliate [hju'milieit] ponížit, pokořit
humorous [hju:mərəs] humorný, směšný
humour [hju:mə] 1 nálada; **out of ~** ve špatné náladě 2 humor; **sense of ~** smysl pro humor
hump [hamp] 1 hrb 2 hrbol; (*oblá*) vyvýšenina (*v terénu*)
humpback [hampbæk] = **hunchback**
hunch [hanč] 1 hrb 2 velký kus 3 tušení, předtucha
hunchback [hančbæk] hrbatý člověk, hrbáč
hundred [handrəd] sto
hundredth [handrədθ] stý
hundredweight [handrədweit] anglický cent (*50,8 kg*)
Hungarian [haŋ'geəriən] *adj* maďarský • *n* 1 Maďar 2 maďarština
Hungary [haŋgəri] Maďarsko
hunger [haŋgə] *n* hlad; **~ strike** hladovka • *v* žíznit, dychtit, toužit **after / for** po
hungry [haŋgri] hladový; **be ~** mít hlad; **as ~ as a hunter / bear** hladový jako vlk

hunk [haŋk] kus, špalek, flák

hunt [hant] *n* lov
• *v* **1** lovit **2** shánět, hledat **for sth.** co **3** pronásledovat

hunter [hantə] **1** lovec **2** lovecký pes

hurdle [hə:dl] **1** překážka, (*též přen.*) **2** ~**s** překážkový běh

hurl [hə:l] mrštit

hurrah [hu'ra:], **hurray** [hu'rei] hurá

hurricane [harikən] hurikán, uragán, vichřice, orkán

hurried [harid] kvapný, chvatný, uspěchaný

hurry [hari] *n* spěch; **in a ~** spěšně, ve spěchu; **be in a ~** mít naspěch, spěchat
• *v* pospíchat; **~ up!** pospěš si!

hurt* [hə:t] **1** (po)ranit **2** ublížit komu **3** bolet
♦ **feel ~** cítit se dotčen

husband [hazbənd] manžel; **~ and wife** manželé

hush [haš] **1** požádat o ticho, umlčet, utišit; **H~!** Pst! **2** zmlknout

hush up ututlat

husky[1] [haski] **1** chraplavý **2** (*hovor.*) silný, mohutný

husky[2] [haski] eskymácký pes, husky

hustle [hasl] **1** (*rychle*) strčit (**in(to)** do); vrazit (**against** do koho) **2** získat, sehnat **3** činit se **4** pospíšit si

hut [hat] **1** chatrč, bouda **2** (*voj.*) provizorní ubikace

hydrogen [haidrədžən] vodík

hydroplane [haidrəplein] hydroplán

hyena [hai'i:nə] hyena

hygiene [haidži:n] hygiena

hygienic [hai'dži:nik] hygienický

hymn [him] hymnus, církevní píseň

hyperbole [hai'pə:bəli] **1** hyperbola **2** přehánění

hyphen [haifn] spojovací čárka

hyphenate [haifəneit] opatřit spojovací čárkou

hypnosis [hip'nəusis] hypnóza

hypocrisy [hi'pokrisi] pokrytectví, licoměrnost

hypocrite [hipəkrit] pokrytec, licoměrník

hypocritical [hipə'kritikl] pokrytecký, licoměrný

hypothesis [hai'poθisis] hypotéza

hysteria [hi'stiəriə] hysterie

hysterical [hi'sterikl] hysterický

hysterics [hi'steriks] hysterický záchvat

I

I [ai] já
ice [ais] *n* led ♦ ~ **cream** zmrzlina; ~ **rink** kluziště • *v* **1** dát vychladit **2** pokrýt (se) ledem **3** *US* dát polevu (*na dort*)
iceberg [aisbə:g] ledovec
Iceland [aislənd] Island
icicle [aisikl] rampouch
icing [aisiŋ] **1** cukrová poleva; ~ **sugar** moučkový cukr **2** zakázané uvolňování (*v hokeji*)
icy [aisi] ledový
idea [ai'diə] **1** pojem **2** idea, myšlenka, nápad; **that's a good ~ / quite an ~** to je dobrý nápad **3** představa **of** o; **have no ~** netušit, nemít ani ponětí
ideal [ai'diəl] *adj* ideální • *n* ideál
identical [ai'dentikl] totožný
identify [ai'dentifai] **1** ztotožnit **2** identifikovat, určit
identity [ai'dentiti] totožnost; ~ **card** občanský průkaz
ideology [aidi'olədži] ideologie
idiom [idiəm] **1** jazyk (*zejména zvláštní*) **2** idiomatické spojení, idiom
idiot [idiət] **1** idiot **2** hlupák
idiotic [idi'otik] **1** idiotský **2** slabomyslný, hloupý
idle [aidl] *adj* **1** nečinný, zahálející **2** líný, zahálčivý **3** neúčinný, marný (**attempt** pokus) • *v* **1** lenošit **2** (*motor*) běžet naprázdno
idleness [aidlnis] nečinnost, zahálka
idler [aidlə] lenoch, povaleč
idol [aidl] modla
idyl(l) [idil] idyla
i.e. = **that is** to jest, tj.
if [if] **1** jestliže, -li **2** (*hovor.*) jestli, zdali **3** kdyby ♦ **as ~** jako by; ~ **only** jen aby; ~ **only because** už jen proto, že
ignition [ig'nišn] **1** vznícení **2** (*motor.*) zapalování
ignoble [ig'nəubl] **1** sprostý, nízký **2** plebejský
ignorance [ignərəns] **1** nevědomost **2** neinformovanost, neznalost
ignorant [ignərənt] **1** nevědomý, nevzdělaný **2** neinformovaný **of** o
ignore [ig'no:] ignorovat, nevěnovat pozornost čemu
ill [il] *adj* **1** nemocen; **fall / be taken ~ with** onemocnět čím **2** špatný, zlý; ~ **health** špatné zdraví; ~ **will** zlá vůle • *adv* špatně; **be ~ at ease** být (celý) nesvůj
illegal [i'li:gl] nezákonný, protiprávní, ilegální; nedovolený
illegible [i'ledžibl] nečitelný
illegitimate [ili'džitimit] nemanželský
illiteracy [i'litrəsi] negramotnost
illiterate [i'litrit] negramotný
illness [ilnis] nemoc
illuminate [i'lu:mineit] **1** (slavnostně) osvětlit **2** objasnit
illuminating [i'lu:mineitiŋ] **1** poučný, instruktivní **2** vysvětlující
illumination [i,lu:mi'neišn] osvětlení; **~s** *pl* slavnostní osvětlení
illusion [i'lu:žn] iluze
illustrate [iləstreit] ilustrovat
illustration [ilə'streišn] ilustrace
image [imidž] **1** znázornění,

obraz, podoba **2** dojem; představa; příznivý názor, image **3** básnický obraz, metafora
imagination [iˌmædži'neišn] představivost, obrazotvornost
imagine [i'mædžin] představit si
imitate [imiteit] napodobit
imitation [imi'teišn] *n* napodobení • *adj* imitovaný, napodobený
immediate [i'mi:djət] **1** bezprostřední; nejbližší **2** okamžitý
immediately [i'mi:djətli] ihned, okamžitě
immense [i'mens] nesmírný
immerse [i'mə:s] ponořit
immersion heater [i'mə:šnˌhi:tə] ponorný vařič
immigrant [imigrənt] přistěhovalec
immigration [imi'greišn] přistěhovalectví
imminent [iminənt] hrozící; bezprostřední, nastávající
immoral [i'morl] nemravný
immortal [i'mo:tl] nesmrtelný
immortality [imo:'tæliti] nesmrtelnost
immune [i'mju:n] imunní, bezpečný **from / against** před
immunity [i'mju:niti] imunita
imp [imp] **1** čertík, rarášek, skřítek **2** nezbeda, dareba
impact [impækt] **1** úder, náraz **2** účinek, vliv, dopad **on** na
impair [im'peə] poškodit, oslabit, zhoršit
impartial [im'pa:šl] nestranný
impartiality [imˌpa:ši'æliti] nestrannost
impassable [im'pa:səbl] nesjízdný
impassioned [im'pæšnd] vášnivý
impassive [im'pæsiv] netečný
impatience [im'peišns] netrpělivost
impatient [im'peišnt] netrpělivý
impeach [im'pi:č] **1** uvést v pochybnost **2** *US* obvinit; postavit před soud
impediment [im'pedimənt] **1** překážka **2** závada, vada
impel [im'pel] **(ll)** hnát, dohnat **to** k; pobízet
impending [im'pendiŋ] nastávající, blížící se, hrozící
impenetrable [im'penitrəbl] neproniknutelný
imperative [im'perətiv] *adj* **1** nutný, naléhavý **2** rozkazovačný, diktátorský • *n* rozkazovací způsob
imperfect [im'pə:fikt] nedokonalý; kazový
imperial [im'piəriəl] císařský; říšský
imperialism [im'piəriəlizm] imperialismus
imperil [im'peril] **(ll)** ohrozit
impersonal [im'pə:sənl] neosobní
impersonate [im'pə:səneit] **1** předstírat **2** ztělesňovat, představovat
impertinence [im'pə:tinəns] **1** drzost **2** neomalenost
impertinent [im'pə:tinənt] **1** drzý **2** nepřípadný, nevhodný
impervious [im'pə:viəs] **1** nepropouštějící, nepropustný **2** (*přen.*) hluchý **to** k, zavírající oči před, nepřístupný čemu
impetuous [im'petjuəs] impulzívní, bezprostřední, vášnivý
implacable [im'plækəbl] nesmiřitelný
implement *n* [implimənt] nástroj • *v* [impliment] realizovat

implication [impli'keišn] 1 zapletení 2 aspekt, hledisko 3 průvodní jev; důsledek 4 hlubší význam, souvislost
implore [im'plo:] prosit
imply [im'plai] 1 zahrnovat; naznačovat, narážet na 2 znamenat
impolite [impə'lait] nezdvořilý
import *v* [im'po:t] importovat, dovážet • *n* [impo:t] dovoz
importance [im'po:təns] důležitost, význam
important [im'po:tənt] důležitý, významný
importer [im'po:tə] dovozce
importunate [im'po:čunit] neodbytný, dotěrný
importune [impə'tju:n] naléhavě / opětovně žádat; obtěžovat
impose [im'pəuz] 1 uložit, předepsat, zavést, nařídit 2 využít, zneužít 3 vnucovat **oneself on sb.** se komu 4 oklamat, podvést **on sb.** koho
imposing [im'pəuziŋ] impozantní
imposition [impə'zišn] 1 položení 2 uložení, zavedení 3 daň, poplatek, dávka 4 nepřiměřený požadavek / úkol 5 (*písemný*) trest
impossibility [imposə'biliti] nemožnost
impossible [im'posəbl] nemožný
impostor [im'postə] podvodník
impotence [impətəns] 1 neschopnost, bezmocnost 2 impotence
impotent [impətənt] 1 neschopný, bezmocný 2 impotentní
impoverish [im'povəriš] ochudit
impracticable [im'præktikəbl] neproveditelný
impractical [im'præktikl] nepraktický
impregnable [im'pregnəbl] 1 nedobytný 2 nenapadnutelný, bezvadný
impress [im'pres] 1 udělat dojem na, imponovat komu 2 vštípit **on sb.** komu **sth.** co 3 vtlačit, vtisknout
impression [im'prešn] 1 otisk 2 dojem **of** z 3 náklad (*knihy*) ♦ **get the ~ that, be under the ~ that** mít dojem, že
impressive [im'presiv] působivý
imprint [imprint] 1 otisk 2 tiráž (*v knize*)
imprison [im'prizn] uvěznit
improbable [im'probəbl] nepravděpodobný
improper [im'propə] 1 nevhodný, neslušný 2 nesprávný
improve [im'pru:v] 1 zlepšit (se), zdokonalit (se); **~ on** zdokonalit, zlepšit co 2 využít čeho
improve away / off / out zničit neustálými reformami
improvement [im'pru:vmənt] zlepšení, zdokonalení
imprudence [im'pru:dəns] nerozumnost, neopatrnost
impudence [impjudəns] drzost, nestydatost
impudent [impjudənt] drzý, nestydatý
impulse [impals] impuls, podnět, nutkání, chuť
impunity [im'pju:niti] beztrestnost; **with ~** beztrestně
impure [im'pjuə] nečistý
impurity [im'pjuəriti] nečistota
impute [im'pju:t] připisovat, přisuzovat, přičítat **sth.** co **to sb.** komu
in [in] *prep* v, do, na, během, při; za ♦ **~ the country** na venkově; **~ winter** v zimě; **~ a few days** za

několik dní; ~ **crossing the street** při přecházení ulice; ~ **English** anglicky; ~ **a loud voice** hlasitě; **blind ~ one eye** slepý na jedno oko; **write ~ ink** psát perem; ~ **exchange for** výměnou za; ~ **that** proto, že; ~ **itself** sám o sobě
• *adv* dovnitř
♦ **go ~** jít dovnitř; **get ~** dostat se dovnitř; **be ~** *1.* být doma *2.* přijet, přistát *3.* být sklizen / pod střechou *4.* být v módě *5.* být zvolen; **be ~ for: we're ~ for a storm** můžeme čekat bouřku; **I'm ~ for it** to mě čeká pěkná věc
in. = **inch(es)** [inč(iz)] palec, palce (*délková míra*)
inability [inə'biliti] neschopnost
inaccessible [inæk'sesibl] nepřístupný
inaccurate [in'ækjurit] nepřesný
inadequate [in'ædikvit] nepřiměřený, nedostačující
inalienable [in'eiljənəbl] nezcizitelný, nezadatelný
inanimate [in'ænimit] neživý, mrtvý
inappropriate [inə'prəupriit] nevhodný
inarticulate [ina:'tikjulit] **1** nezřetelný **2** neschopný slova, neschopný se vyjádřit
inattentive [inə'tentiv] nepozorný
inaudible [in'o:dəbl] neslyš(itel)ný
inaugurate [i'no:gjureit] uvést (*do funkce*); zahájit
inborn [inbo:n] vrozený
incapability [in,keipə'biliti] neschopnost
incapable [in'keipəbl] neschopný **of sth.** čeho
incarnate [in'ka:nit] vtělený
incendiary [in'sendjəri] **1** žhářský, paličský **2** zápalný
incentive [in'sentiv] pohnutka, popud, motiv
incessant [in'sesənt] nepřetržitý
inch [inč] palec, coul (*2,54 cm*); **every ~** každým coulem; **not yield an ~** neustoupit o krok
incident [insidənt] událost, případ, příhoda, incident
incidental [insi'dentl] **1** případný **2** nahodilý **3** vedlejší, průvodní; ~ **expenses** vedlejší výdaje; ~ **music** scénická hudba
incidentally [insi'dentli] mimochodem
incisor [in'saizə] řezák (*zub*)
incite [insait] podněcovat, vyvolávat
inclination [inkli'neišn] **1** sklon **2** náklonnost
incline [in'klain] sklonit (se), naklonit (se); mít sklon **to** k; **be / feel ~d to** mít chuť k
include [in'klu:d] zahrnovat, obsahovat; **your duties will ~** k vašim povinnostem bude patřit
including [in'klu:diŋ] včetně
inclusive [in'klu:siv] **1** zahrnující v sobě, včetně **2** celkový, kompletní
incoherent [inkəu'hiərənt] nesouvislý
income [inkam] příjem, plat; ~ **tax** daň z příjmu
incomparable [in'komprəbl] nesrovnatelný
incompatible [inkəm'pætibl] neslučitelný
incompetence [in'kompitəns] neschopnost; nešikovnost
incompetent [in'kompitənt] neschopný; nešikovný

incomplete [inkəm'pli:t] neúplný
incomprehensible [in,kompri'hensibl] nesrozumitelný, nepochopitelný
inconceivable [inkən'si:vəbl] nepředstavitelný
inconclusive [inkən'klu:siv] nepřesvědčivý
inconsequential [in,konsi'kwenšl] nedůležitý, bezvýznamný
inconsiderate [inkən'sidərit] bezohledný, netaktní; neuvážený
inconsistent [inkən'sistənt] **1** neslučitelný **with** s **2** rozporuplný, nesouvislý **3** nedůsledný **4** vrtkavý
inconspicuous [inkən'spikjuəs] nenápadný
inconvenience [inkən'vi:njəns] nevýhoda; nesnáz, obtíž, potíž
inconvenient [inkən'vi:njənt] nevhodný, nevyhovující
incorrect [inkə'rekt] nesprávný
increase *v* [in'kri:s] zvětšit (se), zvýšit (se); růst • *n* [inkri:s] zvětšení, zvýšení; přírůstek **in** čeho
increasingly [in'kri:siŋli] stále více
incredible [in'kredəbl] neuvěřitelný
incriminate [in'krimineit] obvinit; udat **to** komu
incurable [in'kjuərəbl] nevyléčitelný
indebted [in'detid] **1** zadlužen **2** zavázán **to sb. for sth.** komu zač
indecent [in'di:snt] **1** neslušný, nemravný, obscénní **2** (*hovor.*) nevychovaný, nezdvořilý
indecision [indi'sižn] nerozhodnost
indecisive [indi'saisiv] nerozhodný
indeed [in'di:d] **1** opravdu, skutečně **2** dokonce; vůbec **3** vážně, fakticky
indefinite [in'definit] neurčitý
indemnity [in'demniti] **1** pojištění, zabezpečení **2** náhrada škody, odškodné
indent [indent] objednávka (*v zahraničním obchodě*)
independence [indi'pendəns] nezávislost, samostatnost
independent [indi'pendənt] nezávislý **of** na, samostatný
index [indeks] **1** ukazováček **2** rejstřík; index
India [indjə] Indie; ~ **rubber** guma, pryž
Indian [indjən] *n* **1** Ind **2** Indián • *adj* **1** indický; ~ **ink** tuš **2** indiánský; **in ~ file** husím pochodem; ~ **summer** babí léto
indicate [indikeit] ukázat; naznačit
indication [indi'keišn] známka, náznak; **the ~s are that** všechno nasvědčuje tomu, že
indicative [in'dikətiv] (*jaz.*) oznamovací způsob
indict [in'dait] obvinit
indictment [in'daitmənt] obvinění
Indies [indiz]: **the East / West ~** Východní / Západní Indie
indifference [in'difrəns] lhostejnost **to / towards** k
indifferent [in'difrənt] lhostejný **to** k
indigestion [indi'džesčn] porucha trávení; bolení žaludku
indignant [in'dignənt] rozhořčený
indignation [indig'neišn] rozhořčení **at / with** nad, **against** proti
indirect [ind(a)i'rekt] nepřímý
indiscreet [indi'skri:t] nediskrétní

indiscretion [indi'skrešn] nediskrétnost
indiscriminate [indi'skriminit] **1** nevybíravý **2** nerozlišený
indispensable [indi'spensəbl] nepostradatelný
indisposed [indi'spəuzd] **1** churavý, indisponovaný **2** neochotný **to** k
indisposition [inˌdispə'zišn] **1** churavost **2** nechuť, odpor (**to / towards** k)
indistinct [indi'stiŋkt] nezřetelný
individual [indi'vidjuəl / -'vidžuəl] *adj* **1** jednotlivý **2** zvláštní, individuální • *n* jednotlivec
individuality [individžu'æliti] individualita
individually [indi'vidžuəli] **1** každý zvlášť, jednotlivě **2** osobitě
indivisible [indi'vizəbl] nedělitelný
indolent [indələnt] netečný, lhostejný, líný
indomitable [in'domitəbl] nezkrotný
Indonesia [indo'ni:zjə] Indonésie
indoor [indo:] **1** vhodný pro doma, domácí **2** (*sport*) sálový, halový **3** (*bazén*) krytý
indoors [in'do:z] **1** vevnitř (*v budově*), dovnitř **2** doma, pod střechou
indubitable [in'dju:bitəbl] nepochybný
induce [in'dju:s] **1** přimět; přivodit **2** indukovat
indulge [in'daldž] **1** holdovat **in** čemu **2** ~ **oneself** dopřávat si, užívat si **3** rozmazlovat
indulgence [in'daldžəns] **1** shovívavost **towards** vůči **2** záliba **in** v; slabost **in** pro
industrial [in'dastriəl] průmyslový
industrious [in'dastriəs] pilný, pracovitý
industry [indəstri] **1** píle **2** průmysl; průmyslové odvětví
ineffective [ini'fektiv] **1** neúčinný **2** neschopný
inefficient [ini'fišənt] **1** neúčinný, nevýkonný **2** neschopný
inequality [ini:'kwoliti] nerovnost
inertia [i'nə:šə] **1** nečinnost **2** setrvačnost
inevitable [in'evitəbl] nevyhnutelný
inexhaustible [inig'zo:stəbl] nevyčerpatelný
inexorable [in'eksrəbl] neúprosný, nezadržitelný
inexpensive [inik'spensiv] levný
inexperienced [inik'spiəriənst] nezkušený
inexplicable [inik'splikəbl / in'ek-] nevysvětlitelný
infallible [in'fæləbl] neomylný
infamous [infəməs] **1** hanebný, hnusný **2** neblaze proslulý; vykřičený **3** zbavený občanských práv, bezprávný
infamy [infəmi] hanba; hanebnost
infant [infənt] kojenec, nemluvně; dítě; nezletilý
♦ ~ **school** mateřská škola; ~ **prodigy** zázračné dítě
infantry [infəntri] pěchota
infatuate [in'fæčueit] pobláznit, zaslepit **with** kým / čím
infatuation [inˌfæču'eišn] pobláznění **for** kým, posedlost **with** čím
infect [in'fekt] nakazit
infection [in'fekšn] nákaza
infectious [in'fekšəs] nakažlivý

infer [in'fə:] **(rr)** dovozovat, usuzovat
inference [infrəns] dedukce
inferior [in'fiəriə] *adj* **1** nižší; dolejší **2** horší **to** než; podřadný • *n* podřízený
infernal [in'fə:nl] pekelný
infest [in'fest] zamořit
infidelity [infi'deliti] nevěra
infinite [infinit] nekonečný
infinitive [in'finitiv] (*jaz.*) infinitiv, neurčitý způsob
infirm [in'fə:m] **1** nepevný, nerozhodný **2** slabý, vetchý, churavějící
inflammation [inflə'meišn] zápal, zánět
inflatable [in'fleitəbl] nafukovací (**boat** člun)
inflate [in'fleit] nafouknout, (*též přen.*), napumpovat
inflation [in'fleišn] inflace
inflict [in'flikt] **1** způsobit **2** uvalit (**a penalty upon sb.** trest na koho) **3** zasadit (**a blow upon sb.** ránu komu)
influence [influəns] *n* vliv **upon** na; **under the ~ of** pod vlivem koho / čeho; **under the ~** (*hovor.*) opilý • *v* mít vliv na
influential [influ'enšl] vlivný
influenza [influ'enzə] chřipka
inform [in'fo:m] **1** informovat; oznámit **2** udat **against sb.** koho
informal [in'fo:ml] **1** neoficiální, neformální **2** běžný, všední, nenucený **3** (*jazyk*) hovorový
information [infə'meišn] informace; **a useful piece of ~** užitečná informace; **~ centre** informační středisko
informer [in'fo:mə] informátor, udavač
infrequent [in'fri:kwənt] řídký, vzácný
infringe [in'frindž] porušit, přestoupit (**a law** zákon)
infuse [in'fju:z] **1** nalít **2** spařit
infusion [in'fju:žn] **1** nalévání, vlévání **2** nálev **3** infúze
ingenious [in'dži:njəs] duchaplný, vynalézavý, důvtipný; důmyslný
ingenuity [indži'nju:iti] duchaplnost, důvtip; důmysl
ingenuous [in'dženjuəs] upřímný, bezelstný, naivní
ingot [iŋgət] ingot, prut (**of gold** zlata)
ingrained [in'greind] zakořeněný
ingratitude [in'grætitju:d] nevděk
ingratiating [in'greišieitiŋ] snažící se vlichotit, vlezlý
ingredient [in'gri:djənt] přísada
inhabit [in'hæbit] bydlet, obývat
inhabitant [in'hæbitənt] obyvatel
inhale [in'heil] vdechovat
inherent [in'hiərənt / in'herənt] vlastní, vrozený **in** čemu; neoddělitelný
inherit [in'herit] zdědit **from sb.** po kom
inheritance [in'heritəns] dědictví
inhibition [inhi'bišn] zábrana
inhuman [in'hju:mən] **1** nelidský **2** chladný, neosobní
inimitable [i'nimitəbl] nenapodobitelný
iniquity [i'nikwiti] ohavnost, špatnost, nepravost
initial [i'nišl] *adj* počáteční • *n* **~s** *pl* monogram • *v* parafovat
initiate [i'nišieit] **1** zavést, zahájit **2** zasvětit **into** do
initiative [i'niš(i)ətiv] iniciativa
injection [in'džekšn] injekce, (*též přen.*)

injure [indžə] **1** poranit; poškodit **2** ublížit komu
injury [indžəri] **1** zranění **2** škoda; bezpráví, křivda
injustice [in'džastis] nespravedlnost; bezpráví
ink [iŋk] *n* **1** inkoust; **written in ~** psaný inkoustem **2** (*tisková*) barva **3** tuš • *v* **1** potřít / potřísnit / začernit inkoustem **2** naválet tiskovou barvu
ink in / over obtáhnout perem
ink out začernit, přeškrtnout
inkling [iŋkliŋ] tušení
inland [inlænd] *n* vnitrozemí • *adj* vnitrozemský, domácí
in-laws [inlo:z] (*hovor.*) tchán a tchyně
inlay [inlei] **1** vykládaná práce, intarzie, mozaika **2** inlej
inn [in] hostinec
innards [inədz] vnitřnosti
innate [i'neit] vrozený
inner [inə] vnitřní
inner tube *n* [inətju:b] duše (*pneumatiky*) • *v* **inner-tube** [inə'tju:b] *US* plavat / sjíždět po sněhu na duši
innings [iniŋz] *sg,pl* (*kriket, baseball*) směna ♦ **it's my ~** teď jsem na řadě já; teď dokážu, co umím
innocence [inəsns] nevina; nevinnost
innocent [inəsnt] nevinný
innovation [inə'veišn] novota, novinka, zlepšení, inovace
innovator [inəveitə] novátor, zlepšovatel
innuendo [inju'endəu] narážka **at** na, špička **against** proti
innumerable [i'nju:mrəbl] nespočetný, nesčíslný
inoculate [i'nokjuleit] očkovat
inoculation [iˌnokju'leišn] očkování
inorganic [ino:'gænik] anorganický
in-patient [inpeišnt] hospitalizovaný pacient
inquest [inkwest] **1** soudní vyšetřování **2** *též* **coroner's ~** soudní ohledání mrtvoly
inquire [in'kwaiə] **1** dotazovat se, informovat se **after / about** o **2** ptát se **for** po **3** vyšetřit **into** co
inquiry [in'kwaiəri] **1** dotaz, informace **about** o **2** poptávka **for** po **3** vyšetřování **into** čeho ♦ **~ office** informační kancelář
inquisition [inkwi'zišn] **1** vyšetřování, výslech **2 the I~** inkvizice
inquisitive [in'kwizitiv] **1** (nemístně) zvědavý **2** zvídavý
inquorate [in'kwo:rit] s nedostatečným počtem přítomných, neschopný usnášení
insane [in'sein] šílený
inscription [in'skripšn] nápis
insect [insekt] hmyz
insecure [insi'kjuə] nejistý
insensible [in'sensibl] **1** v bezvědomí **2** necitlivý **3** necitelný **4** neuvědomující si **of** co, lhostejný, apatický
insensitive [in'sensitiv] necitlivý
inseparable [in'seprəbl] neodlučitelný, nedílný
insert [in'sə:t] vložit
inside [in'said] *n* **1** vnitřek; **~ out** naruby; **know sth. ~ out** znát co skrz naskrz **2** (*hovor.*) žaludek, vnitřnosti • *adj* vnitřní • *adv*, *prep* uvnitř, dovnitř
insidious [in'sidjəs] zákeřný

insight [insait] ponoření, ponor, pochopení, proniknutí
insignificant [insig'nifikənt] bezvýznamný
insincere [insin'siə] neupřímný
insinuate [in'sinjueit] nepřímo naznačit; ~ **oneself** vetřít se, vloudit se
insipid [in'sipid] fádní, neslaný nemastný
insist [in'sist] naléhat, trvat **on** na, stát na svém
insistence [in'sistəns] trvání **on** na
insistent [in'sistənt] vytrvalý, neodbytný; tvrdošíjný
insolent [insələnt] drzý, dotěrný
insoluble [in'soljubl] **1** nerozpustný **2** neřešitelný
insomnia [in'somniə] nespavost
inspect [in'spekt] **1** prohlédnout si **2** kontrolovat, dohlížet na
inspection [in'spekšn] **1** prohlídka **2** dozor, dohled
inspector [in'spektə] inspektor, dozorce
inspiration [inspi'reišn] **1** inspirace **2** nápad
inspire [in'spaiə] inspirovat, nadchnout
inst. = **instant** tm., tohoto měsíce
install [in'sto:l] **1** nastolit, uvést v úřad **2** umístit, instalovat
instalment [in'sto:lmənt] **1** pokračování **2** splátka; ~ **plan** splátkový kalendář
instance [instəns] **1** příklad; **for** ~ například **2** případ
instant [instənt] *adj* **1** okamžitý **2** instantní (**coffee** káva) • *n* okamžik; **in an** ~ okamžitě
instantly [instəntli] okamžitě
instantaneous [instən'teinjəs] okamžitý
instead [in'sted] místo toho; ~ **of** místo, za (**you** tebe)
instep [instep] nárt
instigate [instigeit] vyvolat; podněcovat, navádět
instinct [instiŋkt] **1** instinkt, pud **2** talent
instinctive [in'stiŋktiv] instinktivní, pudový
institute [institju:t] *n* ústav • *v* **1** zavést **2** založit, zřídit
institution [insti'tju:šn] **1** založení, zřízení, zavedení **2** instituce **3** ústav, institut
instruct [in'strakt] učit, poučit; instruovat, dát instrukce / pokyny (komu)
instruction [in'strakšn] **1** vyučování **2** **~s** *pl* návod; instrukce, pokyny
instructor [in'straktə] **1** učitel, cvičitel, trenér, instruktor **2** *US* (*vysokoškolský*) asistent, lektor
instrument [instrumənt] **1** nástroj **2** (*navigační*) přístroj **3** (*právní*) dokument, listina
insufferable [in'safrəbl] nesnesitelný
insufficient [insə'fišənt] nedostatečný
insular [insjulə] ostrovní
insulate [insjuleit] izolovat
insulation [insju'leišn] izolace
insulator [insjuleitə] izolační látka, izolace
insult *n* [insalt] urážka • *v* [in'salt] urazit
insurance [in'šuərəns] pojištění; pojistka; ~ **policy** pojistka
insure [in'šuə] pojistit (**against fire** proti ohni)
insurgent [in'sə:džənt] *adj*

povstalecký, vzbouřenecký • *n* povstalec, vzbouřenec
insurrection [insə'rekšn] povstání
intact [in'tækt] netknutý, neporušený
integrity [in'tegriti] **1** celistvost **2** bezúhonnost
intellectual [intə'lekčuəl] *adj* **1** rozumový **2** intelektuální **3** inteligentní • *n* intelektuál
intelligence [in'telidžəns] **1** inteligence **2** zpráva, informace **of** o; ~ **service** zpravodajská služba
intelligent [in'telidžənt] inteligentní, chytrý
intelligentsia [inteli'džentsiə] inteligence (*společenská vrstva*)
intelligible [in'telidžəbl] srozumitelný
intend [in'tend] zamýšlet, mít v úmyslu
intense [in'tens] **1** intenzívní **2** prudký, vášnivý
intensify [in'tensifai] zesílit (se)
intensity [in'tensiti] intenzita, síla, prudkost
intention [in'tenšn] úmysl, záměr
intercede [intə'si:d] intervenovat (**with** u)
intercept [intə'sept] **1** zachytit, zastavit **2** bránit, překážet čemu
interceptor [intə'septə] stíhací letoun, stíhačka
interchange *v* [intə'čeindž] **1** vyměnit **2** zaměnit • *n* [intəčeindž] **1** výměna **2** záměna **3** křižovatka hlavní a vedlejší silnice
intercontinental [intəkonti'nentl] mezikontinentální
intercourse [intəko:s] **1** styk **2** pohlavní styk
interest [intrist] *n* **1** zájem **in** o **2** úrok(y) • *v* zajímat; **be ~ed in** zajímat se o
interesting [intristiŋ] zajímavý
interfere [intə'fiə] **1** zasahovat **in** do **2** překážet **with sth.** čemu
interference [intə'fiərəns] **1** zásah, zasahování **in / with / between** do **2** překážení, bránění **with** čemu **3** interference, rušení
interim [intərim] *adj* prozatímní • *n*: **in the ~** mezitím
interior [in'tiəriə] *adj* vnitřní • *n* **1** vnitřek **2** vnitrozemí **3** vnitro; **Ministry of the I~** ministerstvo vnitra
interject [intə'džekt] prohodit, vsunout
interjection [intə'džekšn] citoslovce
intermediary [intə'mi:djəri] *adj* zprostředkující • *n* prostředník
intermission [intə'mišn] *US* přestávka
intermittent [intə'mitənt] přerušovaný
internal [in'tə:nl] **1** vnitřní **2** vnitrozemský
international [intə'næšənl] mezinárodní
interplanetary [intə'plænitəri] meziplanetární
interpret [in'tə:prit] **1** vykládat **2** tlumočit
interpretation [intə:pri'teišn] **1** výklad, interpretace **2** tlumočení
interpreter [in'tə:pritə] tlumočník
interrogate [in'terəgeit] **1** vyslýchat **2** podrobně zkoumat
interrogative [intə'rogətiv] *adj* tázací • *n* (*jaz.*) tázací způsob
interrupt [intə'rapt] přerušit

interruption [intə'rapšn] přerušení
interval [intəvəl] **1** mezera; interval **2** *GB* přestávka
intervene [intə'vi:n] **1** zasáhnout **in** do **2** přihodit se **3** zakročit, intervenovat
intervention [intə'venšn] **1** zákrok, intervence **2** zprostředkování
interview [intəvju:] *n* schůzka, pohovor, rozhovor, interview • *v* interviewovat, klást otázky (komu)
intestine [in'testin] střevo
intimacy [intiməsi] důvěrnost, důvěrný / intimní styk
intimate [intimət] *adj* důvěrný; intimní • *n* důvěrný přítel
intimidate [in'timideit] zastrašit, strachem dohnat **into** k
intimidation [in,timi'deišn] zastrašování
into [intu / intə] do
intolerable [in'tolərəbl] nesnesitelný
intolerant [in'tolərənt] nesnášenlivý; **be ~ of** nesnášet co
intonation [intə'neišn] intonace
intoxicate [in'toksikeit] **1** opít **2** opojit
intravenous [intrə'vi:nəs] vnitrožilní
intrepid [in'trepid] neohrožený
intricate [intrikit] spletitý
intrigue [in'tri:g] *v* **1** intrikovat, pletichařit **2** velice zajímat, fascinovat, vzbudit úžas, zarážet • *n* intrika, pleticha
introduce [intrə'dju:s] **1** uvést, zavést **into** do **2** představit
introduction [intrə'dakšn] **1** uvedení; úvod; **a letter of ~** doporučující dopis **2** představení **of** koho **to** komu
introductory [intrə'daktəri] úvodní; **~ offer** zaváděcí cena
intrude [in'tru:d] **1** vnutit; **~ oneself** vetřít se **upon sb.** ke komu **2** obtěžovat, rušit **on** koho
intuition [intju'išn] intuice
invade [in'veid] **1** vpadnout, udělat invazi, vtrhnout (**a city** do města) **2** postihnout, porušit
invader [in'veidə] vetřelec
invalid[1] [in'vælid] neplatný
invalid[2] [invəlid] invalida
invaluable [in'væljuəbl] neocenitelný
invariable [in'veəriəbl] nepromĕnný; stálý, konstantní
invasion [in'veižn] vpád, invaze
invent [in'vent] **1** vynalézt **2** vymyslit
invention [in'venšn] **1** vynález; vynalézavost **2** výmysl
inventor [in'ventə] vynálezce
inventory [invəntri] inventář
invert [in'və:t] **1** obrátit, převrátit ♦ **~ed commas** *GB* uvozovky **2** vypláchnout (*žaludek*)
invest [in'vest] **1** investovat **2** zahalit **3** vybavit **sb.** koho **with** čím
investigate [in'vestigeit] **1** vyšetřovat, prozkoumat **2** zkoumat **into** co
investigation [in,vesti'geišn] vyšetřování, zkoumání
investigator [in'vestigeitə] vyšetřovatel; detektiv
investment [in'vestmənt] investice
investor [in'vestə] investor
inveterate [in'vetrit] **1** zakořeněný, zatvrzelý, zarytý **2** notorický, chronický **3** úporný
invidious [in'vidiəs] budící závist,

vzbuzující nevoli; dělající zlou krev
invincible [in'vinsibl] nepřemožitelný
invisible [in'vizəbl] neviditelný
invitation [invi'teišn] pozvání
invite [in'vait] **1** pozvat (**to dinner** na oběd / večeři) **2** požádat o, vybízet k **3** lákat
invoice [invois] *n* účet (*za zboží*), faktura • *v* (vy)fakturovat
invoke [in'vəuk] **1** vyvolávat (*pocity*) **2** dovolávat se; (*práv.*) uplatňovat, citovat
involuntary [in'voləntri] nedobrovolný, bezděčný
involve [in'volv] **1** zaplést, vtáhnout **in** do **2** přinášet s sebou; **the effort ~d** vynaložená námaha **3** znamenat (*mimo jiné*)
involved [in'volvd] **1** složitý, komplikovaný **2** jehož se to týká; **those ~** ti, koho se to týká; zapletený **with** s
invulnerable [in'valnrəbl] nezranitelný; nenapadnutelný
inward [inwəd] *adj* vnitřní, směřující dovnitř • *adv* dovnitř, vnitřně
iodine [aiədi:n] jód
ionizer [aiənaizə] ionizátor vzduchu
Iowa [aiəuə] *stát v USA*
Iran [i'ra:n] Írán
Iraq [i'ra:k] Irák
Ireland [aiələnd] Irsko
iris [aiəris] **1** kosatec **2** duhovka
Irish [aiəriš] *adj* irský • *n* **1 the ~** Irové **2** irština
Irishman [aiərišmən] Ir
iron [aiən] **1** železo; želízko **2** *předmět ze železa:* kulma; žehlička; pohrabáč; harpuna; třmen; (*slang.*) bouchačka
♦ **have several ~s in the fire** mít víc želízek v ohni • *v* žehlit
ironclad [aiənklæd] pancéřový
ironic(al) [ai'ronik(l)] ironický
ironing board [aiəniŋbo:d] žehlicí prkno
ironmonger [aiənmaŋgə] obchodník železářským zbožím; **~ 's** železářství
ironworks [aiənwə:ks] *pl* železárny
irony [airəni] ironie
irreconcilable [iˌrekən'sailəbl] **1** nesmiřitelný **2** neslučitelný **with** s
irregular [i'regjulə] nepravidelný
irregularity [iˌregju'læriti] nepravidelnost
irrelevant [i'relivənt] nezávažný, bezvýznamný, vedlejší, irelevantní
irresistible [iri'zistəbl] neodolatelný
irresolute [i'rezəlu:t] nerozhodný
irrespective [iri'spektiv] bez ohledu **of** na
irresponsibility [iriˌsponsi'biliti] nezodpovědnost
irresponsible [iri'sponsəbl] nezodpovědný
irrevocable [i'revəkəbl] neodvolatelný
irrigate [irigeit] zavodnit
irrigation [iri'geišn] zavodňování
irritable [iritəbl] popudlivý
irritate [iriteit] (po)dráždit, (*též přen.*); (vy)provokovat
irritating [iriteitiŋ] znervózňující, jdoucí na nervy; dráždivý, (*též přen.*)
irritation [iri'teišn] (po)dráždění, podrážděnost
Islam [izla:m] islám

island [ailənd] **1** ostrov **2** *též* **street / traffic** ~ refýž
isolate [aisəleit] izolovat, oddělit, separovat
isolation [aisə'leišn] izolace, osamocení, odloučenost od světa
Israel [izreil] Izrael
Israeli [iz'reili] *n* Izraelec
• *adj* izraelský
issue [išu: / isju:] *n* **1** vydávání (*časopisu*) **2** vydání, číslo (*časopisu*) **3** sporná otázka, problém; hlavní bod, to důležité ♦ **take ~ with** nesouhlasit s
• *v* **1** vydávat (*časopis*); vydat, zveřejnit, dát do oběhu **2** vycházet (**from / out of** z) **3** končit **in** čím, ústit do
Istanbul [istæn'bul] Istanbul
isthmus [isməs] šíje (*země*)
it [it] **1** ono **2** to
Italian [i'tæljən] *adj* italský
• *n* **1** Ital **2** italština
italics [i'tæliks] *pl* kurzíva
Italy [itəli] Itálie
itch [ič] *n* **1** svědění, svrbění **2** zálusk, laskominy **for** na
• *v* svědět, svrbět
item [aitəm] **1** položka **2** bod; **~ of news, news ~** zpráva
itinerary [ai'tinrəri] cestovní trasa / deník / zápisky / průvodce; itinerář
its [its] jeho
itself [it'self] **1** (ono) samo **2** se
ivory [aivəri] slonovina
ivy [aivi] břečťan ♦ **I~ League** *US* skupina nejstarších univerzit (*na východním pobřeží*)

J

jab [džæb] *v* **(bb)** bodnout, rýpnout; ~ **sb.'s eye out** vypíchnout oko komu • *n* bodnutí, rýpnutí
jabber [džæbə] brebentit, drmolit, mlít
jabber away bez ustání brebentit
jabber out (od)drmolit, (ode)mlít
jack [džæk] **1** zvedák, hever **2** svršek, kluk (*v kartách*) **3** svírka, kolík, jack
jackal [džæko:l] šakal
jackass [džækæs] osel (*samec*), (*též přen.*)
jacket [džækit] **1** kabát, sako **2** (*bramborová*) slupka **3** přebal (*knihy*)
jackdaw [džækdo:] kavka
jade [džeid] nefrit
jagged [džægid] **1** zubatý, klikatý **2** drsný, neotesaný, syrový
jaguar [džægjuə] jaguár
jail [džeil] žalář, vězení
jam[1] [džæm] zavařenina
jam[2] [džæm] *v* **(mm)** **1** vtlačit **2** ucpat; blokovat; ~ **on the brakes** dupnout na brzdy **3** rozmačkat **4** (*záměrně*) rušit (*rozhlasové vysílání*) • *n* **1** (dopravní) zácpa **2** tlačenice **3** (*hovor.*) malér
Jamaica [džə'meikə] Jamaika
James [džeimz] Jakub
jam session [džæmsešn] džezový / rockový večírek (*s improvizacemi*)
Jane [džein] Jana
janitor [džænitə] *US* vrátný
January [džænjuəri] leden
Japan [džə'pæn] Japonsko
Japanese [džæpə'ni:z] *adj* japonský • *n* **1** Japonec **2** japonština
jar[1] [dža:] džbán; zavařovací sklenice; sklenička
jar[2] [dža:] *v* **(rr)** **1** skřípat **2** vyvést z míry; ~ **on sb.'s nerves** jít komu na nervy • *n* **1** skřípění **2** otřes
jasper [džæspə] jaspis
jaundice [džo:ndis] žloutenka
jaundiced [džo:ndist] záštiplný, nenávistný
jaunty [džo:nti] bezstarostný, veselý, čilý
javelin [džævlin] oštěp
jaw [džo:] **1** čelist; dáseň; **~s** *pl* tlama **2** (*hovor.*) pokec
jaw bone [džo:bəun] čelist (*kost*)
jay [džei] sojka
jay walk [džeiwo:k] neukázněně přecházet ulici (*nerespektovat dopravní předpisy*)
jazz [džæz] *n* **1** džez **2** šmrnc, šťáva **3** *US* (*hovor.*) žvást(y), nesmysl(y) ♦ **and all that** ~ (*hovor.*) a tak dále a tak dál, a ostatní blbiny • *v* **1** hrát džez **2** tančit k džezové hudbě **3** (z)džezovat
jazz up (*hovor.*) dát šmrnc (čemu)
jealous [dželəs] žárlivý **of** na
jealousy [dželəsi] žárlivost **of** na
Jean [dži:n] Jana
jeans [dži:nz] *pl* džín(s)y
jeep [dži:p] džíp
jeer [džiə] *v* posmívat se **at sb.** komu • *n* posměšek
jelly [dželi] **1** rosol, želé; aspik **2** pudink
jellyfish [dželifiš] medúza

jeopardize [džepədaiz] ohrozit
jerk [džə:k] *n* trhnutí, škubnutí
• *v* trhnout, škubnout (sebou)
jersey [džə:zi] **1** *též* ~ **cloth** žersej **2** pletený svetr
Jerusalem [džə'ru:sələm] Jeruzalém
jest [džest] *n* žert; **in** ~ žertem
• *v* žertovat
Jesus [dži:zəs] Ježíš
jet[1] [džet] černý jantar; **~-black** černý jako uhel
jet[2] [džet] *n* **1** tryskové letadlo **2** trysk, proud
• *v* **(tt)** **1** tryskat **2** (*hovor.*) letět tryskovým letadlem
jet engine [džet'endžin] tryskový motor
jetlag [džetlæg] pásmová nemoc (*únava z překonání časových pásem*)
jettison [džetisn /-zn] **1** shodit, odhodit, vyhodit (*zátěž*) **2** zbavit se čeho
Jew [džu:] žid
jewel [džu:əl] šperk, klenot
jeweller [džu:ələ] klenotník
jewellery [džu:əlri] klenoty, šperky
Jewish [džu:iš] židovský
jiffy [džifi]: (*hovor.*) **in a** ~ za okamžik
jilt [džilt] dát košem (*milému*)
jingle [džiŋgl] *n* cinkot • *v* cinkat
jitters [džitəz] *pl* (*hovor.*) nervozita, panika
job [džob] *n* **1** zaměstnání, místo **2** práce; věc **3** úkol
jobbing [džobiŋ] příležitostný, výpomocný (**gardener** zahradník)
jockey [džoki] žokej
join [džoin] *v* **1** spojit (se); sjednotit (se) **2** připojit se, přidat se **sb.** ke komu **in** v čem; vstoupit do
• *n* **1** spoj, spojení **2** slepka (*magnetofonového pásku*)
join up vstoupit do armády
joiner [džoinə] truhlář
joint [džoint] *n* **1** spojovací místo; šev **2** kloub **3** kýta; pečeně, kus masa (*na pečení*) **4** (*slang.*) putyka, zapadák
• *adj* spojený; společný
joint-stock company [džointstok 'kampni] akciová společnost
joke [džəuk] *n* vtip, žert; **play a** ~ **on sb.** ztropit si žert z koho; **practical** ~ kanadský žertík; **take a** ~ rozumět žertu, neurazit se
• *v* vtipkovat, žertovat
joker [džəukə] **1** vtipálek **2** žolík; ~ **in the pack** nevypočitatelný člověk, hádanka
jolly [džoli] *adj* **1** veselý, milý **2** (*GB, hovor.*) pěkný
• *adv* (*GB, hovor.*) moc
• *v* (*hovor.*) žertovat, špásovat, dělat legraci
jolt [džəult] kodrcat (se)
jot [džot] *n:* **not a** ~ **of truth** ani zrnko pravdy
• *v* **(tt)** ~ **(down)** poznamenat si chvatně / bez přípravy
journal [džə:nl] **1** deník **2** noviny **3** žurnál
journalist [džə:nəlist] novinář
journey [džə:ni] *n* cesta; jízda; **break of** ~ přerušení jízdy; **go on a** ~ vydat se na cestu • *v* cestovat
joy [džoi] radost
joyful [džoiful], **joyous** [džoiəs] radostný, veselý
jubilee [džu:bili:] jubileum
judge [džadž] *n* **1** soudce **2** rozhodčí **3** znalec
• *v* **1** soudit **2** posuzovat, (po)soudit **by / from** podle

judg(e)ment [džadžmənt] **1** soud, posudek; soudnost; mínění **2** rozsudek
judicial [džu'dišl] soudní
judicious [džu'dišəs] soudný, rozumný
jug [džag] džbán
juggle [džagl] žonglovat
juice [džu:s] šťáva
juicy [džu:si] šťavnatý
jukebox [džu:kboks] hrací skříň / automat
July [džu'lai] červenec
jump [džamp] *v* **1** skočit; přeskočit (**a brook** potok); ~ **at** skočit po; ~ **to conclusions** dělat překotné závěry **2** (*hovor.*) opustit bez dovolení **3** (*hovor.*) přepadnout ♦ ~ **the gun** ukvapit se; ~ **the queue** předběhnout ve frontě • *n* skok; **the long / high** ~ skok daleký / vysoký
jumper [džampə] **1** pletený svetřík **2** *US* vesta (*bez rukávů*)
junction [džaŋkšn] **1** spojení **2** (železniční) křižovatka, uzel
June [džu:n] červen
jungle [džaŋgl] džungle
junior [džu:niə] mladší
junk [džaŋk] haraburdí; ~ **food** nezdravé jídlo (*nutričně nevhodné*); ~ **heap** smetiště
jurisdiction [džuəris'dikšn] soudnictví; soudní pravomoc, jurisdikce
jury [džuəri] porota
just [džast] *adj* spravedlivý • *adv* **1** právě, zrovna; ~ **as ... as** právě tak ... jako **2** jen(om) **3** (jen) tak tak ♦ ~ **about** téměř, skoro; ~ **as soon** to spíše, raději; ~ **now** *1.* právě teď *2.* před chvilkou; **not** ~ **yet** ještě ne
justice [džastis] **1** spravedlnost **2** soudní řízení **3 J~** soudce (*oslovení, titul*) ♦ **do** ~ *1.* plně docenit **to** koho *2.* vyčerpávajícím způsobem pojednat o čem
justification [džastifi'keišn] ospravedlnění
justify [džastifai] ospravedlnit, oprávnit
jut [džat] **(tt)** *též* ~ **out** vyčnívat
jute [džu:t] juta
juvenile [džu:vənail] *adj* mladistvý, pro mládež • *n* mladistvý

K

kangaroo [kæŋgə'ru:] klokan
kayak [kaiæk] kajak
keel [ki:l] kýl; **on an even ~** vyrovnaný, bez náhlých změn
keen [ki:n] **1** dychtivý, náruživý, vášnivý **2** ostrý **3** silný, živý, tvrdý, intenzívní (**competition** konkurence) ♦ **be ~ on** stát o, mít rád co, dychtit po
keep [ki:p] **1** zachovávat, dodržovat **2** mít, vést, řídit **3** udržovat (se); vydržet **4** podporovat, vydržovat (si) **5** chovat, držet (*zvíře*) **6** nechat si **7** chránit (se) **from** před ♦ **~ in mind** mít na paměti, pamatovat si; **~ accounts** vést účetnictví; **~ sb. long** dlouho zdržovat koho; **~ sth. to oneself** nechat si pro sebe; **~ an open mind** zůstat neutrální, neukvapovat se v úsudku; **~ quiet** být zticha; **~ one's bed** zůstat ležet; **~ one's shirt on** (*GB, hovor.*) nerozčilovat se; **~ straight on** jít pořád rovně; **~ sb. waiting** nechat čekat koho; **~ smiling** vždy s úsměvem; **~ sb. away** bránit komu **from sth.** v čem, zahánět koho od čeho
keep back 1 zadržovat **2** tajit
keep down 1 držet na uzdě, krotit **2** omezit
keep in 1 snažit se zůstat v dobrých stycích **with** s **2** nechat po škole
keep off 1 odvrátit **2** nenastat ♦ **~ hands off** dát ruce pryč **in** od, nezasahovat do
keep on 1 pokračovat **2** dál si ponechat
keep up 1 udržovat, vydržet **2** držet krok **with sb.** s kým ♦ **~ with the Joneses** chtít se za každou cenu vyrovnat sousedům
keeper [ki:pə] **1** strážce, dozorce, opatrovník **2** (*ve složeninách*) strážce, hajný, vedoucí *apod.*
keeping [ki:piŋ] opatrování, úschova
kennel [kenl] **1** psí bouda **2 ~s** *pl* zvířecí útulek / hotel; psinec, chovná stanice
kerb(stone) [kə:b(stəun)] obrubník, okraj chodníku
kernel [kə:nl] jádro
kerosene [kerəsi:n] *US* petrolej
ketchup [kečap] kečup
kettle [ketl] konvice (*na vaření vody*)
key [ki:] **1** klíč **2** klávesa, klapka **3** tónina, stupnice **4** legenda, značka
keyboard [ki:bo:d] klaviatura; klávesnice
keyed up [ki:d'ap] vzrušený, vydrážděný, nervózní
keyhole [ki:həul] klíčová dírka
keynote [ki:nəut] **1** hlavní myšlenka **2** základní tón (*stupnice*)
keystone [ki:stəun] **1** vazák, vrcholový klenák **2** základní princip, podstata, základ
khaki [ka:ki] khaki, žlutohnědý
kick [kik] *v* kopnout, kopat (**a football** do míče) ♦ **be alive and ~ing** mít se čile k světu • *n* **1** kopnutí, kopanec **2** (*hovor.*) vzrušení
kick in *US* **1** přispět **2** zabrat
kick off 1 provést výkop **2** začínat
kick out vykopnout

kick up vyvolat, způsobit, udělat (**a fuss / a row** rámus)
kid[1] [kid] **1** (*hovor.*) dítě **2** kůzle; kozinka
kid[2] [kid] **(dd) 1** dělat si legraci, vodit za nos, utahovat si z **2** podvádět, lhát; ~ **oneself** lhát si do kapsy, nalhávat si něco
kidnap [kidnæp] **(pp)** unést (**a child** dítě)
kidney [kidni] ledvina
kill [kil] zabít; ~ **two birds with one stone** zabít dvě mouchy jednou ranou
killer [kilə] zabiják
killing [kiliŋ] *adj* **1** vražedný **2** (*hovor.*) šíleně únavný • *n* zabití; **make a** ~ vydělat balík
killjoy [kildžoi] suchý patron, suchar, morous
kilogram(me) [kiləgræm] kilogram
kilometre [kiləmi:tə] kilometr
kilt [kilt] (*skotská*) sukně
kin [kin] příbuzenstvo; **next of** ~ nejbližší příbuzný / příbuzní
kind[1] [kaind] laskavý, ohleduplný
kind[2] [kaind] druh, třída, rod, jakost; **a** ~ **of** jakýsi; **of a** ~ *1.* stejného druhu *2.* jakýs takýs; **something of the** ~ něco podobného
kindergarten [kindəga:tn] mateřská škola
kindle [kindl] roznítit (se), zapálit (se), rozdělat; (*přen.*) vyvolat
kindly [kaindli] *adj* laskavý • *adv* laskavě
kindness [kaindnis] laskavost
king [kiŋ] král
kingdom [kiŋdəm] království
kingfisher [kiŋfišə] ledňáček
kink [kiŋk] **1** smyčka, klička, uzlík (*na provaze apod.*) **2** (*hovor.*) výstřednost, zvrácenost
kipper [kipə] uzený sleď, uzenáč
kiss [kis] *v* líbat, políbit • *n* polibek
kit [kit] **1** výstroj, výbava; ~ **bag** (*voj.*) pytel s výstrojí **2** nářadí, nástroje, potřeby **3** oblečení, úbor **4** souprava, kolekce
kitchen [kičin] kuchyně (*místnost*)
kitchenette [kiči'net] kuchyňka, kuchyňský kout
kite [kait] **1** luňák **2** drak (*papírový*)
kitten [kitn] kotě; **have ~s** (*hovor.*) být nervózní jak pes
knack [næk] zručnost, fortel; talent
knapsack [næpsæk] batoh
knave [neiv] **1** *GB* spodek (*v kartách*) **2** lump
knead [ni:d] hníst, válet (*těsto*); masírovat (*svaly*)
knee [ni:] koleno
kneecap [ni:kæp] čéška
knee-deep [ni:'di:p] po kolena
kneel* [ni:l] kleknout (si)
knee-socks [ni:soks] *pl* podkolenky
knickers [nikəz] *pl* kalhotky
knick-knack [niknæk] (*hovor.*) tretka, hračička, suvenýr
knife [naif] nůž
knight [nait] **1** rytíř **2** jezdec, kůň (*v šachu*)
knit* [nit] **(tt)** plést (*jehlicemi*) ♦ ~ **one's brows** svraštit čelo
knitting machine ['nitiŋmə,ši:n] pletací stroj
knitting needle ['nitiŋ,ni:dl] pletací jehlice
knob [nob] knoflík (*u dveří, na přijímači*); klika
knock [nok] *n* **1** rána, úder **2** zaklepání • *v* **1** (za)klepat (**at**

the door na dveře); (za)bušit, (za)ťukat **2** udeřit, narazit
knock about / around potloukat se; povalovat se
knock back (*GB, slang.*) **1** hodit / kopnout do sebe **2** vyvést z konceptu
knock down 1 zbourat **2** porazit; srazit (*též cenu*) **3** sestřelit **4** přiklepnout **to** komu (*při dražbě*)
knock off 1 srazit (**from a price** z ceny) **2** nechat toho, přestat dělat, zabalit to
knock out 1 knokautovat **2** (*hovor.*) zbavit vědomí, uspat **3** vyřadit (*z provozu, ze soutěže*) **4** vyrazit dech komu
knock up 1 (*GB, hovor.*) *rychle něco stvořit:* schrastit; spíchnout; ukuchtit **2** *GB* pinkat (*před začátkem tenisového utkání*) **3** *US* (*vulg.*) zbouchnout (*ženu*)
knocker [nokə] **1** klepátko (*na dveřích*) **2 ~s** *pl* (*vulg.*) kozy
knock-kneed [nokni:d] s nohama do iks
knot [not] *n* **1** uzel **2** svazek, pouto **3** suk **4** skupinka, hlouček **5** uzlina, boule (*svalstva*); sevření (*žaludku*) ♦ **tie (up) in ~s** poplést, vyvést z konceptu • *v* **(tt) 1** zauzlit (se); zavázat na uzel **2** pevně spojit, sjednotit
knotty [noti] **1** sukovitý **2** spletitý, komplikovaný
know* [nəu] *v* **1** vědět, umět (**by heart** zpaměti) **2** znát (**by name** podle jména, **by sight** od vidění) **3** poznat **4** dovědět se **of / about** o ♦ **~ better than ...** mít dost rozumu, aby ne ...; **before you ~ where you are** než se naděješ; **for all I ~** pokud vím; **~ one's own mind** přesně vědět, co chce; **~ which side one's bread is buttered** vědět, co člověku prospívá; **~ how to type** umět psát na stroji; **What do you ~!** *US* Podívejme se!, No tohle!; **you never ~** možná, snad, dejme tomu • *n:* **be in the ~** být do věci zasvěcen, být informován
knowhow [nəuhau] odborné znalosti / schopnosti, dovednost, fortel, know-how
knowing [nəuiŋ] **1** významný (**wink** mrknutí) **2** mazaný, lišácký **3** dobře informovaný, inteligentní **4** kritický, znalecký **5** zručný, šikovný
knowledge [nolidž] **1** znalost(i), vědění, vědomosti **2** vzdělání ♦ **to my ~** pokud vím
knuckle [nakl] kotník (*na ruce*)
knuckleduster [nakldastə] *GB* boxér (*zbraň*)
Koran [ko:'ra:n] korán
Ku Klux Klan [kju:klaks'klæn] Kukluksklan

L

lab [læb] (*hovor.*) laboratoř
label [leibl] *n* nálepka, štítek, viněta • *v* **(ll)** **1** opatřit nálepkou **2** označit
laboratory [lə'borətri] laboratoř
laborious [lə'bo:riəs] **1** pracný **2** (*přen.*) vypocený
labour [leibə] *n* **1** práce; námaha **2** dělnictvo; **L~ Party** labouristická strana **3** porod • *v* **1** pracovat; namáhat se **2** trpět **under** čím **3** rozpracovat
labourer [leibərə] (*nekvalifikovaný*) dělník, nádeník (*zemědělský*)
labour-saving [leibəseiviŋ] usnadňující práci
lace [leis] *n* **1** tkanice; tkanička, šněrovadlo **2** krajka, krajky • *v* **1 ~ (up)** zašněrovat **2** přidat (*do nápoje*) **with** (*trochu alkoholu*)
lacerate [læsəreit] (roze)dřít, (roz)drásat, (*též přen.*)
lace-ups [leisaps] *pl GB* šněrovací boty
lack [læk] *n* nedostatek **of** čeho; **for ~ of** z nedostatku čeho; **~ for nothing** nic nepostrádat, mít všeho dostatek • *v* postrádat, nemít
lacquer [lækə] lak
lad [læd] (*hovor.*) mládenec, hoch
ladder [lædə] *n* **1** žebřík; žebříček **2** *GB* puštěné oko (*na punčoše*) • *v* pouštět oka
laden [leidn] obtížený, naložený
ladies' man [leidiz mæn] miláček žen, sukničkář
ladle [leidl] *n* naběračka • *v* nabírat
ladle out 1 nandávat (*naběračkou*) **2** (*hovor.*) štědře / neuváženě rozdávat
lady [leidi] **1** dáma **2** paní; žena
ladybird [leidibə:d] sluníčko sedmitečné
lag [læg] **(gg)** loudat se; **~ behind** opožďovat se, zaostávat
lagoon [lə'gu:n] laguna
lair [leə] nora, brloh, doupě, (*též přen.*)
lake [leik] jezero
lamb [læm] **1** jehně; beránek **2** jehněčí
lame [leim] *adj* **1** chromý, kulhavý (**in one leg** na jednu nohu) **2** nepřesvědčivý; chatrný; **a ~ excuse** planá výmluva • *v* zchromit
lame duck [leim'dak] (*hovor.*) **1** chudáček **2** podnik ve finančních nesnázích **3** *US* dosluhující veřejný činitel / orgán (*který nebyl znovu zvolen*)
lament [lə'ment] *n* bědování, nářek • *v* bědovat, naříkat
lamentable [læməntəbl] politováníhodný
laminated [læmineitid] laminátový
lamp [læmp] lampa, svítilna
lampoon [læm'pu:n] hanopis, pamflet
lampshade [læmpšeid] stínidlo, stínítko
lance [la:ns / læns] *n* kopí, oštěp, bodec • *v* rozříznout skalpelem
lancet [la:nsit] skalpel
land [lænd] *n* **1** země, souše; **by ~** po souši **2** země, půda **3** země, kraj, stát • *v* **1** přistát, připlout

2 vysadit z lodi / letadla; ~ **oneself in** dostat se do, ocitnout se v
land up skončit
landing [lændiŋ] **1** odpočívadlo, podesta (*schodů*) **2** přistání
landing gear [lændiŋgiə] podvozek
landing net [lændiŋnet] podběrák
landlady [lændleidi] **1** majitelka penzionu **2** paní domácí, bytná **3** hostinská
landlord [lændlo:d] **1** pan domácí **2** hoteliér **3** hostinský
landmark [lændma:k] **1** orientační bod (*v krajině*) **2** mezník
landowner [lændəunə] majitel půdy, statkář
landscape [lændskeip] kraj(ina); **in ~ mode** ležatý, naležato
landslide [lændslaid] sesun půdy, lavina, (*též přen.*)
lane [lein] **1** polní cesta **2** ulička **3** špalír **4** dopravní pás; trať; trasa
language [læŋgwidž] jazyk, řeč; **bad ~** hrubá / sprostá řeč ♦ **L~, please!** Račte mluvit slušně!
languid [læŋgwid] (*elegantně*) mdlý, malátný; neuspěchaný
languish [læŋgwiš] **1** malátnět; slábnout **2** marně toužit, nýt **3** trápit se
lanky [læŋki] vyčouhlý, samá ruka samá noha
lantern [læntən] lucerna
lap[1] [læp] klín (*člověka*)
lap[2] [læp] (*sport.*) kolo, etapa (*závodu*)
lap[3] [læp] (**pp**) **1** chlemtat, hltavě pít **2** (*voda*) šplouchat, pleskat
lapel [lə'pel] klopa
lapse [læps] *n* **1** přehlédnutí, chyba, omyl; selhání (**of memory** paměti) **2** uplynutí, promlčení, vypršení **3** opominutí, zanedbání
• *v* upadnout **into** do
larceny [la:səni] (*práv.*) krádež
larch [la:č] modřín
lard [la:d] *n* (*vepřové*) sádlo
• *v* špikovat
larder [la:də] špižírna
large [la:dž] *adj* **1** velký **2** široký, rozsáhlý
♦ **~ as life** *1.* v životní velikosti *2.* (*hovor.*) zničehonic přítomen; **~ intestine** tlusté střevo
• *n*: **at ~ 1** na svobodě **2** jako celek **3** všeobecně **4** zeširoka
largely [la:džli] z velké části, většinou
lark [la:k] skřivan
lascivious [lə'siviəs] chlípný, lascivní
lash [læš] *v* šlehnout, švihnout
• *n* **1** šleh(nutí); rána bičem **2** šňůra (*biče*) **3** *též* **eye~** řasa
lash down 1 prudce padat **2** přivázat, uvázat
lash out prudce zaútočit, vyletět **at / against** proti
lashings [læšiŋz] *pl GB* (*hovor.*) spousta
last[1] [la:st] *adj* **1** poslední **2** minulý ♦ **at (long) ~** konečně; **the ~ but one** předposlední; **for the ~ time** naposled; **~ night** včera večer; **this day ~ week** před týdnem, dnes (je tomu) týden; **~ time** minule
• *adv* naposledy, posledně; **~ but not least** v neposlední řadě
last[2] [la:st] trvat; **~ out** vystačit, vydržet
lasting [la:stiŋ] trvalý
lastly [la:stli] nakonec
last post [la:st'pəust] večerka

latch [læč] závora, západka
latchkey [læčki:] klíč od domu
late [leit] *adj* **1** opožděn(ý) **2** pozdní; **in the ~ afternoon** v podvečer **3** nedávný; **of ~ years** v nedávných letech **4** bývalý **5** zesnulý
♦ **be ~** *1.* přijít pozdě (**for school** do školy) *2.* mít zpoždění; **of ~** nedávno, v poslední době • *adv* pozdě; **better ~ than never** lépe pozdě než nikdy; **sit up ~** být vzhůru pozdě do noci
lately [leitli] v poslední době, nedávno
latent [leitənt] skrytý, latentní
later [leitə] *adj* pozdější • *adv* **~ (on)** později
lateral [lætrəl] boční, postranní
latest [leitist] poslední; **at the ~** nejpozději; **the ~ news** nejnovější zprávy
lath [la:θ] laťka, tyčka, lišta
lathe [leið] soustruh
lather [la:ðə] *n* (*mýdlová*) pěna • *v* (na)mydlit; pěnit
Latin [lætin] *n* latina • *adj* latinský
latitude [lætitju:d] **1** zeměpisná šířka **2** (*přen.*) volnost, prostor
latter [lætə] **1** pozdější, novější **2 the ~** druhý (*ze dvou*)
lattice [lætis] mříž
Latvia [lætviə] Lotyšsko
laudable [lo:dəbl] chvályhodný
laugh [la:f] *n* **1** smích **2** terč posměchu • *v* smát se **at** čemu; **that's no ~ing matter** to není k smíchu
laugh down smíchem umlčet, zesměšnit
laugh off se smíchem odbýt, bagatelizovat, vysmát se (čemu)
laughable [la:fəbl] směšný
laughingstock [la:fiŋstok] terč posměchu
laughter [la:ftə] smích
launch [lo:nč] **1** spustit na vodu **2** zahájit (**an attack** útok); pustit se do; uvést; realizovat **3** vypustit, vystřelit (**a spaceship into orbit** kosmickou loď na oběžnou dráhu)
launch(ing) pad [lo:nč(iŋ)pæd] odpalovací rampa / základna, (*též přen.*)
launder [lo:ndə] **1** prát (**clothes** prádlo) **2** prát se; **linen sheets ~ well** lněná prostěradla se dobře perou
launderette [lo:n'dret] prádelna se samoobsluhou, pradlenka
laundry [lo:ndri] **1** prádelna **2** prádlo (*na praní*)
laurel [lorəl] vavřín
lava [la:və] láva
lavatory [lævətri] **1** toaleta, klozet s umývárnou **2** záchod, klozet
lavender [lævində] levandule
lavish [læviš] *adj* **1** štědrý; nešetřící **of / with** čím **2** nadměrný • *v* zahrnout **sth.** čím **(up)on sb.** koho
law [lo:] **1** zákon; **make ~s** vydávat zákony **2** právo; **read / study ~** studovat práva
♦ **~ firm** *US* advokátní kancelář; **go to ~** obrátit se na soud
law court [lo:ko:t] soud
lawful [lo:ful] zákonný; zákonitý
lawless [lo:lis] nezákonný, protiprávní
lawn [lo:n] trávník
lawsuit [lo:su:t] soudní pře, proces
lawyer [lo:jə] právník, právní zástupce, advokát

lax [læks] **1** uvolněný **2** nedbalý, laxní **3** neurčitý, nepřesný
laxative [læksətiv] projímadlo
lay[1]* [lei] **1** klást, položit **2** snést (**an egg** vejce) **3** vsadit (*peníze*) **4** srazit **5** dát na uváženou **before** komu **6** (*vulg.*) přeříznout
♦ ~ **flat** srazit k zemi; ~ **hands on** dotknout se čeho, vztáhnout ruku na; ~ **open** *1.* vystavit **sb.** koho **to** čemu *2.* odhalit co; ~ **stress on** klást důraz na; ~ **the table** prostřít (na) stůl; ~ **a wager** uzavřít sázku; ~ **waste** zpustošit
lay aside 1 dát stranou **2** odložit
lay down 1 položit, složit; uložit **2** stanovit (**a rule** pravidlo)
lay in udělat si zásobu **sth.** čeho
lay off 1 vysadit z práce **2** (*hovor.*) nechat, zdržet se **sth.** čeho, na čas přestat (**smoking** kouřit)
lay up 1 udělat si zásobu **2 be laid up with** být upoután na lůžko s (**flu** chřipkou)
lay[2] [lei] laický, neodborný
lay-by [leibai] odstavný pruh (*dálniční*)
layer [leiə] vrstva
layette [lei'et] výbavička pro novorozeně
layman [leimən] laik, neodborník
layout [leiaut] **1** nákres, plán **2** grafická úprava
laze [leiz] lenošit
lazy [leizi] líný
lazybones [leizibəunz] (*hovor.*) lenoch
lead[1] [led] olovo
lead[2] [li:d] *v* **1** vést, řídit **2** vést; přivést; odvést **3** vést nad, předčít koho **4** zahájit útok **with** čím **5** vynést (*jako první kartu*)
♦ ~ **by the hand** vést za ruku; ~ **the way** jít napřed; ~ **sb. by the nose** vodit koho za nos
• *n* **1** vedení; iniciativa; **take the** ~ ujmout se vedení **2** vodítko, tip, stopa, klíč (*k řešení*) **3** přívod, šňůra (*též elektr.*) **4** vodítko (*na psa*)
lead on 1 tahat za nos **2** svádět
lead up to 1 vést k **2** směřovat k
leader [li:də] **1** vůdce **2** úvodník **3** *GB* první houslista; *US* dirigent
leadership [li:dəšip] vedoucí postavení; vedení
leading [li:diŋ] *n* vedení
• *adj* vedoucí ♦ ~ **article** úvodník; ~ **lady** herečka v hlavní roli; ~ **question** sugestivní otázka
leaf [li:f] *n* **1** list **2** lístek, tenký plátek (*kovu*) **3** sklápěcí deska (*stolu*) ♦ **take a ~ of sb.'s book** vzít si příklad z koho, vzít si za vzor koho
• *v* ~ **through** (*rychle*) prolistovat
leaflet [li:flit] leták
leafy [li:fi] listnatý
league [li:g] liga; **in ~ with** ve spolku s
leak [li:k] *n* **1** puklina, štěrbina, díra **2** únik, prosakování **3** prozrazení
• *v* ucházet; téci; prosakovat
♦ **take / have a** ~ (*slang.*) vyčůrat se
leakage [li:kidž] prosakování
leaky [li:ki] děravý
lean[1] [li:n] **1** (*maso*) libový **2** (*člověk*) hubený
lean[2]* [li:n] **1** naklánět se; ~ **out of the window** vyklonit se z okna **2** opírat se **on / against** o **3** spoléhat se **on** na
leaning [li:niŋ] sklon **towards** k

lean-to [li:ntu] přístavek, (*přistavěná*) kůlna
leap* [li:p] *v* skákat
• *n* skok ♦ ~ **year** přestupný rok
leapfrog [li:pfrog] (**gg**) skákat přes sehnutá záda druhého
learn* [lə:n] **1** učit se **2** dovědět se **3** uvědomit si
learned [lə:nid] učený
learner [lə:nə] žák; začátečník (*zvl. řidič*)
learning [lə:niŋ] **1** věda **2** učenost
lease [li:s] *n* (pro)nájem; **a new ~ of life** nový život
• *v* (pro)najmout si
leash [li:š] řemínek, vodítko (*na psa*)
least [li:st] *adj, n* nejmenší, sebemenší; **at ~** alespoň, nejméně, přinejmenším; **not in the ~** ani v nejmenším • *adv* nejméně
leather [leðə] kůže
leatherette [leðə'ret] koženka, imitace kůže
leave[1] [li:v] **1** dovolení, svolení **2** dovolená **3** rozloučení; **take ~ of** rozloučit se s
leave[2]* [li:v] **1** nechat (**a message / word** vzkaz); **~ a line blank** vynechat řádek **2 ~ (behind)** zanechat, zapomenout; opustit **3** odejít, odjet (**London** z Londýna) **4** odkázat **to** komu
♦ **~ sb. alone** nechat koho být; **~ go of** pustit co
leave off 1 odložit, přestat nosit **2** přerušit, přestat
leave out vynechat, vypustit
leavings [li:viŋz] *pl* zbytky (*pokrmu*), odpadky
lecherous [lečərəs] chlípný, smilný
lecture [lekčə] *n* přednáška **on / about** o
• *v* přednášet **on / about** o
lecturer [lekčərə] **1** přednášející **2** docent **3** lektor, odborný asistent
ledge [ledž] **1** římsa **2** polička (**for chalk** na křídu)
ledger [ledžə] hlavní (účetní) kniha
leech [li:č] pijavice
leek [li:k] pórek
leer [liə] *v* dívat se mlsně / poťouchle **at** na
• *n* mlsný / poťouchlý pohled
leeway [li:wei] **1** svoboda jednání, volnost **2** *GB* zpoždění, ztráta času
left[1] [left] zanechaný; **~ luggage office** úschovna zavazadel
left[2] [left] *adj* levý • *adv* vlevo
left-handed [left'hændid] levoruký; hrající levou rukou; určený pro levou ruku
leftist [leftist] levičácký
leftover [leftəuvə] *adj* zbylý
• *n* **~s** *pl* zbytky jídla
lefty [lefti] *GB* levičák; *US* levák
leg [leg] **1** noha; **Break a ~!** Zlom vaz!; **pull sb.'s ~** utahovat si z koho **2** noha (*stolu*) **3** nohavice **4** kýta; stehno; **chicken ~** kuřecí stehýnko **5** etapa, úsek
legacy [legəsi] dědictví, odkaz
legal [li:gl] **1** zákonitý; zákonný **2** právní (**advice** porada) ♦ **take ~ action** podat žalobu **against** na
legation [li'geišn] vyslanectví
legend [ledžənd] legenda
legendary [ledžəndəri] legendární
leggy [legi] nohatý
legible [ledžibl] čitelný
legion [li:džn] legie
legionary [li:džənəri] legionář
legionnaire [li:džə'neə] legionář

(*příslušník římské / cizinecké legie*)
legislation [ledžis'leišn] zákonodárství
legislative [ledžislətiv] zákonodárný
legislature [ledžisleičə] zákonodárný sbor
legitimate [li'džitimit] **1** legitimní **2** rozumný **3** (*dítě*) manželský
legume [legju:m] **1** lusk **2** luštěnina
leisure [ležə] **1** volný čas, volno; **be at ~** mít volno; **at your ~** až budete mít čas **2** lehkost, snadnost
leisured [ležəd] mající hodně volného času
leisurely [ležəli] *adj* pomalý, neuspěchaný, klidný • *adv* klidně
lemon [lemən] citrón ♦ **~ squash** citronáda
lemonade [leməneid] **1** (*perlivá*) limonáda **2** citronáda
lend* [lend] (pro)půjčit; **~ an ear** popřát sluchu, vyslechnout; **~ a hand** pomoci; **~ oneself to** hodit se k / pro
lending library ['lendiŋˌlaibrəri] půjčovna knih, (*veřejná*) knihovna
length [leŋθ] **1** délka **2** úsek ♦ **at ~** *1.* konečně *2.* obšírně, zeširoka; **(at) full ~** jak široký, tak dlouhý; **keep sb. at arm's ~** držet si koho od těla
lengthen [ləŋθən] prodloužit (se)
lengthwise [leŋθwaiz] *adj* podélný • *adv* po délce
lens [lenz], *pl* **lenses** čočka, objektiv
Lent [lent] půst, postní doba
lentil [lentil] čočka (*luštěnina*)
leopard [lepəd] levhart
leprosy [leprəsi] malomocenství
less [les] *adj* menší • *adv* méně; **in ~ than 20 years** za necelých 20 let; **no ~ than** ne méně než; **none the ~** nicméně • *prep* bez, minus
lessen [lesn] zmenšit (se)
lesser [lesə] menší; **the ~ evil** menší zlo
lesson [lesn] **1** lekce **2** vyučovací hodina; **~s** *pl* vyučování; **take music ~s** chodit na hodiny hudby **3** úkol
lest [lest] aby ne
let* [let] **(tt)** **1** nechat **2** dovolit **3** pronajmout ♦ **~ alone** neřkuli; **~ sb. alone** nechat být koho; **~ fall** upustit; **~ go** pustit; **~ us go!** pojďme!; **~ sb. have sth.** poslat komu co; **the house is to ~** dům je k pronajmutí; **~ sb. know** oznámit komu; **~ me see** počkejte, já se podívám; okamžik!
let down **1** spustit, stáhnout **2** nechat na holičkách, zklamat **3** popustit, prodloužit (**a skirt** sukni)
let in vpustit; **~ oneself in for** pouštět se do
let off **1** vypustit, odpálit **2** zprostit slibu / trestu **3** projevit, dát najevo
let on (*hovor.*) prozradit / říci to (**to** komu)
let out **1** pustit na svobodu, propustit **2** vypustit **3** povolit, popustit (**trousers** kalhoty)
let through nechat projít
let up **1** polevit, zmírnit se **2** být méně přísný
lethal [li:θl] smrtelný, smrtící

letter [letə] **1** písmeno **2** dopis; list **3** **~s** *pl* literatura
letterbox [letəboks] poštovní schránka
letterhead [letəhed] záhlaví, hlavička
lettuce [letis] hlávkový salát
letup [letap] polevení, přestávka
level [levl] *n* **1** rovina **2** úroveň ♦ **on the ~** *1.* čestný, poctivý *2.* na rovinu, čestně, poctivě; **~ crossing** nechráněný přejezd • *v* **(ll)** **1** srovnat; vyrovnat **2** namířit **at** na
level off / out přestat stoupat / klesat, vyrovnat se
lever [li:və / levə] páka
levy [levi] **1** vymáhat, vybírat (**taxes** daně) **2** zabavit, konfiskovat **on sth.** co
lewd [lu:d] oplzlý
lexical [leksikl] lexikální, slovníkový
liability [laiə'biliti] **1** odpovědnost **2** povinnost **for** k **3** náchylnost (**to disease** k nemoci) **4** (*hovor.*) nevýhoda, obtíž **5** **liabilities** *pl* pasíva, finanční závazky, dluhy
liable [laiəbl] **1** odpovědný **2** podrobený, podléhající **to** čemu; **be ~ to** + *inf* musit **3** náchylný, vystavený **to** čemu
liar [laiə] lhář
libel [laibl] (*práv.*) *n* (*obvykle v tisku*) urážka na cti, pomluva • *v* **(ll)** křivě obvinit, pomluvit, nactiutrhat komu
liberal [libərəl] *adj* **1** štědrý; velkorysý **2** liberální • *n* liberál
liberate [libəreit] osvobodit **from** od
liberated [libəreitid] **1** osvobozený **2** osvobozený od společenských předsudků, uvolněný
liberation [libə'reišn] osvobození
liberty [libəti] **1** svoboda, volnost **2** dovolení **3** nepřístojné chování, drzost ♦ **be at ~ to** + *inf* smět; **~ of action** volnost jednání; **take the ~ of** dovolit si co; **take liberties with** dovolovat si na
librarian [lai'breəriən] knihovník
library [laibrəri] **1** knihovna **2** knižnice, edice, série ♦ **~ pictures** archivní záběry (*v televizi*)
licence [laisəns] **1** povolení; licence, koncese; **driving ~** řidičský průkaz **2** svévole, zvůle
license [laisəns] dát povolení
lichen [laikən] lišejník
lick [lik] **1** lízat; olíznout (si) **2** (*hovor.*) zbít, seřezat **3** (*hovor.*) vyhrát nad; vyzrát na ♦ **~ sb. / sth. into shape** zformovat koho / co, vycepovat, udělat z koho něco
licking [likiŋ] (*hovor.*) výprask, nářez; porážka
lid [lid] **1** (*oční*) víčko **2** víko; poklička ♦ **blow / take the ~ off** odhalit (*něco skandálního*) (na); **that puts the (tin) ~ on** to je úplný konec / vrchol, to přestává všechno
lie[1] [lai] *n* lež; **tell ~s** lhát; **give sb. the ~** obvinit koho ze lži • *v* lhát
lie[2] [lai] **1** ležet **2** záležet **3** spát, obcovat **with** s ♦ **let sleeping dogs ~** co tě nepálí, nehas; **~ in state** (*mrtvý v rakvi*) být vystaven; **it ~s with you to** + *inf* je na vás, abyste
lie down lehnout si, natáhnout se
lie in zůstat dlouho v posteli, přispat si

lie up **1** zůstat ležet **2** zůstat doma, nevycházet
lieutenant [lef'tenənt / *US* lu:'-] poručík
life [laif] život; **for ~** na doživotí; **for the ~ of me** za nic na světě; **to the ~** podle skutečnosti; **not on your ~** určitě ne
life assurance ['laifə,šuərəns] životní pojistka
life belt [laifbelt] záchranný pás
lifeblood [laifblad] životní míza / nezbytnost
lifeboat [laifbəut] záchranný člun
lifelong [laifloŋ] celoživotní
lifetime [laiftaim] celý život
lift [lift] *v* **1** zvednout (se) **2** dobývat, vykopávat (**potatoes** brambory) **3** (*hovor.*) krást; plagovat **4** dopravovat letecky • *n* **1** podpora, pomoc; **give sb. a ~** svézt koho autem **2** výtah, zdviž; **take the ~** jet výtahem
light[1] [lait] *n* **1** světlo; **come to ~** vyjít na světlo **2** oheň; **Can you give me a ~?** Můžete mi připálit?; **set ~ to** zapálit co **3 ~s** *pl* schopnosti; **according to one's ~s** podle svých nejlepších schopností • *adj* světlý, jasný; blond • *v** **1** zapálit **2 ~ (up)** osvětlit, osvětlovat
light up **1** rozsvítit **2** rozzářit se
light[2] [lait] lehký; **make ~ of** brát co na lehkou váhu
lighter [laitə] zapalovač
lighthouse [laithaus] maják
lighting [laitiŋ] osvětlení
lightning [laitniŋ] blesk; **~ conductor** *GB* / **rod** *US* hromosvod
likable [laikəbl] sympatický
like[1] [laik] *adj, prep, adv* **1** stejný; jako; **What is he ~?** Jaký je?; **What does he look ~?** Jak vypadá?; **It looks ~ rain.** Zdá se, že bude pršet.; **I feel ~ crying.** Je mi do pláče.; **a thing ~ that** něco takového; **~ this** takto, takhle; **there is nothing ~ beer** není nad pivo **2** podobný; **that's just ~ him** to je mu podobné, to je celý on; **in ~ manner** podobně • *conj (hovor.)* jako; **she cooks ~ her mother does** vaří jako její matka
like[2] [laik] **1** mít rád; **I ~ it** líbí se mi to; **~ doing sth.** rád dělat co; **I ~ that!** No tohle! **2** chtít, přát si; **(just) as you ~** jak si přejete; **if you ~** *1.* jestli chcete *2.* smím-li to tak říct; **I'd ~ to know** rád bych věděl
likelihood [laiklihud] pravděpodobnost
likely [laikli] *adj* pravděpodobný; **he is ~ to come** pravděpodobně přijde • *adv* pravděpodobně; **as ~ as not** s největší pravděpodobností; **not ~** určitě ne
like-minded [laik'maindid] stejně smýšlející
likeness [laiknis] podobnost
likes [laiks] **1** záliby **2 the ~ of (us)** (*hovor.*) lidé jako (my)
likewise [laikwaiz] **1** rovněž **2** stejně
liking [laikiŋ] záliba **for** v / pro
lilac [lailək] šeřík
lilt [lilt] (*charakteristická*) zpěvná intonace
lily [lili] lilie; **~ of the valley** konvalinka
limb [lim] **1** úd **2** větev
limber up [limbə'rap] rozcvičit se
lime[1] [laim] vápno
lime[2] [laim] limonek
lime[3] **(tree)** [laim(tri:)] lípa

limelight [laimlait] světlo rampy; **in the ~** ve středu veřejného zájmu
limestone [laimstəun] vápenec
limit [limit] *n* mez; **that's the ~** to už přestává všechno; **within ~s** v mezích možnosti, do určité míry • *v* omezit
limitation [limi'teišn] omezení, hranice (*možností*)
limp[1] [limp] kulhat
limp[2] [limp] schlíplý, zplihlý
line [lain] *n* **1** provaz, šňůra, vlasec **2** čára, přímka; linie **3** řada; řádek **4** šik **5** hranice **6** trať; linka; **hold the ~** počkat u telefonu, nezavěšovat **7** obor **8** druh zboží, sortiment **9** způsob chování; **take a firm ~** zaujmout pevné stanovisko, nekompromisně zakročit **with** proti • *v* **1** linkovat, řádkovat; rýhovat **2** lemovat; obložit **3** podšít, opatřit podšívkou
line out 1 načrtnout, navrhnout **2** zamířit rovnou **for** kam
line up seřadit (se)
line drawing ['lain,dro:iŋ] perokresba
linen [linin] **1** lněná tkanina **2** prádlo
liner [lainə] **1** (*zaoceánský*) pravidelný parník **2** pravidelné letadlo **3** konturovací tužka
lineup [lainap] **1** řada; postavení do řady **2** seskupení
linger [liŋgə] **1** prodlévat, ještě zůstat; setrvávat **2** otálet, váhat
lingerie [lænžəri] dámské prádlo
lingo [liŋgəu] (*hanl.*) **1** (*cizí*) hatmatilka **2** hantýrka
linguist [liŋgwist] **1** lingvista, jazykovědec **2** (*praktický*) znalec jazyků
linguistics [liŋ'gwistiks] *sg* lingvistika
liniment [linimənt] mazání, tekutá mast
lining [lainiŋ] podšívka
link [liŋk] *n* **1** spojovací článek **2** spojení • *v* spojovat (se)
link up 1 mít přípoj; navazovat **with** na **2** spojit se **with** s; připojit se **to** na (*jiný program*)
linnet [linit] konopka
lino [lainəu], **linoleum** [li'nəuliəm] linoleum
linseed [linsi:d] lněné semeno; **~ oil** lněný olej
lint [lint] **1** polštářkový obvaz **2** *US* žmolky (*na šatech*)
lion [laiən] lev
lip [lip] ret
lip-read [lipri:d] odezírat
lipstick [lipstik] rtěnka
liqueur [li'kjuə] likér
liquid [likwid] *adj* tekutý; **~ assets** *pl* likvidní aktiva • *n* tekutina
liquidate [likwideit] likvidovat
liquor [likə] *US* (*silná*) lihovina, alkohol
Lisbon [lizbən] Lisabon
lisp [lisp] šišlat
list [list] *n* seznam • *v* sepsat, zapsat do seznamu; vypočítávat, uvádět
listen [lisn] poslouchat, naslouchat **to** komu / čemu
listen in odposlouchávat **on** koho
listen for dávat pozor na
listener [lisnə] posluchač
listing [listiŋ] **1** přehled, seznam (*zveřejněný, např. kulturních pořadů*) **2** položka v přehledu
listless [listlis] apatický
literacy [litərəsi] gramotnost
literal [litərəl] doslovný

literary [litərəri] literární
literate [litərit] gramotný
literature [litrəčə] literatura
Lithuania [liθju'einiə] Litva
lithe [laið] pružný, svižný
litre [li:tə] litr
litter [litə] *n* **1** smetí; **~ bin** nádoba na odpadky; **~ prevention** péče o čistotu města **2** nosítka **3** vrh (*mláďat*) • *v* poházet, rozházet
litter up znečistit
little [litl] *adj* **1** malý; **~ finger / toe** malíček ruky / nohy **2** málo; **~ time** málo času; **a ~** trochu; **not a ~** nemálo • *adv* málo, nepatrně; **he ~ knows that** vůbec neví, že; **~ by ~** ponenáhlu, postupně
live[1] [liv] **1** žít (**on one's salary** z platu); živit se (**on fruit** ovocem) **2** bydlit; **go to ~ with** odstěhovat se k; **~ sth. down** žít tak vzorně / dlouho, že se časem zapomene na (*něco nepříjemného*)
live on žít dál
live out dožít do konce, zůstat naživu, přežít
live up chovat se, žít **to** podle
live[2] [laiv] **1** živý; opravdový **2** hořící, žhavý, řeřavý **3** nevybuchlý **4** živý, nabitý, pod proudem **5** přímý (**broadcast** přenos)
livelihood [laivlihud] živobytí
lively [laivli] **1** živý, plný života, temperamentní, čilý, hravý **2** vzrušující, horký, perný
liver [livə] játra
livery [livəri] **1** livrej, uniforma, služební oděv **2** firemní znak / barvy
livestock [laivstok] dobytek, živý inventář: skot, koně, ovce, *atd.*
living [liviŋ] *n* **1** život, způsob života **2** živobytí; **make / earn a ~ as** živit se jako • *adj* žijící; živý; **~ room** obývací pokoj
lizard [lizəd] ještěrka
load [ləud] *n* **1** náklad, břímě **2** zatížení, výkon, příkon ♦ **a ~ / ~s of** (*hovor.*) moře čeho • *v* **1** naložit, obtížit **2** nabít (**a gun** revolver, **a camera** fotoaparát)
loaded [ləudid] **1** plný skrytých implikací, víceznačný; sugestivní; **~ in favour of** favorizující koho / co; **~ against** zaměřený / předpojatý proti **2** (*slang.*) prachatý, zazobaný **3** (*slang.*) ožralý; zfetovaný **4** (*kostky*) falešný
loaf[1] [ləuf] bochník
loaf[2] [ləuf] povalovat se
loafer [ləufə] **1** povaleč **2** *US* **~s** *pl* mokasíny
loan [ləun] *n* půjčka; **on ~** zapůjčený • *v* půjčit
loathe [ləuð] hnusit si
loathsome [ləuðsəm] odporný
lobby [lobi] *n* **1** předsíň, chodba, hala, vestibul **2** kuloár(y) **3** nátlaková / zájmová skupina, lobby • *v* **1** intervenovat / interpelovat u poslance (*v parlamentu*) **2** ovlivňovat, agitovat **3** prosadit zákulisním ovlivňováním poslanců
lobe [ləub] lalok, lalůček
lobster [lobstə] humr
local [ləukl] *adj* místní • *n* **1** místní občan **2** místní hostinec / kino
locale [ləu'ka:l] dějiště, lokalita, místo
locate [lə'keit] **1** umístit **2** *US* usídlit se
lock[1] [lok] kadeř, lokna

lock[2] [lok] *n* **1** zámek **2** plavební komora, zdymadlo
• *v* **1** zamknout; zamykat se **2** sevřít, stisknout **3** plout plavební komorou
lock away dát pod zámek, uzamknout
lock out 1 zamknout a tím znemožnit přístup (komu) **2** vysadit z práce
lock up 1 pořádně zamknout **2** zavřít do vězení / blázince **3** pevně investovat
locker [lokə] (*uzamykatelná*) skříňka; ~ **room** šatna (*ve sportovním areálu*)
lockout [lokaut] výluka (*dělníků z práce*)
locksmith [loksmiθ] zámečník
lockstitch [lokstič] řetízkový steh
lockup [lokap] **1** *US* (*místní*) vězení, šatlava **2** *GB* garáž (*samostatná, ne u domu*)
locomotive [ləukəməutiv] lokomotiva
locum [ləukəm] *GB* zastupující lékař / kněz (*o dovolených nebo v nemoci*)
lodge [lodž] **1** vrátnice **2** domek **3** (*lovecká*) chata **4** (*zednářská*) lóže
lodger [lodžə] podnájemník
lodgings [lodžiŋz] *pl* podnájem
loft [loft] **1** půda (*v domě*) **2** kůr, kruchta
lofty [lofti] **1** vysoký **2** vznešený **3** povznesený, povýšený
log [log] *n* **1** poleno, kláda; **~s** *pl* kulatina; ~ **cabin** srub **2** lodní / palubní deník
• *v* (**gg**) **1** zaznamenat do lodního / palubního deníku **2** *US* (po)kácet (*stromy*)
log in / on přihlásit se, navázat / zahájit relaci
log off / out odhlásit se, zrušit / ukončit relaci
loggerheads [logəhedz]: **be at ~ with sb. over sth.** být na kordy s kým pro / kvůli
logic [lodžik] logika
logical [lodžikl] logický
logo [ləugəu] (*firemní*) značka, emblem, logo
loiter [loitə] **1** loudat se **2** lelkovat, okounět (*podezřele*)
lollipop [lolipop] lízátko
lonely [ləunli] osamělý
long[1] [loŋ] *adj* dlouhý; **to cut a ~ story short** zkrátka a dobře
• *adv* dlouho ♦ ~ **ago** dávno; **all night ~** celou noc; **as ~ as** pokud; **as ~ as you like** jak dlouho chceš; ~ **before** dávno předtím (než); **don't be ~** nebuď tam dlouho; **no ~er**, **not any ~er** již ne
long[2] [loŋ] toužit **for** po
long-distance [loŋ'distəns] dálkový
longing [loŋiŋ] *n* touha
• *adj* toužebný
longitude [londžitju:d] zeměpisná délka
long-lasting [loŋ'la:stiŋ] trvanlivý, dlouhodobý
long-life [loŋ'laif] (*mléko*) trvanlivý
long-playing [loŋ'pleiiŋ] dlouhohrající (**record** deska)
long-range [loŋ'reindž] **1** dálkový, s dalekým doletem, dalekonosný **2** dlouhodobý
long-sighted [loŋ'saitid] dalekozraký
look [luk] *n* **1** pohled; **have a ~ at** podívat se na; **I don't like**

the ~ of it nějak se mi to nelíbí / nezdá **2 ~s** *pl* vzhled; **good ~s** půvab, krása • *v* **1** dívat se, hledět **at** na **2** vypadat; tvářit se (**offended** uraženě) **3** hledat **for** co **4** vyšetřit **into** co, podívat se na kloub čemu **5** starat se, pečovat **after** o **6** přihlížet **on** čemu **7** považovat koho **as** za **8** spoléhat **to** na **9** prohlédnout si **over** co
♦ **~ one's age** vypadat na svůj věk; **~ here!** podívejte se!, poslyšte!; **it ~s like rain** asi bude pršet
look around rozhlížet se **for** po / a hledat co
look down on pohrdat kým
look forward to těšit se na
look in (*hovor.*) zastavit se **on** kde / u koho
look out 1 podívat se (**of** odkud) **2** dávat pozor **3** být obrácen, vést (**into the garden** do zahrady)
look up 1 vyhledat si (**in a book** v knize) **2** vzhlížet s úctou **to** k
looker-on [lukəron] divák
lookout [lukaut] **1** hlídání, pozorování **2** výhled, vyhlídka **3** hlídka **4** osobní zájem; **that's your ~** (*hovor.*) to je tvoje starost
loom[1] [lu:m] tkalcovský stav
loom[2] [lu:m] nejasně se rýsovat
♦ **~ large** hrozivě se rýsovat
loop [lu:p] smyčka
loophole [lu:phəul] **1** střílna **2** skulina, mezera (**in the law** v zákonu); zadní dvířka
loose [lu:s] **1** volný; **be at a ~ end** nevědět co s časem **2** velký (**collar** límec) **3** uvolněný, (*též přen.*); prostopášný
♦ **~ change** drobné mince
loosen [lu:sn] uvolnit (se)
loot [lu:t] *n* lup, kořist
• *v* loupit, plenit, drancovat
lord [lo:d] **1 L~** Pán, Hospodin; **L~s Prayer** modlitba Páně, otčenáš **2** pán, lord; **L~ Mayor** primátor; **the House of L~s** (*britská*) Sněmovna lordů
lorry [lori] *GB* nákladní auto
lose* [lu:z] **1** ztratit (**one's temper** nervy); **~ one's way** zabloudit; **~ weight** zhubnout; **the clock ~s** hodiny se zpožďují **2** prohrát **to sb.** s kým **3** připravit **sb.** koho **sth.** o co, stát koho co
loser [lu:zə] kdo ztrácí / prohrává, poražený
loss [los] **1** ztráta **2** škoda
♦ **at a ~** v rozpacích
lost [lost] **1** ztracený; **~ property office** oddělení ztrát a nálezů **2** prohraný ♦ **be ~ on sb.** minout se účinkem na koho; **get ~!** (*slang.*) vypadni!, koukej zmizet!
lot [lot] **1** los; **draw ~s** losovat **2** osud **3** podíl **4** partie (*zboží*), položka (*při dražbě*) **5** množství; **the (whole) ~** všechno; **a ~** hodně; často; **a ~ of / ~s of** mnoho, spousta čeho **6** osoba, člověk; **a bad ~** (*hovor.*) mizera **7** pozemek, parcela; **refuse ~** skládka
lotion [ləušn] pleťová voda
lottery [lotəri] loterie; **~ ticket** los
loud [laud] *adj* **1** hlasitý **2** křiklavý, nápadný **3** čpavý, čpící • *adv* hlasitě
loudly [laudli] **1** hlasitě **2** křiklavě
loudspeaker [laudspi:kə] reproduktor, amplión
lounge [laundž] *v* válet se kde, povalovat se, lenošit • *n* klub, denní bar, salónek, foyer, hala (*hotelu*)

louse [laus], *pl* **lice** [lais] veš
lousy [lauzi] **1** zavšivený; všivý **2** (*hovor.*) špatný, protivný
lout [laut] klacek, hulvát
love [lav] *n* **1** láska (**for children** k dětem, **of one's country** k vlasti) **2** milý, milá **3** (*tenis*) nula ♦ ~ **affair** milostný poměr; **be in ~ with** být zamilován do; **fall in ~ with** zamilovat se do; **give / send one's ~ to** pozdravovat koho; **make ~ to sb.** (po)milovat se s kým • *v* milovat, mít rád
lovely [lavli] rozkošný, půvabný; nádherný
lover [lavə] **1** milovník **2** milenec
low[1] [ləu] *adj* **1** nízký; **get ~** (*voda*) klesat, (*zásoba*) tenčit se **2** tichý; **in a ~ voice** potichu **3** skleslý **4** primitivní; vulgární • *adv* **1** nízko; **fly ~** letět nízko **2** potichu; **talk ~** hovořit potichu • *n* **1** dolní mez / hranice, nejnižší úroveň **2** nížina **3** tlaková níže **4** nejnižší rychlost, jednička
low[2] [ləu] bučet
low-cut [ləu'kat] dekoltovaný, s hlubokým výstřihem
lowdown [ləudaun] (*slang.*) důvěrná informace
lower [ləuə] *adj* **1** nižší **2** tišší ♦ ~ **case** malá písmena • *adv* **1** níže **2** tišeji • *v* snížit; klesnout (**in value** v hodnotě)
low tide [ləu'taid] odliv
loyal [loiəl] loajální, věrný, oddaný
loyalty [loiəlti] věrnost, oddanost
lozenge [lozindž] **1** kosočtverec **2** pastilka
L.P. record [elpi:'reko:d] dlouhohrající deska, elpíčko
Ltd. = **limited** s omezeným ručením
lubricant [lu:brikənt] mazadlo
lubricate [lu:brikeit] mazat (*stroj*)
lucid [lu:sid] **1** jasný **2** přehledný
luck [lak] **1** náhoda; osud **2** štěstí, šťastná náhoda; **be in ~** mít štěstí; **be out of ~** nemít štěstí; **be down on one's ~** mít smůlu; **good ~** štěstí; **bad ~** smůla; **Good ~!** Hodně štěstí!
luckily [lakili] naštěstí
lucky [laki] šťastný; **be ~ (enough) to get** mít štěstí a dostat
lucrative [lu:krətiv] výnosný, lukrativní
ludicrous [lu:dikrəs] směšný
luggage [lagidž] zavazadla; **a piece of ~** zavazadlo ♦ ~ **rack** police na zavazadla (*ve vlaku*); ~ **trolley** kolečka (*na kufr*); ~ **van** zavazadlový vůz
lukewarm [lu:kwo:m] vlažný
lull [lal] *v* ukonejšit; uspat • *n* klid, oddych
lullaby [laləbai] ukolébavka
lumbago [lam'beigəu] ústřel, houser
lumber [lambə] **1** *US* (*stavební*) dříví **2** veteš, harampádí
lumberjack [lambədžæk] *US* dřevorubec
luminous [lu:minəs] světélkující
lump [lamp] **1** kus; hrouda; kostka (**of sugar** cukru) **2** boule ♦ **in the ~** paušálně; **have a ~ in the throat** mít sevřené hrdlo
lunacy [lu:nəsi] šílenství
lunatic [lu:nətik] šílenec
lunch [lanč] polední jídlo, oběd
luncheon [lančən] formální / slavnostní oběd ♦ ~ **voucher** stravenka
lunge [landž] vyrazit, udělat výpad
lungs [laŋz] *pl* plíce

lure [ljuə] lákat, vábit
lurid [ljuərid] **1** křiklavý **2** senzační **3** odporný, odpudivý **4** sinavý, mrtvolně bledý
lurk [lə:k] číhat
luscious [lašəs] **1** šťavnatý, voňavý, sladký **2** (*hovor.*) svůdný, přitažlivý (**blonde** blondýna)
lush [laš] **1** svěží, šťavnatý; bujný **2** luxusní, noblesní
lust [last] *n* chtíč, vilnost
• *v* (*vášnivě*) prahnout **after / for** po
lustre [lastə] lesk
luxurious [lag'zjuəriəs / -'žuə-] přepychový, luxusní
luxury [lakšəri] přepych, luxus
lynch [linč] lynčovat
lynx [liŋks] rys (*šelma*)
lyre [laiə] lyra
lyric [lirik] *adj* lyrický
• *n* **1** lyrická báseň **2** **~s** *pl* text (*písně*)
lyrical [lirikl] **1** lyrický **2** (*hovor.*) nadšený

M

m. = **mile(s)** míle
M.A. [em'ei] = **Master of Arts** mistr svobodných umění
ma [ma:] (*hovor.*) maminka, mamka
mace[1] [meis] **1** žezlo **2** palcát
mace[2] [meis] muškátový ořech (*drcený*)
machine [mə'ši:n] stroj ♦ **~-gun** kulomet; ~ **tool** obráběcí stroj
machinery [mə'ši:nəri] **1** stroje **2** mašinerie **3** mechanismus
mackerel [mækrəl] makrela
mackintosh [mækintoš] plášť do deště
macrobiotic [mækrəubai'otik] zdraví prospěšný, přírodní, makrobiotický
mad [mæd] **1** šílený, bláznivý; **drive sb.** ~ dohnat koho k šílenství; **go** ~ zbláznit se **2** zuřivý, vzteklý **3** poblázněný, posedlý **about** čím
madam [mædəm] (*oslovení*) paní, slečno
madden [mædn] dohánět k šílenství
madhouse [mædhaus] (*hovor.*) blázinec
madly [mædli] šíleně
madman [mædmən] šílenec
madness [mædnis] šílenství
mafia [mæfiə] mafie
magazine [mægə'zi:n] **1** časopis **2** vojenské skladiště **3** nábojová komora, zásobník **4** kazeta, zásobník, cívka (*s filmem*)
magic [mædžik] *n* **1** magie; kouzlo **2** amulet, talisman • *adj* kouzelný; ~ **lantern** laterna magica; ~ **wand** kouzelnická hůlka
magician [mə'džišn] kouzelník
magistrate [mædžistr(e)it] policejní / smírčí soudce ♦ **~'s (court)** policejní soud
magnanimous [mæg'nænimәs] velkomyslný
magnet [mægnit] magnet
magnetic [mæg'netik] magnetický
magnetism [mægnitizm] **1** magnetismus **2** přitažlivost
magnificent [mæg'nifisnt] skvělý
magnify [mægnifai] zvětšovat; **~ing glass** lupa
magnitude [mægnitju:d] **1** velikost; objem(nost) **2** závažnost
magnum [mægnəm] velká vinná láhev (*asi 1,5 l*)
magpie [mægpai] straka
mahogany [mə'hogəni] mahagon
maid [meid] služebná
maiden [meidn] **1** neprovdaný, svobodný **2** panenský, dívčí; ~ **name** dívčí jméno **3** první; ~ **speech** nástupní řeč (*nově zvoleného poslance*) **4** netknutý, nedotčený
mail[1] [meil] **1** brnění (*plátové, kroužkové*) **2** krunýř (*želvy*)
mail[2] [meil] *n* pošta • *v US* poslat poštou ♦ ~ **order** zásilkový prodej zboží
mailing list [meiliŋlist] seznam adresátů / zájemců
maimed [meimd] zmrzačený
main [mein] *n* **1** hlavní potrubí / vedení **2** **~s** *pl GB* (*elektrická*) síť ♦ **in the** ~ v podstatě • *adj* hlavní

mainland [meinlənd] pevnina; hlavní ostrov (*souostroví*)
mainly [meinli] hlavně, převážně
mainstream [meinstri:m] *n* hlavní proud (*myšlení, činnosti apod.*) • *adj* typický, běžný, konvenční
maintain [mein'tein] **1** udržovat **2** podporovat; vydržovat; (u)živit **3** tvrdit
maintenance [meintinəns] **1** udržování; údržba **2** prostředky k obživě; ~ **grant** výživné
maize [meiz] kukuřice
majesty [mædžisti] **1** majestát **2** veličenstvo
major [meidžə] *adj* **1** větší; důležitější **2** (*hud.*) dur • *n* **1** major **2** hlavní studijní obor **3** zletilá osoba
majority [mə'džoriti] **1** většina **2** zletilost, plnoletost
make* [meik] *v* **1** dělat, činit; vyrábět; ~ **bread** péci chléb; ~ **the / a fire** zatopit; ~ **a good breakfast** dobře se nasnídat; ~ **hay** sušit seno; ~ **one's / a living** vydělat si na živobytí; ~ **a mistake** udělat chybu; ~ **money** vydělávat peníze; ~ **an offer** udělat nabídku; ~ **progress** dělat pokroky; ~ **tea** uvařit čaj; ~ **twenty miles** ujít dvacet mil; ~ **a speech** pronést řeč; ~ **war** vést válku **2** přimět, přinutit; ~ **both ends meet** vystačit s platem; ~ **sb. laugh** rozesmát koho **3** odhadovat; **What time do you ~ it?** Kolik myslíte, že je hodin? **4** být, stát se čím; **she will ~ him a good wife** bude mu dobrou ženou ♦ ~ **believe** předstírat; ~ **the best of** využít čeho; ~ **of** myslit si o; ~ **do with** spokojit se s; ~ **for** *1.* zamířit kam *2.* přispět k; ~ **good** nahradit; ~ **it** dokázat to • *n* výrobek, značka
make off ujet; ~ **off with** (*hovor.*) ukrást co (a utéct)
make out 1 vyhotovit, sepsat, (z)koncipovat; vyplnit (*formulář*) **2** rozeznat, rozluštit, vyznat se v **3** dojít k názoru **4** dělat, předstírat
make over 1 přepsat, převést **2** předělat, přešít **3** přestavět, renovovat; reformovat
make up 1 sestavit **2** vymyslit si; improvizovat **3** ušít **4** vyrovnat (*rozdíl*), (vy)nahradit **to sb.** komu **for sth.** co **5** tvořit, skládat se (**of** z) **6** upravit, připravit **7** nadbíhat (**to sb.** komu), ucházet se o přízeň koho **8** nalíčit (*tvář*), udělat si mejkap; namaskovat **9** nahradit, dohnat (**for lost time** ztracený čas) ♦ ~ **it up** usmířit se; ~ **up one's mind** rozhodnout se
make-believe ['meikbi,li:v] předstírání, hra, fikce
makeshift [meikšift] *adj* provizorní, nouzový, náhražkový • *n* výpomoc z nouze, provizórium
make-up [meikap] **1** mejkap, kosmetické přípravky, líčidla; (na)líčení tváře **2** kombinace, složení (*věci*); povaha **3** *US* doplňovací zkouška
malaria [mə'leəriə] malárie
male [meil] *adj* samčí; mužský • *n* samec; muž
malice [mælis] **1** zlá vůle, zloba **2** potměšilost, lstivost, zákeřnost
malicious [mə'lišəs] **1** zlomyslný, svévolný **2** potměšilý, záludný **3** škodolibý, jízlivý

malignant [mə'lignənt] 1 nenávistný, zlovolný, zaujatý 2 (*med.*) zhoubný
malinger [mə'liŋgə] simulovat
mall [mæl / mo:l] *US* nákupní středisko
malnutrition [mælnju:'trišən] podvýživa
malt [mo:lt] slad
maltreat [mæl'tri:t] týrat
mammal [mæml] savec
mammoth [mæməθ] mamut
man [mæn] *n* 1 muž; **as one ~** jako jeden muž 2 člověk; **the ~ in the street** průměrný občan; **to a ~** do jednoho 3 manžel; **~ and wife** muž a žena, manželé 4 zaměstnanec; sluha 5 figurka, kámen (*deskové hry*) • *v* **(nn)** osadit mužstvem / zaměstnanci
manage [mænidž] 1 řídit, spravovat 2 zvládnout (*koho*); zvládat (*časově apod.*) 3 dokázat, svést, umět si poradit 4 (*hovor.*) spořádat (*jídlo*)
management [mænidžmənt] správa, řízení, (manažerské) vedení
manager [mænidžə] ředitel, manažer; správce
mandate [mændeit] pověření, plná moc, mandát; příkaz
mane [mein] hříva
mangy [meindži] prašivý
manhole [mænhəul] průlez, revizní otvor, vstup
manhour [mænauə] pracovní hodina
manhood [mænhud] mužnost; mužství
mania [meinjə] mánie, posedlost
manicure [mænikjuə] *n* manikúra • *v* dělat manikúru
manifest [mænifest] *adj* zřejmý • *v* projevit (**oneself** se); svědčit o, dávat najevo
manifesto [mæni'festəu] manifest
manifold [mænifəuld] *adj* 1 mnohonásobný, rozmanitý, všelijaký 2 mnohotvárný, pestrý • *v* rozmnožovat • *adv* mnohonásobně
manipulate [mə'nipjuleit] 1 manipulovat s; (z)falšovat 2 zacházet, pracovat s, ovládat (**a computer** práci na počítači)
mankind [mæn'kaind] lidstvo
manly [mænli] mužný
man-made [mæn'meid] umělý, syntetický
manner [mænə] 1 způsob; styl 2 manýra 3 **~s** *pl* způsoby, chování ♦ **in this ~** takto; **in a ~** do určité míry
mannerism [mænərizm] manýra, strojenost
manoeuvre [mə'nu:və] *n* manévr • *v* manévrovat
manor [mænə] 1 dědičný velkostatek 2 **~ (house)** panské sídlo, šlechtická usedlost, (*venkovský*) zámeček
manpower [mænpauə] pracovní síla
mansion [mænšn] 1 panské sídlo, zámek 2 **~s** *pl* (*moderní*) blok obytných domů
manslaughter [mænslo:tə] zabití
mantelpiece [mæntlpi:s] krbová římsa
manual [mænjuəl] *adj* ruční, manuální • *n* příručka
manufacture [mænju'fækčə] *v* 1 vyrábět 2 vymýšlet si • *n* výroba
manufacturer [mænju'fækčərə] výrobce

manure [mə'njuə] *n* hnůj, hnojivo • *v* (po)hnojit
manuscript [mænjuskript] rukopis
many [meni] *adj, n* mnohý, četný; **how ~** kolik; **~ of us** mnozí z nás; **a good ~** dosti mnoho; **a great ~** velmi mnoho; **one too ~** *1.* o jednoho víc, přebytečný *2.* o skleničku víc; **~ a man** mnozí
map [mæp] mapa, plán ♦ **put on the ~** (*hovor.*) učinit důležitým, upozornit na
maple [meipl] javor
mar [ma:] **(rr)** pokazit, zmařit
marble [ma:bl] **1** mramor **2** kulička; **~s** *sg* (hra v) kuličky
March [ma:č] březen
march [ma:č] *n* pochod • *v* **1** (nechat) pochodovat **2** odvést
march by / past defilovat
mare [meə] klisna
margarine [ma:džə'ri:n] margarín, pomazánkové máslo
margin [ma:džin] **1** okraj **2** rozpětí (*cen*), marže **3** volný prostor, tolerance, možnost **4** záloha, záruka **5** rozdíl **6** (*sport.*) náskok
marine [mə'ri:n] *adj* **1** mořský; námořní **2** určený pro námořní pěchotu • *n* **1** (*obchodní*) loďstvo; **the merchant ~** obchodní loďstvo **2** námořní pěšák
marital [mæritl] manželský
maritime [mæritaim] **1** námořní **2** přímořský **3** námořnický
mark [ma:k] *n* **1** skvrna, šmouha; (*mateřské*) znaménko **2** značka; označení **3** znaménko; **exclamation ~** vykřičník; **question / interrogation ~** otazník **4** cíl; **beside the ~** nepodstatný **5** norma; **be up to the ~** být v kondici / ve formě **6** *GB* (*hodnotící*) známka; **full ~s to** všechna čest komu • *v* **1** označit, vyznačit **2** zanechat stopy na **3** charakterizovat co ♦ **~ my words** uvidíte to, vzpomeňte si na moje slova
mark down 1 poznamenat, zapsat **2** snížit cenu, zlevnit **3** snížit známku
mark off 1 odměřit, vyměřit, označit hranice **2** oddělit, odlišit **3** odškrtnout
mark out 1 přeškrtnout, vymazat **2** odlišit, zvýraznit **3** narýsovat, nalajnovat
mark up 1 zvýšit cenu **2** opoznámkovat, provést textové úpravy
marker [ma:kə] **1** značkovač, fix **2** (*knižní*) záložka **3** (*známkující*) rozhodčí **4** jasný signál (*příští činnosti*)
market [ma:kit] *n* **1** trh, odbytiště **2** tržnice, tržiště **3** poptávka, odbyt • *v* **1** nabízet na prodej **2** zajišťovat odbyt
marketeer [ma:ki'tiə] **1** stoupenec určitého tržního směru **2** prodejce
marketplace [ma:kitpleis] tržiště
marksmanship [ma:ksmənšip] střelectví, střelecké mistrovství
marmalade [ma:məleid] citrusový (*obvykle pomerančový*) džem
marmot [ma:mət] svišť
marooned [mə'ru:nd]: **be ~ somewhere** uvíznout / zůstat trčet kde
marquee [ma:'ki:] **1** velký stan **2** *US* velká reklama (*nad vchodem do kina*)
marriage [mæridž] **1** manželství **2** sňatek ♦ **~ certificate** oddací list

married [mærid] ženatý, provdaná; **get ~ to** oženit se s, provdat se za
marrow [mærəu] **1** morek **2** dýně, tykev
marrowbone [mærəubəun] morková kost
marry [mæri] **1** oženit (se) s, provdat (se) za **2** oddat
marsh [ma:š] močál
marshal [ma:šl] *n* **1** maršál **2** pořadatel (*při závodech*) **3** *US* velitel hasičů • *v* **(ll)** seřadit; **~ling yard** seřazovací nádraží
marten [ma:tin] kuna
martial [ma:šl] vojenský; **~ law** stanné právo
martin [ma:tin] jiřička
martyr [ma:tə] *n* mučedník • *v* umučit
marvel [ma:vl] *n* div, zázrak • *v* **(ll)** žasnout **at** nad
marvellous [ma:vələs] úžasný
Mary [meəri] Marie
masculine [mæskjulin] **1** mužský **2** (*jaz.*) mužského rodu
mash [mæš] *n* **1** (*hovor.*) bramborová kaše **2** šlichta • *v* rozmačkat; **~ed potatoes** *pl* bramborová kaše
M.A.S.H. [mæš] = **Mobile Army Surgical Hospital** mobilní vojenská chirurgická nemocnice
mask [ma:sk] *n* maska; škraboška • *v* (za)maskovat (se)
mason [meisn] **1** kameník **2 M~** zednář
masonry [meisnri] **1** zdivo **2 M~** zednářství
masquerade [mæskə'reid] maškaráda
mass[1] [mæs] *n* **1** masa, hromada, množství, spousta **2** hmotnost **3 ~es** *pl* masy (*lidu*), proletariát ♦ **~ media** hromadné sdělovací prostředky, masmédia; **~ production** hromadná výroba • *v* (na)hromadit (se)
Mass[2] [mæs] mše
massacre [mæsəkə] *n* vraždění, masakr(ování) • *v* (po)vraždit, (z)masakrovat
massage [mæsa:ž] *n* masírování, masáž • *v* masírovat
massive [mæsiv] **1** masívní **2** podstatný, značný **3** hutný, celistvý
mast [ma:st] stěžeň; stožár; žerď
master [ma:stə] *n* **1** pán; **be one's own ~** být svým vlastním pánem **2** mistr (*řemesla, vědy, umění*); magistr **3** učitel, (*středoškolský*) profesor **4** kapitán (*lodi*) • *v* ovládnout • *adj* **1** prvotní, originální; **~ copy** originální nahrávka (*sloužící pro reprodukci*) **2** *mající titul mistra:* **a ~ carpenter** mistr tesař ♦ **~ builder** stavitel, stavební podnikatel; **~ card** nejvyšší karta, trumf; **~ key** skupinový / univerzální klíč
masterful [ma:stəful] energický; suverénní, mistrovský
masterly [ma:stəli] mistrovský
mastermind [ma:stəmaind] *n* vedoucí osobnost, řídící 'mozek', osnovatel • *v* vést, řídit; naplánovat, zorganizovat
masterpiece [ma:stəpi:s] mistrovské dílo
mat [mæt] rohož(ka)
match[1] [mæč] zápalka
match[2] [mæč] *n* **1** (*sportovní*) zápas **2** rovný partner, soupeř; **meet one's ~** narazit na / potkat

sobě rovného **3** partie (*do manželství*) • *v* **1** porovnat, (z)měřit **2** vyrovnat se komu **3** hodit se k, ladit s; **a tie to ~ the suit** vázanka k obleku **4** hrát zápas **against** proti / s
match up rovnat se, odpovídat čemu
mate [meit] *n* **1** druh, kolega **2** (*v obchodním loďstvu*) důstojník • *v* pářit (se)
material [mə'tiəriəl] *adj* **1** hmotný; tělesný **2** významný; závažný • *n* látka; materiál; **raw ~s** *pl* suroviny; **writing ~s** *pl* psací potřeby
materialize [mə'tiəriəlaiz] uskutečnit (se)
maternal [mə'tə:nl] **1** mateřský **2** z matčiny strany
maternity [mə'tə:niti] mateřství; **~ hospital / home** porodnice; **~ and child welfare centre** poradna pro matky a děti; **~ leave** mateřská dovolená
mathematics [mæθi'mætiks], (*hovor.*) **maths** [mæθs] *sg* matematika
matinée [mætinei] odpolední představení
matron [meitrən] **1** vrchní sestra **2** *US* vrchní dozorkyně (*v ženské věznici*)
matter [mætə] *n* **1** hmota **2** podstata **3** věc, záležitost **4** důležitost **5** *vylučovaná látka z těla:* hnis, výtok, moč, stolice ♦ **as a ~ of fact** vlastně, de facto; **a ~ of course** samozřejmost; **a ~ of opinion** věc názoru; **for that ~** co se toho týče, když na to přijde, konec konců; **it's no laughing ~** to není k smíchu; **no ~ how clean it is** ať je to sebečistší; **printed ~** tiskopis; **reading ~** něco ke čtení • *v* záležet na něčem, mít důležitost / význam; **What does it ~?** Co na tom záleží?; **it does not ~** na tom nezáleží
matter-of-fact [mætərəv'fækt] **1** objektivní, věcný, realistický **2** suchý, strohý
mattress [mætris] matrace
mature [mə'tjuə] *adj* zralý • *v* (do)zrát; přivést k zralosti
maturity [mə'tjuəriti] zralost; vyspělost
Maunday Thursday [mo:ndi'θə:zdei] Zelený čtvrtek
mauve [məuv] barva lila
maximum [mæksiməm] *n* maximum • *adj* maximální
May [mei] květen; **~ Day** První máj
may* [mei] smět, moci; **1** *svolení:* **M~ I come in?** Smím / Mohu vstoupit? **2** *pravděpodobnost:* **You ~ be right.** Možná, že máš pravdu. **3** *přání:* **M~ they live long!** Ať jsou dlouho živi!
maybe [meibi(:)] možná, snad, asi
maybug [meibag] chroust
mayday [meidei] SOS (*radiotelegrafické volání o pomoc*)
mayonnaise [meiə'neiz] majonéza
mayor [meə] starosta
maze [meiz] **1** bludiště, labyrint **2** zmatek, chaos
M.C. [em'si] = **Master of Ceremonies** konferenciér, moderátor
M.D. [em'di:] **1 Doctor of Medicine** doktor lékařství **2 managing director** generální ředitel

me [mi: / mi] mne, mně, mi
meadow [medəu] louka
meagre [mi:gə] hubený, skrovný
meal [mi:l] denní jídlo; **have three ~s a day** jíst třikrát denně
mealtime [mi:ltaim] doba jídla
mean[1]* [mi:n] **1** znamenat **2** mínit, myslit; **I ~ it** já to myslím vážně; **do you ~ to say that** chcete snad říci, že **3** zamýšlet; **~ business** myslet to (smrtelně) vážně; **~ well** myslet to dobře **by** s
mean[2] [mi:n] *adj* střední, průměrný • *n* střed, průměr
mean[3] [mi:n] **1** ubohý, bídný **2** nízký, hanebný **3** lakomý **4** (*hovor.*) fantastický, báječný ♦ **no ~** vynikající
meaning [mi:niŋ] význam
meaningful [mi:niŋful] **1** mající význam / smysl, významný **2** záměrný, účelný
meaningless [mi:niŋlis] nic neříkající, nesmyslný
means [mi:nz] *pl* (*v* často v *sg*) **1** prostředek, prostředky; **~ of transport** dopravní prostředky; **by ~ of** pomocí čeho; **by some ~ or other** tak nebo tak; **by all ~** rozhodně; **by no ~** vůbec ne, v žádném případě **2** *pl* finanční prostředky; **a man of ~** zámožný člověk
meantime [mi:ntaim], **in the ~**, **meanwhile** [mi:nwail] (pro)zatím, mezitím
measles [mi:zlz] *sg* spalničky
measure [mežə] *n* **1** míra; **made to ~** ušitý na míru **2** takt; tempo, rytmus **3** opatření, krok; **take ~s** učinit opatření • *v* měřit
measure off odměřit (*délku*)
measure out odměřit (*množství*)
measure up **1** vyrovnat se **to** čemu, dosáhnout (úrovně) čeho **2** splňovat (**requirements** požadavky); mít požadovanou úroveň
measured [mežəd] odměřený; rozvážný, uvážený
measurement [mežəmənt] míra; **~s** *pl* rozměry
meat [mi:t] **1** maso **2** jádro; dužina ♦ **~ and drink** úplná rozkoš; **~ and potatoes** (*přen.*) grunt, to nejdůležitější
mechanic [mi'kænik] **1** mechanik, strojník, montér **2** automechanik
mechanical [mi'kænikl] **1** strojní, strojový; mechanický **2** automatický, samovolný
mechanics [mi'kæniks] **1** mechanika **2** mechanismus, technika, postup
mechanization [mekənai'zeišn] mechanizace
mechanize [mekənaiz] mechanizovat
medal [medl] medaile
meddle [medl] vměšovat se, plést se, strkat nos **in / with** do
media [mi:diə] sdělovací prostředky ♦ **~ hype** intenzivní reklama ve sdělovacích prostředcích
mediate [mi:dieit] zprostředkovat, být prostředníkem
mediation [mi:di'eišn] zprostředkování
medical [medikl] *adj* **1** lékařský; léčebný, léčivý; **~ practitioner** praktický lékař **2** (*med.*) interní • *n* lékařská prohlídka
Medicare [medikeə] *US* státní zdravotní péče pro důchodce
medicine [medsin] **1** lékařství (*zvl. vnitřní*) **2** lék ♦ **~ cabinet**

lékárnička; **give sb. a dose / taste of his own ~** zaplatit stejnou mincí komu; **take / swallow one's ~** (*přen.*) spolknout hořkou pilulku
medicine man [medsinmæn] šaman
medieval [medi'i:vl] středověký
meditate [mediteit] **1** meditovat; přemýšlet, uvažovat, hloubat **on** o **2** pomýšlet na
meditation [medi'teišn] meditace; přemýšlení, uvažování
Mediterranean (Sea) [meditə'reinjən ('si:)] Středozemní moře
medium [mi:djəm] *n* **1** střed; průměr **2** prostředek **3** prostředí, milieu **4** médium • *adj* střední (**waves** vlny); prostřední, průměrný; **~ dry** (*víno*) polosuchý
medley [medli] směs, směsice
meek [mi:k] mírný, poddajný, trpělivý
meet* [mi:t] **1** potkat (se) **2** sejít se, setkat se (**with a friend** s přítelem, **with obstacles** s překážkami) **3** seznámit se s **4** uspokojit; **~ sb. halfway** vyjít komu vstříc **5** vyrovnat, uhradit (**a bill** účet) **6** dopnout (se); **my jacket won't ~** moje sako nejde dopnout **7** utkat se (**a team in football** s mužstvem v kopané) ♦ **~ with an accident** mít nehodu; **there is more to it than ~s the eye** za tím vězí víc, než se na první pohled zdá; **~ of minds** souhlas; **pleased to ~ you** těší mě, že vás poznávám; **~ sb. at the station** přijít komu naproti na nádraží; **the trains ~ at C.** vlaky se křižují v C.
meeting [mi:tiŋ] **1** schůze; shromáždění **2** utkání, zápas
melancholy [melənkəli] *n* melancholie • *adj* melancholický
mellow [meləu] **1** vyzrálý; sladký a šťavnatý **2** něžný, lahodný **3** vyrovnaný, plný porozumění, moudrý
melodious [mi'ləudjəs] melodický
melodrama [melədra:mə] melodrama; **don't make such a ~ of it** nedělej z toho kovbojku
melody [melədi] melodie
melon [melən] meloun
melt [melt] **1** (roz)tavit **2** (roz)tát, rozpouštět se
melt down roztavit (*kovové předměty*)
member [membə] **1** člen **2** končetina; (*pohlavní*) úd
membership [membəšip] **1** členství **2** členstvo
membrane [membrein] **1** blána **2** membrána
memento [mi'mentəu] suvenýr
memo [meməu] **1** domácí vzkaz **2** poznámka
memorable [memrəbl] památný
memorial [mi'mo:riəl] *n* památník • *adj* pamětní; **M~ Day** *US* Den obětí války (*poslední pondělí v květnu*)
memorize [meməraiz] naučit se zpaměti
memory [meməri] **1** paměť; **from ~** zpaměti **2** vzpomínka **of** na **3** památka
menace [menis] *n* hrozba • *v* (o)hrozit, vyhrožovat
menacing [menisiŋ] hrozivý, výhružný
menagerie [mi'nædžəri] zvěřinec
mend [mend] **1** spravit, opravit **2** zlepšit, napravit **3** (*hovor.*) přetrumfnout

mendacious [men'deišəs] prolhaný; lživý
mental [mentl] duševní ♦ **~ age** duševní úroveň; **~ home / hospital** psychiatrická léčebna
mention [menšn] *v* zmínit se o ♦ **don't ~ it** to nestojí za řeč, prosím; **not to ~** nemluvě o, nehledě k / na • *n* zmínka **of** o
menu [menju:] **1** jídelní lístek **2** menu, nabídka
mercantile [mə:kəntail] obchodní; kupecký
mercenary [mə:sənri] *adj* **1** námezdný, žoldácký; prodejný **2** zištný • *n* žoldnéř
merchandise [mə:čəndaiz] zboží
merchant [mə:čnt] (velko)obchodník
merciful [mə:siful] milosrdný
mercury [mə:kjuri] rtuť
mercy [mə:si] **1** soucit, milosrdenství **2** (*hovor.*) štěstí, šťastná náhoda; **be at the ~ of** být vydán na milost a nemilost komu / čemu; **be thankful for small mercies** važ si toho, co máš
mere [miə] pouhý
merely [miəli] pouze, jenom
merge [mə:dž] **1** splynout **2** spojit, fúzovat
merger [mə:džə] sloučení, fúze
meridian [mə'ridiən] poledník
meringue [mə'ræŋ] sněhová pusinka, pěnový dortík, bezé
merit [merit] *n* **1** zásluha **2** dobrá vlastnost, hodnota; **of outstanding ~** vynikající **3 ~s** *pl* výhody; hlavní body, podstata věci • *v* zasloužit si
merry [meri] veselý; **make ~** veselit se
merry-go-round [merigəuraund] kolotoč
mesh [meš] oko (*sítě*)
mess [mes] *n* **1** nepořádek, bordel, zmatek; **make a ~ of sth.** zpackat, zhudlařit co **2** pěkná kaše, brynda, trable, potíže; **get into a ~** dostat se do obtížné situace **3** (*voj.*) kantýna; **~ tin** jídelní miska, ešus • *v* **1** uvést do nepořádku **2** stravovat se v kantýně
mess around 1 potloukat se, flákat se **2** (*neodborně*) manipulovat **with** s, hrát si s, vrtat se v
mess up 1 zpřeházet, obrátit vzhůru nohama **2** zamazat **3** zhatit
message [mesidž] zpráva, vzkaz, sdělení, poselství; **get the ~** pochopit, porozumět
messenger [mesindžə] posel, poslíček
Messiah [mi'saiə] Vykupitel, Mesiáš
Messrs. [mesəz] pánové; **~ Brown & Co.** firma Brown & spol.
metal [metl] kov
metallic [mi'tælik] kovový
metallurgic(al) [metə'lə:džik(l)] hutnický, hutní, metalurgický
metallurgy [mə'tælədži] hutnictví, metalurgie
metamorphosis [metə'mo:fəsis] přeměna, proměna, metamorfóza
metaphor [metəfə] metafora
mete out [mi:t'aut] rozdělit, přisoudit; vyměřit; **~ justice** zjednat spravedlnost
meteor [mi:tjə] meteor
meteorology [mi:tjə'rolədži] meteorologie
meter [mi:tə] měřidlo, měřící přístroj; počitadlo, hodiny
method [meθəd] **1** metoda,

postup, způsob **2** (*vědní*) klasifikace, soustava
meticulous [mi'tikjuləs] úzkostlivě pečlivý, puntičkářský, pedantský, skrupulózní
metre [mi:tə] **1** metr **2** metrum
metropolis [mi'tropəlis] hlavní město, metropole
mews [mju:z] *sg* **1** stáje **2** (*drahé*) obytné objekty (*vzniklé přestavbou stájí*)
Mexico [meksikəu] Mexiko
mica [maikə] slída
microbe [maikrəub] mikrob
microphone [maikrəfəun] mikrofon
microscope [maikrəskəup] mikroskop
microscopic [maikrə'skopik] mikroskopický
mid- [mid] uprostřed čeho; **in ~summer** uprostřed léta
midair [mid'eə]: **in ~** vysoko nad zemí, ve vzduchu
midday [middei] poledne; **~ meal** oběd
middle [midl] *adj* (pro)střední; **M~ Ages** *pl* středověk; **~ class** střední třída, buržoazie; **M~ East** Střední východ • *n* **1** střed; **in the ~ of** uprostřed čeho **2** (*hovor.*) pas
middle-aged [midleidžd] ve středních letech; **~ spread** korpulence čtyřicátníka
middleman [midlmæn] prostředník, zprostředkovatel
middling [midəliŋ] *adj* střední, (*pouze*) průměrný, druhořadý • *adv* průměrně, jakž takž
midget [midžit] zakrslík, trpaslík, skrček
midnight [midnait] půlnoc
midpoint [midpoint] střed, vrchol
midsummer [midsamə] doba letního slunovratu; **in ~** uprostřed léta
midterm blues [midtə:m'blu:z] nespokojenost s vládou / prezidentem uprostřed jejich volebního období
midway [midwei] *adj* ležící uprostřed cesty • *adv* uprostřed cesty, v polovině
midwife [midwaif] porodní asistentka
might[1] [mait] (*minulý čas od*) **may***; **I ~** mohl bych; **How old ~ he be?** Kolik je mu asi let?
might[2] [mait] moc, síla; **with all one's ~** ze všech sil
mighty [maiti] *adj* **1** mocný; mohutný **2** vynikající, monumentální **3** (*hovor.*) ohromný, úžasný • *adv US* (*hovor.*) nesmírně
migrate [mai'greit] stěhovat se, migrovat
migration [mai'greišn] stěhování, migrace
migratory [maigrətəri] stěhovavý
mike [maik] (*hovor.*) mikrofon
mild [maild] **1** mírný **2** jemný; lahodný
mildew [mildju:] plíseň
mildly [maildli] mírně; **putting it ~** mírně řečeno
mile [mail] míle (*1609,3 m*)
mileage [mailidž] **1** vzdálenost v mílích **2** počet ujetých mil **3** (*hovor.*) užitek
milestone [mailstəun] milník, (*též přen.*)
militant [militənt] bojovný, militantní
military [militəri] *adj* vojenský (**service** služba), armádní • *n* vojsko, armáda
militia [mi'lišə] milice

milk [milk] *n* mléko
♦ ~ **float** vozík mlékaře; ~ **tooth** mléčný zub; **cry over spilt** ~ pozdě bycha honit • *v* dojit
milker [milkə] dojnice
milky [milki] mléčný; **M~ Way** Mléčná dráha
mill [mil] *n* **1** mlýn; mlýnek **2** továrna, závod ♦ **put sb. / go through the** ~ nechat koho projít / projít tvrdou školou života • *v* (roze)mlít
mill about / around (*dav*) točit se, motat se
miller [milə] mlynář
milliard [miljəd] *GB* miliarda
millimeter [milimi:tə] milimetr
millionaire [miljə'neə] milionář
mime [maim] *n* **1** pantomima **2** (panto)mim • *v* vyjádřit pantomimicky, (za)hrát
mimic [mimik] *n* imitátor • *v* imitovat, napodobovat; parodovat
mince [mins] *v* (*drobně*) (roz)sekat, rozkrájet; **with mincing steps** drobnými krůčky • *n* sekaná, sekané maso
mincemeat [minsmi:t] *směs sekaných mandlí, hrozinek, pomerančové kůry atd. s cukrem* ♦ **make ~ of** rozsekat koho / co na kusy, roztrhat na cucky (*přen.*)
mind [maind] *n* **1** mysl; rozum, inteligence **2** mínění, názor, smýšlení **3** úmysl, sklon, chuť ♦ **absence of** ~ roztržitost; **bear / have in** ~ mít na paměti; **call sth. to** ~ připomenout si co; **put one's ~ to** dát si záležet na; **What's on your ~?** Co ti vrtá hlavou?; **be in two ~s** nemoci se rozhodnout, váhat; **change one's** ~ změnit názor, rozmyslit si to; **give sb. a piece of one's** ~ pořádně vyčinit komu; **have a good ~ to** mít sto chutí k čemu; **~'s eye** duševní zrak; **make up one's** ~ rozhodnout se; **to my** ~ podle mého názoru; **peace of** ~ duševní klid; **set one's ~ on** umínit si co, zamýšlet; **speak your** ~ řekni, co si myslíš • *v* **1** dbát na, dávat pozor na **2** namítat proti
♦ ~ **the step** pozor schod; ~ **your own business** hleď si svého; **do you ~ my reading / if I read?** dovolíte, abych (si) četl?; **if you don't** ~ nevadí-li vám to; **never** ~ *1.* to nevadí, na tom nezáleží *2.* neřku-li, nemluvě o; ~ **one's Ps and Qs** (*hovor.*) dát si záležet, ukázat své dobré vychování
mindful [maindful] dbalý **of sth.** čeho
mind reader [maindri:də] čtenář myšlenek
mine[1] [main] můj
mine[2] [main] *n* **1** důl; **a ~ of information** pramen informací **2** mina • *v* **1** dolovat **2** podminovat, zaminovat
miner [mainə] horník
mineral [minərəl] *n* **1** nerost, hornina **2 ~s** *pl GB* minerálka • *adj* nerostný; ~ **water** minerálka
mingle [miŋgl] mísit (se), smíchat (se)
mini [mini] *cokoli v malém provedení:* miniauto; minisukně
miniature [miničə] *n* miniatura • *adj* miniaturní; ~ **golf** minigolf
minibus [minibas] mikrobus
minicab [minikæb] *GB* taxi (*pouze na telefonickou objednávku*)
minim [minim] půlová nota

minimum [minimәm] *n* minimum • *adj* minimální
minister [ministә] **1** ministr **2** vyslanec **3** protestantský duchovní ♦ ~ **of state** náměstek ministra
ministerial [mini'stiәriәl] ministerský
ministry [ministri] **1** ministerstvo **2** duchovenstvo
mink [miŋk] norek
minor [mainә] *adj* **1** menší; méně důležitý **2** *GB* mladší (*sourozenec*) **3** (*hud.*) moll • *n* neplnoletá / nezletilá osoba
minority [mai'noriti] **1** menšina **2** neplnoletost, nezletilost
minster [minstә] katedrála, dóm
mint[1] [mint] máta
mint[2] [mint] *n* **1** mincovna **2** (*hovor.*) mnoho peněz, celé jmění ♦ **in ~ condition** zbrusu nový; v perfektním stavu • *v* razit (**coins** mince, **a new word** nové slovo)
minus [mainәs] (*mat.*) minus, bez
minute[1] [minit] **1** minuta ♦ **in a ~** za chvilku; **to the ~** přesně; **the ~ (that)** jakmile; **~ hand** minutová ručička **2 ~s** *pl* protokol, zápis (**of a meeting** ze schůze); **take down the ~s** psát zápis
minute[2] [mai'nju:t] **1** drobný **2** podrobný, přesný
miracle [mirәkl] div, zázrak; **work ~s** dělat zázraky
miraculous [mi'rækjulәs] zázračný
mirage [mira:ž] fata morgána
mirror [mirә] *n* zrcadlo; **~ image** zrcadlový obraz • *v* **1** zrcadlit, odrážet **2** obrážet, představovat
misadventure [misәd'venčә] nehoda, neštěstí, nešťastná náhoda
miscalculate [mis'kælkjuleit] přepočítat se
miscarriage [mis'kæridž] **1** potrat **2** nedoručení pošty ♦ **~ of justice** justiční omyl
miscarry [mis'kæri] **1** mít potrat, potratit **2** nezdařit se **3** (*poštovní zásilka*) nebýt doručen, ztratit se
miscellaneous [misi'leinjәs] rozmanitý, různorodý
mischance [mis'ča:ns] smůla
mischief [misčif] **1** škoda, spoušť **2** rozbroj, zlá krev **3** darebáctví, uličnictví, neplecha, nezbednost **4** (*hovor.*) dareba, nezbeda
mischievous [misčivәs] **1** škodlivý, zhoubný; zlomyslný **2** darebný, nezbedný, uličnický
misdemeanour [misdi'mi:nә] **1** přečin **2** poklesek, přehmat
miser [maizә] lakomec
miserable [mizrәbl] **1** nešťastný, ztrápený; špatně naladěný, protivný **2** ubohý, bídný, mizerný
misery [mizәri] bída
misfire [mis'faiә] **1** selhat **2** (*motor*) nechytnout **3** minout se účinkem
misfit [misfit] kdo se neumí / nechce přizpůsobit poměrům, kdo se minul povoláním, ztracenec
misfortune [mis'fo:čәn] neštěstí
misgiving [mis'giviŋ] obava, pochybnost
misinformation [misinfә'meišn] dezinformace
misinterpret [misin'tә:prit] špatně si vykládat
mislay* [mis'lei] založit (*někam*)
mislead* [mis'li:d] zavést na špatnou cestu, svést
misnomer [mis'nәumә] nevhodný / nesprávný název

misplace [mis'pleis] založit (*kam*); položit na nesprávné místo
misprint [misprint] tisková chyba
miss [mis] **1** minout, chybit, netrefit (**the target** cíl), přehlédnout **2** nechat si ujít; zmeškat, zameškat (**a lesson** lekci, **an opportunity** příležitost, **a train** vlak); **be ~ing** chybět **3** postrádat; **we'll ~ you** bude se nám po tobě stýskat
miss out vynechat
Miss [mis] **1** (*před jménem*) slečna **2** (*v soutěži*) královna, miss **3** *GB* paní učitelka
misshapen [mis'šeipn] znetvořený
missile [misail] **1** metací zbraň **2** střela, raketa **3** vržený předmět ♦ **intercontinental ballistic ~** interkontinentální balistická střela; **guided ~** řízená střela; **~ base** raketová základna
missing [misiŋ] **1** chybějící **2** pohřešovaný, nezvěstný
mission [mišn] **1** (*bojový*) úkol **2** poslání; poselstvo, mise **3** misie
misspend* [mis'spend] promarnit
mist [mist] *n* mlha, opar • *v* zamlžit (se)
mistake* [mis'teik] *v* **1** zmýlit se v **2** omylem považovat **sth.** co **for** za; **be ~n** být na omylu **about** v • *n* omyl, chyba; **by ~** omylem; **and no ~ (about it)** docela určitě, jen co je pravda
Mister [mistə] **1** (*před jménem psáno*) **Mr, Mr.** pan **2** (*slang.*) pane (*oslovení neznámého*)
mistletoe [misltəu] jmelí
mistress [mistris] **1** milenka **2** paní, vládkyně **3** panička (*psa*)
mistrust [mis'trast] *v* nedůvěřovat (komu) • *n* nedůvěra **of / in** v
misty [misti] zamlžený, mlhavý
misunderstand* [misandə'stænd] neporozumět, nechápat, špatně rozumět (čemu)
misunderstanding [misandə'stændiŋ] nedorozumění
misuse *v* [mis'ju:z] **1** špatně / nesprávně použít **2** zneužít • *n* [mis'ju:s] **1** špatné / nesprávné použití **2** zneužití
mitigate [mitigeit] zmírnit
mitigating circumstances *pl* polehčující okolnosti
mitten [mitn] palečnice, palčáky
mix [miks] *n* směs; směsice ♦ **soup ~** polévka v prášku • *v* **1** míchat (se), smísit (se); namíchat **2** přátelit se, stýkat se, dobře vycházet s lidmi **3** zaplést se, něco si začít **in** s
mix in vmíchat, (*mícháním*) přidat
mix up **1** promíchat, promísit **2** zaměňovat (**the names** jména) **3** (s)plést si **sb.** koho **with** s, omylem považovat koho za **4** vnést zmatek do
mixed [mikst] míchaný; smíšený ♦ **~ doubles** smíšená čtyřhra; **~ school** koedukační škola
mixed up [mikst'ap] **1** propletený, zapletený **2** zmatený, neurotický ♦ **get ~** zaplést se (**in politics** do politiky)
mixer [miksə] **1** míchačka; mixér **2** (dobrý / špatný) společník **3** *US* seznamovací večírek
mixture [miksčə] směs
moan [məun] *n* **1** sten, sténání **2** (*hovor.*) lamentace • *v* **1** sténat **2** lamentovat, fňukat
mob [mob] *n* dav; lůza • *v* **(bb)** obklopit davem
mobile [məubail] pohyblivý, mo-

bilní ♦ ~ **(tele)phone** mobilní telefon, mobil (*hovor.*); ~ **library** pojízdná knihovna, bibliobus
mobilization [məubilai'zeišn] mobilizace
mobilize [məubilaiz] mobilizovat
moccasin [mokəsin] mokasín
mock [mok] *v* **1** zesměšňovat, posmívat se, pošklebovat se (komu / čemu) **2** karikovat • *adj* falešný, nepravý; simulovaný, na oko
mockery [mokəri] posměch, výsměch
mock-up [mokap] maketa / model ve skutečné velikosti
model [modl] *n* **1** model, vzor **2** modelka, manekýnka • *adj* vzorný • *v* **(ll)** modelovat
moderate *adj* [modərət] **1** mírný **2** umírněný, rozumný • *v* [modəreit] **1** mírnit, krotit **2** moderovat
moderation [modə'reišn] umírněnost
moderator [modəreitə] **1** prostředník **2** moderátor
modern [modən] moderní
modern-day [modəndei] dnešní
modest [modist] **1** skromný, nenáročný **2** umírněný, rozumný **3** jednoduchý, obyčejný, prostý
modesty [modisti] skromnost, nenáročnost ♦ **in all** ~ při / ve vší skromnosti
modify [modifai] změnit, upravit, přizpůsobit
moist [moist] vlhký
moisten [moisn] navlhčit; navlhnout
moisture [moisčə] vlhkost
moisturize [moisčəraiz] navlhčit, zvlhčit
molar [məulə] stolička (*zub*)
mole[1] [məul] krtek
mole[2] [məul] mateřské znaménko
molecular [mə'lekjulə] molekulární
molecule [molikju:l] molekula
molest [mə'lest] obtěžovat
molestation [məule'steišn] obtěžování
moment [məumənt] **1** okamžik, chvilička **2** (*fyz.*) moment ♦ **at the** ~ právě; **at (odd) ~s** občas; **in a** ~ za okamžik; **at the last** ~ na poslední chvíli; **not for a** ~ ani na okamžik; **the** ~ **(that)** jakmile
monarch [monək] panovník
monarchy [monəki] monarchie
monastery [monəstri] (*mužský*) klášter
Monday [mand(e)i] pondělí
monetary [manitri] peněžní; měnový
money [mani] peníze ♦ ~ **for jam / old rope** lehce vydělané peníze; **put (some)** ~ **into** investovat do
money order ['mani,o:də] *US* poštovní poukázka (*na větší částky*)
Mongol [moŋgl] *n* Mongol • *adj* mongolský
Mongolia [moŋ'gəuljə] Mongolsko
mongrel [maŋgrəl] kříženec
monitor [monitə] *n* **1** monitor **2** předseda třídy **3** sledovací zařízení • *v* monitorovat, sledovat
monk [maŋk] mnich
monkey [maŋki] opice
monkey wrench [maŋkirenč] francouzský klíč
monochrome [monəkrəum] **1** jednobarevný **2** černobílý
monogram [monəgræm] monogram
monograph [monəgra:f] monografie

monologue [monəlog] monolog
monopoly [mə'nopəli] monopol
monotonous [mə'notənəs] jednotvárný, monotónní
monotony [mə'notəni] jednotvárnost, monotónnost
monsoon [mon'su:n] monzun
monster [monstə] zrůda, netvor, obluda
monstrous [monstrəs] **1** netvorný, obludný; příšerný, hrozný **2** obrovitý, kolosální **3** absurdní, nehorázný
month [manθ] měsíc (*údobí*)
monthly [manθli] *adj* měsíční • *n* měsíčník • *adv* měsíčně
monument [monjumənt] **1** památník, pomník **2** chráněná památka
monumental [monju'mentl] **1** monumentální **2** (*hovor.*) kolosální
mood[1] [mu:d] nálada; **be in the ~ for** mít náladu na; **be in no ~ for** nemít náladu na
mood[2] [mu:d] (*jaz.*) způsob
moodiness [mu:dinis] náladovost
moon [mu:n] *n* měsíc (*luna*); **be over the ~** být nesmírně šťastný; **there is a ~** svítí měsíc; **full ~** úplněk • *v* oddávat se snění
moon about / around bezcílně bloumat, pohybovat se jako ve snu
moonlight [mu:nlait] měsíční světlo
moonshine [mu:nšain] **1** nesmysly **2** *US* samohonka
moor[1] [muə] pustá planina, vřesoviště
moor[2] [muə] zakotvit, připoutat (*plavidlo*)
mop [mop] *n* **1** mop **2** kštice • *v* **(pp)** setřít mopem
mop up 1 vytřít (mopem) **2** odstranit, zlikvidovat **3** (*hovor.*) pohltit, shrábnout
moped [məuped] *GB* moped
moral [morəl] *adj* **1** mravní, morální **2** mravný **3** mravoučný • *n* **1** mravní naučení **2 ~s** *pl* morálka, mravy
morale [mə'ra:l] morálka, duch
morality [mə'ræliti] morálka, mravnost
morbid [mo:bid] **1** chorobný, patologický **2** morbidní
more [mo:] více
♦ **~ and ~** čím dál tím víc; **no ~** *1.* už ne *2.* již nikdy; **one ~ day** ještě den; **~ often than not** (*hovor.*) většinou; **once ~** ještě jednou; **~ or less** více méně; **~ like** spíše; **the ~ so because** tím spíše, že; **some ~ tea** ještě trochu čaje
moreover [mo:r'əuvə] mimoto, nadto, kromě toho
morning [mo:niŋ] **1** ráno **2** dopoledne
♦ **in the ~** ráno, dopoledne; **this ~** dnes ráno / dopoledne; **~ star** jitřenka; **~ suit** žaket
Morocco [mə'rokəu] Maroko
morose [mə'rəus] nevrlý
Morse code [mo:s'kəud] morseovka
morsel [mo:sl] sousto
mortal [mo:tl] *adj* **1** smrtelný **2** (*hovor.*) nekonečný, otravný • *n* smrtelník
mortality [mo:'tæliti] **1** smrtelnost **2** *též* **~ rate** úmrtnost
mortar [mo:tə] **1** malta **2** minomet

mortar-board [mo:təbo:d] **1** zednická lžíce **2** (*univerzitní*) čtverhranný baret
mortgage [mo:gidž] hypotéka
mortify [mo:tifai] **1** (*asketicky*) umrtvovat **2** pokořit, ponížit, zahanbit
mortuary [mo:čuəri] **1** márnice **2** *US* pohřební ústav
mosaic [məu'zeiik] mozaika
Moscow [moskəu] Moskva
mosque [mosk] mešita
mosquito [mə'ski:təu] moskyt
moss [mos] mech
most [məust] **1** nejvíce; **(the) ~ mistakes / money** nejvíce chyb / peněz; **the ~ beautiful** nejkrásnější **2** velice, nadmíru **3** většina ♦ **at (the) ~** nanejvýše; **what pleased me ~ of all** co se mi líbilo ze všeho nejvíce; **a ~ useful thing** velmi užitečná věc; **~ people** většina lidí; **~ of the time** většinou; **for the ~ part** z největší části; **make the ~ of** plně využít čeho
mostly [məustli] většinou
motel [məu'tel] motel
moth [moθ] **1** mol **2** noční motýl, můra
mother [maðə] matka ♦ **~ country** vlast; **M~'s Day** svátek matek (*GB: čtvrtá neděle postní, US: druhá neděle v květnu*); **~ tongue** mateřština
motherhood [maðəhud] mateřství
mother-in-law [maðrinlo:] tchyně
mother-of-pearl [maðərəv'pə:l] perleť
motion [məušn] *n* **1** pohyb **2** návrh (*na schůzi*); **on the ~ of** na návrh koho • *v* pokynout
motionless [məušnlis] nehybný
motion picture [ˌməušn'pikčə] *US* film
motive [məutiv] *adj* hybný (**power** síla) • *n* motiv, pohnutka
motley [motli] **1** strakatý, pestrý **2** různorodý
motor [məutə] motor
motorcycle [məutəsaikl] motocykl
motor lodge [məutəlodž] *US* motel
motorway [məutəwei] *GB* dálnice
mould[1] [məuld] *n* kadlub, forma; **cast in the same ~** ze stejného těsta • *v* **1** dát tvar čemu **2** odlít do formy, tvarovat; lisovat
mould[2] [məuld] plíseň
mouldy [məuldi] plesnivý
mound [maund] **1** hromada, kupa **2** kopec, pahorek **3** val, násep **4** mohyla
mount [maunt] **1** uspořádat, (z)organizovat **2** **(up)** stoupat, vzrůstat **3** stoupat (kam), vystoupit na **4** nasednout na (*koně, motorku*) **5** posadit, vysadit **on** na **6** namontovat, přimontovat; podlepit
mountain [mauntin] hora ♦ **~ bike** horské kolo; **~ rescue service** horská záchranná služba
mountaineer [maunti'niə] **1** horolezec **2** horal
mountaineering [maunti'niəriŋ] horolezectví
mountainous [mauntinəs] hornatý
mounted [mauntid] jízdní (**police** policie)
Mountie [maunti] (*hovor.*) člen kanadské jízdní policie
mourn [mo:n] **1** truchlit **for / over** nad **2** nosit smutek
mourning [mo:niŋ] smutek
mouse [maus], *pl* **mice** [mais] myš
moustache [mə'sta:š] knír

mouth [mauθ] **1** ústa **2** ústí
mouthful [mauθful] **1** sousto **2** dlouhé slovo, dlouhatánský název
mouthorgan [mauθo:gən] (*hovor.*) foukací harmonika
mouthpiece [mauθpi:s] **1** náústek, nátrubek **2** mluvítko, mikrofon **3** mluvčí
movable [mu:vəbl] pohyblivý
move [mu:v] *n* **1** krok, opatření **2** tah (*v šachu*) • *v* **1** hnout (se) **2** pohybovat (se); táhnout (*v šachu*) **3** stěhovat se **4** pohnout; dojmout **5** navrhnout (*při schůzi*)
move in nastěhovat (se)
move off odsunout (se), vzdálit (se)
move out odstěhovat (se)
move up **1** posunout se, udělat místo **2** povýšit, postoupit; dostat se do vyšší kategorie
movement [mu:vmənt] **1** pohyb **2** hnutí **3** (*hud.*) věta
movie [mu:vi] *US* (*hovor.*) **1** film **2** **~s** *pl* kino
moving [mu:viŋ] **1** pohyblivý **2** hybný, hnací **3** dojemný **4** ožehavý, palčivý
mow* [məu] sekat, kosit
M.P. [em'pi:] **1** **Member of Parliament** *GB* poslanec **2** **Military Police** vojenská policie
Mr, Mr. [mistə] (*před jménem*) pan
Mrs, Mrs. [misiz] (*před jménem*) paní
Ms [miz] *jednotná předrážka místo* **Miss** *nebo* **Mrs**
Mt = Mount [maunt] hora (*před jménem*)
much [mač] **1** mnoho, hodně **2** mnohem ♦ **as ~ as** tolik jako; **as ~ again** ještě jednou tolik; **how ~** kolik; **he is not ~ of an actor** jako herec za moc nestojí; **nothing ~** nic zvláštního; **~ the same** skoro stejný; **~ to my surprise** k mému velkému překvapení
muck [mak] **1** hnůj, chlévská mrva **2** (*hovor.*) špína, svinstvo; chlív, bordel, nepořádek
mud [mad] bláto, bahno ♦ **~ in your eye** na zdraví, ať ti to šlape (*přípitek*)
muddy [madi] blátivý, zablácený
mudguard [madga:d] blatník
muddle [madl] *n* zmatek, nepořádek, páté přes deváté • *v* splést, poplést
muffle [mafl] **1** (*teple*) zabalit, zachumlat **2** (u)tlumit (*zvuk*)
mufti [mafti] civil(ní oblek); **in ~** v civilu
mug [mag] hrnek
mulberry [malbəri] moruše
mule [mju:l] mul, mezek
multiple [maltipl] mnohonásobný, mnohostranný
multiplication [maltipli'keišn] násobení ♦ **~ table** násobilka
multiply [maltiplai] **1** násobit **2** rozmnožovat se
multistorey [maltisto:ri] mnohaposchoďový
multitude [maltitju:d] množství
mumble [mambl] mumlat
mummy [mami] mumie
mumps [mamps] *sg* příušnice
munch [manč] přežvykovat
municipal [mju'nisipl] městský, obecní, komunální
munitions [mju'nišnz] *pl* válečný materiál, munice
mural [mjuərl] *adj* nástěnný • *n* nástěnná malba

murder [mə:də] *n* vražda
• *v* (za)vraždit
murderer [mə:dərə] vrah
murderous [mə:dərəs] vražedný
murmur [mə:mə] *n* **1** šum(ění), zurčení **2** mumlání, šepot **3** šelest (*srdeční*) • *v* **1** šumět, zurčet **2** reptat **at** na, **against** proti **3** (za)mumlat, (za)šeptat
muscle [masl] **1** sval **2** (*přen.*) síla, moc; podstata, základ
muse[1] [mju:z] múza
muse[2] [mju:z] dumat, hloubat **on / over** nad
museum [mju:'zi:əm] muzeum
mushroom [mašru:m] *n* **1** houba; **spring up like ~s** růst jako houby po dešti **2** hřib (*mrak po výbuchu*) • *v* **1** rychle růst **2** rozšířit se (*rychle*)
music [mju:zik] **1** hudba; **set to ~** zhudebnit **2** noty
♦ **face the ~** nést následky; **~ centre** *GB* hi-fi věž
musical [mju:zikl] *adj* hudební
• *n* muzikál
musician [mju:'zišn] hudebník
musk [mask] pižmo
must* [mast] *v* muset:
1 *povinnost:* **I ~** musím **2** *zákaz (zápor):* **I ~ not** nesmím
3 *jistota:* **he ~ be ill** jistě je nemocen; **you ~ have heard** jistě jsi slyšel; **you ~ be joking!** to nemyslíš vážně!
• *n* nutnost, povinnost; **it is a ~** to se musí vidět / slyšet / mít *apod.*
mustard [mastəd] hořčice
muster [mastə] **1** (*voj.*) nástup; přehlídka **2** sbírka; shromáždění
♦ **pass ~** obstát
musty [masti] plesnivý, zatuchlý
mutation [mju:'teišn] změna, přeměna; mutace
mute [mju:t] *adj* němý • *v* ztlumit
• *n* **1** (hlucho)němý **2** dusítko, sordinka
mutilate [mju:tileit] zmrzačit; (*též přen.*) zkomolit
mutineer [mju:ti'niə] vzbouřenec, povstalec
mutiny [mju:tini] *n* vzpoura
• *v* vzbouřit se
mutter [matə] **1** (za)mumlat
2 reptat **against** proti / **at** na
mutton [matn] skopové maso
mutual [mju:čuəl] **1** vzájemný, oboustranný **2** společný
muzzle [mazl] *n* **1** čenich, čumák **2** náhubek **3** ústí (*střelné zbraně*)
• *v* **1** nasadit náhubek (*zvířeti*)
2 umlčet
my [mai] *pron* můj
• *interj* páni!, no ne!
myopia [mai'əupiə] krátkozrakost
myrtle [mə:tl] myrta
myself [mai'self] **1** já sám; **I'm not ~ today** nejsem dnes ve své kůži **2** se
mysterious [mi'stiəriəs] tajemný, záhadný
mystery [mistəri] tajemství, záhada
mystic(al) [mistik(l)] mystický
myth [miθ] mýtus, báje
mythology [mi'θolədži] mytologie

N

nag [næg] **(gg) 1** rýt, rýpat **(at) sb.** do koho **2** sekýrovat, otravovat
nail [neil] *n* **1** nehet ♦ **~ file** pilníček na nehty; **~ varnish** lak na nehty **2** hřebík • *v* **1** přibít, přitlouci **2** připíchnout, přibodnout
naive [nai'i:v] naivní
naked [neikid] **1** nahý; holý **2** otevřený; nechráněný; bezbranný ♦ **with the ~ eye** pouhým okem
name [neim] *n* **1** jméno, název; **What is your ~?** Jak se jmenujete?; **call sb. ~s** nadávat komu **2** slavné jméno, slavná osobnost • *v* **1** dát jméno, pojmenovat **2** jmenovat, uvést **3** stanovit ♦ **you ~ it** na co si vzpomenete
namely [neimli] totiž
nanny [næni] chůva
nap [næp] krátké zdřímnutí (*ve dne*); **take a ~** zdřímnout si
nape [neip] šíje, zátylek
napkin [næpkin] ubrousek
Naples [neiplz] Neapol
nappy [næpi] *GB* plenka
narcotic [na:'kotik] *n* **1** narkoman **2** narkotikum • *adj* **1** narkotický **2** uspávací, omamující
narrate [næ'reit] **1** vypravovat **2** namluvit komentář
narrative [nærətiv] **1** vyprávění **2** příběh, historka
narrow [nærəu] *adj* **1** úzký **2** těsný **3** podrobný, přesný ♦ **have a ~ escape** uniknout o vlas; **by a ~ squeak** *GB* / **miss** *US* jen tak tak, jen o vlas • *v* zúžit (se)
narrow-minded [nærəu'maindid] úzkoprsý, bigotní
nasal [neizl] nosový
nasturtium [nə'stə:šm] řeřicha
nasty [na:sti] **1** ošklivý; zlověstný **2** odporný, nechutný; protivný **3** nemravný, pornografický
nation [neišn] **1** národ **2** lid, stát
national [næšnl] *adj* **1** národní **2** (celo)státní **3** lidový ♦ **~ anthem** státní hymna; **~ draft** *US* / **service** *GB* vojenská služba • *n* **1** státní příslušník, občan **2 the N~ = Grand N~** Velká liverpoolská
nationalism [næšnəlizm] **1** vlastenectví **2** nacionalismus
nationality [næšə'næliti] **1** národnost **2** státní příslušnost
nationalization [næšnəlai'zeišn] znárodnění
nationalize [næšnəlaiz] znárodnit
nationwide [neišn'waid] celostátní
native [neitiv] *adj* **1** rodný **2** rodilý **3** vrozený **4** domorodý ♦ **~ speaker** rodilý mluvčí • *n* **1** domorodec **2** rodák
NATO [neitəu] = **North Atlantic Treaty Organization** Severoatlantický pakt
natural [næčrəl] **1** přírodní **2** přirozený; vrozený; rozený **3** fyzikální ♦ **~ gas** zemní plyn
naturalize [næčrəlaiz] naturalizovat
naturally [næčrəli] přirozeně, samozřejmě
nature [neičə] **1** příroda **2** přirozenost; podstata **3** povaha; druh, ráz ♦ **~ trail** naučná stezka

naughty [no:ti] **1** nevychovaný; neposlušný **2** neslušný, nevhodný
nausea [no:ziə] **1** zvedání žaludku, nevolnost **2** hnus
nauseating [no:zieitiŋ] hnusný, působící zvedání žaludku
naval [neivl] námořní; námořnický; ~ **port** válečný přístav
navel [neivl] pupek
navigable [nævigəbl] splavný
navigate [nævigeit] **1** plout, plavit se **2** řídit, navigovat **3** absolvovat, (vy)manévrovat, proplout (*obtížemi, kolem překážek*)
navigator [nævigeitə] navigátor
navy [neivi] *n* válečné loďstvo • *adj* **~(-blue)** tmavomodrý
near [niə] *adj* **1** blízký **2** důvěrný **3** (*ze dvou*) bližší • *adv*, *prep* **1** blízko **2** skorem, téměř, málem • *v* blížit se k
nearby [niəbai] *adj* blízký, nedaleký • *adv* [niə'bai] poblíž, nedaleko
nearly [niəli] skoro
near-sighted [niə'saitid] krátkozraký
neat [ni:t] **1** čistý; nezředěný **2** úhledný **3** *US* (*slang.*) fajn, prima, správný
nebula [nebjulə] mlhovina
necessary [nesisəri] **1** nutný, nezbytný, potřebný **2** nevyhnutelný **3** vynucený
necessitate [ni'sesiteit] vyžadovat
necessity [ni'sesiti] **1** nutnost, nezbytnost; **out of ~** z nutnosti **2** nezbytná potřeba **3** nouze
neck [nek] *n* **1** krk, hrdlo, šíje **2** výstřih **3** krkovička • *v* (*hovor.*) muckat se, muchlat se
necklace [neklis] náhrdelník
necktie [nektai] *US* vázanka, kravata
need [ni:d] *n* **1** potřeba, požadavek **2** nutnost **3** nouze ♦ **there's no ~ to** + *inf* není zapotřebí, aby; **be in ~ of** potřebovat co; **in case of ~** v případě potřeby • *v* **1** potřebovat **2** muset; **I ~ not come** nemusím přijít; **I ~ not have come** nemusel jsem chodit **3** být v nouzi, strádat
needle [ni:dl] **1** jehla **2** jehlice (*pletací, háčkovací apod.*) **3 ~s** *pl* jehličí
needless [ni:dlis] zbytečný; **~ to say** pochopitelně, samozřejmě
needlework [ni:dlwə:k] **1** šití **2** výšivka **3** (*dívčí*) ruční práce
negation [ni'geišn] **1** zápor; negace **2** popírání, popření
negative [negətiv] *adj* **1** záporný, negativní **2** prohibitivní **3** odmítavý • *n* **1** negativ **2** (*jaz.*) záporka **3** odmítnutí, popření **4** nepřítomnost, nedostatek **of** čeho
neglect [ni'glekt] *v* zanedbávat; opominout • *n* zanedbání, opominutí; zanedbanost
negligence [neglidžəns] **1** nedbalost **2** zanedbání (*povinnosti*)
negligent [neglidžənt] **1** nedbalý **in / of** na, lhostejný k **2** neafektovaný, nestrojený
negligible [neglidžəbl] zanedbatelný
negotiable [ni'gəušiəbl] **1** zpeněžitelný, proplatitelný; přenosný **2** řešitelný / dosažitelný jednáním **3** překonatelný; schůdný; sjízdný

negotiate [ni'gəušieit] **1** vyjednávat; dojednat **2** zdolat
negotiation [niˌgəuši'eišn] vyjednávání
Negro [ni:grəu] *n* černoch • *adj* černošský
neighbour [neibə] *n* **1** soused **2** bližní • *v* **1** sousedit **on** s **2** sousedsky se stýkat
neighbourhood [neibəhud] **1** okolí, sousedství **2** blízkost; **in the ~ of** kolem, asi
neighbouring [neibəriŋ] **1** sousední, vedlejší **2** blízký, okolní
neighbourly [neibəli] sousedský, přátelský, přívětivý
neither [naiðə / ni:ðə] **1** žádný ze dvou, ani jeden **2 ~ … nor** ani … ani **3** také ne
neon [ni:on] neón; **~ sign** světelná reklama
nephew [nefju: / nevju:] synovec
nerve [nə:v] **1** nerv; **get on sb.'s ~s** jít komu na nervy; **lose one's ~s** ztratit nervy **2 ~s** *pl* nervóza, nervozita **3** odvaha, drzost ♦ **~ centre** *US* řídící centrum (*organizace*)
nervous [nə:vəs] **1** nervózní **2** nervový
nest [nest] *n* **1** hnízdo, (*též přen.*) **2** sada • *v* hnízdit
net[1] [net] *n* síť • *v* **(tt) 1** chytat do sítě **2** přikrýt (*ochrannou*) sítí
net[2] [net] čistý, netto • *v* **(tt)** získat / vynést čistý zisk
Netherlands [neðələndz], **the ~** Nizozemí, Holandsko
nettle [netl] kopřiva ♦ **~ rash** kopřivka
network [netwə:k] *n* síť (**of libraries** knihoven) • *v* (*často*) **be ~ed** vysílat se (*program*) několika společnostmi
neurosis [njuə'rəusis] neuróza
neuter [nju:tə] *adj* **1** (*jaz.*) středního rodu **2** bezpohlavní • *n* **1** (*jaz.*) neutrum **2** bezpohlavní jedinec; kastrát
neutral [nju:trəl] *adj* **1** neutrální **2** bezbarvý, nevyhraněný • *n* neutrál (*osoba, volnoběh auta, el. drát atd.*)
neutrality [nju:'træliti] neutralita
never [nevə] **1** nikdy **2** absolutně ne ♦ **~ mind** *1.* nevadí, nic se nestalo *2. US* prosím, rádo se stalo; **you can ~ tell** člověk nikdy neví; **~more** už nikdy, víckrát ne
nevertheless [nevəðə'les] přesto, nicméně, přece jenom
new [nju:] **1** nový **2** čerstvý
newborn [nju:bo:n] *adj* novorozený • *n* novorozeně
newcomer [nju:kamə] **1** příchozí; přistěhovalec **2** nováček, začátečník **to** v **3** novinka
newly [nju:li] **1** čerstvě, právě **2** nově **3** nedávno **4** opět, znovu
newlyweds [nju:liwedz] *pl* novomanželé
news [nju:z] *sg* **1** zpráva, zprávy; **a piece of ~** zpráva; **What's the latest ~?** Jaké jsou poslední zprávy?; **here is the ~** poslechněte si zprávy ♦ **break the ~** oznámit; **~ bulletin** zpravodajství, zprávy; **no ~ is good ~** žádné zprávy jsou dobré zprávy **2** (*hovor.*) novinka, zajímavost
newsagent's [nju:zeidžnts] prodejna novin
newspaper [nju:speipə] noviny
newspeak [nju:spi:k] (*politicky usměrněný*) novojazyk

newsprint [nju:zprint] novinový papír
newsreel [nju:zri:l] filmový týdeník
newsvendor [nju:zvendə] *GB* prodavač novin, kamelot
newt [nju:t] mlok
next [nekst] *adj* **1** příští **2** další, následující **3** druhý **4** nejbližší ♦ **the ~ day** druhý den; **this day ~ week** ode dneška za týden; **~ door** vedle, v sousedním domě; **the ~ man** každý druhý; **~ to nothing** skoro nic; **~ time** příště • *adv* **1** hned potom, dále **2** příště • *prep* **~ (to)** hned vedle, u
next-door [nekst'do:] sousední
nice [nais] **1** hezký, pěkný, příjemný, milý, roztomilý, prima; **a ~ day** hezký den; **~ weather** pěkné počasí; **it's very ~ of you** to je od vás velmi hezké **2** vybíravý (**about the means** v prostředcích), úzkostlivý ♦ **~ and fat** tlusťoučký; **~ and warm** teploučký
nicely [naisli] **1** hezky **2** výborně **3** přesně
niche [niš / nič] **1** výklenek **2** sektor (*trhu*)
nick [nik]: **in the ~ of time** v pravý čas, jako na zavolanou
nickel [nikl] **1** nikl **2** *US* pěticent
nickname [nikneim] *n* přezdívka • *v* přezdít, přejmenovat na
niece [ni:s] neteř
nigger [nigə] (*hanl.*) negr, černá huba
night [nait] **1** noc; **in the ~**, **at ~**, **by ~** v noci; **day and ~** ve dne v noci; **~ after ~** noc co noc; **all ~ (long)** celou noc; **have a good ~** dobře spát; **make a ~ of it** oslavovat celou noc; **stay over ~** přenocovat **2** večer; **last ~** včera večer; **on Saturday ~** v sobotu večer; **first ~** premiéra
nightcap [naitkæp] sklenička na dobrou noc
nightclub [naitklab] noční podnik, bar
nightdress [naitdres] (*dámská / dětská*) noční košile
nightingale [naitiŋgeil] slavík
nightmare [naitmeə] noční můra, zlý sen, hrůza, (*též přen.*)
night school [naitsku:l] večerní škola
nightshirt [naitšə:t] (*pánská*) noční košile
nil [nil] (*sport.*) nula; 3:0 = **three (to) ~** tři nula
nine [nain] devět
ninepins [nainpinz] *pl* kuželky
nineteen [nain'ti:n] devatenáct ♦ (*hovor.*) **talk ~ to the dozen** mlít, mluvit rychle a moc
nineteenth [nain'ti:nθ] devatenáctý
ninetieth [naintiiθ] devadesátý
ninety [nainti] devadesát
ninth [nainθ] devátý
nip [nip] **(pp) 1** štípnout ♦ **~ in the bud** zničit v zárodku **2** (*hovor.*) (za)skočit
nip in (*hovor.*) **1** skočit do řeči **2** udělat 'myšku'
nip off 1 odštípnout **2** (*hovor.*) mazat pryč, zdejchnout se
nipple [nipl] **1** bradavka **2** struk **3** dudlík (*na dětské láhvi*)
nitrogen [naitrədžən] dusík
no [nəu] *adj* **1** žádný; **~ parking** parkování zakázáno; **in ~ time** okamžitě; **there is ~ denying that** nedá se popřít, že **2** ani jeden; **~ one** nikdo

• *adv* **1** ne, nikoli; ~ **more** již ne **2** nijak, nikterak, o nic; ~ **better than** o nic lepší než ♦ ~ **sooner ... than** jakmile; ~ **matter** na tom nesejde
No. = **number** č., číslo
noble [nəubl] *adj* **1** vznešený, aristokratický **2** ušlechtilý **3** vzácný, slavný **4** impozantní • *n* ~**(man)** šlechtic
nobody [nəubədi] *pron* nikdo • *n* nula, bezvýznamný člověk
nod [nod] *v* **(dd)** **1** kývnout (*hlavou*), přikývnout; ~ **one's approval** přikývnout na souhlas **2** klimbat, klímat • *n* (při)kývnutí
noise [noiz] **1** hluk; rámus **2** šum **3** zvuk
noiseless [noizlis] nehlučný, tichý
noisy [noizi] **1** hlučný **2** křiklavý, řvavý
nomad [nəumæd] *adj* kočovný • *n* kočovník
nominate [nomineit] **1** jmenovat (**to an office** do úřadu); nominovat (**for an Oscar** na Oskara) **2** vyhlásit
nomination [nomi'neišn] jmenování, nominace
nonaligned [nonə'laind] neangažovaný, neutrální
noncommittal [nonkə'mitl] **1** neutrální, bezvýrazný **2** vyhýbavý; nic neříkající
none [nan] **1** žádný, ani jeden; ~ **of them** žádný, nikdo z nich; ~ **of this** nic z toho **2** o nic; ~ **the wiser** o nic moudřejší; ~ **too** nijak, nepříliš (**high** vysoký)
nonintervention [nonintə'venšn] nevměšování
nonpartisan [nonpa:ti'zæn] **1** nestranný, neangažovaný **2** nestranický
nonsense [nonsəns] nesmysl, hlouposti ♦ **stand no** ~ *1.* netrpět žádné hlouposti *2.* nedat si nic líbit
noon [nu:n] **1** poledne **2** (*přen.*) zenit, vrchol
noose [nu:s] oprátka
nor [no:] **1** ani; **neither ...** ~ ani ... ani **2** také ne
norm [no:m] norma, standard
normal [no:ml] normální, obyčejný
north [no:θ] *n* sever; **in the** ~ na severu; **to the** ~ k severu; **to the** ~ **of** na sever od • *adj* severní; **the N~ Sea** Severní moře • *adv* na sever(u), severně; ~ **of London** na sever od Londýna
northern [no:ðən] **1** severní **2** severský
Norway [no:wei] Norsko
Norwegian [no:'wi:džən] *adj* norský • *n* **1** Nor **2** norština
nose [nəuz] nos; **blow one's** ~ vysmrkat se; **poke one's** ~ **into** strkat nos do
nosedive [nəuzdaiv] letět / padat střemhlav
nostril [nostril] nozdra
not [not] ne; **I think** ~ myslím, že ne; ~ **at all** *1.* vůbec ne *2.* není zač, prosím; ~ **that** ne že by
notable [nəutəbl] **1** pozoruhodný; důležitý **2** vynikající **3** smutně proslulý **4** pozorovatelný
notary (public) [nəutəri ('pablik)] notář
notch [noč] zářez, vrub
note [nəut] *n* **1** nota; tón, (*též přen.*) **2** známka, znamení **3** poznámka; **make a** ~ **of** poznamenat si co; **take a** ~ **of**

1. dobře si všimnout čeho *2.* vzít na vědomí co; **take ~s** dělat si poznámky **4** krátké sdělení, dopis; (*diplomatická*) nóta **5** *GB* bankovka
• *v* **1** všimnout si čeho, věnovat pozornost čemu **2** konstatovat, brát na vědomí; vnímat **3** ~ **(down)** poznamenat si

notebook [nəutbuk] zápisník, sešit

noted [nəutid] významný, slavný **for** čím

notepaper [nəutpeipə] dopisní papír

noteworthy [nəutwə:ði] pozoruhodný

nothing [naθiŋ] **1** nic **2** nula ♦ ~ **but** nic než; **for** ~ *1.* zdarma *2.* zbytečně; **there is ~ for it but** je nutné, aby; ~ **doing** nedá se nic dělat; **make ~ of** nic si nedělat z, nebýt moudrý z

notice [nəutis] *n* **1** vyhláška, oznámení **2** předběžné upozornění **3** výpověď; **give sb. ~** dát komu výpověď; **hand / give in one's ~** dát výpověď **4** hlášení, zpráva **5** pozornost **6** recenze, kritika ♦ **bring sth. to sb.'s ~** upozornit koho na co; **take ~ of** všimnout si čeho
• *v* **1** všimnout si (koho / čeho) **2** uvést, zmínit se **3** recenzovat

notify [nəutifai] **1** uvědomit **sb.** koho **of sth.** o čem **2** oznámit, ohlásit; informovat

notion [nəušn] **1** ponětí, potucha **2** nápad **3** pojem **4** představa, dojem **5** názor; teorie

notorious [nə'to:riəs] **1** (*nechvalně*) známý **2** notorický

nought [no:t] nula

noun [naun] (*jaz.*) podstatné jméno

nourish [nariš] **1** živit **2** podporovat, pěstovat

nourishing [narišiŋ] výživný

nourishment [narišmənt] **1** výživa **2** jídlo, pokrm; potrava

novel [novl] *adj* **1** nový **2** neotřelý, neobvyklý • *n* román

novelist [novəlist] romanopisec

novelty [novəlti] novinka; novota, novost

November [nə(u)'vembə] listopad

novice [novis] nováček; novic

now [nau] nyní, teď; **up to / till ~** až dosud; **from ~ on** od nynějška; **(every) ~ and then** občas; ~ **(that)** teď když; ~ **then** tak tedy, nuže

nowadays [nauədeiz] v nynější době, dnes

nowhere [nəuweə] *adv* **1** nikde **2** nikam
• *n* nic, prázdnota, pustina

noxious [nokšəs] **1** škodlivý, zhoubný **2** (*hovor.*) nechutný, odporný

nuclear [nju:kliə] nukleární, jaderný, atomový

nucleus [nju:kliəs] **1** jádro, nukleus **2** zárodek **3** základ, střed

nude [nju:d] *adj* **1** nahý **2** nudistický **3** tělové barvy
• *n* akt

nuisance [nju:sns] **1** nepříjemnost, potíž; **What a ~!** To je nepříjemné! **2** nepřístojnost, zlořád **3** otrava, protiva

null (and void) [nal (ən'void)] (*práv.*) neplatný, nezávazný

numb [nam] **1** necitlivý; ochromený, ztrnulý, mrtvý (*přen.*) **2** prokřehlý

number [nambə] *n* **1** číslo **2** počet **3** množství ♦ **(quite) a ~ of** (ce-

lá) řada čeho; **any ~ of times** libovolně často; **back ~** staré / dřívější číslo (*časopisu*); **current ~** nové / poslední číslo (*časopisu*); **have sb.'s ~** (*hovor.*) mít koho přečteného • *v* **1** počítat **2** čítat; **they ~ed 10 in all** bylo jich celkem deset **3** počítat, řadit (**among** mezi) **4** číslovat
numeral [nju:mərəl] **1** číslice **2** (*jaz.*) číslovka
numerous [nju:mərəs] četný
nun [nan] jeptiška
nurse [nə:s] *n* zdravotní sestra • *v* **1** ošetřovat **2** pečlivě pěstovat, (vy)piplat
nursery [nə:səri] **1** dětský pokoj ♦ **~ rhyme** dětská říkanka; **~ (school)** mateřská škola **2** (*bot.*) školka
nursing home [nə:siŋhəum] (*soukromé*) sanatorium (*pro staré a nemocné*)
nut [nat] **1** ořech **2** matice (*šroubu*) **3** (*slang.*) cvok **4** (*vulg.*) koule, vejce (*varle*)
nutcrackers [natkrækəz] *pl* louskáček
nutmeg [natmeg] muškátový oříšek
nutritious [nju:'trišəs] výživný
nutshell [natšel] skořápka; **in a ~** v kostce

O

o, oh [əu] ach!
oak (tree) [əuk(tri:)] dub
oar [o:] veslo
oasis [əu'eisis] oáza
oath [əuθ] **1** přísaha **2** zaklení, nadávka
oatmeal [əutmi:l] ovesná mouka; ovesné vločky
oats [əuts] *sg* oves
obedience [əu'bi:diəns] poslušnost
obey [əu'bei] **1** poslouchat, uposlechnout **2** podrobit se čemu **3** být poslušný
obituary [ə'bičuəri / -tjuəri] nekrolog
object *n* [obdžikt] **1** předmět, věc **2** cíl, záměr, účel • *v* [əb'džekt] mít námitky **to / against** proti, namítat; protestovat proti; nesouhlasit s
objection [əb'džekšn] **1** námitka **to** proti, nesouhlas s **2** protest
objectionable [əb'džekšənəbl] **1** problematický, sporný, budící námitky **2** závadný **3** nechutný, odporný
objective [əb'džektiv] *adj* **1** objektivní **2** cílový • *n* **1** cíl, účel **2** úkol, plán **3** objektiv
object lesson ['obžikt,lesn] názorná lekce, vzorová ukázka
obligation [obli'geišn] **1** závazek, závaznost; (*zavazující*) povinnost **2** obligace, dluhopis, úpis **3** laskavost ♦ **day of ~** zasvěcený svátek; **without ~** nezávazně
obligatory [ə'bligətri] povinný, závazný
oblige [ə'blaidž] **1** zavazovat, nutit **2** zavázat si (*vděčností / díkem*); **be ~d** být zavázán / povinnen, musit
obliging [ə'blaidžiŋ] ochotný, úslužný
oblique [ə'bli:k] šikmý
obliterate [ə'blitəreit] vyhladit, zničit; vymazat
oblivion [ə'bliviən] **1** zapomnění **2** zapomnětlivost
oblivious [ə'bliviəs] **1** zapomnětlivý **2** zapomínající **of** na, nevnímající **to** co
oblong [obloŋ] **1** obdélníkový, podlouhlý **2** podélný, na délku, ležatý
obnoxious [əb'nokšəs] **1** nepříjemný, protivný **2** neoblíbený
oboe [əubəu] hoboj
obscene [əb'si:n] oplzlý, obscénní
obscure [əb'skjuə] *adj* **1** temný, tmavý; nejasný, nezřetelný, sotva znatelný **2** obskurní, zapadlý • *v* **1** ztemnit, znejasnit **2** zakrýt, zastřít **3** zastínit; zatemnit
obsequious [əb'si:kwiəs] podlízavý, patolízalský
observance [əb'zə:vns] **1** zachovávání, dodržování **2** svěcení, slavení
observation [obzə'veišn] **1** pozorování; **~ post** pozorovatelna **2** postřeh, všímavost **3** poznámka
observatory [əb'zə:vətri] observatoř, hvězdárna
observe [əb'zə:v] **1** povšimnout si, (z)pozorovat, zaregistrovat **2** zachovávat, držet (**a diet** die-

tu), slavit (**Christmas** vánoce) **3** podotknout, poznamenat
observer [əb'zə:və] pozorovatel
obsession [əb'sešən] posedlost
obsolete [obsəli:t] zastaralý
obstacle [obstəkl] překážka; **~ race** (*sport.*) překážkový běh
obstetrics [əb'stetriks] porodnictví
obstinacy [obstinəsi] **1** zatvrzelost, tvrdošíjnost, umíněnost **2** úpornost
obstinate [obstinit] **1** tvrdošíjný, tvrdohlavý, umíněný **2** úporný
obstruct [əb'strakt] **1** zablokovat, ucpat, zatarasit **2** brzdit, stát v cestě, činit překážky čemu
obtain [əb'tein] **1** získat, obdržet **2** opatřit (si) **3** dosáhnout, docílit **4** existovat
obvious [obviəs] samozřejmý, jasný, očividný
occasion [ə'keižn] **1** vhodná doba, příležitost **2** důvod, záminka **3** (*slavnostní*) událost ♦ **on this ~** při této příležitosti; **on ~** občas, příležitostně
occasional [ə'keižənl] příležitostný, občasný
occasionally [ə'keižənəli] příležitostně, náhodně, občas
occidental [oksi'dentl] západní
occupation [okju'peišn] **1** zaměstnání, povolání **2** obsazení, zabrání, okupace
occupy [okjupai] **1** zabrat, uchvátit, obsadit, okupovat **2** zaujímat, zabírat (*čas, místo*) ♦ **~ oneself with, be occupied with** zabývat se, zaměstnávat se čím
occur [ə'kə:] **(rr) 1** udát se, přihodit se, stát se, nastat; **the accident ~red when** k nehodě došlo, když **2** vyskytovat se **3** napadnout **to sb.** komu
occurrence [ə'karəns] **1** událost, příhoda; náhoda **2** výskyt
ocean [əušn] oceán
o'clock [ə'klok]: **at one ~** v jednu hodinu
October [ok'təubə] říjen
octopus [oktəpəs] chobotnice
odd [od] **1** lichý **2** zbylý (*z páru / celku*) **3** pár, trochu, něco čeho; a něco, navíc; **forty ~** něco přes čtyřicet **4** náhodný, příležitostný; **at ~ moments** tu a tam, občas, příležitostně **5** podivínský, divný; **I think it ~** zdá se mi to divné
odds [odz] *pl* **1** naděje, pravděpodobnost **2** převaha, přesila **3** nerovnost, rozdíl **4** poměr sázky ♦ **what's the ~?** co na tom záleží?; **the ~ are against us** nemáme žádnou šanci; **~ and ends** maličkosti, různé drobnosti
odious [əudiəs] ohavný, odporný, hnusný
odour [əudə] aróma, pach
of [ov, əv] **1** o; **speak ~** mluvit o **2** z; **made ~ metal** vyrobený z kovu **3** od; **it was kind ~ you** bylo to od vás hezké **4** *tvoří druhý pád:* **the reading ~ books** čtení knih; **the city ~ Edinburgh** město Edinburgh
off [of] *adv* **1** pryč, daleko, odtud; **be ~ to** jet, mít namířeno kam; **I must be ~** už musím jít **2** zrušen, neplatný **3** za scénou • *prep* **1** s, z, od; **be ~ work** nebýt v práci **2** na úkor čeho **3** u, blízko, poblíž, v dosahu čeho **4** bez, mimo • *adj* **1** vzdálený, vzdálenější, druhý **2** (*u vozidel*) pravý **3** vedlejší, boční, postranní

♦ **the ~ front wheel** pravé přední kolo; **he is well ~** dobře si žije; **~ and on** občas, nepravidelně; **be ~ duty** nemít službu; **take a day ~** vzít si den volna
offal [ofəl] **1** vnitřnosti, droby **2** zbytky
offbeat [ofbi:t] (*hovor.*) neobvyklý, nekonvenční
off-chance [ofča:ns] malá pravděpodobnost; **on the ~** co kdyby náhodou
off colour [of'kalə] **1** v nedobrém zdravotním stavu; **feel ~** necítit se dobře **2** neslušný, nesalónní
offence [ə'fens] **1** urážka; **give ~ to sb.** urazit koho; **take ~** urazit se **at** kvůli čemu **2** přestupek, přečin, delikt **3** zlořád, důvod rozhořčení; pohoršení **4** (*sport.*) *US* útočící tým
offend [ə'fend] **1** prohřešit se **against** proti **2** urazit **3** dělat nezdobu / nepřístojnost ♦ **be ~ed at / by** urazit se čím
offender [ə'fendə] pachatel, provinilec
offending [ə'fendiŋ] **1** závadný (**book** kniha) **2** obtěžující, otravný
offensive [ə'fensiv] *adj* **1** útočný, ofenzívní **2** urážlivý; nepřístojný, hrubý **3** vzbuzující odpor • *n* **1** útok, úder, ofenzíva **2** hnutí, kampaň
offer [ofə] *v* **1** nabídnout (se) **2** naskytnout se **3** přinášet oběti • *n* nabídka
offhand [of'hænd] *adj* nepřipravený, improvizovaný • *adv* rovnou, spatra
office [ofis] **1** kancelář, úřad; ministerstvo **2** úřad, funkce; **be in ~** být u moci / vlády
officer [ofisə] **1** důstojník **2** policista **3** (*státní*) úředník **4** funkcionář, hodnostář ♦ **a customs ~** celník
official [ə'fišl] *adj* **1** úřední, oficiální **2** služební • *n* **1** (*státní*) úředník; **~s** *pl* úřední kruhy **2** vedoucí pracovník, funkcionář
off-licence [oflaisəns] *GB* obchod prodávající alkoholické nápoje
offline [oflain] nespřažený
offpeak [of'pi:k] mimo špičku
offprint [ofprint] separát
offset [ofset] *v* **(tt)** **1** vyrovnávat, držet v rovnováze **2** vynahradit, kompenzovat • *n* **1** (*polygr.*) ofset **2** kompenzace, protiváha
often [ofn / oftn] často; **as ~ as** kdykoli; **as ~ as not, more ~ than not** velmi často; **every so ~** každou chvíli; **he'll do it once too ~** to mu jednou špatně dopadne
oil [oil] *n* **1** olej **2** ropa, nafta • *v* mazat, olejovat; **~ the wheels** (*přen.*) podmazat
oilcloth [oilkloθ] voskované plátno
oilfield [oilfi:ld] naftové pole
oil painting [oilpeintiŋ] olejomalba
oilskins [oilskinz] *pl* nepromokavý oblek
oil rig [oilrig] (*plovoucí*) těžná věž, vrtná plošina
oil tanker [oiltæŋkə] tanková loď
ointment [ointmənt] mast
O.K., okay [əu'kei] *adv* (*hovor.*) dobrá, v pořádku • *v* schválit; **~ for print** dát imprimatur
old [əuld] starý ♦ **~ age** stáří; **~ age pension** starobní důchod; **~ hand** starý praktik; **~ hat**

(*přen.*) stará vesta; ~ **maid** stará panna; **O~ Style** juliánský kalendář; **young and** ~ kdekdo
old-fashioned [əuld'fæšnd] staromódní; starobylý
olive [oliv] *n* oliva • *adj* olivový
Olympic [ə'limpik] olympijský; ~ **Games** olympijské hry
omelette [omlit] omeleta
ominous [ominəs] zlověstný
omission [ə'mišn] **1** vynechání **2** opominutí, omyl
omit [ə'mit] **(tt)** **1** vynechat **2** opominout
on [on] *prep* **1** na; ~ **holiday** na dovolené; ~ **a trip** na výlet **2** ve, v; ~ **Monday** v pondělí **3** při; ~ **his arrival** při jeho příjezdu **4** o; **speak** ~ **world politics** hovořit o světové politice • *adv* **1** dále; vpřed; ~ **and** ~ pořád dál a dál; **and so** ~ a tak dále **2** na sebe, na sobě; **have a hat** ~ mít na hlavě klobouk **3** zapnut, v chodu; **the lights are** ~ je rozsvíceno; **the performance is** ~ už se hraje **4** být na programu; **What's** ~ **at the local cinema?** Co se hraje u nás v kině?; **have sth.** ~ mít na programu co
once [wans] *adv* **1** jednou; ~ **more** ještě jednou; ~ **and again** několikrát; ~ **in a while** občas; ~ **(and) for all** jednou provždy; **for this** ~ pro tentokrát **2** kdysi; **O~ upon a time there was ...** Byl jednou jeden ... ♦ **at** ~ ihned; **all at** ~ náhle • *conj* jakmile (jednou)
oncoming [onkamiŋ] **1** blížící se **2** přijíždějící, protijedoucí
one [wan] **1** jeden; ~ **another** jeden druhého, navzájem; ~ **by** ~ jeden po druhém; **for** ~ **thing** předně; **I for** ~ já například; **more than** ~ nejeden; ~ **of these days** jednou; ~ **or two** několik **2** jakýsi; ~ **John Smith** jakýsi J. S. **3** *neurčitý podmět:* ~ **never knows** člověk nikdy neví **4** *zástupný výraz:* **a red pencil and a blue** ~ červená a modrá tužka
oneself [wan'self] **1** se; **hurt** ~ poranit se **2** sám; **one must do everything** ~ člověk musí udělat všechno sám; **sit by** ~ sedět sám; **judge for** ~ posoudit sám; **say to** ~ říci si ♦ **be** ~ být ve své kůži
one-sided [wan'saidid] jednostranný
one-track [wan'træk] **1** úzce zaměřený, specializovaný **2** (*přen.*) s klapkami na očích
one-way [wan'wei] jednosměrný (**street** ulice)
onion [anjən] cibule
online [onlain] spřažený
onlooker [onlukə] divák, přihlížející
only [əunli] *adj* jediný • *adv* **1** jen(om); **not** ~ **... but also** nejen ..., ale také; ~ **just** jen tak tak; ~ **too glad** velice / opravdu rád **2** teprve; ještě (*nedávno*) ♦ **if** ~ *1.* jen, jen kdyby 2. kéž, kéž by • *conj* jenomže
on-screen [on'skri:n] viditelný na monitoru
onset [onset] **1** začátek, počátek; **at the (first)** ~ hned zpočátku **2** náběh **of** na
onto [ontu] = **on to** *směrově:* na ♦ **be** ~ **sth.** mít co na dosah (*objev, řešení*); **be** ~ **sb.** jít po kom

onward(s) [onwəd(z)] vpřed, kupředu
ooze [u:z] **1** pomalu vytékat **2** mokvat **3** prosakovat; pronikat; vyzařovat
ooze away / out pomalu se ztrácet, vytrácet se
opaque [əu'peik] **1** neprůsvitný, neprůhledný **2** nejasný, temný **3** tupý, hloupý
open [əupn] *adj* **1** otevřený; **with ~ arms** s otevřenou náručí **2** veřejný (**secret** tajemství); veřejně přístupný **3** upřímný • *v* **1 ~ (up)** otevřít (se); **~ on to** vést do **2** zahájit; začí(na)t
open-air [əupn'eə] *konaný pod širým nebem:* přírodní (**theatre** divadlo), zahradní *atd.*
opening [əupəniŋ] *n* **1** otvor **2** otevření; začátek, zahájení **3** vhodná příležitost **4** volné místo • *adj* úvodní
openly [əupnli] otevřeně, upřímně
open-minded [əupn'maindid] **1** nezaujatý, nepředpojatý, objektivní **2** liberální, svobodomyslný
opera [opərə] opera ♦ **~ glasses** *pl* divadelní kukátko; **~ house** opera (*budova*)
operate [opəreit] **1** fungovat, pracovat, být v provozu; (*lék*) zabrat **2** operovat **on** komu **for** co **3** obsluhovat (**a machine** stroj) **4** *US* řídit, organizovat **5** *US* (*zločinec*) působit, pracovat
operating theatre ['opəreitiŋ ˌθiətə] operační sál
operation [opə'reišn] **1** působení **2** funkce, fungování, chod **3** platnost, účinnost **4** operace ♦ **come into ~** *1.* začít fungovat *2.* vstoupit v platnost; **put into ~** uvést do chodu / provozu
operator [opəreitə] **1** operátor, pracovník (*u stroje*) **2** telefonist(k)a; **O~ !** Centrálo! **3** provozovatel
opinion [ə'pinjən] **1** (dobré) mínění, názor **of** na **2** přesvědčení **3** posudek, expertiza ♦ **in my ~** podle mého názoru; **public ~** veřejné mínění
opium [əupjəm] opium
opponent [ə'pəunənt] *adj* nepřející **to** komu • *n* protivník; odpůrce, oponent
opportune [opətju:n] příhodný
opportunity [opə'tju:niti] (*vhodná*) příležitost; **at the first ~** při první příležitosti; **miss the ~** propást příležitost; **seize / take an ~** chopit se příležitosti
oppose [ə'pəuz] **1** čelit, bránit se, postavit se **sth.** proti čemu **2** postavit **sth.** co **against sth.** proti čemu ♦ **be ~d to** být proti
opposite [opəzit] *adj* opačný; protější, protilehlý, druhý • *n* opak, protiklad • *prep* naproti
opposition [opə'zišn] **1** odpor; **meet with ~** setkat se s odporem **2** protiklad **3** opozice
oppress [ə'pres] **1** utiskovat, utlačovat **2** tížit, skličovat, deprimovat
oppression [ə'prešn] **1** útlak, útisk **2** tlak, tíha; útrapy **3** tíseň, úzkost
oppressive [ə'presiv] **1** despotický, tyranský, krutý **2** depresívní, deprimující, tíživý **3** dusný, nedýchatelný
optical [optikl] optický
optician [op'tišn] optik
optics [optiks] optika

optimism [optimizm] optimismus
optimist [optimist] optimista
optimistic [opti'mistik] optimistický
optimum [optiməm] optimální
option [opšn] **1** právo / možnost volby **2** opce, předkupní právo
optional [opšənl] **1** nepovinný, dobrovolný **2** volitelný
or [o:] **1** nebo; ~ **else** jinak, sice **2** neboli
oral [o:rəl] *adj* ústní
• *n* ústní zkouška
orange [orindž] *n* pomeranč • *adj* **1** pomerančový **2** oranžový
orator [orətə] řečník
orbit [o:bit] **1** oběžná dráha **2** sféra vlivu
orchard [o:čəd] (*ovocný*) sad
orchestra [o:kistə] orchestr
♦ ~ **pit** orchestřiště; ~ **stalls** křesla v přízemí
orchestral [o:'kestrəl] orchestrální
orchid [o:kid] orchidea
ordain [o:'dein] **1** vysvětit na kněze **2** (*autorita*) určit, ustanovit
ordeal [o:'di:l] **1** tvrdá zkouška **2** muka, utrpení
order [o:də] *n* **1** pořadí **2** pořádek **3** řád **4** rozkaz, nařízení; příkaz **5** objednávka, zakázka **6** (*peněžní*) poukaz, poukázka
♦ **in ~ to** + *inf* aby; **in alphabetical** ~ abecedně; **in (good)** ~ v pořádku; **give sb. an ~ for** dát komu objednávku na; **last ~s** *GB* poslední příležitost (*objednat si nápoj před zavřením hostince*); **made to** ~ udělaný na objednávku / na míru; **out of** ~ nefungující, rozbitý; **put sth. in** ~ dát co do pořádku
• *v* **1** nařídit, poručit **2** objednat
orderly [o:dəli] *adj* **1** upravený, uklizený **2** ukázněný
• *n* **1** vojenský sluha, ordonance **2** nemocniční zřízenec
ordinal [o:dinl] *adj* řadový
• *n* řadová číslovka
ordinary [o:dinri] **1** normální, běžný, obvyklý **2** obyčejný, průměrný **3** řádný (**member** člen)
ore [o:] ruda
oregano [ori'ga:nəu] (*koření*) oregano, majoránka
organ [o:gən] **1** orgán, ústrojí **2** varhany
organic [o:'gænik] organický
organism [o:gənizm] organismus
organist [o:gənist] varhaník
organization [o:gənai'zeišn] organizace
organize [o:gənaiz] organizovat
organizer [o:gənaizə] organizátor
orient [o:rient] (z)orientovat **oneself** se **to** na, **in** v
oriental [o:ri'entl] orientální
orientate [o:riənteit] orientovat **oneself** se
orientation [o:riən'teišn] orientace, (*též přen.*)
origin [oridžin] původ, počátek
original [ə'ridžinl] *adj* **1** původní **2** originální • *n* originál
originate [ə'ridžineit] **1** vzniknout **from / in** z **2** vyvolat, způsobit
ornament [o:nəmənt] ozdoba
orphan [o:fən] *n* sirotek
orphanage [o:fənidž] sirotčinec
orthodox [o:θədoks] pravověrný, ortodoxní; **O~ Church** pravoslavná církev
oscillate [osileit] **1** kývat se, kmitat, vibrovat **2** pendlovat **3** kolísat, měnit se
ostensible [o'stensibl] předstíraný

ostrich [ostrič] pštros
other [aðə] **1** jiný; **the ~** druhý **2** ostatní, další **3** opačný, rozdílný ♦ **the ~ day** onehdy; **every ~** každý druhý; **every ~ day** obden; **on the ~ hand** naproti tomu; **someone or ~** kdosi; **some time or ~** někdy, jednou; **some ~ time** někdy jindy; **one after the ~** jeden po druhém
otherwise [aðəwaiz] *adv* jinak • *conj* jinak, nebo
otter [otə] vydra
ought [o:t] **to** + *inf:* **you ~ to go** měl bys jít; **you ~ to have gone** měl jsi jít
ounce [auns] unce *(28,35 g)*
our [auə], **ours** [auəz] náš
ourselves [auə'selvz] my sami; se, si, sami sobě
oust [aust] vypudit
out [aut] **1** ven, venku; pryč **2** vyloučen *(ze hry, z práce, z módy atd.)*; **~ of** z, ven z ♦ **~ and ~** skrz naskrz; **~ and away (the best)** zdaleka (nejlepší); **be ~ for** toužit po, mít spadeno na; **be ~ of** mít nedostatek čeho; **go all ~** jet naplno; **~ of hand** *1.* ihned *2.* bez dozoru; **~ of the blue** zčista jasna; **~ of envy** ze závisti
outbalance [aut'bæləns] převažovat
outboard [autbo:d] **motor** přívěsný lodní motor
outbreak [autbreik] **1** výbuch, vypuknutí; propuknutí **2** vzpoura **3** násilí, násilnosti
outburst [autbə:st] výbuch, vzplanutí
outcast [autka:st] **1** vyvrhel **2** trosečník
outcry [autkrai] křik, pokřik, výkřik; *(veřejné)* volání, protest
outdistance [aut'distəns] předstihnout, nechat daleko za sebou
outdo* [aut'du:] překonat
outdoor [autdo:] konaný venku, určený pro venek
outdoors [aut'do:z] **1** venku; ven **2** pod širým nebem
outer [autə] **1** (ze)vnější **2** krajní
outfit [autfit] **1** výzbroj, výstroj, vybavení **2** *(hovor.)* organizace *(poskytující služby)*, skupina, parta
outfitters [autfitəz] speciální obchod *(pánskou konfekcí, sport. potřeb atp.)*
outgrow* [aut'grəu] **1** přerůst; růst rychleji než **2** vyrůst z
outing [autiŋ] výlet
outlaw [autlo:] **1** prohlásit za nezákonné **2** postavit mimo zákon
outlay [autlei] výdaj(e), náklady
outline [autlain] *n* **1** obrys, kontura **2** nárys, náčrt, nástin, přehled, osnova • *v* **1** narýsovat, načrtnout **2** nastínit, naznačit
outlive [aut'liv] žít déle než, přežít
outlook [autluk] **1** výhled, vyhlídka **2** rozhled **3** *(světový)* názor
outlying [autlaiiŋ] **1** vzdálený, odlehlý **2** krajní
outmoded [aut'məudid] zastaralý
outnumber [aut'nambə] převýšit počtem, mít početní převahu nad
out-of-date [autəv'deit] zastaralý
out-of-the-way [autəvðə'wei] **1** zapadlý, odlehlý **2** neobvyklý, bizarní
outpatient [autpeišnt] ambulantní pacient
outpost [autpəust] **1** předsunutá

hlídka 2 základna, stanoviště (*v zahraničí*)
output [autput] **1** výroba, produkce **2** výkon **3** výstup (*zařízení*)
outrage [autreidž] *n* **1** násilí (**against** proti) **2** těžká urážka **upon sth.** čeho **3** pobouření; vztek, zuřivost
• *v* urazit; pobouřit
outrageous [aut'reidžəs] **1** urážlivý, hrubý, násilnický **2** přesahující všechny meze, neskutečný
outright [autrait] *adv* **1** rovnou, přímo, do očí **2** najednou; ihned, na místě
• *adj* **1** jasný, naprostý; hotový, vyložený **2** upřímný, otevřený **3** jednoznačný, jednou provždy
outset [autset] začátek, počátek
outside [aut'said] *n* (ze)vnějšek
• *adj* **1** venkovní, vnější **2** externí **3** cizí, zahraniční **4** největší, nejvyšší (*cena*)
• *adv* vně, venku, ven • *prep* vně, mimo; před, za, u, vedle
outsize [aut'saiz] *GB adj* nadměrně velký • *n* nadměrná velikost
outskirts [autskə:ts] *pl* okrajové části města, periférie
outstanding [aut'stændiŋ] **1** vynikající **2** nevyřízený, nedodělaný, otevřený
outstrip [aut'strip] **(pp)** předčít, předhonit
outvote [aut'vəut] přehlasovat
outward [autwəd] *adj* vnější; vnějškový • *adv* **~(s)** směrem ven
outweigh [aut'wei] převážit, převažovat
outworn [aut'wo:n] **1** obnošený; utahaný **2** překonaný, zastaralý
outwit [aut'wit] **(tt)** přelstít

oval [əuvl] ovál
oven [avn] pec, trouba
ovenware [avnweə] varné / ohnivzdorné (porcelánové / skleněné / keramické) zboží
over [əuvə] *prep* nad; přes; na; po
• *adv* na druhé straně, na druhou stranu; znovu; nadto; u konce
♦ **~ again** znovu, **ten times ~** desetkrát za sebou; **all ~** celý; **all ~ the world** po celém světě; **be ~** být u konce, skončit; **be (left) ~** zbýt; **think it ~** rozmyslit si to
overall [əuvəro:l] **1** *GB* pracovní plášť **2 ~s** *pl GB* kombinéza; *US* montérky
overboard [əuvəbo:d] přes palubu
overburden [əuvə'bə:dn] přetížit
overcast [əuvəka:st] (*obloha*) zatažený
overcoat [əuvəkəut] svrchník, převlečník, zimník
overcome* [əuvə'kam] překonat, přemoci, zvítězit nad
overcrowd [əuvə'kraud] přeplnit, přecpat lidmi; přelidnit
overdo* [əuvə'du:] přehánět
overdue [əuvə'dju:] **1** zpožděný **2** nesplacený, dávno splatný **3** dosud nevrácený (*kniha*)
overestimate [əuvə'restimeit] přeceňovat
overflow [əuvə'fləu] **1** přetékat, (*též přen.*) **2** nahrnout se, vyhrnout se
overhaul [əuvəho:l] generální oprava
overhead [əuvəhed] **1** režijní **2** nad hlavou, nahoře **3** vrchní, stropní, visutý
overheads [əuvəhedz] *pl* režie, režijní náklady
overhear* [əuvə'hiə] zaslechnout

overlap [əuvə'læp] **(pp)** **1** přesahovat, přečnívat **2** překrývat (se) **3** kolidovat
overleaf [əuvə'li:f] na druhé straně (*listu*)
overload [əuvə'ləud] přetížit
overlook [əuvə'luk] **1** přehlédnout (*též omylem*) **2** přehlédnout, prominout **3** prohlédnout si; prolistovat **4** čnět nad, shlížet na
overnight [əuvə'nait] přes noc
overrun* [əuvə'ran] **(nn)** **1** (*rychle*) zabrat, obsadit **2** zaplavit, zamořit **3** přeběhnout / -jít / -letět **4** předběhnout
♦ **be ~ with** hemžit se čím
overseas [əuvə'si:z] zahraniční
oversee [əuvə'si:] dohlížet na, kontrolovat, mít dozor nad
overseer [əuvəsi:ə] dozorce
overshadow [əuvə'šædəu] zastínit
oversight [əuvəsait] přehlédnutí, nedopatření, opominutí
oversleep* [əuvə'sli:p] zaspat
overspill [əuvəspil] přebytek (*obyvatelstva*)
overstep [əuvə'step] **(pp)** překročit
overtake* [əuvə'teik] **1** předhonit **2** zastihnout, překvapit
overthrow* *v* [əuvə'θrəu] **1** shodit, povalit, převrhnout **2** svrhnout; zvrátit **3** přehodit (*cíl*), hodit příliš daleko • *n* [əuvəθrəu] **1** svržení **2** porážka, pád
overtime [əuvətaim] *adv* přesčas, v přesčase
• *n* **1** přesčas, přesčasové hodiny **2** *US* nastavený čas, prodloužení
overture [əuvətjuə / -čuə] **1** předehra, ouvertura **2** *též* **~s** *pl* nabídka, náznak (*ochoty*); předběžné jednání
overturn [əuvə'tə:n] převrhnout (se); zvrátit (se)
overwhelm [əuvə'welm] **1** zavalit (*též přen.*), zaplavit, zasypat **2** přemoci, překonat; zkrušit, zdrtit
overwhelming [əuvə'welmiŋ] zdrcující, naprostý
overwork [əuvə'wə:k] *v* **1** přepracovat (se) **2** přezdobit, přeplácat, pomalovat • *n* nadměrná práce, přepracování
owe [əu] **1** být dlužen, dlužit **sb.** komu **for** za **2** vděčit **sth.** za co **to** komu
owing [əuiŋ]: ~ **to** následkem čeho, pro, kvůli, vzhledem, díky, vinou
owl [aul] sova
own [əun] *adj* vlastní
• *pron:* **on one's ~** sám
• *v* vlastnit, mít
own up (to sth.) přiznat se (k čemu), doznat, všechno vyklopit, kápnout božskou (*hovor.*)
owner [əunə] majitel, vlastník
ownership [əunəšip] vlastnictví
ox [oks] vůl
oxidize [oksidaiz] oxidovat, okysličit (se)
oxygen [oksidžn] kyslík
oyster [oistə] ústřice
ozone [əuzəun] **1** ozón **2** (*hovor.*) mořský vzduch

P

pace [peis] *n* **1** krok **2** rychlost, tempo; **set the ~** udávat tempo • *v* kráčet; **~ up and down** přecházet sem a tam (**a room** po místnosti)
pacemaker [peismeikə] **1** (*sport.*) udavač tempa **2** kardiostimulátor
pacific [pə'sifik] mírumilovný; **P~ Ocean** Tichý oceán
pacifist [pæsifist] pacifista
pack [pæk] *n* **1** ranec; balík; *US* krabička **2** smečka • *v* **1** (za)balit **2** nacpat; utěsnit
pack up **1** sbalit se / si své věci; (*hovor.*) zabalit to **2** (*motor*) zhasnout, chcípnout **3** (*člověk*) zkápnout
package [pækidž] *n* **1** balík **2** hotový program, blok ♦ **~ deal** jediná souhrnná transakce; **~ tour** turistický zájezd (*s předem stanoveným programem*) • *v* zabalit, udělat balík z
packet [pækit] balíček
pact [pækt] pakt, dohoda
pad [pæd] *n* **1** vycpávka **2** chránič **3** tlapka **4** (*psací*) podložka • *v* **(dd)** opatřit vycpávkou, (vy)vatovat; podložit
padding [pædiŋ] **1** vycpávka, vatování **2** vata (*v textu*)
paddle[1] [pædl] *n* **1** pádlo **2** měchačka **3** lopatka (*lodního kolesa*) **4** *US* (*pingpongová*) raketa • *v* pádlovat
paddle[2] [pædl] brouzdat se
paddling pool [pædliŋpu:l] **1** brouzdaliště **2** nafukovací bazének
padlock [pædlok] visací zámek
padre [pa:dr(e)i] vojenský kaplan
pagan [peigən] pohan
page[1] [peidž] stránka
page[2] [peidž] **1** páže **2** (*hotelový*) poslíček, liftboy
pageant [pædžənt] **1** živý obraz; průvod alegorických vozů **2** podívaná, slavnost
paid [peid] *viz* **pay**; **put ~ to** skoncovat s, zhatit, zmařit (*naděje, plány*)
pail [peil] džber, vědro, kbelík
pain [pein] *n* **1** bolest **2 ~s** *pl* námaha, úsilí, snažení; **take (great) ~s** snažit se; **spare no ~s** nelitovat námahy • *v* **1** působit bolest **2** bolet
pained [peind] ztrápený; mrzutý
painful [peinful] **1** bolestivý, bolavý **2** trapný, nepříjemný
painless [peinlis] bezbolestný
painstaking [peinzteikiŋ] **1** snaživý, horlivý **2** velice pečlivý, puntičkářský
paint [peint] *n* **1** barva **2** lak, nátěr **3** líčidlo, mejkap • *v* **1** malovat **2** natírat **3** malovat se
painter [peintə] **1** malíř **2** natěrač, lakýrník
painting [peintiŋ] **1** malba, obraz **2** malířství **3** natírání, lakování ♦ **~ knife** (*malířská*) stěrka, špachtle
pair [peə] *n* **1** pár **2** *označuje podvojný předmět:* **a ~ of trousers** kalhoty; **three ~s of scissors** troje nůžky • *v* spojit (se) do páru, spárovat (se)
pair off rozdělit (se) do dvojic

pair up **1** dát se dohromady (*s druhým*) **2** patřit do páru **with** s
pal [pæl] (*hovor.*) kolega, kamarád
palace [pælis] palác
palatable [pælətəbl] chutný; přijatelný, stravitelný, (*též přen.*)
palate [pælit] **1** patro (*v ústech*) **2** (*přen.*) chuť, jazyk, jazýček
pale [peil] *adj* **1** bledý **2** málo výrazný, chabý • *v* **1** (z)blednout **2** (*přen.*) mizet, tratit se
paling [peiliŋ] **1** tyč, laťka **2** (*laťový*) plot, ohrada
pallid [pælid] bledý, bílý, sinavý
palm[1] [pa:m] *n* dlaň • *v* skrýt do dlaně; palmovat (*kartu*)
palm off (*podvodně*) vrazit, podsunout, podstrčit **sth.** co **on sb.** komu, **sb.** komu **with sth.** co
palm[2] [pa:m] palma
palpable [pælpəbl] **1** hmatatelný **2** zřejmý, patrný, jasný
palsy [po:lzi] ochrnutí, obrna
paltry [po:ltri] nicotný, bídný, mizerný
pamphlet [pæmflit] informační brožurka, leták
pan[1] [pæn] *n* pánev; *US* pekáč • *v* **(nn)** péci / připravovat na pánvi / v pekáči
pan out **1** vypírat (*písek*) **2** vydařit se, přinést dobrý výsledek
pan[2] [pæn] (*kamera*) **1** najet na, sledovat, zabírat **2** panoramovat
pancake [pæŋkeik] palačinka, (*tenký*) lívanec, (*tenká*) omeleta
pane [pein] (*okenní*) sklo, tabulka
panel [pænl] **1** táflování, výplň **2** panel **3** palubní deska **4** tým, skupina (*odborníků, účastníků*) **5** vsazený díl (*z jiné látky*)
pang [pæŋ] vystřelující bolest
panic [pænik] *n* **1** panika **2** (*slang.*) junda, velká prča • *v* **(ck)** **1** podlehnout panice, (z)panikařit **2** šířit paniku
pansy [pænzi] maceška
pant [pænt] **1** hekat, supět, prudce oddychovat **2** toužit, prahnout, žíznit **for** po
panther [pænθə] panter
panties [pæntiz] *pl* (*dámské*) kalhotky
pantomime [pæntəmaim] **1** vánoční pohádková revue **2** pantomima, němohra
pantry [pæntri] **1** spižírna **2** komora, ofis
pants [pænts] *pl* **1** *GB* spodky; trenýrky **2** *US* kalhoty ♦ **with one's ~ down** nepřipravený, v rozpacích, „na hruškách"
paper [peipə] *n* **1** papír **2** noviny **3** přednáška; pojednání, referát **on** o **4** natištěné zkušební otázky, (zkouškový) test **5 ~s** *pl* listiny, akta, dokumenty **6** tapeta • *v* (vy)tapetovat
paperback [peipəbæk] kniha v měkké papírové vazbě
papist [peipist] papeženec
parable [pærəbl] podobenství
parabola [pə'ræbələ] parabola
parachute [pærəšu:t] padák
parachutist [pærəšu:tist] výsadkář, parašutista
parade [pə'reid] *n* **1** přehlídka **2** nástup **3** cvičiště **4** promenáda, korzo • *v* **1** pochodovat při přehlídce **2** dát nastoupit, vykonat přehlídku **3** promenovat se, korzovat **4** stavět na odiv, strkat pod nos, předvádět (se)
paradise [pærədais] ráj

paragraph [pærəgra:f] 1 odstavec 2 (*krátký*) sloupek, článek, noticka
parallel [pærələl] *adj* 1 rovnoběžný, souběžný 2 (*přen.*) analogický, současný ♦ ~ **bars** *pl* bradla • *n* 1 rovnoběžka 2 paralela
paralyse [pærəlaiz] ochromit
paralysis [pə'rælisis] ochrnutí, paralýza
paramedic [pærə'medik] zdravotník
parasite [pærəsait] parazit, příživník, cizopasník
parasitic [pærə'sitik] příživnický, cizopasný
paratroops [pærətru:ps] *pl* výsadkové oddíly, výsadkáři
parboil [pa:boil] ovařit, povařit; předvařit; nedovařit
parcel [pa:sl] 1 balíček; zásilka ♦ ~ **post** balíková pošta 2 parcela, pozemek
parchment [pa:čmənt] pergamen
pardon [pa:dn] *n* odpuštění, prominutí; **(I) beg your** ~ *1.* promiňte *2.* prosím? *3.* co si to dovolujete! • *v* prominout, odpustit
pare [peə] 1 loupat (**apples** jablka) 2 stříhat (**nails** nehty) 3 ořezat, okrájet, přiříznout
parent [peərənt] *n* 1 otec, matka, rodič; (pra)předek 2 ~**s** *pl* rodiče • *adj* základní, mateřský; ~ **company** mateřská společnost
parenthesis [pə'renθəsis] 1 (*oblá / kulatá*) závorka 2 (*jaz.*) vsuvka
Paris [pæris] Paříž
parish [pæriš] farnost
park [pa:k] *n* 1 park 2 *též* **car** ~ parkoviště • *v* parkovat
parking [pa:kiŋ] parkoviště
parliament [pa:ləmənt] parlament
parliamentary [pa:lə'mentəri] parlamentní; parlamentární
parlour [pa:lə] 1 salón; **beauty** ~ salón krásy 2 dvorana, hala, salónek 3 přijímací / obývací pokoj
parody [pærədi] parodie, karikatura **of / on** čeho
parquet [pa:'kei] parketa, parkety; ~ **floor** parketová podlaha
parrot [pærət] *n* papoušek • *v* papouškovat
parse [pa:s] (*jaz.*) rozebírat větu
parsley [pa:sli] petržel
parsnip [pa:snip] pastinák
parson [pa:sn] farář; pastor; duchovní
part [pa:t] *n* 1 část, díl; **in** ~ zčásti; ~ **of the way** kus cesty 2 účast; **take** ~ **in** účastnit se čeho; **take sth. in good** ~ přijímat co s humorem 3 role, úloha; **for my** ~ co se mne týče; **on my** ~ z mé strany 4 součást, díl; **spare** ~**s** náhradní díly 5 ~**s** *pl* končiny; **I am a stranger in these** ~**s** jsem tu cizí • *v* 1 rozdělit (se) 2 rozejít se, rozloučit se **with** s • *adv* částečně
partake* [pa:'teik] 1 zobnout si, napít se **of** čeho 2 podílet se **in** na, účastnit se čeho
partial [pa:šl] 1 částečný, dílčí 2 stranící **to** komu, nakloněný **to** čemu; zaujatý **to** pro co
participate [pa:'tisipeit] účastnit se **in** čeho, podílet se na, zapojit se do
participation [pa:tisi'peišn] účast **in** na, podíl na, zapojení do
participle [pa:tisipl] (*jaz.*) příčestí
particle [pa:tikl] 1 drobet, smítko, ždibec, částečka 2 (*fyz., jaz.*) částice

particular [pə'tikjulə] *adj* **1** jednotlivý, (ob)zvláštní; specifický, konkrétní **2** přesný, podrobný **3** intimní, blízký **4** vyběravý **about** v • *n* podrobnost; **in** ~ zvláště, zejména, konkrétně
particularly [pə'tikjuləli] **1** zejména, zvláště **2** odděleně, každý zvlášť
parting [pa:tiŋ] *n* **1** (roz)loučení **2** pěšinka (*ve vlasech*) • *adj* poslední, daný na rozloučenou
partisan, partizan [pa:ti'zæn] *n* **1** (*fanatický*) přívrženec, bojovník **of** za **2** partyzán • *adj* **1** předpojatý **2** partyzánský
partition [pa:'tišn] *n* **1** rozdělení **2** přepážka • *v též* ~ **off** oddělit příčkou, přepažit
partly [pa:tli] částečně
partner [pa:tnə] **1** společník, partner **2** druh, kolega, účastník **in / of** v **3** manželka, manžel
partnership [pa:tnəšip] **1** společenství **2** spoluúčast **3** spolupráce, partnerství
partridge [pa:tridž] koroptev
part-time [pa:t'taim] **1** (*zaměstnaný*) na částečný úvazek, polodenní **2** externí, studující při zaměstnání
party [pa:ti] *n* **1** (*politická*) strana **2** společnost; doprovod **3** večírek, společnost **4** účastník **to** čeho; strana (*při jednání*) **5** skupina, výprava **6** četa • *adj* **1** společenský **2** stranický
pass[1] [pa:s] *n* **1** průkaz, propustka, legitimace **2** svolení **3** (*sport.*) podání **4** složení zkoušky **5** kritický stav • *v* **1** projít, jít kolem, minout **2** uplynout **3** přejít, změnit se **into** v **4** překročit **5** podat (*též sport.*) **6** strávit (**the time** čas) **7** schválit (**a Bill** zákon) **8** složit (**an exam** zkoušku) **9** vynést (**a sentence** rozsudek) **10** být považován **for** za
pass away **1** zemřít **2** (*čas*) uplynout **3** zmizet, vyprchat
pass by **1** jít kolem **2** přejít, ignorovat
pass off **1** přejít, zmizet **2** vydávat (*nepoctivě*) **sb.** koho **as / for** za **3** odvrátit pozornost od
pass out **1** ztratit vědomí, omdlít **2** (*hovor.*) zkamenět, ztvrdnout (*opít se do němoty*) **3** *GB* absolvovat (*vojenský / policejní*) výcvik
pass over přeskočit (*při jmenování do místa*)
pass round dát / nechat kolovat
pass[2] [pa:s] **1** průsmyk, soutěska **2** průliv, úžina
passable [pa:səbl] **1** sjízdný **2** přijatelný, slušný, ucházející
passage [pæsidž] **1** cesta, projití, průjezd, přechod, přejezd, přeplavba, let **2** pasáž, průjezd, průchod **3** chodba **4** úryvek, ukázka, pasáž (*z textu*)
passenger [pæsindžə] cestující, pasažér
passerby [pa:sə'bai] kolemjdoucí
passing [pa:siŋ] přechodný, povrchní; **in** ~ mimochodem
passion [pæšn] **1** vášeň **2** vztek, zlost **3** vzrušení / pohnutí mysli, afekt
passionate [pæšənit] **1** vášnivý **2** popudlivý, prudký
passive [pæsiv] **1** trpný, netečný, pasívní **2** (*jaz.*) trpný (**voice** rod)
passport [pa:spo:t] cestovní pas
password [pa:swə:d] heslo (*stráží*)

past [pa:st] *adj* minulý; **for some time** ~ již nějakou dobu; ~ **tense** (*jaz.*) minulý čas • *n* minulost • *prep* po, přes, nad, kolem, za • *adv* kolem, mimo

pasta [pæstə] těstoviny

paste [peist] *n* **1** těsto **2** lepidlo **3** pasta; pomazánka **4** štras, sklo (*k napodobení drahokamů*) • *v* lepit

pasteboard [peistbo:d] **1** (*vrstvená*) lepenka **2** *US* kartón

pastime [pa:staim] zábava, kratochvíle

pastry [peistri] **1** jemné pečivo **2** lístkové těsto ♦ ~ **cook** *GB* cukrář, moučníkář

pasture [pa:sčə] pastva, pastvina

pasty [peisti] těstovitý

pat [pæt] **(tt)** **1** poklepat, popleskat, poplácat (**on the back** po zádech) **2** ťapat, cupat

patch [pæč] *n* **1** záplata **2** skvrna **3** záhonek **4** místo, část; **in ~es** místy; **fog ~es** místní mlhy • *v* záplatovat

patent [peitənt] *adj* **1** zřejmý, jasný **2** patentovaný; patentní ♦ ~ **leather** laková kůže; ~ **medicine** volný lék • *n* patent

paternal [pə'tə:nl] otcovský

path [pa:θ] cesta, stezka, chodníček

pathetic [pə'θetik] **1** dojemný **2** smutný, žalostný, politováníhodný

pathfinder [pa:θfaində] průkopník

pathos [peiθos] tklivost, dojemnost

patience [peišns] **1** trpělivost **2** vytrvalost **3** shovívavost **4** *GB* pasiáns

patient [peišnt] *adj* **1** trpělivý **2** trpělivě snášející **of** co • *n* pacient, nemocný

patriot [pætriət / pei-] vlastenec

patriotic [pætri'otik] vlastenecký

patriotism [pætriətizm] vlastenectví

patrol [pə'trəul] *n* **1** hlídka, stráž **2** pochůzka, obchůzka **3** hlídkový let • *v* **(ll)** **1** hlídat, střežit **2** hlídkovat; být na obchůzce

patrolman [pə'trəulmən] *US* strážník, policista

patron [peitrən] **1** ochránce, příznivec **2** (*stálý*) zákazník, (*pravidelný*) návštěvník

patronage [pætrənidž] **1** záštita **2** zákazníci, klientela

patronizing [pætrənaiziŋ] **1** povýšený **2** blahosklonně / urážlivě shovívavý

patter[1] [pætə] *n* **1** drmolení **2** řečňování, tlachání • *v* **1** drmolit, brebentit **2** žvanit, klábosit

patter[2] [pætə] *n* pleskání; capání, ťapkání • *v* capat, ťapkat

pattern [pætən] *n* **1** vzor, model, ideál; typ, šablona **2** vzorek, dezén **3** figura (*při krasobruslení*)

Paul [po:l] Pavel

paunch [po:nč] **1** (*hanl.*) panděro, nácek, cejcha **2** bachor (*přežvýkavců*)

pause [po:z] *n* přestávka, pauza • *v* zastavit se, ustat, udělat pauzu

pave [peiv] dláždit, (*též přen.*)

pavement [peivmənt] **1** *GB* chodník; *US* vozovka **2** dlažba, dláždění

pavilion [pə'viljən] pavilón

paw [po:] *n* tlapa, pracka

• *v* **1** seknout / škrabat tlapou; hrabat kopyty **2** sahat **at** po
pawn[1] [po:n] **1** pěšec (*v šachu*) **2** (*přen.*) šachová figurka
pawn[2] [po:n] *n* zástava, záruka
• *v* zastavit, dát do zástavy
♦ **~broker** zastavárník; **~ shop** zastavárna
pay [pei] *n* **1** plat, mzda **2** výplata **3** žold
• *v** **1** platit, financovat, hradit **2** vynášet, vyplatit se, rentovat se
♦ **~ attention** dávat pozor; **~ a compliment** vzdát poklonu; **~ a visit** navštívit **to** koho
pay back 1 vrátit (*peníze*) **2** oplatit, vynahradit **for** co, odvděčit se za **3** vyrovnat si účty **to** s
pay in složit / poukázat peníze (*na svůj / cizí účet*)
pay off 1 všechno zaplatit **2** vyplatit koho **3** zaplatit za mlčení **4** vyjít, vyplatit se
pay out 1 vyplatit, vydat (*velkou částku*) **2** odplatit, odvděčit se
pay up (*nerad, pozdě*) splatit dluh
payable [peiəbl] splatný
payment [peimənt] **1** placení **2** výplata, odměna, (*též přen.*)
♦ **~ card** platební karta
payphone [peifəun] telefonní automat, veřejný telefon
pay-roll [peirəul] výplatní listina
payslip [peislip] výplatní páska
PC [pi:'si:] **1 Police Constable** *GB* strážník, policista **2 personal computer** osobní počítač, pécéčko (*hovor.*) **3 politically correct** *adj* politicky korektní (*zvl. vyjadřující se velmi diplomaticky, aby se nikdo nemohl cítit dotčen*)
pea [pi:] hrách, hrášek; **be as like as two ~s in a pod** (*hovor.*) podobat se jako vejce vejci
peace [pi:s] **1** mír; **at ~** v míru; **make ~** uzavřít mír **2** klid, pokoj; **make one's ~ with** smířit se s
peaceable [pi:səbl] mírumilovný, mírný
peaceful [pi:sful] mírový, mírumilovný
peach [pi:č] broskev; **~ tree** broskvoň
peacock [pi:kok] páv
peak [pi:k] *n* **1** špice, špička, hrot **2** temeno, vrchol • *adj* maximální, nejvyšší, špičkový ♦ **~ time** špička (*energetická, dopravní*)
peal [pi:l] **1** vyzvánění, zvonění **2** (za)hřímání; rachot; **~ of thunder** zahřmění; **~ of laughter** bouře smíchu
peanut [pi:nat] burský oříšek, arašid
pear [peə] hruška; **~ tree** hrušeň
pearl [pə:l] perla
peasant [peznt] **1** člověk z venkova, venkovan **2** (*evropský malý*) sedlák, zemědělec **3** (*venkovský*) balík, dacan
peasantry [pezntri] rolnictvo
pease pudding [pi:z'pudiŋ] hrachové pyré
peat [pi:t] rašelina
♦ **~ bog** rašeliniště
pebble [pebl] oblázek, (*malý*) placák
peck [pek] klovat
pecking order [pekiŋo:də] (*přen.*) hierarchická stupnice, společenský žebříček
peckish [pekiš] *GB* (*hovor.*) hladový
peculiar [pi'kju:ljə] **1** vlastní **to** komu / čemu, příznačný, typický

pro **2** obzvláštní, kromobyčejný **3** podivný, podivínský, výstřední, extravagantní
peculiarity [pikju:li'æriti] **1** vlastnost, charakteristický rys **2** zvláštnost, podivnost, extravagance
pecuniary [pi'kju:niəri] peněžní, finanční
pedagogue [pedəgog] pedagog
pedal [pedl] *n* pedál; ~ **bin** nádoba na odpadky (*otvíraná šlapkou*) • *v* šlapat do pedálů, jet na kole
pedantic [pi'dæntik] **1** nezáživný, suchý, akademický **2** přízemní, bez fantazie **3** puntičkářský, pedantický
pedestrian [pi'destriən] *adj* **1** přízemní, šedivý; banální **2** pěší, konaný pěšky • *n* chodec; ~ **crossing** přechod pro chodce
pedicure [pedikjuə] pedikúra
pedigree [pedigri:] rodokmen
pedlar [pedlə] podomní obchodník
peek [pi:k] (*hovor.*) kouknout, juknout **at** na
peel [pi:l] *n* slupka • *v* loupat (se)
peeler [pi:lə] loupáček, škrabka (*nůž*)
peep [pi:p] *v* nakouknout; kouknout se **at** na, pokukovat po • *n* kradmý pohled ♦ ~ **hole** kukátko (*ve dveřích*)
peer[1] [piə] zírat, mžourat **at** na, **into** do
peer[2] [piə] **1** rovnocenný člověk; vrstevník **2** peer, pair (*člen britské horní sněmovny*)
peerless [piələs] jedinečný, nemající sobě rovna
peevish [pi:viš] **1** mrzutý, nevrlý **2** vzpurný, vzdorovitý
peg [peg] *n* kolík; kolíček; (*jednotlivý*) věšák ♦ **off the** ~ (*oblek*) konfekční; **take sb. down a** ~ setřít koho, srazit hřebínek komu • *v* **(gg)** **1** přibít, spojit, upevnit (*kolíkem*) **2** *GB* pověsit (*prádlo*) **3** stabilizovat (*ceny, mzdy*)
peke [pi:k] pekinéz
pen[1] [pen] pero ♦ **~-friend** známý (*v cizině*), s nímž si (*pouze*) dopisuji; ~ **name** pseudonym
pen[2] [pen] **1** ohrada; (*dětská*) ohrádka **2** přístřešek
penal [pi:nl] trestní; trestanecký
penalty [penəlti] **1** trest **2** pokuta **3** penalta ♦ ~ **area** trestné / pokutové území; ~ **kick** pokutový kop; **extreme** ~ absolutní trest (*smrti*)
penance [penəns] pokání
pencil [pensl] tužka
pendant [pendənt] přívěsek
pending [pendiŋ] *adj* **1** nevyřešený, dosud projednávaný **2** časově blízký, hrozící • *prep* **1** během, při **2** až do, dokud ne-
pendulum [pendjuləm] kyvadlo
penetrate [penitreit] **1** vniknout **into** do **2** proniknout **through** čím **3** (*hovor.*) dojít, být pochopen
penetrating [penitreitiŋ] pronikavý
penguin [peŋgwin] tučňák
penicillin [peni'silin] penicilín
peninsula [pi'ninsjulə] poloostrov
penitentiary [peni'tenšəri] *US* káznice, nápravné zařízení
penniless [penilis] bez haléře
penny [peni], *pl* **pence** [pens] penny, pence ♦ **the** ~ **(has) dropped** došlo mu to; ~ **pincher** držgrešle; **a pretty** ~ hezká

sumička; **a ~ for your thoughts** řekni mi, nač právě myslíš
pension [penšn] penze
pensioner [penšənə] důchodce
peony [pi:əni] pivoňka
people [pi:pl] *n* **1** lidé; **my ~** moje rodina, moji příbuzní; **you of all ~** zrovna ty **2 the ~** lid; národ • *v* zalidnit
pepper [pepə] pepř
per [pə:] **1** za, na; **~ annum** ročně; **~ head** na jednotlivce **2** skrze; **~ post** poštou; **~ rail** drahou
perceive [pə'si:v] **1** vnímat, vidět, postřehnout **2** chápat, pochopit
per cent [pə'sent] procento
percentage [pə'sentidž] procento; procentní sazba / provize
perception [pə'sepšn] **1** vnímání **2** vnímavost **3** představa, pojem
perch [pə:č] *n* bidýlko • *v* sedět (jako) na bidýlku; usadit se, trůnit
percolate [pə:kəleit] **1** procezovat, filtrovat, (*káva*) (pro)bublat **2** louhovat
percussion [pə'kašn] náraz, úder ♦ **~ instruments** bicí nástroje
peremptory [pə'remptəri] **1** rázný, rezolutní, kategorický **2** panovačný, diktátorský
perfect *adj* [pə:fikt] dokonalý, naprostý, vzorný, perfektní; **~ tense** (*jaz.*) perfektum • *v* [pə'fekt] zdokonalit, zlepšit (**oneself** se)
perfectly [pə:fiktli] dokonale; naprosto, úplně
perfection [pə'fekšn] **1** dokonalost **2** dokonalý příklad, dokonalá ukázka **of** čeho
perfidious [pə'fidiəs] zrádný, věrolomný
perform [pə'fo:m] **1** provést, vykonat, splnit, zhostit se čeho **2** zastávat (**a public function** veřejnou funkci) **3** předvádět, hrát **4** fungovat, běžet, pracovat
performance [pə'fo:məns] **1** provádění, vykonávání; výkon **2** představení (*hry*), produkce
performer [pə'fo:mə] účinkující, výkonný umělec
perfume *n* [pə:fju:m] voňavka, parfém • *v* [pə'fju:m / 'pə:-] navonět
perfumery [pə'fju:məri] parfumerie
perfunctory [pə'faŋktəri] **1** zběžný, povrchní **2** netečný, apatický
perhaps [pə'hæps] snad, možná, třeba, asi
peril [peril] nebezpečí; **at one's ~** na vlastní nebezpečí
perilous [periləs] nebezpečný
perimeter [pə'rimitə] obvod; délka obvodu
period [piəriəd] *n* **1** období; doba; perioda **2** *US* tečka • *adj* dobový, stylový, historický
periodical [piəri'odikl] *adj* periodický • *n* časopis
perish [periš] **1** zahynout, zaniknout **2** zahubit, zničit
perishable [perišəbl] *adj* podléhající zkáze • *n pl* **~s** zboží podléhající zkáze
perishing [perišiŋ] *GB* (*hovor.*) **1** (*počasí*) studený, ledový **2** (*člověk*) úplně zmrzlý
perjury [pə:džəri] křivá přísaha
perm [pə:m] (*hovor.*) trvalá (*ondulace*)
permanent [pə:mənənt] trvalý
permeate [pə:mieit] pronikat, prostupovat (**through**) čím
permission [pə'mišn] dovolení, svolení, souhlas

permit *v* [pə'mit] **(tt)** **1** dovolit; **weather ~ting** za příznivého počasí **2** připustit **of** co, dát souhlas k **3** trpět, tolerovat • *n* [pə:mit] **1** (*písemné*) povolení, svolení; propustka **2** vízum, doložka
pernicious [pə'nišəs] zhoubný
perpendicular [pə:pən'dikjulə] *adj* kolmý; svislý • *n* **1** kolmice; svislice **2** olovnice
perpetrate [pə:pitreit] spáchat, dopustit se čeho
perpetual [pə'petjuəl / -čuəl] **1** věčný **2** doživotní
perplex [pə'pleks] **1** zmást, poplést **2** (z)komplikovat
perplexity [pə'pleksiti] **1** zmatek, nejistota **2** složitost, komplikovanost
perquisite [pə:kwizit] **1** (*naturální*) požitek, deputát **2** přídavek k platu
persecute [pə:sikju:t] **1** pronásledovat **2** obtěžovat, otravovat
persecution [pə:si'kju:šn] **1** pronásledování **2** obtěžování
perseverance [pə:si'viərəns] vytrvalost
Persia [pə:šə] Persie
Persian [pə:šn] *adj* perský • *n* Peršan
persist [pə'sist] **1** vytrvat, setrvat **in** v **2** trvat, tvrdošíjně lpět **in** na, nedat se odvrátit od
persistent [pə'sistənt] vytrvalý, neodbytný, úporný
person [pə:sn] **1** osoba; člověk; **in ~** osobně **2** zevnějšek
personal [pə:sənl] osobní
personality [pə:sə'næliti] **1** osobnost **2** člověk, nátura
personify [pə:'sonifai] ztělesnit, představovat
personnel [pə:sə'nel] **1** osazenstvo, posádka **2** osobní oddělení
perspective [pə'spektiv] **1** perspektiva **2** výhled, hledisko **3** rozhled
perspiration [pə:spi'reišn] pocení; pot
perspire [pə'spaiə] potit se
persuade [pə'sweid] **1** přesvědčit **of** o **2** přemluvit **to** + *inf* aby
persuasion [pə'sweižn] **1** přesvědčení, názor; vyznání, náboženství **2** přemlouvání
persuasive [pə'sweisiv] přesvědčivý
pertain [pə'tein] **1** přináležet, patřit **to** k **2** týkat se **to** čeho, vztahovat se k
perusal [pə'ru:zl] důkladné pročtení
peruse [pə'ru:z] důkladně si pročíst
perverse [pə'və:s] **1** zarytý **2** zlý, zkažený **3** zvrácený
pessimistic [pesi'mistik] pesimistický
pest [pest] **1** škůdce **2** (*hovor.*) neřád, otrava
pet [pet] *n* **1** domácí zvíře (*chované jako společník*), zvířecí kamarád **2** miláček, mazel, mazlíček • *adj* **1** ochočený, zdomácněný **2** oblíbený, zamilovaný ♦ **~ name** důvěrná zdrobnělina; **his ~ aversion** to, co nejvíc nenávidí • *v* **(tt)** mazlit se
petal [petl] korunní plátek
Peter [pi:tə] Petr
petition [pi'tišn] *n* **1** naléhavá prosba **2** (*písemná*) žádost, petice

• *v* (po)prosit, (*uctivě*) (po)žádat **for** o
petrify [petrifai] **1** zkamenět, (*též přen.*) **2** ztuhnout, ztvrdnout, zkoprnět ♦ **be petrified of** děsit / bát se čeho
petrol [petrəl] *GB* benzín; ~ **station** benzínové čerpadlo
petroleum [pi'trəuljəm] ropa, nafta
petticoat [petikəut] (*dámská*) košilka, kombiné; spodnička
petty [peti] drobný; bezvýznamný, triviální, banální; ~ **cash** drobná hotovost (*v pokladně*)
petulant [petjulənt / -ču-] netrpělivý; nedůtklivý, urážlivý, netýkavý
pew [pju:] kostelní lavice
pewter [pju:tə] cínové nádobí, cínová konvice
phallus [fæləs] pyj
pharaoh [feərəu] faraón
pharmacist [fa:məsist] lékárník
pharmacy [fa:məsi] **1** farmacie **2** lékárna
phase [feiz] fáze; stadium, etapa; (*vývojový*) stupeň, období
pheasant [feznt] bažant
phenomenon [fi'nominən] jev, úkaz
phial [faiəl] fióla, lahvička; lékovka
philanderer [fi'lændərə] záletník, donchuan, sukničkář
philharmonic [filə'monik] filharmonický
Philippines [filipi:nz] Filipíny
philologist [fi'lolədžist] filolog
philology [fi'lolədži] filologie
philosopher [fi'losəfə] filozof
philosophic(al) [filə'sofik(l)] filozofický
philosophy [fi'losəfi] filozofie
phone [fəun] (*hovor.*) *n* telefon • *v* telefonovat ♦ **~-tapping** odposlouchávání telefonních rozhovorů
phonetics [fo'netiks] *sg* (*jaz.*) fonetika
phoney [fəuni] (*hovor.*) falešný, předstíraný
photo [fəutəu] (*hovor.*) *n* fotka, fotografie • *v* vyblejsknout
photograph [fəutəgra:f] *n* fotografie • *v* fotografovat (se)
photographer [fə'togrəfə] fotograf
photographic [fəutə'græfik] fotografický
photography [fə'togrəfi] fotografování, fotografické umění
phrase [freiz] *n* úsloví, slovní spojení, vazba; fráze • *v* **1** vyjádřit (*slovy*), formulovat **2** charakterizovat
physical [fizikl] **1** fyzikální **2** fyzický; tělesný; ~ **education** tělocvik
physician [fi'zišn] lékař, doktor
physicist [fizisist] fyzik
physics [fiziks] *sg* fyzika
physiology [fizi'olədži] fyziologie
physique [fi'zi:k] **1** tělesná stavba, postava **2** charakter, ráz (*krajiny*)
pianist [pi(:)ənist] klavírista
piano [pi'ænəu] klavír
pick[1] [pik] **1** sebrat, zvednout, sundat **2** obrat, okousat, ohryzat **3** sbírat, trhat, česat **4** vybrat, zvolit (si) **5** zobat, klovat **6** rýpat se **at** (*v jídle*) **7** dobírat si **on** koho, strefovat se do, hledat chyby na ♦ **I have a bone to ~ with him** má u mne vroubek; ~ **sb.'s brains** tahat rozumy z koho
pick out 1 vybírat si **2** vidět, rozeznat **3** vybrnkat **4** zdůraznit

pick up **1** vzít do ruky, zvednout, sebrat **2** zlepšovat se, vzmáhat se **3** zastavit se pro **4** zachytit (*signál*) **5** zatknout, zajistit **6** nabalit si (*slečnu na ulici*) **7** nabrat (*rychlost*) **8** pochytit

pick[2] [pik] **1** *viz* **pickaxe** **2** *US* trsátko

pickaxe [pikæks] krumpáč, špičák, motyka

picket [pikit] *n* hlídka proti stávkokazům
• *v* hlídkovat proti stávkokazům, demonstrovat (*nošením hesla*)

pickle [pikl] *n* lák, nálev
• *v* naložit do láku / octa

pickles [piklz] *pl* naložená zelenina / okurčička

pickpocket [pikpokit] kapsář, kapesní zloděj

pick-up [pikap] **1** přenoska **2** přejímaný program **3** dodávka (*auto*) **4** (*hovor.*) slečna sbalená na ulici

picnic [piknik] **1** piknik **2** (*hovor.*) psina, lážo

picture [pikčə] **1** obraz **2** *GB* film; **~s** *pl* kino ♦ **~ gallery** obrazárna; **get the ~** pochopit, udělat si obrázek; **in the ~** zasvěcený

picturesque [pikčə'resk] **1** malebný **2** živý, svěží, pitoreskní

piddle [pidl] (*hovor.*) **1** *GB* čůrat **2** *US* mrnit se, piplat se

pie [pai] maso / ovoce zapečené v těstě, plněný koláč, piroh

piece [pi:s] *n* **1** kus, kousek **2** parcela, pozemek **3** příspěvek **4** (*hrací*) kámen; (*šachová*) figurka **5** holka, kost, kočka
♦ **say one's ~** říci své / svůj názor
• *v* **~ (together)** dávat dohromady; sešívat

piecemeal [pi:smi:l] postupně, kus po kuse, nesystematicky

piecework [pi:swə:k] kusová / zakázková / úkolová práce

pier [piə] **1** molo; přístavní hráz **2** pilíř **3** *konstrukce vybíhající do moře, na níž jsou zábavní podniky, restaurace apod.*

pierce [piəs] **1** propíchnout, probodnout **2** prorazit

pig [pig] **1** vepř, prase; **buy a ~ in a poke** kupovat zajíce v pytli **2** nenasyta; čuně

pigeon [pidžin] holub; **clay ~** asfaltový terč

pigeonhole [pidžinhəul] přihrádka

piggybank [pigibæŋk] prasátko (*kasička*)

pigskin [pigskin] vepřovice

pigsty [pigstai] prasečí chlívek

pike [paik] štika

pile[1] [pail] kůl; pilota

pile[2] [pail] *n* (*naskládaná*) hromada, halda, kupa • *v* **1** stavět na sebe **2** navršit, naložit **3** hromadit

pile in (*hovor.*) **1** nalézt, nasednout **2** nahrnout se

pile it on (*hovor.*) přehánět

pile up hromadit (se), nakupit (se)

pilfer [pilfə] krást (*drobnosti*)

pilferage [pilfəridž] drobná krádež

pilgrim [pilgrim] poutník

pill [pil] **1** pilulka, tableta, dražé, prášek; **a sleeping ~** prášek na spaní **2** antikoncepční pilulka

pillar [pilə] sloup, pilíř
♦ **~ box** *GB* poštovní schránka

pillbox [pilboks] **1** kulatá krabička **2** (*voj.*) bunkr, podzemní pevnůstka

pillion [piljən] tandem, tandemové

sedlo; ~ **passenger** spolujezdec na motocyklu; **ride ~** jet na zadním sedadle / tandemu
pillory [pilәri] *n* pranýř • *v* pranýřovat
pillow [pilәu] polštář ♦ **~case / slip** povlak na polštář
pilot [pailәt] *n* **1** pilot **2** lodivod • *v* **1** pilotovat **2** vést, řídit • *adj* **1** průkopnický **2** průzkumný; zkušební
pimpernel [pimpәnel] bedrník; **scarlet ~** drchnička rolní
pimple [pimpl] pupínek, uher, vimrle
pin [pin] *n* **1** špendlík **2** vlásenka **3** ozdobná jehlice; *US* brož ♦ **be on ~s and needles** být jako na trní; **drawing ~** napínáček; **safety ~** zavírací špendlík; **split ~** závlačka • *v* **(nn) 1** sešpendlit, sepnout **2** připíchnout **3** stisknout (*a tím znemožnit pohyb*) **4** svést (*nepříjemnost*) **on** na
pincers [pinsәz] *pl* **1** kleště **2** pinzeta **3** klepeta
pinch [pinč] *v* **1** štípnout **2** tlačit; **these shoes ~ me** tyhle boty mě tlačí **3** (*hovor.*) otočit (*ukrást*) **4** škudlit • *n* **1** štípnutí **2** špetka **3** tlak, tíseň
pine[1] [pain] borovice, sosna
pine[2] [pain] **1** *též* **~ away** schnout, hynout, trápit se, tratit se před očima **2** toužit, hynout touhou **for / after** po
pineapple [painæpl] **1** ananas **2** (*hovor.*) ruční granát
pinion [pinjәn] **1** přivázat ruce k tělu **2** zastřihnout křídla
pink [piŋk] *n* **1** hvozdík **2** (*přen.*) výkvět, vrchol; **in the ~** zdravý jako řípa • *adj* růžový
pinking shears [piŋkiŋšiәz] začišťovací nůžky
pinpoint [pinpoint] **1** přesně stanovit (*polohu*) **2** přesně označit, (*bezpečně*) zjistit
pint [paint] pinta (*GB 0,57 l, US 0,47 l*)
pioneer [paiә'niә] pionýr, průkopník
pious [paiәs] zbožný
pip[1] [pip] pecička, zrníčko, semínko, jádro
pip[2] [pip] (za)pípnutí (*časového signálu*)
pipe [paip] **1** trubka, trubice, roura **2** píšťala **3** dýmka
pipeline [paiplain] **1** potrubí (*naftové, dálkové*); ropovod **2** informační kanál
piping [paipiŋ] trubky, potrubí
pirate [pairәt] pirát
piss [pis] (*vulg.*) *n* chcanky, (*též přen.*); **take the ~ out of** dělat si srandu z • *v* chcát
piss off 1 nasrat **2** odprejsknout
pissed [pist] (*vulg.*) **1** *GB* ožralý **2** *US* nasraný, dožraný **at** na
pistol [pistl] pistole
piston [pistәn] píst
pit [pit] **1** jáma **2** šachta **3** *GB* (*levnější*) sedadla v přízemí, parter (*v divadle*)
pitch[1] [pič] *n* smůla • *v* vysmolit
pitch[2] [pič] *v* **1** zřídit, rozbít (*tábor*) **2** postavit, vztyčit (*stan*) **3** hodit (*na cíl*) **4** (*hovor.*) pustit se **into** do **5** udat, nasadit (*tón*) • *n* **1** houpání lodi (*z přídě na záď*) **2** hod, házení **3** *GB* hřiště (*fotbalové, hokejové*) **4** vrchol,

maximum **5** základní ladění, poloha; výška (*hlasu*)
pitcher [pičə] (*baseball*) nadhazovač
pitchfork [pičfo:k] vidle
piteous [pitiəs] žalostný
pitfall [pitfo:l] léčka
pith [piθ] dřeň, dužina
pitiful [pitiful] **1** soucitný, slitovný **2** ubohý, žalostný, budící soucit / sympatie
pitiless [pitilis] nelítostný, nemilosrdný
pity [piti] *n* **1** soucit **for** s, lítost nad; **out of ~** ze soucitu **2** škoda; **What a ~!** To je škoda! • *v* smilovat se, slitovat se
pivot [pivət] **1** čep, osa **2** (*přen.*) střed, jádro, ústřední bod
placard [plæka:d] plakát, transparent
place [pleis] *n* místo; **at the station, of all ~s** zrovna na nádraží; **in the first ~** za prvé, především; **in ~ of sb.** místo koho; **take ~** konat se; **take the ~ of** zaujmout místo koho; **give ~ to sth.** ustoupit čemu; **come to our ~** přijďte k nám; **out of ~** nemístný • *v* umístit, postavit, dát kam; **I can't ~ you** nemohu si vzpomenout, odkud vás znám
placid [plæsid] **1** klidný, nerušený **2** nevzrušený, flegmatický
plague [pleig] **1** epidemie; mor **2** rána, pohroma **3** (*hovor.*) soužení, trampota
plaice [pleis] platýs
plaid [plæd] **1** pléd **2** kostkovaná látka
plain [plein] *adj* **1** jasný **2** prostý, obyčejný; **~ chocolate** hořká čokoláda **3** fádní, nevýrazný **4** zřejmý, očividný • *n* rovina
plainclothes [plein'kləuðz] neuniformovaný (*policista*)
plaintiff [pleintif] žalobce
plait [plæt / pleit] *GB* cop
plan [plæn] *n* plán • *v* **(nn)** **1** plánovat **2** předem připravit, chystat, zamýšlet
plane[1] [plein] **1** rovina **2** plocha **3** (*přen.*) úroveň, stupeň **4** letadlo
plane[2] [plein] *n* hoblík • *v* hoblovat
planet [plænit] planeta, oběžnice
plank [plæŋk] **1** prkno **2** proklamovaný pevný bod, článek (*politického programu*)
planning permission [plæniŋ pə'mišn] stavební povolení
plant [pla:nt] *n* **1** rostlina **2** závod, podnik, továrna; provoz, dílna, výroba **3** výrobní / strojní zařízení **4** přístroj, aparatura **5** (*hovor.*) narafičená věc • *v* **1** zasadit; osázet **2** osídlit; usadit **3** (*hovor.*) podstrčit (*např. drogy*) **on** komu (*a tím na něho uvalit podezření*)
plantation [plæn'teišn] **1** sadba **2** plantáž **3** kolonizace
planter [pla:ntə] **1** pěstitel **2** plantážník **3** květináč **4** sázecí stroj
plaster [pla:stə] *n* **1** **(sticking) ~** náplast **2** omítka **3** **~ (cast)** sádrový obvaz, sádra; **~ of Paris** sádra • *v* **1** omítnout, nahodit **2** dát náplast na **3** dát do sádry **4** oblepit, polepit
plastered [pla:stəd] (*hovor.*) nalitý
plastic [plæstik] *adj* **1** plastický; tvárný, poddajný ♦ **~ arts** *pl* výtvarné umění, plastika; **~ surgery** plastická chirur-

gie **2** vyrobený z umělé hmoty
• *n* **1** umělá hmota **2 ~ (money)** kreditní karta
plate [pleit] **1** (*kovová*) deska **2** talíř; mísa; podnos **3** štítek, tabulka **4** (*vlepená*) příloha
plateau [plætəu] náhorní rovina
platform [plætfo:m] **1** nástupiště **2** pódium, stupínek; tribuna **3** program, platforma (*politické strany*) **4** plošina
platinum [plætinəm] platina
platitude [plætitju:d] otřepaná fráze, samozřejmost
platoon [plə'tu:n] **1** (*voj.*) rota **2** *US* (*policejní / požární*) četa
plausible [plo:zəbl] přijatelný
play [plei] *n* **1** hra; **fair ~** poctivá / slušná hra, slušné jednání **2** hračka (*snadná práce*) **3** zápas, utkání **4** součinnost **5** (*divadelní*) hra, drama
• *v* **1** hrát (**the piano** na klavír, **chess** šachy, **football** kopanou) **2** zahrát (**sb. a mean trick** nepěkný kousek komu) **3** hrát si (**with a toy** s hračkou) **4** dovádět, laškovat **5** předstírat, dělat (**dumb** hloupého)
play along spolupracovat
play around **1** blbnout, šaškovat **2** pohrát si (**with** s)
play back přehrát (si) (*nahrávku*)
play down bagatelizovat, přičítat malou váhu čemu
play up **1** zlobit, tropit neplechu **2** přehánět, zdůrazňovat
player [pleiə] **1** hráč **2** herec
playful [pleiful] hravý
playground [pleigraund] dětské hřiště
playhouse [pleihaus] divadlo
play-off [pleiof] rozhodující zápas
playpen [pleipen] (*dětská*) zahrádka
plaything [pleiθiŋ] **1** hračka **2** hříčka
playwright [pleirait] dramatik
plea [pli:] **1** obhajoba **2** prohlášení obžalovaného **3** (*naléhavá*) žádost, prosba
plead [pli:d] **1** zastupovat u soudu **2** pronášet obžalobu **against** proti; obhajovat (*u soudu*) **for** koho **3** vymlouvat se na, hájit se čím **4** prosit **for** o, (*naléhavě*) žádat
♦ **~ guilty / not guilty** (*obžalovaný*) přiznat / popírat vinu
pleasant [pleznt] příjemný
please [pli:z] **1** líbit se **sb.** komu **2** potěšit, uspokojit, udělat radost komu; **do it to ~ me** udělejte to kvůli mně; **as you ~** jak je vám libo **3** prosím (vás)
pleased [pli:zd] potěšený, spokojený; **be ~** být potěšen, mít radost **with / at doing sth.** z čeho
pleasurable [pležərəbl] příjemný
pleasure [pležə] radost, potěšení; **with ~** s radostí
♦ **~ boat** výletní člun
pleated [pli:tid]: **a ~ skirt** plisovaná sukně
plebiscite [plebisit / -sait] plebiscit
pledge [pledž] *n* **1** závazek **2** zástava **3** záruka
• *v* **1** slíbit, zavázat (se) **2** zastavit, dát do zástavy
plenary [pli:nəri] **1** absolutní, neomezený **2** plenární, valný
plentiful [plentiful] **1** plodný, úrodný **2** bohatý, hojný, opulentní
plenty [plenti] množství, hojnost, víc než dost **of** čeho

pleurisy [pluərisi] zánět pohrudnice
pliable [plaiəbl] poddajný, ohebný
pliers [plaiəz] *pl* kombinačky, kleště (*na drát*)
plight [plait] **1** nepříjemná situace, „kaše“ **2** stav, kondice
plimsolls [plimsə(u)lz] *pl* tenisky
plod [plod] **(dd)** plahočit se
plot [plot] *n* **1** políčko; záhon; parcela **2** osnova děje, zápletka **3** spiknutí; intrika
• *v* **(tt)** **1** zmapovat **2** zakreslit **3** osnovat spiknutí, intrikovat **4** vymýšlet zápletku
plough [plau] *n* pluh • *v* orat
ploughman [plaumən] oráč ♦ **~'s lunch** *GB* sýrová mísa (*oběd*)
pluck [plak] *n* **1** škubnutí **2** odvaha, kuráž
• *v* **1** škubat, trhat; sbírat, česat **2** tahat **at** za **3** drnknout, brnknout ♦ **~ up courage** sebrat odvahu, dodat si kuráže
plucky [plaki] kurážný, statečný
plug [plag] *n* **1** zátka **2** vidlice, zástrčka, přípojka **3** špalíček, hmoždinka **4** (*motor.*) **(spark) ~** svíčka
• *v* **(gg)** **1** ucpat **2** praštit; odprásknout koho **3** (*hovor.*) dělat reklamu (*neustálým opakováním*)
plug in zasunout do zásuvky, připojit na síť
plum [plam] švestka
plumb [plam] *n* **1** olovnice **2** závaží, olůvko • *adj* **1** svislý, kolmý **2** úplný, vyložený
• *adv* **1** svisle, kolmo **2** přesně **3** *US* úplně, dočista • *v* **1** měřit (olovnicí) hloubku **2** sondovat, zkoumat **3** provést instalatérské práce **4** (*celník*) (za)plombovat
plumber [plamə] instalatér
plumbing [plamiŋ] instalace (*v domě*)
plump[1] [plamp] *adj* buclatý, plný, udělaný, kulaťoučký
• *v* natřepat (*polštář*)
plump[2] [plamp] žuchnout (**down in a chair** do křesla)
plunder [plandə] **1** plenit, drancovat **2** ukořistit
plunge [plandž] **1** (*prudce*) strčit, vrazit **2** skočit, vrhnout (se), (*též přen.*)
pluperfect [plu:'pə:fikt] (*jaz.*) předminulý (čas)
plural [pluərl] (*jaz.*) množné číslo
plus [plas] (*mat.*) plus, a
plush [plaš] *n* plyš
• *adj* (*hovor.*) elegantní, nóbl
ply [plai] zajišťovat / provozovat kyvadlovou dopravu **between** mezi, **across** přes
plywood [plaiwud] překližka
p.m. [pi:'em] = **post meridiem** odpoledne, večer
pneumatic [nju:'mætik] pneumatický; **~ drill** pneumatické vrtací kladivo, sbíječka (*hovor.*)
pneumonia [nju:'məunjə] zápal plic
poach [pəuč] pytlačit
poacher [pəučə] pytlák
pocket [pokit] *n* kapsa ♦ **~ edition** kapesní vydání; **~knife** kapesní nůž; **~ money** *GB* kapesné
• *v* **1** dát do kapsy **2** odložit, potlačit **3** kontrolovat, mít v ruce
pocketbook [pokitbuk] **1** zápisník **2** náprsní taška, peněženka **3** *US* (*dámská*) kabelka
pod [pod] lusk
poem [pəuim] báseň
poet [pəuit] básník

poetic(al) [pəu'etik(l)] básnický
poetry [pəuitri] poezie
poignant [poinənt] **1** ostrý, pikantní **2** svíravý, trýznivý **3** bolestný, hluboce dojímavý **4** naléhavý, palčivý **5** přiléhavý, k věci
point [point] *n* **1** bod, tečka **2** špička **3** věc; hlavní stránka, podstata, pointa; **his strong ~** jeho silná stránka; **a ~ of honour** věc cti ♦ **in ~ of** pokud jde o; **in ~ of fact** ve skutečnosti; **make a ~ of** *1.* zdůraznit *2.* neopominout **doing sth.** udělat co; **be on the ~ of** chystat se k čemu; **I don't see your ~** nechápu, oč vám jde; **that's the ~** o to právě jde; **the ~ is (that)** vtip je v tom, že; **there's no ~ in doing sth.** nemá smysl dělat co; **~ of order** faktická poznámka; **~ of view** stanovisko, hledisko • *v* **1** ukázat **at** na / **to** k **2** namířit **at** na **3** naostřit **4** větřit
point out upozornit na; poznamenat
point-blank [point'blæŋk] přímo, rovnou, bez okolků
pointed [pointid] **1** ostrý, špičatý **2** osobní, trefný **3** jasný, zřejmý, okázalý
pointer [pointə] **1** ukazovátko **2** ručička (*přístroje*) **3** náznak, tip **4** (*lovecký pes*) pointer
poise [poiz] *n* **1** rovnováha, (*též přen.*) **2** sebejisté vystupování, duševní rovnováha **3** držení těla • *v* **1** udržovat v rovnováze, (vy)balancovat **2** viset ve vzduchu
poison [poizn] jed
poisonous [poiznəs] jedovatý
poke [pəuk] **1** vystrčit; být vystrčen, trčet **2** šťouchnout, rýpnout, strkat **3** prohrábnout ♦ **~ fun at** dělat si legraci, utahovat si z; **~ one's nose into** strkat nos do
poke about / around in hrabat se v
poker[1] [pəukə] poker (*karetní hra*) ♦ **~ face** kamenný / ledový / bezvýrazný obličej
poker[2] [pəukə] pohrabáč
Poland [pəulənd] Polsko
polar [pəulə] polární
Pole [pəul] Polák
pole[1] [pəul] tyč, kůl ♦ **~ vault** skok o tyči
pole[2] [pəul] pól ♦ **~ star** polárka
police [pə'li:s] *pl* policie ♦ **~ officer** policista, strážník; **~-station** policejní strážnice / služebna / komisařství, místní oddělení policie
policeman [pə'li:smən] policista, strážník
policy[1] [polisi] **1** taktika, postup, metoda **2** zásady, politická linie **3** chytrost, diplomatičnost, prozíravost
policy[2] [polisi] pojistka, pojištění
polio [pəuliəu] dětská obrna
Polish [pəuliš] *adj* polský • *n* polština
polish [poliš] *n* **1** lesk; vyleštění **2** leštidlo, krém; politura **3** uhlazenost, vybroušenost; elegance • *v* **1** leštit (se) **2** vybrousit, vypilovat
polish off (*hovor.*) zhltnout, spořádat, zbaštit
polish up **1** naleštit, nablýskat **2** propilovat, zdokonalit se v
polite [pə'lait] zdvořilý
political [pə'litikl] **1** politický **2** vládní, státní, státnický **3** *US* taktický; aparátnický; intrikářský
politician [poli'tišn] politik

politics [politiks] *sg,pl* **1** politologie **2** (*praktická*) politika; politické názory / přesvědčení **3** *US* klikaření; politikaření
poll [pəul] *n* **1 the ~s** volby, hlasování; volební místnost **2** seznam voličů; účast při volbách; sčítání hlasů **3** průzkum veřejného mínění • *v* **1** volit **2** obdržet (*počet hlasů*)
pollen [polin] pyl
polling booth [pəuliŋbu:θ] volební kabina
polling station [pəuliŋsteišn] volební místnost
pollute [pə'lu:t] **1** zkalit, zašpinit, znečistit **2** poskvrnit, zneuctít, znesvětit
Polynesia [poli'ni:ziə] Polynésie
pomp [pomp] nádhera, okázalost, pompa
pompous [pompəs] velice sebevědomý, nadutý, nabubřelý
pond [pond] rybník
ponder [pondə] uvažovat, přemýšlet, hloubat **(over) sth.** o čem
ponderous [pondərəs] **1** velmi těžký, tíživý **2** těžkopádný, nudný **3** nemotorný
pony [pəuni] **1** poník **2** *US* (*hovor.*) malá sklenka, štamprlička
ponytail [pəuniteil] ohon (*účes*)
pool[1] [pu:l] **1** louže, kaluž **2** tůň **3** (*přehradní*) jezero **4** bazén; brouzdaliště
pool[2] [pu:l] *n* **1** asociace, sdružení, syndikát **2** písárna **3** skupina, rezerva (*kádrová*) **4** společný fond; bank, (*společný*) vklad • *v* **1** spojit, sdružit **2** společně užívat
pools [pu:lz] *GB* **the ~** sazka
poor [puə] **1** chudý **2** bídný, špatný, chabý, chatrný **3** ubohý, politováníhodný; **~ David** chudák David
pop[1] [pop] **(pp) 1** vybuchnout, explodovat **2** (*rychle*) střílet, pálit (*otázky*) **3** vstrčit **4** (za)skočit kam ♦ **~ one's clogs** (*GB, hovor.*) natáhnout bačkory (*zemřít*); **~ the question** (*hovor.*) vyjádřit se, požádat o ruku
pop[2] [pop] (*hovor.*) populární, oblíbený (**singer** zpěvák)
pope [pəup] papež
popgun [popgan] špuntovka
poplar [poplə] topol
poplin [poplin] popelín
poppy [popi] mák
poppyseed [popisi:d] mák (*semena*)
popular [popjulə] **1** lidový **2** oblíbený, populární **with** u **3** všeobecný
popularity [popju'læriti] **1** lidovost **2** popularita, obliba
population [popju'leišn] **1** obyvatelstvo **2** celkový počet obyvatel **3** osídlení, zalidnění
populous [popjuləs] **1** lidnatý **2** početný **3** přeplněný lidmi
porcelain [po:slin] porcelán
porch [po:č] **1** krytý vchod **2** *US* veranda
pore[1] [po:] (*kožní*) pór
pore[2] [po:] **1** soustředěně hledět **on / over** do, studovat (*knihu*), být zabrán / zahloubán do **2** hloubat, uvažovat **on** o
pork [po:k] vepřové maso
porn [po:n] (*hovor.*) pornografie
porous [po:rəs] pórovitý, porézní
porridge [poridž] ovesná kaše
port [po:t] **1** přístav **2** portské

(*víno*) **3** levá strana (*lodi, letadla*)
portable [po:təbl] *adj* přenosný • *n přenosný přístroj:* přenosný počítač / psací stroj, přenosná televize *atd.*
portend [po:'tend] hlásat, být varovnou předzvěstí čeho
portent [po:tent] zlé znamení; předzvěst
porter [po:tə] **1** nosič **2** *GB* vrátný; **~'s lodge** vrátnice **3** *US* stevard (*v lůžkovém voze*)
portion [po:šn] **1** část, podíl **2** porce
portrait [po:trit] portrét; **in ~ mode** stojatý, nastojato
portray [po:'trei] **1** portrétovat **2** vylíčit
Portuguese [po:ču'gi:z] *adj* portugalský • *n* Portugalec
pose [pəuz] *v* **1** postavit, naaranžovat **2** položit, předložit, klást (**a question** otázku) **3** zaujmout postoj, pózovat **4** vydávat se **as** za **5** sedět / stát modelem • *n* postoj; póza
posh [poš] (*hovor.*) extra, nóbl
position [pə'zišn] **1** postavení, místo; **be in a ~ to +** *inf* být s to, moci udělat co **2** poloha, pozice **3** situace **4** stanovisko, postoj **on** k
positive [pozitiv] *adj* **1** jasný, pevný, přesný **2** absolutní, naprostý, nesporný **3** kladný, pozitivní • *n* (*jaz., fot.*) pozitiv
possess [pə'zes] **1** mít, vlastnit **2** posednout; **be ~ed with** být posedlý čím
possession [pə'zešn] **1** majetek, vlastnictví **2** posedlost **3** sebeovládání
possesive [pə'zesiv] **1** majetnický; pánovitý **2** (*jaz.*) přivlastňovací
possibility [posi'biliti] možnost
possible [posəbl] *adj* **1** možný; **make it ~ to +** *inf* umožnit, aby **2** pravděpodobný, eventuální ♦ **as soon as ~** co nejdříve • *n* možnost; možný člověk, člověk přicházející v úvahu
possibly [posəbli] třeba, možná, snad
post[1] [pəust] *n* sloup • *v* **1** vyvěsit, nalepit (*vyhlášku*) **2** oznámit, vyhlásit **3** veřejně označit
post[2] [pəust] *GB n* pošta • *v* dát na poštu, poslat poštou ♦ **keep sb. ~ed** průběžně informovat, zásobovat novinkami koho
post[3] [pəust] *n* **1** stanoviště **2** místo, funkce, zaměstnání, post • *v* přeřadit, přeložit; odvelet
postage [pəustidž] poštovné, porto
postal [pəustl] poštovní; **~ order** *GB* poštovní poukázka
postbox [pəustboks] poštovní schránka
postcard [pəustka:d] dopisnice
postcode [pəustkəud] *GB* poštovní směrovací číslo
poster [pəustə] **1** plakát **2** (*konferenční*) poster
posterity [po'steriti] potomstvo
post-free [pəust'fri:] vyplaceně
postgraduate [pəust'grædjuit / -džuit] postgraduální
postman [pəustmən] poštovní doručovatel, listonoš
postmark [pəustma:k] poštovní razítko
postmaster [pəustma:stə] vedoucí pošty, poštmistr; **P~ General** *GB* ministr pošt

postmortem [pəust'mo:təm] **1** pitva **2** (*hovor.*) dodatečný rozbor, hodnocení, analýza výsledků
post office [pəustofis] pošta, poštovní úřad
postpone [pəus'pəun] odložit, odsunout, odročit
posture [posčə] *n* **1** držení těla; pozice, póza **2** situace, stav • *v* **1** postavit (se), naaranžovat (se) **2** přetvařovat se, stavět se, vystupovat **as** jako
postwar [pəust'wo:] poválečný
pot [pot] **1** *okrouhlá nádoba:* hrnec, hrnek, konvice, kotlík, zavařovací sklenice, květináč *apod.* **2** **~s** balík **of** čeho, moře, halda, fůra
potato [pə'teitəu] brambor; **~ peeler** škrabka (*nůž*)
pothole [pothəul] výmol
potter[1] [potə] hrnčíř
potter[2] [potə] ledabyle pracovat **at / in** na, nimrat se v, párat se s
potter about poflakovat se, okounět
potter away prolajdat
pottery [potəri] hrnčířské zboží
pouch [pauč] pytlík, váček
poultry [pəultri] drůbež
pounce [pauns] vrhnout se **on** na
pound[1] [paund] **1** roztlouci **2** bušit
pound[2] [paund] libra
pour [po:] **1** lít (se); nalít (**oneself** si); **it's ~ing (with rain)** lije jako z konve **2** proudit **into** do, **out of** z
pour in hrnout se / proudit dovnitř
pour out **1** vylít (se) **2** nalít, rozlévat (*nápoj*) **3** vychrlit
poverty [povəti] chudoba, bída
powder [paudə] *n* **1** prach; prášek **2** pudr ♦ **~ box / compact** pudřenka; **~ puff** labutěnka; **~ room** dámská toaleta • *v* **1** rozdrtit na prach **2** pudrovat
power [pauə] **1** síla, síly; potenciál **2** moc; mocnost **3** pravomoc **4** zvětšovací schopnost **5** (*mat.*) mocnina **6** síla, energie, proud ♦ **the ~s that be** (*hovor.*) nynější mocipáni
powerful [pauəful] mocný; mohutný
powerhouse [pauəhaus] elektrárna
powerless [pauəlis] bezmocný; neschopný
power point [pauəpoint] zástrčka, kontakt, zdířka (*ve zdi*)
power station [pauəsteišn] elektrárna
practicable [præktikəbl] **1** proveditelný, prakticky použitelný **2** možný, schůdný
practical [præktikl] **1** praktický **2** použitelný, upotřebitelný **3** zkušený, kvalifikovaný **4** sobecký, bezohledný
practically [præktikli] téměř, skoro, prakticky
practice [præktis] **1** praxe ♦ **in ~** v praxi; **put into ~** uskutečnit, uplatnit v praxi **2** cvičení, cvik; **I'm out of ~** vyšel jsem ze cviku **3** klientela **4** praktika, zvyk(lost)
practise [præktis] **1** provádět, provozovat **2** cvičit, trénovat **3** mít ve zvyku, praktikovat
prairie [preəri] prérie
praise [preiz] *v* chválit, velebit • *n* chvála, pochvala
praiseworthy [preizwə:ði] chvályhodný
pram [præm] *GB* dětský kočárek

prank [præŋk] šprým, žertík, vylomenina
pray [prei] **1** prosit **for** o **2** modlit se, orodovat **for** za
prayer [preə] **1** modlitba **2** prosba
preach [pri:č] **1** kázat **2** mluvit veřejně; hlásat, zvěstovat
preacher [pri:čə] kazatel
precarious [pri'keəriəs] **1** nejistý, pochybný, riskantní, povážlivý, choulostivý **2** všelijaký
precaution [pri'ko:šn] **1** opatrnost **2** předběžné opatření
precede [pri'si:d] **1** předcházet před čím **2** uvést **sth.** co **by / with** čím
precedence [presidəns] **1** přednost **2** prvenství
precedent [presidənt] **1** tradice, zvyk **2** precedens
preceding [pri'si:diŋ] předcházející
precious [prešəs] **1** drahocenný, vzácný, drahý **2** (*hovor.*) pořádný, vykutálený
precipice [presipis] propast
précis [preisi:] stručný přehled, výtah, shrnutí
precise [pri'sais] **1** přesný **2** ostrý; zřetelný
precisely [pri'saisli] **1** přesně **2** přesně tak!; právě!; ano, naprosto správně!
precision [pri'sižn] **1** přesnost **2** jemnost, jemnůstka
precursor [pri'kə:sə] **1** předzvěst **2** předchůdce
predicate [predikit] **1** (*jaz.*) přísudek **2** vlastnost, přídomek, titul
predict [pri'dikt] předpovídat, prorokovat
prediction [pri'dikšn] předpověď, proroctví
predominate [pri'domineit] převládat
prefab [pri:fæb] (*hovor.*) panelák
preface [prefis] *n* předmluva • *v* **1** opatřit předmluvou **2** říci úvodem
prefer [pri'fə:] **(rr)** dávat přednost **sb. / sth.** komu / čemu **to** před kým / čím, mít raději **sb. over sb.** koho než koho
preference [prefrəns] **1** přednost **of** čemu, **to / over** před **2** větší záliba **for** pro ♦ **in ~ to** raději než
prefix [pri:fiks] (*jaz.*) předpona
pregnancy [pregnənsi] těhotenství
pregnant [pregnənt] **1** těhotná **2** plný, naplněný **with** čím **3** významný, výstižný, pregnantní
prejudice [predžudis] předsudek, zaujatost **against** proti
prejudiced [predžudist] zaujatý, mající předsudky **against** proti
preliminary [pri'liminəri] *adj* předběžný • *n* **1** přijímací zkouška **2** kvalifikační zápas **3** předzápas
premature [prematjuə / -čuə] **1** předčasný, ukvapený **2** nedonošený
premier [premjə] ministerský předseda, premiér
premises [premisiz] *pl* **1** areál, komplex **2** provozovna, prodejna
premium [pri:mjəm] **1** prémie; pojistné **2** příplatek **3** přídavek, nádavek, odměna
preparation [prepə'reišn] **1** příprava **2** přípravek, preparát
preparatory [pri'pærətri] *adj* přípravný, předběžný • *n* přípravka, přípravná škola
prepare [pri'peə] připravit (se), chystat (se)

prepay* [pri:'pei] **1** předem zaplatit, předplatit (si) **2** ofrankovat (*dopis*)
preponderance [pri'pondərəns] převaha
preposition [prepə'zišn] (*jaz.*) předložka
prepossess [pri:pə'zes] získat, zaujmout **towards** pro, vzbudit kladný vztah pro
preposterous [pri'postrəs] **1** absurdní, neskutečný **2** komický, groteskní
prerequisite [pri:'rekwizit] nezbytný předpoklad
prescribe [pri'skraib] předepsat
prescription [pri'skripšn] předpis, recept
presence [prezns] přítomnost ♦ **~ of mind** duchapřítomnost
present[1] [prezənt] *adj* **1** přítomný; **~ tense** (*jaz.*) přítomný čas **2** nynější; tento • *n* přítomnost; **at ~** nyní, v současné době; **for the ~** (pro)zatím
present[2] *n* [prezənt] dar • *v* [pri'zent] **1** předložit **2** představovat, znamenat **3** představit; předvést, ukázat **4** uvádět, dávat (*hru*) **5** darovat **6** naskytnout se, přihodit se, stát se
present-day [preznt'dei] současný, moderní
presentiment [pri'zentimənt] předtucha
presently [prezntli] za chvilku, brzy
preservation [prezə'veišn] **1** zachování, péče; **in good ~** zachovalý **2** konzervování
preserve [pri'zə:v] *v* **1** uchovat; udržovat, chránit **2** konzervovat, zavařovat **3** hájit (*zvěř*) • *n* **1** *obvykle* **~s** *pl* zavařeniny **2 (nature) ~** chráněné území
preside [pri'zaid] předsedat **at / over** čemu; řídit co
presidency [prezidənsi] **1** předsednictví, vedení **2** prezidentství
president [prezidənt] **1** předseda **2** prezident
press [pres] *v* **1** (s)tisknout, (s)tlačit, (z)máčknout **2** lisovat **3** žehlit (*šaty*) ♦ **be ~ed for time** být v časové tísni • *n* **1** stisknutí **2** dav, tlačenice **3** lis **4** tisk; tiskárna **5** (*sežehlený*) záhyb, puk ♦ **~ conference** tisková konference; **~ cutting** výstřižek; **~ release** oznámení pro tisk; **~ stunt** tisková kampaň
pressing [presiŋ] *adj* naléhavý • *n* lisování; výlisek
pressure [prešə] **1** tlak **2** nátlak
pressure-cook [prešəkuk] vařit v tlakovém hrnci
prestige [pre'sti:ž] důstojnost, věhlas, vliv, prestiž
presumably [pri'zju:məbli] podle všeho, pravděpodobně
presume [pri'zju:m] **1** předpokládat **2** dovolit si, troufnout si **3** využít, zneužít **on** čeho
presumptuous [pri'zampčuəs] troufalý, drzý
pretence [pri'tens] **1** záminka **2** předstírání **3** nárok
pretend [pri'tend] **1** předstírat **2** dělat si (*neprávem*) nárok **to** na
pretentious [pri'tenšəs] **1** pompézní, snobský **2** domýšlivý, troufalý
preterite [pretərit] (*jaz.*) minulý čas, préteritum

pretext [pri:tekst] záminka, výmluva
pretty [priti] *adj* **1** hezký, půvabný **2** pěkný, důkladný, pořádný • *adv* **1** hezky, dosti **2** téměř, skorem
prevail [pri'veil] **1** převládat, převažovat **2** (z)vítězit **3** existovat, být běžný **4** přesvědčit, přemluvit **upon** koho
prevalent [prevələnt] **1** převládající, hlavní **2** obvyklý, běžný
prevent [pri'vent] **1** předcházet čemu **2** zabránit **sb.** komu **from doing sth.** v čem; zachránit **sb.** koho **from** před
prevention [pri'venšn] **1** ochrana **of** před **2** předcházení **of** čemu, prevence čeho
preventive [pri'ventiv] **1** ochranný **2** preventivní
preview [pri:vju:] **1** předběžné promítání, předváděčka **2** (filmová) ukázka
previous [pri:vjəs] *adj* **1** předchozí, dřívější **2** předčasný, ukvapený • *adv* před **to** čím, dříve než
previously [pri:vjəsli] **1** předtím, dříve **2** předčasně, ukvapeně
pre-war [pri:'wo:] předválečný
prey [prei] *n* kořist ♦ **beast of ~** šelma; **bird of ~** dravec • *v* **1** (*šelma, dravec*) lovit **on** co, živit se čím **2** vysávat, odírat **on** koho
price [prais] *n* cena • *v* stanovit cenu
priceless [praislis] drahocenný, neocenitelný
price list [praislist] ceník
prick [prik] *n* **1** píchnutí **2** bodlina, pícház, osten **3** (*vulg.*) čurák, (*též nadávka*) • *v* **1** píchnout, bodnout **2** píchat, bolet **3** označit znamínkem, zaškrtnout ♦ **~ up one's ears** našpicovat uši, (*též přen.*)
pride [praid] *n* **1** hrdost, pýcha; chlouba **2** nejlepší léta, rozkvět • *v* **~ oneself** chlubit se, honosit se **on** čím
priest [pri:st] kněz
prig [prig] snob, mravokárce, afektovaný pedant, ješita
prim [prim] upjatý, škrobený, (*suše*) korektní
primaries [praiməriz] *pl US* (*prezidentské*) primárky
primary [praiməri] prvotní, původní, základní (**colours** barvy, **school** škola)
prime [praim] *adj* **1** hlavní, nejdůležitější **2** mladistvý **3** prvotřídní ♦ **P~ Minister** *GB* ministerský předseda; **~ number** prvočíslo • *n* rozkvět; **in the ~ of life** v nejkrásnějších letech života
primer [praimə] **1** základní / podkladový nátěr **2** roznětka, zápalka
primeval [prai'mi:vl] **forest** prales
primitive [primitiv] **1** primitivní **2** prvotní, prapůvodní
primrose [primrəuz] prvosenka, petrklíč
prince [prins] **1** kníže; **P~ of Wales** kníže waleský **2** vladař **3** princ
princess [prin'ses] **1** kněžna **2** vladařka **3** princezna
principal [prinsəpl] *adj* hlavní; základní; ústřední • *n* **1** hlava firmy, šéf, představený **2** ředitel školy

principality [prinsi'pæliti] **1** knížectví **2 the P~** Wales
principle [prinsəpl] **1** základ, princip, podstata **2** zásada; **on ~** ze zásady **3** zákon, věta, poučka
print [print] *n* **1** otisk, stopa **2** tisk; **out of ~** rozebraný **3** tiskací písmo **4** fotka, kopie (*negativu*) • *v* **1** udělat otisk / stopu **2** tisknout; uveřejnit v tisku **3** psát tiskacím písmem **4** (*fot.*) kopírovat
printer [printə] **1** tiskař **2** tiskárna (*počítače*)
printing works [printiŋwə:ks] tiskárna, polygrafický závod
prior[1] [praiə] převor
prior[2] [praiə] **1** dřívější **2** přednostní; **~ to** před
priority [prai'oriti] přednost **over** před
prism [prizm] hranol
prison [prizn] vězení
prisoner [priznə] **1** vězeň, trestanec **2** zajatec ♦ **~ of conscience** politický vězeň; **~ of war** válečný zajatec
privacy [privəsi] soukromí; **in ~** soukromě, tajně, důvěrně
private [praivit] *adj* **1** soukromý; osobní, vlastní **2** důvěrný, tajný • *n* **1** vojín **2 ~s** *pl* přirození, genitálie ♦ **in ~** mezi čtyřma očima, soukromě
privation [prai'veišn] strádání, nouze
privilege [privilidž] výsada, privilegium
privileged [privilidžd] privilegovaný
prize [praiz] *n* **1** cena, odměna **2** výhra • *adj* **1** odměněný cenou **2** nejcennější, hlavní • *v* vážit si čeho
probability [probə'biliti] **1** pravděpodobnost **2** naděje, vyhlídka, šance
probable [probəbl] pravděpodobný
probably [probəbli] pravděpodobně
probation [pro'beišn] **1** zkušební lhůta **2** podmíněné prominutí trestu ♦ **on ~** na zkoušku; **~ officer** sociální kurátor
probe [prəub] *n* sonda • *v* sondovat, (*též přen.*)
problem [probləm] **1** problém **2** sporná otázka **3** hádanka **4** úloha; studie
problematic [problə'mætik] problematický
procedure [prə'si:džə] **1** postup **2** procedura, protokol
proceed [prə'si:d] **1** postupovat, probíhat, vést se **2** pokračovat **3** přikročit **to** k **4** pocházet **from** z, vzniknout z, vzejít z, mít původ v
proceeding [prə'si:diŋ] **1** kroky, opatření **2 ~s** *pl* jednání; **legal ~s** soudní řízení **3 ~s** *pl* akta, zprávy
proceeds [prəusi:dz] *pl* výtěžek, výnos, zisk
process [prəuses] *n* proces • *v* zpracovat; **~ed cheese** tavený sýr
procession [prə'sešn] průvod; procesí
proclaim [prə'kleim] vyhlásit, prohlásit, veřejně oznámit
proclamation [proklə'meišn] prohlášení, provolání, proklamace
procrastinate [prəu'kræstineit] otálet, mít stále dost času
procure [prə'kjuə] **1** opatřit,

obstarat **2** přimět **to** + *inf* aby **3** dosáhnout čeho, prosadit co
prodigal [prodigl] *adj* marnotratný, hýřivý
• *n* marnotratník, flamendr
prodigious [prə'didžəs] **1** fenomenální, fantastický **2** ohromný, obrovský
prodigy [prodidži] *n* zázrak, génius; div přírody; úžasný příklad **of** čeho; **an infant** ~ zázračné dítě
• *adj* fenomenální, geniální
produce *v* [prə'dju:s] **1** předložit **2** předvést, předvolat **3** vytvořit, vyrobit; pěstovat, produkovat **4** uvést, dávat, inscenovat **5** být producentem (*filmu*) **6** zplodit, urodit **7** způsobit, vyvolat
• *n* [prodju:s] **1** výtěžek, výnos, produkt **2** důsledek, plod, ovoce **3** zemědělské plodiny
producer [prə'dju:sə] **1** výrobce **2** producent
product [prodakt] **1** výrobek; plod, plodina **2** dílo, výtvor **3** (*přen.*) následek, důsledek **4** (*mat.*) součin
production [prə'dakšn] **1** výroba, produkce **2** výtvor, výrobek; dílo **3** inscenace **4** předložení, uvedení
productive [prə'daktiv] **1** produktivní **2** úrodný; výnosný **3** tvůrčí, tvořivý
productivity [prodak'tiviti] produktivita
profane [prə'fein] **1** světský, profánní **2** hrubý, sprostý
profession [prə'fešn] **1** (náboženské) vyznání **2** povolání, stav, profese
professional [prə'fešənl] *adj* **1** profesionální; odborný, kvalifikovaný **2** nacvičený, bezduchý
• *n* **1** profesionál, odborník **2** duševní pracovník
professor [prə'fesə] (*univerzitní*) profesor
proficiency [prə'fišnsi] znalost, (*odborná*) dokonalost, dovednost
proficient [prə'fišnt] (*odborně*) dokonalý, dovedný, zdatný
profile [prəufail] profil
profit [profit] *n* **1** užitek **2** zisk
• *v* **1** získat, profitovat **by** z **2** prospět **sb.** komu
profitable [profitəbl] **1** výhodný, prospěšný, užitečný **2** výnosný, lukrativní
profiteer [profi'tiə] keťas, šmelinář
profound [prə'faund] **1** hluboký **2** vážný, těžký, hlubokomyslný
program(me) [prəugræm] program
progress *n* [prəugres] pokrok(y); vývoj, postup; **make fast ~ in** dělat velké pokroky v
• *v* [prə'gres] postupovat, pokračovat, dělat pokroky
progressive [prə'gresiv] **1** postupný, postupující; progresívní **2** pokrokový
prohibit [prə'hibit] **1** zakázat **2** zabránit **sb.** komu **from** v čem
prohibition [prəui'bišn] zákaz, prohibice
prohibitive [prə'hibitiv] prohibiční, prohibitivní, zakazující
project *n* [prodžekt] **1** návrh, projekt **2** výzkumný úkol
• *v* [prə'džekt] **1** navrhovat, projektovat **2** promítat **3** vrhat **4** vyčnívat **5** vytvářet představu
projection [prə'džekšn] **1** navrhování, projektování

2 promítání 3 přečnívání, výčnělek ♦ ~ **room** promítací kabina
prolific [prə'lifik] 1 plodný, úrodný **in** na 2 hojně se vyskytující, bohatý
prologue [prəulog] prolog, úvod
prolong [prə'loŋ] prodloužit, prolongovat
prolongation [prəuloŋ'geišn] prodloužení
prolonged [prə'loŋd] dlouhotrvající
promenade [promə'na:d] 1 (*pobřežní*) promenáda, korzo 2 promenádní koncert 3 *US* školní ples
prominence [prominəns] 1 vynikající postavení 2 výčnělek, výstupek
prominent [prominənt] 1 vystupující 2 nápadný, markantní 3 vynikající, význačný, prominentní
promise [promis] *n* slib; příslib • *v* (při)slíbit
promising [promisiŋ] slibný, nadějný
promote [prə'məut] 1 povýšit **sb.** koho **to** na 2 podporovat, prosazovat; propagovat
promotion [prə'məušn] 1 povýšení 2 podpora; propagace, reklama
prompt [prompt] *adj* 1 okamžitý, pohotový 2 přesný, dochvilný • *v* 1 podnítit, pobízet **sb.** koho **to** + *inf* aby / k čemu; **be ~ed by** být veden čím 2 napovídat, suflovat • *n* nápověda
prompter [promtə] nápověda
promulgate [proməlgeit] vyhlásit, (*úředně*) oznámit
prone [prəun] mající sklon **to** k, náchylný k
pronoun [prəunaun] (*jaz.*) zájmeno
pronounce [prə'nauns] 1 prohlásit 2 říci svůj názor, vyjádřit se **on** o, **for** pro, **against** proti 3 vyslovovat
pronounced [prə'naunst] 1 vyslovený, vyložený 2 jasný, zřetelný, vyhraněný
pronouncement [prə'naunsmənt] 1 prohlášení, projev 2 vyjádření, názor, soud
pronunciation [prəˌnansi'eišn] výslovnost
proof [pru:f] *n* 1 důkaz **of** čeho 2 zkouška, test 3 obtah, korektura ♦ **put to ~** vyzkoušet, podrobit zatěžkávací zkoušce • *adj* bezpečný **against** před • *v* 1 impregnovat 2 číst / dělat korekturu
proof-reader ['pru:fˌri:də] korektor
prop[1] [prop] *n* podpěra • *v* **(pp)** podepřít; ~ **(up)** opřít **against** o
prop[2] [prop] (*div.*) rekvizita
propel [prə'pel] **(ll)** pohánět
propeller [prə'pelə] vrtule
proper [propə] 1 vlastní; **in the ~ sense of the word** v pravém slova smyslu; ~ **name** vlastní jméno 2 řádný, vhodný, příhodný 3 pořádný, vyložený 4 slušný, podle společenských pravidel
properly [propəli] 1 pořádně; důkladně 2 správně
property [propəti] 1 majetek 2 vlastnost 3 realita, nemovitost; pozemek 4 (*div.*) rekvizita
prophecy [profisi] proroctví

prophesy [profisai] prorokovat, věštit
prophet [profit] prorok
prophetic [prə'fetik] prorocký
proportion [prə'po:šn] *n* **1** poměr, poměrná část **2** **~s** *pl* rozměry, proporce • *v* **1** úměrně přizpůsobit **2** dávkovat **3** vyvážit
proportional [prə'po:šənl] **1** úměrný **to** k, přiměřený čemu **2** poměrný
proposal [prə'pəuzl] **1** návrh **2** nabídka sňatku
propose [prə'pəuz] **1** navrhnout **2** nabídnout sňatek **to** komu, požádat o ruku koho **3** mít v úmyslu ♦ **~ a toast to the health of** pronést přípitek na zdraví koho
proposition [propə'zišn] **1** návrh **2** tvrzení
proprietor [prə'praiətə] majitel, vlastník
propriety [prə'praiəti] **1** vhodnost, příhodnost **2** zdvořilost, slušné chování
prorogue [prə'rəug] odročit
prosaic [prəu'zeiik] prozaický
prose [prəuz] próza
prosecute [prosikju:t] **1** soudně stíhat **2** vést žalobu
prosecution [prosi'kju:šn] **1** soudní stíhání, (ob)žaloba, trestní řízení **2** prokuratura
prosecutor [prosikju:tə] žalobce, prokurátor
prospect *n* [prospekt] **1** vyhlídka **2** naděje, šance • *v* [prə'spekt] hledat (**an area for gold** v kraji zlato)
prospective [prə'spektiv] budoucí, eventuální
prospectus [prə'spektəs] leták, brožura, prospekt
prosper [prospə] **1** prosperovat, vzkvétat **2** povést se, mít úspěch
prosperity [pro'speriti] **1** zdar, úspěch **2** blahobyt
prosperous [prosprəs] **1** úspěšný, prosperující **2** příhodný, příznivý
prostitution [prosti'tju:šn] prostituce
protect [prə'tekt] hájit, chránit **from / against** před
protection [prə'tekšn] ochrana
protector [prə'tektə] **1** ochránce **2** chránič **3** protektor, běhoun (*pneumatiky*)
protectorate [prə'tektərət] protektorát
protest *v* [prə'test] **1** prohlašovat **2** protestovat • *n* [prəutest] **1** námitka, odpor, protest; **in ~ against** na protest proti **2** stížnost, odvolání **3** slavnostní prohlášení
Protestant [protistənt] protestant, evangelík
protestation [prəutes'teišn] (*slavnostní*) prohlášení
protract [prə'trækt] **1** protahovat (*v čase*) **2** zdržovat, zpomalovat **3** zakreslit v měřítku
protrude [prə'tru:d] **1** vystrčit **2** vyčnívat
proud [praud] **1** pyšný, hrdý **of** na **2** zpupný, domýšlivý **3** honosný, vznešený
prove [pru:v] **1** dokázat **2** ukázat se, osvědčit se jako **3** vyzkoušet
proverb [provə:b] přísloví
proverbial [prə'və:bjəl] příslovečný
provide [prə'vaid] **1** opatřit, obstarat, poskytnout **sb.** komu **with** co **2** (po)starat se, pečovat **for** o koho **3** stanovit **that** že

provided [prə'vaidid] pod podmínkou, za předpokladu **that** že
providence [providəns] **1** obezřetnost, prozíravost **2** prozřetelnost
province [provins] **1** provincie **2 the ~s** *pl* venkov **3** obor
provincial [prə'vinšl] *adj* **1** provinciální, venkovský **2** maloměstský, malý • *n* venkovan
provision [prə'vižn] **1** obstarání **of** čeho **2** zajištění **against** proti, opatření proti **3** věnování, darování, poskytnutí **4 ~s** *pl* potraviny, proviant **5** (*práv.*) ustanovení; předpis; klauzule
provisional [prə'vižənl] provizorní, prozatímní
provocation [provə'keišn] **1** podnět, impuls **2** vyvolávání **of** čeho, provokování; provokace
provocative [prə'vokətiv] **1** dráždivý, provokativní **2** vyvolávající dráždění
provoke [prə'vəuk] **1** (vy)dráždit, provokovat **2** donutit, dohnat **to** k
provoking [prə'vəukiŋ] otravný, nesnesitelný
prowl [praul] **1** být na lovu **2** prohledávat **3 ~ around** obcházet, potloukat se (kde) • *n* **1** lov, číhaná **2** potulka
proximity [prok'simiti] blízkost
proximo [proksiməu] (*obch.*) příštího měsíce
proxy [proksi]: **by ~** prostřednictvím zástupce / zmocněnce
prude [pru:d] prudérní člověk
prudent [pru:dənt] **1** prozíravý, obezřelý **2** rozumný, uvážlivý
prune[1] [pru:n] sušená švestka
prune[2] [pru:n] prořezávat; **~ away / off** oklestit, (*též přen.*)
Prussia [prašə] Prusko
Prussian [prašən] *adj* pruský • *n* Prus
pry [prai] vyzvídat **into sth.** co, slídit po, strkat nos do
psalm [sa:m] žalm
pseudonym [sju:dənim] pseudonym
psychiatrist [sai'kaiətrist] psychiatr
psychiatry [sai'kaiətri] psychiatrie
psychoanalysis [saikəuə'nælisis] psychoanalýza
psychologist [sai'kolədžist] psycholog
psychology [sai'kolədži] psychologie
pub [pab] (*hovor.*) hospoda
public [pablik] *adj* **1** veřejný **2** státní, městský, obecní ♦ **~ school** *1. GB* soukromá internátní střední škola *2. US* státní střední škola • *n* **1 the ~** veřejnost; **in ~** veřejně **2** návštěvníci, obecenstvo
publication [pabli'keišn] **1** uveřejnění, vydání **2** publikace
public house [pablik'haus] hostinec
publicity [pab'lisiti] **1** zájem / pozornost veřejnosti, publicita **2** reklama, nábor, propagace
publish [pabliš] **1** uveřejnit, publikovat **2** vydat
publisher [pablišə] vydavatel, nakladatel
puck [pak] touš, kotouč, puk
pucker [pakə] (s)vraštit (se), stahovat (se)
pudding [pudiŋ] **1** pudink, nákyp

2 kaše; **semolina** ~ krupicová kaše
puddle [padl] **1** louže, kaluž **2** (*přen.*) cákanec **3** (*hovor.*) virvál; brynda
puff [paf] *n* **1** závan, (*malý*) náraz (*větru*) **2** odfukování, bafání **3** chomáček • *v* **1** (*krátce*) fouknout **2** odfukovat, bafat **3** nadouvat se
pull [pul] *n* **1** tah; zátah **2** doušek **3** vliv • *v* **1** táhnout, zatahat za, vytáhnout **2** stisknout, zmáčknout
pull down 1 strhnout, zbořit **2** oslabit
pull off 1 dokázat, úspěšně provést **2** stáhnout, sundat (si) **3** odplout
pull on natáhnout (si), obléci / obout si
pull out 1 vytrhnout (**a tooth** zub); vytáhnout, vyndat **2** vyjet, vyplout **3** (*hovor.*) vymanévrovat, stáhnout se
pull round / through 1 zotavit se **2** přivést k sobě, postavit na nohy
pull together 1 stáhnout, zdrhnout **2** dostat / dát se dohromady, táhnout za jeden provaz
pull up 1 vytáhnout, vztyčit **2** zastavit (se), zarazit **3** dotahovat, dohánět
pulley [puli] kladka
pulp [palp] *n* **1** dřeň, dužina **2** kaše, papírovina **3** beztvará hmota • *v* dát do stoupy
pulpit [pulpit] kazatelna
pulsate [pal'seit] **1** pulsovat, tepat **2** pravidelně jít, běžet **3** vibrovat; dýchat **with** čím
pulse [pals] *n* **1** puls, tep; **feel sb.'s** ~ měřit tep komu **2** (*rytmický*) záběr; impuls **3** (*pravidelný*) běh, chod • *v* pulsovat
pulverize [palvəraiz] rozmělnit (se) na prach; rozdrtit na padrť
pump [pamp] *n* pumpa, čerpadlo • *v* **1** čerpat, pumpovat **2** hustit; stříkat; vhánět (jako) pumpou
pun [pan] *n* slovní hříčka • *v* **(nn)** dělat slovní hříčky
punch[1] [panč] *n* **1** rána pěstí **2** (*přen.*) šťáva, říz, šmrnc • *v* **1** udeřit, praštit **2** proštípnout, propíchnout
punch[2] [panč] punč
punctual [paŋkčuəl] přesný, dochvilný
punctuality [paŋkču'æliti] přesnost, dochvilnost
punctuation [paŋkču'eišn] interpunkce; ~ **marks** *pl* interpunkční znaménka
puncture [paŋkčə] *n* propíchnutí (*pneumatiky*); díra • *v* (pro)píchnout, prorazit
pungent [pandžənt] ostrý, pronikavý, štiplavý
punish [paniš] **1** potrestat **2** (*hovor.*) mučit, ničit, decimovat
punishment [panišmənt] **1** trest **2** (*hovor.*) co proto
punt [pant] pramice
pupil[1] [pju:pl] žák, žačka
pupil[2] [pju:pl] zřítelnice, panenka
puppet [papit] loutka
puppy [papi] štěně
purchase [pə:čəs] *v* koupit • *n* **1** nákup, koupě **2** výnos, hodnota
pure [pjuə] **1** čistý; ryzí **2** holý, prostý
purgatory [pə:gətri] očistec
purge [pə:dž] *v* **1** provést (*politickou*) čistku **2** očistit • *n* čistka

puritan [pjuəritn] *n* puritán
• *adj* puritánský
purity [pjuəriti] čistota; ryzost
purple [pə:pl] *n* nach, purpur
• *adj* nachový, purpurový
purpose [pə:pəs] záměr, úmysl, účel, cíl; **on ~** úmyslně, schválně; **to no ~** zbytečně
purposely [pə:pəsli] záměrně, schválně
purr [pə:] (*kočka*) příst
purse [pə:s] **1** váček; peněženka **2** (*přen.*) pokladna, peněžní fond; sbírka **3** *US* (*malá*) kabelka
pursue [pə'sju:] **1** pronásledovat, stíhat **2** provozovat, pěstovat; pokračovat v (**one's studies** ve studiu)
pursuit [pə'sju:t] **1** pronásledování **2** (*soustavná*) činnost
pus [pas] hnis
push [puš] *n* rána, úder, šťuchanec ♦ **if / when it comes to the ~** v případě potřeby, při nejhorším • *v* **1** tlačit (se), strkat **2** pohánět **3** prosadit, uplatnit **4** proniknout, prorazit **5** propagovat **6** usilovat **for** o **7** zmáčknout, stisknout (*tlačítko*) **8** prodávat narkotika ♦ **~ one's luck** příliš riskovat, přestřelit to; **~ the boat out** (*hovor.*) plácnout se přes kapsu
push along (*hovor.*) odejít
push around (*hovor.*) komandovat, sekýrovat
push through dovést až do konce, prosadit
push up zvýšit, zvednout (*ceny*) ♦ **~ up the daisies** jít pod kytičky
pushbike [pušbaik] (*hovor.*) jízdní kolo
pushing [pušiŋ] **1** podnikavý, energický **2** blížící se (*urč. věku*); **~ 40** s blížící se čtyřicítkou
puss [pus], **pussy** [pusi], **pussycat** [pusikæt] číča, kočička
pussy-willows [pusiwiləuz] *pl* kočičky
put* [put] **(tt) 1** dát někam, položit, postavit; klást, umístit **2** vyjádřit, říci ♦ **~ to death** zabít, usmrtit; **~ an end to** ukončit co; **~ it mildly** vyjádřit to mírně
put aside 1 odložit **2** (*přen.*) odmítnout, zapomenout na
put away 1 uklidit, uložit, schovat **2** utratit (*zvíře*) **3** (*hovor.*) sporcovat, spucnout; kopnout do sebe, vytáhnout
put back 1 dát zpět **2** zpomalit, zdržet
put by 1 ukládat, našetřit (**money** peníze) **2** odložit, odsunout stranou **3** odsunout na neurčito, dát k ledu
put down 1 stáhnout, spustit, zavřít; položit **2** potlačit, zmařit **3** zapsat (si) **4** připisovat, přičítat **to** čemu **5** vyloučit ze soutěže **6** *viz* **put away (3)**
put forward 1 posunout, postrčit; pomáhat čemu **2** předložit, navrhnout
put in 1 vplout do přístavu **2** vložit, vsunout; zamontovat **3** přidat, přibrat **4** poznamenat, vmísit se do řeči **5** vykonat, provést, podniknout **6** zažádat si **for** o
put off 1 svléknout si, sundat si, odložit **2** odsunout, odložit (**till tomorrow** na zítřek) **3** odradit od; odbýt **sb.** koho **with** čím **4** zhasnout, vypnout
put on 1 vzít (si) na sebe,

navléct si, nasadit (si) **2** uvést na scénu, inscenovat; pořádat (*koncert*) **3** zapnout, pustit
put out 1 uhasit; zhasnout, vypnout **2** zveřejnit, publikovat **3** vystrčit, vyhodit; vyndat **4** obtěžovat koho; vyvést z rovnováhy
put through spojit (*telefonicky*)
put together dát dohromady, složit
put up 1 zvednout, zvýšit **2** ubytovat (se), poskytnout nocleh **3** spokojit se, smířit se **with** s **4** jmenovat, navrhnout (**a candidate** kandidáta) **5** postavit, smontovat **6** vyvěsit, vylepit **7** finančně přispět **for** na co, darovat na, investovat do
putty [pati] (*sklenářský*) tmel, kyt
puzzle [pazl] *n* **1** záhada **2** hádanka, rébus
• *v* zmást, poplést
pygmy [pigmi] **1** trpaslík **2** trpasličí druh **3 P~** Pygmej
pyjamas [pə'dža:məz] *pl* pyžamo
pylon [pailən] **1** ocelový stožár **2** stožár elektrického vedení **3** letecký maják
pyramid [pirəmid] pyramida
pyrotechnics [pairəu'tekniks] *pl* ohňostroj, (*též přen.*)

Q

quack [kwæk] mastičkář, šarlatán
quad [kwod] (*hovor.*) **1** nádvoří **2** **~s** *pl* čtyřčata
quadrangle [kwodræŋgl] **1** čtyřúhelník **2** dvůr, nádvoří
quadruple [kwodrupl] *adj* čtyřnásobný • *n* čtyřnásobek
quail [kweil] křepelka
quaint [kweint] **1** přitažlivý, (*protože*) starobylý **2** podivný, kuriózní
quake [kweik] chvět se, třást se
qualification [kwolifi'keišn] **1** předpoklad, kvalifikace **2** omezení, modifikace **3** ohodnocení; osvědčení, vysvědčení, diplom **4** **~s** *pl* odborná kvalifikace
qualify [kwolifai] **1** kvalifikovat (se) **2** blíže vymezit **3** zeslabit, (roz)ředit **with** čím
quality [kwoliti] **1** jakost, hodnota **2** charakteristický rys, typická vlastnost
qualm [kwa:m] **1** nevolnost, mdlo, špatně **of** z / čím **2** **~s** *pl* pochybnosti; výčitky svědomí
quantitative [kwontitətiv] co do množství, kvantitativní
quantity [kwontiti] množství, počet, kvantita; **~ surveyor** stavební kalkulant (*materiálu*)
quantum [kwontəm] množství, kvantum
♦ **~ jump / leap** zásadní pokrok
quarantine [kworənti:n] karanténa
quarrel [kworəl] *n* spor, hádka, svár
• *v* **(ll)** **1** přít se, hádat se **2** zlobit se **with** na, mít námitky proti
quarrelsome [kworəlsəm] hádavý, hašteřivý
quarry[1] [kwori] lom
quarry[2] [kwori] kořist, lovná zvěř; pronásledovaný člověk
quart [kwo:t] čtvrtina galonu (*1,13 l*)
quarter [kwo:tə] *n* **1** čtvrtina, čtvrt; kvartál **2** čtvrťák (*čtvrtdolar*) **3** světová strana, končina; **from all ~s** ze všech stran; **in the highest ~s** na nejvyšších místech **4** čtvrť (*městská*) **5** **~s** *pl* bydliště, byt; kasárna
• *v* **1** rozčtvrtit **2** ubytovat
quarterly [kwo:təli] *adj* čtvrtletní • *adv* čtvrtletně • *n* čtvrtletník
quartet(te) [kwo:tet] kvartet(o)
quartz [kwo:c] křemen
quash [kwoš] zrušit, anulovat, prohlásit za neplatný
quay [ki:] přístaviště, přístavní hráz; **~ pier** molo
queasy [kwi:zi] **1** (*žaludek*) podrážděný, choulostivý **2** (*věc*) zvedající žaludek **3** (*člověk*) vyběravý v jídle; delikátní; skrupulózní
queen [kwi:n] **1** královna **2** (*šachy, karty*) dáma, královna
queer [kwiə] *adj* **1** (po)divný, zvláštní; záhadný, podezřelý **2** (*hovor.*) vzatý, praštěný **about / for / on** pokud jde o **3** (*hovor.*) teplý, přihřátý (*homosexuální*)
♦ **feel ~** nebýt ve své kůži; **in ~ street** v úzkých, v prekérní (*zvl. finanční*) situaci • *v* překazit, pokazit; **~ sb.'s pitch** udělat komu

čáru přes rozpočet • *n* **1** teplouš, buzerant **2** *US* falešné peníze
quench [kwenč] uhasit (*žízeň, naději*); potlačit; zmírnit, ztlumit
querulous [kwerulәs] mrzoutský, nevrlý, kverulantský
query [kwiәri] *n* otázka, dotaz • *v* **1** ptát se, otázat se **2** žádat vysvětlení čeho
quest [kwest] hledání **for** čeho
question [kwesčn] *n* otázka; **ask sb. a ~** zeptat se koho; **put a ~ to sb.** položit otázku komu; **raise a ~** nadhodit otázku; **the man in ~** muž, o něhož jde; **it is out of the ~** to je vyloučeno; **come into ~** přicházet v úvahu; **there is no ~ about** není pochyby o • *v* **1** vyslýchat koho, klást otázky komu **2** pochybovat o **3** zkoumat co, hledat odpověď u
questionable [kwesčәnәbl] problematický, pochybný; podezřelý
questionnaire [kwesčә'neә] dotazník
queue [kju:] *n* fronta • *v též* **~ (up)** čekat ve frontě, stát frontu (**for** na)
queue-jump [kju:džamp] přeskočit frontu, předbíhat ve frontě
quibble [kwibl] *n* **1** malichernost **2** slovní hříčka • *v* **1** hádat se **over** o (*nicotnosti*), chytat za slovo **2** dělat slovní hříčky
quick [kwik] *adj* **1** rychlý; **be ~ about** pospíšit si s **2** bystrý, pohotový; inteligentní; **be ~ at figures** umět rychle počítat • *adv* rychle • *n* **1** živé maso; **cut to the ~** tít do živého **2** (*přen.*) dřeň, morek kostí
quicken [kwikәn] **1** oživit; oživnout **2** zrychlit
quicksand [kwiksænd] tekoucí / plovoucí / pohyblivý písek
quicksilver [kwiksilvә] rtuť
quick-tempered [kwik'tempәd] prchlivý
quid [kwid] libra šterlinků
quiet [kwaiәt] *adj* klidný, tichý; **be / keep ~** být zticha; **keep sth. ~** udržet v tajnosti co • *n* klid, ticho; **on the ~** ve vší tichosti • *v* uklidnit
quill [kwil] **1** brk **2** bodlina (*ježka*)
quilt [kwilt] prošívaná pokrývka
quinine [kwi'ni:n] chinin
quintessence [kwin'tesns] tresť, jádro, podstata, kvintesence
quip [kwip] vtipná (*ironická*) poznámka; vtípek, bonmot, legrácka
quisling [kwizliŋ] kolaborant
quit [kwit] **(tt)** **1** opustit; odejít (*ze zaměstnání*) **2** přestat
quite [kwait] docela, úplně ♦ **~ (so)** zcela správně, ano, ovšem
quits [kwic]: **we're ~ now** teď jsme si kvit
quiver [kwivә] *v* chvět (se) • *n* (roze)chvění
quiz [kviz] *v* **(zz)** klást otázky komu, vyptávat se koho; vyslýchat • *n* **1** kvíz **2** *US* krátká zkouška
quizzical [kwizikl] **1** podivný; komický, legrační **2** šibalský; posměšný **3** zmatený, překvapený, udivený
quota [kwәutә] kvóta, kontingent
quotation [kwәu'teišn] **1** citát **2** předběžný rozpočet, cenová nabídka, předkalkulace
quote [kwәut] **1** citovat; uvést **2** nabídnout (*cenu*), dát předběžný rozpočet

R

rabbi [ræbai] rabín
rabbit [ræbit] králík
rabble [ræbl] **1** dav, zástup **2** lůza, chátra
rabid [ræbid / rei-] **1** zuřivý **2** trpící vzteklinou, vzteklý
rabies [reibi:z] vzteklina
race[1] [reis] *n* **1** závod, (*rychlostní*) soutěž; běh **2 the ~s** *pl* dostihy
• *v* **1** závodit **2** běžet, hnát se
♦ **his mind was racing** v hlavě se mu honily myšlenky jedna za druhou
race[2] [reis] rasa
racecourse [reisko:s] dostihová dráha
racial [reišl] rasový
rack [ræk] *n* **1** věšák **2** police; síť na zavazadla **3** stojánek **4** střešní nosič auta, zahrádka **5** skřipec
• *v* **1** natáhnout na skřipec, (*též přen.*) **2** trýznit, sužovat **3** třást, lomcovat
♦ **~ one's brains** lámat si hlavu
racket[1] [rækit] (*tenisová*) raketa
racket[2] [rækit] **1** hluk, povyk, randál **2** (*hovor.*) finta, fígl, podvod, čachry **3** (*hovor.*) vyděračství, gangsterství
racketeer [ræki'tiə] vyděrač, gangster
radar [reida:] radar, radiolokátor
radiance [reidjəns] záře, záření
radiant [reidjənt] zářící, zářivý
radiate [reidieit] **1** zářit **2** vyzařovat **3** vysílat **4** rozbíhat se (*paprskovitě*)
radiation [reidi'eišn] záření
radiator [reidieitə] **1** topné těleso, radiátor **2** chladič
radical [rædikl] *adj* **1** základní **2** radikální
• *n* **1** radikál **2** odmocnina
radio [reidiəu] **1** rádio, rozhlas **2** rozhlasový přijímač
radioactive [reidiəu'æktiv] radioaktivní
radiograph [reidiəugra:f] rentgenový snímek
radish [rædiš] ředkvička
radium [reidjəm] rádium
radius [reidjəs] **1** poloměr **2** akční rádius; dosah, dolet
raffle [ræfl] *n* tombola
• *v* dát do tomboly
raft [ra:ft] vor
rafter [ra:ftə] krokev, trám (*v krovu*)
rag[1] [ræg] **1** hadr **2** cár, cancour
♦ **chew the ~** (*hovor.*) kecat, žvanit; **glad ~s** (*slang.*) sváteční hadry, kvádro
rag[2] [ræg] merenda, mejdan, recese
rage [reidž] *n* **1** zlost, vztek, zuřivost; **fly into a ~** rozlítit se **2** vrchol módy • *v* zuřit, běsnit
ragged [rægid] **1** rozedraný, roztřepaný **2** oblečený v hadrech **3** střapatý, rozcuchaný **4** rozeklaný
raid [reid] *n* **1** útok **2** nálet **3** policejní razie
• *v* **1** udělat prudký útok **into** na **2** udělat razii v
rail [reil] **1** zábradlí **2** kolej **3** dráha, železnice
railing [reiliŋ] **1** zábradlí **2** (o)hrazení, ohrada
railroad [reilrəud] *n* *US* železnice

• *v* prohnat, rychle zmanipulovat, nechat / dát rychle proběhnout
railway [reilwei] *GB* železnice; **~ station** nádraží
railwayman [reilweimən] železničář
rain [rein] *n* déšť
♦ **as right as ~** zdravý jako řípa
• *v* pršet
♦ **it never ~s but it pours** neštěstí nechodí nikdy samo
rainbow [reinbəu] duha
raincheck [reinček] vstupenka na náhradní utkání / představení / koncert; **take a ~ on sth.** nechat si co na později
raincoat [reinkəut] plášť do deště
rainfall [reinfo:l] dešťové srážky
rainproof [reinpru:f] nepromokavý
rainy [reini] deštivý; **for a ~ day** pro strýčka Příhodu
raise [reiz] *v* **1** zvednout (**one's hand** ruku), zvýšit (**the level** úroveň); **~ one's hat to** smeknout před; **~ one's voice** zvýšit hlas **2** uvádět (**objections** námitky), nadhodit (**a question** otázku) **3** sebrat, opatřit (**money** peníze) **4** vyprovokovat, podnítit **5** chovat, pěstovat **6** navázat (*rádiový*) styk s **7** dát vykynout (*těsto*)
• *n US* zvýšení platu, přidáno
raisins [reizinz] *pl* rozinky
rake[1] [reik] zpustlík, prostopášník
rake[2] [reik] *n* hrábě • *v* hrabat
rake up **1** vyhrabat **2** oživit (*vzpomínky*)
rally [ræli] *v* **1** shromáždit (se) **2** nabrat síly, okřát
• *n* **1** shromáždění, manifestace **2** dlouhá výměna míčů **3** závod automobilů, rally
ram [ræm] beran
ramble [ræmbl] *n* toulka, pěší výlet
• *v* **1** chodit na výlety, toulat se **2** mluvit / psát bez ladu a skladu **3** volně růst, plazit se, pnout se
ramp [ræmp] *n* šikmá / nakloněná plošina, rampa
• *v* **1** stát na zadních **2** zešikmit
rampant [ræmpənt] **1** stojící na zadních nohách **2** zuřivý, radikální **3** bezuzdný, bujný, přebujelý
ramshackle [ræmšækl] sešlý, zchátralý, na spadnutí
ranch [ra:nč / rænč] ranč, farma (*dobytkářská*); **dude ~** *US* rekreační ranč (*pro turisty*)
rancour [ræŋkə] zahořklost; zarytá nenávist / zloba
random [rændəm] *adj* nesouvislý, náhodný, namátkový
• *n*: **at ~** *1.* bez míření, naslepo *2.* nesouvisle, namátkou, nazdařbůh; **talk at ~** mlít páté přes deváté
randy [rændi] chlípný, smyslný
range [reindž] *n* **1** řada **2** paleta, rejstřík; sortiment **3** horský řetěz **4** střelnice **5** rozmezí, rozpětí, rozsah, dosah; **at a ~ of two miles** na vzdálenost dvou mil **6** akční rádius, dostřel **7** sporák **8** pastviště, loviště
• *v* **1** seřadit (se), zařadit; uspořádat; (roz)třídit **2** být ve stejné rovině / řadě **with** s **3** (*zvěř*) pohybovat se, toulat se **4** rozkládat se, táhnout se, prostírat se **5** (*cena*) být v rozmezí
rank[1] [ræŋk] *n* **1** řada, šik **2** stanoviště autotaxi, štafl

3 hodnost, šarže
4 (*společenské*) postavení; vysoké postavení, přední místo
♦ **the ~ and file** *1.* řadoví vojáci a poddůstojníci *2.* řadoví členové, členstvo, obyčejní lidé
• *v* **1** postavit do řady, (při)řadit **among** mezi / k **2** patřit, náležet **among** mezi / k
3 ~ above *US* být hodností výš než; být služebně nejstarší
rank[2] [ræŋk] **1** přebujelý, přerostlý **2** žluklý, páchnoucí **3** (*přen.*) nejhorší, odporný, ohavný
rankle [ræŋkl] trápit, pálit, bolet, hryzat (*přen.*)
ransack [rænsæk] **1** prohledat, zpřevracet **2** hledat **for** co
3 vykrást, (vy)brakovat
ransom [rænsəm] *n* výkupné
• *v* **1** vykoupit **2** dát / zaplatit výkupné za **3** žádat výkupné za
rap [ræp] *v* **(pp) 1** klepat, klepnout **2** (*přen.*) klepnout přes prsty
• *n* **1** klepnutí, zaklepání
2 kritická poznámka, šleh **3** *US* (*slang.*) co je komu přišito, obvinění; **take the ~ (for)** (*slang.*) odskákat si to (za)
rapacious [rə'peišəs] chamtivý; násilnický; dravý
rape[1] [reip] *v* znásilnit
• *n* znásilnění
rape[2] [reip] řepka
rapid [ræpid] *adj* rychlý, prudký
• *n* **~s** *pl* peřeje
rapt [ræpt] zaujatý, zabraný; **with ~ attention** napjatě
rapture [ræpčə] vytržení, nadšení, extáze
rare[1] [reə] **1** vzácný, nezvyklý
2 řídký
rare[2] [reə] **1** (*vejce*) naměkko
2 (*maso*) nedopečený, krvavý
rarely [reəli] zřídkakdy
rascal [ra:skl] ničema, darebák, uličník
rash[1] [ræš] prudký, ukvapený, zbrklý
rash[2] [ræš] vyrážka
rasher [ræšə] *GB* plátek slaniny
rasp [ra:sp] rašple
raspberry [ra:zbri] malina
rat [ræt] krysa; **smell a ~** mít podezření, něco tušit
rate [reit] *n* **1** poměr **2** sazba, tarif; **postage ~** poštovné, porto
3 rychlost; **at the ~ of 50 miles an hour** rychlostí 50 mil za hodinu **4** dávka; **~s of sickness benefit** dávky nemocenského pojištění ♦ **at any ~** v každém případě
• *v* **1** hodnotit **as** jako **2** počítat, řadit **among** k, pokládat za
rather [ra:ðə] *adv* **1** poněkud; jaksi **2** dosti **3** raději, spíše; **I'd ~ stand** raději postojím; **I'd ~ not say** raději bych si to nechal pro sebe • *interj* (*hovor.*) to bych řekl, no jestli, samosebou
ratification [rætifi'keišn] ratifikace
ratify [rætifai] ratifikovat, schválit
ratio [reišiəu] **1** poměr
2 koeficient **3** procento
ration [ræšn] *n* **1** (*denní*) dávka, příděl **2 ~s** *pl* denní příděl potravin; proviant
♦ **~ book** potravinové lístky; **off the ~** nejsoucí na příděl, volný
• *v* dát na příděl, zavést přídělový systém na
rational [ræšənl] rozumný, rozumový, racionální; logický
rattle [rætl] *n* **1** rachocení, chřestot **2** řehtačka

• *v* **1** rachotit, chřestit; třást, rumplovat **2** drkotat, kodrcat (*při jízdě*) **3** (*hovor.*) poděsit, vyplašit
rattle off odpapouškovat, vysypat z rukávu
rattlesnake [rætlsneik] chřestýš
raucous [ro:kəs] **1** chraplavý, chrčivý **2** divoký, nevázaný
ravage [rævidž] *v* zpustošit • *n* spoušť, zpustošení; **~s of war** válečná spoušť
rave [reiv] **1** blouznit, fantazírovat **2** zuřit, běsnit **3** mluvit nadšeně, básnit
raven [reivn] krkavec
ravenous [rævinəs] **1** hladový jako vlk **2** palčivý, šžíravý
ravine [rə'vi:n] strž, rokle
ravishing [ræviširŋ] úchvatný
raw [ro:] *adj* **1** syrový; naturální (*rýže*) **2** surový; **~ material** surovina **3** nezkušený, neostřílený **4** sychravý, řezavý **5** nekultivovaný, primitivní • *n* odřená kůže, živé maso ♦ **in the ~** *1.* nepřikrášlený, syrový *2.* nahý
ray[1] [rei] paprsek
ray[2] [rei] rejnok
rayon [reion] umělé hedvábí
razor [reizə] břitva; holicí přístroj; **~ blade** žiletka
re- [ri:] (*předpona u sloves*) znovu, ještě jednou
re [ri:] týká se, věc; **~ your letter of** týká se Vašeho dopisu ze dne
reach [ri:č] *n* **1** natažení, sáhnutí **2** dosah; vzdálenost; dohled, doslech **3** přístupnost, srozumitelnost ♦ **within one's / easy ~** na dosah ruky, snadno dostupný; **out of one's ~** z dosahu koho • *v* **1** sahat, prostírat se (**as far as the river** až k řece) **2** sahat, sáhnout **for** po; podat **3** dosáhnout na **4** dosáhnout čeho, dojít, dojet (**London** do Londýna)
reach down 1 sundat, podat **2** shýbnout se **for** pro
reach out natáhnout se **for** po; **~ out one's hand for** natáhnout ruku po
reach-me-down [ri:čmidaun] *GB* hotový, konfekční (*oblek*)
react [ri'ækt] reagovat, (zpětně) působit **on** na
reaction [ri'ækšn] reakce; vzájemné působení, zpětný účinek
reactionary [ri'ækšənəri] *adj* reakční • *n* reakcionář
reactive [ri'æktiv] reaktivní
reactor [ri'æktə] reaktor
read* [ri:d] **1** číst (si); **~ aloud** číst nahlas; **~ to oneself** číst si pro sebe **2** pasívně umět, rozumět **3** (*přístroj*) ukazovat **4 ~ (up)** studovat (**for a degree** k dosažení akademického titulu) **5** projednávat (*ve sněmovně*)
readable [ri:dəbl] čtivý
reader [ri:də] **1** čtenář **2** korektor; lektor; *US* odborný asistent; *GB* docent **3** čítanka
reading [ri:diŋ] četba, čtení ♦ **~ room** čítárna
readily [redili] ihned; ochotně; snadno; pohotově
ready [redi] **1** hotový, připravený; **get ~ for** připravit se na; **~ money** hotovost **2** ochotný **3** rychlý, pohotový
ready-made [redi'meid] **1** konfekční **2** pohotový **3** šablonovitý
real [riəl] **1** pravý, skutečný, opravdový; pravdivý, věcný,

reálný 2 nemovitý ♦ ~ **estate** nemovitost; ~ **wages** reálná mzda
realist [riəlist] realista
realistic [riə'listik] realistický
reality [ri'æliti] skutečnost
realization [riəlai'zeišn] **1** uskutečnění, realizace **2** poznání, uvědomění; představa, obraz
realize [riəlaiz] **1** uskutečnit **2** představit si, uvědomit si **3** prodat, zpeněžit
really [riəli] opravdu, doopravdy, skutečně
♦ ~ **!** to už přestává všechno!; **not** ~ **!** neříkejte!, ale prosím vás!
realm [relm] **1** království, říše **2** doména, sféra, oblast
reap [ri:p] **1** žnout, sekat **2** sklízet, (*též přen.*)
reaper [ri:pə] **1** žnec, sekáč **2** žací stroj, sekačka
reappear [ri:ə'piə] znovu se objevit
rear[1] [riə] *n* **1** zadní část, zadní trakt; **in the** ~ vzadu **2** zadek **3** (*voj.*) týl, zázemí
• *adj* **1** zadní **2** (*voj.*) týlový
♦ **~-admiral** kontradmirál
rear[2] [riə] **1** vztyčit **2** pěstovat, chovat; vychov(áv)at
rearmament [ri'a:məmənt] znovuvyzbrojení
reason [ri:zn] *n* **1** rozum, intelekt **2** důvod, příčina, popud
♦ **it stands to** ~ to je samozřejmé, to dá rozum; **for this** ~ z tohoto důvodu; **with good** ~ plným právem; **listen to** ~ měj rozum
• *v* **1** uvažovat, usuzovat **2** debatovat, argumentovat, polemizovat **3** odůvodnit, motivovat
reasonable [ri:zənəbl] **1** rozumný; logický **2** (*cena*) přiměřený
reassure [ri:ə'šuə] **1** uklidnit; vrátit sebedůvěru komu **2** znovu ujistit
rebel *n* [rebl] rebel, vzbouřenec, povstalec • *v* [ri'bel] **(ll)** povstat, vzbouřit se **against** proti
rebellion [ri'beljən] povstání, vzpoura, revolta, vzbouření
rebellious [ri'beljəs] **1** povstalecký **2** rebelantský
rebound *v* [ri'baund] **1** odskočit, odrazit se; vrátit se jak bumerang **2** reagovat
• *n* [ri:baund] **1** odskok, odraz **2** reakce **3** okamžik zklamání
♦ **on the** ~ *1.* při odrazu 2. ze zklamání, z trucu
rebuff [ri'baf] *n* příkré odmítnutí
• *v* odmítnout, odbýt
rebuke [ri'bju:k] *n* výtka
• *v* pokárat **for** za
recall [ri'ko:l] *v* **1** povolat zpět, odvolat (**an ambassador** vyslance) **2** zrušit, odvolat (**an order** příkaz) **3** připomenout si, vzpomenout si (**one's young days** na svá mladá léta) **4** vyžádat si zpět
recapitulate [ri:kə'pitjuleit] rekapitulovat, (*stručně / přehledně*) zopakovat, shrnout
recede [ri'si:d] **1** ustupovat **2** ustoupit **from** od, odříci se čeho **3** (po)klesnout
receipt [ri'si:t] **1** příjem, přijetí; **on** ~ **of** při obdržení čeho **2** potvrzení, stvrzenka **3** **~s** *pl* příjem, tržba
receive [ri'si:v] **1** dostat, obdržet **2** přijmout; přijímat (**visitors** hosty) **3** mít příjem, chytit **4** (*práv.*) přechovávat

receiver [ri'si:və] **1** příjemce **2** sluchátko **3** přijímač **4** přechovávač, překupník
recent [ri:snt] nedávný; nový, čerstvý, moderní
recently [ri:sntli] nedávno, v poslední době; **until ~** až do nedávna
reception [ri'sepšn] **1** přijetí; oficiální přivítání **2** příjem (**of TV programmes** televizních programů), poslech, obraz **3** recepce; **~ clerk** recepční **4** vnímavost, chápavost
receptionist [ri'sepšənist] recepční (*v hotelu, sestra u příjmu pacientů*)
recess [ri'ses] **1** prázdniny (*zvl. soudní a parlamentní*) **2** (*krátké*) přerušení, pauza; *US* (*školní*) přestávka **3** výklenek **4** vzdálený / tichý kout, ústraní
recipe [resipi] předpis, recept, (*též přen.*)
reciprocal [ri'siprəkl] vzájemný, oboustranný
recital [ri'saitl] **1** výčet, vyjmenovávání; líčení **2** sólistický večer, recitál
recite [ri'sait] říkat zpaměti, recitovat
reckless [reklis] **1** bezstarostný; lehkomyslný **2** riskantní, hazardní **3** nebezpečný, bezohledný
reckon [rekn] **1** počítat, spočítat, vypočítat **2** počítat **on** s, spoléhat na **3** pokládat, považovat **as / to be** za **4** počítat **with** s; vzít v úvahu koho **5** mít ten dojem, počítat
reckon in započítat, připočítat co k
reckoning [rekəniŋ] **1** účet, útrata **2** (z)účtování, odplata
reclaim [ri'kleim] **1** žádat navrácení čeho, reklamovat **2** zpracovávat (*odpad*) **3** rekultivovat (*půdu*) **4** polepšit, obrátit
recognition [rekəg'nišn] **1** poznání; **beyond ~** k nepoznání **2** uznání; **in ~ of his services** za jeho služby
recognize [rekəgnaiz] **1** poznat **by** podle **2** uznat; uznávat **3** znát se k, mluvit s
recoil *v* [ri'koil] **1** ucouvnout; trhnout sebou zpět, zarazit se **2** štítit se **from** čeho **3** padnout zpět na hlavu **on** koho • *n* [ri:koil] **1** zpětný ráz, zákluz (*zbraně*) **2** reakce **from** na, odpor proti
recollect [rekə'lekt] vzpomenout si na
recollection [rekə'lekšn] vzpomínka **of** na
recommend [rekə'mend] **1** doporučit **sth.** co **to** komu, (po)radit **2** být dobrým doporučením
recommendation [rekəmen'deišn] **1** doporučení; přímluva **2** rada
recompense [rekəmpens] *v* **1** odměnit, odplatit **sb.** komu **for** za **2** vynahradit **for** co • *n* **1** odměna **2** náhrada, odškodné
reconcile [rekənsail] **1** (u)smířit **2** smírně vyřešit **3** srovnat, sloučit **4 ~ oneself** smířit se, vyrovnat se **to** s čím ♦ **be ~d** jít dohromady, být slučitelný **with** s; **become ~d** smířit se (*časem*) **with** s (*nepříjemností*)
reconcilliation [rekənsili'eišn] smíření, smír
recondite [rekəndait] **1** nejasný, těžko srozumitelný **2** obskurní, zapadlý

reconnaissance [ri'konisəns] (*voj.*) průzkum
reconsider [ri:kən'sidə] znovu uvážit, přezkoumat, rozmyslit si
reconstruct [ri:kən'strakt] **1** obnovit v původní podobě, rekonstruovat **2** přestavět, přebudovat **3** reorganizovat
reconstruction [ri:kən'strakšn] přestavba; rekonstrukce
record *v* [ri'ko:d] **1** zaznamenat, zapsat, zaprotokolovat **2** (za)registrovat **3** nahrát (si) • *n* [reko:d] **1** záznam, zápis, protokol **2** minulost, dosavadní činnost **3** výkaz, deník, kronika **4** památka, vzpomínka **of** na **5** seznam, kartotéka **6** nahrávka, záznam; gramofonová deska **7** nejlepší výkon, rekord; **break / beat the ~ for** překonat rekord v ♦ **have a ~** být už trestaný; **~ library** diskotéka; **off the ~** neoficiálně; **~ player** gramofon
recording [ri'ko:diŋ] záznam, nahrávka
recount[1] [ri'kaunt] vyprávět
recount[2] [ri:'kaunt] přepočítat
recover [ri'kavə] **1** opět získat, dostat zpět **2** soudně získat; vymáhat **3** zotavit se, uzdravit se **4** vzpamatovat se
recovery [ri'kavəri] **1** zotavení, uzdravení; rekonvalescence **2** obnova **3** opětné nabytí **of** čeho
recreation [rekri'eišn] **1** vzpruha, osvěžení **2** zábava, potěšení, rekreace; **~ ground** hřiště
recreational [rekri'eišənl] rekreační
recruit [ri'kru:t] *n* **1** branec, odvedenec, rekrut **2** nový člen; nováček, začátečník • *v* verbovat, získávat členy, rekrutovat
recruitment [ri'kru:tmənt] **1** posila, posilnění **2** nábor; (*voj.*) odvod
rectangular [rek'tæŋgjulə] pravoúhlý
rectify [rektifai] **1** spravit, napravit **2** upravit, seřídit
recur [ri'kə:] **(rr) 1** vracet se, opakovat se **2** uchýlit se **to** k, sáhnout po
red [red] **(dd)** červený, rudý ♦ **~ herring** falešná stopa; **~ meat** tmavé maso; **~ tape** byrokracie, úřední šiml
redbrick [redbrik] **university** nová univerzita
redden [redn] **1** zbarvit červeně **2** zčervenat, začervenat se
redeem [ri'di:m] **1** vyplatit **2** zachránit, vykoupit
Redeemer [ri'di:mə] Vykupitel
red-handed [red'hændid]: **be caught ~** být dopaden při činu
red-letter [redletə] **day** sváteční / památný den
redress [ri'dres] *v* **1** nahradit, odčinit **2** znovu seřídit, opravit • *n* odškodnění, náhrada, zadostiučinění
redskin [redskin] rudoch, (*severoamerický*) Indián
reduce [ri'dju:s] **1** zmírnit, snížit, zredukovat **2** zmenšit; zlevnit; zúžit; zeslabit; zkrátit; zpomalit **3** (*hovor.*) snažit se zhubnout **4** donutit, dohnat, zahnat
reducing diet [ri,dju:siŋ'daiət] redukční dieta
reduction [ri'dakšn] **1** snížení, zmenšení **2** sleva **3** zmenšenina **4** hubnutí (*dietou*)

redundant [ri'dandənt] 1 nadbytečný 2 *GB* nezaměstnaný
reed [ri:d] 1 rákos 2 (*hud.*) plátek; jazýček
reek [ri:k] páchnout **of** čím
reel [ri:l] *n* 1 cívka; naviják 2 díl filmu • *v* 1 navíjet, namotávat 2 potácet se, motat se, vrávorat
reel in vytahovat navijákem
reel off 1 odvíjet 2 (*hovor.*) odříkávat rychle zpaměti
refer [ri'fə:] **(rr)** 1 přisuzovat, přičítat; odvozovat **to** z 2 odvolávat se **to** na; řídit se **to** čím 3 poukazovat **to** na 4 týkat se **to** čeho, vztahovat se **to** na 5 odkázat **sb.** koho **to** na 6 předat, postoupit **sth.** co **to** komu
referee [refə'ri:] rozhodčí, soudce (*ve sportu*)
reference [refrəns] 1 vztah 2 zmínka **to** o, narážka na 3 dobrozdání, doporučení 4 odkaz, odvolávka **to** na ♦ **~ book, book of ~** příručka, informační dílo, slovník, encyklopedie; **have ~ to** týkat se čeho; **~ library** (*prezenční*) příruční knihovna; **for further ~** pro další potřeby, pro použití v budoucnu; **in / with ~ to** co se týče čeho, pokud jde o; **terms of ~** směrnice
refill [ri:fil] 1 (*náhradní*) náplň, tuha, vložka 2 (*hovor.*) další drink (*ve stejné sklence*)
refine [ri'fain] 1 čistit, rafinovat 2 zjemnit, kultivovat
refined [ri'faind] 1 rafinovaný (**sugar** cukr) 2 vytříbený, kultivovaný; elegantní
reflect [ri'flekt] 1 odrážet, zrcadlit; **be ~ed in** projevovat se v 2 vyjadřovat, zobrazovat 3 vrhat světlo (*přen.*) 4 přemýšlet, přemítat, uvažovat **on** o
reflection [ri'flekšn] 1 odraz, zrcadlení 2 přemýšlení, rozjímání, uvažování, úvaha **on** o
reflex [ri:fleks] 1 odraz, odlesk 2 reflex 3 **~ (camera)** zrcadlovka
reform [ri'fo:m] *v* napravit, polepšit; reformovat • *n* náprava, zlepšení; reforma
reformation [refə'meišn] reformace
refractory [ri'fræktəri] 1 vzdorný, vzpurný 2 nehojící se, vzdorující léčbě
refrain[1] [ri'frein] zdržet se **from** čeho, upustit od
refrain[2] [ri'frein] refrén
refresh [ri'freš] 1 osvěžit (**one's memory** paměť) 2 doplnit (*zásoby*); přiložit (*do ohně*)
refresher [ri'frešə] *n* (*hovor.*) sklenička něčeho, drink • *adj* opakovací, doplňovací, doškolovací
refreshment [ri'frešmənt] osvěžení, občerstvení ♦ **~ car** jídelní vůz; **~ room** nádražní bufet
refrigerator [ri'fridžəreitə] chladnička, lednička
refuge [refju:dž] 1 útočiště; **take ~ in** utéci se, uchýlit se kam 2 refýž
refugee [refju'dži:] uprchlík, emigrant
refund [ri:'fand] nahradit, vrátit peníze, refundovat, vyplatit náhradu za
refusal [ri'fju:zl] odmítnutí ♦ **give / have the (first) ~ to** dát / mít předkupní právo na
refuse[1] [refju:s] 1 odpadky;

~ **collection** odvoz odpadků; ~ **dump** skládka 2 zmetek
refuse[2] [ri'fju:z] **1** odmítnout **2** neuposlechnout čeho, vzpírat se čemu ♦ ~ **a chance** promarnit příležitost
refute [ri'fju:t] vyvrátit, dokázat nesprávnost čeho (**a statement** tvrzení); dokázat omyl koho
regain [ri'gein] znovu získat; znovu dosáhnout čeho; ~ **consciousness** přijít opět k vědomí
regal [ri:gl] královský
regard [ri'ga:d] *v* **1** upřeně pozorovat, dívat se, hledět na **2** považovat **as** za **3** dát na, dbát čeho **4** cenit si, mít v úctě, ctít, vážit si, respektovat **5** týkat se koho / čeho; **as ~s** co se týče, pokud jde o
• *n* **1** ohled, zřetel **2** poměr, vztah; úcta, respekt **3** (*dlouhý / upřený*) pohled **4** **~s** *pl* pozdravy ♦ **give my kind ~s to** pozdravujte ode mne koho; **in this** ~ v tomto ohledu; **in ~ to, in ~ of, with ~ to** *1.* vzhledem k *2.* co se týče, pokud jde o
regardless [ri'ga:dlis] (*hovor.*) přesto, přese všechno, bez ohledu na následky ♦ ~ **of** bez ohledu na
regenerate [ri'dženəreit] **1** obrodit (se), reformovat (se) **2** dorůst, znovu vyrůst, regenerovat (se)
regime [rei'ži:m] režim
regimen [redžimən] (*léčebný*) režim; životospráva, dieta
regiment [redžimənt] pluk
region [ri:džn] **1** oblast, región **2** krajina; kraj, končina
regional [ri:džənl] oblastní, krajový, regionální
register [redžistə] *n* **1** seznam, rejstřík, soupis **2** matrika **3** zápis, záznam
• *v* **1** zaznamenat; zapsat (se), (za)registrovat (se), přihlásit se (**with the police** na policii) **2** poslat doporučeně
registrar [redži'stra:] matrikář
registration [redži'streišn] **1** registrace, přihláška **2** zápis, záznam ♦ ~ **number** státní poznávací značka; **police ~** přihlášení na policii
regret [ri'gret] *v* (**tt**) litovat; **I ~ to say** musím bohužel říci
• *n* lítost; politování ♦ **to my ~** k mé velké lítosti, bohužel
regrettable [ri'gretəbl] politováníhodný ♦ ~ **attendance** žalostně malá účast
regular [regjulə] *adj* **1** pravidelný **2** obvyklý, normální, regulérní **3** řádný; profesionální **4** (*hovor.*) vyložený, dokonalý, učiněný **5** řeholní, řádový • *n* **1** (*hovor.*) pravidelný host **2** voják z povolání **3** *US* benzín obsahující olovo
regularity [regju'læriti] pravidelnost; **for ~'s sake** pro pořádek
regulate [regjuleit] **1** regulovat; řídit **2** seřídit, nastavit **3** přizpůsobit **to** čemu **4** upravit, usměrnit
regulation [regju'leišn] **1** nařízení, směrnice, předpis **2** nastavení, seřízení **3** řízení, regulování, regulace **4** **~s** *pl* stanovy, pravidla, řád
regulo [regjuləu] *GB označení regulace plynu na plynovém sporáku*
rehabilitation [ri:həbili'teišn] **1** obnova; náprava; asanace **2** rehabilitace

rehash [ri:'hæš] (*hovor.*) předělat, přepracovat (**an article** článek)
rehearsal [ri'hə:sl] **1** výčet, vypočítávání (**of grievances** stížností) **2** (*div.*) zkouška; **dress ~** generální zkouška
rehearse [ri'hə:s] **1** zkoušet (**a play** hru) **2** opakovat, vypočítávat
reign [rein] *v* vládnout, panovat • *n* vláda, panování
reimburse [ri:im'bə:s] nahradit (*výdaje*)
reindeer [reindiə] sob
reinforce [ri:in'fo:s] **1** zesílit, posílit **2** vyztužit, zpevnit **3** (*přen.*) podtrhnout, podepřít ♦ **~d concrete** železobeton
reins [reinz] *pl* otěže ♦ **take the ~** ujmout se vedení
reiterate [ri:'itəreit] znovu opakovat, znovu zdůraznit
reject *v* [ri'džekt] odmítnout, zamítnout • *n* [ri:džekt] zmetek
rejection [ri'džekšn] odmítnutí
rejoice [ri'džois] **1** rozradostnit, velice potěšit **2** radovat se **at / in / over** z
relapse [ri'læps] *n* **1** opakování **2** recidiva • *v* znovu upadnout **into** do / v
relate [ri'leit] **1** vyprávět, líčit **2** uvést ve vztah **with / to** k, uvést do souvislosti s **3** týkat se **to** koho ♦ **be ~d to** *1.* být příbuzný s *2.* souviset s; **she is ~d to have said** ona prý řekla
relation [ri'leišn] **1** vztah, poměr **2** spojitost, souvislost **3 ~s** *pl* styky **4** příbuzný **5** vyprávění, líčení
relationship [ri'leišnšip] **1** příbuznost, příbuzenství **2** vztah, poměr, souvislost
relative [relətiv] *adj* **1** poměrný **2** vzájemný, relativní **3** úměrný, odpovídající **4** týkající se **to** čeho, související s **5** (*jaz.*) vztažný • *n* **1** příbuzný **2** relativní pojem
relativity [relə'tiviti] relativita
relax [ri'læks] **1** uvolnit (se) **2** odpočinout si, vypřáhnout, dát si pohov, relaxovat
relaxation [ri:læk'seišn] **1** uvolnění **2** částečné prominutí **3** odpočinek, zotavení, relaxace
relay *n* [ri:lei] **1** štafetový běh, štafeta **2** přenos **3** relé • *v* [ri'lei] přenášet (*TV signál*)
release [ri'li:s] *v* **1** pustit, uvolnit **2** propustit **3** zprostit, zbavit **from** čeho **4** zveřejnit, vydat (*zprávu*); uvést na trh / do distribuce • *n* **1** uvolnění **2** propuštění **3** distribuční film **4** spoušť (*fotoaparátu*)
relegate [religeit] **1** degradovat, odsunout na nižší pozici; (*sport.*) sestoupit (*do nižší třídy*) **2** vypovědět, vykázat **3** předat, postoupit
relent [ri'lent] **1** povolit, změknout; smilovat se **2** polevit, zmírnit se
relentless [ri'lentlis] **1** vytrvalý, houževnatý **2** nepovolný, neústupný **3** nemilosrdný
relevance [relivəns] závažnost
relevant [relivənt] **1** věcný, příslušný, náležitý **2** závažný **3** týkající se **to** čeho
reliability [rilaiə'biliti] spolehlivost
reliable [ri'laiəbl] spolehlivý
reliance [ri'laiəns] **1** spolehnutí

on / in na; závislost na **2** opora, naděje

relics [reliks] *pl* **1** zbytky, trosky, svědkové minulosti **2** (*tělesné*) pozůstatky; ostatky, relikvie

relief[1] [ri'li:f] **1** úleva; osvobození **from** od **2** pomoc, podpora; posila **3** zábava, povyražení **4** výměna, střídání (*stráže, služby*) **5** střídající stráž / služba

relief[2] [ri'li:f] **1** reliéf **2** kontrast, plastičnost

relieve [ri'li:v] **1** ulehčit, utěšit; ulevit; **be ~d to hear** s úlevou slyšet **2** utišit, zbavit **of** čeho **3** pomoci **of** s čím **4** vysvobodit **5** vystřídat (*stráž, službu*)

religion [ri'lidžn] náboženství

religiose [ri'lidžiəus] pobožnůstkářský, pámbíčkářský

religious [ri'lidžəs] náboženský; zbožný

relinquish [ri'liŋkwiš] **1** vzdát se čeho, opustit, zanechat **2** pustit, uvolnit

relish [reliš] *n* **1** (pří)chuť **of** čeho **2** zalíbení **for** v, smysl pro **3** přísada; (*pikantní*) příloha • *v* **1** ochutit **2** pochutnat si na **3** mít příchuť **of** čeho **4** (*přen.*) vychutnávat, mít radost z

reluctance [ri'laktəns] nechuť, neochota; váhání, zdráhání

reluctant [ri'laktənt] zdráhavý, váhavý, neochotný

rely [ri'lai] **1** spoléhat se **on** na, počítat s **2** opírat se **on** o

remain [ri'mein] *v* zůstat; zbýt • *n pl* **~s 1** tělesné ostatky **2** zbytky, pozůstatky **3** literární pozůstalost

remainder [ri'meində] *n* zbytek • *v* prodávat (*zbytek nákladu knihy*) za zlevněnou cenu

remand [ri'ma:nd] poslat (*obžalovaného*) zpět do vyšetřovací vazby

remark [ri'ma:k] *v* **1** poznamenat, podotknout **2** všimnout si, zpozorovat **3** dělat poznámky **on** o, komentovat, kritizovat co • *n* **1** postřeh **2** poznámka **3** připomínka **4** komentář, kritika

remarkable [ri'ma:kəbl] zajímavý, pozoruhodný

remedy [remidi] *n* **1** lék **2** náprava • *v* napravit

remember [ri'membə] **1** (za)pamatovat si, nezapomenout **2** vzpomenout si na; **~ me to him** pozdravujte ho ode mne **3** uvědomit si; **I ~ that** právě mě napadá, že **4** uchovat v paměti **5** dát spropitné komu

remembrance [ri'membrəns] **1** vzpomínka **2** památka; upomínka **of** na

remind [ri'maind] připomenout **sb.** komu **of** co; připomínat **of** co ♦ **that ~s me** což mi připomíná, abych nezapomněl

reminder [ri'maində] památka **of** na, připomínka čeho

reminiscence [remi'nisns] **1** vzpomínka **of** na **2** náznak, co něco připomíná

reminiscent [remi'nisnt] **1** vzpomínající **of** na **2** připomínající **of** co

remission [ri'mišn] **1** prominutí **2** částečné prominutí, zmírnění (**of sentence** trestu)

remit [ri'mit] **(tt) 1** odpustit, prominout **2** polevit, být na ústupu **3** odsunout, odložit **4** postoupit (*jiné instanci k rozhodnutí*) **5** poukázat (*peníze*)

remittance [ri'mitns] 1 poukázaná částka 2 úhrada 3 poukázání (*peněz*)
remnant [remnənt] *n* zbytek • *adj* zbývající
remonstrate [remənstreit] 1 protestovat **with** u koho, **against** proti čemu 2 vyčítat, vytýkat, předhazovat **with** komu
remorse [ri'mo:s] 1 výčitky svědomí 2 soucit, slitování
remote [ri'məut] 1 odlehlý, vzdálený 2 velice malý, slabý 3 zdrženlivý, nepřístupný ♦ ~ **control** dálkové ovládání
removal [ri'mu:vl] 1 odstranění 2 přemístění, přestavění 3 propuštění, sesazení 4 stěhování; ~ **van** stěhovací vůz
remove [ri'mu:v] 1 odstranit, odklidit, (*též přen.*); zabít, oddělat 2 sundat, svléknout, zout 3 dát / postavit / pověsit **to** na jiné místo, odnést 4 sesadit (**from office** z funkce) 5 (pře)stěhovat (se); přeložit
remuneration [rimju:nə'reišn] 1 odměna 2 náhrada, úhrada
renaissance [ri'neisəns], **renascence** [ri'næsns] renesance
render [rendə] 1 prokázat (**a service** službu) 2 učinit jakým 3 přednést, provést 4 vyjádřit, postihnout, zobrazit 5 předložit (**an account** účet) 6 *GB* omítnout
render up vydat, obětovat
rendering [rendəriŋ] 1 převod, překlad 2 umělecké podání, interpretace 3 první / spodní vrstva omítky ♦ ~ **of account** vyúčtování
renew [ri'nju:] 1 obnovit 2 dát si prodloužit (*legitimaci, výpůjčku*)
renewal [ri'nju:əl] 1 obnova 2 prodloužení (**of a passport** pasu)
renounce [ri'nauns] 1 zříci se, odřeknout se koho / čeho 2 přestat uznávat 3 vypovědět (**a treaty** smlouvu)
renovation [renə'veišn] obnova, restaurování, modernizace
rent [rent] *n* činže, nájemné • *v* 1 najmout (si) 2 pronajmout
repair [ri'peə] *v* 1 opravit 2 napravit, odčinit • *n* oprava ♦ **in good** ~ v dobrém stavu
repay* [ri'pei] 1 splatit; oplatit 2 odplatit **to** komu **for** co, pomstít se za
repeal [ri'pi:l] *v* zrušit, odvolat • *n* zrušení, odvolání
repeat [ri'pi:t] *v* 1 opakovat 2 (*pokrm*) jít zpátky, vracet se • *n* 1 opakování 2 repríza 3 (*hud.*) repetice • *adj* opakovaný
repeatedly [ri'pi:tidli] opětovně, několikrát
repel [ri'pel] (**ll**) 1 zapudit 2 odpuzovat 3 odrážet (*vlny*) 4 odmítnout 5 odolat (*pokušení*)
repellent [ri'pelənt] *adj* odpuzující • *n* odpuzující prostředek, repelent
repent [ri'pent] litovat **of** čeho, cítit lítost nad
repentance [ri'pentəns] lítost
repertory [repətri] repertoár; ~ **theatre** divadlo hrající repertoárovým systémem
repetition [repi'tišn] 1 opakování 2 repríza
replace [ri'pleis] 1 dát zpět 2 nahradit, vystřídat
reply [ri'plai] *v* odpovědět • *n* odpověď

report [ri'po:t] *v* **1** (o)hlásit, oznámit; podat hlášení o; udat, žalovat na **2** udělat zápis o / z, referovat **on** o čem **3** dělat reportáž o **4** hlásit se **to** komu • *n* **1** řeč, pověst(i) **2** zápis, záznam, zpráva **on** o **3** referát **4** stížnost, hlášení **5** vysvědčení **6** rána, třesk, výstřel
reporter [ri'po:tə] **1** zpravodaj, reportér **2** referent **3** hlasatel, komentátor
repose [ri'pəuz] *v* odpočívat • *n* odpočinek
represent [repri'zent] **1** reprezentovat **2** představovat, znázorňovat **3** zastupovat
representation [reprizen'teišn] **1** reprezentace **2** představení, znázornění **3** interpretace; inscenace **4** zastoupení
representative [repri'zentətiv] *n* představitel, reprezentant, zástupce • *adj* **1** reprezentační **2** typický **of** pro
repress [ri'pres] potlačit
repression [ri'prešn] potlačení, přemáhání
reprieve [ri'pri:v] omilostnit, dát milost komu
reprimand [reprima:nd] *n* důtka, výtka • *v* ostře (po)kárat, udělit důtku komu
reprint [ri:'print] přetisk, dotisk; nové (*nezměněné*) vydání
reprisals [ri'praizlz] *pl* represálie
reproach [ri'prəuč] *n* **1** výtka, výčitka **2** (po)hana • *v* **1** vyčítat, vytýkat **sb.** komu **for** co **2** (*přátelsky*) pokárat, vyplísnit **for** za
reproachful [ri'prəučful] vyčítavý; káravý
reproduce [ri:prə'dju:s] **1** reprodukovat, opakovat, napodobovat **2** kopírovat, množit **3** množit se, rozmnožovat se **4** znovu předvést; znovu inscenovat / vydat
reproduction [ri:prə'dakšn] **1** reprodukce **2** napodobenina; kopie
reprove [ri'pru:v] **1** pokárat **2** odsuzovat, kritizovat
reptile [reptail] plaz
republic [ri'pablik] republika
republican [ri'pablikən] *adj* republikánský • *n* republikán
repudiate [ri'pju:dieit] **1** odmítnout, popřít **2** zříci se
repugnance [ri'pagnəns] odpor
repulse [ri'pals] *v* **1** odrazit (**the enemy** nepřítele) **2** odmítnout • *n* odmítnutí
repulsion [ri'palšn] odpor
repulsive [ri'palsiv] odporný
reputation [repju'teišn] **1** pověst, jméno, reputace **2** dobrá pověst, dobré jméno
request [ri'kwest] *n* žádost **for** o, prosba, přání, (*zdvořilý*) požadavek čeho; **at your ~** na vaši žádost; **by ~** na přání / žádost; **~ stop** zastávka na znamení • *v* (po)žádat, poprosit koho
require [ri'kwaiə] **1** žádat, požadovat, vyžadovat, chtít **of** od **2** potřebovat **3** *GB* být zapotřebí, být nutný
requirement [ri'kwaiəmənt] **1** požadavek, nárok, podmínka **2** potřeba
requisition [rekwi'zišn] *n* **1** žádost **for** o, požadavek na **2** (*úřední*) výzva **3** nezbytnost

4 vymáhání, zabrání, rekvizice • *v* rekvírovat, vymáhat, zabavit
rescue [reskju:] *v* zachránit **from** před • *n* záchrana
♦ ~ **breathing** umělé dýchání; **come to the** ~ přijít na pomoc; ~ **party** záchranná četa / výprava
research [ri'sə:č] *n* bádání, zkoumání, výzkum • *v* bádat, dělat vědecký výzkum **into** čeho
researcher [ri'sə:čə], **research worker** [ri,sə:č'wə:kə] výzkumník, badatel, vědecký pracovník ve výzkumu
resemblance [ri'zembləns] **1** podoba, podobnost **to** s **2** vnější vzhled, postava
resemble [ri'zembl] podobat se **sb.** komu
resent [ri'zent] nesnášet, cítit odpor k, mít vztek na
resentment [ri'zentmənt] odpor, nechuť **against** k, vztek **at** na
reservation [rezə'veišn] **1** výhrada **about** k **2** zamluvení, rezervace; **make a** ~ rezervovat si **3** *US* (*indiánská*) rezervace
reserve [ri'zə:v] *v* **1** ponechat si, dát stranou **2** rezervovat (si) **3** šetřit (si) **4** vyhradit (si) právo **for** na • *n* **1** záloha, rezerva; **keep in** ~ mít v záloze **2** zásoba **3** náhrada; (*sport.*) náhradník **4** výhrada **5** opatrnost, zdrženlivost, rezervovanost **6 (nature)** ~ přírodní rezervace
reserved [ri'zə:vd] zdrženlivý, chladný, rezervovaný
reside [ri'zaid] bydlit, sídlit
residence [rezidəns] **1** bydliště, obydlí, sídlo **2** rezidence **3** pobyt
resident [rezidənt] *adj* usedlý, (v místě) žijící; *bydlící v místě svého působení:* sídelní, domovní, domácí, školní, ústavní, nemocniční • *n* místní občan, usedlík
residential [rezi'denšl] obytný, sídelní, bytový
♦ ~ **district** vilová čtvrť
residue [rezidju:] **1** zbytek, pozůstatek **2** usazenina, sedlina
resign [ri'zain] **1** vzdát se, odříci se čeho **2** odstoupit, poděkovat se, podat demisi, abdikovat, rezignovat **3** ~ **oneself** smířit se **to** s čím
resignation [rezig'neišn] **1** odstoupení, demise, abdikace, rezignace **2** odevzdanost v osud
resigned [ri'zaind] **1** odevzdaný, rezignovaný **2** bývalý, mimo službu, ve výslužbě
resist [ri'zist] **1** odrazit **2** vzdorovat, odolávat čemu **3** odporovat, postavit se na odpor čemu **4** odepřít si, odříci si, odpustit si
resistance [ri'zistəns] **1** odpor **to** proti **2** stálost, pevnost **3** odboj
resolute [rezəlu:t] pevný, rozhodný, odhodlaný, cílevědomý, energický
resolution [rezə'lu:šn] **1** rozřešení, vyjasnění, rozhodnutí **2** předsevzetí, pevné odhodlání, odhodlanost **3** usnesení, prohlášení, rezoluce
♦ **adopt a** ~ usnést se
resolve [ri'zolv] **1** rozpustit (se), rozložit (se) (*na jednotlivé složky*) **2** vyjasnit, vyřešit **3** rozhodnout se, předsevzít si **4** usnést se, odhlasovat
resonance [rezənəns] **1** rezonance **2** ozvuk, ozvěna

resort [ri'zo:t] *v* **1** uchýlit se **to** k; sáhnout **to** po **2** chodívat často, navštěvovat **3** být, přebývat, zdržovat se • *n* **1** jediná pomoc, východisko, útočiště **2** letovisko ♦ **health ~** lázně; **holiday ~** *1.* výletní místo *2.* rekreační středisko; **winter ~** středisko zimních sportů

resource [ri'so:s / -'zo:s] **1** (*poslední*) útočiště, (*jediná*) možnost **2 ~s** *pl* zdroj(e), prostředky **3** vynalézavost, schopnost poradit si

resourceful [ri'zo:sful] vynalézavý

respect [ri'spekt] *n* **1** úcta **for** k, respekt před **2** zřetel, ohled **of** na; **in ~ of, with ~ to** co se týká čeho, pokud jde o co, stran čeho; **in this ~** po této stránce, z tohoto hlediska • *v* **1** ctít **2** brát ohled na, respektovat

respectable [ri'spektəbl] **1** úctyhodný; slušný, pořádný **2** seriózní, solidní **3** korektní, společensky únosný

respectful [ri'spektful] uctivý

respective [ri'spektiv] příslušný; vlastní, osobní, individuální

respectively [ri'spektivli] v tomto pořadí, a to

respiration [respi'reišn] dýchání, vdech a výdech

respite [respait] **1** odklad **2** oddech; přestávka

respond [ri'spond] **1** odpovědět **to** na **2** (za)reagovat **to** na (*zvl. kladně*)

response [ri'spons] reakce **to** na; odezva, ohlas

responsibility [ri,sponsə'biliti] **1** zodpovědnost; **on one's own ~** na vlastní zodpovědnost / vrub **2** povinnost, závazek

responsible [ri'sponsəbl] **1** odpovědný **to** komu **for** za co **2** uvážlivý, rozvážný **3** závažný, důležitý

responsive [ri'sponsiv] **1** vnímavý, citlivý **to** na **2** kladně reagující **to** na co, přístupný čemu

rest[1] [rest] *v* **1** odpočívat **2** spočívat **3** dát odpočinout **4** opřít **on / against** o **5** skončit obhajobu / obžalobu • *n* **1** odpočinek; **take a ~** odpočinout si; **have a good ~** dobře si odpočinout **2** podpěra **3** přestávka; pauza; pomlka

rest[2] [rest] *v* **1** zůstat, být i nadále co / čím; **~ assured** buďte ujištěn **2** záležet **with** na, být na, být v rukou koho • *n* **1** ostatek, zbytek; **for the ~ of his life** až do smrti **2** to / ti ostatní

restaurant [restəront] restaurace

restless [restlis] nepokojný, neklidný, roztěkaný, nervózní

restoration [restə'reišn] **1** opětovné zavedení, restaurace **2** obnovení **3** navrácení

restore [ri'sto:] **1** (na)vrátit **2** obnovit, znovu zavést, vzkřísit **3** opravit, renovovat, restaurovat

restrain [ri'strein] **1** překážet **from** v, bránit čemu **2** krotit, držet na uzdě, ovládat, kontrolovat **3** omezit, snižovat

restraint [ri'streint] **1** omezení **upon** čeho **2** zábrana, překážka **3** sebeovládání, zdrženlivost

restrict [ri'strikt] omezit **to** na

restriction [ri'strikšn] **1** omezení; zákaz **2** zmenšení; restrikce **3** výhrada

result [ri'zalt] *n* **1** výsledek **2** následek **3** dobrý výsledek, úspěch ♦ **in ~** následkem čehož • *v* **1** vyplývat **from** z, být následkem čeho **2** mít za následek **in** co

resume [ri'zju:m] **1** znovu zaujmout, vrátit se na / k **2** opět začít, pokračovat v (*přerušeném*) **3** vzít zpět, opět odejmout

resurrection [rezə'rekšn] zmrtvýchvstání, vzkříšení

retail *n* [ri:teil] maloobchod, obchod v drobném • *adj* [ri:teil] v drobném, maloobchodní • *v* [ri:'teil] **1** prodávat v drobném **2** podrobně vyprávět

retailer [ri:teilə] maloobchodník

retain [ri'tein] **1** (po)držet (si), ponechat si **2** udržet, nepropouštět **3** najít si (*za honorář*)

retaliate [ri'tælieit] **1** oplatit (*nepříjemné*) **against / on** komu **2** pomstít se **for** za **3** podniknout protiopatření

retaliation [ri,tæli'eišn] odplata, odveta; represálie

retard [ri'ta:d] **1** zpomalovat, zdržovat, brzdit **2** mít zdržení, zpomalovat se

retardation [ri:ta:'deišn] zpoždění, zpomalení

retell* [ri:'tel] znovu vyprávět, převyprávět, opakovat

reticence [retisns] mlčenlivost, zamlklost, nesdílnost

reticent [retisnt] mlčenlivý, zamlklý, nemluvný

retire [ri'taiə] **1** odejít **2** odebrat se do ústraní; odstoupit **3** jít spát **4** odejít / poslat do důchodu **5** stáhnout se, ustoupit

retired [ri'taiəd] ve výslužbě, na penzi, v důchodu

retirement [ri'taiəmənt] **1** odchod na odpočinek / do výslužby / do důchodu **2** soukromí, ústraní

retract [ri'trækt] odvolat (**one's opinion** svůj názor)

retreat [ri'tri:t] *v* ustoupit • *n* ústup

retrench [ri'trenč] snížit výdaje

retrieve [ri'tri:v] **1** dostat zpět, opět nabýt **2** zachránit **from** z **3** napravit, odčinit **4** odstranit, vyoperovat **5** (*pes*) aportovat **6** vyhledat (*informace*)

retrospective [retrə'spektiv] vzpomínající na minulost, vzpomínkový, retrospektivní

return [ri'tə:n] *v* **1** (na)vrátit (se) **2** (na)vrátit, dát zpět **3** odpovědět; opětovat **4** vynést, dávat **5** (*porota*) vyhlásit • *n* **1** návrat **2** výnos (**on an investment** z investice) **3 ~s** *pl* výsledky; **election ~s** volební výsledky ♦ **~ of income** daňové přiznání; **in ~ for** oplátkou za; **by ~ (of post)** obratem pošty; **many happy ~s** všechno nejlepší k narozeninám • *adj* **1** zpáteční (**ticket** lístek) **2** odvetný (**match** zápas)

reveal [ri'vi:l] **1** odhalit, odkrýt **2** prozradit, vyjevit

revealing [ri'vi:liŋ] **1** hluboce dekoltovaný **2** přinášející překvapivé / neznámé informace

revel [revl] **(ll)** kochat se **in** čím, libovat si v

revelation [revə'leišn] **1** zjevení **2** odhalení, odkrytí, prozrazení **3** (*hovor.*) úplné zjevení, úplná pohádka

revenge [ri'vendž] *n* pomsta; **take ~** pomstít se **on** komu **for** za co

• *v* **1** pomstít **2 ~ oneself** pomstít se
revenue [revinju:] **1** příjem, důchod, výnos **2** státní / veřejný důchod
reverence [revrəns] úcta
reverend [revrənd] **1** ctihodný, velebný **2** duchovní, kněžský **3 R~** (dvoj)ctihodný (*titul anglikánských duchovních*)
♦ **R~ Mother** velebná matka (*představená kláštera*)
reverse [ri'və:s] *adj* **1** opačný, obrácený **2** zpáteční, zpětný **3** spodní, zadní, rubový
• *v* **1** obrátit, otočit na druhou stranu **2** přehodit, převrátit **3** zvrátit, zrušit
• *n* **1** (*pravý*) opak **2** nepříznivý obrat; nezdar; porážka **3** rub; revers (**of a coin** mince) **4** (*motor.*) zpáteční rychlost; (za)couvání
revert [ri'və:t] vrátit (se) **to** k
review [ri'vju:] *n* **1** přehlídka **2** přehled **3** recenze, referát **4** revue (*časopis, estráda*)
• *v* **1** přehlížet **2** revidovat **3** recenzovat
revise [ri'vaiz] **1** znovu prohlédnout, zrevidovat **2** opravit, přepracovat **3** opakovat si
revision [ri'vižn] **1** přezkoumání, přezkoušení, revize **2** korigování, změna **3** přepracované vydání
revival [ri'vaivl] obnovení, obroda
revive [ri'vaiv] **1** oživit, obnovit, vzkřísit **2** obživnout **3** znovu uvést
revoke [ri'vəuk] odvolat
revolt [ri'vəult] *v* **1** (vz)bouřit se, revoltovat **2** cítit odpor **against** k, bouřit se proti **3** pobuřovat, vzbuzovat odpor v
• *n* **1** vzpoura, revolta **2** (*vnitřní*) odpor, nechuť
revolting [ri'vəultiŋ] odporný
revolution [revə'lu:šn] **1** otáčka, obrátka **2** oběžná doba; rotace **3** revoluce
revolutionary [revə'lu:šnəri] *adj* **1** revoluční **2** převratný
• *n* revolucionář
revolve [ri'volv] obíhat, kroužit **around** kolem, otáčet (se)
revolver [ri'volvə] (*bubínkový*) revolver
revue [ri'vju:] (*divadelní*) revue, show; kabaret
reward [ri'wo:d] *n* **1** odměna **2** odplata, náhrada, výdělek, prémie • *v* **1** odměnit (se) **2** vynahradit **for** co
rewarding [ri'wo:diŋ] **1** vděčný, uspokojivý **2** vyplácející se, užitečný; **be ~** vyplatit se
rewind* [ri:'waind] přetočit, převinout (**the tape** pásek)
reword [ri:'wə:d] přeformulovat, přestylizovat
rewrite* [ri:'rait] přepsat
rhetorical [ri'torikl] **1** řečnický **2** pouze formální **3** krasomluvný, bombastický
rheumatism [ru:mətizm] revmatismus
Rhine [rain]: **the ~** Rýn
rhino [rainəu], **rhinoceros** [rai'nosərəs] nosorožec
rhomboid [romboid] kosodélník
rhubarb [ru:ba:b] **1** rebarbora **2** (*div.*) hluk za scénou
rhyme [raim] *n* **1** rým **2** *též* **~s** *pl* verše, říkanka
• *v* **1** rýmovat (se) **2** psát verše
rhythm [riðm] rytmus

rhythmic(al) [riðmik(l)] rytmický
rib [rib] žebro
ribald [ribəld] košilatý, lechtivý
ribbon [ribən] **1** stuha; páska; **typewriter** ~ páska do psacího stroje **2** **~s** *pl* cáry, hadry, cancoury
rice [rais] rýže
rich [rič] **1** bohatý (**in** čím) **2** hojný, vydatný; (*pokrm*) hutný, těžký; (*maso*) tučný **3** okázalý, slavnostní **4** hustý, bujný
riches [ričiz] *pl* bohatství
rickets [rikits] křivice
rickety [rikiti] rachitický
ricochet [rikəšei] *n* odraz (*střely*) • *v* (*střela*) odrazit se
rid* [rid] zbavit **of** čeho; **get ~ of** zbavit se čeho
riddle[1] [ridl] hádanka, rébus
riddle[2] [ridl] *n* řešeto, síto • *v* **1** prosívat **2** (vy)třídit přes řešeto **3** prostřílet **sth.** co **with** čím, udělat řešeto z
ride* [raid] *v* **1** jet na koni **2** jet (**a bicycle** na kole, **in a train** ve vlaku, **in / on a bus** autobusem) • *n* **1** jízda **2** vyjížďka
rider [raidə] **1** jezdec; řidič **2** dodatek, doplněk
ridge [ridž] hřeben (*pohoří, střechy*)
ridicule [ridikju:l] *v* zesměšnit, posmívat se, karikovat • *n* výsměch, posměch
ridiculous [ri'dikjuləs] směšný; absurdní ♦ **make ~** zesměšnit
riding [raidiŋ] jezdecký; **~ boots** *pl* jezdecké boty; **~ breeches** *pl* jezdecké kalhoty; **~ school** jízdárna
Riesling [ri:sliŋ / -z-] ryzlink
rifle [raifl] puška ♦ **~ green** olivově zelený
rifleman [raiflmæn] (*dobrý*) střelec
rift [rift] **1** trhlina **2** (*přen.*) rozpor, rozepře
rig [rig] *n* **1** výbava, výstroj **2** souprava, kompletní zařízení **3** (*hovor.*) oblečení, oděv • *v* **(gg)** *též* **~ out / up** vybavit, vystrojit
rigging [rigiŋ] ráhnoví, oplachtování, takeláž
right [rait] *adj* **1** správný, vhodný, ten pravý **2** pravý; **on the ~ side** na pravé straně **3** spravedlivý, ryzí ♦ **be ~** mít pravdu, udělat správně; **go the ~ way about it** počínat si správně; **put ~** *1.* seřídit (**a clock** hodiny) *2.* opravit, napravit *3.* (*přen.*) postavit na nohy koho • *adv* **1** rovnou, zrovna, hned; **~ behind you** hned za tebou; **~ away / now** teď hned **2** správně, po právu; **it serves you ~** dobře ti tak **3** vpravo; **look ~** podívej se vpravo • *n* **1** právo, nárok; **be in the ~** *1.* být v právu *2.* mít pravdu **2** pravice, pravá strana; **on your ~** po tvé pravé ruce **3** **the R~** (*politická*) pravice • *v* **1** napravit; narovnat, postavit **2** spravit, opravit **3** uvést do pořádku
right-angled [raitæŋgld] **1** pravoúhlý **2** kolmý
righteous [raičəs] **1** poctivý, řádný, počestný **2** spravedlivý (**anger** hněv)
rightful [raitful] **1** oprávněný, spravedlivý **2** legitimní, zákonitý **3** správný, vhodný, příslušný, patřičný

rightly [raitli] **1** dobře, správně **2** (plným) právem
rigid [ridžid] **1** tuhý, (*též přen.*) **2** neohebný, pevný; strnulý, nehybný **3** přísný, nekompromisní
rigorous [rigərəs] **1** přísný, nekompromisní, rigorózní **2** tvrdý, tuhý **3** přesný, úzkostlivý
rim [rim] **1** okraj, lem **2** rámeček, obruba (*brýlí*)
rind [raind] kůra; slupka
ring[1] [riŋ] **1** prsten **2** kroužek, kruh, kolečko **3** okruh **4** aréna; manéž; ring **5** hořák
ring[2] [riŋ] *n* zvonění, zazvonění; **give sb. a ~** zatelefonovat komu • *v** **1** zvonit **2** znít
ring off zavěsit, skončit telefonní rozhovor
ring sb. up zatelefonovat komu
ring leader [riŋli:də] vůdce, hlava (*odpůrců*)
rink [riŋk] **1** kluziště **2** kuželkářská dráha
rinse [rins] **1** *též* **~ out** vypláchnout **2** vymáchat, propláchnout
riot [raiət] **1** srocení lidu, nepokoje, výtržnost(i) **2** hýření, orgie (*též přen.*)
riotous [raiətəs] **1** rozmařilý, prostopášný **2** výtržnický, neukázněný
rip [rip] **(pp)** **1** *též* **~ off** odtrhnout, vyškubnout **2** *též* **~ up** rozpárat; rozervat, vyrvat
ripe [raip] **1** zralý **2** uleželý
ripen [raipn] **1** (u)zrát **2** uležet se
ripple [ripl] *n* **1** vlnka, zčeření **2** měkký záhyb, zvlnění • *v* **1** čeřit (se), vlnit (se) **2** perlit se, zašumět
rise* [raiz] *v* **1** vstát **2** stoupat; zvýšit se, stoupnout; (*nebeské těleso*) vycházet **3** (*řeka*) pramenit; povstat, vzniknout **4** zvedat se, zvednout se; vystupovat **5** odměnit potleskem **to** co • *n* **1** vyvýšenina **2** vzestup **3** stoupání **4** zvýšení **5** původ; vznik ♦ **get a ~** dostat přidáno; **give ~ to** dát vzniknout čemu, způsobit, vyvolat co
rising [raiziŋ] vzpoura, povstání
risk [risk] *n* riziko, nebezpečí • *v* riskovat
risky [riski] riskantní, hazardní
rival [raivl] *n* soupeř, sok; konkurent • *v* **(ll)** soupeřit s, konkurovat čemu
river [rivə] řeka
riverbed [rivəbed] řečiště
rivet [rivit] *n* nýt • *v* (s)nýtovat
road [rəud] **1** silnice **2** cesta **3** široká ulice, třída ♦ **~ hog** pirát silnic; **~man** cestář; **~ roller** parní válec
roadside [rəudsaid] okraj silnice; **on / near the ~** u silnice
roadway [rəudwei] vozovka
roam [rəum] *v* potulovat se, toulat se • *n* toulka, procházka
roar [ro:] *n* **1** řev **2** burácení (**of laughter** smíchu) • *v* řvát
roast [rəust] *v* péci (se), opékat (se); pražit • *n* pečeně • *adj* pečený
rob [rob] **(bb)** oloupit, vyloupit
robber [robə] lupič
robbery [robəri] loupež
robe [roəb] **1** roucho **2** *též* **~s** *pl* hábit, talár **3** župan
robin [robin] *též* **~ redbreast** červenka
robust [rəu'bast] statný, robustní
rock[1] [rok] **1** skála **2** balvan,

valoun **3** *US* kámen, kamínek **4** (*tvrdý*) bonbón, špalek
rock[2] [rok] kolébat (se), houpat (se); ~ **the boat** (*přen.*) přivést do riskantní situace
rockery [rokəri] skalka
rocket [rokit] *n* raketa • *v* prudce vyletět nahoru
rocky [roki] skalnatý ♦ **the R~ Mountains** Skalisté hory
rod [rod] **1** prut **2** výhonek, šlahoun **3** hůl **4** rákoska, metla **5** tyč, lať
rodent [rəudənt] hlodavec
roe[1] [rəu] srnčí: srnec, srnka ♦ **~buck** srnec
roe[2] [rəu]: **hard ~** jikry; **soft ~** mlíčí
rogue [rəug] **1** lotr, ničema, darebák **2** šibal **3** zlý samec-samotář
role [rəul] (*herecká*) role, úloha
roll [rəul] *n* **1** svitek, role **2** listina, seznam, katalog **3** válec **4** rohlík, houska, žemle; roláda, závin **5** rolované maso, španělský ptáček **6** kolébání, houpání **7** burácení, dunění, rachot • *v* **1** valit (se) **2** válet (se); překulit se **over** přes **3** svinout, smotat, srolovat **4** kolébat se, houpat se **5** vlnit se **6** burácet, dunět, rachotit
roll in **1** hrnout se **2** (*hovor.*) jít na kutě
roll up **1** hromadit se, vršit se **2** přihrnout se **3** vyhrnout, vykasat **4** srolovat
rolled oats [rəuld'əuts] *pl* ovesné vločky
roller [rəulə] válec
roller skates [rəuləskeits] *pl* kolečkové brusle
rolling mill [rəuliŋmil] válcovna
rolling stock [rəuliŋstok] železniční / vozový park
Roman [rəumən] *adj* římský; **~ letters** antikva, latinka • *n* Říman
romance [rə'mæns] *adj* romantický, dobrodružný, milostný • *n* **1** romance; rytířský / dobrodružný / milostný román **2** milostný příběh **3** láska, milostný vztah
romantic [rə'mæntik] *adj* **1** romantický **2** fantastický, nerealistický • *n* **1** romantik **2** fantasta, snílek
Rome [rəum] Řím
romp [romp] skotačit ♦ ~ **home** (*kůň*) snadno zvítězit
roof [ru:f] *n* střecha • *v* zastřešit, pokrýt střechou
rook[1] [ruk] havran
rook[2] [ruk] věž (*v šachu*)
room [ru:m] **1** místo **2** místnost, pokoj **3** **~s** *pl* byt
roommate ['ru:m,meit] spolubydlící
roomy [ru:mi] prostorný
roost [ru:st] *n* hřad • *v* hřadovat, vyletět na hřad
rooster [ru:stə] *US* kohout
root [ru:t] *n* **1** kořen; **take ~** ujmout se **2** odmocnina • *v* **1** zasadit s kořeny, přepichovat **2** zapustit kořeny, ujmout se
root out / up (*přen.*) vykořenit, vyhladit, vymýtit
rope [rəup] *n* **1** lano; provaz; šňůra (**of pearls** perel) **2** smyčka, oprátka **3** pletenec **4** švihadlo • *v* **1** svázat lanem / provazem **2** táhnout na laně **3** *též* **~ off** oddělit provazem a tak uzavřít přístup do
rose [rəuz] **1** růže ♦ **~ hip** šípek **2** růžice, rozeta **3** kropáč (*konve*)

rosette [rəu'zet] kokarda, rozeta
rosin [rozin] *n* kalafuna
• *v* nakalafunovat
roster [rostə] **1** rozpis služeb **2** soupis, seznam
rostrum [rostrəm] řečnická tribuna, pódium, řečniště
rosy [rəuzi] **1** růžový, (*též přen.*) **2** červený jako růže **3** růžolící
rot [rot] *v* **(tt)** hnít • *n* **1** hniloba **2** (*hovor.*) kec, nesmysl
rotation [rəu'teišn] **1** otáčení, rotace **2** pravidelné střídání
rotten [rotn] **1** shnilý; prolezlý **with** čím **2** (*hovor.*) mizerný, zatracený
rouble [ru:bl] rubl
rouge [ru:ž] rtěnka
rough [raf] **1** drsný, hrubý **2** neotesaný **3** divoký, rozervaný, pustý **4** přibližný (**estimate** odhad)
roughage [rafidž] buničina, vláknina
roughcast [rafka:st] hrubá omítka
roughly [rafli] zhruba, přibližně; ~ **speaking** zhruba řečeno
R(o)umania [ru'meinjə] Rumunsko
R(o)umanian [ru'meinjən] *adj* rumunský
• *n* **1** Rumun **2** rumunština
round [raund] *adj* **1** okrouhlý, kulatý; kolový **2** okružní **3** zaokrouhlený • *n* **1** kruh, kolo **2** okrouhlý plátek, krajíc **3** okruh, obchůzka **4** salva, dávka **5** řada, série **6** návštěva, vizita (*lékařů*) **7** zadní kýta
♦ **make ~s** *1.* chodit po návštěvách *2.* roznášet zboží / poštu
• *adv* **1** *též* ~ **about** kolem, kolem dokola **2** asi, kolem, zhruba **3** všem popořadě, jednomu po druhém **4** někde, poblíž
♦ **all / right** ~ úplně; **all the year** ~ po celý rok; **ask sb.** ~ pozvat si koho k sobě; **go** ~ stačit pro všechny; **serve** ~ podávat každému; **show sb.** ~ provádět koho (kde); **turn** ~ otočit se
• *prep* kolem; ~ **the sun** kolem slunce; ~ **the corner** za rohem • *v* **1** zakulatit **2** našpulit (**the lips** rty) **3** zaokrouhlit **4** vést kolem
round off **1** zakulatit, zaoblit **2** završit, vhodně zakončit
round up shromáždit, sehnat dohromady
roundabout [raundəbaut] *adj* nepřímý, opisný; **in a ~ way** oklikou
• *n* **1** oklika **2** křižovatka s kruhovým objezdem **3** *GB* kolotoč
roundly [raundli] **1** pořádně, naplno, důkladně **2** nepokrytě, bez obalu
rouse [rauz] **1** vyplašit (*zvěř*) **2** zburcovat **3** vzrůstat, stupňovat se **4** vyvolat, rozpoutat
route [ru:t] cesta, trať
routine [ru:'ti:n] *n* **1** obvyklá / běžná praxe **2** šablona, rutina **3** obvyklé číslo (*programu*) **4** taneční figura
• *adj* obvyklý, všední, rutinní
rove [rəuv] toulat se
row[1] [rəu] řada, řádka
row[2] [rəu] veslovat
row[3] [rau] (*hovor.*) rvačka, výtržnost; hádka
royal [roiəl] královský
royalty [roiəlti] **1** královská hodnost **2** členové královské rodiny **3** procento, tantiema, autorský honorář
rub [rab] **(bb)** **1** třít (se); mnout,

masírovat **2** dřít (se), odřít (se) **3** (vy)drbat; otřít, osušit ♦ **~ shoulders with** důvěrně se stýkat s
rub in **1** vetřít **2** stále připomínat, rozmazávat (*nepříjemné*)
rub off utřít, smazat
rub out vymazat, vygumovat
rubber [rabə] **1** kaučuk; pryž, guma **2 ~s** *pl* = **~ boots** *US* galoše
rubbish [rabiš] **1** odpadky, smetí **2** absurdní nápad, nesmysl, hlouposti
ruby [ru:bi] rubín
rucksack [raksæk] batoh
rudder [radə] kormidlo
rude [ru:d] **1** hrubý, drsný **2** nevzdělaný, nevychovaný **3** neslušný, sprostý, nestydatý
rudiments [ru:dimənts] *pl* základy
rueful [ru:ful] kajícný, žalostivý
ruffian [rafjən] rváč, násilník, surovec
ruffle [rafl] **1** (na)čepýřit; rozcuchat **2** zčeřit, rozvlnit **3** vyvést z klidu / míry
rug [rag] **1** vlněná pokrývka, houně, pléd **2** kobereček, předložka
rugby [ragbi], **~ football** rugby
rugged [ragid] **1** hrbolatý **2** divoce rozeklaný **3** ostře řezaný **4** kostrbatý **5** hrubý, drsný **6** těžký, namáhavý **7** robustní, chlapský
ruin [ru:in] *n* **1** pád, zkáza, zánik, záhuba **2** zřícenina, rozvalina, troska; **~s** *pl* zříceniny, ruiny • *v* **1** zničit **2** zkrachovat, zruinovat **3** znetvořit, zohavit (*vzhled*)
rule [ru:l] *n* **1** pravidlo; zásada; **as a ~** zpravidla **2** předpis, řád, směrnice **3 ~s** *pl* pravidla, stanovy; **the ~s of the house** domácí řád **4** zvyklost, obyčej **5** panování, vláda; nadvláda **6** pravítko **7** soudní výrok ♦ **~ of thumb** čistě praktická zásada • *v* **1** vládnout **(over)** komu / čemu, ovládat **2** vést, řídit **3** (*soud*) rozhodnout, nařídit **4** (na)linkovat
rule off oddělit linkou
rule out **1** vyloučit **2** znemožnit, zabránit čemu
ruler [ru:lə] **1** vládce, panovník **2** pravítko, měřítko
ruling [ru:liŋ] *n* **1** pravidlo, předpis **2** (*soudní*) výnos, rozhodnutí, nařízení • *adj* **1** hlavní, rozhodující **2** panující, vládnoucí
rum [ram] rum
rumble [rambl] **1** dunět, hřmět **2** hrkotat **3** (*žaludek*) kručet
ruminate [ru:mineit] **1** přežvykovat **2** přemýšlet **(over** o)
rummage [ramidž] **1** (*důkladně*) prohledávat **through** co, probírat se čím **2 ~ about** rozkrámovat, rozkramařit
rumour [ru:mə] *n* šeptanda, pověst • *v* šířit zprávy, rozhlašovat
rump [ramp] zadek, kýta
rumple [rampl] **1** zmuchlat, zmačkat **2** rozcuchat
run [ran] *n* **1** běh; útěk **2** cesta, plavba **3** trať, trasa **4** stezka, pěšina **5** chod, běh (*stroje*) **6** sháňka, poptávka **on** po **7** tendence, móda ♦ **be on the ~** *1.* být na útěku *2.* být stále na nohou / v jednom kole; **in the long ~** nakonec, jak ukáže čas • *v** **(nn)** **1** běžet, utíkat; probíhat; **~ a race** běžet závod **2** znít **(as follows** takto) **3** jet; přejet **over** koho; (*pravidelně*) jezdit;

plout; téci; vlévat se **into** do **4** vést, řídit; ~ **the house** starat se o domácnost; ~ **the theatre** řídit divadlo **5** *stávat se jakým:* ~ **dry** vyschnout; ~ **short** zmenšit se; ~ **low** snížit se **6** narazit **into** do **7** jít do (**thousands** tisíců) ♦ ~ **a car into the garage** zavézt vůz do garáže, **it ~s in the family** je to v rodině; ~ **one's fingers through one's hair** prohrábnout si vlasy rukou; ~ **one's head against a door** narazit hlavou na dveře; ~ **a risk** riskovat; **three times ~ning** třikrát za sebou; ~ **(water into) the bath** napustit vanu

run across setkat se náhodou s kým

run away 1 utéci **2** nechat se unést / strhnout **with** čím

run down 1 stékat po **2** uštvat; dopadnout **3** kritizovat, očerňovat **4** vyčerpat (se), vybít (se) **5** srazit, porazit (*autem*) **6** objevit, najít **7** snížit, redukovat

run off 1 utéci **with** s **2** vytisknout, okopírovat

run out 1 vyběhnout, vyplout; vytéci **2** dojít, vyčerpat se; vyčerpat **of** co, už nemít další co **3** skončit, vypršet

run through 1 dát zpracovat (*počítači*) **2** utratit, promrhat **3** projít si, zběžně prohlédnout, prolistovat

run up 1 vytáhnout, vztyčit **2** rychle vzrůst, prudce stoupnout **3** rychle ušít, spíchnout **4** zabřednout **against** do

rung [raŋ] příčel

runner [ranə] **1** běžec **2** pašerák **3** dostihový kůň **4** výhonek, šlahoun

running [raniŋ] **1** drobný, běžný (**repairs** údržba) **2** průběžný **3** plynulý **4** neustálý, nepřestávající **5** běžící; tekoucí

runt [rant] **1** (*hanl.*) skrček, záprtek **2** nedochůdče

runway [ranwei] rozjezdová / přistávací dráha, ranvej

rupture [rapčə] **1** roztržka, rozkol **2** přetržení, přerušení **3** kýla

rural [ruərəl] venkovský, vesnický

rush [raš] *v* **1** hrnout se, hnát se **2** pobízet, honit, štvát **3** zrychlit, urychlit ♦ ~ **things** ukvapit se • *n* **1** ruch, spěch, kvalt **2** nával **3** shon, sháňka **for** po ♦ **the ~ hours** *pl* (*dopravní*) špička

Russia [rašə] Rusko

Russian [rašn] *adj* ruský • *n* **1** Rus **2** ruština

rust [rast] *n* rez • *v* rezivět

rustic [rastik] *n* venkovan • *adj* **1** venkovský **2** bezelstný, prostý **3** vyrobený z neopracovaného dřeva; rustikovaný

rustle [rasl] *n* šelest, šumot • *v* **1** šustit, šumět **2** *US* krást dobytek / koně

rusty [rasti] **1** rezavý; zrezivělý **2** starý, sešlý

rut[1] [rat] (*vyježděná*) kolej; **get into a ~** vjet do starých / vyježděných kolejí

rut[2] [rat] říje

ruthless [ru:θlis] nelítostný, nemilosrdný, brutální

rye [rai] **1** žito **2** *US* žitná, režná **3** *US* žitný chleba

S

sable [seibl] sobol
sabotage [sæbəta:ž] *n* sabotáž
• *v* sabotovat
sabre [seibə] šavle
sacerdotal [sæsə'dəutl] kněžský, církevní
sack [sæk] *n* **1** pytel **2** *US* pytlík, sáček **3** (*hovor.*) vyhazov, padák (*výpověď*) • *v* vyhodit (*z práce*)
sacrament [sækrəmənt] svátost
sacred [seikrid] **1** posvátný; svatý **2** nedotknutelný, nezadatelný
sacrifice [sækrifais] *n* oběť
• *v* obětovat
sad [sæd] **(dd) 1** smutný **2** zarmucující **3** melancholický
sadden [sædn] **1** zarmoutit **2** rmoutit se **at** nad
saddle [sædl] *n* **1** sedlo **2** hřbet
• *v* osedlat
safe [seif] *adj* **1** bezpečný **2** zachráněný **from** před **3** opatrný • *n* bezpečnostní schránka, trezor, sejf
safeguard [seifga:d] *n* záruka
• *v* **1** zabezpečit, zajistit **2** ochraňovat
safe-conduct [seif'kondakt] průvodní list, glejt, pas
safekeeping [seif'ki:piŋ] úschova
safety [seifti] **1** jistota, bezpečnost **2** pojistka (*střelné zbraně*)
safety belt [seiftibelt] bezpečnostní / upínací pás
safety pin [seiftipin] zavírací špendlík
safety razor [seiftireizə] holicí strojek (*mechanický*)
saffron [sæfrən] šafrán
sag [sæg] **(gg) 1** prohýbat se, být uprostřed prohnutý **2** podklesávat
saga [sa:gə] sága
sagacious [sə'geišəs] bystrý, inteligentní
sagacity [sə'gæsiti] bystrost, inteligence
sage[1] [seidž] mudrc
sage[2] [seidž] šalvěj
sail [seil] *n* **1** plachta **2** plachetnice; loď **3** plavba
• *v* **1** plavit se, plout, vyplout, odplout **2** plachtit
sailor [seilə] námořník
saint [seint] světec, svatý
sake [seik]: **for the ~ of** kvůli; **for my ~** kvůli mně; **for goodness' ~** pro všechno na světě
salad [sæləd] salát; **~ days** zelené mládí
salary [sæləri] plat (*úředníka*)
sale [seil] **1** prodej; **for / on ~** na prodej; **have a large ~** jít na dračku **2** výprodej **3 ~s** *pl* tržba; obrat
salesman [seilzmən] **1** prodavač **2** obchodní cestující / zástupce
saliva [sə'laivə] slina
sallow [sæləu] nažloutlý, sinalý
salmon [sæmən] losos
saloon [sə'lu:n] **1** společenská místnost (*na lodi*); hotelová hala **2** limuzína **3** *US* hospoda (*na Divokém západě*)
salt [so:lt] *n* sůl • *adj* slaný
• *v* solit, nasolit, osolit
salt away / down (*hovor.*) ulít, dát stranou
salt cellar ['so:lt,selə] slánka

salt water ['so:lt,wo:tə] (*ryba*) mořský
salty [so:lti] slaný
salutation [sælju'teišn] pozdrav
salute [sə'lu:t] *n* **1** pozdrav **2** salutování **3** salva
• *v* **1** (po)zdravit **2** (za)salutovat
salvage [sælvidž] *n* **1** záchrana (*lodi / ohroženého majetku*) **2** zachráněný náklad
• *v* zachránit (*loď / náklad*)
same [seim] stejný, tentýž; **~ again** repete; **at the ~ time** zároveň; **all the ~** přece jenom, stejně; **come to the ~ thing** vyjít nastejno; **it's the ~ to me** mně je to jedno
sample [sa:mpl] *n* **1** vzorek **2** (*přen.*) ukázka, příklad
• *v* okusit, ochutnat, (*též přen.*)
sanatorium [sænə'to:riəm] sanatorium
sanctimonious [sæŋkti'məunjəs] svatouškovský, pokrytecký
sanction [sæŋkšn] *n* **1** sankce **2** svolení
• *v* dát svolení; schvalovat
sanctuary [sæŋkčuəri] **1** azyl **2** svatyně
sand [sænd] písek
sandal [sændl] sandál
sandbag [sændbæg] *n* pytel / pytlík s pískem
• *v* **(gg) 1** obložit pytli s pískem **2** omráčit pytlíkem s pískem
sandstone [sænstəun] pískovec
sandwich [sændwidž] (*anglický*) obložený chléb, sendvič
sandy [sændi] **1** písčitý **2** pískové barvy
sane [sein] **1** duševně zdravý, normální **2** logický, rozumný
sanguinary [sæŋgwinəri] **1** krvavý **2** krvelačný, krvežíznivý **3** *GB* zpropadený
sanitary [sænitəri] zdravotní, zdravotnický, hygienický; **~ napkin** *US* dámská vložka
sanitation [sæni'teišn] **1** asanace, hygiena **2** hygienická zařízení (*v budovách*)
sanity [sæniti] zdravý rozum, duševní zdraví
Santa Claus [sæntə'klo:z] Mikuláš; Ježíšek
sap[1] [sæp] míza
sap[2] [sæp] **(pp)** podkopat, (*též přen.*)
sapper [sæpə] zákopník; ženista
sapphire [sæfaiə] safír
sarcastic [sa:'kæstik] jizlivý, uštěpačný, sarkastický
sardine [sa'di:n] **1** sardinka **2** olejovka
sash [sæš] šerpa
sash window ['sæš,windəu] padací / vysouvací / spouštěcí okno
satchel [sæčl] **1** kabela (*přes rameno*) **2** (*školní*) brašna, aktovka
satellite [sætəlait] **1** družice **2** satelit
satiate [seišieit] nasytit
satin [sætin] satén, atlas
satire [sætaiə] **1** satira **2** výsměch **upon** čemu
satirical [sə'tirikl] satirický
satirist [sætirist] satirik
satisfaction [sætis'fækšn] uspokojení; spokojenost
satisfactory [sætis'fæktəri] uspokojivý; dostatečný
satisfy [sætisfai] **1** uspokojit **2** ukojit, nasytit **3** přesvědčit, ujistit; **be satisfied that** dojít k závěru / být přesvědčen, že
saturate [sæčəreit] **1** úplně

namočit, impregnovat **with** čím **2** nasytit, saturovat
Saturday [sætədi] sobota
satyr [sætə] **1** satyr **2** velmi smyslný člověk
sauce [so:s] **1** omáčka **2** *US* kompot **3** (*přen.*) koření **4** drzost, hubatost
saucepan [so:spæn] hluboká pánev, hrnec s držadlem
saucer [so:sə] talířek, podšálek; **flying ~** létající talíř
saucy [so:si] drzý, hubatý
sauerkraut [sauəkraut] kyselé zelí
saunter [so:ntə] procházet se, potloukat se
sausage [sosidž] **1** salám **2** klobása
savage [sævidž] *adj* **1** divoký, necivilizovaný **2** primitivní, barbarský **3** divošský **4** zuřivý, zarytý **5** surový, brutální • *n* **1** divoch **2** necivilizovaný domorodec, barbar
save[1] [seiv] **1** zachránit **from** před / od **2** šetřit, spořit **3** ušetřit **4** nezmeškat, chytit
save[2] [seiv] kromě, mimo, s výjimkou, až na
savings [seiviŋz] *pl* úspory; **~ bank** spořitelna
saviour [seivjə] zachránce; **the S~** Spasitel, Vykupitel
savour [seivə] *n* (*lahodná*) chuť, příchuť; pikantnost • *v* **1** chutnat, lahodit **2** pochutnat si na **3** mít příchuť **of** čeho
saw [so:] *n* pila • *v** řezat (*pilou*)
sawbuck [so:bak] *US* **1** koza (*na řezání dříví*) **2** (*slang.*) desetidolarová bankovka
sawdust [so:dast] piliny
sawmill [so:mil] pila (*závod*)
Saxon [sæksn] *n* Sas • *adj* saský
saxophone [sæksəfəun] saxofon
say* [sei] **1** říci, říkat **2** povědět, promluvit **of / about** o **3** (*text*) znít ♦ **the sign said** na tabuli stálo; **that is to ~** to jest; **go without ~ing** rozumět se samo sebou; **they ~, it is said** prý; **I wouldn't ~ no to a glass of beer** dal bych si říci na sklenici piva; **you don't ~ so!** neříkejte!; **to ~ nothing of** nemluvě o
saying [seiiŋ] **1** úsloví, pořekadlo **2** slavný výrok, aforismus
scab [skæb] **1** strup **2** svrab, prašivina **3** (*hovor.*) stávkokaz
scabies [skeibi:z] svrab, prašivina
scaffold [skæfəld] **1** lešení **2** popravní lešení; poprava **3** tribuna, pódium **4** konstrukce, kostra
scaffolding [skæfəldiŋ] **1** stavební lešení **2 = scaffold 3, 4**
scald [sko:ld] **1** opařit **2** uvařit v páře **3** zahřát pod bod varu (*mléko*)
scale[1] [skeil] **1** šupina **2** slupka, tenká kůra **3** střenka (*nože*)
scale[2] [skeil] *n* miska (*vah*); **~s** *pl, sg* váhy • *v* vážit se
scale[3] [skeil] *n* **1** stupnice, škála **2** měřítko; **on a large ~** ve velkém měřítku • *v* **1** zlézt, přelézt, vyšplhat se po žebříku **2** zmenšit / zvětšit (*v určitém měřítku*)
scalp [skælp] kůže na temeni hlavy, skalp
scan [skæn] **(nn) 1** prozkoumat **2** snímat **3** prohlížet, prohledávat (*data*) **4** přelétnout očima **5** (*verš*) mít správný rytmus
scandal [skændl] **1** hanba,

ostuda, skandál **2** pomluva **3** pohoršení, rozhořčení
scandalous [skændələs] **1** skandální, ostudný **2** budící pohoršení
Scandinavian [skændi'neiviən] skandinávský • *n* Skandinávec
scanty [skænti] **1** skrovný, sotva dostačující **2** malý, těsný
scapegoat [skeipgəut] obětní beránek
scar [ska:] jizva
scarce [skeəs] **1** vyskytující se v malém počtu, omezený, nedostačující **2** vzácný, řídký, nevšední; **make oneself ~** (*hovor.*) ztratit se, vytratit se
scarcely [skeəsli] **1** sotva, stěží, ani ne **2** ...**when ~** jen, sotva ... (už)
scarcity [skeəsiti] **1** malý počet, malé množství **2** nedostatek, nouze **3** vzácnost, řídký výskyt
scare [skeə] *v* **1** poděsit, vystrašit **2** zaplašit • *n* **1** hrůza, poděšení **2** panika
scarecrow [skeəkrəu] strašák, hastroš
scarf [ska:f] šátek, šála
scarlet [ska:lit] *n* **1** šarlat **2** (*kardinálský*) purpur • *adj* šarlatový ♦ **~ admiral** babočka admirál; **~ fever** spála
scat [skæt] *zpívání džezové melodie na slabiky bez určitého významu*
scatter [skætə] **1** rozhazovat, rozsypávat, roztrousit **2** rozprášit, rozehnat **3** rozptýlit se
scavenger [skævindžə] metař
scenario [si'na:riəu] scénář
scene [si:n] **1** scéna; **make a ~** udělat scénu **2** místo děje / činu **3** dekorace, jevištní výprava ♦ **behind the ~s** v zákulisí; **steal the ~** strhnout na sebe pozornost
scenery [si:nəri] **1** dekorace, výprava **2** scenérie; krajina, příroda
scenic [si:nik] **1** jevištní, scénický, divadelní **2** přírodní, krajinný; malebný **3** epický **4** *US* vyhlídkový
scent [sent] *v* **1** cítit, čichat **2** větřit, pátrat čichem **after** po **3** (*přen.*) tušit, předvídat **4** navonět; být cítit **of** čím • *n* **1** vůně, pach, zápach **2** čich **3** stopa (*vnímaná čichem*) **4** známka, náznak **5** voňavka, parfém
sceptic [skeptik] skeptik
sceptre [septə] žezlo
schedule [šedju:l] *n* **1** seznam, soupis **2** rozvrh, harmonogram **3** *US* jízdní / letový / plavební řád **4** blanket, formulář ♦ **production ~** výrobní harmonogram • *v* **1** udělat seznam čeho **2** zavést do jízdního řádu **3** (na)plánovat
scheme [ski:m] *n* **1** plán, návrh, projekt **2** intrika, pleticha, machinace, úskok **3** iluzorní nápad, fantazie **4** nárys, plán, schéma • *v* **1** *též* **~ out** navrhnout, vymyslit **2** intrikovat **3** (*systematicky*) uspořádat, seřadit
schism [sizm] rozkol, schisma
scholar [skolə] **1** učenec, vědec, odborník **2** (*hovor.*) školák, žák, student **3** stipendista
scholarship [skoləšip] **1** nadace, stipendium **2** učenost, odborné vzdělání **3** bádání, věda
school[1] [sku:l] hejno (*ryb*)
school[2] [sku:l] *n* **1** škola **2** vyučování **3** učiliště, ústav,

institut **4** třída **5** fakulta **6** *US* univerzita, kolej **7** *GB* zkušební místnost ♦ **national** ~ *GB* základní škola; ~ **of printing** grafická škola; **technical** ~ průmyslovka • *v* **1** chodit do školy **2** (vy)školit, vzdělat **3** naučit **in** čemu **4** cvičit, drezírovat
schooldays [sku:ldeiz] *pl* **1** školní léta **2** (*přen.*) mládí
schoolboy [sku:lboi] školák
schoolgirl [sku:lgə:l] školačka
schoolhouse [sku:lhaus] **1** školní budova **2** *GB* obytný dům ředitele školy **3** hlavní budova *public school*
schoolmaster ['sku:lˌma:stə] **1** ředitel školy **2** učitel
schoolteacher ['sku:lˌti:čə] učitel (*základní školy*)
schooner [sku:nə] **1** škuner **2** *GB* velká sklenka (*na sherry*) **3** *US* vysoká sklenice, pohár (*na pivo*)
sciatica [sai'ætikə] ischias
science [saiəns] **1** věda **2** *též* **natural** ~ přírodní věda / vědy **3** vědní obor, vědecká disciplina **4** ovládání, odborná znalost **of** čeho
science fiction [saiəns'fikšən] vědecko-fantastické romány / filmy, sci-fi
scientific [saiən'tifik] **1** přírodovědecký **2** vědecký **3** exaktní, racionální **4** (*přen.*) odborný, odborně prováděný; pracující vědecky
scintillate [sintileit] **1** jiskřit, třpytit se **2** (*přen.*) sršet čím
scion [saiən] **1** odnož, výhonek; roub **2** (*přen.*) potomek, odnož
scissors [sizəz] **1** nůžky **2** klestičky
scissors-and-paste [sizəzən'peist] kompilační
scoff [skof] *n* **1** posměch **2** terč posměchu • *v* posmívat se **(at) sb.** komu
scold [skəuld] *v* spílat, nadávat **(at) sb.** komu • *n* kdo spílá, grobián
scone [skon / skəun] malý bochánek (*se sušeným ovocem*)
scoop [sku:p] *n* **1** naběrák, sběračka **2** (*hluboká*) lopata **3** (*zmrzlinářská*) lžíce **4** nabrání **5** (*slang.*) výhradní / úplně první zpráva • *v* **1** *též* ~ **up** nabrat, vybrat **2** *též* ~ **out** vybrat, vydloubnout **3** (*hovor.*) předhonit
scooter [sku:tə] **1** koloběžka **2** skútr
scope [skəup] **1** pole, oblast, sféra (*působnosti*) **2** rozhled, (*duševní*) obzor **3** volný prostor **4** rozsah, šíře
scorch [sko:č] **1** ožehnout **2** připálit (se), spálit (se) **3** vypražit **4** zdeptat, setřít (*kritikou*)
scorching [sko:čiŋ] **1** vše spalující, parný **2** jedovatý, sžíravý
score [sko:] *n* **1** stav (*utkání*), skóre **2** partitura, notový zápis; filmová hudba **3** účet, (*též přen.*), útrata **4** důvod **5** zářez, rýha **6** (*nepříjemná*) situace ♦ **full** ~ velká partitura; **vocal** ~ klavírní výtah • *v* **1** získat / připsat body, dát gól, skórovat **2** zapisovat (*hru*) **3** vyhrát **over** nad **5** instrumentovat, aranžovat pro orchestr; zapsat v notách **6** udělat rýhu / rýhy ♦ ~ **a hit** zasáhnout cíl; ~ **a victory** vyhrát
score off **1** vyškrtnout **2** (*hovor.*) setřít, odrovnat

score up **1** poznamenat jako dluh **2** (*přen.*) pamatovat si **sth.** co **against** na
scores [sko:z] spousta (**of people** lidí)
scoring [sko:riŋ] **1** instrumentace **2** rýhy, škrábance
scorn [sko:n] *n* **1** opovržení, pohrdání, neúcta **2** posměch; terč posměchu • *v* **1** pohrdat, opovrhovat kým / čím **2** pokládat pod svou důstojnost **to do** dělat
scornful [sko:nful] opovržlivý, pohrdavý
Scot [skot] Skot
Scotch [skoč] *adj* skotský • *n* **1 the** ~ Skotové **2** skotská angličtina **3** skotská whisky
Scotchman [skočmən] Skot
Scotland [skotlənd] Skotsko
Scotsman [skotsmən] Skot
Scottish [skotiš] skotský
scoundrel [skaundrəl] darebák, ničema
scour [skauə] drhnout
scourge [skə:dž] bič, metla (*přen.*)
scout [skaut] **1** zvěd, průzkumník **2** hledač talentů **3 Boy S~** skaut
scowl [skaul] (za)mračit se, (za)kabonit se **at** na
scramble [skræmbl] *v* **1** škrábat se, drát se, tlačit se **2** prát se **for** o; honit se za **3** utajit kódováním, zakódovat ♦ **~d eggs** míchaná vejce • *n* **1** strkání, tahanice, boj **for** o, honba za **2** honička, zmatek **3** terénní závod (*motocyklů*)
scrap [skræp] *n* **1** kousek, útržek **2** cár **3** veteš; staré železo; ~ **iron** železný šrot **4 ~s** *pl* zbytky • *v* **(pp)** **1** dát do starého železa **2** (*přen.*) hodit přes palubu, odepsat
scrapbook [skræpbuk] sešit výstřižků
scrape [skreip] **1** oškrábat, vyškrábat; odřít **2** letět těsně **over** nad **3** prolézt **through** čím
scraper [skreipə] **1** škrabka **2** stěrka, lízátko (*hovor.*)
scratch [skræč] *v* **1** škrábnout, škrábat (si); načmárat **2** přeškrtnout; vymazat; zrušit **3** sehnat, dát dohromady **4** stáhnout, odvolat (*z dostihu*) ♦ **~ the surface** pouze se dotknout • *n* **1** škrábnutí **2** drápanice, škrábanice **3** startovní čára **4** nic, nula; **start from ~** začít od začátku / z ničeho • *adj* **1** náhodný, bezděčný **2** náhodně sestavený, improvizovaný
scrawl [skro:l] *v* (na)čmárat, (na)drápat • *n* čmáranice, mazanice, klikyháky
scream [skri:m] *v* **1** křičet, ječet, pištět, vřeštět **2** (*vítr*) výt, skučet • *n* **1** výkřik, jekot **2** (*hovor.*) s kým je velká legrace; co je k popukání
screen [skri:n] *n* **1** zástěna, plenta, paraván **2** (*přen.*) pláštík, krycí manévr, maska **3** promítací plátno; obrazovka **4** clona • *v* **1** (za)clonit **2** chránit, krýt **3** prosévat **4** kádrovat **5** promítat na plátno
screw [skru:] *n* **1** šroub **2** šnek **3** spirála **4** (*vulg.*) šoustačka • *v* **1** šroubovat; **~ up one's courage** dodat si odvahy **2** šetřit, škudlit **3** přimhouřit **4** (*vulg.*) šoustat

screwdriver ['skru:,draivə] šroubovák
screw top [skru:'top] šroubovací víčko
screwy [skru:i] (*hovor.*) bláznivý
scribble [skribl] *v* **1** čmárat **2** psát rychle / nečitelně • *n* **1** čmáranice **2** nečitelný rukopis
script [skript] **1** tištěné psací písmo **2** rukopis **3** text divadelní hry; scénář
Scripture [skripčə] Písmo (*bible*)
scroll [skrəul] *n* **1** svitek **2** závitnice, spirála • *v* svinout se
scroll down / up přetáčet / posouvat dolů / nahoru (*na monitoru*)
scrub [skrab] **(bb)** **1** drhnout (*kartáčem*) **2** (*chirurg*) mýt si ruce a předloktí (*před operací*) **3** (*hovor.*) dřít se, lopotit se
scruffy [skrafi] ubohý, špinavý, ošuntělý
scruple [skru:pl] *n* **1** zábrana, rozpaky **2** pochybnost, výčitka; svědomí, skrupule • *v* rozpakovat se, váhat
scrupulous [skru:pjuləs] svědomitý, úzkostlivý, skrupulózní
scrutiny [skru:tini] **1** podrobné prozkoumání **2** podrobná prohlídka **3** dohled, kontrola **4** zkoumavý pohled
scuffle [skafl] *v* **1** rvát se **2** odflinknout práci • *n* rvačka
scull [skal] veslo
scullery [skaləri] kuchyňská umývárna, přípravná komora (*při kuchyni*)
sculptor [skalptə] sochař
sculpture [skalpčə] **1** socha, sousoší **2** skulptura, plastika
scum [skam] **1** (*nečistá*) pěna, povlak **2** (*přen.*) bahno, spodina; vyvrhel
scurf [skə:f] lupy
scurvy [skə:vi] kurděje
scuttle [skatl] **1** ošatka **2** násypka, kbelík (*na uhlí*)
scythe [saið] kosa
sea [si:] moře
♦ **at ~** *1.* na moři *2.* v nejistotě, zmaten, bezradný; **be at ~** (*přen.*) tápat / tonout v nejistotě; **by the ~** *1.* po moři, lodí *2.* na mořském pobřeží; **go to ~** stát se námořníkem; **put to ~** vyplout na moře
seaboard [si:bo:d], **seacoast** [si:kəust] mořské pobřeží
sea gull [si:gal] racek mořský
seal[1] [si:l] tuleň
seal[2] [si:l] *n* **1** pečeť **2** úřední razítko **3** zálepka **4** hermetický uzávěr **5** plomba • *v* **1** opatřit pečetí **2** zapečetit **3** (za)plombovat **4** zalepit (*obálku / pneumatiku*)
seal off uzavřít, odříznout
seam [si:m] **1** šev **2** spára **3** lem, obruba **4** (*uhelná*) sloj
♦ **come apart at the ~s** *1.* párat se ve švech *2.* hroutit se, být úplně v háji
seaman [si:mən] námořník
seamstress [si:mstris] švadlena
seaplane [si:plein] hydroplán
sear [siə] **1** popálit, ožehnout **2** (*med.*) (po)leptat, kauterizovat
search [sə:č] *v* **1** hledat **for** koho / co, pátrat po **2** prohledávat, perlustrovat **3** podrobně zkoumat **into** co, bádat v
♦ **S~ me!** Vím já?, Nevím!
• *n* **1** hledání **for** koho / čeho, pátrání po **2** důkladná prohlídka **3** prohledávání **4** průzkum, rešerše

searchlight [sə:člait] světlomet, reflektor
seashore [si:šo:] mořský břeh
seasick [si:sik]: **be ~** mít mořskou nemoc
seaside [si:said] mořské pobřeží; **at the ~** u moře
season [si:zn] *n* roční doba; sezóna • *v* okořenit (*zvl. solí, pepřem apod.*)
seasoned [si:znd] **1** zkušený; vyzrálý; otužilý **2** kořeněný
season-ticket ['si:zn,tikit] předplatní lístek, legitimace
seat [si:t] *n* **1** sedadlo **2** sídlo **3** místo k sezení **4** sídlo, ohnisko, ložisko; střed, středisko ♦ **all ~s sold** vyprodáno; **by the ~ of one's pants** (*hovor.*) podle praktických zkušeností; **take a ~** posadit se • *v* **1** posadit (**oneself** se) **2** usadit **3** pojmout
seaworthy [si:wə:ði] plavbyschopný
second [seknd] *adj* **1** druhý; **on ~ thoughts** když tak o tom přemýšlím, po rozvážení **2** další; druhořadý **3** vteřinový, sekundový ♦ **~ run** obnovená premiéra (*filmu*) • *n* **1** vteřina, sekunda **2** sekundant • *v* **1** podporovat **2** [si'kond] dočasně přeložit
secondary [sekəndəri] **1** druhotný **2** druhořadý **3** odvozený ♦ **be ~ to** (*přen.*) ustupovat před, být podřízen čemu; **~ occupation** vedlejší zaměstnání; **~ school** škola druhého stupně
second-hand [seknd'hænd] použitý, zánovní; obnošený; antikvární; ojetý
second-rate [seknd'reit] podřadný
seconds [sekndz] *pl* (*hovor.*) nášup
secrecy [si:krisi] **1** utajení **2** tajnost **3** tajnůstkářství **4** mlčenlivost, diskrétnost
secret [si:krit] *adj* **1** tajný; **keep sth. ~ from** tajit co před kým **2** vnitřní, skrytý • *n* **1** tajemství; **make no ~ of** netajit se s **2** (*přen.*) tajemství **of** čeho, klíč k
secretariat [sekrə'teəriət] sekretariát
secretary [sekrətri] **1** tajemník **2** ministr; **S~ of State** *GB* ministr; *US* ministerský předseda a ministr zahraničí
sect [sekt] sekta
section [sekšn] **1** řez **2** díl, kus **3** úsek, oblast, část **4** oddíl, odstavec **5** skupina, vrstva, třída **6** sekce, oddělení **7** (*voj.*) četa, družstvo
sector [sektə] **1** výseč **2** odvětví, sektor
secular [sekjulə] **1** světský, profánní **2** sekulární (*nikoliv řádový*) **3** hlásající sekularismus
secure [si'kjuə] *adj* **1** jistý **2** bezpečný, chráněný **against / from** před **3** zajištěný, solidní **4** upevněný, přivázaný • *v* **1** zabezpečit, zajistit **2** upevnit, přivázat **3** zajistit (si), obstarat (si)
security [si'kjuəriti] **1** bezpečnost, jistota; **the S~ Council** Rada bezpečnosti **2** pevnost, spolehlivost **3** záruka, kauce **4** **securities** *pl* cenné papíry **5** zpravodajská služba, kontrarozvědka
sedentary [sedntəri] **1** sedící; sedavý; **~ occupation** sedavé zaměstnání **2** usedlý, usazený
sediment [sedimənt] usazenina, sediment

sedition [si'dišn] pobuřování (*proti státu*)
seduce [si'dju:s] **1** svést, svádět **2** oklamat, obloudit **3** (*přen.*) vzbudit, vyčarovat
see* [si:] **1** vidět; ~ **through sb.** vidět do koho **2** pochopit; ~ **the joke** rozumět vtipu; **I** ~ aha, ach tak, už chápu; **you** ~ víte **3** navštívit; ~ **sb. on business** navštívit koho služebně; ~ **a doctor** jít k lékaři **4** přijmout; **he can ~ you in five minutes** může vás přijmout za pět minut **5** doprovodit (**home** domů) **6** dohlédnout **about / to** na, zařídit, aby **7** přezkoumat, vyšetřit **into** co ♦ ~ **for oneself** sám se přesvědčit; ~ **oneself** *1.* dovést si sebe představit *2.* pokládat se za jakého (**I ~ myself obliged** cítím se zavázán) *3.* vidět se **in** v; **I'll be ~ing you later** na shledanou; **let me** ~ okamžik, moment; ~ **service** *1.* (*člověk*) být zkušený *2.* (*věc*) být obnošený; ~ **the sights** prohlédnout si pamětihodnosti
see off **1** doprovodit na nádraží / letiště / do přístavu **2** vypravit
see out **1** vydržet až do konce **2** dožít, přežít **3** vyprovodit až ke dveřím / před dům
see through dovést / podporovat až do konce
seed [si:d] *n* **1** semeno **2** sperma **3** vylosovaný / nasazený hráč, favorit • *v* **1** zrát na semeno **2** zbavit semínek / jader **3** *nasadit soupeře tak, aby se favorité utkali až v posledním kole turnaje*
seedy [si:di] (*hovor.*) **1** nesvůj, šoufl **2** ošumělý, šupácký
seek* [si:k] **1** hledat; vyhledávat **2** usilovat o, snažit se o
seek out **1** vyhledat, najít si **2** sledovat s velkým zájmem
seem [si:m] zdát se, připadat
seeming [si:miŋ] *n* zdání • *adj* zdánlivý, domnělý
seep [si:p] pronikat, prosakovat
seesaw [si:so:] *n* houpačka (*podepřené prkno*) • *v* kolísat
seethe [si:ð] vřít, kypět
seize [si:z] **1** chytit (*náhle / pevně*), uchopit; chopit se čeho **2** uchvátit, dobýt, zmocnit se čeho **3** zabavit **4** pochopit
seizure [si:žə] **1** konfiskace **2** (*med.*) záchvat
seldom [seldəm] zřídka(kdy)
select [si'lekt] *adj* **1** vybraný **2** výlučný, exkluzívní **3** vybíravý • *v* vybrat (si)
selection [si'lekšn] výběr
self [self] „já"; **your better ~** tvoje lepší „já"
self- [self] *předpona* samo-, sebe-
self-confidence [self'konfidns] sebedůvěra
self-conscious [self'konšəs] zaražený, nesvůj, v rozpacích
self-contained [selfkən'teind] **1** uzavřený, nesdílný **2** (*byt*) pod jedním uzavřením
self-control [selfkən'trəul] sebeovládání
self-defence [selfdi'fens] sebeobrana
self-determination [selfditə:mi'neišn] sebeurčení
self-government [self'gavnmənt] **1** sebeovládání **2** samospráva
selfish [selfiš] sobecký; egoistický

self-opinionated [selfə'pinjəneitid] samolibý, domýšlivý, tvrdohlavý
self-possession [selfpə'zešn] **1** klid, sebeovládání **2** duchapřítomnost
self-preservation [selfprezə'veišn] sebezáchova
self-respect [selfri'spekt] sebeúcta
self-satisfaction [selfsætis'fækšn] sebeuspokojení, samolibost
self-service [self'sə:vis] samoobsluha
sell* [sel] **1** prodávat, prodat **for** za / po **2** být na prodej, prodávat se **at** po; jít na odbyt **3** zaprodat **4** podvést, napálit **5** získat **on** pro ♦ **~ sb. down the river** zradit, podvést koho
sell off rozprodat (*za sníženou cenu*)
sell out 1 vyprodat **2** *US* zaprodat, zradit
sell up 1 prodat celý svůj majetek **2** (*věřitel*) zabavit a prodat majetek (*dlužníkovi*)
seller [selə] **1** prodávající **2** zboží jdoucí na odbyt, (*obchodní*) šlágr
semicircle [semisə:kl] půlkruh
semicolon [semi'kəulən] středník
semiconductor [semikən'daktə] polovodič
semidetached [semidi'tæčt] **house** polovina dvojdomku
semifinal [semi'fainl] semifinále
seminary [seminəri] (*kněžský*) seminář
Semitic [si'mitik] semitský
semolina [semə'li:nə] krupice; **~ pudding** krupicová kaše
senate [senit] senát
senator [senitə] senátor
send* [send] **1** poslat **for** pro **2** přivést do nějakého stavu; přimět, způsobit
send forth 1 vyrážet, nasazovat (*leaves* listy) **2** vysílat, vyzařovat
send in 1 poslat (*jako jeden z mnohých*) **2** poslat na hřiště
send off 1 odeslat, rozeslat **2** vyprovodit (*při odjezdu*)
send on 1 poslat napřed **2** doslat na novou adresu
send round dát kolovat
send up 1 poslat nahoru **2** vystřelit, vypustit nahoru **3** (*hovor.*) parodovat
sender [sendə] **1** odesílatel **2** vysílač(ka)
senile [si:nail] **1** sešlý věkem, stařecký, senilní **2** sešlý, zchátralý
senior [si:njə] **1** starší **2** nadřízený; vyšší, hlavní
sensation [sen'seišn] **1** cit; pocit, dojem, zdání **2** vzrušení, rozruch, senzace
sensational [sen'seišənl] **1** senzační **2** senzacemilovný
sense [sens] **1** smysl; **it doesn't make ~** to nedává smysl; **come to one's ~s** přijít k rozumu; **~ of humour** smysl pro humor; **what's the ~ of doing that?** jaký to má smysl?; **in a ~** do určité míry; **in the strict ~ of the word** v pravém slova smyslu **2** zdravý rozum; **it's common ~** to dá rozum; **now you're talking ~** to je rozumná řeč **3** pochopení, porozumění **4** dojem, pocit **of** čeho
senseless [senslis] **1** nesmyslný **2** v bezvědomí
sensible [sensəbl] **1** rozumný, inteligentní **2** praktický; účelný **3** jasný, zřetelný, podstatný, znatelný **4** citlivý, vnímavý **to** na

sensitive [sensitiv] **1** citlivý **2** přecitlivělý; alergický **to** na **3** tajný, delikátní
sensual [senšuəl] **1** smyslový **2** tělesný, živočišný, zvířecí **3** (*odpudivě*) smyslný
sensuality [senšu'æliti] smyslnost
sentence [sentəns] *n* **1** věta **2** rozsudek; (*vyřčený*) trest • *v* odsoudit
sentiment [sentimənt] **1** cit **2** pochopení **3** stanovisko **4** sentimentalita **5** myšlenka, idea
sentimental [senti'mentl] **1** citový; upřímný; romantický **2** sentimentální ♦ **cheaply ~** kýčovitý, limonádový
sentry [sentri] stráž, hlídka
separate *adj* [seprit] **1** oddělený, samostatný **2** zvláštní, osobní **3** různý, jednotlivý • *v* [sepəreit] **1** oddělit (se) **2** odlučovat (se); rozejít se
separation [sepə'reišn] **1** oddělení, rozdělení **2** rozchod, rozloučení **3** roztržka, rozkol **4** třídění, rozlišování **5** vzdálenost, mezera
September [səp'tembə] září
sequel [si:kwəl] **1** pokračování **2** následek
sequence [si:kwəns] **1** posloupnost, pořadí **2** série **3** sled záběrů; scéna, úryvek, epizoda **4** souslednost (**of tenses** časů)
sequin [si:kwin] flitr
Serb [sə:b] Srb
Serbia [sə:bjə] Srbsko
Serbian [sə:bjən] *adj* srbský • *n* srbština
serenade [seri'neid] serenáda
serenity [si'reniti] jasnost, čistota; klid
serf [sə:f] nevolník
sergeant [sa:džnt] rotmistr, šikovatel, seržant
serial [siəriəl] *adj* **1** řadový **2** na pokračování, seriálový, několikadílný • *n* **1** seriál **2** román na pokračování
series [siəri:z] *sg,pl* řada; série
serious [siəriəs] **1** vážný **2** nebezpečný, kritický
sermon [sə:mən] kázání
serpent [sə:pənt] had
serpentine [se:pəntain] **1** klikatý **2** jedovatý; úskočný; zákeřný
servant [sə:vnt] sluha; **public ~** státní úředník, veřejný zaměstnanec; **civil ~** vyšší státní úředník
serve [sə:v] **1** sloužit; vykonávat funkci, pracovat (**on a committee** ve výboru); být zaměstnán **as** jako **2** obsluhovat **3** podávat, servírovat **4** odpykat si (*trest*) **5** chovat se **sb.** ke komu ♦ **~ an injunction** doručit soudní obsílku; **it ~s you right** dobře ti tak; máš, co sis zasloužil
service [sə:vis] *n* **1** služba; **~ dress** služební uniforma **2** bohoslužba **3** obsluha **4** podávání jídla, servírování **5** servis (*též sport.*) **6** provoz; pravidelná doprava, spoj • *v* **1** obsluhovat **2** zajišťovat servis čeho
servile [sə:vail] **1** otrocký **2** podlézavý, servilní
servitude [sə:vitju:d] otroctví
session [sešn] **1** zasedání **2** schůze, shromáždění **3** akademický rok **4** schůzka, setkání; **jam ~** džezový večírek
set [set] *adj* **1** umístěný,

situovaný **2** předem stanovený, určený, daný, předepsaný **3** záměrný, promyšlený **4** stálý, ustálený, trvalý, pevný
♦ ~ **lunch** menu; ~ **opinions** ustálené názory; ~ **teeth** zaťaté zuby
• *n* **1** sada, souprava; kolekce **2** komplet; komplex **3** skupina **4** náčiní, nářadí **5** přístroj, aparát; rádio, televizor, telefon, zesilovač **6** (*div.*) scéna **7** (*mat.*) množina **8** sklon, náklonnost **9** ondulace, (*kadeřnický*) účes • *v** **(tt)** **1** položit, umístit, postavit; nařídit; uložit; přiložit, posázet **2** *uvést do určitého stavu*: ~ **free** osvobodit **3** (*nebeské těleso*) zapadat **4** udávat, stanovit (**the fashion** módu, **the pace** tempo) **5** usadit (se), usazovat se, tuhnout
♦ ~ **eyes on** podívat se na, spatřit; ~ **sth. on fire** zapálit co; ~ **foot on** vkročit na; ~ **great store by** velmi dát na; ~ **with jewels** posázet drahokamy; ~ **to music** zhudebnit; ~ **things right** vše napravit

set about **1** začít, dát se do **2** pokusit se

set apart **1** dát stranou **2** odlišovat

set aside **1** odložit **2** dát stranou **3** odsunout **4** odstranit **5** prohlásit za neplatné **6** nebrat v úvahu

set back **1** postavit v určité vzdálenosti **from** od **2** vrátit na místo **3** dát nazpátek (*ručičky hodin*) **4** zarazit, zdržet **5** (*hovor.*) stát, koštovat

set down **1** složit **2** vyložit (*cestujícího*) **3** zapsat **4** určit, předepsat **5** věrně nakreslit **6** porazit (*soupeře*) **7** pokořit, srazit hřebínek komu

set in **1** začít, nastat **2** začít fungovat **3** zesílit, převládnout

set off **1** zvýraznit (*kontrastem*), dát vyniknout čemu **2** kompenzovat **against** čím **3** vydat se na cestu **4** vyvolat

set on **1** poštvat (*psa*) **2** navést, přimět, dohnat **to** k **3** poslat pracovat **4** jít kupředu, pokračovat

set out **1** vydat se na cestu **2** vysázet **3** rozhodnout se **to do** dělat **4** rozvrhnout (*práci*) **5** vysvětlit, vyložit **6** vystavit na odiv, rozložit k prohlídce

set to **1** pustit se do toho, přiložit ruce k dílu **2** (*dva*) dát se do sebe, vrhnout se na sebe

set up **1** postavit, umístit **2** vztyčit **3** navrhnout (*k přijetí*) **4** vydat, vyrazit **5** založit, zřídit **6** způsobit **7** otevřít si obchod **8** ztuhnout, ztvrdnout **9** postavit na nohy, osvěžit **10** pozvat **to** na **11** vydávat se **as** za
♦ **be well ~ up with** být zásoben / dobře zaopatřen čím

setback [setbæk] **1** nevýhoda (*pro postupujícího*) **2** neúspěch, nezdar **3** zhoršení situace **4** pokles **in sth.** čeho

setoff [setof] **1** kontrast **2** ozdoba **to** čeho **3** kompenzace

settee [se'ti:] *GB* pohovka, divan, gauč

setting [setiŋ] **1** zasazení **2** prostředí **3** (*div.*) výprava **4** scéna **5** úprava, aranžmá **6** příbor; (*prostřené*) místo u stolu

settle [setl] **1** usadit (se) **2** osídlit, kolonizovat **3** urovnat, vyřídit, vyřešit **4** ustálit (se); uklidit, srovnat **5** dohodnout,

domluvit, shodnout se na
6 zaplatit, vyrovnat (*dluh*)
settle down **1** zasednout **to** k **2** uvelebit se **3** uklidnit se, začít vést spořádaný život **4** klesat pod hladinu **5** (*vzrušení*) uklidnit se, opadnout
settle up vyrovnat se **with** s, zaplatit komu
settlement [setlmənt] **1** sídlo, osada, kolonie **2** dohoda, smír, usmíření; vyrovnání **3** úhrada, zaplacení **4** připsaný majetek, dědictví, dar, věno
settler [setlə] osadník, usedlík; plantážník, farmář
setup [setap] **1** situace **2** aranžmá; organizace **3** (*hovor.*) bouda, past
seven [sevn] sedm
seventeen [sevn'ti:n] sedmnáct
seventeenth [sevn'ti:nθ] sedmnáctý
seventh [sevnθ] sedmý
seventieth [sevntiiθ] sedmdesátý
seventy [sevnti] sedmdesát
sever [sevə] **1** oddělit, odtrhnout od sebe **2** roztrhnout, přeříznout, přeseknout **3** prasknout, přetrhnout se **4** způsobit roztržku mezi
several [sevrəl] **1** několik, pár **2** jednotlivý, příslušný **3** rozdílný, různý
severe [si'viə] **1** přísný **2** tvrdý, těžký, obtížný **3** bolestný **4** vážný, upjatý **5** nepříznivý, drsný
sew* [səu] šít
sewage [sju:idž] (*kanalizační*) splašky
sewer [sju:ə] **1** stoka **2** (*stokový*) kanál
sewerage [sju:əridž] kanalizace
sewing machine ['səuiŋmə,ši:n] šicí stroj
sex [seks] **1** pohlaví **2** erotika **3** koitus; penis; vulva
sexton [sekstən] kostelník
sexual [sekšuəl] pohlavní, sexuální
shabby [šæbi] **1** utahaný, ošumělý, obnošený **2** nečestný, nepoctivý, špinavý **3** malý, mizerný, bídný
♦ ~ **excuse** chatrná výmluva; ~ **trick** lumpárna, šupárna
shackle [šækl] *n* okov, pouto
• *v* (s)poutat
shade [šeid] *n* **1** stín; chládek **2** odstín **3** stínidlo **4** slabý náznak, trocha, vous
• *v* **1** chránit před sluncem, zaclonit, zastínit **2** splývat do sebe
shadow [šædəu] *n* stín
• *v* **1** zastínit, chránit **2** zahalit stínem **3** přecházet **4** stopovat, sledovat (*těsně v patách*)
shady [šeidi] **1** stínící, stinný **2** nejistý, nespolehlivý **3** podezřelý, pochybný, všelijaký
shaft [ša:ft] **1** rukojeť, držadlo; topůrko, násada **2** žerď, tyč **3** paprsek; blesk **4** důlní jáma, šachta **5** hřídel; píst
shaggy [šægi] **1** chundelatý **2** hrubý
♦ ~ **dog story** *1.* rozvláčná, rádoby veselá historka *2.* dlouhá historka se surrealistickou pointou *3.* anekdota o mluvícím zvířeti
shake* [šeik] *v* **1** třást (se) **2** zviklat, otřást kým **3** zatřepat čím **4** posypat **5** otřást, vyvést z míry **6** *US* podat si ruce ♦ ~ **!** *US 1.* podejme / podejte si ruku! *2.* ruku na to!; ~ **hands with sb.** podat / stisknout ruku komu; ~ **one's head at / over** (za)vrtět

hlavou nad; ~ **a leg!** pohni kostrou!; ~ **on it!** plácněme si na to! ~ **in one' shoes** třást se strachy • *n* **1** otřes; třesení, chvění **2** (*mléčný*) koktejl **3** (*hovor.*) chvilka, okamžik ♦ **in two ~s of a lamb's tail** (*hovor.*) coby dup, než řekneš švec

shake down **1** (se)třást **2** ubytovat se (*provizorně*) **3** zapracovat se **4** snížit počet čeho **5** prohledat, prošacovat **6** obrat, oškubat (*podvodně*)

shake off setřást, zbavit se čeho

shake up **1** načechrat **2** protřepat **3** reorganizovat **4** vyburcovat **5** pocuchat nervy komu

shaky [šeiki] **1** třesoucí se, rozechvělý, třaslavý, roztřesený **2** kolísavý, problematický, labilní, nejistý

shall [šæl, šəl] **1** *pomocné sloveso tvořící budoucí čas pro 1. osobu* **2** *způsobové sloveso vyjadřující povinnost*

shallow [šæləu] *adj* **1** mělký **2** povrchní, plytký • *n též* **~s** *pl* mělčina

sham [šæm] *v* **(mm)** **1** předstírat to, přetvařovat se **2** simulovat, fingovat • *n* **1** podvod, klam; předstírání **2** padělek, falzifikát **3** napodobenina, náhražka **4** podvodník, simulant • *adj* **1** klamný, podvodný, předstíraný, fingovaný **2** lživý **3** falešný

shambles [šæmblz] **1** jatky **2** (*hovor.*) nepořádek, zmatek, binec

shame [šeim] *n* **1** stud **2** hanba, ostuda **3** (*hovor.*) smůla, škoda, patálie • *v* **1** zahanbit **2** zostudit, znectít

shameful [šeimful] **1** ostudný, hanebný **2** necudný, nestydatý

shameless [šeimlis] **1** nestoudný, nestydatý **2** troufalý, drzý

shampoo [šæm'pu:] *n* šampon • *v* **1** mýt hlavu **2** čistit šamponem (*koberec*)

shamrock [šæmrok] trojlístek, jetýlek

shape [šeip] *n* **1** tvar, forma; **2** podoba **3** forma, formička **4** tělo, figura **5** tělesná kondice, forma **6** přízrak, fantom ♦ **give ~ to sth.** realizovat co; **in ~** tvarem, podobou, vnějškem; **in good / bad ~** v dobrém / špatném stavu • *v* **1** tvarovat (se), formovat (se), utvářet, dát tvar čemu **2** (vy)modelovat **3** dávat / dostávat konečnou podobu

shape up **1** zpracovat **2** dostávat se do formy **3** polepšit se

shapeless [šeiplis] **1** beztvarý, beztvárný **2** bezúčelný

shapely [šeipli] **1** dobře utvářený, urostlý **2** souměrný, pravidelný

share [šeə] *n* **1** podíl (**in** na) **2** akcie • *v* **1** rozdělit si **2** podílet se na

shareholder ['šeə,həuldə] akcionář, podílník

shark [ša:k] **1** žralok **2** (*hovor.*) podvodník, dravec, vyžírka

sharp [ša:p] **1** ostrý, břitký **2** špičatý, pichlavý **3** pikantní, pálivý **4** bystrý, inteligentní **5** energický **6** (*hovor.*) nápadně elegantní **7** vychytralý, mazaný, rafinovaný

sharpen [ša:pn] **1** nabrousit, naostřit **2** zvýraznit

shatter [šætə] **1** roztříštit (se)

2 otřást, silně narušit
3 podlomit (*zdraví*)
shave [šeiv] *v* **1** holit (se) **2** sestříhat (*trávník*) **3** (o)hoblovat **4** zlehka se dotknout čeho • *n* oholení; **a close ~** únik o vlas
shaven [šeivn] oholený
shavings [šeiviŋz] hobliny, hoblovačky
shawl [šo:l] **1** velký šál **2** velký šátek, štóla
she [ši:] ona
sheaf [ši:f] **1** snop **2** svazek
shear* [šiə] stříhat
shears [šiəz] *pl* velké nůžky
sheath [ši:θ] **1** pochva **2** prezervativ
sheathe [ši:ð] zasunout do pochvy
shed[1]* [šed] **(dd)** **1** svlékat, shazovat (**leaves** listí, **one's clothes** šaty) **2** línat; trousit **3** prolévat, ronit (**tears** slzy)
shed[2] [šed] **1** kůlna **2** garáž, hangár, vozovna **3** chata, bouda
sheep [ši:p] *sg,pl* ovce
sheep-dog [ši:pdog] ovčácký pes
sheepish [ši:piš] **1** lekavý, bázlivý **2** rozpačitý, ostýchavý, stydlivý **3** trpný, bezmocný
sheer [šiə] **1** čirý; naprostý, učiněný **2** čistý **3** tenký, průsvitný
sheet [ši:t] **1** prostěradlo **2** rubáš **3** deska, plocha **4** tisk, noviny; plátek **5** fólie **6** plech (*na pečení*) ♦ **call ~** vývěska; **~ of glass** tabule skla; **~ of paper** arch papíru; **payroll ~** výplatní listina; **the rain is coming down in ~s** lije jako z konve; **~ of wood** dýha
sheet music ['ši:tˌmju:zik] noty, hudebniny
shelf [šelf] **1** police, regál **2** pevninský práh, šelf ♦ **on the ~** *1.* vyřazený, odložený, daný stranou *2.* (*dívka*) zbylá na ocet; (*žena*) už odepsaná
shell [šel] *n* **1** skořápka **2** lusk **3** ulita, mušle, lastura **4** nábojnice, patrona **5** granát, šrapnel • *v* **1** loupat, vyloupnout **2** sbírat mušle *atd.* **3** bombardovat, ostřelovat
shelter [šeltə] *n* **1** kryt, úkryt **2** přístřešek, stříška **3** útulek; útočiště **from** před; **take ~** ukrýt se • *v* **1** chránit, ochraňovat **from** před **2** schovat (se), ukrýt (se) **3** poskytnout kryt / útočiště *komu* / *čemu*
shepherd [šepəd] *n* **1** ovčák, pastýř **2** ovčácký pes • *v* **1** hnát ovce **2** pečlivě přivést, doprovodit **3** duchovně vést
shield [ši:ld] *n* **1** štít **2** stínítko, kryt **3** *US* štítek, policejní odznak • *v* chránit, krýt, stínit **from** před
shift [šift] *v* **1** přemístit, přesunout, změnit místo / směr **2** posunout (se), posunovat **3** odstranit **4** protloukat se životem ♦ **~ for oneself** *1.* ohánět se sám, být odkázán sám na sebe *2.* hledět jen sám na sebe, jít přes mrtvoly; **~ gears** *1.* přeřadit rychlost *2.* změnit tempo / taktiku • *n* **1** změna místa / směru, přesun **2** (*pracovní*) směna **3** praktická pomůcka **4** trik, lest, finta, machinace
shilling [šiliŋ] šilink
shimmer [šimə] *v* **1** blikat, mihotat se **2** lesknout se, třpytit se **3** (*světelný odraz*) chvět se, tetelit se • *n* **1** blikání, mihotavé světlo **2** matný lesk / třpyt / odraz

shin [šin] **1** holeň **2** hovězí kližka
shine* [šain] *v* **1** svítit, zářit **2** lesknout se **3** (*přen.*) vynikat, excelovat **4** (*přen.*) být jasně vidět, bít do očí **5** (po)svítit si čím **6** (*hovor.*) naleštit, nablýskat • *n* **1** jasné světlo, záře, svit **2** lesklý odraz, lesk **3** pěkné počasí, slunce **4** (vy)leštění bot
shingle[1] [šiŋgl] šindel ♦ **hang out one's ~** *US* otevřít si vlastní firmu
shingle[2] [šiŋgl] **1** oblázek **2** oblázkový břeh
shiny [šaini] **1** lesklý, jasný, svítivý **2** slunný, prosluněný **3** oblýskaný
ship [šip] *n* loď ♦ **when my ~ comes home / in** až jednou vyhraji milión • *v* **(pp) 1** nalodit (se) **2** dopravit lodí, poslat **3** dát / složit do lodě
shipment [šipmənt] **1** nalodění **2** lodní / letecká zásilka
shipwreck [šiprek] *n* **1** ztroskotání lodi **2** lodní vrak • *v* ztroskotat, (*též přen.*)
shipyard [šipja:d] loděnice
shirk [šə:k] vyhýbat se (*činnosti*), vyhnout se (*setkání*)
shirt [šə:t] košile
shirtfront [šə:tfrant] náprsenka
shirtsleeve [šə:tsli:v] bez saka, jen v košili
shit [šit] (*vulg.*) *v** **(tt)** srát • *n* hovno; **the ~ will hit the fan** bude velký průser • *interj* do prdele!
shiver[1] [šivə] *v* chvět se, třást se • *n* chvění; mrazení
shiver[2] [šivə] úlomek, střep
shivers [šivəz] *pl* **1** třesavka, zimnice **2** husí kůže, mráz po zádech
shoal [šəul] **1** mělčina **2** hejno ryb
shock [šok] *n* **1** rána **2** otřes, (*též přen.*) **3** duševní otřes, leknutí, šok **4** náraz **5** (*hovor.*) mrtvice, infarkt • *v* **1** otřást někým **2** pohoršit, šokovat
shock absorber ['šokəbˌso:bə] tlumič nárazů
shocking [šokiŋ] odporný, hrozný, pohoršující, pohoršlivý
shoddy [šodi] **1** podřadný, vulgární **2** odfláknutý **3** uválený, ošuntělý **4** laciný, sprostý
shoe [šu:] *n* **1** polobotka, střevíc **2** bota **3 ~s** *pl* obuv **4** podkova **5** (*přen.*) situace; místo, postavení, funkce • *v** **1** obout koho **2** okovat, podkovat (*koně*)
shoelace [šu:leis] šněrovadlo, tkanička
shoemaker [šu:meikə] obuvník, švec
shoetree [šu:tri:] napínák, kopyto
shoot* [šu:t] *v* **1** střílet **2** zastřelit **3** přivést k výbuchu, odpálit **4** dávat injekci, očkovat **5** rašit, vyhánět, vypučet **6** tryskat **from** z **7** filmovat, fotografovat; točit, natáčet (*film*); udělat záběr • *n* **1** střílení **2** výhonek
shooter [šu:tə] **1** pistolník; střelec **2** (*slang.*) bouchačka
shooting gallery ['šu:tiŋˌgæləri] střelnice
shop [šop] *n* **1** krám, obchod, prodejna **2** ateliér **3** dílna **4** obor; řemeslo **5** angažmá (*herce*) ♦ **talk ~** stále mluvit o svém oboru, bavit se úředně, řešit pracovní problémy (*mimo pracovní dobu*) • *v* **(pp) 1** nakupovat **2** udat **on** koho
shop assistant ['šopəˌsistənt] *GB* prodavač

shop floor [šop'flo:] dílny (*v továrně*)
shopkeeper [šopki:pə] *GB* obchodník, majitel obchodu
shoplifting [šopliftiŋ] krádeže v obchodech
shopper [šopə] kupující, zákazník
shop steward [šop'stjuəd] dílenský / závodní důvěrník
shop window [šop'windəu] výkladní skříň
shore [šo:] břeh, pobřeží
short [šo:t] *adj* **1** krátký **2** malý postavou **3** stručný, strohý **4** rychlý **5** vznětlivý, nervózní ♦ **be ~ of** *1.* mít nedostatek čeho *2.* být nedaleko čeho; **~ of expectations** neodpovídající očekávání; **in ~** zkrátka; **~ life** (*přen.*) *1.* malá trvanlivost *2.* krátké trvání; **the long and the ~ of it** zkrátka a dobře; **~ order** *US* objednávka minutky; **~ story** povídka, novela • *adv* **1** krátce, stručně **2** prudce, zkrátka; **~ of** až na, s výjimkou, kromě
shortage [šo:tidž] nedostatek **of sth.** čeho
short circuit [šo:t'sə:kit] zkrat
shortcoming ['šo:tˌkamiŋ] nedostatek, chyba
short cut [šo:t'kat] zkratka, nadcházka, nadjížďka
shorten [šo:tn] zkrátit (se)
shortening [šo:tniŋ] tuk (*do pečiva*)
shorthand [šo:thænd] těsnopis
shortly [šo:tli] **1** krátce, stručně, úsečně **2** zanedlouho, brzy
shorts [šo:ts] *pl* šortky; trenýrky, spodky
shortsighted [šo:t'saitid] krátkozraký
shot [šot] **1** rána, výstřel **2** střela, náboj, brok(y) **3** střelec **4** dávka; *US* injekce **5** *US* panák, frťan **6** záběr, šot (*hovor.*) **7** pokus **at** o ♦ **~ put** vrh koulí
shotgun [šotgan] *n* brokovnice • *adj* **1** z donucení **2** *US* smíchaný dohromady; povšechný
should [šud] **1** *pomocné sloveso k tvoření 1. os. podmiňovacího způsobu* **2** *způsobové sloveso vyjadřující mravní závaznost*
shoulder [šəuldə] *n* **1** rameno; **~ pad** vycpávka **2** hřbet, hřeben (*hory*) • *v* **1** vzít na sebe / na svá bedra **2** převzít **3** drát se, razit si (*cestu*)
shoulder blade [šəuldəbleid] lopatka (*kost*)
shout [šaut] *n* **1** výkřik, (po)křik, volání **2** *US* rituální tanec s pokřikem • *v* **1** volat, křičet **2** (*přen.*) být křiklavý
shove [šav] **1** strčit **2** šinout se **3** (*hovor.*) vypadnout, ztratit se
shovel [šavl] *n* lopata • *v* (**ll**) nabírat, házet (*lopatou*)
show* [šəu] *v* **1** ukázat, projevit **2** dovolit vidět, odhalovat **3** předvádět, dát najevo **4** hrát (se), promítat (se) **5** provádět, dělat průvodce komu **6** dostavit se, přijít • *n* **1** předvedení; ukázka **2** výstava, soutěž, přehlídka **3** představení, promítání **4** program; revue, show **5** (*dostihy*) třetí (a lepší) místo ♦ **~ of hands** hlasování zdvižením ruky; **~ trial** demonstrační proces
show down vyložit na stůl (*karty*)
show in uvést dovnitř
show off **1** zdůraznit, dát

vyniknout čemu 2 stavět na odiv, předvádět 3 vychloubat se, předvádět se

show round provádět (**the town** po městě)

show up 1 být vidět 2 odhalit, ukázat v pravém světle 3 zdůraznit kontrastem 4 působit dojmem 5 rýsovat se **against** proti

showcase [šəukeis] 1 vitrína 2 (*přen.*) ukázka nejlepšího

shower [šauə] *n* 1 sprška, přeháňka 2 (*přen.*) déšť; krupobití; záplava; bouře 3 sprcha, (o)sprchování • *v* 1 sprchnout, pršet, lít (se) 2 (*přen.*) zahrnovat, zasypávat **sb.** koho **with sth.** čím 3 (o)sprchovat

showpiece [šəupi:s] 1 exponát 2 (*nejlepší*) výstavní kus

showroom [šəurum] výstavní síň

showy [šəui] 1 velice efektní, okázalý, pompézní 2 lacině efektní, teatrální

shred [šred] *n* 1 cár 2 odstřižek; úlomek; proužek 3 (*přen.*) trocha, špetka • *v* **(dd)** 1 roztrhat, roztrhat na malé kousky 2 rozstrouhat, nastrouhat, nakrouhat

shrew [šru:] zlá / hubatá / svárlivá žena

shrewd [šru:d] 1 bystrý, obezřelý 2 prohnaný, mazaný 3 oprávněný

shriek [šri:k] *v* 1 (za)ječet, (za)vřeštět 2 pištět smíchy • *n* (*divoký*) výkřik, zaječení, zavřeštění

shrift [šrift]: **short ~** krátký proces (*přen.*)

shrill [šril] *adj* pronikavý, ječivý • *v* pronikavě ječet

shrimp [šrimp] 1 garnát, kreveta 2 skrček, prcek

shrine [šrain] 1 svatyně 2 hrobka světce 3 relikviář

shrink* [šriŋk] 1 srazit (se), scvrknout se 2 odtahovat se, uhýbat **from** před

shrivel [šrivl] **(ll)** 1 tvořit vrásky; sesychat se 2 vysušit; zničit, zkroutit (se) (*horkem*)

shroud [šraud] *n* 1 rubáš 2 ochrana, záštita • *v* (za)halit

Shrove Tuesday [šrəuv'tju:zdi] masopustní úterý

shrub [šrab] keř, křoví

shrug [šrag] *v* **(gg)** pokrčit (rameny) • *n* pokrčení ramen

shrug off odbýt pokrčením ramen

shudder [šadə] *n* zachvění, otřesení • *v* otřást se (*strachy / odporem / hrůzou / chladem*)

shuffle [šafl] 1 šoupat, šourat se, belhat se 2 odbýt, odfláknout 3 (za)míchat (**the cards** karty)

shun [šan] **(nn)** vyhýbat se **sth.** čemu, varovat se, stranit se **sth.** čeho

shunt [šant] *v* 1 odsunout stranou 2 odstavit (*vlak*), posunovat (*vagóny*) • *n* 1 posunování; výhybna 2 umělá cévka 3 *GB* (*slang.*) srážka vlaků

shush [šaš] *v* udělat 'pst' na • *interj* pst!

shut* [šat] **(tt)** 1 zavřít, zavírat (se) 2 vyloučit **from** z 3 přiskřípnout ♦ **~ one's ears** zacpat si uši; **~ sb.'s mouth** *1.* umlčet koho *2.* zavázat mlčením koho

shut down 1 úplně uzavřít 2 zavřít, ukončit činnost čeho 3 (*hovor.*) skoncovat s

shut off přerušit dodávku čeho; vypnout, uzavřít, zastavit
shut out **1** vyloučit **2** zavřít dveře před **3** (za)bránit čemu
shut up **1** zavřít celý / všechno, uzamknout **2** odříznout, obklíčit **3** (*hovor.*) zavřít / držet hubu
shutter [šatə] **1** okenice; roleta **2** příklop, uzávěr **3** (*fot.*) závěrka, clona
shuttle [šatl] *n* **1** člunek (*tkalcovského / šicího stroje*) **2** *US* kyvadlová doprava; kyvadlový vlak **3** raketoplán • *v* pohybovat se / jezdit sem tam, pendlovat (*hovor.*)
shuttlecock [šatlkok] **1** opeřený / badmintonový míček **2** (*přen.*) ožehavý / sporný předmět
shy [šai] *adj* plachý, nesmělý • *v* **1** plašit se **2** lekat se **at / from** čeho **3** uhnout, odbočit, vyhnout se **away / off sb. / sth.** komu / čemu
Siberia [sai'biəriə] Sibiř
Sicily [sisili] Sicílie
sick [sik] **1** nemocný **2** nezdravý, morbidní **3** (*hovor.*) otrávený **4** fádní, nanicovatý ♦ **be ~** *GB* zvracet; **be ~ and tired of sth.** mít už po krk čeho, mít plné zuby čeho; **I feel ~** je mi špatně od žaludku; **I am ~ of it** už toho mám dost
sicken [sikn] **1** způsobit zvedání žaludku **2** postonávat, churavět; mít náběh **for** na (*chorobu*) **3** hnusit se komu **4** cítit hnus **at** nad
sickening [sikniŋ] odporný
sickle [sikl] srp
sick leave [sikli:v] zdravotní dovolená; **be on ~** mít pracovní neschopnost
sickly [sikli] **1** stonavý, neduživý **2** chorobný, nezdravý **3** působící zvedání žaludku
sickness [siknis] **1** nemoc; **~ benefit** *GB* nemocenské **2** nevolnost od žaludku; zvracení
sick pay [sikpei] nemocenské
side [said] *n* **1** strana; **take ~s with** rozhodnout se pro (*jednu stranu*) **2** bok; **~ by ~** bok po boku • *v* stranit **with sb.** komu • *adj* ze strany
sideboard [saidbo:d] příborník, kredenc
sidecar [saidka:] přívěsný vozík
sidelight [saidlait] **1** boční světlo **2** poznámka na okraj **on** na
sideline [saidlain] vedlejší činnost / zaměstnání
side-splitting ['said,splitiŋ] k popukání
sidewalk [saidwo:k] *US* chodník
siding [saidiŋ] vedlejší kolej; tovární vlečka
siege [si:dž] obležení, obléhání
sieve [siv] **1** síto, řešeto **2** sítko, cedítko
sift [sift] prosít (*jemným sítkem*)
sigh [sai] *v* vzdychat • *n* vzdech
sight [sait] *n* **1** zrak; **know by ~** znát od vidění **2** pohled; **catch (a) ~ of** zahlédnout koho / co; **at first ~** na první pohled; **at (the) ~ of** při zahlédnutí koho **3** dohled; **(with)in ~** v dohledu; **out of ~** z dohledu **4** co stojí za vidění, podívaná; **see the ~s** prohlížet si pamětihodnosti **5** hledí (*na pušce*) ♦ **out of ~, out of mind** sejde z očí, sejde z mysli; **set one's ~s on** zaměřit se na; **~ unseen** bez možnosti si prohlédnout

• *v* **1** spatřit, uvidět; zahlédnout **2** zamířit, zacílit
sight-read* [saitri:d] hrát / zpívat z listu
sightseeing ['saitˌsi:iŋ] *n* prohlídka pamětihodností • *adj* **1** vyhlídkový (**coach** autokar) **2** okružní (**tour** jízda)
sign [sain] *n* **1** znak **2** známka, značka, znamení, nápis **3** vývěsní štít, firma **4** posunek, pokyn **5** heslo • *v* **1** podepsat **2** pokynout
sign away vzdát se podpisem čeho
sign in píchnout příchod
sign off 1 přestat vysílat, končit vysílání **2** odmlčet se **3** píchnout odchod
sign on 1 vstoupit do zaměstnání / armády **2** přihlásit se, zapsat se **3** uzavřít smlouvu
signal [signl] *n* **1** signál, znamení **2** návěstidlo • *v* **(ll)** signalizovat • *adj* **1** vynikající **2** návěstní, signální **3** rozlišovací (**markings** značky)
signature [signičə] **1** podpis; ~ **tune** znělka (*v rozhlase*) **2** (*hud.*) taktové označení; předznamenání
signboard [sainbo:d] vývěsní / firemní štít
significance [sig'nifikəns] význam
signify [signifai] (na)značit; znamenat
signet [signit] pečeť
signpost [sainpəust] ukazatel (*na rozcestí*), (*též přen.*)
silage [sailidž] siláž
silence [sailəns] *n* mlčení, ticho • *v* **1** umlčet **2** ztlumit • *interj* **S~ !** ticho, tiše, buďte zticha!
silent [sailənt] **1** mlčící, tichý **2** mlčenlivý, nemluvný **3** nevyslovený, němý (*přen.*)
Silesia [sai'li:ziə] Slezsko
Silesian [sai'li:zjən] slezský
silicon [silikən] křemík
silk [silk] hedvábí
silken [silkn] **1** hedvábný **2** jemný, něžný **3** konejšivý, uklidňující
silkworm [silkwə:m] housenka bource morušového
silly [sili] hloupý, pošetilý
silt [silt] nános, naplavenina
silver [silvə] *n* **1** stříbro **2** drobné • *adj* stříbrný
similar [similə] **1** podobný **to** komu / čemu **2** stejný
similarity [simi'læriti] **1** podobnost **to** s **2** podoba
simile [simili] přirovnání
simmer [simə] **1** bublat, udržovat (se) pod bodem varu **2** (po)vařit na mírném ohni **3** (*přen.*) (začít) doutnat, kypět **with** čím **4** (*přen.*) s námahou potlačovat **with** co
simmer down 1 vyvařit se na mírném ohni **to** na **2** (*přen.*) zjednodušit se, scvrknout se **to** na **3** (*přen.*) uklidnit se
simper [simpə] usmívat se (*samolibě / afektovaně*), culit se
simple [simpl] **1** prostý, jednoduchý **2** absolutní, čirý **3** primitivní
simple-minded [simpl'maindid] prostoduchý
simpleton [simpltən] naivka, prosťáček
simplicity [sim'plisiti] **1** prostota, jednoduchost **2** bezelstnost, dětinskost **3** naivnost **4** primitivnost

simplification [simplifi'keišn] zjednodušení; usnadnění
simplify [simplifai] zjednodušit; usnadnit
simulate [simjuleit] **1** předstírat, fingovat, simulovat **2** napodobit, imitovat
simultaneous [siml'teinjəs] probíhající současně, simultánní
sin [sin] *n* hřích; prohřešek • *v* **(nn)** (z)hřešit, prohřešit se
since [sins] *prep* od (*o čase*) • *conj* **1** od té doby, co **2** vzhledem k tomu, že; protože • *adv* **1** **(ever)** ~ od té doby **2** potom (*až dodnes*)
sincere [sin'siə] **1** upřímný **2** opravdový, skutečný
sincerely [sin'siəli] upřímně; **yours** ~ se srdečným pozdravem
sincerity [sin'seriti] upřímnost; opravdovost
sinew [sinju:] **1** šlacha **2** **~s** *pl* zdroje síly, hybná síla
sinewy [sinju:i] **1** šlachovitý **2** (*přen.*) pevný, houževnatý; silný
sinful [sinful] hříšný
sing* [siŋ] **1** zpívat **2** opěvovat
singe [sindž] ožehnout, sežehnout
singer [siŋə] zpěvák, pěvec
single [siŋgl] *adj* **1** jednotlivý; jednoduchý **2** jeden jediný **3** samostatný; jednolůžkový (**room** pokoj) **4** svobodný (*neženatý*) • *n* **1** dvouhra, singl **2** jízdenka pro jednu jízdu • *v* ~ **out** vybrat a určit pro co, vyčlenit
single-breasted [siŋgl'brestid] jednořadový
single-handed [siŋgl'hændid] bez pomoci, sám; sólový
singlet [siŋglit] *GB* nátělník, tričko
singsong [siŋsoŋ] **1** *GB* společenský zpěv **2** zpěvavá kadence (*řeči*) **3** monotónní přednes / říkanka
singular [siŋgjulə] *adj* **1** jednotlivý, individuální **2** výjimečný, mimořádný **3** nezvyklý, osobitý • *n* (*jaz.*) jednotné číslo
sinister [sinistə] zlověstný; neblahý, zhoubný
sink [siŋk] *n* výlevka; dřez • *v** **1** klesat **2** potopit (se) **3** svěsit (*hlavu*) **4** (za)bořit se; zabřednout **into** do (*negativního*) **5** vyhloubit, vytesat **6** slábnout, zanikat **7** investovat
sink back uvelebit se
sink in **1** vsát se **2** zapouštět **3** vrýt se do paměti
sinner [sinə] hříšník
sip [sip] *v* **(pp)** srkat, upíjet • *n* malý doušek, hlt
sir [sə:, sə] **1** pane **2** **S~** sir, pan, pán (*šlechtický titul*) ♦ **no,** ~ *též* ale vůbec ne, ani nápad
sirloin [sə:loin] svíčková, roštěnec
sister [sistə] sestra
sister-in-law [sistrinlo:] švagrová
sit* [sit] **(tt)** **1** sedět **2** zasedat **3** zastávat funkci **as** koho **4** být poslancem **for** za ♦ ~ **for an examination** podrobit se zkoušce; ~ **on the fence** (*hovor.*) být mezi, hrát to na obě strany (*ze strachu*); ~ **tight** *1.* sedět pevně *2.* držet se, trvat na svém *3.* sedět ani nedutat *4.* nic nedělat, čekat
sit back stáhnout se, složit ruce v klín, dát si pohov
sit down **1** posadit se **2** postavit se ostře **on** proti

sit in hlídat (*cizí*) dítě
sit out **1** vydržet až do konce čeho **2** vynechat; vyhnout se čemu
sit over poposednout si
sit up **1** narovnat záda (*při sezení*) **2** nejít spát, vysedávat do noci **3** (*přen.*) zpozornět
site [sait] **1** místo, poloha **2** stavební místo, parcela **3** naleziště **4** sídlo ♦ **burial ~** pohřebiště; **launching ~** odpalovací rampa, raketodrom
sitting [sitiŋ] **1** zasedání **2** sezení / stání modelem ♦ **at one ~** *1.* v jednom tahu, bez přerušení *2.* na posezení
sitting room [sitiŋru:m] *GB* obývací pokoj
situated [sičueitid] **1** položený, umístěný **2** v situaci
situation [siču'eišn] **1** stav, situace **2** poloha **3** místo, zaměstnání
six [siks] šest
sixpence [sikspəns] šest pencí; šestipence
sixteen [sik'sti:n] šestnáct
sixteenth [sik'sti:nθ] šestnáctý
sixth [siksθ] šestý
sixtieth [sikstiiθ] šedesátý
sixty [siksti] šedesát
sizable [saizəbl] pořádný, dost velký
size [saiz] *n* **1** velikost, rozměr **2** číslo (**of gloves** rukavic) **3** formát, (*též přen.*) • *v* **1** (roz)třídit podle velikosti **2** kontrolovat rozměr čeho
size up **1** odhadnout, ohodnotit, utvořit si názor na (**the situation** situaci) **2** vyrovnat se **to / with** čemu
sizzle [sizl] **1** syčet, prskat ((*jako*) *při smažení*) **2** (*přen.*) excelovat; letět nahoru, stoupat
skate [skeit] *n* brusle • *v* bruslit
skeleton [skelitn] **1** kostra **2** nepříjemné rodinné tajemství
skeleton key [skelitnki:] paklíč
sketch [skeč] *n* **1** náčrtek; skica **2** črta, studie **3** skeč • *v* **1** načrtnout, skicovat **2** udělat rychle / v náznaku
sketchy [skeči] **1** nahozený, v hrubých rysech, útržkovitý **2** spíše jen symbolický
ski [ski:] *n* lyže; **~ pants** šponovky • *v* lyžovat
skier [ski:ə] lyžař
skid [skid] *n* **1** skluz; skluznice **2** smyk **3** zarážka (*pod kola*) • *v* **(dd)** **1** smekat se, klouzat **2** dostat smyk
ski jump [ski:džamp] **1** skok na lyžích **2** lyžařský můstek
skilful [skilful] zručný, dovedný, obratný
skill [skil] zručnost, dovednost, obratnost
skilled [skild] kvalifikovaný, vyučený
skim [skim] **(mm)** **1** sbírat (*mléko*) **2** rychle prolistovat, zběžně prohlédnout
skimpy [skimpi] **1** skoupý **2** (*oděv*) krátký a těsný
skin [skin] *n* **1** kůže **2** kožešina, kožich **3** slupka **4** střívko ♦ **by the ~ of one's teeth** jen o vlas; **in one's ~** nahý • *v* **(nn)** **1** stáhnout z kůže (*zvíře*) **2** odřít si **3** oloupat
skinny [skini] **1** vyzáblý **2** přiléhavý
skip [skip] **(pp)** **1** poskakovat

2 přeskočit 3 vynechat, opominout
skipping rope ['skipiŋˌrəup] švihadlo
skirmish [skə:miš] 1 šarvátka 2 (*přen.*) ostrá výměna názorů, rozepře
skirt [skə:t] *n* 1 sukně 2 okraj; úpatí 3 (*slang.*) kočka, šťabajzna • *v* lemovat, vroubit, obklopovat
skull [skal] lebka; ~ **and cross-bones** lebka se zkříženými hnáty
skullcap [skalkæp] 1 solideo 2 jarmulka
sky [skai] obloha, nebe; ~ **is the limit** peníze nehrají žádnou roli
skylark [skaila:k] skřivan
skyline [skailain] silueta, kontura
skyscraper [skaiskreipə] mrakodrap
slab [slæb] 1 tabulka, kostka 2 plátek, řízek 3 deska; destička 4 (*hovor.*) stůl v márnici
slack [slæk] 1 chabý, mdlý 2 volný, nenapnutý 3 nepozorný, lajdácký 4 ochablý, mrtvý, váznoucí
slacken [slækn] 1 ochabnout, povolit, polevit 2 zpomalit, zvolnit
slacks [slæks] *pl US* pohodlné kalhoty
slag [slæg] struska; škvára
slalom [sla:ləm] slalom; **giant** ~ obří slalom
slam [slæm] **(mm)** 1 prásknout, bouchnout (**the door** dveřmi) 2 dupnout **on** na (**the brake** brzdu)
slander [sla:ndə] *n* 1 pomluva • *v* 1 pomlouvat 2 pomluvit, očernit
slanderous [sla:ndrəs] pomlouvačný, nactiutrhačný
slang [slæŋ] slang
slant [sla:nt] *v* 1 svažovat se, klonit se 2 být nakloněn / šikmo • *n* 1 šikmý směr 2 svah, spád 3 *US* sklon, tendence
slap [slæp] **(pp)** 1 plesknout (jako) dlaní 2 poplácat 3 plácat, pleskat
slash [slæš] *v* 1 pořezat, rozřezat 2 prostřihovat • *n* (*dlouhá*) sečná / řezná rána, seknutí, řez
slate [sleit] *n* břidlice • *v* 1 pokrýt břidlicí 2 (*hovor.*) roztrhat, rozcupovat, setřít (*ostře kritizovat*)
slaughter [slo:tə] *n* 1 porážka (*dobytka*) 2 masakr, krveprolití • *v* 1 porážet (*zvířata*) 2 povraždit, (z)masakrovat
slaughterhouse [slo:təhaus] jatky, (*též přen.*)
Slav [sla:v] *n* Slovan • *adj* slovanský
slave [sleiv] *n* otrok • *v* (z)otročit
slaver [sleivə] 1 otrokář 2 otrokářská loď
slavery [sleivəri] otroctví
Slavonic [slə'vonik] slovanský
sleazy [sli:zi] 1 ošuntělý, zanedbaný 2 špinavý, nekalý 3 vulgární, odporný
sled [sled], **sledge** [sledž] saně, sáňky
sleek [sli:k] 1 uhlazený, ulízaný 2 štíhlý, elegantní 3 úlisný
sleep* [sli:p] *v* 1 spát 2 (*přen.*) odpočívat 3 vyspat se **on / over** na, poradit se s polštářem o 4 (*noha / ruka*) zdřevěnět, být přesezený / přeleželý • *n* 1 spánek 2 zdřevěnění, ztrnulost
sleeper [sli:pə] 1 spáč 2 lůžkový vůz 3 pražec 4 *US* dupačky; spacáček
sleeping car [sli:piŋka:] lůžkový vůz

sleeping pill [sli:piŋpil] prášek pro spaní
sleeping policeman [sli:piŋpə'li:smən] retardér
sleepwalker ['sli:pˌwo:kə] náměsíčník
sleepy [sli:pi] **1** ospalý **2** moučný, moučnatý; hniličkovatý
sleet [sli:t] déšť se sněhem, mokrý sníh, plískanice
sleeve [sli:v] **1** rukáv **2** přebal (*na gramofonovou desku*)
slender [slendə] **1** štíhlý, útlý **2** (*přen.*) hubený, skrovný; křehounký
sleuth [slu:θ] *US* detektiv, vyšetřovatel, pátrač
slice [slais] *n* **1** tenký řez: plátek; krajíc, skýva (**of bread** chleba) **2** štěrbina, škvíra **3** (*přen.*) podíl **4** servírovací lopatka; nůž na ryby • *v* **1** *též* ~ **up** nakrájet, nařezat **2** (*přen.*) rozdělit; zredukovat
slice off odkrojit, odříznout
slick [slik] *adj* **1** hladký a lesklý **2** kluzký, mastný **3** elegantní; šikovný, mazaný, rafinovaný; hladký jako úhoř • *n* olejová / naftová skvrna (*na vodě*)
slide* [slaid] *v* **1** klouzat (se); vsunout, vysunout **2** (*přen.*) pouze letmo se dotknout **3** tajně vsunout, podstrčit **4** plazit se **5** klesat ♦ **let things** ~ (*hovor.*) házet věci za hlavu, o nic se nestarat, být netečný • *n* **1** klouznutí; klouzačka, skluzavka **2** sesuv, posun, lavina **3** diapozitiv
slide rule [slaidru:l] logaritmické pravítko
slight [slait] **1** drobný, subtilní; křehký **2** nepatrný, lehký, slabý **3** nezávažný, malicherný
slightly [slaitli] o něco, trochu, nepatrně
slim [slim] **(mm)** *adj* **1** štíhlý **2** tenký, hubený **3** chatrný (**excuse** výmluva) **4** mazaný, bezohledný • *v* zeštíhlet, zhubnout se ♦ **~ming diet** redukční dieta
slime [slaim] **1** (*řídké*) bahno, bláto **2** sliz, hlen
slimy [slaimi] **1** slizký, rosolovitý, mazlavý **2** úlisný, hnusný
sling [sliŋ] *n* **1** prak **2** oko, smyčka **3** řemínek, pásek **4** závěs, závěska • *v** **1** (*hovor.*) hodit **2** proklouznout **past** mimo / kolem ♦ ~ **a cat** (*vulg.*) blít; ~ **one's hook** *GB* (*slang.*) vypadnout, zmizet
slip [slip] *v* **(pp)** **1** sklouznout, ujet, sjet **2** uklouznout **3** uniknout; **it has ~ped (from) my mind / memory** vypadlo mi to z paměti **4** (*rychle*) zasunout, nasadit **5** přejít, přehlédnout **over** co **6** zmýlit se, udělat malou chybu; (*chyba*) vloudit se **into** do • *n* **1** uklouznutí **2** omyl, přehlédnutí; **a ~ of the tongue** přeřeknutí, brept **3** kombiné **4** povlak (*na polštář*) **5** proužek, kousek; **a ~ of paper** kousek papíru, lístek **6** kupón, paragon **7** vodítko, šňůra **8 ~s** *pl* (*pánské*) plavky; slipy
slipped disc [slipt'disk] výhřez meziobratlové ploténky
slipper [slipə] **1** pantofel, trepka **2** lehký (*dámský*) střevíc
slippery [slipəri] **1** kluzký, smekavý **2** nejistý, choulostivý **3** těžko uchopitelný / definovatelný; úhořovitý, úskočný
slipshod [slipšod] ledabylý

slip-up [slipap] drobný omyl, přehlédnutí
slit [slit] *n* řez, štěrbina, skulina • *v** **(tt)** **1** rozříznout **2** podříznout, vyříznout **3** roztrhnout se, rozpárat se
sliver [slivə] štěpina, úlomek
slobber [slobə] slintat (blahem)
sloe [sləu] trnka
slope [sləup] *n* svah, sklon; stráň • *v též* **~ down** svažovat se, naklánět (se)
slops [slops] *pl* **1** brynda, špína **2** voda z nádobí, pomyje **3** splašky
slot [slot] **1** štěrbina **2** otvor, zdířka
sloth [sləuθ] **1** lenost, netečnost **2** těžkopádnost, neohrabanost **3** lenochod
slouch [slauč] hrbit se; svěsit (*ramena*)
Slovak [sləuvæk] *n* **1** Slovák **2** slovenština • *adj* slovenský
Slovakia [slo'vækiə] Slovensko
slow [sləu] *adj* **1** pomalý; **the watch is ~** hodinky se zpožďují; **~ train** osobní vlak, lokálka **2** těžko chápavý, přihlouplý **3** fádní, nudný ♦ **be ~ in the uptake** mít dlouhé vedení; **~ movement** volná věta (*symfonie*) • *adv* pomalu, zvolna • *v* **~ down / up** zpomalit (se)
slug [slag] **1** slimák **2** *US* (*hovor.*) panák, frťan
sluggish [slagiš] loudavý, líný, zdlouhavý
sluice [slu:s] **1** propust, vrata zdymadla **2** (*přen.*) příval, záplava **3** (*hovor.*) propláchnutí, promáchání
slum [slam] **1** špinavá, přelidněná ulice / čtvrť; **~ clearance** asanace chudinských domů **2** **~s** *pl* špinavá chudinská čtvrť, slums
slumber [slambə] *v* dřímat • *n* dřímota
slump [slamp] *n* (*náhlý*) pokles cen; krize • *v* zhroutit se
slush [slaš] rozbředlý sníh, čvachtanice, břečka
sly [slai] prohnaný, lstivý, poťouchlý
smack [smæk] **1** mlasknout **2** plesknout **3** zavánět **of sth.** čím, být načichlý čím
small [smo:l] **1** malý **2** úzký, štíhlý **3** bezvýznamný, podřadný ♦ **~ change** drobné; **~ hours** první 3 / 4 hodiny po půlnoci; **~ intestine** tenké střevo; **look ~** vypadat schlíple; **~ talk** společenská konverzace; **the still, ~ voice** hlas svědomí
smallpox [smo:lpoks] neštovice
smarmy [sma:mi] *GB* (*hovor.*) úlisný, podlézavý
smart [sma:t] *adj* **1** přísný, citelný, ostrý **2** bystrý, inteligentní **3** mazaný, vychytralý **4** módní; luxusní **5** bolestivý • *v* pálit, působit palčivý pocit
smash [smæš] *v* **1** rozbít, rozdrtit, roztříštit (se) **2** prudce narazit **into** do **3** (*sport.*) smečovat • *n* **1** prudká rána, prudký úder **2** zhroucení, krach **3** srážka, bouračka, železniční katastrofa **4** smeč
smear [smiə] *v* **1** ušpinit, umazat **2** natřít, potřít **with** čím **3** pošpinit, zostudit • *n* **1** mastná šmouha / skvrna **2** (*med.*) výtěr **3** pomlouvání, osočení ♦ **~ sheet** *US* bulvární / revolverový plátek

smell [smel] *n* **1** čich **2** pach; vůně, aróma; **a sweet ~** vůně **3** zápach, smrad **4** nádech, příchuť (*negativního*)
• *v** **1** čichat, (u)cítit čichem **2** čenichat, větřit **3** vonět **4** páchnout, být cítit **of** čím
smelt [smelt] tavit
smile [smail] *n* úsměv • *v* usmívat se, dívat se s úsměvem **at** na
smith [smiθ] kovář
smithy [smiði] kovárna
smoke [sməuk] *n* **1** kouř, dým **2** (*přen.*) mlha, závoj ♦ **~ screen** kouřová clona, (*též přen.*)
• *v* **1** kouřit **2** udit
♦ **put that in your pipe and ~ it** zapiš si to za uši
smoker [sməukə] **1** kuřák **2** (*hovor.*) kuřácký vagón
smokestack [sməukstæk] **1** vysoký komín **2** lodní komín
smoky [sməuki] **1** kouřící, čoudící **2** zakouřený
smooth [smu:ð] *adj* **1** hladký **2** rovný, klidný **3** přívětivý, příjemný **4** falešný, pokrytecký, úlisný • *v* **1** vyhladit, vyrovnat **2** urovnat, srovnat
♦ **~ one's brow** zjasnit čelo
smother [smaðə] (za)dusit (se)
smoulder [sməuldə] doutnat
smudge [smadž] *n* šmouha, skvrna
• *v* **1** rozmazat se **2** zašpinit **3** (*přen.*) pomluvit
smuggle [smagl] pašovat
smuggler [smaglə] podloudník, pašerák
smut [smat] **1** saze **2** oplzlost, obscénnost
snack [snæk] rychlé občerstvení
snack bar [snækba:] automat, bufet
snag [snæg] háček, potíž, závada
snail [sneil] hlemýžď
snake [sneik] *n* had
• *v* vinout se, plazit se
snap [snæp] **(pp)** **1** chňapnout **at** po **2** prasknout, přetrhnout (se); zlomit (se) **3** cvaknout **4** (*fot.*) udělat momentku **5** utrhnout se, osopit se **at** na ♦ **~ one's fingers at** pohrdavě lusknout prsty nad, ofrňovat se nad
snappy [snæpi] **1** praskavý, praskající **2** prudký, rychlý; **make it (look) ~** (*GB, hovor.*) hodit sebou
snapshot [snæpšot] momentka
snare [sneə] *n* **1** oko, osidlo **2** léčka, past, nástraha
♦ **~ drum** malý bubínek
• *v* **1** chytnout (jako) do oka **2** nastražit past na
snarl [sna:l] *v* vrčet, cenit zuby
• *n* zavrčení
snatch [snæč] *v* popadnout, chňapnout • *n* útržek
sneak [sni:k] **1** plížit se **2** podlézat **to** komu **3** (*slang.*) štípnout, čajznout **4** (*hovor.*) donášet, žalovat
sneer [sniə] *n* úsměšek; výsměch; jízlivost, ironie • *v* ironicky / jízlivě se usmívat, dělat si úsměšky
sneeze [sni:z] *v* kýchnout, kýchat
• *n* kýchnutí, kýchání
snide [snaid] jedovatý, jízlivý
sniff [snif] **1** popotahovat nosem **2** vdechovat nosem **3** čichat, čenichat **4** ohrnovat nos **at** na
sniper [snaipə] ostřelovač
snivel [snivl] **(ll)** **1** (za)fňukat **2** popotahovat nosem, posmrkávat
snob [snob] snob
snobbery [snobəri] snobství, snobismus

snobbish [snobiš] snobský
snooty [snu:ti] nafoukaný, arogantní; snobský
snore [sno:] *v* chrápat • *n* chrápání
snort [sno:t] frkat
snout [snaut] rypák
snow [snəu] *n* sníh • *v* sněžit
snowball [snəubo:l] sněhová koule
snowdrift [snəudrift] sněhová závěj
snowflake [snəufleik] sněhová vločka
snowman [snəumæn] sněhulák
snub [snab] **(bb)** 1 okatě si nevšímat, ignorovat 2 usadit, odbýt 3 rázně zkritizovat, vyčinit komu
snuff[1] [snaf] *n* 1 šňupec, šňupeček 2 šňupavý tabák • *v* 1 šňupat 2 čichat, očichávat
snuff[2] [snaf] *n* 1 ohořelý knot 2 (*přen.*) ocintky, slivky • *v* 1 zhasit 2 *též* ~ **out** (*přen.*) zlikvidovat ♦ ~ **it** *GB* (*hovor.*) zaklepat bačkorama (*zemřít*)
snuffle [snafl] 1 popotahovat nosem, posmrkávat 2 huhňat 3 fňukat, kňourat
snug [snag] 1 pohodlný, útulný 2 jako doma, v teploučku
so [səu] *adv* 1 tak, a tak, takto 2 také, rovněž ♦ ~ **as to** aby; ~ **far** až dosud, zatím; **an hour or** ~ asi hodinu; **I think** ~ myslím, že ano; ~ **I heard** také jsem slyšel; ~ **am I** já také; ~ **long** (*hovor.*) na shledanou; ~ **long as** pokud; **and** ~ **on** a tak dále; ~ **sorry** promiňte; ~ **to speak** abych tak řekl; • *conj* 1 takže, tedy, proto 2 pokud jen, jen když • *interj* 1 to stačí 2 takhle zůstaň, nehýbej se 3 aha!
soak [səuk] 1 namáčet 2 máčet, dát bobtnat 3 promočit (se) 4 prosáknout, vsáknout se **into** do
soak up 1 vsávat, vysát 2 nasávat 3 vstřebávat
so-and-so [səuənsəu] 1 ten a ten 2 mizera, holomek
soap [səup] *n* 1 mýdlo 2 lichotky, lichocení • *v* 1 (na)mydlit (se) 2 (*hovor.*) lichotit ♦ ~ **opera** sentimentální rozhlasový / televizní seriál
soapbox [səupboks]: **on / off one's** ~ (*hovor.*) zastávající / nezastávající své hlásané názory
soapsuds [səupsadz] *pl* mydlinky
soar [so:] 1 vyletět do výše 2 vznášet se vysoko
sob [sob] *n* vzlyk, vzlyknutí • *v* **(bb)** vzlykat
sober [səubə] 1 střízlivý 2 suchý, holý (**fact** skutečnost)
so-called [səu'ko:ld] takzvaný
soccer [sokə] kopaná
sociable [səušəbl] 1 společenský, družný 2 sociální
social [səušl] 1 společenský 2 sociální
socialism [səušəlizm] socialismus
society [sə'saiəti] 1 společnost 2 společenství; družstvo 3 kolektiv
sociology [səusi'olədži] sociologie
sock [sok] ponožka; **pull up one's** ~**s** *GB* (*slang.*) plivnout si do dlaní
socket [sokit] 1 oční důlek, jamka 2 (*elektr.*) objímka, zásuvka
sod[1] [sod] drn
sod[2] [sod] (*vulg.*) 1 buzerant 2 blbec, vůl ♦ ~**'s law** zákon schválnosti
soda [səudə] soda; sodovka

sodden [sodn] promáčený
sofa [səufə] pohovka, divan
soft [soft] **1** měkký **2** jemný **3** tichý, tlumený
♦ ~ **drink** nealkoholický nápoj
soften [sofn] **1** změkčit **2** změknout **3** obměkčit, oblomit **4** ztlumit, ztišit
software [softweə] programové vybavení (*počítače*)
soil[1] [soil] **1** půda, prsť **2** zemina, zem; humus, ornice **3** (*rodná*) hrouda
soil[2] [soil] ušpinit (se), zamazat (se)
sojourn [sodžə:n] (*dočasný*) pobyt
solace [soləs] *n* útěcha
• *v* utěšit, potěšit
solar [səulə] sluneční, solární
solder [soldə] *n* pájka
• *v* spájet, sletovat
soldier [səuldžə] voják; vojín
sole[1] [səul] *n* **1** chodidlo **2** podrážka **3** mořský jazyk
• *v* podrazit obuv
sole[2] [səul] výhradní, jediný
solemn [soləm] **1** slavnostní **2** (*slavnostně*) vážný **3** závažný **4** velebný **5** chmurný, těžký
solicit [sə'lisit] **1** žádat, vyprošovat si **2** (*prostitutka*) obtěžovat, nabízet se
solicitor [sə'lisitə] *GB* právní poradce / zástupce, advokát
solicitous [sə'lisitəs] **1** starostlivý **2** pečující **about / for** o
solicitude [sə'lisitju:d] **1** starostlivost, starost **2** znepokojení, úzkost, strach **3** přílišná úzkostlivost / péče
solid [solid] *adj* **1** tuhý, ztuhlý; pevný **2** masívní; kompaktní **3** solidní **4** solventní; spolehlivý
• *n* **1** těleso **2** **~s** *pl* tuhá strava; sušina
solidarity [soli'dæriti] soudržnost, solidarita
solitary [solitəri] samotný, osamělý; samotářský
solitude [solitju:d] osamocenost, samota
solstice [solstis] slunovrat
soluble [soljubl] **1** rozpustný **2** rozřešitelný
solution [sə'lu:šn] **1** roztok **2** (roz)řešení
solve [solv] (roz)řešit
sombre [sombə] tmavý, temný, ponurý, chmurný; zasmušilý
some [sam, səm] *adj* nějaký, některý, určitý, jakýsi
• *adv* asi; několik; trochu
• *pron* **1** někdo, něco **2** někteří **3** trochu, kousíček
somebody [sambədi] někdo
somehow [samhau] nějak
someone [samwan] někdo
somersault [saməso:lt] přemet; kotoul, kotrmelec
something [samθiŋ] *pron* něco
• *adv* tak trochu, poněkud, jaksi; ~ **like** asi (jako)
sometime [samtaim] někdy, jednou
sometimes [samtaimz] někdy, občas
somewhat [samwot] trochu, poněkud
somewhere [samweə] někde, někam
son [san] syn
song [soŋ] **1** píseň; **buy for a ~** koupit za babku **2** ptačí zpěv
songbird [soŋbə:d] zpěvný pták
son-in-law [saninlo:] zeť
sonorous [sonərəs / sə'no:rəs] zvučný, rezonující; halasný

soon [su:n] **1** brzy, zanedlouho, hnedle **2** krátce, chvíli **after** po ♦ **as ~ as** jakmile, sotvaže; **as ~ ... as** raději, spíše než
sooner [su:nə] **1** dříve **2** raději, spíše
soot [sut] saze
soothe [su:ð] **1** uklidnit, ukonejšit **2** zmírnit (*bolest*)
sophisticated [sə'fistikeitid] **1** světa znalý, blazeovaný **2** vysoce kultivovaný **3** výlučný, pro úzký okruh **4** rafinovaný, velmi složitý **5** (*zbraň*) sofistikovaný
sorcerer [so:sərə] čarodějník, černokněžník
sordid [so:did] špinavý, (*též přen.*)
sore [so:] *adj* **1** bolavý, bolestivý, (*též přen.*) **2** podebraný; odřený; opruzený **3** *US* (*hovor.*) rozzlobený, naštvaný **at** na ♦ **have a ~ throat** mít bolení v krku; **a sight for ~ eyes** někdo příjemný / vítaný, něco příjemného / vítaného • *n* **1** rána, bolest **2** bolák **3** vřídek, nežit **4** bolavé místo
sorrow [sorəu] **1** zármutek, žal **2** utrpení, soužení **3** lítost
sorrowful [sorəuful] **1** žalostný, smutný **2** teskný, melancholický
sorry [sori] *adj* **1** cítící smutek / lítost / soucit / výčitky svědomí **2** žalostný, bídný ♦ **I am ~** *1.* promiňte, omlouvám se *2.* bohužel, lituji *3. vyjádření soustrasti:* **I am ~ for** *1.* lituji koho / čeho *2.* mrzí mě **to** že • *interj* **1** promiňte, pardon **2** bohužel, lituji
sort [so:t] *n* druh, jakost; **what ~ of ...?** jaký ...?; **a good ~** příjemný člověk; **of ~s** jakýs takýs; **~ of** jaksi; **be out of ~s** nebýt ve své kůži • *v* třídit
sort out **1** vybrat, vytřídit **2** uspořádat **3** vyřešit
soul [səul] **1** duše **2** duch
sound[1] [saund] *n* **1** zvuk **2** (*přen.*) tón • *v* **1** znít **2** rozezvučet
sound[2] [saund] **1** zdravý **2** morální **3** mající zdravé názory **4** řádný, solidní **5** dobrý, jak má být
sound[3] [saund] **1** změřit hloubku **2** sondovat
soundly [saundli] důkladně, řádně
soundproof [saundpru:f] zvukotěsný
sound wave [saundweiv] zvuková vlna
soup [su:p] polévka
sour [sauə] **1** kyselý; zkysaný; **turn ~** zkysnout **2** rozmrzelý, zahořklý
source [so:s] **1** pramen **2** zdroj
south [sauθ] *n* jih • *adj* jižní • *adv* na jih, jižně
southern [saðən] **1** jižní **2** *US* jižanský
sovereign [sovrin] *n* **1** panovník, monarcha, vladař **2** *stará zlatá mince v hodnotě £1* • *adj* **1** nejlepší, největší, nejhlavnější **2** účinný, spolehlivý
sow[1]* [səu] sít, rozsívat
sow[2] [sau] svině, prasnice
spa [spa:] lázně
space [speis] **1** prostor **2** mezera, vzdálenost **3** doba, údobí **4** kosmos, vesmír
spaceman [speismæn] astronaut, kosmonaut
spaceship [speisšip] kosmická loď
spacious [speišəs] **1** prostorný,

rozlehlý (*přen.*) **2** rozsáhlý, obšírný
spade [speid] rýč ♦ **call a ~ a ~** nazývat věci pravým jménem
spades [speidz] *pl* piky (*ve francouzských kartách*)
Spain [spein] Španělsko
span [spæn] *n* **1** rozpětí **2** pole, oblouk (*mostu*) • *v* **(nn) 1** měřit **2** překlenout, přemostit **3** mít rozsah; trvat
spangle [spæŋgl] **1** flitr **2** třpytivé tělísko **3** duběnka
Spaniard [spænjəd] Španěl
Spanish [spæniš] *adj* španělský • *n* španělština
spank [spæŋk] naplácat na zadek (**a child** dítěti)
spanner [spænə] **1** klíč (*na matice*) **2** píďalka (*housenka*)
spare [speə] *adj* **1** hubený **2** střídmý, skoupý **3** přebytečný, nadbytečný **4** záložní, rezervní ♦ **~ part** náhradní díl; **~ room** pokoj pro hosta • *n* **1** náhradní díl / součástka, rezerva **2** náhradník • *v* ušetřit, vyšetřit ♦ **can you ~ me a moment?** máte pro mne chviličku?; **have no time to ~** nemít času nazbyt; **~ no pains** nešetřit úsilím
sparing [speəriŋ] střídmý; **be ~ with / in / of** šetřit čím
spark [spa:k] *n* jiskra • *v* jiskřit
sparking plug ['spa:kiŋ,plag] *GB* (*motor.*) svíčka
sparkle [spa:kl] jiskřit, sršet
sparkplug [spa:kplag] *US* (*motor.*) svíčka
sparrow [spærəu] vrabec
spasm [spæzm] **1** křeč **2** záchvat **3** výbuch
spatter [spætə] postříkat
spatula [spætjulə] špachtle
spawn [spo:n] **1** jikry; potěr **2** podhoubí
speak* [spi:k] **1** mluvit, hovořit **for** za **2** mluvit spolu, rozmlouvat **3** vyjadřovat se **4** prozrazovat **5** svědčit **for** ve prospěch koho ♦ **~ing for myself** pokud jde o mne; **~ for yourself** mluv sám za sebe, to je pouze tvůj názor; **so to ~** *1.* aby se tak řeklo *2.* abych užil toho výrazu
speak up **1** (pro)mluvit důrazně / otevřeně **for** v zájmu čeho, angažovat se pro **2** (pro)mluvit nahlas / hlasitěji
speaker [spi:kə] **1** mluvčí **2** řečník **3 the S~** *GB* předseda Dolní sněmovny **4** reproduktor
spear [spiə] *n* **1** oštěp, kopí **2** výhonek • *v* nabodnout, probodnout (jako) oštěpem, harpunovat
special [spešl] **1** zvláštní **2** speciální
specialist [spešəlist] **1** odborník, specialista **2** odborný lékař
specialize [spešəlaiz] specializovat se **in** na
species [spi:ši:z] *sg,pl* (*přírodovědný*) druh
specific [spi'sifik] **1** zvláštní, specifický **2** typický, charakteristický
specify [spesifai] **1** upřesnit **2** přesně určit, vymezit, specifikovat **3** zmínit se, uvést
specimen [spesimin] **1** vzor, vzorek **2** ukázka, příklad **3** (*hovor.*) individuum ♦ **~ copy** recenzní výtisk
speck [spek] skvrnka, smítko
spectacle [spektəkl] (*efektní*) podívaná, atrakce

spectacles [spektəklz] *pl* brýle
spectacular [spek'tækjulə] *adj* 1 honosný, pompézní, okázalý 2 efektní, atraktivní • *n* výpravná televizní estráda
spectator [spek'teitə] divák
spectre [spektə] duch, přízrak, fantom, strašidlo
spectrum [spektrəm] spektrum
speculate [spekjuleit] 1 uvažovat, přemýšlet, hloubat 2 spekulovat
speculation [spekju'leišn] 1 přemýšlení, hloubání 2 spekulace
speech [spi:č] 1 jazyk, řeč, mluva 2 proslov, projev
speechless [spi:člis] 1 němý, neschopný slova 2 nemluvný 3 nevýslovný
speed [spi:d] *n* 1 rychlost 2 citlivost (*filmu*); světelnost (*objektivu*) ♦ **at full ~** plnou rychlostí; **~ limit** nejvyšší dovolená rychlost; **~ skating** rychlobruslení • *v** uhánět, pospíchat
speed up urychlit, zrychlit
speeding [spi:diŋ] překročení dovolené rychlosti, příliš rychlá jízda
speedometer [spi'domitə] 1 rychloměr, otáčkoměr 2 tachometr
speedy [spi:di] spěšný, rychlý
spell[1] [spel] 1 kouzlo 2 zaříkadlo
spell[2]* [spel] 1 psát (*pravopisně*) 2 hláskovat 3 znamenat, značit, mít za následek
spell out 1 přečíst / nadiktovat písmenko po písmenku 2 vysvětlit 3 pochopit
spell[3] [spel] 1 období, doba 2 chvilka, chvilička 3 směna
spellbound [spelbaund] očarovaný, okouzlený, fascinovaný
spelling [speliŋ] pravopis
spend* [spend] 1 vydat, utratit (**money** peníze) 2 utrácet, plýtvat penězi 3 spotřebovat 4 trávit, strávit, prožít (**one's leisure** svůj volný čas)
spendthrift ['spend,θrift] marnotratník, rozhaza
sphere [sfiə] 1 koule 2 oblast, obor působnosti, sféra
spherical [sferikl] kulatý, kulovitý; sférický
spice [spais] *n* koření • *v* kořenit
spick-and-span [spikən'spæn] jako z cukru / ze škatulky / ze žurnálu
spider [spaidə] pavouk
spike [spaik] *n* 1 špice, bodec 2 klas 3 *též* **~ heel** jehlový podpatek 4 **~s** *pl* tretry • *v* 1 (na)bodnout, (na)píchnout 2 říznout (alkoholem) (*nealkoholický nápoj*)
spill* [spil] *v* 1 rozlít (se) 2 rozsypat (se) 3 shodit (*jezdce*) 4 spadnout, sletět 5 vyklopit, vyžvanit ♦ **~ the beans** (*hovor.*) všechno prozradit; **~ blood** prolít krev; **~ a drop** ukápnout • *n* 1 vylité množství 2 pád, spadnutí
spin* [spin] *v* **(nn)** 1 příst 2 (roz)točit (se) (*rychle*), vířit, kroužit, rotovat • *n* 1 víření, kroužení, rotace 2 pirueta 3 krátká projížďka
spinach [spinidž] špenát
spinal [spainl] páteřní; **~ column** páteř; **~ cord** mícha
spindle [spindl] 1 vřeteno 2 osa, čep

spin-drier [spin'draiə] (*odstředivá*) ždímačka
spine [spain] **1** osten, trn, bodlina **2** páteř **3** hřbet
spinning wheel [spiniŋwi:l] kolovrátek, přeslice
spinster [spinstə] neprovdaná žena; stará panna
spiral [spaiərl] *n* spirála; šroubovice • *adj* spirálový; šroubovitý
spire [spaiə] (špičatá) věž
spirit [spirit] *n* **1** duch **2** **~s** *pl* nálada, rozpoložení **3** lihovina, alkohol **4** **~s** *pl* destilát; lihoviny ♦ **be in high // low / poor ~s** mít výbornou // bídnou náladu • *v* **1** *též* **~ up** nadchnout, dodat odvahy komu **2** *též* **~ away / off** tajně unést, odnést, odvézt
spirited [spiritid] **1** živý, bystrý, energický, temperamentní **2** ohnivý, vášnivý
spiritual [spiričuəl] *adj* duchovní; duševní • *n* spirituál
spit[1] [spit] **(tt)** **1** plivat **2** prskat
spit[2] [spit] rožeň, rošt; jehla; (*otáčecí*) gril
spite [spait] *v* zlobit, rozčilovat, dělat schválnosti komu • *n* **1** zášť, nevraživost **2** zlá vůle ♦ **in ~ of** navzdory, přesto; **in ~ of himself** ať chce nebo nechce, proti své vůli
spiteful [spaitful] záštiplný, nevraživý, škodolibý, záludný
spitting image [spitiŋ'imidž] věrná podoba
spiv [spiv] *GB* (*hovor.*) **1** flákač, pásek **2** čachrář, šmelinář
splash [splæš] *n* **1** šplouchání, šplouchnutí **2** skvrna **3** (*hovor.*) senzace, rozruch • *v* **1** stříkat, šplouchat (se), pocákat **2** (*hovor.*) uveřejnit v nápadné úpravě
splash down (*kosmická loď*) přistát do moře
spleen [spli:n] **1** (*med.*) slezina **2** deprese, melancholie, splín
splendid [splendid] **1** skvělý, nádherný **2** okázalý, přepychový
splendour [splendə] **1** lesk, záře, třpyt **2** nádhera, skvostnost
splice [splais] splétat konce (*lan*); slepovat konce (*filmu, magnetofonového pásku*)
splicer [splaisə] lepička
splint [splint] dlaha
splinter [splintə] střepina; tříska
split* [split] *v* **(tt)** **1** štípat (se) **2** rozštípnout; rozštěpit **3** puknout, prasknout **4** rozejít se **with** s ♦ **~ ring** kroužek na klíče; **~ second** zlomek vteřiny • *n* **1** štípání; rozštěpení **2** tříska, štěpina, úlomek **3** trhlina, škvíra, prasklina **4** rozkol, roztržka **5** půlený banán se zmrzlinou
spoil* [spoil] *v* **1** kazit, zkazit (se) **2** rozmazlovat • *n* **1** kořist **2** kazové zboží, zmetek
spoke [spəuk] paprsek (*kola*); drát (*kola bicyklu*); příčel (*žebříku*)
spokesman [spəuksmən] mluvčí
sponge [spandž] *n* **1** houba **2** piškot **3** vyžírka, parazit ♦ **throw in the ~** *1.* hodit ručník do ringu *2.* hodit flintu do žita • *v* **1** mýt houbou **2** žít jako příživník **on** na
sponge cake [spandžkeik] piškot, piškotový dort
spongy [spandži] **1** houbovitý, pórézní **2** mokrý
sponsor [sponsə] *n* sponzor • *v* sponzorovat

spontaneous [spon'teinjəs] 1 živelný, impulzívní, spontánní 2 samovolný, bezděčný
spool [spu:l] cívka
spoon [spu:n] lžíce
spoonful [spu:nful] lžíce **of sth.** čeho
sport [spo:t] *n* **1** sport, sportování **2** zábava, povyražení **3** dobrý kamarád, příjemný společník • *v* **1** bavit se, hrát si; skotačit, dovádět **2** sportovat **3** okázale nosit
sporting [spo:tiŋ] **1** sportovní **2** lovecký **3** slušný, čestný **4** hejskovský
sportsman [spo:tsmən] **1** sportovec **2** sportovní fanda **3** náruživý lovec / rybář **4** slušný člověk, chlap
spot [spot] *n* **1** tečka, puntík, bod **2** skvrna; kaňka **3** kaz **4** (*přesně určené*) místo **5** svízelná situace ♦ **~ on** přesně, správně, výborně; **on the ~** *1.* ihned *2.* na svém místě *3.* přesně *4.* v dilematu *5.* v úzkých *6.* čilý, energický; **tender ~** (*přen.*) citlivé / bolavé místo, Achillova pata • *v* **(tt)** **1** umazat (se) **2** pokaňkat, postříkat **3** spatřit, všimnout si čeho, zahlédnout • *adj* **1** okamžitý, promptní **2** pohotový **3** prováděný na místě **4** namátkový
spotless [spotlis] bez skvrn / poskvrny
spotlight [spotlait] *n* **1** bodový reflektor, sledovačka, štych (*slang.*) **2** (*přen.*) střed zájmu; zájem veřejnosti, popředí • *v* upoutat pozornost na
spotty [spoti] **1** tečkovaný, kropenatý **2** nepravidelný; nevyrovnaný **3** místně omezený
spout [spaut] *n* hubička (*konvice*) • *v* tryskat; chrlit
sprain [sprein] vyvrtnout si, podvrtnout si, udělat si výron
sprawl [spro:l] **1** natáhnout se, plácnout sebou s roztaženými údy **2** rozvalovat se **3** rozrůstat se (*nepravidelně*)
spray[1] [sprei] větvička, ratolest, haluz
spray[2] [sprei] *n* **1** postřik **2** rozprašovač, sprej • *v* **1** rozprašovat **2** postřikovat
spread* [spred] *v* **1** roztahovat; rozšiřovat **2** rozprostírat se **3** potírat, (na)mazat **4** rozestřít, prostřít **5** šířit (se) • *n* **1** rozšíření **2** rozpětí **3** pomazánka
spreadsheet [spredši:t] kalkulační tabulka
sprig [sprig] snítka, větvička
spring[1]* [spriŋ] *v* **1** pramenit; (vy)prýštit, tryskat **2** pocházet **3** skákat, skočit, vyskočit • *n* **1** skok **2** pramen **3** pružnost **4** pružina; péro; pérování
spring[2] [spriŋ] jaro
springboard [spriŋbo:d] **1** skokanské prkno **2** trampolína **3** (*přen.*) odraziště, nástupiště
spring mattress [spriŋ'mætris] pérová matrace
sprinkle [spriŋkl] *v* postříkat, pokropit; posypat • *n* spŕška, mrholení
sprite [sprait] šotek, skřítek
sprout [spraut] *v* pučet, vyrážet • *n* **1** výhonek **2** mladík, výrostek ♦ **Brussels ~s** *pl* růžičková kapusta
spruce [spru:s] smrk

spur [spə:] *n* ostruha; **on the ~ of the moment** bez dlouhého rozmýšlení • *v* **(rr) 1** dát ostruhy **2** pobízet, pohánět
spurious [spjuəriəs] falešný, padělaný, podvržený
spurt [spə:t] *n* **1** náhlé vzplanutí; rozmach **2** zrychlení, spurt • *v* **1** náhle vzplanout **2** zrychlit, spurtovat
sputter [spatə] prskat
spy [spai] *n* špeh, špión, vyzvědač • *v* **1** tajně pozorovat, sledovat, špehovat **2** provádět špionáž
spyglass [spaigla:s] (*skládací*) dalekohled
squabble [skwobl] malicherná hádka, hašteření
squadron [skwodrən] eskadra: lodní svaz, flotila; letka
squalid [skwolid] špinavý, zanedbaný
squalor [skwolə] špína, sešlost, zanedbanost
squander [skwondə] rozmařile utrácet; promrhat, promarnit
square [skweə] *n* **1** čtverec **2** (*čtvercové / obdélníkové*) náměstí **3** pole (*šachovnice*) **4** trojúhelník, příložník **5** druhá mocnina • *adj* **1** čtvercový, čtyřhranný; čtvereční **2** kolmý, v pravém úhlu, tvořící pravý úhel **3** zařezávající **with** s **4** poctivý, řádný; **a ~ meal** pořádné jídlo • *v* **1** (*mat.*) povýšit na druhou **2** zaplatit **for** co; srovnat (**accounts** účty)
square away uklidit, dát na místo
square up (*hovor.*) **1** vyrovnat účty **2** postavit se statečně **to** k, být ochoten se poprat s
square root [skweə'ru:t] druhá odmocnina
squash [skwoš] *v* rozmačkat • *n* **1** nával, tlačenice **2** nápoj z vymačkaného ovoce, citronáda, šťáva **3** (*sport*) squash
squat [skwot] **(tt) 1** sedět na bobku; sedět s nohama křížem **2** (*hovor.*) uvelebit se, dřepnout si **3** nastěhovat se bez právního titulu
squeak [skwi:k] **1** pískat **2** vrzat **3** (*slang.*) prásknout, udat, prozradit
squeal [skwi:l] **1** kvičet, ječet, vřeštět **2** (*slang.*) prásknout to, vypovídat
squeamish [skwi:miš] **1** choulostivý **2** netýkavý **3** prudérní
squeeze [skwi:z] *v* **1** zmáčknout, stisknout **2** sevřít **3** vymačkat **4** protáhnout se, protlačit se • *n* **1** stisknutí **2** tlačenice **3** otisk
squib [skwib] **1** čertík, prskavka, bouchací kulička **2** hanopis, pamflet, šleh
squint [skwint] *n* šilhavost, šilhání • *v* šilhat
squire [skwaiə] venkovský šlechtic, majorátní pán, velkostatkář
squirrel [skwirl] veverka
S.S. = steamship parník
St. 1 Saint [sənt] sv., svatý **2 Street** ul., ulice, tř., třída
stab [stæb] *v* **(bb)** (pro)bodnout • *n* bodnutí, bodná rána
stability [stə'biliti] **1** stálost, pevnost, stabilnost **2** rovnováha **3** vytrvalost
stable[1] [steibl] stálý, pevný, stabilní
stable[2] [steibl] stáj

stack [stæk] *n* **1** stoh, kupa **2** vysoký tovární komín • *v* **1** kupit, stohovat **2** naskládat na sebe
stadium [steidjəm] **1** stadión **2** stadium (*nemoci / hmyzu*)
staff [sta:f] **1** štáb; personál, osazenstvo; učitelský sbor **2** hůl, žerď **3** notová osnova
stag [stæg] jelen; ~ **party** „pánská jízda"
stage [steidž] *n* **1** jeviště; ~ **fright** tréma **2** stadium, období, etapa; **by ~s** po etapách • *v* **1** uspořádat **2** uvést na scénu, inscenovat
stagecoach [steidžkəuč] dostavník
stage manager ['steidž,mænidžə] **1** režisér **2** intendant **3** hlavní inspicient
stagger [stægə] **1** potácet se, vrávorat **2** ohromit, zdrtit, šokovat **3** (*časově*) rozdělit, uspořádat tak, aby se nekrylo / nebylo najednou (*např. dovolenou*)
stagnation [stæg'neišn] **1** váznutí, ustrnutí, stagnace **2** nehybnost (*vzduchu*)
stain [stein] *v* **1** znečistit, pošpinit, umazat **2** napustit barvou, namořit • *n* **1** skvrna **2** mořidlo
stained glass [steind'gla:s] barevné sklo
stainless [steinlis] **1** neposkvrněný, ryzí **2** nerezavějící
stair [steə] schod; **~s** *pl* schody
staircase [steəkeis] schodiště
stake [steik] *n* **1** kůl; kolík **2** hranice **3** sázka; **be at ~** být v sázce • *v* **1** *též* ~ **off / out** vykolíkovat **2** vsadit **on** na; dát v sázku, riskovat
stale [steil] starý, zvětralý, vydýchaný, vyčichlý, okoralý
stalemate [steilmeit] **1** pat (*v šachu*) **2** situace na mrtvém bodě, slepá ulička
stalk[1] [sto:k] **1** stvol, lodyha, stopka **2** nožka (*sklenky*)
stalk[2] [sto:k] **1** plížit se **2** vykračovat si **3** prohledávat, pročesávat
stall [sto:l] **1** stánek, krámek, kiosk **2** stání, box **3** (*div.*) křeslo
stallion [stæljən] hřebec
stamina [stæminə] výdrž, životní síla, vitalita
stammer [stæmə] zadrhávat v řeči, koktat
stamp [stæmp] *n* **1** dupnutí **2** razítko; raznice **3** poštovní známka **4** kolek **5** etiketa **6** trvalý / hluboký vliv • *v* **1** dupnout; zadupat **2** potlačit, likvidovat **3** razítkovat **4** (*přen.*) trvale označit, poznamenat **5** nalepit známku, ofrankovat
stamp out násilně potlačit
stand [stænd] *n* **1** stanoviště, pozice **2** stojan, stojánek **3** stánek **4** zastávka ♦ **bring to a ~** zastavit; **come to a ~** zastavit se; **make / take a ~** postavit se • *v** **1** stát **2** postavit (se) **3** ustálit se **4** vydržet, snést, strpět, vystát **5** zaplatit komu co **6** připustit, dát si líbit **7** dodržovat **by** co, podporovat koho **8** znamenat, značit **for** co **9** být zastáncem **for** čeho, stát pevně za **10** dovolit, nechat, strpět **for** co **11** záviset, záležet **on / upon** na ♦ ~ **at attention** stát v pozoru; ~ **easy** stát v pohovu; ~ **good** mít platnost, být v platnosti; ~ **to lose**

moci pouze prohrát, nemít naději na zisk / výhru; **it ~s to reason that** rozumí se, že; ~ **Sam** vytáhnout se, všechno platit; **as things ~ now** jak teď situace vypadá
stand aside ustoupit stranou
stand back ustoupit, ustupovat
stand by **1** být připraven, připravit se **2** zůstat nablízku, čekat **3** zůstat na příjmu, čekat **4** nečinně přihlížet
stand off **1** držet se stranou / zpátky **2** odtahovat se, distancovat se **3** zadržet **4** dočasně propustit **5** vyčnívat
stand out **1** distancovat se **2** být nápadný **3** rýsovat se **against** proti **4** vydržet **against** co **5** bojovat **for** za
stand up **1** vstát **2** stoupat vzhůru **3** nepřijít na schůzku s **4** veřejně podporovat **for** koho / co **5** obstát **6** vydržet, snést **to** co **7** čelit, vzdorovat **to** (*nebezpečí*)
standard [stændəd] *n* **1** korouhev, standarta **2** prezidentská vlajka **3** míra, měřítko; normál **4** stupeň, úroveň, standard • *adj* **1** standardní, normální **2** autoritativní, klasický **3** druhořadý, konzumní
stand-in [stændin] **1** kaskadér **2** zástupce, náhradník
standing [stændiŋ] *adj* **1** trvalý **2** stálý **3** obvyklý, osvědčený **4** ve stoje • *n* **1** trvání **2** postavení, pověst **3** místo, pozice
standpoint [stændpoint] hledisko, stanovisko
standstill ['stænd,stil] klid, zastavení ♦ **be at a ~** být v klidu / na mrtvém bodě; **come to a ~** zastavit se
staple [steipl] *n* **1** hlavní produkt **2** základní potravina • *adj* **1** hlavní, základní **2** obvyklý
stapler [steiplə] (*kancelářská*) sešívačka
star [sta:] *n* **1** hvězda; hvězdička **2** zlatý hřeb • *v* **(rr)** **1** posít (jako) hvězdami **2** označit hvězdičkou **3** hrát / uvádět v hlavní roli
starch [sta:č] *n* škrob • *v* škrobit
starchy [sta:či] **1** naškrobený **2** (*hovor.*) škrobený
stare [steə] *v* **1** upřeně / dlouho hledět, civět **2** vytřeštit oči, zírat • *n* **1** upřený / dlouhý pohled **2** vyvalené oči
stark [sta:k] **1** úplný, absolutní **2** holý, nehostinný **3** tvrdý, přísný
starling [sta:liŋ] špaček
starry [sta:ri] **1** hvězdnatý, hvězdný **2** třpytící se, zářící
start [sta:t] *v*. **1** trhnout sebou; náhle se probudit **2** vyplašit **3** začít, zahájit; spustit, odstartovat **4** načít **5** vydat se (*na cestu*) **6** přimět • *n* **1** trhnutí, škubnutí **2** začátek; start
start in to do sth. začít dělat co, pustit se do čeho
start out (*hovor.*) podniknout první kroky k, chystat se k
start up **1** začít, založit **2** náhle se objevit **3** nastartovat
startle [sta:tl] vyděsit, vyplašit
starvation [sta:'veišn] hladovění; smrt hlady; ~ **wages** hladové mzdy
starve [sta:v] **1** hladovět, umírat hlady **2** mučit hlady, vyhladovět koho
state [steit] *n* **1** stav; **in a bad ~ of repair** ve špatném stavu **2** stát • *v* **1** (*rozhodně*) tvrdit **2** určit,

stanovit **3** udat, oznámit, prohlásit **4** konstatovat
statecraft [steitkra:ft] státnické umění
stately [steitli] majestátní, impozantní
statement [steitmənt] **1** prohlášení, oznámení **2** tvrzení, údaj **3** výpověď **4** specifikace, seznam; ~ **of account** výpis z účtu
statesman [steitsmən] státník
statesmanship [steitsmənšip] státnické vlastnosti / schopnosti
static [stætik] statický
statics [stætiks] *pl* praskání, atmosférické poruchy
station [steišn] *n* **1** stanice **2** nádraží **3** služební pobyt, stáž **4** služebna **5** středisko, základna **6** vojenská posádka **7** stanoviště • *v* **1** ubytovat **2** přidělit koho kam **3** poslat posádkou
stationary [steišnəri] **1** nehybný **2** pevný, stálý **3** stojící, stojatý **4** stacionární
stationer [steišnə] papírník
stationery [steišnəri] **1** papírnické zboží, kancelářské potřeby **2** dopisní papír / papíry
station master [steišnma:stə] přednosta / náčelník stanice
station wagon [steišnwægən] kombi, stejšn; dodávka
statistical [stə'tistikl] statistický
statistics [stə'tistiks] **1** *sg* statistika *(věda)* **2** *pl* statistické údaje
statue [stætju:] socha
stature [stæčə] *(tělesná)* výška, vzrůst, postava
status [steitəs] **1** postavení; životní úroveň **2** uznání, prestiž **3** role, funkce
statute [stætju:t] **1** zákon, ustanovení; směrnice; pokyn **2** ~**s** *pl* stanovy, statut
staunch [sto:nč] **1** věrný, spolehlivý, neochvějný **2** zásadní, horlivý, zapřisáhlý
stave off [steiv'of] odvrátit, zmařit
stay [stei] *v* **1** zůstat **2** zdržovat se, bydlet (**at / in a hotel** v hotelu, **with sb.** u koho) **3** udržet se, vydržet **4** podpírat, vyztužovat **5** posilovat, být útěchou **6** odsunout, odložit; zastavit, zarazit ♦ ~ **put** *1.* zůstat na místě a ani se nehnout *2.* zůstat trčet • *n* **1** pobyt **2** opora, podpěra
stead [sted]: **stand sb. in good ~** dobře posloužit komu
steadfast [stedfa:st] **1** upřený, utkvělý **2** nezlomný, vytrvalý **3** stálý, pevný, neochvějný **4** věrný **to sth.** čemu
steady [stedi] *adj* **1** pevný, nehybný **2** stálý, neustálý **3** rovnoměrný **4** vyrovnaný, solidní • *interj* **1** pozor, opatrně **2** jen klid • *v* ustálit (se), upevnit (se), uklidnit (se), stabilizovat se
steak [steik] **1** plátek, řízek *(zvl. hovězího)* **2** *(rybí)* filé **3** sekaný řízek
steal* [sti:l] **1** ukrást **2** krást se, plížit se ♦ ~ **a march on sb.** vypálit komu rybník; ~ **sb.'s thunder** ukrást nápad / plán komu, chlubit se cizím peřím
stealthily [stelθili] pokradmu
steam [sti:m] *n* **1** pára **2** opar, páry, mlha • *v* **1** vařit v páře, dusit **2** vypouštět páru, kouřit **3** jet plnou parou
steamboat [sti:mbəut] *(říční)* parník

steam engine [sti:mendžin] parní stroj
steamer [sti:mə] parník, paroloď
steam iron [sti:maiən] napařovací žehlička
steamroller [sti:mrəulə] parní válec
steamship [sti:mšip] parník (*zvl. zaoceánský*)
steel [sti:l] *n* **1** ocel **2** ocílka **3** čepel • *adj* ocelový • *v* **1** zocelit **2** zatvrdit, obrnit **against** proti
steep [sti:p] **1** příkrý, strmý **2** (*hovor.*) nehorázný, neuvěřitelný
steeple [sti:pl] **1** špičatá věž **2** věžička, špička na věži
steer [stiə] řídit, kormidlovat
steering wheel [stiəriŋwi:l] **1** volant **2** kormidelní kolo
steersman [stiəzmən] kormidelník
stellar [stelə] hvězdný
stem[1] [stem] kmen; lodyha, stonek, stvol
stem[2] [stem] **(mm)** zarazit, zastavit
stench [stenč] puch
stencil [stensl] **1** (*malířská*) šablona **2** rozmnožovací blána
stenographer [stə'nogrəfə] stenograf
step [step] *n* **1** krok **2** schod **3** stupeň **4** krok, opatření **5** (*pracovní*) operace • *v* **(pp)** **1** udělat krok, kráčet **2** šlápnout
step aside **1** ustoupit stranou **2** odbočit od tématu
step down **1** podat demisi **2** jít na odpočinek **3** snížit, zredukovat
step in **1** vstoupit **2** zaskočit na návštěvu **3** zakročit, zasáhnout
step up **1** stupňovat, zvýšit **2** udělat pokrok, zlepšit se
stepbrother [stepbraðə] nevlastní bratr
stepfather [stepfa:ðə] nevlastní otec, otčím
stepladder [steplædə] schůdky, dvojitý žebřík, štafle
stepmother [stepmaðə] nevlastní matka, macecha
sterile [sterail] **1** neplodný, sterilní **2** neúrodný
sterilization [sterilai'zeišn] sterilizace
sterling [stə:liŋ] ryzí, pravý, poctivý; absolutní, vynikající
stern[1] [stə:n] přísný, tvrdý, tuhý, striktní
stern[2] [stə:n] záď (*lodě*)
stew [stju:] *v* dusit (**meat** maso); **~ed fruit** kompot • *n* **1** dušené maso **2** (*přen.*) salát, mišmaš, guláš
steward [stjuəd] **1** stevard **2** správce **3** ředitel (*jezdeckého klubu*)
stewardess [stjuədis] **1** stevardka **2** letuška
stick[1] [stik] **1** klacek **2** kůl, tyčka **3** hůl **4** špejle, tyčinka, dřívko **5** násada **6** lízátko **7** (*hovor.*) kus ♦ ~ **figure** (*symbolická*) kresba lidské postavy (*z čárek, kroužků apod.*)
stick[2]* [stik] **1** (pro)píchnout **2** strčit **3** přilepit, nalepit **4** vězet, lpět, držet se **5** (*hovor.*) snést **6** trčet, dřepět **at** u **7** zastavit se **at** před **8** zůstat věrný **by** komu **9** přetáhnout **over** přes **10** houževnatě se držet **to** čeho, být věrný čemu **11** držet krok **to / with** s, stačit komu
stick around (*hovor.*) zůstat blízko, nechodit daleko

stick out **1** natáhnout, napřáhnout **2** vyčnívat **3** (*přen.*) být nápadně vidět **4** vystrčit **5** nedat se, nepovolit, vydržet
stick together držet při sobě
stick up **1** postavit **2** být vidět, vyčuhovat **3** zastat se **for sb.** koho, postavit se za **4** přepadnout (*s namířenou zbraní*)
sticking plaster [stikiŋpla:stə] náplast
sticky [stiki] lepkavý ♦ **come to a ~ end** (*hovor.*) velice špatně dopadnout; **~ tape** *1.* lepicí páska; izolepa *2.* leukoplast
stiff [stif] *adj* **1** tuhý, neohebný; tvrdý **2** zdřevěnělý **3** upjatý, odměřený, škrobený ♦ **keep a ~ upper lip** nedat na sobě nic znát **4** značný, vysoký, silný • *adv* (*hovor.*) hrozně • *n* (*slang.*) mrtvola
stiffen [stifn] **1** ztuhnout, strnout **2** vyztužit, naškrobit **3** posílit, vzpružit
stifle [staifl] **1** dusit (se), zadusit (se) **2** přemáhat, potlačit
stile [stail] **1** schůdky (*přes plot / ohradu*) **2** turniket
stiletto [sti'letəu] dýka; **~ heel** jehlový podpatek
still[1] [stil] *adj* **1** nehybný **2** tichý, tlumený **3** klidný • *v* **1** uklidnit, utišit **2** ukojit, uspokojit
still[2] [stil] *adv* **1** stále ještě, dosud, pořád **2** ještě (**better** lepší) • *conj* přesto, nicméně
still life [stil'laif] zátiší
stilted [stiltid] **1** nabubřelý, pompézní **2** afektovaný
stilts [stilts] *pl* chůdy
stimulant [stimjulənt] povzbuzující prostředek
stimulate [stimjuleit] podráždit; podnítit, povzbudit
sting [stiŋ] *n* **1** žihadlo **2** bodnutí **3** prudká / palčivá bolest **4** osten, hryzání • *v** **1** píchnout, dát žihadlo **2** žahat, pálit **3** uštknout **4** působit palčivou bolest komu
stingy [stindži] **1** lakomý **2** malý, mizerný
stink* [stiŋk] *v* **1** páchnout, smrdět **2** (*přen.*) být odporný, budit hnus **3** (*přen.*) stát za starou bačkoru • *n* zápach, puch
stint [stint] *v* **1** omezovat, skrblit **2** přidělit úkol • *n* **1** úkol, penzum **2** turnus; směna
stipulate [stipjuleit] **1** vymínit si **2** (*smluvně*) ujednat
stir [stə:] *v* **(rr)** **1** hýbat (se), pohnout (se) **2** (za)míchat **3** rozrušit, pobouřit **4** vzbuzovat, vzrušit • *n* **1** (*malý*) pohyb **2** rozruch ♦ **give a ~** zamíchat; **make a great ~** vzbudit všeobecný rozruch
stirrup [stirəp] třmen
stitch [stič] *n* **1** steh **2** očko (*při pletení*) **3** píchnutí, bodavá bolest • *v* (se)stehovat; (se)šít
stock [stok] *n* **1** sklad; zásoba **2** (*vozový*) park **3** (**live**)~ živý inventář **4** masový vývar **5** pařez, špalek **6** akciový kapitál, cenné papíry, akcie **7** rod, původ; kmen, rasa, plemeno ♦ **be in / out of ~** být / nebýt na skladě; **lay in ~** nakupovat, dělat zásobu čeho; **~ of plays** repertoár; **take ~ of** dělat inventuru čeho • *v* **1** zásobit (se) **with** čím **2** skladovat, mít na skladě • *adj* **1** na skladě, skladovaný

2 obvyklý, běžný, normální
3 tuctový, konvenční, banální
stockbroker [stokbrəukə] burzovní makléř
stock exchange ['stokiks,čeindž] burza cenných papírů
stocking [stokiŋ] punčocha
stocktaking [stokteikiŋ] *GB* inventura
stodgy [stodži] **1** hutný, těžko stravitelný **2** těžkopádný, nudný **3** tlustý a nemotorný
stoker [stəukə] topič
stolid [stolid] tupý, nechápavý; flegmatický, apatický
stomach [stamək] *n* **1** žaludek **2** břicho, pupek **3** chuť k jídlu • *v* strávit, (*též přen.*)
stone [stəun] *n* **1** kámen **2** pecka • *adj* kamenný • *v* **1** házet (jako) kamením po **2** vypeckovat **3** přivést do bezvědomí, zfetovat
stony [stəuni] **1** kamenný, kamenitý **2** tvrdý jako kámen
stoodge [stu:dž] hloupý partner (*v komickém výstupu*), nahrávač vtipů
stool [stu:l] **1** stolička, sedátko **2** stolice
stoop [stu:p] *v* **1** sehnout se, ohnout se **2** mít ohnutá / kulatá záda **3** klesnout, snížit se **to** k **4** zneužívat • *n* **1** ohnutí **2** ohnutá / kulatá záda
stop [stop] *v* **(pp) 1** zastavit (se) **2** končit, přestat **3** skoncovat **sth.** s, zarazit co **4** zdržovat se, zůstat, zůstávat **5** zadržet **6** zacpat, ucpat; (za)plombovat (**a tooth** zub) ♦ **~ one's ears** *1.* zacpat si uši *2.* (*přen.*) nechtít slyšet **to** co, být hluchý k; **~ a wound** zastavit krvácení z rány • *n* **1** zastavení **2** zastávka, stanice; mezipřistání ♦ **full ~** *1.* tečka *2.* náhlé / prudké zastavení
stopgap [stopgæp] **1** zátka **2** improvizovaná náhrada
stoppage [stopidž] **1** zastavení **2** zastávka, pobyt **3** ucpání **4** stávka
stopper [stopə] zátka
stop watch [stopwoč] stopky
storage [sto:ridž] **1** skladování, uskladnění **2** sklad, skladiště
store [sto:] *n* **1** zásoba **2** sklad, skladiště **3** obchodní dům **4** *US* obchod, prodejna ♦ **in ~** na skladě; **what lies in ~ for us** co nás čeká; **set great ~ by** klást velký důraz na, potrpět si na • *v* **1** *též* **~ up** dělat si zásobu čeho, hromadit, shromažďovat **2** zásobit **3** uskladnit
storehouse [sto:haus] skladiště
storekeeper [sto:ki:pə] skladník
storey [sto:ri] podlaží, etáž
stork [sto:k] čáp
storm [sto:m] *n* **1** bouře **2** příval, záplava **3** zteč, úder, útok, nápor • *v* **1** bouřit, burácet, zuřit **2 (in)** vřítit se; **(out)** vyřítit se (ven, z) (*rozzuřeně*) **3** vzít útokem
stormy [sto:mi] **1** bouřlivý **2** věštící bouři
story [sto:ri] **1** historie **2** příběh, historka, vypravování **3 (short-)**~ povídka; román **4** námět, literární předloha **5** co se povídá, pověst, šeptanda **6** *US* patro, poschodí
storyteller [sto:ritelə] vypravěč
stout [staut] *adj* **1** zavalitý, korpulentní **2** statný, robustní **3** pevný, jistý, spolehlivý **4** solidní, po-

řádný **5** neohrožený, nebojácný
• *n* těžké černé pivo, silný porter
stove [stəuv] kamna
stow [stəu] **1** uskladnit, uložit
2 naložit (*vůz, loď*)
stow away **1** schovat se (*jako černý pasažér*) **2** (*přen.*) sníst
stowaway [stəuəwei] černý pasažér
straddle [strædl] rozkročit se; stát rozkročmo
straight [streit] *adj* **1** rovný, přímý **2** upřímný, otevřený **3** poctivý **4** uklizený **5** čistý, nezředěný **6** obyčejný, bez problémů
• *adv* **1** rovnou, přímo **2** rovně **3** čestně **4** hned, okamžitě
♦ **~ away / off** ihned, bez váhání / rozmyšlení
straighten [streitn] narovnat (se)
straightforward [streit'fo:wəd] **1** přímočarý, upřímný, poctivý **2** jasný, zřejmý
strain [strein] *v* **1** napnout, napínat **2** přetěžovat; poškodit přepínáním **3** namáhat (se) **4** couvat **at** před **5** násilně vykládat, překroutit, zkomolit **6** procedit, přecedit, scedit
• *n* **1** námaha, napětí, vypětí **2** deformace **3** plemeno, rasa
strained [streind] **1** namáhavý **2** nucený, násilný **3** nervózní, podrážděný **4** téměř nepřátelský, napjatý
strainer [streinə] cedítko, cedníček
strait [streit] **1** průliv, úžina **2** **~s** *pl* obtížná situace, tíseň
straitjacket ['streit,džækit] svěrací kazajka
strand [strænd] pramen (*vlasů, lana*)
stranded [strændid]: **be ~** *1.* najet na mělčinu, ztroskotat *2.* zůstat v bezvýchodné situaci / na holičkách, ocitnout se bez pomoci
strange [streindž] **1** cizí, neznámý **2** zvláštní, divný, nezvyklý **3** chladný, rezervovaný
♦ **be ~** nevyznat se; **be ~ to sth.** neznat co, nebýt zvyklý na, nevyznat se v, nerozumět čemu; **~ to say** kupodivu
stranger [streindžə] **1** cizinec **2** cizí / neznámý člověk; **he is a ~ to this place** je tu cizí
strangle [stræŋgl] **1** (u)škrtit, (za)rdousit **2** (u)dusit se **3** tlumit, potlačovat
strap [stræp] *n* řemen
• *v* **(pp)** upevnit řemenem
straphanger [stræphæŋə] **1** *GB* (*hovor.*) stojící cestující **2** pravidelný cestující
strategic [strə'ti:džik] strategický
stratosphere [strætəsfiə] stratosféra
stratum [streitəm / stra:təm] vrstva
straw [stro:] *n* **1** sláma; **the last ~** poslední kapka, vrchol **2** slámka, brčko **3** tyčinka • *adj* slaměný
strawberry [stro:bri] jahoda
stray [strei] *v* **1** zatoulat se, zaběhnout se **2** bloudit, těkat **3** odchýlit se **from / off** od
• *n* zbloudilé dobytče, zatoulané zvíře • *adj* **1** zatoulaný, zbloudilý; **a ~ customer** ojedinělý zákazník **2** toulavý
streak [stri:k] pruh, proužek
streaky [stri:ki] **1** pruhovaný **2** (*maso*) prorostlý **3** (*vlasy*) melírovaný
stream [stri:m] *n* **1** proud **2** potok, říčka, řeka, tok **3** (*školní*) stupeň; studijní směr / větev
• *v* **1** proudit **2** plynout, téci

3 řinout se, stékat 4 přetékat **with** čím 5 vlát
streamer [stri:mə] 1 praporec 2 stuha, fábor 3 (*papírová*) serpentina
streamlined [stri:mlaind] 1 aerodynamický 2 zaoblený 3 elegantní 4 úsporný 5 praktický
street [stri:t] ulice; třída ♦ **be down / up one's ~** ovládat, umět, vyznat se v tom
streetcar [stri:tka:] *US* tramvaj
strength [streŋθ] síla; **on the ~ of sth.** na základě čeho
strengthen [streŋθn] 1 posílit 2 zesílit 3 utužit
strenuous [strenjuəs] 1 usilovný, namáhavý, vyčerpávající 2 snaživý, pracovitý, přičinlivý
stress [stres] *n* 1 tlak 2 napětí, namáhání, stres 3 důraz; přízvuk, akcent • *v* 1 zdůraznit 2 akcentovat, dát přízvuk na 3 namáhat
stretch [streč] *v* 1 natáhnout 2 roztáhnout (se); protáhnout (se) 3 být pružný 4 táhnout se, rozkládat se ♦ **~ one's eyes** vyvalovat oči; **~ the truth** přehánět, zkreslovat • *n* 1 roztažení, natažení 2 prodloužení 3 (*nepřerušená*) plocha; doba, úsek 4 (cílová) rovinka
stretcher [strečə] nosítka
strew* [stru:] 1 poházet, posypat 2 pokrývat 3 (*přen.*) prošpikovat
stricken [strikn] postižený, zničený (*přen.*)
strict [strikt] 1 přesně vymezený, přesný 2 přísný 3 rigorózní
stride* [straid] *v* vykračovat si • *n* dlouhý krok; **take sth. in one's ~** lehce absolvovat co, nijak se nezdržovat s
strident [straidnt] ostrý, pronikavý
strife [straif] spor, svár
strike [straik] *n* 1 úder 2 nález 3 stávka; **go (out) on ~** vstoupit do stávky; **general ~** generální stávka • *v** 1 udeřit, uhodit 2 razit (*minci*) 3 narazit **against** na, udeřit se o 4 překvapit 5 škrtnout (**a match** zápalkou) 6 (*hodiny*) bít, tlouci 7 zaútočit; uštknout 8 odseknout **from** od 9 stávkovat 10 budit dojem, připadat **sb.** komu **as** jaký ♦ **~ an attitude** zaujmout pózu; **how does it ~ you?** jakým dojmem to na tebe působí?; **~ oil** *1.* objevit naftu 2. (*přen.*) objevit zlatý důl; **~ root** zapustit kořeny, uchytit se
strike off vyškrtnout
strike out 1 přeškrtnout 2 vydat se, vyrazit 3 bít kolem sebe, zaútočit
strike up začít, spustit, dát se do
strikebreaker [straikbreikə] stávkokaz
striker [straikə] 1 stávkující 2 vysunutý útočník (*v kopané*)
Strimmer [strimə] strunová sekačka
string [striŋ] *v* 1 provaz, provázek 2 šňůra, (*též přen.*) 3 struna 4 řada 5 **~s** *pl* smyčcové nástroje • *v** 1 svázat provazem 2 napnout, natáhnout 3 navlékat na šňůru 4 vyplést (*raketu*) 5 povzbudit, vybičovat
strip [strip] **(pp)** *v* 1 stáhnout, sloupnout, zbavit **of sth.** čeho 2 svléci (se) 3 rozebrat, rozmontovat 4 zredukovat

• *n* **1** pruh **2** kreslený seriál **3** *US* třída s obchody
stripe [straip] pruh, proužek
striped [straipt] pruhovaný, proužkovaný
strive* [straiv] **1** snažit se, usilovat **2** bojovat, zápasit
stroke [strəuk] *n* **1** úder, rána **2** rozmach **3** tempo; plavecký styl **4** tah **5** pohlazení **6** mrtvice **7** šikmá zlomková čára ♦ **at a ~** naráz, okamžitě; **~ of genius** geniální tah / nápad; **~ of luck** šťastná náhoda • *v* pohladit
stroll [strəul] *v* procházet se, potulovat se • *n* procházka, toulka
strong [stroŋ] *adj* **1** silný **2** výborný, úspěšný **3** odolný **under** proti **4** energický, drastický • *adv* silně, mohutně
stronghold [stroŋhəuld] bašta; opora
structure [strakčə] **1** struktura **2** stavba; konstrukce **3** velká stavba, budova
struggle [stragl] *v* **1** zápasit, bojovat **2** vzpírat se **3** pokoušet se, usilovat (**for** o) • *n* **1** zápas, boj **2** svár, spor
strut [strat] (**tt**) vykračovat si, naparovat se
stub [stab] **1** pařez **2** pahýl **3** oharek, nedopalek
stubble [stabl] strniště
stubborn [stabən] **1** umíněný, tvrdošíjný **2** houževnatý, nezdolný **3** úporný, urputný
stud[1] [stad] **1** hřebíček; cvoček; knoflíček **2** pahýl, suk
stud[2] [stad] **1** hřebec **2** hřebčinec
student [stju:dnt] **1** student; vysokoškolák **2** znalec, badatel, pozorovatel
studio [stju:diəu] **1** ateliér **2** rozhlasové / televizní studio **3** zkušební sál
studious [stju:diəs] **1** velice pečlivý, úzkostlivý **2** snaživý **3** vědecký, vědychtivý **4** zamyšlený
study [stadi] *n* **1** studium **2** předmět studia **3** studie; pojednání **4** etuda **5** pracovna, studovna • *v* **1** studovat, učit se **2** snažit se **3** pozorně sledovat, věnovat zájem / pozornost čemu
stuff [staf] *n* **1** látka, hmota, materiál **2** tkanina, látka, textil **3** *označuje nepojmenovanou věc:* věci, krámy • *v* **1** nacpat **2** nadít (**a turkey** krocana) **3** vycpat
stuffing [stafiŋ] **1** nádivka **2** polštářování, polstrování; výplň
stuffy [stafi] **1** dusný, nevětraný **2** nudný **3** nepružný
stumble [stambl] **1** klopýtnout, zakopnout **on / over** o **2** náhodou přijít **across / on / upon** na **3** koktat, breptat
stumbling block [stambliŋblok] kámen úrazu
stump [stamp] **1** pařez **2** pahýl **3** košťál
stun [stan] (**nn**) omráčit
stunt[1] [stant] zabránit ve vývoji
stunt[2] [stant] **1** bravurní ukázka **2** akrobatický kousek **3** propagační nápad, reklamní trik
stunted [stantid] zakrnělý
stunt man [stantmæn] kaskadér
stupefy [stju:pifai] **1** otupit **2** ohloupit **3** ohromit
stupendous [stju:'pendəs] ohromující, úžasný
stupid [stju:pid] hloupý, pitomý

stupidity [stju:'piditi] hloupost, pitomost
sturdy [stə:di] **1** statný, zdatný **2** hřmotný, robustní **3** pevný, solidní, odolný
stutter [statə] koktat
sty[1] [stai] prasečí chlívek, kotec
sty[2], **stye** [stai] ječné zrno
style [stail] **1** sloh, styl **2** móda, módní směr **3** účes **4** druh, typ **5** tyč (*slunečních hodin*)
stymie [staimi] (*téměř*) neřešitelná situace
suave [swa:v] **1** příjemný, milý **2** (*pouze společensky*) uhlazený, přívětivý
subconscious [sab'konšəs] **1** podvědomý **2** bezděčný
subdue [səb'dju:] **1** podrobit, potlačit, zvítězit nad **2** zmírnit, ztlumit, uklidnit
subdued [səb'dju:d] **1** tichý, zaražený **2** tlumený
subject *adj* [sabdžikt] **1** poddaný **2** podrobený, podléhající, vystavený **to** čemu; závislý **to** na, podmíněný čím, s výhradou čeho • *n* [sabdžikt] **1** poddaný; státní příslušník **2** subjekt **3** (*jaz.*) podmět **4** námět, téma **5** (*hudební*) téma, motiv • *v* [səb'džekt] **1** podrobit, učinit závislým **to** na **2** vystavit **to sth.** čemu
subjection [səb'džekšn] poddanost, poddanství
subjective [sab'džektiv] osobní, zaujatý, jednostranný, subjektivní
subject matter [sabdžiktmætə] námět, téma; látka
subjugate [sabdžugeit] dobýt a podrobit, zotročit
subjunctive [səb'džaŋktiv] (*jaz.*) konjunktiv
sublime [sə'blaim] **1** vznešený, majestátní, grandiózní **2** úžasný, velkolepý **3** bezpříkladný, křiklavý, naprostý
submarine [sabməri:n] *adj* podmořský • *n* ponorka
submerge [səb'mə:dž] **1** ponořit (se) **2** zaplavit, zatopit
submersion [səb'mə:šn] ponoření
submission [səb'mišn] **1** podřízení se, podrobení se **2** poslušnost, pokora, odevzdanost
submit [səb'mit] **(tt)** **1** podrobit (se) **2** předložit **3** nabídnout, odevzdat **4** předložit k úvaze
subordinate [sə'bo:dənit] **1** podřízený **2** vedlejší, podružný
subpoena [sə'pi:nə] obsílka, předvolání (*k soudu*)
subscribe [səb'skraib] **1** přispět **to sth.** na co **2** předplatit si **to / for sth.** co **3** podporovat, schvalovat **to** co, souhlasit s (**to a view** s názorem)
subscriber [səb'skraibə] **1** přispěvatel **2** předplatitel, abonent
subscription [səb'skripšn] **1** předplatné **2** příspěvek **to** na; členský příspěvek
subsequent [sabsikwənt] následující, následný
subservience [səb'sə:viəns] podlézavost, patolízalství, servilnost
subservient [səb'sə:viənt] podlézavý, servilní
subside [səb'said] **1** sesedat se; opadat, poklesnout **2** polevovat, uklidnit se, utišit se
subsidiary [səb'sidjəri] **1** pomocný, podpůrný **2** podružný, druhotný **3** dodatečný, doplňující

subsidize [sabsidaiz] 1 podporovat, subvencovat 2 vydržovat
subsidy [sabsidi] podpora, subvence
subsist [səb'sist] 1 existovat 2 udržet se naživu
subsistance [səb'sistns] obživa; holé živobytí, existenční minimum
substance [sabstəns] 1 hmota, látka, materiál, substance 2 podstata, jádro 3 majetek, jmění
substandard [səb'stændəd] neodpovídající normě
substantial [səb'stænšl] 1 skutečný, hmotný, hmatatelný 2 podstatný 3 vydatný, hutný, důkladný, pořádný 4 zámožný
subtitle ['sab,taitl] podtitulek
substitute [sabstitju:t] *n* 1 náhradník; zástupce 2 náhražka 3 napodobenina • *v* 1 zastupovat 2 nahradit **sth. for sth.** co čím, **for sb.** koho
subtle [satl] 1 jemný, lehký, nepatrný; subtilní 2 pronikavý, bystrý, duchaplný 3 choulostivý, ožehavý, delikátní 4 lstivý, záludný, rafinovaný
subtract [səb'trækt] 1 odčítat 2 ubírat **from** na
subtraction [səb'trækšn] odčítání
subtropical [sab'tropikl] subtropický
suburb [sabə:b] 1 předměstí 2 okrajové sídliště
suburban [sə'bə:bən] 1 předměstský 2 (*přen.*) maloměstský
subversion [səb'və:šn] 1 svržení, vynucené odstoupení 2 zničení, rozvrácení 3 podvratná činnost
subversive [səb'və:siv] podvratný
subvert [səb'və:t] 1 svrhnout 2 úplně zničit, rozrušit 3 podvracet, rozvracet
subway [sabwei] 1 *GB* podchod 2 *US* podzemní dráha
succeed [sək'si:d] 1 následovat, nastoupit **(to) sb.** po kom 2 mít úspěch; být úspěšný, dobře dopadnout; **I ~ed in** podařilo se mi
success [sək'ses] úspěch, zdar; **without ~** neúspěšně, nadarmo
successful [sək'sesful] úspěšný, zdárný; podařený
succession [sək'sešn] 1 nastoupení (*po kom*), nástupnictví 2 sled, posloupnost 3 řada, série; **in ~** po sobě
successive [sək'sesiv] 1 jdoucí po sobě / za sebou 2 následný, postupný
successor [sək'sesə] následník, nástupce **to / of** koho
succinct [sək'siŋkt] stručný a jasný, pregnantní
succour [sakə] *v* poskytnout pomoc komu • *n* pomoc
succulent [sakjulənt] 1 šťavnatý 2 (*bot.*) dužnatý
succumb [sə'kam] podlehnout **to** komu / čemu
such [sač] takový; **~ as it is** třebas za mnoho nestojí; **~ as** (jako) například
suchlike [sačlaik] (*hovor.*) takový člověk; taková věc
suck [sak] 1 sát 2 cucat, lízat 3 pít 4 srkat
sucker [sakə] 1 kojenec 2 podsvinče 3 přísavka 4 (*hovor.*) (*důvěřivý*) kořen, hlupák (**for blondes** který naletí každé blondýně)

sucking pig [sakiŋpig] sele, podsvinče
suckle [sakl] kojit
suckling [sakliŋ] kojenec
suction [sakšn] sání
sudden [sadn] náhlý; **all of a ~** (*hovor.*) znenadání, náhle
suddenly [sadnli] náhle, najednou
suds [sadz] *pl* mydliny; mýdlová pěna
sue [sju:] **1** žalovat (**sb. for damages** koho o náhradu škody) **2** naléhavě žádat, prosit (**for mercy** o slitování)
suède [sweid] semiš
suet [s(j)u:it] lůj (*kolem ledvin*)
suffer [safə] **1** trpět **from sth.** čím; utrpět **2** strpět, dovolit, nechat **3** pykat **for** za, být potrestán za **4** být poškozen
suffering [safriŋ] trápení, utrpení, bolest
suffice [sə'fais] stačit, dostačit, postačit
sufficiency [sə'fišənsi] **1** dostatek, dostačující množství **2** bohatství
sufficient [sə'fišnt] dostatečný, postačující
suffix [safiks] (*jaz.*) přípona
suffocate [safəkeit] (u)dusit (se)
suffrage [safridž] **1** hlasování **2** volební / hlasovací právo; **universal ~** všeobecné volební právo
sugar [šugə] cukr
sugar basin [šugəbeisn] cukřenka
sugar beet [šugəbi:t] cukrová řepa
sugarcane [šugəkein] cukrová třtina
sugary [šugəri] **1** sladký, slazený **2** přeslazený
suggest [sə'džest] **1** podnítit, dát podnět; inspirovat **2** navrhovat, doporučovat **3** naznačit, prozrazovat **4** připomenout **5** tvrdit ♦ **I ~** *též* podle mého názoru
suggestion [sə'džesčn] **1** návrh, podnět; rada, doporučení **2** náznak, narážka **3** domněnka, dohad
suicide [su:isaid] **1** sebevražda; **commit ~** spáchat sebevraždu **2** sebevrah
suit [su:t] *n* **1** žádost, prosba **2** nabídka k sňatku **3** souprava, sada, série **4** barva (*v kartách*) **5** soudní proces; žaloba; spor **6** oblek, oděv; kostým • *v* **1** hodit se **2** vyhovět, vyhovovat **3** slušet **sb.** komu; padnout, sedět **4** náležet, patřit **5** přizpůsobit
suitable [su:təbl] vhodný
suitcase [su:tkeis] kufr
suite [swi:t] **1** družina, doprovod, suita **2** souprava, sada, garnitura, série **3** apartmá
suiting [su:tiŋ] obleková látka
sulk [salk] *v* trucovat, být nevrlý • *n* **~s** *pl* špatná nálada, trucování
sullen [salən] **1** nevlídný, mrzoutský **2** zatrpklý **3** zamračený; kalný, ponurý **4** smutný, melancholický
sulphur [salfə] síra
sultana [sal'ta:nə] sultánka (*rozinka*)
sultry [saltri] **1** dusný, parný **2** žhavý, smyslný **3** vzteklý, rozzlobený
sum [sam] *n* **1** součet **2** částka, suma **3** početní úloha **4** výsledek **5** souhrn **6** jádro, podstata **7** vrchol, vyvrcholení • *v* **(mm)** **1** (s)počítat, sečíst **2** *též* **~ up** shrnout; sahat, jít **to / into** (*do určitého počtu*)
sum up **1** shrnout celý případ

2 prohlédnout a ocenit 3 zvážit, zhodnotit
summarize [samәraiz] 1 shrnout, udělat souhrn / přehled čeho 2 stručně vyjádřit
summary [samәri] *adj* 1 souhrnný 2 zhuštěný, zkrácený • *n* 1 stručný nástin; přehled 2 výtah, shrnutí, resumé
summer [samә] léto
summit [samit] vrchol, vrcholek; ~ **talks** rozhovory na nejvyšší úrovni
summon [samәn] 1 povolat, předvolat, obeslat (**sb. to appear as witness** koho za svědka) 2 vyzvat, vybídnout 3 svolat (**Parliament** parlament)
summon up shromáždit; vzbudit, vyvolat
summons [samәnz], *pl* ~**es** soudní obsílka / předvolání
sumptuous [sampčuәs] 1 přepychový, luxusní 2 opulentní
sun [san] *n* slunce • *v* (**nn**) slunit se
sunbath [sanba:θ] sluneční lázeň
sunbathe [sanbeið] slunit se
sunbeam [sanbi:m] sluneční paprsek
sunburn [sanbә:n] opálení; spálení sluncem
sundae [sandei] zmrzlinový pohár (*s ovocem, oříšky atd.*)
Sunday [sandi] neděle
sundial [sandaiәl] sluneční hodiny
sundry [sandri] různý, rozmanitý
sunflower [sanflauә] slunečnice
sunglasses [sangla:siz] sluneční brýle, brýle proti slunci
sunlamp [sanlæmp] horské slunce
sunlight [sanlait] sluneční světlo
sunny [sani] 1 slunný, slunečný, sluneční 2 radostný, veselý, usměvavý
sunrise [sanraiz] východ slunce
sunscreen ['san,skri:n] ochranný opalovací prostředek
sunset [sanset] západ slunce
sunshade [sanšeid] 1 slunečník 2 stínítko, markýza
sunshine [sanšain] sluneční svit / záře; slunce, slunečno
sunstroke [sanstrәuk] úžeh, úpal
suntan [santæn] opálení
superannuate [su:pә'rænjueit] penzionovat
superannuation [su:pәrænju'eišn] 1 penzionování 2 důchod, penze
superb [su'pә:b] 1 nádherný, úžasný, super 2 nevídaný, neslýchaný 3 luxusní
supercilious [su:pә'siliәs] 1 povýšený, arogantní 2 pohrdavý, opovržlivý
superficial [su:pә'fišl] 1 povrchový 2 povrchní
superficiality [su:pәfiši'æliti] 1 povrchovost 2 povrchnost
superfluous [su:'pә:fluәs] přebytečný, nadbytečný
supergrass [su:pәgra:s] *GB* (*policejní*) donašeč
superhuman [su:pә'hju:mәn] nadlidský
superior [su:'piәriә] *adj* 1 vyšší 2 lepší, kvalitnější **to** než 3 povýšený, bohorovný 4 povznešený **to** nad 5 nadřízený; nadřazený **to** čemu • *n* nadřízený, šéf
superiority [su:,piәri'oriti] 1 nadřazenost 2 převaha, přesila
superlative [su:'pә:lәtiv] *adj* vynikající, nepřekonatelný • *n* (*jaz.*) superlativ

supermarket [su:pəma:kit] velká samoobsluha, supermarket
supernatural [su:pə'næčrəl] **1** nadpřirozený **2** fantastický
supersede [su:pə'si:d] **1** nahradit **2** zatlačit, převzít úlohu čeho
supersonic [su:pə'sonik] nadzvukový
superstition [su:pə'stišn] pověra
superstitious [su:pə'stišəs] pověrčivý; pověrečný
supervise [su:pəvaiz] **1** mít dohled / dozor nad, dozírat na, dohlížet na **2** kontrolovat
supervision [su:pə'vižn] **1** dohled, dozor **2** kontrola
supper [sapə] večeře
supplant [sə'pla:nt] nahradit, přijít na místo koho / čeho
supple [sapl] **1** ohebný, pružný, poddajný **2** hladký, plynulý
supplement *n* [saplimənt] **1** doplněk, dodatek **2** (*novinová*) příloha • *v* [apliment] doplnit
supplementary [sapli'mentəri] dodatečný, dodatkový
supply [sə'plai] *v* **1** zásobovat **2** opatřovat, obstarávat; dodávat **for** komu **3** uspokojit **4** doplnit • *n* **1** zásoba **2** dodávka **3** přísun; příkon **4 supplies** *pl* zásoby, zásobování ♦ **~ and demand** nabídka a poptávka; **in short ~** (*zboží*) nedostatkový
support [sə'po:t] *v* **1** podpírat; podporovat **2** snést; unést; snášet **3** být dokladem správnosti čeho, potvrzovat **4** poskytnout obživu pro • *n* **1** opora **2** podpěra **3** podpora **4** výživné **5** živitel
supporter [sə'po:tə] podporovatel; přívrženec
suppose [sə'pəuz] **1** předpokládat, připustit **2** domnívat se, myslit, být přesvědčen ♦ **be ~d to do sth** *1.* mít za předpokládanou / samozřejmou povinnost udělat (**I am ~d to be at school now** mám teď být (vlastně) ve škole) *2.* prý / údajně dělat co
supposing [sə'pəuziŋ] **1** dejme tomu, že **2** za předpokladu **3** jestli, a co když
supposition [sapə'zišn] **1** předpoklad **2** domněnka, hypotéza
suppress [sə'pres] **1** potlačit **2** zdolat, udusit **3** zrušit **4** zamlčet
suppression [sə'prešn] **1** potlačení **2** zatajení; cenzura
supremacy [sə'preməsi] nejvyšší moc; nadvláda
supreme [su:'pri:m] **1** nejvyšší **2** prvotřídní
surcharge [sə:ča:dž] přirážka, příplatek; doplatek
sure [šo: / šuə] *adj* **1** jistý; **be ~ to come**, **be ~ and come** určitě přijít; **to be ~** jistě **2** zkušený **3** spolehlivý **4** pevný, solidní • *adv US* (*hovor.*) ano, jistě, samozřejmě
sure-footed [šo:'futid] (*přen.*) jistý, spolehlivý
surely [šo:li / šuəli] **1** jistě, určitě **2** přece
surety [šo:riti / šuəti] **1** jistota; záruka; kauce **2** ručitel
surf [sə:f] *n* příboj, vlnobití • *v* surfovat
surface [sə:fis] *n* **1** povrch **2** hladina **3** povrch vozovky, koberec • *v* vyplout na hladinu
surfeit [sə:fit] *n* **1** přebytek, nadbytek **2** sytost, nasycení;

přesycení, přejedení
• *v* **1** přejídat se **2** být přesycen
surge [sə:dž] *n* **1** vysoká vlna, vlny **2** kypění, nával • *v* **1** vlnit se, vzdouvat se **2** hrnout se, proudit ve vlnách **3** vzkypět, vzplanout
surgeon [sə:džn] **1** chirurg **2** lodní / vojenský lékař
surgery [sə:džəri] **1** chirurgie **2** chirurgický zákrok, operace **3** *GB* ordinace **4** *GB* ordinační hodiny
surly [sə:li] nevrlý
surmise *n* [sə:maiz] dohad, domněnka • *v* [sə'maiz] **1** domnívat se **2** pouze si myslet, zkoušet uhádnout **3** podezírat
surmount [sə:'maunt] **1** překonat **2** převyšovat
surname [sə:neim] příjmení
surpass [sə:'pas] **1** předčít, přetrumfnout **2** převyšovat, být větší než **3** překonat; ~ **oneself** překonat sám sebe
surplus [sə:pləs] *n* přebytek, nadbytek • *adj* přebytečný, zbývající
surprise [sə'praiz] *n* překvapení; úžas, údiv ♦ **show** ~ divit se, žasnout; **to my** ~ k mému překvapení; **take sb. by** ~ překvapit koho • *v* překvapit
surrender [sə'rendə] *v* **1** vzdát se čeho **2** vzdát se, kapitulovat **3** vydat, odevzdat • *n* vzdání se, kapitulace
surround [sə'raund] **1** obklopit, obklíčit **2** obehnat
surrounding [sə'raundiŋ] okolní
surroundings [sə'raundiŋz] *pl* **1** okolí **2** prostředí
surtax [sə:tæks] daňová / celní přirážka
survey *n* [sə:vei] **1** přehled **2** prohlídka
• *v* [sə'vei] **1** přehlédnout, pozorovat **2** odborně prohlédnout **3** udělat přehled / souhrn čeho **4** vyměřovat, zaměřovat
survival [sə'vaivl] **1** pozůstatek **2** přežití
survive [sə'vaiv] **1** přežít **2** přečkat, vydržet
survivor [sə'vaivə] člověk, který přežil
suspect *v* [sə'spekt] **1** podezřívat **of** z **2** obávat se čeho **3** nedůvěřovat čemu
• *n* [saspekt] podezřelý člověk
suspend [sə'spend] **1** (*volně odshora*) pověsit, zavěsit **2** (*prozatím / na čas*) zarazit, zastavit; přerušit **3** suspendovat
suspender belt [səˌspendə'belt] podvazkový pás
suspenders [sə'spendəz] *pl* **1** *GB* pánské podvazky **2** *US* šle
suspension [sə'spenšn] **1** zavěšení **2** zastavení; přerušení **3** suspendování
suspicion [sə'spišn] **1** podezření **2** (*negativní*) dojem, tušení **3** nedůvěra **of** k **4** náznak, stín
suspicious [sə'spišəs] **1** podezřelý **2** podezíravý **3** nedůvěřivý **of** k
sustain [sə'stein] **1** unést, držet, podpírat **2** vydržet, snést **3** utrpět **4** potvrdit, rozhodnout **5** připustit, uznat
swagger [swægə] *v* **1** pyšně si vykračovat **2** chvástat se, holedbat se, naparovat se • *n* **1** pyšná chůze, naparování **2** chvástání **3** fanfarónství, arogance
• *adj* (*hovor.*) švihácký, frajerský
swallow[1] [swoləu] *v* polykat,

polknout • *n* **1** polknutí **2** doušek, hlt **3** hltan, jícen
swallow2 [swoləu] vlaštovka
swamp [swomp] *n* bažina, močál • *v* zaplavit
swan [swon] labuť
swansong [swonsoŋ] labutí píseň
swarm [swo:m] *n* **1** roj **2** hejno, houf, dav, zástup, horda **3** kupa, halda • *v* **1** rojit se **2** hemžit se **3** vyskytovat se ve velkém množství **4** proudit, hrnout se
swarthy [swo:ði] snědý
swatch [swoč] vzorek (*látky*)
sway [swei] *v* **1** kolébat se, houpat se, kymácet se **2** zmítat se **between** mezi **3** řídit, vládnout komu • *n* **1** kolébání, houpání **2** výchylka, sklon **3** moc, nadvláda
swear* [sweə] **1** přísahat **2** odpřisáhnout **3** plně věřit **by** komu / čemu **4** klít, mluvit sprostě
sweat [swet] *n* **1** pot **2** (vy)pocení **3** (*hovor.*) robota, dřina, fuška • *v* **1** potit se **2** těžce pracovat, dřít **3** honit, štvát; vykořisťovat
sweater [swetə] svetr
sweaty [sweti] propocený
Swede [swi:d] Švéd
Sweden [swi:dn] Švédsko
Swedish [swi:diš] *adj* švédský • *n* švédština
sweep* [swi:p] *v* **1** mést **2** přejet rukou **3** hnát se **4** nést se **5** obhlížet **6** smést, odstranit **7** vyčistit **of** od • *n* **1** máchnutí, rozmach **2** (*hovor.*) kominík **3** (*hovor.*) dostihová sázka
sweeping [swi:piŋ] **1** rozmáchlý **2** po celém obzoru **3** splývající **4** radikální, drastický
sweet [swi:t] *adj* **1** sladký **2** milý, roztomilý • *n* **1** sladkost **2** moučník
sweetbread [swi:tbred] brzlík
sweeten [swi:tn] **1** osladit **2** zesládnout
sweetheart [swi:tha:t] **1** miláček, drahoušek **2** milý, milá
swell* [swel] *v* **1** (na)bobtnat, zduřet **2** otékat, opuchnout **3** nadýmat se, nafukovat se • *n* **1** zduření **2** opuchnutí **3** (z)vlnění • *adj US* (*hovor.*) **1** luxusní, fajnový **2** ohozený (*podle poslední módy*) **3** bašta, k sežrání
swelling [sweliŋ] *n* otok, oteklina • *adj* pompézní, bombastický
swelter [sweltə] péci se, pařit se
swerve [swə:v] **1** (*prudce*) uhnout, změnit směr **2** odchýlit se
swift [swift] *adj* **1** velice rychlý, prudký **2** náhlý (**death** smrt) • *n* rorýs
swim* [swim] *v* (**mm**) plavat • *n* plavání
swimmer [swimə] plavec
swimming bath [swimiŋba:θ] krytý bazén
swimmingly [swimiŋli] bez potíží, snadno, lehce
swimming pool [swimiŋpu:l] (*nekrytý*) bazén
swimsuit [swimsu:t] plavky
swindle [swindl] *v* **1** podvést, spáchat podvod **2** napálit **3** vylákat **sth.** co **out of sb** z koho, zpronevěřit co komu • *n* podvod
swine [swain] **1** prase, vepř **2** bestie, svině, hulvát **3** kanec, prasák
swing* [swiŋ] *v* **1** houpat (se), kývat (se) **2** přenášet (*zavěšené*)

3 vyšvihnout se, vyhoupnout se 4 zamávat čím 5 otáčet čím 6 být rušný a živý 7 hrát / tančit swing • *n* 1 houpání, kývání 2 houpavá chůze 3 rozmach; rytmus; tempo; švih 4 (*závěsná*) houpačka
♦ **in full** ~ v plném proudu

swirl [swə:l] *n* vír, víření
• *v* vířit; kroužit čím

Swiss [swis] *adj* švýcarský
• *n* Švýcar

swiss roll [swis'rəul] piškotová roláda

switch [swič] *n* 1 vypínač, spínač 2 náhlá změna, jiná orientace 3 výměna; výhybka 4 prut; bičík
• *v* 1 švihat 2 vyměnit (si) 3 přepnout **to** na

switch off vypnout

switch on zapnout

switchboard [swičbo:d] (*telefonní*) centrála

Switzerland [switsələnd] Švýcarsko

swollen [swəuln] 1 oteklý 2 rozvodněný

swoon [swu:n] *n* 1 mdloby 2 extáze
• *v* omdlít; přivést do mdlob

swoop [swu:p] *v též* ~ **down** vrhnout se střemhlav, slétnout, snést se • *n* 1 střemhlavý let 2 přepad, razie

swop [swop] **(pp)** (*hovor.*) vyměnit si, prohodit si

sword [so:d] 1 meč 2 šavle; kord; palaš; dýka

swordfish [so:dfiš] mečoun

swot [swot] **(tt)** (*slang.*) dřít, biflovat

sycophant [sikəfənt] pochlebník, patolízal

syllable [siləbl] slabika

syllabus [siləbəs] 1 učební osnova 2 výtah, nástin

symbol [simbl] 1 symbol, znak 2 krédo

symbolic [sim'bolik] symbolický

symbolize [simbəlaiz] symbolizovat

symmetry [simitri] souměrnost, symetrie

sympathetic [simpə'θetik] 1 soucitný; dojímavý, účastný 2 milý, příjemný

sympathize [simpəθaiz] 1 sympatizovat **with sb.** s kým; mít pochopení pro koho; mít účast / soucit s 2 projevit soustrast **with** komu

sympathy [simpəθi] 1 duševní spřízněnost 2 účast, pochopení; soucit, soustrast 3 solidárnost, sympatie; **a letter of** ~ kondolenční list

symphonic [sim'fonik] symfonický

symphony [simfəni] symfonie; ~ **orchestra** symfonický orchestr

symposium [sim'pəuzjəm] 1 konference, sympozium 2 sborník

symptom [simptəm] příznak, symptom

synagogue [sinəgog] synagóga

synchronize [siŋkrənaiz] 1 být synchronní / synchronický 2 synchronizovat

syncopated [siŋkəpeitid] synkopovaný

syndicalism [sindikəlizm] syndikalismus

syndicate [sindikit] syndikát

synonym [sinənim] synonymum

syntax [sintæks] (*jaz.*) skladba, syntax

synthesis [sinθisis] shrnutí, syntéza
syphilis [sifilis] příjice, lues, syfilis
syringe [sirindž] **1** (**hypodermic**) ~ injekční stříkačka **2** (*malá ruční*) stříkačka
syrup [sirəp] sirup
system [sistim] **1** řád **2** metoda, forma **3** soustava, systém
systematic [sisti'mætik] soustavný, systematický

T

table [teibl] *n* **1** stůl **2** deska, tabule ♦ **at** ~ při jídle; ~ **of contents** obsah; **negotiating** ~ konferenční stůl • *v* předložit k projednávání (*návrh*) • *adj* **1** stolní **2** lahůdkový **3** tabulový, deskový
tablecloth [teiblkloθ] ubrus
tablespoon [teiblspu:n] **1** polévková lžíce **2** servírovací lžíce
tablet [tæblit] **1** tabulka, destička **2** tabletka, pilulka
tableware [teiblweə] stolní náčiní
taboo [tə'bu:] tabu
tabular [tæbjulə] tabulkový
tabulate [tæbjuleit] sestavit do tabulky
tachometer [tæ'komitə] otáčkoměr, tachometr
taciturn [tæsitə:n] **1** zamlklý, mlčenlivý **2** zachmuřený
tack [tæk] *n* **1** připínáček, hřebíček **2** lepivost • *v* **1** připíchnout, přibít **2** přilepit
tackle [tækl] *v* chopit se čeho, pustit se do čeho, vypořádat se s • *n* výzbroj, výstroj, náčiní
tact [tækt] takt
tactful [tæktful] ohleduplný, taktní
tactical [tæktikl] taktický
tactics [tæktiks] *pl* taktika; taktický manévr
tactician [tæk'tišn] taktik
tactless [tæktlis] netaktní
tadpole [tædpəul] pulec
taffetta [tæfitə] taft
tag [tæg] **1** visačka, etiketa **2** sentence, citát **3** kovová návlečka (*šněrovadla*)
tail [teil] *n* **1** ocas **2** cíp, šos **3** stopa ♦ ~ **of the eye** koutek oka; **turn** ~ (*hovor.*) *1.* vzít do zaječích *2.* obrátit, přebarvit se • *v* **1** připojit, spojit **2** (*tajně*) sledovat, stopovat **3** držet se v závěsu **after** za
tailcoat [teil'kəut] frak
tailor [teilə] *n* krejčí • *v* **1** šít, krejčovat **2** šít na míru **3** (*přen.*) uzpůsobit
tailor-made [teilə'meid] ušitý na míru, (*též přen.*)
tails [teilz] **1** „orel" (*při losování mincí*) **2** frak
taint [teint] *n* **1** skvrna **2** nákaza • *v* nakazit (se)
take* [teik] **1** vzít **2** brát, dostávat **3** koupit si **4** sevřít **5** přebíjet **6** ujmout se **7** podobat se **after** komu, být po kom **8** považovat **for** za **9** odejmout, odebrat **from** komu **10** zmenšovat, snižovat **from** co **11** chytnout **in** do **12** věnovat se **to** čemu, dát se do **13** oblíbit si **to** co **14** použít čeho **to** na ♦ ~ **care of** dbát, pečovat o;

~ **it easy** nerozčilovat se, neukvapovat se; **you may ~ it from me** to mi můžete věřit; ~ **a joke** rozumět žertu; ~ **it into one's head** vzít si do hlavy; ~ **to heart** vzít si k srdci; ~ **a hint** řídit se pokynem; ~ **hold of** zmocnit se čeho; ~ **sb. home** odvést koho domů; **the injection did not** ~ injekce nezabrala; ~ **the lead** ujmout se vedení; ~ **leave of** rozloučit se s; ~ **an opportunity** chopit se příležitosti; ~ **part in** účastnit se čeho; ~ **place** konat se; ~ **one's place** zaujmout své místo; ~ **lessons** chodit na hodiny; **it ~s me ten minutes** trvá mi to deset minut; ~ **a newspaper** odebírat noviny; ~ **sb.'s temperature** měřit komu teplotu; ~ **one's time** nepospíchat; ~ **a tram** jet tramvají

take away 1 odstranit **2** sklidit ze stolu **3** odečíst **4** odnést si domů (*pokrm*)

take back 1 vzít zpět **2** odvolat

take down 1 sundat **2** zapsat **3** demontovat, rozebrat **4** zbourat, strhnout **5** rozpustit si (*vlasy*)

take in 1 vzít dovnitř / k sobě **2** odebírat (**journals** časopisy) **3** zabrat (**a dress** šaty) **4** pochopit **5** vnímat, zaregistrovat **6** (*hovor.*) oklamat, podvést **7** brát na byt

take off 1 sundat, svléci, zout **2** odstartovat **3** naložit a odvézt **4** odvést **5** srazit si, odečíst **6** zmírnit, zmenšit **7** vypít **8** (*hovor.*) parodovat

take on 1 přijmout, přibrat **2** chytit, ujmout se **3** (*hovor.*) vyvádět, řádit **4** chovat se povýšeně

take out 1 vyjmout, vynést **2** odstranit, vyčistit **3** vyřídit, likvidovat **4** obstarat si, dostat **5** pozvat do restaurace **to** na ♦ ~ **it out on sb.** vylít si zlost na kom, zchladit si žáhu na kom

take over 1 převzít **2** zabrat, okupovat

take up 1 zvednout **2** pojmout; zabrat **3** projednat **4** začít se věnovat čemu **5** přijmout (**employment** zaměstnání) **6** přibrat **7** vysát, vstřebat **8** chopit se, ujmout se čeho **9** brát za své, zastávat **10** kamarádit se **with** s

talc [tælk] mastek

tale [teil] **1** příběh, vyprávění, historka **2** povídka; pohádka

talent [tælənt] nadání, vloha, talent **for** pro / k

talented [tæləntid] nadaný, talentovaný

talk [to:k] *v* **1** mluvit, hovořit, povídat **2** promluvit si ostře **to** s • *n* **1** rozhovor **2** přednáška **3** mluva

talk back odmlouvat

talkative [to:kətiv] hovorný, povídavý, mnohomluvný

talking-to [to:kiŋtu] (*hovor.*) vyhubování

tall [to:l] **1** vysoký, velký **2** (*hovor.*) přemrštěný **3** (*hovor.*) neuvěřitelný

tallow [tæləu] lůj

tally [tæli] **1** odpočítat, spočítat **2** ověřovat, kontrolovat **3** shodovat se, souhlasit **with** s **4** zapsat, zaznamenat

tame [teim] *adj* **1** krotký **2** ochočený • *v* **1** (z)krotit **2** ochočit

tamper [tæmpə] **1** vměšovat se, plést se **with** do **2** hrát si **with**

s, zkoušet co **3** zkazit, poškodit **with** co
tan [tæn] *n* **1** opálení, snědá barva **2** tříslo • *v* **(nn) 1** opalovat se, zhnědnout **2** vyčinit tříslem
tangerine [tændžə'ri:n] mandarínka
tangible [tændžəbl] **1** hmatatelný **2** hmotný **3** zřejmý, skutečný
tangle [tæŋgl] *n* motanice, změť, spleť • *v* zamotat (se), zaplést (se)
tank [tæŋk] **1** nádrž, cisterna **2** tank
tanker [tæŋkə] **1** cisternová loď, tanker **2** cisternový vůz, cisterna
tap[1] [tæp] *v* **(pp)** (za)ťukat, (za)klepat, poklepat • *n* klepání; ťuknutí
tap[2] [tæp] *n* **1** (*vodní / plynový*) kohoutek **2** pípa
♦ **beer on ~** točené pivo
• *v* **(pp)** narazit, načít; **~ a line** odposlouchávat telefonní hovory
tap dance [tæpda:ns] stepování, step
tape [teip] **1** páska; pásek **2** tkanice
tape measure ['teip,mežə] **1** měřičské pásmo **2** krejčovský / švadlenský metr
taper [teipə] *též* **~ off** zúžit, zužovat se, zahrocovat (se), tvořit špičku
tape recorder ['teipri,ko:də] magnetofon
tar [ta:] *n* dehet, asfalt • *v* **(rr)** dehtovat, natřít / polít dehtem
tardy [ta:di] **1** liknavý, váhavý **2** pozdní, opožděný
tare [teə] váha obalu, tára
target [ta:git] **1** terč **2** (*cílový*) plán, (*plánovaný*) úkol
tariff [tærif] **1** sazba, tarif **2** sazebník, ceník
tarpaulin [ta:'po:lin] (*dehtová*) nepromokavá plachta
tarragon [tærəgən] estragon
tart [ta:t] ovocný dortík
tartan [ta:tən] skotská kostkovaná látka, tartan
tartar [ta:tə] **1** vinný kámen **2** zubní kámen
task [ta:sk] **1** úkol, úloha; **take sb. to ~** vyčinit komu **2** povinnost, nepříjemný úkol **3** problém
tassel [tæsl] střapec
taste [teist] *n* **1** chuť **2** malá ukázka, kousek, trocha **3** záliba **for** v **4** vkus; **to my ~** podle mého vkusu **5** takt, slušné chování • *v* **1** poznat chutí **2** okusit, ochutnat **3** chutnat **of** po
tasteful [teistful] **1** chutný **2** vkusný
tasteless [teistlis] **1** bez chuti **2** nevkusný
tasty [teisti] chutný
taunt [to:nt] **1** vysmívat se komu **2** vyčítat, předhazovat **sb.** komu **with** co
taut [to:t] napnutý
tavern [tævən] krčma, hospůdka; hostinec, vinárna
tax [tæks] *n* **1** daň **2** dávka, poplatek, taxa • *v* **1** uložit daň, zdanit **2** zatěžovat, příliš namáhat **3** dávat vinu **with** za, obvinit z
tax collector ['tækskə,lektə] výběrčí daní
tax-free [tæks'fri:] nezdaněný
taxi(cab) [tæksi(kæb)] taxi
taxi rank [tæksiræŋk] stanoviště taxi
taxpayer [tækspeiə] daňový poplatník
tea [ti:] **1** čaj **2** odpolední svačina **3** vývar

teach* [ti:č] **1** učit, vyučovat **2** cvičit, drezírovat
teacher [ti:čə] **1** učitel **2** instruktor
teaching [ti:čiŋ] **1** učení, nauka **2** učitelské povolání; ~ **aids** *pl* učební pomůcky
tea cloth [ti:kloθ] **1** *GB* čajový / kávový ubrus **2** utěrka
teacup [ti:kap] čajový šálek
team [ti:m] *n* **1** potah, spřežení **2** družstvo, mužstvo, tým **3** pracovní četa • *v* **1** zapřáhnout dohromady **2** *též* ~ **up with** spolupracovat s
teamwork [ti:mwə:k] společná práce, práce v kolektivu
teapot [ti:pot] čajová konvice
tear[1] [tiə] slza
tear*[2] [teə] *v* **1** trhat, roztrhnout **2** vytrhnout, vyrvat **from** z • *n* díra, trhlina
tear gas [tiəgæs] slzný plyn
tearful [tiəful] uslzený; plačtivý, slzavý
tease [ti:z] *v* **1** škádlit, zlobit **2** dráždit, znepokojovat • *n* **1** škádlení, zlobení **2** škádlil, otrava **3** problém, tvrdý oříšek
tea service [ti:sə:vis] čajová souprava
teaspoon [ti:spu:n] čajová / kávová lžička
teat [ti:t] **1** dudlík (*na láhev*) **2** bradavka
technical [teknikl] technický
technique [tek'ni:k] technika, metoda, způsob
technology [tek'nolədži] technologie; technika
teddy bear [tedibeə] medvídek (*hračka*)
tedious [ti:djəs] únavný, nudný, fádní
teem [ti:m] hemžit se **with** čím, být plný čeho
teenager [ti:neidžə] dospívající mládenec / dívka (*mezi 13. až 19. rokem*)
teens [ti:nz] léta mezi 13. až 19. rokem; **he is still in his** ~ není mu ještě dvacet, je ještě v pubertě
teetotaller [ti:'təutlə] abstinent
telecast [telika:st] *n* televizní pořad, přenos, vysílání • *v** vysílat v televizi
telegram [teligræm] telegram
telegraph [teligra:f] *n* telegraf • *v* telegrafovat
telephone [telifəun] *n* telefon; ~ **book / directory** telefonní seznam • *v* telefonovat
teleprinter [teliprintə] dálnopis
telescope [teliskəup] *n* dalekohled; teleskop • *v* **1** zasunovat (se) do sebe **2** zarazit (se) do sebe
televize [telivaiz] ukazovat v televizi, dělat televizní přenos čeho
television [telivižn] **1** televize; **on** ~ v televizi **2** televizor
tell* [tel] **1** říci, povědět; mluvit, sdělit **2** vyprávět **3** rozeznat **4** nařídit, přikázat **5** rozhodovat, být nejdůležitější **6** svědčit **of** o **7** mít vliv **on** na, projevovat se na **8** unavovat, vyčerpávat
tell off (*hovor.*) vyhubovat komu, setřít koho
telly [teli] (*hovor.*) televize
temper [tempə] *n* **1** povaha, charakter **2** nálada, rozpoložení **3** výbušná povaha, temperament **4** zlost, vztek ♦ **keep one's** ~ zachovat rozvahu, ovládnout se; **lose**

one's ~ ztratit trpělivost, rozčilit se; **out of ~ with** rozzlobený na • *v* **1** mírnit, zjemňovat **2** sladit, naladit **to** podle
temperament [temprəmənt] **1** povaha, letora, charakter **2** temperament **3** vrtoch, rozmar
temperance [temprəns] **1** umírněnost **2** střídmost **3** abstinence
temperate [temprit] umírněný; mírný
temperature [tempričə] **1** teplota **2** (*hovor.*) zvýšená teplota, horečka
tempest [tempist] bouře
tempestuous [tem'pesčuəs] bouřlivý
temple1 [templ] chrám
temple2 [templ] spánek, skráň
temporary [temprəri] dočasný, prozatímní, přechodný
tempt [tempt] svádět, uvádět do pokušení; pokoušet
temptation [temp'teišn] pokušení
tempting [temptiŋ] lákavý, svůdný
ten [ten] deset; **~ to one that** o co, že
tenable [tenəbl] udržitelný, hájitelný
tenacious [ti'neišəs] **1** pevný, houževnatý, vytrvalý, úporný; urputný, zavilý **2** spolehlivý
tenant [tenənt] nájemce; nájemník
tend1 [tend] **1** mít sklon, mít tendenci, být náchylný **2** mířit, směřovat **3** vést **to** k, mít (často) za následek co
tend2 [tend] **1** pečovat o **2** ošetřovat **3** obsluhovat
tendency [tendənsi] sklon, snaha, záměr, tendence
tender1 [tendə] **1** něžný, jemný, útlý, měkký **2** choulostivý, citlivý ♦ **a ~ spot** *1.* citlivé / bolavé místo *2.* (*přen.*) zvláštní sympatie, slabost
tender2 [tendə] **1** tendr **2** pomocná loď; přísunový člun
tenderness [tendənis] **1** jemnost, měkkost **2** něha, láskyplnost **3** citlivost, bolestivost
tenement [tenimənt] **1** činžovní dům, činžák **2** byt v činžovním domě
tenfold [tenfəuld] desateronásobný
tennis [tenis] tenis
tenor [tenə] **1** kopie; znění **2** hlavní myšlenka, smysl **3** tenor; tenorista
tense1 [tens] **1** napjatý; napínavý, napnutý **2** strnulý
tense2 [tens] (*jaz.*) čas
tension [tenšn] **1** napětí **2** pnutí
tent [tent] stan
tentative [tentətiv] **1** pokusný, zkušební **2** předběžný, nezávazný
tenth [tenθ] *adj* desátý • *n* desetina
tepid [tepid] vlažný
term [tə:m] **1** údobí, lhůta, období, termín **2** semestr **3** odborný název, termín **4 ~s** *pl* podmínky; vztahy, poměr ♦ **be on good ~s with sb.** být zadobře s kým; **on equal ~s** jako rovný s rovným; **in ~s of** ve smyslu, ze stanoviska čeho; **~ of office** funkční období
terminal [tə:minl] *adj* **1** konečný; koncový **2** (*med.*) nevyléčitelný • *n* konečná stanice; terminál
terminate [tə:mineit] zakončit, (u)končit
termination [tə:mi'neišn] zakončení, ukončení

terminology [tə:mi'nolədži] odborné názvosloví, terminologie
terminus [tə:minəs] konečná stanice
terrace [terəs] **1** terasa **2** řadové domky; ulice s řadovými domky
terrible [terəbl] hrozný, strašný, děsivý
terrific [tə'rifik] **1** hrozný, hrůzostrašný, úděsný **2** (*hovor.*) obrovský, fantastický, velkolepý
terrify [terifai] poděsit, naplnit strachem / hrůzou
territorial [teri'to:riəl] **1** územní **2** teritoriální; **T~ Army** domobrana
territory [teritəri] území, teritorium
terror [terə] **1** hrůza, zděšení **2** postrach **3** hrůzovláda, teror **4** (*hovor.*) rošťák, uličník
terrorize [terəraiz] zastrašovat, terorizovat
terrycloth [teriklo0] froté
terse [tə:s] hutný, obsažný, jadrný
test [test] *n* **1** zkouška; **a driving ~** řidičská zkouška **2** (*školní*) kompozice • *v* zkoušet, vyzkoušet
testament [testəmənt] poslední vůle; **Old / New T~** Starý / Nový zákon
test card [testka:d] monoskop
testicle [testikl] varle
testify [testifai] **1** svědčit **to** o; dosvědčit **2** vypovídat (*pod přísahou / před soudem*)
testimonial [testi'məunjəl] **1** osvědčení, doporučení, posudek, certifikát **2** důkaz, doklad **to** čeho **3** uznání, odměna
testimony [testiməni] **1** svědectví **to** o **2** výpověď
test match [testmæč] mezinárodní utkání
test tube [testtju:b] zkumavka
Teutonic [tju'tonik] teutonský, germánský
text [tekst] **1** text **2** kritické vydání, verze
textbook [tekstbuk] **1** učebnice **2** libreto
textile [tekstail] *n* tkanina, textil, textilie • *adj* textilní
Thames [temz]: **the ~** Temže
than [ðæn, ðən] (*při nerovnosti*) než, nežli; **hardly / no sooner ... ~** sotva ... už
thank [θæŋk] (po)děkovat; **~ you** děkuji vám
thankful [θæŋkful] **1** vděčný **2** děkovný
thanks [θæŋks] díky; poděkování; **~ to you** díky vám, vaší zásluhou
thanksgiving [θæŋks'giviŋ] dík, poděkování; **T~ Day** *US* Den díkůvzdání
that *pron* [ðæt] **1** ten, tento **2** tamten, onen **3** to **4** takový, tak velký **5** který
♦ **~'s all there is to it** to je všechno; **~'s it** to je ono, tak je to; **~ is** to jest; **~'s why** proto • *conj* [ðət] **1** že **2** *též* **so ~** aby **3** kde **4** kdy **5** až **6** kéž • *adv* [ðæt] (*hovor.*) tak, takhle
thatch [θæč] **1** došek; došková střecha **2** (*hovor.*) kštice
thatched [θæčt] doškový
thaw [θo:] *v* **1** (roz)tát **2** *též* **~ out** (dát) rozmrazit • *n* **1** (roz)tání **2** obleva **3** rozmrazení
the [ðə, ði, ði:] **1** *určitý člen* **2** *má funkci ukazovacího zájmena*: **~ impudence of ~ fellow** ta drzost toho chlapa

3 *při udávání množství / ceny* (za) každý 4 *zpodstatňuje adjektivum*: ~ **good** dobro; dobří lidé • *adv*: *s komparativem* 1 o to, tím; **so much ~ better** tím lépe 2 **~ … ~ …** čím … tím …; **~ more … ~ better** čím víc … tím lépe

theatre [θiətə] 1 divadlo 2 posluchárna 3 operační sál ♦ **~ of operations** bojiště, válečná oblast; ~ **of war** fronta

theatregoer [θiətəgəuə] pravidelný návštěvník divadla

theatrical [θi'ætrikl] *adj* 1 divadelní 2 teatrální • *n* **~s** *pl* (*ochotnické / domácí*) divadelní představení

theft [θeft] krádež

their [ðeə], **theirs** [ðeəz] jejich

them [ðem] 1 je, jim (*4. pád od* **they**) 2 (*hovor.*) ti, oni

theme [θi:m] látka, námět, téma

themselves [ðəm'selvz] 1 (oni) sami, osobně 2 sebe, se, si

then [ðen] *adv* 1 potom, pak 2 tehdy, tenkrát; **by ~** zatím, do té doby 3 tedy 4 **but ~** tak (potom) aspoň • *adj* tehdejší

theology [θi'olədži] bohosloví, teologie

theory [θiəri] 1 teorie 2 (*hovor.*) domněnka, nápad, přesvědčení

there [ðeə] *adv* tam; **~ and back** tam a zpět; **~ is / are** je / jsou • *interj* no tak, hele; **~ now!**, **~ you are!** tak vidíte!

thereabouts [ðeərəbauts] 1 poblíž, tam někde 2 tak nějak, přibližně tolik

thereby [ðeə'bai] 1 tím, tímto; čímž 2 u toho, s tím, při tom, k tomu

therefore [ðeə'fo:] proto, tudíž

thereupon [ðeərə'pon] 1 na to 2 následkem čehož 3 načež, hned nato

thermometer [θə'momitə] teploměr

thesis [θi:sis] 1 teze 2 disertační práce

they [ðei] oni ♦ **~ say** říká se, prý

thick [θik] *adj* 1 silný, tlustý 2 hustý 3 zastřený (**voice** hlas); kalný 4 hloupý, tupý • *adv* 1 silně 2 hustě

thicken [θikn] 1 zhoustnout 2 zesílit, vyztužit 3 zakalit (se) 4 komplikovat se 5 zahustit

thicket [θikit] houština

thickness [θiknis] 1 tloušťka 2 hustota 3 silné místo; tlustá vrstva

thief [θi:f] zloděj

thigh [θai] stehno

thimble [θimbl] náprstek

thin [θin] **(nn)** *adj* 1 slabý, tenký 2 hubený 3 řídký • *v* 1 zeslabit, ztenčit 2 zředit 3 zřídnout

thing [θiŋ] věc; **another ~** *1.* něco jiného *2.* ještě něco; **not a ~** nic; **poor ~** chudáček; **that sort of ~** něco takového; **for one ~** předně; **that's just the ~** to je přesně ono; **the ~ is that** jde o to, že; **first ~** hned

things [θiŋz] *pl* 1 věci; zavazadla 2 příbory, nádobí; jídlo, nápoj 3 záležitosti, poměry ♦ **above all ~** především; **of all ~** dokonce, jako na potvoru; **how are ~ ?** jak se vede?

think* [θiŋk] myslit, přemýšlet ♦ **~ twice** dobře si rozmyslit; **come to ~ of it** teď mi napadá; **~ about** přemýšlet o, pomýšlet

na; ~ **of** myslit na, pomýšlet na; **can you ~ of ...?** nenapadá tě ...?
think out promyslit, domyslit
think over rozmyslit
think up vymyslit
thinker [θiŋkə] myslitel
third [θə:d] *adj* třetí • *n* třetina
thirst [θə:st] *n* žízeň • *v* žíznit, prahnout **for** po
thirsty [θə:sti] žíznivý; **be ~** mít žízeň
thirteen [θə:'ti:n] třináct
thirteenth [θə:'ti:nθ] třináctý
thirtieth [θə:tiiθ] třicátý
thirty [θə:ti] třicet
this [ðis] *pron* ten, tento; to, toto • *adv* (*hovor.*) takhle
thistle [θisl] bodlák
thorn [θo:n] trn; trní
thorny [θo:ni] **1** trnitý **2** palčivý, těžký, otravný; ožehavý
thorough [θarə] **1** úplný, naprostý, od základů **2** důkladný, dokonalý **3** pečlivý, svědomitý
thoroughfare [θarəfeə] dopravní tepna; **no ~** průjezd zakázán
thorough-paced [θarəpeist] **1** zkušený, ostřílený **2** naprostý, pronikavý
though [ðəu] *conj* ačkoli, třebaže; **as ~** jakoby • *adv* aspoň, stejně; přece jenom; ale, ovšem
thought [θo:t] **1** myšlení **2** myšlenka; nápad **3** názor, mínění **4** úmysl, plán
thoughtful [θo:tful] **1** zamyšlený **2** přemýšlivý, hloubavý; plný nápadů **3** ohleduplný, pozorný
thoughtless [θo:tlis] **1** bezmyšlenkovitý **2** bezohledný; nepozorný
thousand [θauznd] tisíc
thousandfold [θauzndfəuld] tisícinásobný
thousandth [θauzndθ] *adj* tisící • *n* tisícina
thrash [θræš] **1** bít, tlouci, nařezat komu **2** (*hovor.*) nandat to komu
thrash about 1 tlouci kolem sebe **2** mlít se, házet sebou
thrash out 1 detailně probrat, prodebatovat **2** vyřešit diskusí
thrashing [θræšiŋ] **1** výprask **2** těžká porážka
thread [θred] **1** nit, vlákno **2** závit (*šroubu*)
threadbare [θredbeə] **1** odřený, ošoupaný **2** otřepaný
threat [θret] hrozba; výhrůžky
threaten [θretn] hrozit; ohrožovat
three [θri:] *adj* tři • *n* trojka
threefold [θri:fəuld] trojitý
threepiece [θri:pi:s] (*oblek*) třídílný
thresh [θreš] mlátit (*obilí*)
threshing machine ['θrešiŋmə,ši:n] mlátička
threshold [θrešəuld] práh, (*též přen.*)
thrice [θrais] třikrát
thrift [θrift] šetrnost
thrifty [θrifti] šetrný, hospodárný
thrill [θril] *n* **1** nadšení, rozechvění **2** napínavost, vzrušující charakter; napětí, vzrušení • *v* nadchnout; vzrušit, napnout
thriller [θrilə] detektivka, thriller
thrilling [θriliŋ] napínavý, vzrušující
thrive* [θraiv] dařit se, vzkvétat, prosperovat
thriving [θraiviŋ] **1** velice úspěšný **2** kvetoucí, prosperující
throat [θrəut] **1** hrdlo **2** (*úzký*)

vchod, vjezd
♦ **have a sore** ~ mít bolení v krku
throb [θrob] **(bb)** **1** bít, tlouci, bušit, tepat, pulzovat **2** chvět se, být rozechvěn **with** čím
throes [θrəuz] *pl* **1** bolesti, muka **2** porodní bolesti **3** smrtelný zápas, agónie **4** urputný boj
throne [θrəun] trůn
throng [θroŋ] *n* **1** zástup, dav **2** spousta, moře (*přen.*) **3** tlačenice, nával • *v* **1** tlačit se, mačkat se **2** valit se, hrnout se, proudit ve velkém množství
throstle [θrosl] drozd
throttle [θrotl] *v* (u)škrtit (se) • *n* (*tech.*) škrticí klapka / ventil
♦ **at full** ~ na plný plyn
through [θru:] *prep* **1** skrz **2** prostřednictvím **3** po **4** pro, kvůli • *adj* **1** přímý (**train** vlak) **2** průběžný, průchozí • *adv* **1** skrz (naskrz) **2** (od začátku) do konce; **get / be** ~ dostat spojení; **be** ~ **with** skončit s; ~ **and** ~ skrz naskrz
throughout [θru'aut] *adv* celý, skrz naskrz, úplně; všude • *prep* po celém, v celém; během celého, přes celý
throw* [θrəu] *v* **1** házet, hodit, vrhnout **2** promítnout **3** vylít, vychrstnout **4** vrhnout, (po)rodit • *n* hod; **within a stone's** ~ co by kamenem dohodil
throw away zahodit
throw back **1** odrazit; odrážet **2** brzdit, zpomalit (*vývoj*)
throw in **1** dát nádavkem **2** prohodit, vsunout
throw off **1** shodit ze sebe **2** vrhat do vzduchu **3** setřást **4** (*spatra / lehce*) složit, napsat **5** zmást, splést **6** pomlouvat, kritizovat
throw out **1** vyhodit, zahodit **2** vyrážet, vyhánět **3** vydávat, šířit (*zvuk / vůni*) **4** poslat, vyslat **5** nadhodit, prohodit **6** zamítnout; vyřadit, vyloučit
throw up **1** vyhodit do výšky **2** (*prudce*) vztyčit, vzpažit **3** rychle postavit **4** nasypat, naházet **5** opustit, vzdát se, nechat čeho; **6** chrlit **7** (*hovor.*) zvracet
thrush [θraš] drozd
thrust* [θrast] *v* **1** vrazit, strčit **2** vyrážet, vyhánět **3** odsunout, odstrčit **from** od • *n* **1** rýpnutí; štulec, herda **2** výpad **3** bodná / sečná rána **4** jedovatá poznámka, šleh
thud [θad] **1** (*temné*) žuchnutí, (*temný*) úder **2** dusání, dusot **3** dunění, (*temný*) hukot
thug [θag] brutální člověk, hrdlořez, gangster
thumb [θam] *n* palec (*na ruce*) • *v* ohmatat ♦ ~ **a lift** *1.* (chtít) jet autostopem *2.* stopovat auta
thump [θamp] *v* **1** dupat **2** bouchat do, natřepat boucháním **3** nařezat, namlátit komu • *n* **1** dupot **2** (*temná*) rána, úder **3** bouchnutí
thunder [θandə] *n* hrom, (za)hřmění; **a peal / clap of** ~ zahřmění • *v* **1** hřmět, dunět **2** burácet, rachotit
thunderstorm [θandəsto:m] bouřka, hromobití
thunderstruck [θandəstrak] **1** zasažený bleskem **2** omráčený, ohromený, užaslý
Thursday [θə:zdi] čtvrtek
thus [ðas] **1** tak, takto **2** tedy, tudíž **3** a tak tedy

thwart [θwo:t] (z)mařit, (z)křížit (**one's plans** plány)
thyme [taim] **1** mateřídouška **2** tymián
tick[1] [tik] *n* **1** tikot, tikání **2** znamínko (*v podobě háčku*); **buy goods on ~** kupovat zboží na dluh
• *v* **1** tikat **2** fungovat, existovat
tick off **1** odškrtnout, zatrhnout **2** (*hovor.*) setřít, zpérovat
tick[2] [tik] **1** klíště **2** roztoč; čmelík
ticket [tikit] **1** lístek; vstupenka, jízdenka, letenka **2** los **3** známka, kupón, stvrzenka **4** pokutní lístek **5** formulář **6** *GB* navštívenka; legitimace **7** *US* kandidátka
tickle [tikl] **1** (po)lechtat **2** (*přen.*) příjemně dráždit, vzrušovat **3** pobavit, rozveselit **4** polichotit **5** svědit, šimrat
ticklish [tikliš] **1** lechtivý **2** nedotýkavý, urážlivý **3** ožehavý, choulostivý, delikátní **4** riskantní
tide [taid] **1** příliv a odliv **2** slapový proud **3** (*přen.*) vzestup a pokles, střídavé štěstí
tidy [taidi] *adj* **1** uklizený, uspořádaný **2** úpravný, úhledný **3** (*hovor.*) pořádný, pěkný; decentní **4** mazaný ♦ **a ~ sum of money** pěkná sumička
• *v též* **~ up** uklidit, dát do pořádku; upravit
tie [tai] *v* zavázat, svázat, přivázat
• *n* **1** vázanka, kravata **2** stuha, stužka **3** svazek, pouto **4** (*sport.*) nerozhodný výsledek ♦ **black ~** (*přen.*) smokink; **white ~** (*přen.*) frak
tiger [taigə] tygr
tight [tait] **1** pevně napnutý / utažený **2** těsný; přiléhavý **3** skoupý **4** (*hovor.*) opilý
tighten [taitn] **1** napnout (se) **2** utáhnout **3** zpřísnit
tightrope [taitrəup] **1** provazochodecké lano **2** zrádná / nebezpečná situace
tights [taits] *pl* **1** trikot **2** přiléhavé kalhoty; šponovky **3** punčocháče
tigress [taigris] tygřice
tile [tail] *n* **1** kachel, kachlík; dlaždice, obkládačka **2** (*krytinová*) taška • *v* **1** vykachlíkovat; obkládat dlaždicemi / kachlíky **2** pokrývat (*taškami*)
till[1] [til] *prep* do, až do • *conj* až, než, dokud ne
till[2] [til] **1** zásuvka na peníze (*v pokladně*) **2** příruční pokladna
till[3] [til] obdělávat, orat
tilt [tilt] **1** naklonit (se) **2** klopit, sklápět, vyklápět **3** *též* **~ over** převrhnout (se) **4** *též* **~ out** vylít, vysypat **5** kymácet se
timber [timbə] stavební dříví
time [taim] *n* **1** čas, doba, lhůta **2** tempo, rytmus, takt; **play in ~** hrát v taktu **3 ~s** -krát; **three ~s** třikrát ♦ **all the ~** stále, pořád; **~ and again** opětovně; **at a ~** současně, najednou, vždy; **one at a ~** po jednom; **at one ~** jednou, kdysi; **at the same ~** současně; **every / each ~** pokaždé; **for the ~ being** prozatím; **from ~ to ~, at ~s** občas; **have a good ~** dobře se bavit, užívat si; **in (good) ~** včas; **in no ~** okamžitě; **on ~** přesně; **this ~** tentokrát; **what ~ is it?**, **what is the ~ ?** kolik je hodin?
• *v* **1** zvolit vhodný čas, načaso-

vat **2** měřit (na) čas **3** nařídit na správný čas, regulovat
time bomb [taimbom] časovaná puma, (*též přen.*)
timekeeper ['taim,ki:pə] časoměřič
timely [taimli] **1** včasný **2** příhodný, aktuální
timetable ['taim,teibl] **1** jízdní / letový řád **2** rozvrh hodin **3** časový harmonogram
timid [timid] bojácný, plachý
tin [tin] *n* **1** cín **2** plech **3** plechovka, konzerva • *v* **(nn) 1** pocínovat **2** zavařovat, konzervovat
tinder [tində] troud
tinderbox [tindəboks] **1** křesadlo **2** vznětlivý člověk, horká hlava **3** (*přen.*) soudek prachu
tinfoil [tinfoil] staniol
tinge [tindž] *v* **1** (*lehce*) zabarvit, dát / dostat odstín **2** (*přen.*) dát nádech **sth.** čemu **with** čeho • *n* **1** zabarvení **2** odstín, tón **3** (*přen.*) příchuť, nádech; zabarvení, stopa
tinker [tiŋkə] *n* dráteník • *v* fušovat **at / with** do, vrtat se v
tinkle [tiŋkl] *v* (za)cinkat, (za)zvonit; (vy)brnkat • *n* cinkot, cinkání ♦ **give sb. a ~** (*hovor.*) brnknout komu (*zatelefonovat*)
tin opener ['tin,əupnə] otvírák na konzervy
tinsel [tinsl] **1** dracoun, lameta **2** (*přen.*) falešné pozlátko
tint [tint] *n* **1** (*barevný*) odstín, nádech **2** přeliv **3** (*přen.*) stopa, zdání, stín • *v* **1** zabarvit (se) **2** udělat (si) přeliv **3** (*přen.*) poznamenat **sth.** co **with** čím
tiny [taini] nepatrný, malý, drobný, titěrný
tip [tip] *n* **1** koneček, špička, cíp **2** vrchol, nejvyšší bod **3** spropitné, tuzér **4** soukromá informace, tip • *v* **(pp) 1** přelít **2** sklopit, naklonit, nahnout **3** dát spropitné **4** tipovat; sázet na
tip off (*hovor.*) dát hlášku / tip komu
tiptoe [tiptəu]: **on ~** *1.* po špičkách *2.* vzrušený, jako na trní
tip-top [tip'top] (*hovor.*) skvělý, perfektní
tip-up [tip'ap] sklápěcí (**seat** sedadlo)
tire[1] [taiə] *US* pneumatika
tire[2] [taiə] **1** unavit (se) **2** být unaven **of** čím
tired [taiəd] unavený
tireless [taiəlis] neúnavný
tiresome [taiəsəm] únavný, nudný, namáhavý, protivný
tissue [tišu:] **1** tkanivo **2** tkáň **3** papírový kapesník
tissue paper ['tišu:,peipə] hedvábný papír
titbit [titbit] pamlsek
title [taitl] **1** titul, název; nadpis, titulek **2** titul, hodnost, predikát **3** právo, nárok **to** na
titter [titə] chichotat se, hihňat se
to [tu: / tu / tə] **1** *místní:* do, k, na; **to and fro** sem a tam **2** *vyjadřuje český 3. pád:* **to you** tobě **3** *časové:* do **4** *předložka před infinitivem:* **To be or not to be** Být či nebýt ♦ **correct 'A' to 'B'** opravit „A" na „B"; **here is to you!** na vaše zdraví!
toad [təud] ropucha
toadstool [təudstu:l] prašivka, muchomůrka

toady [təudi] patolízal, pochlebník
toast [təust] *n* **1** opékaný chléb, topinka, toast **2** přípitek
• *v* **1** opékat (se) **2** připíjet na zdraví komu
tobacco [tə'bækəu] tabák
tobacconist [tə'bækənist] trafikant
toboggan [tə'bogən] *n* sáně
• *v* sáňkovat
today [tə'dei] *adj* dnes
• *n* **1** dnešek **2** současnost, přítomnost
toddle [todl] batolit se
toe [təu] **1** prst u nohy; **big / great ~** palec u nohy **2** špička boty / punčochy
toffee [tofi] (*měkká mléčná*) karamela, tofé
together [tə'geðə] **1** spolu, dohromady; **for hours ~** po celé hodiny **2** najednou, zároveň, současně
togs [togz] *pl* (*hovor.*) oblečení (*pro určitou příležitost*)
toil [toil] *v* dřít se, lopotit se
• *n* dřina, námaha
toilet [toilit] toaleta
token [təukn] **1** znamení, symbol; **~ strike** varovná stávka **2** památka, upomínka, suvenýr
tolerable [tolrəbl] **1** snesitelný **2** přijatelný; průměrný, dost dobrý, slušný
tolerance [tolərəns] snášenlivost, tolerance
tolerant [tolərənt] shovívavý, tolerantní **of** k
tolerate [toləreit] **1** snášet, tolerovat **2** nechat si líbit, smířit se s
toll[1] [təul] *v* (*pomalu, pravidelně*) zvonit, vyzvánět **for** komu
• *n* hrana, vyzvánění
toll[2] [təul] **1** clo, poplatek, mýto **2** ztráty na lidských životech, počet obětí
tomato [tə'ma:təu] rajče, rajské jablíčko
tomb [tu:m] **1** hrobka, hrob **2** náhrobek
tomfoolery [tom'fu:ləri] **1** třeštění, blázně ní, šaškování **2** hloupost, pitominka
tomorrow [tə'morəu] *adv* zítra; **~ week** od zítřka za týden
• *n* zítřek
ton [tan] tuna
tone [təun] *n* tón
• *v* tónovat, odstínovat; kolorovat
tone-deaf [təun'def] nemající hudební sluch
tongs [toŋz] *pl* kleště
tongue [taŋ] jazyk; **hold one's ~** být zticha, držet zobák
tonight [tə'nait] dnes večer / v noci
tonnage [tanidž] tonáž
tonsils [tonslz] *pl* krční mandle
too [tu:] **1** příliš **2** ještě, také **3** navíc, k tomu ještě
tool [tu:l] pracovní nástroj, nářadí; **~s** *pl* řemeslnické potřeby, nářadí
tool kit [tu:lkit] **1** brašna na nářadí **2** souprava nářadí
tooth [tu:θ], *pl* **teeth** [ti:θ] zub; **fight ~ and nail** bojovat zuby nehty
toothache [tu:θeik] bolení zubů
toothbrush [tu:θbraš] zubní kartáček
toothpaste [tu:θpeist] zubní pasta
toothpick [tu:θpik] párátko
top [top] *n* **1** vrchol, vrcholek; nejvyšší část **2** hořejšek; povrch ♦ **on ~** nahoře; **from ~ to toe** od hlavy k patě; **at the ~ of one's voice** zplna hrdla • *adj* **1** vrchní, (nej)hořejší **2** maximální

3 nejlepší 4 (*hovor.*) prvotřídní • *v* **(pp)** 1 završit; dosáhnout vrcholu 2 vynikat, vést, být v čele 3 překonat 4 odříznout chrást / nať z

top hat [top'hæt] cylindr

topic [topik] téma, námět, předmět

topical [topikl] aktuální

top piece [top'pi:s] tupé, příčesek

topple [topl] 1 překotit (se); zhroutit se 2 kymácet se

topsyturvy [topsi'tə:vi] páté přes deváté

torch [to:č] *GB* 1 pochodeň 2 *GB* baterka, kapesní svítilna 3 *US* pájecí lampa

torment *n* [to:ment] muka, trýznění, utrpení • *v* [to:'ment] mučit, trýznit, týrat

torpid [to:pid] 1 skleslý, apatický 2 strnulý, v zimním spánku

torrent [torənt] 1 (*prudký*) proud, příval 2 bystřina

torrential [to'renšl] prudký, jako příval; ~ **rain** prudký liják, průtrž mračen

torsion [to:šn] 1 (z)kroucení, torze 2 zkroucenost; zkrut

tortoise [to:təs] želva

tortoiseshell [to:təššel] želvovina

torture [to:čə] *n* mučení • *v* mučit

toss [tos] *v* 1 mrštit; (po)hodit (**one's head** hlavou) 2 hodit do výšky (*a tím obrátit*) (**a pancake** palačinku) 3 losovat (*hozením mince*) 4 zmítat se 5 důkladně promíchat • *n* hod, vrh, losování mincí

total [təutl] *adj* 1 celkový, úplný, souhrnný 2 totální; totalitní • *n* 1 úhrn, souhrn, celek 2 součet, celková výše • *v* **(ll)** činit celkem

totalitarian [təuˌtæli'teəriən] totalitní

touch [tač] *v* 1 dotknout se, dotýkat se čeho 2 poznamenat, ovlivnit 3 dojmout 4 dotknout se letmo (*v rozhovoru*) **on** čeho, stručně se zmínit o 5 (*hovor.*) vypůjčit si **sb.** od koho **for** kolik • *n* 1 dotek 2 hmat 3 styk, spojení; **be in / out of ~ with** být / nebýt ve styku s

touch-and-go [tačən'gəu] 1 odbytý 2 ošemetný, delikátní 3 nebezpečný, riskantní

touching [tačiŋ] *adj* dojemný • *adv* co se týká koho / čeho, pokud jde o

touchy [tači] 1 nedůtklivý 2 přecitlivělý 3 choulostivý 4 snadno výbušný

tough [taf] 1 tuhý 2 silný, robustní 3 houževnatý 4 tvrdošíjný 5 zarputilý 6 těžký, tvrdý, obtížný 7 hulvátský, surový, neurvalý

tour [tuə] *n* 1 cesta, túra 2 zájezd, výprava 3 okružní / vyhlídková jízda 4 turné 5 prohlídka **of** čeho, exkurse po • *v* 1 cestovat, procestovat 2 být / poslat na turné

tourist [tuərist] turista, výletník

tournament [tuənəmənt] turnaj

tow [təu] *v* vléci • *n* vlečení; vlek ♦ **take in** ~ vzít do vleku

toward(s) [tə'wo:d(z), to:d(z)] (směrem) k

towel [tauəl] ručník; osuška

tower [tauə] *n* věž • *v* tyčit se, čnět **above / over** nad

towering [tauəriŋ] 1 čnící do výše, nebetyčný, (*též přen.*) 2 obrovský, bezmezný

town [taun] město

♦ **go to ~** (*hovor.*) oslavovat, jít na flám, vyhazovat peníze
town council [taun'kaunsl] magistrát
town hall [taun'ho:l] **1** radnice **2** obecní dům
toxic [toksik] jedovatý, otravný
toy [toi] *n* hračka • *v* hrát si, pohrávat si • *adj* **1** sloužící ke hraní; **a ~ train** dětský vláček **2** miniaturní; zakrslý
trace [treis] *n* **1** stopa **2** kresba, skica, kopie • *v* **1** jít po stopě, sledovat, stopovat **2** mít / zjistit (*v minulosti*) původ **back to** v / u, sahat až kam, odvozovat, pocházet od **3** *též* **~ over** obkreslit, překreslit (*přes průsvitný papír*)
tracing paper ['treisiŋˌpeipə] pauzovací papír
tracing wheel [treisiŋwi:l] (*krejčovské*) rádlo
track [træk] *n* **1** stopa **2** (závodní) dráha **3** (*vyjetá*) kolej, brázda **4** trať, koleje • *v* sledovat, stopovat
track down 1 vystopovat **2** najít původ / začátek čeho
tracksuit [træksu:t] tepláky
tract[1] [trækt] **1** oblast, pruh (*země*); kraj, krajina **2** rozsáhlá plocha
tract[2] [trækt] pojednání, traktát
tractor [træktə] traktor
trade [treid] *n* **1** obchod **2** řemeslo; živnost • *v* **1** obchodovat **in** s **2** vyměnit si
trade in dát na protiúčet **for** za
trademark [treidma:k] obchodní značka, ochranná známka
tradesman [treidzmən] **1** obchodník **2** řemeslník **3** hokynář
trade union [treid'ju:njən] odborová organizace
tradition [trə'dišn] tradice
traditional [trə'dišənl] **1** tradiční **2** konvenční **3** ústně tradovaný **4** (*nápěv / píseň*) známý, lidový, národní
traffic [træfik] *v* **(ck) 1** obchodovat **in** s **2** handrkovat se **for** o **3** specializovat se **in** na • **1** provoz **2** obchod(ování) **3** dopravní ruch
tragedy [trædžidi] tragédie
tragic [trædžik] tragický
trail [treil] *v* **1** táhnout za sebou, vléci (se) **2** stopovat • *n* **1** stezka **2** stopa **3** plazivá rostlina
trailer [treilə] **1** vlečný vůz **2** přívěs **3** ukázka nového filmu
train [trein] *n* **1** vlak **2** řada, kolona **3** vlek; vlečka **4** průvod, procesí **5** doprovod, suita • *v* **1** *též* **~ up** vychovat **2** cvičit, (vy)školit (se) **3** trénovat **for** na **4** vyvazovat (*rostlinu*)
trainer [treinə] **1** cvičitel; trenér **2** trenažér
training [treiniŋ] **1** výcvik **2** instruktáž, školení **3** trénink
trait [trei(t)] (*charakteristický*) rys, znak, charakter
traitor [treitə] zrádce **to** čeho; vlastizrádce
tram [træm], **tramcar** [træmka:] tramvaj
tramp [træmp] *v* **1** dupat; jít těžkým krokem **2** pochodovat, rázovat **3** trmácet se pěšky **4** toulat se, vandrovat (*jak tulák*) • *n* **1** dlouhá chůze, trmácení **2** tulák, vandrák **3** trampová loď **4** *US* coura, běhna

trample [træmpl] zašlapat, (u)dupat
trance [tra:ns] **1** polospánek, omámení **2** vytržení, trans
tranquil [træŋkwil] klidný, pokojný, tichý
tranquillity [træŋ'kwiliti] klid, pokoj, ticho
tranquillizer [træŋkwilaizə] uklidňující prostředek, sedativum
transaction [træn'zækšn] **1** jednání, vyjednávání **2** uzavření obchodu, transakce **3 ~s** *pl* zpráva o činnosti / jednání, protokoly
transatlantic [trænzət'læntik] zaoceánský
transcription [træn'skripšn] **1** opisování, přepisování **2** opis, přepis, kopie
transfer *v* [træns'fə:] **(rr)** **1** přenést, převést **2** přemístit (se) **3** přeložit, být přeložen **4** poukázat • *n* [trænsfə:] **1** převod, převedení **2** *US* přestupní lístek **3** převod, odstoupení **4** odsun **5** obtisk
transfix [træns'fiks] **1** probodnout **2** (*přen.*) přikovat, přimrazit
transform [træns'fo:m] přeměnit (se), přetvořit (se)
transformation [trænsfə'meišn] **1** přeměna **2** obrat, změna (*k lepšímu*), polepšení
transfuse [træns'fju:z] **1** přelít, přesypat **2** nasytit, prostoupit **with** čím **3** provést transfúzi
transfusion [træns'fju:žn] transfúze
transient [trænziənt] *adj* **1** pomíjivý **2** krátký, letmý **3** měnivý • *n* **1** přechodný host (*na jednu noc*) **2** sezónní dělník
transistor [træn'sistə] tranzistor
transit [trænsit / -zit] **1** průchod, tranzit **2** přeprava, doprava
transition [træn'sišn / -'zišn] přechod
transitional [træn'sišənl / -'zišənl] **1** přechodný **2** dočasný, prozatímní
transitive [trænsitiv / -zitiv] (*jaz.*) přechodný
transitory [trænsitəri / -zi-] přechodný, pomíjivý
translate [træns'leit] **1** přeložit, překládat **2** vyložit (si) **3** přepsat **into** do
translation [træns'leišn] překlad
transmission [trænz'mišn] **1** přenášení, přenos **2** (*rozhlasové / televizní*) vysílání, rozhlasová relace **3** převodovka, rychlostní skříň
transmit [trænz'mit] **(tt)** **1** předat; doručit, poslat dále **2** (*rozhlas / televize*) vysílat, přenášet
transmitter [trænz'mitə] vysílač
transparent [træn'speərənt / -'spæ-] **1** průsvitný; průhledný **2** otevřený, upřímný
transpire [træn'spaiə] **1** vypařovat se **2** vyjít najevo, prozradit se
transport *n* [trænspo:t] **1** doprava **2** uchvácení, extáze • *v* [træns'po:t] **1** dopravovat **2** uchvátit, strhnout
trap [træp] *n* past, léčka • *v* **(pp)** chytat do pasti, líčit na
trapdoor [træpdo:] **1** padací dveře **2** (*div.*) propadlo
trappings [træpiŋz] *pl* **1** ozdoby, paráda **2** vnější paráda / lesk
trash [træš] **1** brak, šunt, (*též přen.*) **2** *US* odpadky, smetí **3** bezcenný člověk; chátra

travel [trævl] *v* **(ll)** **1** cestovat **2** projít cestou / vývojem **3** pohybovat se; jet • *n* cestování, cesta

travel agency ['trævl,eidžnsi] cestovní kancelář

travelled [trævld] zcestovalý

traveller [trævlə] **1** cestovatel; cestující, turista **2** obchodní cestující

traverse [trævə:s] *v* **1** přejít, projet, procestovat **2** pohybovat se / klást / ležet napříč • *adj* příčný, šikmý

trawler [tro:lə] trauler (*rybářská loď*)

tray [trei] tác, podnos

treacherous [trečrəs] zrádný **to** vůči komu

treachery [trečəri] zrada, věrolomnost

treacle [tri:kl] sirup; melasa

tread* [tred] *v* **1** šlápnout, stoupnout **2** pohybovat se, (*též přen.*) **3** vstoupit • *n* **1** krok, kroky **2** šlápnutí; našlapování

treason [tri:zn] velezrada; zrada

treasure [trežə] *n* **1** poklad **2** (*přen.*) velké množství **3** vzácnost, poklad • *v* **1** hromadit, střádat **2** vážit si čeho **3** ctít, oceňovat, chovat jako poklad

treasurer [trežərə] pokladník

treasure trove ['trežə,trəuv] **1** nalezený poklad **2** (*přen.*) pokladnice, bohatá zásobárna

treasury [trežəri] **1** pokladna, trezor **2** **the T~** *GB* státní pokladna, ministerstvo financí

treat [tri:t] *v* **1** zacházet, jednat **sb.** s kým **2** považovat **as** za **3** probrat, projednat **4** pohostit, častovat **sb.** koho **to sth.** čím **5** pojednávat **of** o **6** léčit • *n* **1** potěšení, radost, požitek **2** hoštění ♦ **it is my ~** to platím já

treatise [tri:tiz] pojednání, monografie, odborná publikace

treatment [tri:tmənt] **1** zacházení **of** s **2** léčení, ošetření, (*lékařská*) péče

treaty [tri:ti] smlouva, dohoda, pakt

treble [trebl] *n* **1** trojnásobek **2** diskant, soprán • *v* **1** ztrojnásobit (se) **2** (za)zpívat sopránovým hlasem • *adj* **1** trojitý, trojnásobný; trojmístný **2** diskantový, sopránový

tree [tri:] **1** strom **2** rodokmen **3** kopyto, napínák

trefoil [tri:foil / trefoil] trojlístek

tremble [trembl] **1** (za)chvět se **2** tetelit se, bát se

tremendous [tri'mendəs] **1** děsivý, strašný, strašlivý **2** (*hovor.*) obrovský, velikánský; senzační, fantastický

trench [trenč] zákop

trenchant [trenčənt] ostrý, břitký

trend [trend] sklon, tendence, trend

trespass [trespəs] *v* **1** vstoupit na cizí pozemek **2** překročit, přestoupit **3** prohřešit se **against** proti • *n* **1** přestupek, provinění **2** přečin rušení držby

trespasser [trespəsə] **1** kdo vstoupil na cizí pozemek, nepovolaný **2** rušitel držby **3** pachatel, provinilec **4** hříšník

trial [traiəl] *n* **1** zkouška; pokus **2** ukázka, vzorek **3** soudní řízení, (pře)líčení, proces; **put sb. on ~** soudit koho **4** utrpení • *adj* zkušební

triangle [traiæŋgl] trojúhelník
triangular [trai'æŋgjulə] trojúhelníkový; trojhranný
tribe [traib] **1** kmen **2** rod
tribunal [trai'bju:nl] soud, tribunál
tributary [tribjutəri] *n* **1** přítok **2** poplatník **3** poddaný, vazal • *adj* **1** poplatný **to** komu / čemu **2** poddaný, vazalský ♦ **be ~ to** vlévat se do, být přítokem čeho
tribute [tribju:t] **1** pocta **2** hold, poklona **3** daň, poplatek, dávka ♦ **floral ~** květinové dary (*při pohřbu*); **pay ~ to sb.** vzdát poctu komu
trick [trik] *n* **1** trik **2** (válečná) lest **3** úskok, podvod **4** finta, fortel • *v* **1** podvést, napálit **2** šidit, podvádět **3** ošidit, obrat **sb. out of** koho oč, vylákat z • *adj* **1** trikový **2** kouzelný
trickle [trikl] *v* kapat; stékat po kapkách • *n* **1** kapání **2** slza **3** tenký pramínek, čůrek
tricky [triki] **1** prohnaný, záludný, nevypočitatelný **2** složitý, komplikovaný **3** chytře vymyšlený, důmyslný **4** ožehavý, delikátní
trifle [traifl] *n* **1** maličkost, drobnost **2** hloupost, malichernost **3** špetka • *v* **1** pohrávat si, zahrávat si **with** s **2** lenošit, zabíjet čas
trifle away promrhat, promarnit
trigger [trigə] *n* spoušť (*střelné zbraně*) • *v* spustit (*spoušť*); odpálit
trigger off **1** podnítit, vzbudit, způsobit **2** být impulsem k
trim [trim] **(mm)** *adj* **1** ve výborném stavu **2** upravený, úhledný • *v* **1** přistřihnout, zastřihnout **2** upravit **3** ozdobit **4** odříznout kůži z **5** zkrátit, zredukovat • *n* **1** připravenost, pohotovost **2** ozdoba, výzdoba **3** fazonka
trinity [triniti] trojice
trinket [triŋkit] **1** cetka; bižuterie **2** maličkost, drobnost
trip [trip] *v* **(pp)** **1** cupat **2** podrazit nohu **sb.** komu **3** zakopnout, klopýtnout **4** naklonit (se), převrhnout (se) **5** fetovat • *n* **1** výlet **2** jízda, cesta; **business ~** služební cesta **3** trip, drogové opojení **4** zakopnutí
tripe [traip] **1** dršťky **2** (*hovor.*) nesmysl, hloupost; škvár
triple [tripl] trojitý, trojnásobný
triplicate [triplikit] *adj* trojitý, trojnásobný; trojdílný • *n*: **in ~** trojmo, s dvěma kopiemi
tripper [tripə] *GB* (*hovor.*) výletník, lufťák
trite [trait] otřelý, banální
triumph [traiəmf] *n* triumf • *v* triumfovat
triumphal [trai'amfl] triumfální, vítězoslavný; **~ arch** vítězný oblouk
trivial [triviəl] všední, banální, obyčejný, bezvýznamný, triviální
trolley [troli] **1** vozík **2** dvoukolák **3** servírovací stolek **4** drezína **5** trolejbus
troops [tru:ps] *pl* vojsko, vojenské jednotky
trophy [trəufi] **1** trofej **2** památka, připomínka
tropic [tropik] **1** obratník **2 ~s** *pl* tropické pásmo, tropy
tropical [tropikl] **1** tropický **2** obrazný, metaforický
trot [trot] *n* klus • *v* **(tt)** klusat
trouble [trabl] *n* **1** nepokoje, konflikt **2** starost, nesnáz, soužení,

potíž **3** závada, porucha **4** námaha; **take the ~ to do** obtěžovat se a udělat • *v* obtěžovat, trápit, zlobit, rušit, kalit

troublesome [trablsəm] **1** působící nesnáze, komplikující situaci **2** nepříjemný, rušivý **3** neposlušný, nezvedený

trough [trof] koryto, korýtko; necičky

trousers [trauzəz] *pl* kalhoty

trouser suit ['trauzəˌsu:t] kalhotový kostým

trousseau [tru:səu] výbava (*nevěsty*)

trout [traut] pstruh

trowel [trauəl] zednická lžíce

truce [tru:s] příměří

truck [trak] **1** nákladní vagón **2** *US* nákladní auto

trudge [tradž] plahočit se, vléci se

true [tru:] **1** věrný **2** pravdivý **3** pravý, opravdový **4** přesný **5** správný, spolehlivý ♦ **it is ~** to je pravda; **come ~** vyplnit se, uskutečnit se; **that is only too ~** to je bohužel pravda

truffle [trafl] lanýž

truly [tru:li] **1** skutečně, opravdu **2** pravdivě, přesně **3** upřímně; **Yours ~** S veškerou úctou

trump [tramp] trumf

trumpet [trampit] *n* trubka, trumpeta • *v* troubit

truncate [traŋkeit] seříznout vrchol čeho, učinit komolým

truncheon [tranšn] obušek

trunk [traŋk] **1** kmen **2** trup **3** chobot (*slona*) **4** hlavní trať; dopravní tepna **5** (*velký, lodní*) kufr; *US* kufr (*auta*)

trunks [traŋks] *pl* (*pánské*) plavky

trust [trast] *n* **1** víra, důvěra **2** zodpovědnost **3** péče, ochrana **4** trust • *v* **1** důvěřovat **2** pevně doufat / věřit

trustee [tras'ti:] **1** opatrovník, správce **2** komisař, zplnomocněnec, pověřenec

trustworthy [trastwə:ði] důvěryhodný, spolehlivý

truth [tru:θ] pravda ♦ **home ~s** nepříjemná pravda; **tell the ~** mluvit pravdu; **to tell the ~** abych řekl pravdu

truthful [tru:θful] **1** pravdivý **2** pravdomluvný **3** přesný, odpovídající skutečnosti

try [trai] **1** zkusit, pokusit se **2** snažit se; **thanks for ~ing** díky za dobrou vůli **3** vyzkoušet **4** ochutnat **5** projednávat u soudu; soudit

try on zkoušet na sobě ♦ **~ on for size** vyzkoušet si velikost

tub [tab] **1** džber, škopek **2** káď, soudek **3** vana

tube [tju:b] **1** trubka, trubice, roura **2** hadice **3** tuba **4** *GB* (*hovor.*) londýnské metro

tuberculosis [tjubə:kju'ləusis] tuberkulóza

tuck [tak] **1** vsunout **2** zdrhnout, zřasit **3** založit, zabrat (*látku*)

tuck in **1** zastrčit, zasunout **2** s chutí se pustit do jídla, spucnout

Tuesday [tju:zdi] úterý

tuft [taft] chomáč

tug [tag] *v* **(gg)** **1** trhnout, škubnout **2** táhnout, vléci • *n* **1** trhnutí, škubnutí **2** vlečná loď, remorkér

tug-of-war [tagəv'wo:] **1** přetahování lanem **2** (*přen.*) tahanice, boj o nadvládu

tuition [tju'išn] **1** vyučování, výuka **2** školné
tulip [tju:lip] tulipán
tumble [tambl] **1** svalit (se), kácet (se) **2** rozpadat se **3** převalovat (se)
tumbledown [tambldaun] na spadnutí, polozřícený
tumbler [tamblə] sklenka (*bez nožičky*)
tumescence [tju:'mesns] zduření, otok
tummy [tami] (*hovor.*) žaludek, břicho
tumultuous [tju:'malčuəs] bouřlivý; divoký, zuřivý
tune [tju:n] *n* melodie, nápěv; **out of ~** *1.* rozladěný *2.* falešný • *v též* **~ up** ladit, naladit ♦ **you are ~d to London** posloucháte Londýn
tune in vyladit (*na přijímači*), chytit **to** co
Tunisia [tju:'niziə] Tunis
tunnel [tanl] tunel
turbine [tə:bain] turbína
turboprop [tə:bəuprop] turbovrtulový
tureen [tə'ri:n] polévková mísa
turf [tə:f] **1** trávník, drn **2 the ~** dostihový sport, dostihy
Turk [tə:k] Turek
Turkey [tə:ki] Turecko
turkey [tə:ki] krocan, krůta; **~ cock** krocan
Turkish [tə:kiš] turecký; **~ bath** parní lázně
turmoil [tə:moil] *n* rozruch, vřava • *v* rozbouřit
turn [tə:n] *n* **1** otočení, otáčka **2** obrat, změna (**for the better** k lepšímu) **3** pořadí **4** služba, laskavost **5** účel **6** číslo programu ♦ **do sb. a good ~** prokázat dobrou službu komu; **in ~** střídavě; **it's your ~ now** teď je řada na tobě; **take ~s at** střídat se v čem • *v* **1** otočit (se), obrátit (se) **2** změnit (se) **into** v **3** *stát se jakým:* **~ sour** zkysnout; **~ professional** přestoupit k profesionálům **4** přeložit **into** do (**English** angličtiny) **5** soustruhovat **6** obrátit (**an old coat** starý kabát) ♦ **~ sb.'s head** poplést hlavu komu; **~ round the corner** zatočit za roh
turn away 1 poslat pryč, odehnat **2** odvrátit se
turn down 1 shrnout **2** ztlumit **3** odmítnout
turn in 1 směřovat dovnitř **2** odevzdat **3** (*hovor.*) jít spát
turn inside out obrátit naruby
turn off 1 vypnout, zavřít, zhasnout **2** odbočovat
turn on 1 zapnout, otevřít, rozsvítit **2** (*hovor.*) nadchnout, vzrušovat
turn out 1 vyklopit **2** vypnout **3** vyrábět **4** vybrat **5** vyhnat **6** vytáhnout **7** dopadnout
turn over 1 převracet (se) **2** odevzdat, předat **3** dosahovat obratu
turn round otočit se
turn to začít dělat co, dát se do / na (**drink** pití)
turn up 1 ohrnout **2** dostavit se, objevit se **3** přihodit se
turner [tə:nə] soustružník
turning point [tə:niŋpoint] rozhodující okamžik, kritický bod, bod obratu **of** v
turnip [tə:nip] tuřín, vodnice

turnout [tə:naut] **1** výroba, produkce **2** shromáždění
turnover [tə:nəuvə] (*obch.*) obrat
turnstile [tə:nstail] turniket
turn-ups [tə:naps] *pl* záložky (*nohavic*)
turpentine [tə:pntain] terpentýn
turquoise [tə:kwoiz] tyrkys
turtle [tə:tl] (*mořská*) želva
turtledove [tə:tldav] hrdlička
tusk [task] kel
tussle [tasl] *n* boj, rvačka, zápas • *v* bojovat
tutor [tju:tə] učitel, instruktor, konzultant; školitel
tutorial [tju'to:riəl] hodina, konzultace, seminář
tweed [twi:d] tvíd
tweezers [twi:zəz] *pl* pinzeta
twelfth [twelfθ] dvanáctý; **T~ Night** Večer tříkrálový
twelve [twelv] dvanáct
twentieth [twentiiθ] *adj* dvacátý • *n* dvacetina
twenty [twenti] dvacet
twice [twais] dvakrát
twiddle [twidl] hrát si **with** s; **~ one's thumbs** točit palci, chytat lelky
twig [twig] větvička
twilight [twailait] soumrak, stmívání; šero
twinkle [twiŋkl] **1** (*světlo*) mihotat se, jiskřit **2** (*oči*) rozzářit se, (*vesele*) (za)mrkat
twins [twinz] *pl* dvojčata
twirl [twə:l] kroutit (se), točit (se)
twist [twist] *v* **1** (z)kroutit (se), stáčet (se) **2** otočit **3** (vy)ždímat (**a wet cloth** mokrý hadr) **4** překrucovat **5** vymknout, vyvrtnout • *n* **1** jiný směr, jiná náplň **2** zkomolení **3** odchylka, deformace, sklon
twist off 1 odšroubovat **2** ukroutit
twitter [twitə] cvrlikat; štěbetat, švitořit
two [tu:] dvě
twopence [tapəns] dvě pence
twosome [tu:səm] (*hovor.*) dvojice, párek
twostroke [tu:strəuk] dvoutaktní (**engine** motor)
tycoon [tai'ku:n] magnát
type [taip] *n* **1** typ **2** vzor, prototyp **3** litera; písmo • *v* psát na stroji
typewriter [taipraitə] psací stroj
typhoid [taifoid] *též* **~ fever** břišní tyfus
typhoon [tai'fu:n] tajfun
typical [tipikl] **1** typický **2** příznačný **of** pro
typist [taipist] písař(ka) na stroji
typographical [taipə'græfikl] typografický; **~ error** tisková chyba
tyranny [tirəni] tyranie
tyrant [tairənt] despota, tyran
tyre [taiə] *GB* pneumatika
tzar [za:] car

U

ubiquitous [ju:'bikwitəs] všudypřítomný
udder [adə] vemeno; struk
ugly [agli] **1** ošklivý, ohyzdný **2** hnusný, odporný **3** nebezpečný, nepříjemný
U.K. = United Kingdom Spojené království
Ukraine [ju:'krein]: **the ~** Ukrajina
Ukrainian [ju:'kreinjən] *adj* ukrajinský
• *n* **1** Ukrajinec **2** ukrajinština
ulcer [alsə] vřed
ultimate [altimit] **1** konečný **2** (pra)původní **3** úplně poslední
ultimatum [alti'meitəm] ultimatum
ult. = ultimo [altiməu] minulého měsíce
umbrella [am'brelə] **1** deštník **2** (*přen.*) záštita; zastřešující organizace
umpire [ampaiə] (*sport.*) rozhodčí, soudce
umpteen [amp'ti:n] (*hovor.*) iks, sto, tisíc, milión
un- [an] *předpona vyjadřující zápor:* **unbutton** rozepnout, **uncommon** neobyčejný, **undamaged** nepoškozený, **unfaithful** nevěrný, **unjust** nespravedlivý, **unmarried** svobodný, **unpopular** nepopulární, **unripe** nezralý, **untidy** nepořádný *apod.*
unabashed [anə'bæšt] **1** nevyvedený z míry **2** drzý, nestoudný
unable [an'eibl] **1** neschopný **2** nezpůsobilý **3** bezmocný
unacceptable [anək'septəbl] nepřijatelný
unaccountable [anə'kauntəbl] **1** nevysvětlitelný **2** neodpovědný
unaccounted for [anə'kauntid fo:] **1** nevysvětlený **2** nevzatý v úvahu **3** nezvěstný, pohřešovaný
unadvised [anəd'vaizd] **1** neuvážený **2** nepoučený
unambiguous [anæm'bigjuəs] nedvojsmyslný, jednoznačný
un-American [anə'merikən] neamerický
unanimous [ju:'næniməs] jednomyslný; jednohlasný
unapproachable [anə'prəučəbl] nepřístupný, nedosažitelný **to** komu
unarmed [an'a:md] neozbrojený
unassuming [anə'sju:miŋ] nenáročný, skromný
unattached [anə'tæčt] volný, svobodný
unavailing [anə'veiliŋ] planý, zbytečný, bezúčelný, bezvýsledný
unavoidable [anə'voidəbl] nevyhnutelný
unaware [anə'weə] nejsoucí si vědom **of sth.** čeho
unbalanced [an'bælənst] **1** nevyrovnaný, nevyvážený **2** pomatený, šílený
unbearable [an'beərəbl] nesnesitelný
unbelievable [anbi'li:vəbl] neuvěřitelný
unborn [an'bo:n] dosud nenarozený
uncalled-for [an'ko:ldfo:] nevhodný, nežádoucí, neodůvodněný

uncanny [an'kæni] **1** tajuplný, tajemný, záhadný **2** zlověstný, ďábelský
uncertain [an'sə:tn] **1** nejistý, neurčitý **2** nespolehlivý **3** nestálý, proměnlivý
unchallenged [an'čælinžd] bez námitek / protestu, nesporný
unchangeable [an'čeindžəbl] nezměnitelný, neproměnný, neproměnlivý
uncle [aŋkl] strýc
uncomfortable [an'kamftəbl] **1** nepohodlný **2** nepříjemný, trapný **3** necítící se dobře / ve své kůži
uncommitted [ankə'mitid] neangažovaný, nezúčastněný, nezavázaný **to** komu
uncommunicative [ankə'mju:nikətiv] **1** nesdílný, zamlklý **2** uzavřený, rezervovaný
uncompromising [an'komprəmaiziŋ] **1** nekompromisní, neústupný, přímočarý **2** rozhodný, jednoznačný
unconditional [ankən'dišənl] **1** bezpodmínečný **2** bezvýhradný, absolutní
unconscious [an'konšəs] **1** neúmyslný **2** v bezvědomí
unconstitutional [ankonsti'tju:šənl] neústavní
uncontrollable [ankən'trəuləbl] **1** neovladatelný **2** nekontrolovatelný **3** nezvládnutelný, nezkrotný
uncork [an'ko:k] odzátkovat
uncouth [an'ku:θ] **1** nemotorný, neohrabaný **2** neomalený, obhroublý
undeceive [andi'si:v] vyvést z omylu, zbavit iluzí
undeniable [andi'naiəbl] nepopiratelný, nesporný
under [andə] *prep* **1** pod **2** podle, s, za, v, při **3** méně než **4** po • *adv* **1** vespod, dospod; dole, dolů **2** níže **3** méně • *adj* **1** dolní, spodní **2** nižší, podřízený **3** menší, kratší **4** (z)tlumený
undercarriage ['andəˌkæridž] podvozek
underclothes [andəkləuðz] *pl*, **underclothing** ['andəˌkləuðiŋ] (*spodní*) prádlo
underdeveloped [andədi'veləpt] **1** nedostatečně vyvinutý **2** hospodářsky málo vyvinutý, zaostalý
♦ ~ **countries** rozvojové země
underdone [andə'dan] nepropečený, polosyrový
underestimate [andər'estimeit] **1** podceňovat **2** příliš nízko odhadnout
undergo* [andə'gəu] **1** vytrpět, vydržet, snést **2** absolvovat, podrobit se čemu, podstoupit co
undergraduate [andə'grædžuit] (*univerzitní*) student, vysokoškolák
underground *adj* [andəgraund] podzemní • *n* [andəgraund] **1** podzemní dráha, metro **2** ilegalita **3** svět hippies / feťáků *apod.* • *adv* [andə'graund] **1** pod zemí **2** v ilegalitě
underline [andə'lain] **1** podtrhnout **2** zdůraznit, vypíchnout **3** podšít
undermine [andə'main] **1** podminovat **2** podkopat **3** podlomit
underneath [andə'ni:θ] *prep* pod

• *adv* vespod, dospod
• *adj* dolejší, spodní

understand* [andə'stænd] **1** rozumět, chápat; pochopit **2** mít plné pochopení **3** umět, dovést, znát **4** rozumět komu / čemu, vyznat se v **5** mlčky předpokládat **6** dovídat se ♦ **make oneself understood** dorozumět se, domluvit se (*cizí řečí*); **give sb. to ~** dát komu na srozuměnou

understanding [andə'stændiŋ] *n* **1** rozum, chápání, inteligence **2** shoda, soulad, pochopení, dorozumění **3** dohoda, úmluva
• *adj* **1** ohleduplný, tolerantní **2** chápavý, bystrý, inteligentní

undertake* [andə'teik] **1** přijmout, převzít; zavázat se **2** slíbit, ručit za to **that** že **3** podniknout

undertaker [andəteikə] **1** zaměstnanec / majitel pohřebního ústavu **2** pohřební ústav

undertaking **1** [andə'teikiŋ] podnik(ání) **2** slib, závazek **3** [andəteikiŋ] obstarávání pohřbů, provoz pohřebního ústavu

undertone [andətəun] **1** tichý / tlumený hlas **2** (*přen.*) spodní tón, podtext **3** prosvítající barva

underwear [andəweə] (*spodní*) prádlo

underworld [andəwə:ld] podsvětí

underwrite* [andə'rait] podepsat; potvrdit podpisem

undeserved [andi'zə:vd] nezasloužený

undesirable [andi'zaiərəbl] **1** nežádoucí **2** nevhodný **3** nepřijatelný

undies [andiz] *pl* (*hovor.*) dámské prádlo

undisciplined [an'disiplind] neukázněný

undisguised [andis'gaizd] **1** nemaskovaný **2** zcela otevřený, ničím neskrývaný

undo* [an'du:] **1** rozvázat, rozepnout, rozbalit **2** odmontovat, odpárat **3** odčinit, napravit **4** úplně zničit

undoing [an'du:iŋ] zkáza, zhouba, konec

undoubted [an'dautid] nepochybný

undress [an'dress] svléci (se)

undue [an'dju:] nevhodný, nepatřičný

undulate [andjuleit] vlnit se

unduly [an'dju:li] nadmíru, přehnaně, nemístně

unearned [an'ə:nd] nezasloužený; **~ income** bezpracný příjem

unearth [an'ə:θ] vykopat, vyhrabat

unearthly [an'ə:θli] **1** nadpozemský, nebeský **2** strašný, úděsný **3** (*hovor.*) nemožný, neskutečný, fantastický

uneasy [an'i:zi] **1** neklidný **2** tísnivý, nepříjemný, úzkostný ♦ **be ~** být nesvůj, nebýt ve své kůži

unemployed [anim'ploid] **1** nepoužitý **2** nezaměstnaný

unendurable [anin'djuərəbl] nesnesitelný

unequal [an'i:kwl] **1** nerovný, nestejný, rozdílný **2** nepravidelný **3** nestačící **to** na

unerring [an'ə:riŋ] neomylný

uneven [an'i:vn] nerovný

uneventful [ani'ventfl] jednotvárný, nudný

unexpected [anik'spektid] neočekávaný; nepředvídaný

unfailing [an'feiliŋ] neselhávající, spolehlivý
unfair [an'feə] **1** nespravedlivý, nepoctivý **2** nečestný, nesportovní **3** nepřiměřený
unfavourable [an'feivrəbl] **1** nepříznivý **2** nepříjemný, nežádoucí
unfinished [an'finišt] nedokončený
unfit [an'fit] **1** nevhodný **2** nezpůsobilý **for** čeho
unfold [an'fəuld] rozložit; rozvinout
unforgettable [anfə'getəbl] nezapomenutelný
unfortunate [an'fo:čnit] nešťastný
unfortunately [an'fo:čnitli] bohužel, naneštěstí
unfruitful [an'fru:tful] neplodný
unfurnished [an'fə:ništ] **1** nezařízený **2** neopatřený **with** čím
ungainly [an'geinli] **1** nemotorný, neohrabaný **2** těžkopádný **3** ošklivý
ungrateful [an'greitfl] nevděčný, neuznalý
ungulate [aŋgjuleit] kopytnatec
unhappy [an'hæpi] **1** nešťastný **2** zarážející **3** skličující
unhealthy [an'helθi] **1** nezdravý **2** rizikový **3** morálně zkažený; morbidní
unheard-of [an'hə:dəv] neslýchaný
unicorn [ju:niko:n] jednorožec
uniform [ju:nifo:m] *n* uniforma, stejnokroj • *adj* **1** jednotný **2** stejnoměrný, rovnoměrný
unify [ju:nifai] sjednotit
uninhabited [anin'hæbitid] neobydlený
uninterrupted [anintə'raptid] nepřerušovaný, nepřetržitý
union [ju:njən] **1** spojení **2** jednotka; svaz **3** odborová organizace **4** shoda, soulad
unique [ju:'ni:k] **1** jedinečný **2** ojedinělý, specifický
unit [ju:nit] jednotka
unite [ju:'nait] spojit, sjednotit (se)
unity [ju:niti] jednota
universal [ju:ni'və:sl] (vše)obecný, univerzální
universe [ju:nivə:s] vesmír, kosmos
university [ju:ni'və:siti] *n* univerzita, vysoká škola • *adj* univerzitní, vysokoškolský; akademický
unkind [an'kaind] nevlídný, nelaskavý
unknown [an'nəun] neznámý; nepoznaný
unleash [an'li:š] uvolnit; rozpoutat, pustit z řetězu
unless [an'les] **1** jedině, jestliže (ovšem) ne, ledaže (by) **2** s jedinou výjimkou **3** aby ne
unlike [an'laik] *adj* rozdílný; nepodobný • *prep* **1** jiný než; jinak než **2** na rozdíl od
unlikely [an'laikli] nepravděpodobný; **he is ~ to come** pravděpodobně nepřijde
unlimited [an'limitid] **1** neomezený **2** nekonečný, bezmezný
unload [an'ləud] **1** vyložit (*náklad*); sejmout náklad z **2** (*přen.*) vysypat ze sebe, svěřit se s
unlock [an'lok] odemknout
unlucky [an'laki] nešťastný; **be ~** mít smůlu

unnatural [an'næčərl] 1 nepřirozený 2 úchylný, perverzní
unnecessary [an'nesəsri] nepotřebný, zbytečný
unnerve [an'nə:v] 1 vyčerpat, unavit, činit nervózním 2 ochromit, vysílit 3 sklíčit, zdeptat
unpack [an'pæk] vybalit, rozbalit
unpalatable [an'pælətəbl] 1 nechutný 2 trpký, nepříjemný
unparalleled [an'pærəleld] nemající sobě rovna, jedinečný, bezpříkladný
unpardonable [an'pa:dnəbl] neodpustitelný
unpleasant [an'pleznt] nepříjemný
unpractical [an'præktikl] nešikovný, nepraktický
unprecedented [an'presidəntid] bezpříkladný, nebývalý
unprejudiced [an'predžudist] nepředpojatý, nestranný
unprofitable [an'profitəbl] 1 neprospěšný, zbytečný, neúčelný 2 nevýnosný, nelukrativní
unquestionable [an'kwesčnəbl] nesporný
unreal [an'riəl] neskutečný
unreasonable [an'ri:znəbl] 1 neracionální 2 nerozumný 3 nesmyslný, absurdní 4 přehnaný
unreliable [anri'laiəbl] nespolehlivý
unrest [an'rest] 1 neklid, nepokoj 2 nepříjemnost; tíseň 3 vzrušení
unsatisfactory [ansætis'fæktəri] nedostatečný, neuspokojivý
unscripted [an'skriptid] (*pořad*) improvizovaný
unsettled [an'setld] neustálený, neurovnaný
unsightly [an'saitli] nevzhledný, nehezký
unstable [an'steibl] 1 nepevný, pohyblivý 2 vratký 3 kolísavý, nestálý, proměnlivý
unsteady [an'stedi] nestálý, kolísavý
until [ən'til] *prep* až do
• *conj* až, dokud ne, než
untimely [an'taimli] 1 nevhodný, nevčasný; předčasný 2 nemístný 3 bezohledný
untiring [an'taiəriŋ] neúnavný
unusual [an'ju:žuəl] neobyčejný, neobvyklý; vzácný
unwelcome [an'welkəm] nevítaný, nežádoucí, nemilý
unwell [an'wel] 1 indisponovaný, nemocný 2 menstruující
unwieldy [an'wi:ldi] 1 nemotorný, nešikovný, nepraktický 2 neomalený 3 těžký, velký
unwilling [an'wiliŋ] neochotný
unwitting [an'witiŋ] bezděčný, náhodný
up [ap] *adv* 1 nahoru, vzhůru; nahoře 2 výš, výše
♦ **up and down** nahoru a dolů; **be up** být u konce; **be up to** *1.* být schopen čeho 2. mít za lubem; **it's not up to much** za moc to nestojí; **it's up to you** (teď) to záleží na vás; **speak up!** mluv hlasitěji!; **what's up?** (*hovor.*) co se děje?; **whisky is up again** whisky opět podražila
• *adj* 1 vzhůru, na nohou 2 vytažený nahoru 3 (*vejce*) smažený jen po jedné straně
♦ **up hairdo** výčes
• *prep* 1 nahoru na / po / do 2 na sever od

upbringing ['apˌbriŋiŋ] výchova, vychování
update [ap'deit] zmodernizovat; aktualizovat
upheaval [ap'hi:vl] **1** (vy)zdvižení; dmutí **2** převratné změny; pozdvižení, převrat
uphold* [ap'həuld] **1** udržovat; povzbudit **2** podporovat **3** potvrdit (*v odvolacím řízení*) (**the sentence** rozsudek)
upholster [ap'həulstə] **1** vyčalounit **2** zařídit, vybavit
upholsterer [ap'həulstərə] čalouník
upkeep [akpi:p] údržba; náklady na údržbu
uplift [ap'lift] **1** pozvednout, povznést **2** zlepšit, zvelebit
upon [ə'pon] = **on**; **once ~ a time there was a ...** byl jednou jeden ...; **~ my word** mé čestné slovo
upper [apə] **1** hořejší, horní, vrchní **2** vyšší
upright [aprait] **1** svislý, kolmý, vertikální; **~ piano** pianino **2** rovný, vzpřímený **3** přímý, poctivý
uprising [apraiziŋ] povstání, vzpoura
uproar [apro:] **1** vřava **2** zmatek, rozruch
uproot [ap'ru:t] **1** vytrhnout s kořeny, vykořenit **2** vymýtit, vyhladit, vymazat **3** změnit způsob života
upset* [ap'set] **(tt)** **1** převrátit (se), překotit (se) **2** vyvrátit; rozrušit, znervóznit **3** způsobit nevolnost v
upshot [apšot] výsledek
upside-down [apsaid'daun] **1** vzhůru nohama **2** v naprostém nepořádku, páté přes deváté, naruby
upstage [ap'steidž] *adj*, *adv* vzadu na jevišti / jeviště • *v* : **be ~d by** být (*nespravedlivě*) zatlačen do pozadí kým
upstanding [ap'stændiŋ] **1** vzpřímený; trčící nahoru **2** přímý, otevřený, poctivý
upstart [apsta:t] kariérista; povýšenec
upstream [ap'stri:m] proti proudu
up-to-date [aptə'deit] **1** dovedený až do současnosti; aktuální **2** současný, nejnovější; skutečně dnešní, poslední
upward [apwəd] směřující vzhůru, stoupající, vzestupný
upwards [apwədz] **1** nahoru, vzhůru, výše **2** nahoře **3** proti proudu ♦ **~ of** *1.* více než *2.* kolem, necelých
uranium [ju'reinjəm] uran
urban [ə:bən] městský
urge [ə:dž] *v* **1** pobízet, nutit, naléhat **2** usilovat, zasazovat se o • *n* **1** nucení **2** naléhavá potřeba **3** pud **4** vroucnost
urgent [ə:džnt] **1** naléhavý **2** dychtivý, nedočkavý **3** pilný, spěšný **4** tvrdošíjný
urinate [juərineit] močit
urine [juərin] moč
urn [ə:n] **1** urna, popelnice **2** široká váza **3** zásobník čaje / kávy; samovar; kávostroj
us [as, əs] nás; nám ♦ **all of us** my všichni; **both of us** my oba
usage [ju:zidž / -si-] **1** (po)užívání **2** zvyk, obyčej; zvyklost, uzance **3** spotřeba

use *n* [ju:s] **1** užívání, použití, upotřebení **2** užitek **3** schopnost / právo užívat **of** čeho **4** obvyklá praxe, úzus **5** smysl, účel ♦ **in ~** v použití; **of no ~** k nepotřebě; **it is of no ~** není to k ničemu; **it is no ~ talking** nemá smysl hovořit • *v* [ju:z] **1** užívat, použít čeho **2** spotřebovat

use up **1** spotřebovat **2** upotřebit, zpracovat

used to [ju:stə] zvyklý na

useful [ju:sful] užitečný; prospěšný, výhodný

useless [ju:slis] neužitečný; zbytečný, marný

usher [ašə] *n* **1** uvaděč, biletář **2** pořadatel, sluha • *v* uvádět

usher in ohlašovat, být předzvěstí / začátkem čeho

usual [ju:žuəl] obyčejný, obvyklý; **as ~** jako obyčejně

usually [ju:žuəli] obyčejně, obvykle

usurer [ju:žərə] lichvář

usurp [ju:'zə:p] uchvátit, zmocnit se čeho, uzurpovat, zabrat

usury [ju:žəri] lichva, lichvářství

utensil [ju:'tensl] potřeba pro domácnost, nádobí

utility [ju:'tiliti] *n* užitečnost, prospěšnost; **public utilities** *pl* městské podniky, komunální služby • *adj* **1** užitkový **2** funkční **3** určený pro běžnou potřebu **4** standardní, konzumní

utilize [ju:tilaiz] **1** využít **2** upotřebit, zužitkovat

utmost [atməust] *adj* nejzazší, nejvyšší, nejkrásnější • *n* co nejvíce, krajní možnost, vrchol; **at the ~** nanejvýš

utter[1] [atə] **1** naprostý, úplný **2** čirý, holý

utter[2] [atə] **1** vydat (*zvuk*); **~ a groan** zasténat; **~ a sigh** vzdechnout **2** pronést, vyslovit, vyjádřit

utterly [atəli] naprosto, úplně

U-turn [ju:tə:n] **1** zatáčka do protisměru, vlásenka **2** (*přen.*) (*prudký*) obrat o sto osmdesát stupňů

V

vacancy [veiknsi] **1** prázdnota **2** volné místo **3** proluka **4** mezera
vacant [veiknt] **1** prázdný, volný, neobsazený **2** nepřítomný duchem, bezvýrazný
vacation [və'keišn] **1** pauza, přestávka **2** vyklizení, uvolnění **of** čeho **3** *US* dovolená **4** *GB* prázdniny
vaccinate [væksineit] očkovat
vacillation [væsi'leišn] váhání, kolísání
vacuum [vækjuəm] *n* vakuum ♦ **~ bottle / flask** termoska; **~ cleaner** vysavač • *v* čistit vysavačem, luxovat
vagabond [vægəbond] tulák, pobuda; povaleč
vagary [veigəri] vrtoch, rozmar
vagrant [veigrənt] **1** potulný **2** kočovný **3** rozmarný; roztěkaný
vague [veig] **1** matný, neurčitý, mlhavý **2** nepřesný, povrchní
vain [vein] *adj* **1** zbytečný, marný; **in ~** marně, nadarmo **2** marnivý, ješitný; nadutý **of** na
vainglorious [vein'glo:riəs] **1** domýšlivý, marnivý **2** chvastounský
valet [vælit] **1** komorník, osobní sluha **2** posluha (*v hotelu*)
valiant [væljənt] statečný, hrdinný
valid [vælid] **1** platný **2** oprávněný **3** pádný, přesvědčivý **4** účelný
validity [və'liditi] **1** platnost **2** oprávněnost **3** pádnost, přesvědčivost **4** účelnost
valley [væli] údolí
valuable [væljuəbl] **1** cenný **2** vzácný, drahocenný **3** hodnotný **4 ~s** *pl* cennosti, šperky; cenné papíry
value [vælju:] *n* **1** hodnota; cena **2** význam, důležitost • *v* **1** ocenit, odhadnout **2** vysoko hodnotit, vážit si, cenit si koho / čeho
valve [vælv] **1** záklopka, šoupátko **2** ventil **3** *GB* elektronka ♦ **cardiac ~** srdeční chlopeň
vampire [væmpaiə] upír
van [væn] **1** stěhovací vůz **2** *GB* dodávkové auto **3** *GB* nákladní vagón
vandalism [vændəlizm] vandalství
vanguard [vænga:d] předvoj; avantgarda
vanilla [və'nilə] vanilka
vanish [væniš] **1** zmizet **2** ztrácet se
vanity [væniti] **1** marnivost, ješitnost; **~ case** necesér **2** domýšlivost **3** marnost, pomíjivost
vanquish [væŋkwiš] **1** porazit; zvítězit nad **2** přemoci, potlačit
vapid [væpid] prázdný, suchý, nudný
vapour [veipə] **1** pára **2** výpar; opar, lehká mlha
variable [veəriəbl] **1** proměnlivý, nestálý **2** měnící se, různý
varicose veins [værikəus'veinz] *pl* křečové žíly
varied [veərid] rozmanitý; pestrý
variety [və'raiəti] **1** rozmanitost;

for a ~ of reasons z různých důvodů 2 odrůda 3 varieté; estráda
various [veəriəs] 1 různý, rozličný 2 pestrý, různobarevný
varnish [va:niš] *n* lak, fermež; politura; ~ **remover** odlakovač • *v* 1 (na)lakovat 2 (*přen.*) přikrašlovat, lakovat na růžovo
vary [veəri] 1 obměňovat, měnit (se) 2 lišit se **from** od, být jiný než
vase [va:z / veis / veiz] váza
vassal [væsl] leník, poddaný, vazal
vast [va:st] 1 rozlehlý, rozsáhlý, široký 2 obrovský, nesmírný
vat [væt] 1 káď, sud 2 vana, nádrž
vault[1] [vo:lt] 1 klenba 2 sklep 3 hrobka 4 *US* trezor
vault[2] [vo:lt] *v* (pře)skočit (*s opěrou*); přehoupnout se • *n* (pře)skok
vaulting horse [vo:ltiŋho:s] kůň (*tělocvičné nářadí*)
veal [vi:l] telecí maso
veer [viə] 1 měnit směr, točit se 2 *též* ~ **round** (*přen.*) změnit názor, obrátit
vegetable [vedžtəbl] *adj* 1 rostlinný 2 zeleninový, zelinářský • *n* 1 rostlina; zelenina 2 **~s** *pl* zelenina 3 (*hovor.*) živá mrtvola
vegetation [vedži'teišn] 1 květena, rostlinstvo, vegetace 2 živoření
vehement [vi:imənt] 1 prudký, úporný 2 důrazný, naléhavý 3 energický; vášnivý; horlivý 4 urputný
vehicle [vi:ikl] 1 vozidlo, vůz, auto 2 pojidlo, pojivo 3 prostředek (*k něčemu*) 4 bravurní příležitost
veil [veil] *n* 1 závoj 2 (*přen.*) rouška, maska, pláštík • *v* zahalit, zakrýt (jako) závojem
vein [vein] 1 žíla 2 nálada 3 (*přen.*) sklon, talent, charakter, tón
velcro [velkrəu] suchý zip
velvet [velvit] samet; ~ **glove** (*přen.*) hedvábná rukavička
velveteen [velvi'ti:n] bavlněný samet, manšestr
venal [vi:nl] prodejný, úplatný, zkorumpovaný
vender, vendor [vendə] prodávající, prodejce; maloobchodník
venerable [venrəbl] úctyhodný, ctihodný
venereal [vi'niəriəl] 1 pohlavní, sexuální 2 venerický
vengeance [vendžns] msta, pomsta, odplata
Venetian [vi'ni:šn] *n* Benátčan • *adj* benátský; **v~ blind** žaluzie
Venice [venis] Benátky
venison [venizn] zvěřina; srnčí, jelení
venomous [venəməs] 1 jedovatý; otrávený 2 (*přen.*) plný jedu, jízlivý, nenávistný
vent [vent] větrací otvor; **give ~ to sth.** dát volný průchod čemu
ventilate [ventileit] 1 větrat 2 projednávat, diskutovat o, ventilovat (**a question** otázku)
ventilation [venti'leišn] větrání, ventilace
venture [venčə] *v* 1 odvážit se, troufnout si 2 riskovat, dát v sázku • *n* 1 riziko, riskantní čin, hazard 2 pokus
venue [venju:] místo (*události*)
verb [və:b] sloveso
verbal [və:bl] 1 slovní, textový,

jazykový **2** ústní
3 mnohomluvný **4** slovesný
verdict [və:dikt] **1** výrok poroty, rozsudek, verdikt **2** mínění, názor, úsudek
verdure [və:džə] zeleň
verge [və:dž] *n* **1** okraj, pokraj (*zvl. přen.*); **on the ~ of sth.** na pokraji čeho **2** hranice, mez, (*též přen.*) **3** travnatý okraj záhonu • *v* **1** být na pokraji **on** čeho **2** hraničit **on** s
verify [verifai] **1** ověřit (si) **2** prověřit (si), překontrolovat (si)
veritable [veritəbl] opravdový, skutečný; autentický
vermin [və:min] **1** (*škodlivá*) havěť, hmyz **2** (*drobní*) dravci; škodná
vernacular [və'nækjulə] mateřština, domácí jazyk
versatile [və:sətail] mnohostranný, univerzální
verse [və:s] **1** verš **2** strofa **3** verše, poezie
version [və:šn] **1** znění, verze **2** překlad
verso [və:səu] levá / rubová / sudá stránka (*knihy*)
vertical [və:tikl] kolmý, svislý
vertebrate [və:tibr(e)it] obratlovec
very [veri] *adv* **1** velmi, velice **2** úplně, naprosto, absolutně • *adj* **1** přesně ten **2** tentýž **3** pravý, skutečný **4** vlastní, zvláštní **5** samotný **6** pouhý, už i ten, dokonce i ten
vessel [vesl] **1** nádoba **2** plavidlo, loď **3** céva
vest [vest] **1** nátělník, tričko **2** *US* vesta
vestibule [vestibju:l] hala, dvorana, vestibul
vestige [vestidž] **1** stopa, pozůstatek **2** (*sebemenší*) stopa, zdání
vet [vet] (*hovor.*) *n* zvěrolékař • *v* **1** vyšetřit **2** *GB* podívat se na zoubek komu
veteran [vetrən] veterán, vysloužilec
veterinary [vetrinəri] veterinářský; ~ **surgeon** zvěrolékař, veterinář
veto [vi:təu] *n* veto • *v* vetovat
vex [veks] **1** otravovat, rozčilovat **2** sužovat, trápit, působit starosti komu
vexation [vek'seišn] **1** rozčilování **2** trápení, útrapy
via [vaiə] (*směrem*) přes
viable [vaiəbl] životaschopný
vibrate [vai'breit] **1** kmitat, chvět se, oscilovat, vibrovat **2** sympaticky reagovat **to** na
vicar [vikə] **1** náměstek, zástupce **2** farář, vikář
vice[1] [vais] **1** nectnost, zlozvyk, vada **2** neřest, zhýralost
vice[2] [vais] svěrák
vice[3] [vais] místo-, vice-
vice-president [vais'prezidnt] viceprezident
viceroy [vaisroi] místokrál
vice versa [vais'və:sə] naopak
vicinity [vi'siniti] sousedství; blízkost
vicious [višəs] **1** zkažený, ničemný **2** nemravný, neřestný, zvrhlý **3** zlomyslný, jízlivý, uštěpačný **4** zlý, divoký, nebezpečný ♦ ~ **circle** začarovaný kruh
vicissitude [vi'sisitju:d] **1** proměnlivost, nestálost **2 ~s** *pl* střídavé štěstí
victim [viktim] oběť
victorious [vik'to:riəs] vítězný

victory [viktəri] vítězství
victuals [vitlz] *pl* potraviny
videotape [vidiəuteip] nahrát na videokazetu
Vienna [vi'enə] Vídeň
view [vju:] *n* **1** návštěva, inspekce, prohlídka **2** pohled, podívaná **of** na **3** co je vidět **of / from** odkud, rozhled, výhled **4** prozkoumání, přezkoušení **5** názor, stanovisko **6** chápání, pochopení ♦ **point of ~** stanovisko, hledisko; **in my ~** podle mého názoru; **in ~ of** vzhledem k; **on ~** přístupný veřejnosti; **take the long ~** myslet daleko kupředu; **with a ~ to** aby • *v* **1** pozorně si prohlédnout; **~ an exhibition** prohlédnout si výstavu **2** prozkoumat **3** posuzovat **4** mít názor na, dívat se na, pohlížet na ♦ **~ a film** shlédnout film
viewer [vju:ə] (*televizní*) divák
view-finder [vju:faində] (*fot.*) hledáček
viewpoint [vju:point] hledisko, stanovisko
vigilance [vidžiləns] bdělost, ostražitost
vigorous [vigərəs] **1** silný, mocný **2** rázný, temperamentní **3** důrazný, energický **4** dobře rostoucí, bujný
vigour [vigə] **1** síla, úsilí **2** svěžest, vitalita, energie
vile [vail] **1** špatný, mizerný **2** hanebný, sprostý, špinavý, nemravný
village [vilidž] **1** ves, vesnice **2** *US* městská čtvrť; sídliště ♦ **~ green** náves
villager [vilidžə] vesničan, venkovan
villain [vilən] **1** darebák, lump; uličník **2** negativní postava (*v dramatu*)
vindicate [vindikeit] **1** ospravedlnit, obhájit **2** uchránit **against / from** před **3** potvrdit správnost čeho
vim [vim] (*hovor.*) elán, energie
vine [vain] réva
vinegar [vinigə] **1** ocet **2** (*přen.*) kyselost, kyselý výraz
vineyard [vinjəd] vinice, vinohrad
vintage [vintidž] *n* vinobraní; ročník (*vína*) • *adj* **1** (*víno*) špičkový, označený ročníkem, archívní **2** vrcholný **3** vynikající ♦ **~ car** (*auto*) veterán
violate [vaiəleit] **1** porušit, nedodržet **2** znásilnit **3** znesvětit
violence [vaiələns] **1** divokost, prudkost, intenzita **2** násilí; násilnost
violent [vaiələnt] **1** prudký **2** násilný, násilnický **3** vášnivý, prudký **4** ostrý, křiklavý
violet [vaiəlit] *n* violka vonná, fialka • *adj* fialkový
violin [vaiə'lin] housle
violinist [vaiə'linist] houslista
violoncello [vaiələn'čeləu] violoncello
viper [vaipə] zmije
virago [vi'ra:gəu] dračice, štěkna, herdekbaba
virgin [və:džin] panna; **~ forest** prales
virile [virail] **1** mužný **2** plodný, potentní
virtual [və:čuəl] skutečný, (*téměř*) absolutní; (*jsoucí*) ve skutečnosti, prakticky, fakticky
virtue [və:ču:] **1** ctnost

2 počestnost, mravnost
3 účinnost; moc
virtuoso [və:ču'əusəu] virtuóz
virtuous [və:čuəs] **1** ctnostný
2 čestný, mravný
visa [vi:zə] vízum
visage [vizidž] obličej, tvář
visibility [vizi'biliti] **1** viditelnost
2 očividnost, patrnost
visible [vizəbl] **1** viditelný
2 očividný, patrný
vision [vižn] **1** zrak **2** vidění
3 představa, obraz, vize **4** extáze
visionary [vižnəri] **1** snílek, fantasta **2** jasnovidec, vizionář
visit [vizit] *v* navštívit
• *n* návštěva (**to Prague** Prahy); **go on / pay a ~ to** navštívit koho
visiting [vizitiŋ] **1** návštěvní
2 hostující
♦ ~ **card** navštívenka, vizitka; ~ **nurse** pečovatelka, opatrovnice
visitor [vizitə] **1** návštěvník
2 host, turista **3** tažný pták
visual [vižuəl] **1** zrakový, vizuální **2** zorný **3** oční
4 viditelný **5** názorný; ~ **aids** *pl* audiovizuální pomůcky
visualize [vižuəlaiz] představit si
vital [vaitl] **1** životní **2** životně důležitý **3** smrtelný, osudový
vitality [vai'tæliti] životnost, vitalita
vitamin [vitəmin] vitamín
viticulture [vitikalčə] vinohradnictví, vinařství
vivid [vivid] **1** živý, čilý, temperamentní; sugestivní
2 ostrý, pronikavý **3** jasný, svěží
viz = namely totiž
vocabulary [və'kæbjuləri]
1 slovníček **2** slovní zásoba, slovník
vocal [vəukl] *adj* **1** hlasový
2 ústní, zvukový **3** hlasitý
4 vokální ♦ ~ **cords** *pl* hlasivky
• *n* zpěv; píseň
vocation [vəu'keišn] **1** povolání
2 zaměstnání **3** role, funkce
♦ ~ **disease** nemoc z povolání; ~ **school** odborná škola
vogue [vəug] obliba, móda; **be in ~** být v módě
voice [vois] *n* **1** hlas **2** výraz, vyjádření **3** mluvčí **4** (*jaz.*) slovesný rod • *v* vyjádřit
void [void] **1** prázdný, pustý
2 neobsazený **3** nemající **of** co, (*jsoucí*) bez **4** právně neplatný
volatile [volətail] **1** prchavý, těkavý **2** pomíjivý, nepostižitelný
3 rozmarný, vrtošivý, přelétavý
volcano [vol'keinəu] **1** sopka
2 (*přen.*) sud se střelným prachem
volley [voli] **1** salva **2** (*sport.*) volej
volleyball [volibo:l] odbíjená
voluble [voljubl] **1** hovorný, řečný **2** výřečný **3** mnohomluvný
volume [voljum] **1** svazek, díl (*knihy*) **2** objem **3** rozsah, míra
4 hlasitost **5** sytost, mohutnost (*zvuku*) ♦ **speak ~s for sth.** být přesvědčivým důkazem čeho
voluntary [voləntəri]
1 dobrovolný **2** úmyslný, záměrný
volunteer [volən'tiə] *n* dobrovolník • *v* dobrovolně se hlásit **for** k / na; dobrovolně nabídnout
voluptuous [və'lapčuəs]
1 smyslný **2** dráždivý, vzrušující; rozkošnický
vomit [vomit] zvracet

voracious [və'reišəs] **1** žravý, hltavý **2** nenasytný, (*též přen.*)

vote [vəut] *n* **1** hlas; hlasovací lístek; hlasování, volby **2** hlasovací / volební právo **3 the ~** počet odevzdaných hlasů • *v* **1** (od)hlasovat **2** volit **3** (*hovor.*) prohlásit, uznat **4** (*hovor.*) navrhovat

voter [vəutə] volič

vouch [vauč] **1** ručit, zaručit (se) **for** za **2** být odpovědný **for** za

voucher [vaučə] **1** ručitel **2** důkaz, doklad, dokument **3** kupón, poukázka, stravenka

vow [vau] *n* **1** (*slavnostní*) slib, přísaha **2** modlitba • *v* slavnostně slíbit; přísahat, odpřisáhnout

vowel [vauəl] samohláska

voyage [voiidž] (*dlouhá*) plavba

vulgar [valgə] vulgární; nevychovaný; sprostý

vulnerable [valnrəbl] **1** zranitelný **2** napadnutelný

vulture [valčə] sup

W

wad [wod] *n* **1** ucpávka **2** hromádka **3** svazek, balík **4** svitek **5** rozžvýkaný kus • *v* **(dd) 1** zmačkat / stočit a nacpat **into** kam **2** ucpat **3** vycpat, (vy)vatovat, (*též přen.*)
wadding [wodiŋ] vycpávka, vatování; vatelín
wade [weid] brodit se
wafer [weifə] **1** oplatka **2** hostie **3** kruhová nálepka
wag [wæg] **(gg) 1** vrtět; **~ one's head** vrtět hlavou; **~ one's finger** hrozit prstem **2** třepat, mávat
wage[1] [weidž] vést (**war** válku)
wage[2] [weidž], **wages** [weidžiz] *pl* mzda; **living ~** postačující mzda
wag(g)on [wægən] **1** (*těžký nákladní*) vůz **2** vagón
wail [weil] *n* lkaní, kvílení, nářek • *v* **1** lkát, kvílet, naříkat **2** oplakávat
waist [weist] pás
waistcoat [weistkəut] vesta
wait [weit] *v* **1** čekat, počkat **for** na; vyčkávat, počkat si na; **while you ~** na počkání **2** obskakovat **on sb.** koho, posluhovat komu **3** obsluhovat (**at table** při stole *jako číšník*) • *n* **1** čekání **for** na **2** přestávka, pauza ♦ **lie in ~ for** číhat na
waiter [weitə] číšník
waiting room [weitiŋru:m] čekárna
waitress [weitris] číšnice, servírka
waive [weiv] **1** vzdát se, zříci se (**a privilege** práva) **2** odsunout, odložit **3** *též* **~ aside / off** sprovodit ze světa (jako) mávnutím ruky
wake[1] [weik] brázda za lodí ♦ **in the ~ of** v patách za, hned za, jako následek čeho
wake[2]* [weik] **1** *též* **~ up** vzbudit (se), probudit (se) **2** bdít
wakeful [weikful] **1** bdělý **2** probděný, bezesný
waken [weikn] **1** probudit (se) **2** připomenout **sb.** komu **to** co, upozornit na
walk [wo:k] *n* **1** chůze **2** procházka **3** cestička **4** obchůzka, rajón ♦ **go for a ~** jít na procházku; **~ of life** společenské postavení, zaměstnání, stav • *v* **1** jít (*pěšky*); chodit, procházet se **2** projít, prochodit **3** vést, vodit; vyprovodit; **~ a dog** (vy)venčit psa
walk out 1 demonstrativně odejít **2** vstoupit do stávky
walker [wo:kə] chodec
walkie-talkie [wo:ki'to:ki] (*příruční*) krátkovlnná vysílačka s přijímačem
wall [wo:l] **1** zeď, stěna **2** přehrada ♦ **be up against a / the ~** být ve slepé uličce, být v úzkých
wallet [wolit] náprsní taška; peněženka
wallow [woləu] **1** válet se **2** bezmezně se oddávat **in** čemu, libovat si v
wallpaper [wo:lpeipə] *n* tapeta, tapety • *v* (vy)tapetovat
walnut [wo:lnət] vlašský ořech; ořešák
walrus [wo:lrəs] mrož
waltz [wo:ls] valčík; wals

wan [won] pobledlý, bezbarvý; unavený
wander [wondə] **1** putovat, bloudit, toulat se **2** odchýlit se **from** od, (*též přen.*) **3** ztrácet zdravý rozum, blouznit
wanderer [wondərə] tulák
wane [wein] **1** ubývat **2** slábnout, blednout, mizet **3** chýlit se ke konci
want [wont] *n* **1** nedostatek **2** bída, nouze **3** potřeba; **be in ~ of** nutně potřebovat co • *v* **1** potřebovat **2** chtít, přát si **3** mít nedostatek **4 be ~ing** chybět
wanton [wontən] *adj* **1** neukázněný, nevázaný; bujný **2** svévolný, bezohledný **3** necudný, nemravný • *n* zpustlík; lehká žena
war [wo:] válka; **be at ~ with** být ve válce s; **the dogs of ~** profesionální vojáci, žoldnéři
ward [wo:d] **1** městská čtvrť; volební okres **2** nemocniční pokoj / oddělení **3** chráněnec; svěřenecká / poručenská péče
warden [wo:dn] dozorce, správce, vedoucí
wardrobe [wo:drəub] skříň na šaty, šatník; garderoba
wardroom [wo:dru:m] důstojnická jídelna (*na válečné lodi*)
warehouse [weəhaus] skladiště
wares [weəz] *pl* zboží
warfare [wo:feə] válčení; **guerilla ~** partyzánská válka
warm [wo:m] *adj* **1** teplý **2** vřelý, srdečný **3** rozpálený, vzrušený • *v* **1** *též* **~ up** hřát, ohřát (se); rozehřát, rozjařit **2** *též* **~ up** rozehřát se, nadchnout se **to** pro
warmonger [wo:maŋgə] podněcovatel války, válečný štváč
warmth [wo:mθ] **1** teplo **2** vřelost, srdečnost
warn [wo:n] **1** (*předem*) upozornit **of** na **2** varovat **of / against** před
warn sb. off odstrašit koho (**doing sth.** od čeho); zahnat koho (**one's land** ze své půdy)
warning [wo:niŋ] **1** upozornění **2** varování, výstraha **3** (*termínovaná*) výpověď (*ze zaměstnání*)
warrant [worənt] *n* **1** oprávnění, zmocnění; plná moc **2** (*písemný*) příkaz, rozkaz; zatykač **3** jmenovací listina, dekret • *v* **1** ospravedlnit **2** opravňovat k **3** zaručit
warrior [woriə] válečník, bojovník; **the Unknown W~** Neznámý bojovník
Warsaw [wo:so:] Varšava
warship [wo:šip] válečná loď
wart [wo:t] bradavice
wary [weəri] **1** ostražitý, opatrný **2** hospodárný, šetrný ♦ **be ~ of** dávat pozor na, hlídat (si) co
wash [woš] *n* **1** (u)mytí **2** praní, prádlo **3** břečka; vodička **4** nátěr • *adj* prací • *v* **1** mýt (se), umýt (se) **2** prát, vyprat **3** omývat; smýt, setřít **4** spláchnout
wash out 1 vymýt **2** vyčerpat
wash up 1 umýt nádobí **2** *US* umýt si ruce
washable [wošəbl] **1** prací **2** smytelný vodou
washbasin ['woš,beisn] umyvadlo
washboard [wošbo:d] valcha
washer [wošə] *US* pračka
washerwoman ['wošə,wumən] pradlena

wash house [wošhaus] prádelna (*v domě*)
washing [wošiŋ] praní, prádlo (*určené k vyprání / už vyprané*)
washing machine ['wošiŋmə,ši:n] pračka
washroom [wošru:m] *US* toaleta
washtub [woštab] necky
wasp [wosp] vosa
waste [weist] *adj* **1** pustý **2** odpadový; unikající, nevyužitý ♦ **lay ~** zpustotšit • *v* **1** (z)pustošit, (z)ničit **2** plýtvat, mrhat čím, promrhat **3** mizet, zmenšovat se **4** plynout, ztrácet se bez užitku **5** *též* **~ away** chřadnout, ztrácet se před očima ♦ **be ~d on** zůstat bez účinku na, nepůsobit na • *n* **1** pustina, poušť **2** plýtvání, mrhání **of** čím **3** odpad; odpadky **4** zmetek, zmetky
wasteful [weistful] **1** plýtvající **of** čím **2** marnotratný, rozhazovačný; nákladný **3** neúsporný, mající nadměrnou spotřebu **of** čeho
wastepaper basket [weistpeipə'ba:skit] koš na papír
watch[1] [woč] hodinky
watch[2] [woč] *n* **1** hlídání, pozorování **for** koho **2** hlídka, stráž ♦ **be on the ~ for** mít se na pozoru před; **keep ~** *1.* pozorně sledovat, mít pod stálou kontrolou **over / on** co *2.* mít dohled / dozor **over** nad *3.* dávat pozor **for** na • *v* **1** bdít, být bdělý **2** hlídat **3** pozorovat, sledovat, přihlížet čemu **4** dávat si pozor, být opatrný ♦ **~ out!** pozor!; **~ television** dívat se na televizi
watchful [wočful] **1** bdělý, ostražitý **2** pozorný, všímavý
watchmaker [wočmeikə] hodinář
watchman [wočmən] (*noční*) hlídač
watchword [wočwə:d] heslo
water [wo:tə] *n* **1** voda **2** vodní hladina **3** moč ♦ **of the first ~** prvního řádu; **hold ~** obstát • *v* **1** zalévat, zavlažit, postříkat **2** napojit; napájet se, pít **3** slzet; slinit; **it made my mouth ~** sbíhaly se mi na to sliny
watercolour [wo:təkalə] akvarel
waterfall [wo:təfo:l] vodopád
water lily ['wo:tə,lili] leknín
watermark [wo:təma:k] průsvitka, vodotisk
waterproof [wo:təpru:f] *adj* nepromokavý • *n GB* plášť do deště
water supply ['wo:təsə,plai] zásobování vodou, vodovod
watertight [wo:tətait] **1** vodotěsný **2** (*přen.*) jednoznačný, nezvratný
waterway [wo:təwei] vodní cesta
watery [wo:təri] **1** vodnatý, vodnatelný **2** rozvařený; rozbředlý **3** uslzený, slzící
wave [weiv] *v* **1** vlnit se **2** mávat **3** ondulovat • *n* **1** vlna **2** zvlnění **3** ondulace **4** mávnutí, zamávání
wave band [weivbænd] vlnové pásmo
wavelength [weivleŋθ] vlnová délka
wavy [weivi] **1** zvlněný, vlnitý, kučeravý **2** třepotající se, plápolavý
wax[1] [wæks] *n* vosk • *adj* voskový • *v* (na)voskovat
wax[2] [wæks] **1** přibývat, dorůstat **2** růst, zvětšovat se
way [wei] **1** cesta **2** způsob; zvyk; **the ~** (způsob), jak **3** ohled, zřetel **4** osud ♦ **ask one's ~** ptát se na cestu; **by the ~** mimochodem,

vlastně; **by ~ of** přes; **give ~ to** povolit čemu, ustoupit před; **go one's ~** jít svou cestou; **I'm going your ~** jdu vaším směrem; **go out of one's ~** snažit se; **in the ~** v cestě; **lead the ~** jít napřed; **a long ~ from** daleko od; **make one's ~ through** razit si cestu kudy; **make ~ for** uvolnit cestu pro; **out of harm's ~** mimo nebezpečí; **over the ~** přes cestu; **pave the ~ for** připravit cestu pro; **the other ~ round** naopak; **this ~** tudy; **the ~ of living** způsob života; **this ~** takto; **have a ~ with** umět to s; **have it your own ~** ať je tedy po vašem; **in a ~** do určité míry; **in the ~ of food** co se týče jídla; **in no ~** nikterak; **in some ~s** v určitém ohledu

way out [wei'aut] **1** východ **2** východisko

wayward [weiwəd] **1** náladový, rozmarný, vzpurný **2** nevypočitatelný, nepředvídatelný, vrtkavý

we [wi:] my

weak [wi:k] **1** slabý **2** mdlý; nekontrastní

weaken [wi:kn] **1** oslabit **2** (ze)slábnout

weakling [wi:kliŋ] slaboch

weakness [wi:knis] **1** slabost **2** slabá stránka **3** slabost **for** pro, záliba v

wealth [welθ] bohatství

wealthy [welθi] bohatý, oplývající **in** čím

weapon [wepn] zbraň

wear* [weə] *v* **1** nosit, mít (*na sobě*), chodit v **2** obnosit, opotřebovat (se) **3** prodřít; vyšlapat; vyjezdit **4** vyčerpat, unavit • *n* nošení; opotřebování ♦ **be in ~** nosit se, být v módě; **fair ~ and tear** normální opotřebení

wear off 1 odřít (se) **2** přestat budit zájem, omrzet se, přejít, pominout **3** přestat působit, ztrácet účinek

wear out 1 obnosit (se) **2** vyčerpat (se) **3** vydržet, přežít **4** (pro)marnit

weariness [wiərinis] únava; únavnost

wearisome [wiərisəm] únavný; nudný

weary [wiəri] *adj* **1** unavený, omrzelý **of** čím **2** únavný; protivný **3** nudný • *v* **1** unavit (se); omrzet (se) **2** nudit (se) **3** být unaven **of** čím

weasel [wi:zl] lasička

weather [weðə] *n* počasí; **be under the ~** *1.* nebýt ve své kůži *2.* být podnapilý • *v* **1** vystavit / být vystaven vlivu počasí **2** přestát, překonat, přežít

weather wane [weðəwein] větrná korouhev, korouhvička

weave* [wi:v] **1** tkát **2** plést; proplétat (se) **3** (*přen.*) osnovat, kout **4** sestavit, zkonstruovat **5** vinout se, klikatit se

weaver [wi:və] **1** tkadlec **2** snovač

web [web] **1** tkanina, tkanivo; síť **2** pavučina **3** plovací blána

wed* [wed] **(dd) 1** oženit se s; provdat se za **2** oddat, sezdat **3** (*přen.*) pevně spojit, sjednotit

wedding [wediŋ] svatba; **~ cake** svatební dort; **~ ring** snubní prsten

wedge [wedž] *n* **1** klín **2** (*vykrojený*) kus **3** (*úzký*) trojhran • *v*: *též* **~ up 1** zaklínit,

upevnit klínem **2** vtlačit (se), vmáčknout (se)
Wednesday [wenzdi] středa
wee [wi:] maličký
weed [wi:d] *n* plevel
• *v* odplevelit, plít
week [wi:k] týden
weekday [wi:kdei] všední den, pracovní den
weekend [wi:k'end] víkend; **(at) ~s** o víkendech
weekly [wi:kli] *adj* týdenní
• *adv* týdně • *n* týdeník
weep* [wi:p] **1** plakat (**for joy** radostí, **with pain** bolestí) **2** ronit, kapat; slzet, potit se
weigh [wei] **1** (z)vážit **2** vážit (*kolik*); potěžkat **3** *též* ~ **up** rozvážit, uvážit
weight [weit] **1** váha, hmotnost **2** závaží **3** břemeno, náklad **4** těžítko **5** závažnost **6** (*vrhačská*) koule
weightlessness [weitlisnis] stav beztíže
weight lifting [weitliftiŋ] vzpírání (*břemen*); posilování
weighty [weiti] **1** těžký **2** tlustý, korpulentní **3** závažný
weir [wiə] jez
weird [wiəd] **1** nadpřirozený, tajuplný, magický **2** (*hovor.*) podivný, zvláštní, výstřední; fantastický
welcome [welkəm] *n* uvítání, přijetí • *adj* vítaný; **be ~ to** mít samozřejmé dovolení k, smět co
• *v* (u)vítat, přivítat
• *interj* vítej(te)!, buď(te) vítán!
weld [weld] **1** svářet **2** (*přen.*) spojit, stmelit **into** v
welfare [welfeə] **1** blaho, prospěch **2** veřejná sociální péče
well[1] [wel] **1** studna; studánka **2** pramen, (*též přen.*) **3** jáma, šachta; světlík
well[2] [wel] *adv* **1** dobře, docela dobře **2** plným právem **3** hodně
• *adj* zdravý
• *interj* nuže, tak tedy, dobrá; no možná; no tohle, ale ne
♦ **that is ~ said** to je dobře řečeno; **as ~** rovněž, také; **as ~ as** jakož i, také; **(just) as ~** stejně dobře; **I am very ~** daří se mi velmi dobře; **it is all very ~, but** to je sice všechno velmi hezké, ale
well-advised [weləd'vaizd] uvážený, rozumný, moudrý
well-being [wel'bi:iŋ] **1** pocit dobrého zdraví, pohoda **2** blahobyt
well-earned [wel'ə:nd] zasloužený
wellington [weliŋtən] gumová holínka
well-known [wel'nəun] známý
well-meant [wel'ment] dobře míněný
well-off [wel'of] **1** bohatý, zámožný **2** dobře opatřený **for** čím
well-read [wel'red] sčetlý
well-to-do [weltə'du:] zámožný, bohatý
Welsh [welš] *adj* velšský
• *n* velština
wench [wenč] (*venkovské*) děvče
west [west] *n* západ • *adj* západní
• *adv* na západ(ě), k západu
western [westən] **1** západní **2** westernový
wet [wet] **(tt)** *adj* **1** mokrý; promáčený **2** deštivý
♦ **be ~ behind the ears** mít ještě mléko na bradě; **~ blanket** nudný patron, morous; **get ~** zmoknout
• *v* **1** pomokřit, navlhčit

2 pomočit (se) ♦ **~ one's whistle** dát si (jednu) do trumpety
whale [weil] velryba
wharf [wo:f] přístaviště, přístavní hráz, nábřeží
what [wot] *adj* jaký; **~ a pity!** to je škoda! • *pron* **1** co **2** jaký, to, co **3** co, něco, cokoli ♦ **~ for** proč; **~ is it like?** jaké je to?; **~ if** co když; **~ about ...?** a co takhle ...?; **~ of it?** co na tom?; **so ~?** a co má být?; **and ~ not** a kdoví co ještě; **~ with ... and** jednak pro ... a jednak, následkem ... a
whatever [wot'evə] **1** jakýkoli, každý **2** cokoli; všechno, co **3** něco takového
wheat [wi:t] pšenice
wheel [wi:l] *n* kolo ♦ **put a spoke in sb.'s ~** házet komu klacky pod nohy • *v* **1** tlačit, postrkovat, vézt **2** kroužit **3** otočit (se)
wheelbarrow [wi:lbærəu] kolečko, trakař
wheelchair [wi:lčeə] vozíček (*invalidy*)
wheel clamp [wi:lklæmp] „botička" (*při nesprávném parkování*)
wheeze [wi:z] **1** těžce dýchat, sípat, supět **2** skřípat
when [wen] *adv* kdy • *conj* **1** když **2** až
whenever [wen'evə] **1** kdykoli; vždycky, když **2** kdy vlastně?
where [weə] kde; kam; **~ to?** kam?; **~ from?** odkud?
whereabouts [weərə'bauts] *adv* kde asi, kam asi • *n* přibližné místo pobytu
whereas [weər'æz] **1** kdežto, zatímco **2** vzhledem k tomu, že; jelikož
wherever [weər'evə] **1** kdekoli; kamkoli; všude, kde / kam **2** kam vlastně?
whet [wet] **(tt)** **1** (na)brousit **2** (*přen.*) přiostřit, zvýšit, podnítit
whether [weðə] zda, zdali, jestli
which [wič] **1** který **2** jaký **3** kdo; což
whichever [wič'evə] kterýkoli, jakýkoli; kdokoli, cokoli (z)
whiff [wif] **1** závan **2** mrak, mráček; závoj; pach
while [wail] *n* chvíle; doba ♦ **for a ~** na chvilku; **for a long ~** dlouhou dobu, dlouho; **once in a ~** občas, příležitostně • *conj* **1** zatímco, když **2** kdežto, naproti tomu, ačkoliv, i když • *v*: **~ the time away** krátit si dlouhou chvíli
whim [wim] vrtoch, rozmar
whimper [wimpə] kňourat, fňukat, kňučet
whimsical [wimzikl] **1** vrtošivý, rozmarný **2** podivný, podivínský, zvláštní, výstřední
whine [wain] **1** kňučet **2** skučet, ječet **3** svištět **4** vrnět
whip [wip] *n* **1** bič **2** šleh **3** mrsknutí, škubnutí **4** *parlamentní sekretář politické strany* **5** bičová / prutová anténa • *v* **(pp)** **1** bičovat **2** zmrskat, zbít **3** šlehat **4** mihnout se jako blesk **5** zapošít
whirl [wə:l] *n* **1** kroužení, otáčení, víření, vír **2** horečný shon **3** spěch, chvat • *v* **1** točit se, otáčet se (*v kruhu*), kroužit, rotovat **2** řítit se vpřed
whirlwind [wə:lwind] tornádo, vichr, smršť
whisk [wisk] *v* **1** (*ručně*) šlehat

2 *též* ~ **away / off** prudce smést; zahnat • *n* 1 košťátko, smetáček 2 metla (*na šlehání*)

whiskers [wiskəz] *pl* 1 licousy, kotlety 2 vousy, kníry (*na tlamě zvířete*)

whisper [wispə] *v* 1 (za)šeptat 2 šustit, šumět, ševelit
• *n* 1 šeptání, šepot 2 šustění, ševelení 3 šeptaná zpráva, klep 4 (*nepatrný*) závan

whistle [wisl] *n* 1 pískání, hvizd 2 píšťala
• *v* 1 pískat, hvízdat 2 (*hovor.*) počkat si, marně čekat **for** na

white [wait] *adj* 1 bílý 2 rozžhavený do běla 3 (*pivo*) světlý
• *n* 1 bělost; běloba 2 běloch 3 **~s** *pl* bílý oděv 4 bílé víno
♦ ~ **of the eye** bělmo; ~ **of egg** bílek

whiten [waitn] 1 zbělet 2 nabílit

whitewash [waitwoš] *v* 1 (na)bílit, obílit 2 (*přen.*) lakovat na růžovo, přikrašlovat, krýt
• *n* 1 vápenné mléko 2 (*přen.*) omlouvání, přikrašlování

whittle [witl] 1 ořezávat 2 *též* ~ **away / down** oklestit, snižovat, zmenšovat (**expenses** výdaje)

who [hu:] 1 kdo 2 který 3 kdokoli

whoever [hu:'evə] kdokoli; každý, kdo

whole [həul] *adj* 1 celý 2 zdravý 3 plnotučný • *n* celek; **on the ~** celkem, vcelku

whole-hearted [həul'ha:tid] 1 nadšený, horlivý 2 upřímný, srdečný

wholesale [həulseil] *n* obchod ve velkém • *adj* velkoobchodní; hromadný, masový • *adv* ve velkém

wholesaler [həulseilə] velkoobchodník

wholesome [həulsəm] zdravý, zdraví prospěšný

wholly [həuli] úplně

whooping cough [hu:piŋkof] černý kašel

whose [hu:z] čí; jehož

why [wai] *adv* proč
• *interj* jakže, vždyť, no přece, no ovšem, no tak tedy

wicked [wikid] 1 zlý, špatný; zlomyslný 2 šibalský, uličnický 3 bezbožný, hříšný 4 nestydatý, sprostý

wicker [wikə] proutí

wicket [wikit] 1 branka, vrátka 2 okénko, přepážka 3 kriketová branka

wide [waid] *adj* 1 široký; širý 2 rozlehlý, rozsáhlý; bohatý
• *adv* 1 široko, široce 2 zeširoka 3 daleko, ve velké vzdálenosti 4 stranou, daleko **of** od
♦ ~ **apart** daleko od sebe; **give ~ berth to** zdaleka se vyhnout čemu; **far and ~** daleko široko; ~ **open** dokořán; ~ **of** daleko od

widen [waidn] rozšířit (se)

widespread [waidspred] rozšířený

widow [widəu] vdova; **grass ~** slaměná vdova

widower [widəuə] vdovec

width [widθ] šířka, šíře

wield [wi:ld] 1 vládnout **sth.** čím (**the pen** perem); třímat co, zacházet s 2 vykonávat, mít (**power** moc)

wife [waif] manželka; **husband and ~** manželé; **old wives' tale** babský tlach, povídačka

wig [wig] paruka, vlásenka

wigging [wigiŋ] (*hovor.*) umytí hlavy (*ostrá důtka*)
wild [waild] *adj* **1** divoký **2** nespoutaný, nevázaný, bouřlivý **3** rozčilený, celý bez sebe **with** čím **4** (*hovor.*) celý divý, zblázněný **about / for** do **5** neuvážený, náhodný • *n* poušť, pustina, divočina
wilderness [wildənis] divočina, pustina
wilful [wilful] **1** úmyslný, záměrný; úkladný **2** svéhlavý, umíněný, tvrdohlavý
will[1] [wil] **1** vůle **2** pevná vůle, úsilí **3** poslední vůle, závěť ♦ **of one's own free ~** z vlastní vůle; **at ~** libovolně, podle libosti; **with the best ~** při nejlepší vůli
will[2] [wil] **1** *pomocné sloveso tvořící budoucí čas* **2** *způsobové sloveso vyjadřující přání, ochotu, vůli;* **the door ~ not open** dveře se nechtějí otevřít
William [wiljəm] Vilém
willing [wiliŋ] **1** ochotný **2** dobrovolný
willow [wiləu] vrba
willy-nilly [wili'nili] chtě nechtě
wilt [wilt] zvadnout; ochabnout
wily [waili] prohnaný
win* [win] **(nn) 1** vyhrát **2** získat, dosáhnout čeho
wince [wins] **1** trhnout sebou, ucuknout **2** (*přen.*) mrknout, hnout brvou
wind[1] [wind] *n* **1** vítr **2** vzduch **3** dech **4** pach **5** (*přen.*) prázdná slova **6** *GB* větry, plynatost ♦ **get ~ of** doslechnout se o • *v* **1** (za)větřit, ucítit **2** zbavit dechu
wind[2] [waind] **1** točit (se), vinout (se), kroutit (se) **2** natočit, natáhnout **3** odvinout, odmotat **off / from** z **4** vystupňovat
wind up **1** natáhnout (*strojek, hodiny*) **2** uzavřít (*debatu*) **3** skončit **in** kde
windbag [windbæg] mluvka
windbraker [windbreikə] *US*, **windcheater** [windči:tə] *GB* větrovka
winding [waindiŋ] *adj* **1** točitý, klikatý **2** rozvláčný • *n* **1** vinutí **2** ohyb, zatáčka, zátočina
winding sheet [waindiŋši:t] rubáš
windmill [windmil] větrný mlýn
window [windəu] **1** okno; okénko **2** výkladní skříň, výklad
window dresser ['windəu ,dresə] aranžér
windowpane [windəupein] okenní tabule
window-shopping [windəušopiŋ] prohlížení výkladních skříní
windpipe [windpaip] průdušnice
windy [windi] **1** ošlehaný větrem; větrný, bouřlivý **2** mnohomluvný, bombastický
wine [wain] víno
wineglass [waingla:s] vinná sklenka
wing [wiŋ] **1** křídlo **2** (*letecká*) peruť **3 ~s** *pl* kulisy
wink [wiŋk] *v* **1** mrkat **at** na **2** mžikat, blikat **3** přimhouřit oko **at** nad • *n* **1** mrknutí, (za)mrkání **2** (*přen.*) pokyn, avízo ♦ **not get a ~ of sleep** nezamhouřit (*v noci*) oka
winner [winə] výherce
winsome [winsəm] podmanivý, roztomilý, sympatický
winter [wintə] *n* zima • *v* přezimovat
wipe [waip] utírat, stírat; smazat

wipe off 1 smazat 2 setřít
wipe out 1 vytřít; vymazat 2 zničit, rozdrtit, vyhladit, srovnat se zemí
wipe up utřít nádobí
wire [waiə] *n* 1 drát, drátek 2 telegram, depeše • *v* 1 upevnit drátem; sdrátovat 2 položit elektrické vedení, instalovat elektřinu 3 telegrafovat
wireless [waiəlis] *adj* 1 bezdrátový 2 rozhlasový • *n* rozhlas, rádio
wisdom [wizdəm] 1 moudrost 2 rozumnost 3 moudrý úsudek, zdravý rozum
wise [waiz] 1 moudrý; rozumný 2 dobře informovaný **in** o
wisecrack [waizkræk] (*hovor.*) *n* vtipná / trefná poznámka • *v* vtipkovat
wish [wiš] *v* 1 přát (si), chtít 2 vyslovit přání 3 toužit **for** po • *n* přání
wistful [wistful] 1 toužebný, roztoužený 2 zamyšlený, melancholický, nostalgický
wit [wit] 1 důvtip, inteligence 2 vtip, vtipnost; **be at one's ~s' end** být s rozumem v koncích
witch [wič] čarodějnice
witchcraft [wičkra:ft] 1 čarodějnictví, čáry a kouzla 2 magické kouzlo
witch-doctor ['wič,doktə] (*kmenový*) kouzelník, šaman, medicinman
with [wiδ] 1 s, se 2 u; **he lives ~ his parents** bydlí u rodičů 3 při, přes, navzdory čemu 4 (*v češtině 7. pád*) **eat ~ spoon** jíst lžící; **shake ~ cold** třást se zimou; **jump ~ joy** skákat radostí
withdraw* [wiδ'dro:] 1 odejít 2 vzít zpět; odvolat 3 vzít z oběhu, stáhnout 4 vyzvednout si (*peníze*) 5 zanechat **from** čeho; nechat studií
withdrawal [wiδ'dro:əl] 1 ústup 2 odvolání 3 odnětí 4 vyzvednutí (peněz) z banky, výběr
wither [wiδə] vadnout, schnout
withering [wiδəriŋ] zničující, sžíravý, opovržlivý
withhold* [wiδ'həuld] 1 odepřít, neposkytnout, odmítnout 2 zatajit **from** před
within [wi'δin] 1 v dosahu, uvnitř, v 2 během, v průběhu 3 v rozmezí čeho, s rozdílem plus minus ♦ **from ~** zevnitř; **~ reach** v dosahu, na dosah ruky; **~ a year** během roku
without [wi'δaut] *prep* bez • *adv* venku, z vnějšku • *n* vnějšek
withstand* [wiδ'stænd] odolat **sth.** čemu; vydržet
witness [witnis] *n* 1 svědek 2 svědectví • *v* 1 svědčit, být svědectvím **to** o 2 být svědkem čeho 3 dosvědčit, svědecky potvrdit 4 spolupodepsat jako svědek (**a will** závěť) 5 ověřit podpisem pravost čeho
witty [witi] vtipný; duchaplný, zábavný
wizard [wizəd] 1 čaroděj, kouzelník 2 (*přen.*) génius
wizened [wiznd] seschlý, scvrklý
wobble [wobl] 1 viklat (se) 2 chvět se 3 potácet se 4 kolísat **between** mezi
wog [wog] (*vulg.*) 'černá huba'
wolf [wulf] vlk

woman [wumən] žena; ~ **doctor** lékařka; **kept** ~ vydržovaná žena, milenka
womanhood [wumənhud] ženství; ženské obyvatelstvo
womanly [wumənli] (*typicky*) ženský
womanizer [wumənaizə] sukničkář
womb [wu:m] děloha, lůno, (*též přen.*)
wonder [wandə] *n* **1** div, zázrak **2** údiv **3** zázračný člověk, fenomén, génius **4** nejistota, pochybnosti ♦ **no** ~ není divu • *v* **1** divit se, podivovat se, být překvapen **at sth.** čím **2** být zvědav, říkat si, ptát se sám sebe **3** přemýšlet, uvažovat, lámat si hlavu; **I** ~ **who he is** kdopak to asi je • *adj* **1** zázračný **2** fantastický, podivuhodný **3** magický
wonderful [wandəful] skvělý, úžasný, báječný, obdivuhodný
wont [wəunt] zvyklý
woo [wu:] **1** dvořit se komu; ucházet se o ženu **2** vymámit **from** na **3** nechtěně přivodit, říkat si o co
wood [wud] **1** les **2** dřevo **3** dříví
wooden [wudn] **1** dřevěný; prkenný **2** (*přen.*) toporný, strnulý, neohrabaný
woodpecker [wudpekə] datel
wool [wul] vlna
woollen [wulin] *adj* **1** vlněný **2** vlnařský • *n* **1** vlněná látka, flanel **2** **~s** *pl* vlněné prádlo / šaty
word [wə:d] *n* **1** slovo **2** zpráva, informace, vzkaz **3** rozkaz, povel ♦ ~ **for** ~ slovo za slovem, doslovně; **in a** ~ slovem; **in other ~s** jinými slovy; **in so many ~s** *1.* naprosto otevřeně, bez obalu 2. několika slovy, stručně; **by ~ of mouth** ústně; **have a ~ with sb.** promluvit si s kým; **put in a (good) ~ for** přimluvit se za; **leave ~ with** nechat vzkaz u • *v* vyjádřit slovy, stylizovat, formulovat
wording [wə:diŋ] stylizace, formulace, text, znění
wordy [wə:di] **1** mnohomluvný, rozvláčný, upovídaný **2** slovní
work [wə:k] *n* **1** práce; **at** ~ v práci, v zaměstnání; **out of** ~ nezaměstnaný, bez práce **2** dílo, výrobek, zboží **3** **~s** *pl* hnací ústrojí, stroj; závod, podnik ♦ **all in the day's** ~ naprosto normální; **~s canteen** závodní jídelna; **give sb. the ~s** (*slang.*) ukázat komu, zač je toho loket • *v* **1** pracovat **on / at** na **2** fungovat, běžet **3** zacházet **sth.** s čím **4** osvědčit se, dobře fungovat, (za)působit **5** dělat, tvořit **6** obsluhovat; řídit, vést
work out **1** vyčerpat **2** vyřešit, vypočítat, přijít na **3** vypracovat **4** dopadnout
work up **1** vybudovat **2** podnítit, vyvolat **3** rozrušit, rozčilit **4** postupovat, postupně se blížit **to** k **5** smíchat
worker [wə:kə] pracovník; dělník
workhouse [wə:khaus] **1** *GB* chudobinec **2** *US* káznice
working [wə:kiŋ] pracovní; pracující
workman [wə:kmən] **1** pracující, dělník **2** pracovník, odborník
workshop [wə:kšop] dílna
world [wə:ld] svět; **a ~ of** velký počet / rozsah čeho, mnoho,

hodně; **it did me a ~ of good** velice mi to prospělo
worldly [wə:ldli] **1** světský, pozemský **2** světácký, poživačný
worldwide [wə:ld'waid] světový
worm [wə:m] *n* **1** červ **2** dešťovka, žížala **3** škrkavka **4** červotoč **5** ubožák, chudák **6** závit; šnek • *v* **1** plížit se **through** kudy; vetřít se **into** kam; vykroutit se **out of** z **2** vyříznout závit **3** provrtat, prožrat (*dřevo*)
worm-eaten [wə:mi:tn] červivý; červotočivý
worn-out [wo:n'aut] **1** skoro nepoužitelný, obnošený **2** otřepaný, zevšednělý, nemoderní **3** vyčerpaný, sedřený
worry [wari] *v* **1** obtěžovat, sužovat; trápit (se) **2** škubat čím; hryzat ♦ **I should ~** (*hovor.*) co je mi do toho, to je jedno • *n* **1** starost, trápení, soužení **2** potíž, nesnáz, komplikace
worse [wə:s] *adj* horší ♦ **be the ~ for drink** být opilý; **the ~ for wear** obnošený; **to make matters ~** a ještě k tomu ke všemu; **go from bad to ~** jít od devíti k pěti • *adv* hůře
worsen [wə:sn] zhoršit (se), pokazit (se)
worship [wə:šip] *n* **1** bohoslužba, pobožnost **2** uctívání • *v* **(pp)** uctívat, klanět se komu / čemu
worst [wə:st] *adj* nejhorší; **if the ~ comes to the ~** když dojde k nejhoršímu • *adv* nejhůře; **at (the) ~** v nejhorším případě
worsted [wustid] *n* česaná příze • *adj* vlněný
worth [wə:θ] *n* cena, hodnota ♦ **a pound's ~ of apples** za jednu libru jablek • *adj* mající cenu; **be ~** mít cenu, stát; **for all one is ~** ze všech sil; **it is ~ the trouble** stojí to za tu námahu
worthless [wə:θlis] bezcenný
worthwhile [wə:θ'wail] stojící za to; **it is (not) ~** to (ne)stojí za to
worthy [wə:ði] **1** důstojný **2** hoden **of sth.** čeho
would-be [wudbi:] rádoby, chtěný, také-
wound [wu:nd] *n* rána, zranění • *v* (z)ranit
wrangle [ræŋgl] tahanice, přenice, pranice
wrap [ræp] *v* **(pp)** *též* **~ up** (za)balit, ovinout, omotat • *n* **1** obal **2** šála, přehoz, pléd
wrapper [ræpə] **1** obal, přebal **2** župan **3** balič
wrapping [ræpiŋ] obal; balicí materiál
wrath [ro:θ] **1** hněv, spravedlivé rozhořčení **2** pomsta, trest
wreath *n* [ri:θ] věnec • *v* [ri:ð] **1** ověnčit **with** čím **2** udělat (*z květin*) věnec **3** ovinout (se)
wreck [rek] *n* **1** zkáza, zničení, zhouba **2** ztroskotaná loď, vrak, trosky **3** troska, ruina • *v* **1** zničit, zruinovat **2** způsobit ztroskotání lodi / srážku vlaku
wrecker [rekə] **1** záchranná loď; auto havarijní služby **2** rozvratník, rozvraceč (*rodiny*); ničitel
wrench [renč] *n* **1** vykroucení, zkroucení **2** francouzský klíč • *v* **1** trhnout čím **2** otáčet, šroubovat (*francouzským klíčem*)
wrestle [resl] zápasit; potýkat se
wretch [reč] **1** chudák, ubožák **2** dareba

wretched [rečid] **1** nešťastný; ubohý **2** mizerný
wriggle [rigl] vrtět (se), kroutit (se), svíjet se
wring* [riŋ] **1** (za)kroutit čím **2** ždímat
♦ **~ one's hands** lomit rukama
wringer [riŋə] (*ruční*) ždímačka
wrinkle [riŋkl] *n* **1** vráska **2** fald, záhyb (*na šatech*)
• *v* **1** svraštit (se) **2** pomačkat, zmuchlat, zkrabatit
wrist [rist] zápěstí
wristwatch [ristwoč] náramkové hodinky
writ [rit] výnos, rozkaz, nařízení
write* [rait] psát
write down 1 zapsat, zaznamenat, sepsat **2** nepříznivě posoudit, zkritizovat **3** pokládat **sb.** koho **as** za **4** podbízet se **to** komu, slevovat z úrovně kvůli
write off 1 odepsat **2** napsat rychle a lehce, hodit na papír **3** okamžitě odpovědět
write out 1 podrobně vypsat **2** vypsat slovy, vyplnit **3** opsat
write up 1 podrobně popsat **2** přepsat na čisto **3** pochvalně recenzovat
writer [raitə] **1** pisatel **2** spisovatel
writing [raitiŋ] **1** psaní; písmo; **in ~** písemně **2** spis
writing desk [raitiŋdesk] psací stůl
writing paper [raitiŋpeipə] dopisní papír
writhe [raið] svíjet se, kroutit se
wrong [roŋ] *adj* nesprávný, špatný, nemorální; v nepořádku; **something is ~ (with)** něco není v pořádku (s); **you are ~** mýlíte se, nemáte pravdu
• *adv* nesprávně, špatně, chybně; **get it (all) ~** nechápat; **go ~** *1.* jít špatně *2.* nepovést se • *n* **1** špatnost, nesprávnost **2** zlo, křivda; bezpráví, nespravedlnost
• *v* (u)křivdit, ublížit, uškodit komu
wrought [ro:t] tepaný
wrought-up [ro:t'ap] rozrušený
wry [rai] **1** křivý, zkřivený, zkroucený **2** sarkastický, ironický
♦ **a ~ smile** kyselý úsměv

X

xerox [ziəroks] xerox
xerography [ze'rogrəfi] xerografie
Xmas (*hovor.*) = **Christmas** [krisməs] vánoce
x-rated ['eks,reitid] (*film*) přístupný od 18 let
X-ray [eksrei] *v* rentgenovat
• *n* rentgen; **have an ~ taken** dát si udělat rentgen
xylophone [zailəfəun] xylofon

Y

yacht [jot] jachta
yank [jæŋk] trhnout, škubnout **sth.** čím
yank off násilím odvléci **sb.** koho
Yankee [jæŋki] (*hovor.*) *n* Američan • *adj* americký
yap [jæp] ňafat, štěkat
yard[1] [ja:d] yard (*0,91 m*)
yard[2] [ja:d] **1** dvůr **2** ohrada, výběh **3** obora
yardstick [ja:dstik] měřítko
yarn [ja:n] **1** příze **2** (*hovor.*) historka
yawn [jo:n] *v* **1** zívat **2** zet • *n* zívání, zívnutí
year [jə: / jiə] **1** rok, léto **2** ročník ♦ **this** ~ letos; **all the ~ round** po celý rok; ~ **in** ~ **out** rok co rok; **last** ~ loni
yearbook [jiəbuk] ročenka
yearly [jə:li] *adj* každoroční; celoroční • *adv* každoročně; celoročně
yearn [jə:n] **1** toužit **for / after** po **2** být dojat **over** čím
yearning [jə:niŋ] touha
yeast [ji:st] kvasnice, droždí
yell [jel] *n* jekot, ječení, vřískot • *v* ječet, vřískat
yellow [jeləu] **1** žlutý **2** (*hovor.*) zbabělý
yes [jes] ano
yesterday [jestədi] včera
yet [jet] *adv* **1** ještě **2** nicméně, přece jenom **3** (*v otázce*) již, už; **not** ~ ještě ne; **and** ~ a přece; **as** ~ až dosud • *conj* ale, přece jenom, nicméně
yew [ju:] tis
yield [ji:ld] *v* **1** plodit, rodit; dávat (*jako užitek*), skýtat **2** ustoupit **to** před **3** postoupit, přenechat **sth.** co **to** komu • *n* **1** výnos, výtěžek **2** úroda, sklizeň
yoghurt [jogət] jogurt
yoke [jəuk] **1** jho **2** (*volské*) spřežení **3** (*přen.*) tyranie, chomout **4** sedlo (*blůzy*)
yolk [jəuk] žloutek
you [ju:] **1** vy; ty **2** vám; tobě **3** člověk, jeden; ~ **never can tell** člověk nikdy neví
young [jaŋ] **1** mladý; ~ **people** mládež **2** mladický **3** ještě nezkušený **in** v
youngster [jaŋstə] mladík, mládenec, výrostek
your [jo:], **yours** [jo:z] váš; tvůj
yourself [jo:'self] **1** ty sám **2** se, sebe
yourselves [jo:'selvz] **1** vy sami **2** se, sebe
youth [ju:θ] **1** mládí **2** mládež **3** mladík, mládenec **4** mladistvý vzhled
youthful [ju:θful] mladistvý

Z

zany [zeini] kašpar, šašek, klaun; nahrávač hlavního komika
zeal [zi:l] horlivost, zápal
zealous [zeləs] horlivý
zebra [zebrə / zi:brə] zebra; ~ **crossing** značený přechod pro chodce, zebra
zenith [zeniθ] zenit, (*též přen.*)
zero [ziərəu / zi:rəu] nula; ~ **hour** hodina H
zest [zest] **1** chuť, radost, potěšení **2** pikantní příchuť; říz
zigzag [zigzæg] *n* klikatá čára, ostrý úhel, čára cikcak • *adj* klikatý, křivolaký, cikcak • *v* **(gg)** **1** klikatit se, kličkovat **2** (*hovor.*) šněrovat si to
zinc [ziŋk] zinek
zip [zip] *n* **1** zip, zdrhovadlo **2** svist (*střely*) **3** (*hovor.*) energie, elán, verva • *v* **(pp)** **1** *též* ~ **up** zapnout na zip **2** svištět **3** (*hovor.*) frčet, hnát se
zip code [zipkəud] *US* poštovní směrovací číslo
zip-fastener [zip'fa:snə], **zipper** [zipə] zip, zdrhovadlo
zodiac [zəudiæk] zvěrokruh, zvířetník
zone [zəun] pásmo, zóna, pás
zoo [zu:] zoologická zahrada
zoological [zəuə'lodžikl] zoologický
zoom [zu:m] transfokovat; ~ **lens** transfokátor
zoology [zəu'olədži / zu:'-] zoologie

Abecední seznam nepravidelných sloves

P znamená, že se vyskytuje také pravidelný tvar (tj. -ed)
* označuje tvar zastaralý nebo knižní.
Jsou-li vedle sebe dva tvary, bývá zpravidla běžnější první.

infinitiv	*minulý čas*	*minulé příčestí*
abide [ə'baid] zůstat, setrvat	P, abode [ə'bəud]	P, abode [ə'bəud]
arise [ə'raiz] vzniknout	arose [ə'rəuz]	arisen [ə'rizn]
awake [ə'weik] probudit (se)	awoke [ə'wəuk]	awoke [ə'wəuk], P
be [bi:] být	*(1+3 sg)* was [woz / wəz] *(2sg a pl)* were [wə(:)]	been [bi:n]
bear [beə] nést; rodit	bore [bo:]	borne [bo:n] born [bo:n] narozen(ý)
beat [bi:t] bít, tlouci	beat [bi:t]	beaten [bi:tn]
become [bi'kam] stát se	became [bi'keim]	become [bi'kam]
befall [bi'fo:l] postihnout	befell [bi'fel]	befallen [bi'fo:ln]
begin [bi'gin] začít	began [bi'gæn]	begun [bi'gan]
behold [bi'həuld] spatřit	beheld [bi'held]	beheld [bi'held]
bend [bend] ohnout	bent [bent]	bent [bent]
bet [bet] sázet	P, bet [bet]	P, bet [bet]
bid [bid] *1.* nabídnout	bid [bid]	bid [bid]
2. * popřát; vybídnout	bade* [beid, bæd]	bidden* [bidn]
bind [baind] vázat	bound [baund]	bound [baund]
bite [bait] kousat	bit [bit]	bitten [bitn]
bleed [bli:d] krvácet	bled [bled]	bled [bled]
blend [blend] mísit	P, blent* [blent]	P, blent* [blent]
blow [bləu] foukat	blew [blu:]	blown [bləun]
break [breik] lámat	broke [brəuk]	broken [brəukn]
breed [bri:d] plodit	bred [bred]	bred [bred]
bring [briŋ] přinést	brought [bro:t]	brought [bro:t]
broadcast [bro:dka:st] vysílat rozhlasem / TV	broadcast [bro:dka:st], P	broadcast [bro:dka:st]
browbeat [braubi:t] zastrašovat	browbeat [braubi:t]	browbeaten [braubi:tn]
build [bild] stavět	built [bilt]	built [bilt]

infinitiv	*minulý čas*	*minulé příčestí*
burn [bə:n] hořet; pálit	burnt [bə:nt], P	burnt [bə:nt], P
burst [bə:st] prasknout	burst [bə:st]	burst [bə:st]
buy [bai] kupovat	bought [bo:t]	bought [bo:t]
can [kæn], **I can** mohu	could [kud]	–
cast [ka:st] házet	cast [ka:st]	cast [ka:st]
catch [kæč] chytit	caught [ko:t]	caught [ko:t]
choose [ču:z] vybrat si	chose [čəuz]	chosen [čəuzn]
cleave [kli:v] rozštípnout	P, clove [kləuv], cleft [kleft]	P, cloven [kləuvn], cleft [kleft]
cling [kliŋ] lpět	clung [klaŋ]	clung [klaŋ]
come [kam] přijít	came [keim]	come [kam]
cost [kost] stát (*kolik*)	cost [kost]	cost [kost]
creep [kri:p] lézt	crept [krept]	crept [krept]
crow [krəu] kokrhat	P, crew* [kru:]	P
cut [kat] řezat	cut [kat]	cut [kat]
dare [deə] odvážit se	P, durst* [də:st]	P
deal [di:l] jednat	dealt [delt]	dealt [delt]
dig [dig] kopat	dug [dag]	dug [dag]
do [du:] dělat	did [did]	done [dan]
draw [dro:] táhnout	drew [dru:]	drawn [dro:n]
dream [dri:m] snít	dreamt [dremt], P	dreamt [dremt], P
drink [driŋk] pít	drank [dræŋk]	drunk [draŋk]
drive [draiv] hnát	drove [drəuv]	driven [drivn]
dwell [dwel] bydlit	dwelt [dwelt]	dwelt [dwelt]
eat [i:t] jíst	ate [et]	eaten [i:tn]
fall [fo:l] padat	fell [fel]	fallen [fo:ln]
feed [fi:d] krmit	fed [fed]	fed [fed]
feel [fi:l] cítit	felt [felt]	felt [felt]
fight [fait] bojovat	fought [fo:t]	fought [fo:t]
find [faind] nalézt	found [faund]	found [faund]
flee* [fli:] uprchnout	fled [fled]	fled [fled]
fling [fliŋ] mrštit	flung [flaŋ]	flung [flaŋ]
fly [flai] letět	flew [flu:]	flown [fləun]
forbear [fo:'beə] zdržet se čeho	forbore [fo:'bo:]	forborne [fo:'bo:n]
forbid [fə'bid] zakázat	forbade [fə'bæd]	forbidden [fə'bidn]
forecast [fo:ka:st] předpovídat	forecast [fo:ka:st], P	forecast [fo:ka:st], P

infinitiv	*minulý čas*	*minulé příčestí*
foresee [fo:'si:] předvídat	foresaw [fo:'so:]	foreseen [fo:'si:n]
foretell [fo:'tel] předpovídat	foretold [fo:'təuld]	foretold [fo:'təuld]
forget [fə'get] zapomenout	forgot [fə'got]	forgotten [fə'gotn]
forgive [fə'giv] odpustit	forgave [fə'geiv]	forgiven [fə'givn]
forsake [fə'seik] opustit	forsook [fə'suk]	forsaken [fə'seikn]
freeze [fri:z] mrznout	froze [frəuz]	frozen [frəuzn]
get [get] dostat	got [got]	got [got], *US* gotten [gotn]
gild [gild] pozlatit	P	P, gilt [gilt]
give [giv] dát	gave [geiv]	given [givn]
go [gəu] jít	went [went]	gone [gon]
grind [graind] mlít	ground [graund]	ground [graund]
grow [grəu] růst	grew [gru:]	grown [grəun]
hang [hæŋ] *1.* pověsit, viset	hung [haŋ]	hung [haŋ]
2. oběsit (se)	P	P
have [hæv] mít	had [hæd]	had [hæd]
hear [hiə] slyšet	heard [hə:d]	heard [hə:d]
heave [hi:v] zvednout	P, hove* [həuv]	P, hove* [həuv]
hew [hju:] sekat	P	P, hewn [hju:n]
hide [haid] skrývat	hid [hid]	hidden [hidn]
hit [hit] udeřit	hit [hit]	hit [hit]
hold [həuld] držet	held [held]	held [held]
hurt [hə:t] zranit	hurt [hə:t]	hurt [hə:t]
keep [ki:p] držet	kept [kept]	kept [kept]
kneel [ni:l] pokleknout	knelt [nelt], P	knelt [nelt], P
knit [nit] plést	P, knit [nit]	P, knit [nit]
know [nəu] znát	knew [nju:]	known [nəun]
lay [lei] položit	laid [leid]	laid [leid]
lead [li:d] vést	led [led]	led [led]
lean [li:n] opřít (se)	P, leant [lent]	P, leant [lent]
leap [li:p] skákat	leapt [lept], P	leapt [lept], P
learn [lə:n] učit se	learnt [lə:nt], P	learnt [lə:nt], P
leave [li:v] opustit	left [left]	left [left]
lend [lend] půjčit	lent [lent]	lent [lent]
let [let] nechat	let [let]	let [let]
lie [lai] ležet	lay [lei]	lain [lein]
light [lait] zapálit	P, lit [lit]	P, lit [lit]

infinitiv	*minulý čas*	*minulé příčestí*
lose [lu:z] ztratit	lost [lost]	lost [lost]
make [meik] dělat	made [meid]	made [meid]
may [mei], **I may** smím	might [mait]	–
mean [mi:n] mínit	meant [ment]	meant [ment]
meet [mi:t] potkat	met [met]	met [met]
mow [məu] žnout	P	mown [məun], P
must [mast], **I must** musím	–	–
pay [pei] platit	paid [peid]	paid [peid]
put [put] položit, dát kam	put [put]	put [put]
read [ri:d] číst	read [red]	read [red]
rid [rid] zbavit	rid [rid]	rid [rid]
ride [raid] jet	rode [rəud]	ridden [ridn]
ring [riŋ] zvonit	rang [ræŋ]	rung [raŋ]
rise [raiz] vstávat	rose [rəuz]	risen [rizn]
run [ran] běžet	ran [ræn]	run [ran]
saw [so:] řezat pilou	P	sawn [so:n], P
say [sei] říkat, **he says** [sez]	said [sed]	said [sed]
see [si:] vidět	saw [so:]	seen [si:n]
seek [si:k] hledat	sought [so:t]	sought [so:t]
sell [sel] prodávat	sold [səuld]	sold [səuld]
send [send] poslat	sent [sent]	sent [sent]
set [set] umístit	set [set]	set [set]
sew [səu] šít	P	sewn [səun]
shake [šeik] třást	shook [šuk]	shaken [šeikn]
shear [šiə] stříhat	P, shore* [šo:]	shorn [šo:n], P
shed [šed] shodit	shed [šed]	shed [šed]
shine [šain] svítit	shone [šon]	shone [šon]
shoe [šu:] obout, okovat	shod [šod]	shod [šod]
shoot [šu:t] střílet	shot [šot]	shot [šot]
show [šəu] ukazovat	P	shown [šəun], P
shred [šred] roztrhat	P, shred* [šred]	P, shred* [šred]
shrink [šriŋk] srazit (se)	shrank [šræŋk]	shrunk [šraŋk]
shut [šat] zavřít	shut [šat]	shut [šat]
sing [siŋ] zpívat	sang [sæŋ]	sung [saŋ]
sink [siŋk] klesat	sank [sæŋk]	sunk [saŋk]
sit [sit] sedět	sat [sæt]	sat [sæt]
sleep [sli:p] spát	slept [slept]	slept [slept]

infinitiv	*minulý čas*	*minulé příčestí*
slide [slaid] klouzat	slid [slid]	slid [slid]
sling [sliŋ] mrštit	slung [slaŋ]	slung [slaŋ]
slit [slit] rozpárat	slit [slit]	slit [slit]
smell [smel] čichat	smelt [smelt], P	smelt [smelt], P
sow [səu] sít	P	sown [səun], P
speak [spi:k] mluvit	spoke [spəuk]	spoken [spəukn]
speed [spi:d] spěchat; urychlit	sped [sped], P	sped [sped], P
spell [spel] hláskovat	spelt [spelt], P	spelt [spelt], P
spend [spend] strávit	spent [spent]	spent [spent]
spill [spil] rozlít	spilt [spilt], P	spilt [spilt], P
spin [spin] příst	spun [span]	spun [span]
spit [spit] plivat	spat [spæt]	spat [spæt]
split [split] rozštípnout	split [split]	split [split]
spoil [spoil] zkazit	spoilt [spoilt], P	spoilt [spoilt], P
spread [spred] rozprostřít	spread [spred]	spread [spred]
spring [spriŋ] skákat	sprang [spræŋ]	sprung [spraŋ]
stand [stænd] stát	stood [stud]	stood [stud]
steal [sti:l] krást	stole [stəul]	stolen [stəuln]
stick [stik] strčit	stuck [stak]	stuck [stak]
sting [stiŋ] píchnout	stung [staŋ]	stung [staŋ]
stink [stiŋk] páchnout	stank [stæŋk], stunk [staŋk]	stunk [staŋk]
strew [stru:] posypat	P	P, strewn [stru:n]
stride [straid] kráčet	strode [strəud]	stridden [stridn]
strike [straik] udeřit	struck [strak]	struck [strak]
string [striŋ] napnout	strung [straŋ]	strung [straŋ]
strive [straiv] usilovat	strove [strəuv]	striven [strivn]
swear [sweə] přísahat	swore [swo:]	sworn [swo:n]
sweep [swi:p] mést	swept [swept]	swept [swept]
swell [swel] nadout	P	swollen [swəuln], P
swim [swim] plavat	swam [swæm]	swum [swam]
swing [swiŋ] mávat	swung [swaŋ]	swung [swaŋ]
take [teik] brát	took [tuk]	taken [teikn]
teach [ti:č] vyučovat	taught [to:t]	taught [to:t]
tear [teə] trhat	tore [to:]	torn [to:n]
tell [tel] říci	told [təuld]	told [təuld]
think [θiŋk] myslit	thought [θo:t]	thought [θo:t]

infinitiv	*minulý čas*	*minulé příčestí*
thrive [θraiv] dařit se	P, throve [θrəuv]	P, thriven* [θrivn]
throw [θrəu] házet	threw [θru:]	thrown [θrəun]
thrust [θrast] vrazit	thrust [θrast]	thrust [θrast]
tread [tred] šlapat	trod [trod]	trodden [trodn]
understand [andə'stænd] rozumět	understood [andə'stud]	understood [andə'stud]
wake [weik] vzbudit (se)	woke [wəuk], P	woken [wəukn]
wear [weə] nosit na sobě	wore [wo:]	worn [wo:n]
weave [wi:v] *1.* tkát 2. klikatit se	wove [wəuv] P	woven [wəuvn] P
wed [wed] oddat (koho)	wed [wed]	wed [wed], P
weep [wi:p] plakat	wept [wept]	wept [wept]
win [win] získat	won [wan]	won [wan]
wind [waind] točit (se)	wound [waund]	wound [waund]
withdraw [wið'dro:] odejít	withdrew [wið'dru:]	withdrawn [wið'dro:n]
wring [riŋ] ždímat	wrung [raŋ]	wrung [raŋ]
write [rait] psát	wrote [rəut]	written [ritn]

A

a 1 and; *(a také)* as well as; **~ přece** and yet; **~ tak** and so; **~ tak dále** and so on; **~ to / ~ sice** namely; **já ~ jet autobusem!** catch me riding on a bus! 2 (*mat.*) and, plus 3 **od ~ až do zet** from A to Z; **přečíst od ~ až do zet** read from cover to cover
abdikace resignation
abdikovat abdicate, resign
abeced|a alphabet, ABC; **podle -y** in alphabetical order
abecední alphabetical
absence absence; **~ v práci / ve škole** absence from work / school; **neomluvená ~** absence without leave
absolutní absolute
absolvent, ~ka (*střední školy*) school-leaver; (*vysoké školy*) graduate
absolvovat (*školu*) finish one's studies at a school; (*vysokou*) graduate (from a university)
abstinent teetotaller
abstraktní abstract
absurdní absurd, preposterous, ludicrous
aby I *ve větě účelové* 1 (in order) to + *inf:* **přišel, ~ mi pomohl** he came to help me 2 so (that); **přijď včas, ~s nezmeškal začátek** come in time so (that) you won't miss the beginning; **přišel včas, ~ nezmeškal začátek** he came in time so (that) he wouldn't miss the beginning 3 **~ ne** in case, lest; **poznamenej si to, ~s to nezapomněl** make a note of it in case you forget
II *ve větě podmětné / předmětné* 1 to + *inf:* **žádal jsem ho, ~ přestal hrát** I asked him to stop playing 2 *prostý infinitiv:* **přinutil jsem ho, ~ to udělal** I made him do it 3 for + *předmět* + to + *inf:* **je nutné, ~ začal ihned** it is necessary for him to start at once
ačkoli 1 though, although 2 as; **~ je stár** old as he is
adaptovat adapt
administrativa 1 administration 2 (*úřední*) bureaucracy
administrativní administrative
adres|a address; **na -u** care of, c/o; **stálá ~** place of residence
adresát addressee
adresovat address
advokát 1 (*právní poradce*) lawyer, solicitor 2 (*soudní obhájce*) barrister
aerodynamický streamlined
aerolinie airlines *pl*
aféra incident; (*skandální*) scandal; **milostná ~** love affair
africký African
Afričan African
Afrika Africa
agent agent; (*obchodní cestující*) salesman, commercial traveller ♦ **tajný ~** secret agent
agentura agency
agilní active, agile, enterprising
agitace, *též adj* **agitační** campaign; propaganda; (*předvolební*) canvassing
agitovat agitate; (*ve volbách osobní agitací*) canvass
agónie agony
agregát (*soustrojí*) power unit

agrese aggression
agresívní aggressive
agronom agricultural expert, agriculturist
agrotechnická lhůta time for cultivation
agrotechnika cultivation
ahoj 1 (*při setkání*) hello 2 (*při rozchodu*) cheerio
akademick|ý academic; **~ titul** degree; **udělit -ou hodnost komu** confer a degree upon sb.
akademie academy
akademik academician
akát false acacia [ə'keišə]
akce 1 action 2 (*organizovaná*) campaign, drive
akcie share, stock
akciov|ý stock; **~ kapitál** joint stock; **-á společnost** (joint-)stock company
akční: ~ rádius radius of action; (*motor.*) cruising range; **~ výbor** action committee
aklimatizovat acclimatize [ə'klaimətaiz]; **~ se** get acclimatized
akord[1] (*hud.*) chord
akord[2] (*úkolová práce*) piece-work; **pracovat ~em** be paid by the piece
akreditiv letter of credit
akrobacie acrobatics [ækrə'bætiks] *pl*
akrobat acrobat [ækrəbæt]
akrobatický acrobatic [ækrə'bætik]
akt 1 (*čin, také div. jednání*) act 2 (*obraz, socha*) nude
aktiv meeting, gathering
aktivita activity
aktivní active
aktovka[1] attaché case, briefcase
aktovka[2] (*hra*) one-act play
aktualita current events *pl*, topical news
aktuální topical
akupunktura acupuncture
akumulace 1 accumulation 2 (*obch.*) profit, proceeds *pl*
akumulátor 1 car battery 2 storage-battery
akustický acoustic
akustika (*věda*) acoustics *sg*; (*sálu*) acoustics *pl*
akvarel water-colour
akvárium aquarium
Albánie Albania
album album
ale 1 but; **~ ano** oh yes; **~ přece** but still; **nejen …, ~ také** not only …, but also 2 (*neodporovací, hovor.*) though; **~ myslím, že je to dost drahé** I suppose it's rather expensive, though
alej avenue; alley
alespoň at least; (*pro každý případ*) at any rate
alibi alibi [ælibai]
alimenty 1 (*ženě*) alimony [æliməni] 2 (*dětem*) maintenance
Aljaška Alaska
alkohol 1 alcohol 2 (*nápoje*) spirits *pl*
alkoholický alcoholic
alkoholismus alcoholism; drinking
alpský Alpine
Alpy the Alps *pl*
alt alto
altistka alto(-singer)
Alžír 1 (*město*) Algiers 2 (*stát*) Algeria
alžírský Algerian [æl'džiəriən]
amatér amateur; **sportovec ~** part-time sportsman, amateur sportsman

amatérský **1** amateur **2** (*neumělý*) amateurish
ambulance **1** (*vůz*) ambulance **2** (*odd. léčebného zařízení*) out-patients' department
ambulanční out-patient
americký American
Američan, ~ka American
Amerika America
amnestie amnesty
amplión loudspeaker
amputovat amputate
anabolikum anabolic stereoid
analfabet illiterate (person)
analfabetismus illiteracy
analogický analogous (**s** to / with)
analytický analytic
analýza analysis
analyzovat analyze
ananas pineapple
anarchie anarchy
anatomie anatomy
anděl angel
andulka budgerigar
anekdota (*vtip*) joke; (*historka*) anecdote, story
angažmá engagement
angažovat engage; **~ se** commit oneself (**v** in)
angína tonsilitis [tonsi'laitis], (*odb.*) angina
anglický English
anglicky in English; **mluvit ~** speak English
Angličan Englishman; **~é** the English
Angličanka Englishwoman
angličtina English
Anglie England
angloamerický Anglo-American
anglosas, *též adj* **~ký** Anglo-Saxon
angrešt gooseberry
ani **1** not even; **~ jsem to neviděl** I didn't even see it **2 ~ – ~** neither – nor; **není to ~ černé ~ bílé** it is neither black nor white ♦ **~ trochu** not a bit; **~ v nejmenším** not in the least; **~ jednou** not once
anketa public / general inquiry, investigation
ano yes; **ale ~** oh yes; **myslím, že ~** I think so; **~, správně** exactly, quite (so), precisely
anonymní anonymous
anorganický inorganic
Antarktida the Antarctic
antarktický antarctic
anténa aerial; (*odb.*) antenna
antický antique; classical
antifašista, *též adj* **antifašistický** antifascist
antika (classical) antiquity
antikoncepce contraception, birth control, family planning
antikvariát second-hand bookshop
antikvární second-hand
antimilitarismus antimilitarism [ænti'militərizm]
antimilitaristický antimilitarist
antisemitismus anti-Semitism [ænti'semitizm]
antisemitský anti-Semite, anti-Semitic [æntise'mitik]
antoušek dog-catcher
antuka clay
anýz (*rostlina*) anis [ænis]; (*plody*) aniseed
anýzovka anisette [æni'zet]
aparát **1** (*přístroj*) apparatus **2** (*zařízení*) device **3** (*fot.*) camera
aperitiv appetizer
aprobace **1** (*schválení*) approval (**čeho** to sth.) **2** (*učitelská*) teaching qualification

ar are [a:]
Arab Arab
Arábie Arabia
arabsk|ý **1** Arabian (**poloostrov** peninsula) **2** Arab (**kůň** horse); **Egyptská -á republika** the Egyptian Arab Republic **3** Arabic (**jazyk** language); **-é číslice** Arabic numerals
arcibiskup archbishop
aréna arena [æ'ri:nə]
Argentina Argentina, the Argentine
argument argument, reason
arch sheet (**papíru** of paper)
archeolog archaeologist [a:ki'olədžist]
archeologický archaeological [a:kiə'lodžikl]
archeologie archaeology
architekt architect
architektonický architectural [a:ki'tekčərl]
architektura architecture
archiv archives *pl*
árie aria [a:riə]
aristokracie aristocracy
aristokrat aristocrat
aristokratický aristocratic
aritmetika arithmetic
arktický arctic
arkýř oriel, bay
armáda army; the forces *pl*
arnika mountain arnica
artikulace articulation; precise expression; wording
artista artiste
arzén arsenic
asfalt, *též adj* **~ový** asphalt
asi **1** (*přibližně*) about, some, something like; **~ v pět hodin** at about five o'clock; **~ před dvaceti lety** some twenty years ago; **až ~ do dvou hodin** till something like two o'clock; **~ deset lidí** ten people or so **2** (*snad*) perhaps, maybe, *vazba s* may / likely / wonder; **~ máš pravdu** perhaps you are right, maybe you are right, you may be right; **ona ~ nepřijde** she is not likely to come; **kde to ~ je** I wonder where it is
Asie Asia
Asijec Asian
asijský Asian, Asiatic
asistent assistant; (*vysokoškolský*) lecturer, reader
asistentka assistant; **porodní ~** midwife
asistovat assist (**komu při čem** sb. in sth.)
asociální antisocial
aspirant, ~ka postgraduate scholar
aspirin aspirin
aspoň at least
astma asthma [æsmə]
astra aster [æstə]
astronaut astronaut
astronautika astronautics [æstrə'no:tiks]
astronom astronomer
astronomický astronomical
astronomie astronomy
ať *particle* **1** let / have + *předmět* + *inf:* **~ vejde** let him come in; **~ přijde okamžitě sem** have him come over right away **2** may + *podmět* + *inf:* **~ jsou dlouho živi** may they live long **3** (*v ustáleném spojení*) **Ať žije ...!** Long live ...! • *conj* **1** however; **~ je to sebetěžší** however difficult (it is) **2** no matter (who, what, where, how); **~ to vypadá sebečistší** no matter how clean it appears **3** be it; **záliby, ~ (už) je**

to zahradničení, četba atd. hobbies, be it gardening, reading etc. ♦ **~ je to jak chce** anyhow
atd. etc., and so on
ateismus atheism
ateista atheist
ateistický atheistic [eiθi'istik]
ateliér studio
atentát attempt (**na koho** on sb.'s life); **spáchat ~ na koho** make an attempt on sb.'s life
atlantický, atlantský Atlantic; **Atlantický pakt** the Atlantic Pact; **Atlantský oceán** the Atlantic (Ocean)
atlas 1 (*mapy*) atlas **2** (*látka*) satin
atlet athlete
atletický athletic
atletika athletics *sg*
atletka (woman) athlete
atmosféra atmosphere
atom atom
atomov|ý atomic; **-á energie** atomic energy; **-á puma** atom(ic) bomb, A-bomb; **~ reaktor** atomic pile; **~ věk** atomic age
atp. etc., and so on
atrapa dummy
audience audience
audit audit
aukce auction
Australan Australian
Austrálie Australia
australský Australian
aut out
autentičnost authenticity
aut|o (motor)car; **jet -em** go by car; **nákladní ~** lorry, truck
autobus bus; **jet ~em** go by bus; **zmeškat ~** miss the bus; **stanice ~u** bus stop; **~ové nádraží** coach station, bus terminal
autogram autograph
autokar coach
autokempink camping by car; **~ový tábor** camp(ing) site
autoklub Automobile Association (AA)
automat 1 (*stroj*) automatic machine **2** (*restaurace*) snackbar, buffet; (*se samoobsluhou*) cafeteria **3** (*na mince*) slot-machine **4** (*samopal*) submachine-gun, tommy gun **5** (*robot*) automaton [o:'tomətən]
automatický automatic
automatizace automation
automatizovat automatize [o:təmətaiz], automate [o:təmeit]
automobil (motor-)car, automobile
automobilista motorist
automobilový (motor-)car, automobile
autonomie autonomy
autonomní autonomous
autoopravna repair shop, car service
autor (*spisovatel*) author, writer
autorita authority
autorka authoress [o:θəres], woman author / writer
autorsk|ý: ~ honorář royalty; **-é právo** copyright
autostop hitchhiking; **jet ~em** hitchhike
autovrak car wreck
autoškola driving school
avšak but; however
azalka azalea [ə'zeiliə]
azbest asbestos
azyl asylum
až *adv* **1** (*místní*) as far as; **~ k divadlu** as far as the theatre **2** (*časové*) till, until; **~ do zítřka** till tomorrow **3** (*míry*) as much as, as many as; **zaplatit ~ deset**

liber pay as much as ten pounds **4** (*omezovací*) beyond; ~ **na tyto maličkosti** beyond these details • *conj* **1** (*potom až*) when; ~ **když** only when **2** (*dokud ne*) till, until; ~ **když** not until ♦ ~ **dosud** as yet, so far, hitherto; ~ **příliš dobře** only too well; ~ **na další** till further notice

B

baba (old) hag
bába **1** (*čí*) grandmother, (*hovor.*) granny **2** (*stará žena*) old woman ♦ **porodní** ~ midwife; **slepá** ~ blind man's buff
babička *viz* **bába 1, 2**
bábovka Kugelhupf, (kind of) scallop-edged cake
bacil bacilus
baculatý chubby
bačkory (a pair of) slippers; **natáhnout** ~ kick the bucket
bádat do* research work, inquire (**v čem** into sth.)
badatel, ~ka research worker
bagr excavator
bageta baguette [bæ'get], French stick loaf
bahnitý (*blátivý*) muddy; (*močálovitý*) swampy
bahno **1** (*bahnisko*) bog, swamp **2** (*bláto*) mud **3** (*lepkavé, slizké*) slime
báječný wonderful, magnificent; (*hovor.*) gorgeous, marvellous
bajka **1** fable **2** (*smyšlenka*) invention
baklažán aubergine, eggplant
baktérie bacterium [bæk'tiəriəm], (*hovor.*) germ
bakteriologick|ý bacteriological [bæk,tiəriə'lodžikl]; **-á válka** germ warfare
balení **1** packing, wrapping **2** (*balíčkování*) packaging
balet ballet
baletka ballet dancer, ballerina
balík **1** parcel **2** (*pro prodej / dopravu*) package **3** (*ranec*) bundle **4** (*lisovaný*) bale
balit **1** wrap (up), pack (up) **2** (*balíčkovat*) package
Balkán the Balkans *pl*
balkánský Balkan
balkón balcony ♦ **první** ~ dress circle; **druhý** ~ upper circle
balón balloon
balónek (*na měření obsahu alkoholu*) breathalyser [breθəlaizə]
balónov|ý balloon; **-á pneumatika** balloon tyre; **-é hedvábí** silk poplin; ~ **plášť** mackintosh
baltský Baltic ♦ **Baltské moře** the Baltic Sea
balvan boulder
bambulka tassel
bambus bamboo
banán banana
banánek (*zástrčka*) plug
banda gang
banka bank
bankéř banker
bankomat cash dispenser, ATM (automatic teller machine)
bankovka (bank)note
bankovní bank(ing)

♦ ~ **účet** bank(ing) account; ~ **vklad** bank deposit
báňský mining
♦ ~ **průmysl** mining industry
bar nightclub
baret beret
barevn|ý **1** coloured **2** (*zabarvený*) tinted; **-é brýle** tinted glasses **3** (*v různých barvách*) in assorted colours **4** colour; ~ **film** colour film; **-á televize** colour television **5** stained; **-é okno** stained-glass window
bariéra barrier
barikáda barricade
barokní, *též n* **baroko** baroque
barometr barometer, (weather-)glass
barv|a **1** colour **2** (*barevný odstín*) hue **3** (*barvivo*) dye **4** (*nátěr*) paint **5** (*v kartách*) suit
♦ **přiznat -u** follow suit
barvínek lesser periwinkle [periwiŋkl]
barvit **1** colour **2** (*natřít*) paint **3** (*namáčením*) dye **4** (*pouštět barvu*) lose* colour
barvitý colourful
barvivo dye-stuff
barvoslepý colour-blind
baryton baritone, barytone [bæritəun]
bas bass [beis]
basa double-bass, contrabass [kontrə'beis]
báseň poem
basista **1** (*zpěvák*) bass (singer) **2** (*hráč*) (double-)bass player
básnický poetic(al)
básník poet
bát se fear (**čeho** sth.), be* afraid (**čeho** of sth., **o co** for sth.); (*mít hrůzu*) dread (**čeho** sth.)
baterie battery; **kulatá** ~ cylindrical battery
baterka (electric) torch, flashlight
batoh knapsack, rucksack
bavit **1** (*rozptylovat*) amuse, divert **2** (*organizovaně*) entertain **3** (*budit zájem*) interest, attract
♦ **plavání mě nebaví** I get no kick out of swimming
bavit se **1** enjoy oneself, amuse oneself, have a good time **2** (*konverzovat*) talk (**s kým o čem** to sb. about sth.; ~ **o práci / o politice** talk shop / politics); have* a talk, have a chat, converse (**s kým o čem** with sb. about sth.)
bavlna, *též adj* **bavlněný** cotton
bazar bazaar, fancy-goods shop, second-hand goods shop
bazén **1** (*nádrž*) reservoir **2** (*plovárna*): (*krytý*) swimming bath / baths *pl*, (*nekrytý*) swimming pool
bázlivý timid
bažant pheasant
bažina swamp, bog, marsh
bažinatý boggy, marshy
bdělost **1** watchfulness, lookout **2** (*přen.*) vigilance
bdělý **1** (*bdící*) awake, watchful **2** (*ostražitý*) alert, vigilant, wide-awake
bdít **1** (*nejít spát*) be* awake, sit* up **2** (*být ostražitý*) watch (**nad** over), keep* an eye (**nad** on)
bedna case, (wooden) box, (*s víkem*) chest
bedra loins
bedrník burnt saxifrage [sæksifridž]
begónie begonia [bi'gəunjə]
běh **1** run **2** (*závod*) race;

~ **hladký** flat race, ~ **překážkový** hurdle-race 3 (*školní*) term 4 (*průběh*) course
běhat run*
během during (**mé nepřítomnosti** my absence); within (**dvou let** two years); for / in the course of (**staletí** centuries)
Bělehrad Belgrade
beletrie fiction, belles lettres [bel'letə] *pl*
belgický Belgian
Belgie Belgium
bělmo the white of the eye
běloba white lead [wait'led]
běloch white (man); **běloši** the whites
běloška white woman
Benátky Venice
benzín petrol; gas
benzínov|ý petrol, gas; **-á pumpa** (petrol) filling station
beran ram
berl|a 1 crutch; **chodit o -ích** walk on crutches 2 crosier
Berlín Berlin
bernardýn Saint Bernard (dog)
beseda (informal) gathering; (*se zábavou*) party; (*s diskusí*) open forum, discussion group
beton concrete
bez[1] (*modrý*) lilac; (*černý*) elder
bez[2] 1 without; ~ **peněz** penniless, ~ **prodlení** without delay, **~e slova** without (saying) a word 2 (*mat.*) less, minus ♦ ~ **dechu** out of breath; ~ **ladu a skladu** pell-mell; ~ **obalu** bluntly; **být ~ sebe** be beside oneself (**radostí** with joy)
bezatomov|ý nuclear-free; **-é pásmo** nuclear-free zone
bezbarvý colourless, dull
bezbolestný painless
bezbranný defenceless
bezcenný worthless, of no value, valueless
bezcitný callous
bezděčný (*neuvědomělý*) unconscious; (*jakoby náhodný*) casual
bezdětný childless
bezdrátový wireless
bezdůvodný groundless, unfounded
bezejmenný nameless
bezelstný 1 (*upřímný*) sincere 2 (*naivní*) artless
bezcharakterní unprincipled
bezinka elderberry [eldəberi]
bezmasý 1 (*masa zbavený*) fleshless 2 (*jídlo*) meatless
bezmocný 1 powerless 2 (*rezignovaný*) helpless
bezmotorov|ý motorless; **-é letadlo** glider
bezmyšlenkovitý unthinking, absent-minded, careless
beznadějný hopeless
bezohledný 1 (*nepřihlížející k následkům*) reckless 2 (*surový*) ruthless 3 (*nezdvořilý*) inconsiderate, thoughtless
bezpečí safety; **být v** ~ be in safety, be safe
bezpečnost 1 safety 2 (*policie*) security
bezpečnostní safety; ~ **opatření** safety measures; ~ **pás** safety belt
bezpečn|ý 1 (*mimo nebezpečí, též nesporný*) safe 2 (*zajištěný*) secure
bezpečně vědět know for a fact / for sure
bezplatný free (of charge)
bezpodmínečný unconditional

bezpracný unearned; **~ příjem** unearned income
bezpráví **1** (*stav*) lawlessness **2** (*čin*) injustice, injury
bezprostřední **1** (*přímý*) direct **2** (*též okamžitý*) immediate **3** (*nestrojený*) impulsive, impetuous
bezpředmětný beside the point, groundless
bezradný helpless; **být úplně ~** be thoroughly at sea, be at sixes and sevens
bezstarostný carefree
beztížný weightless
beztrestn|ý *adj* exempt from punishment • *adv* **-ě** with impunity, unpunished
bezúhonný blameless, irreproachable
bezúročný bearing no interest
bezvadný faultless, flawless
bezvědomí unconsciousness, faint; **hluboké ~** dead faint; **upadnout do ~** faint, lose* consciousness
bezvýhradný unconditional
bezvýsledný ineffective, useless; without avail, fruitless
bezvýznamný insignificant, unimportant
běžec runner
běž|et run*; **~ naprázdno** idle; **oč -í?** what is the matter?; **-í o to, že** the thing is that
běžící running; **~ pás** conveyer belt
běžky cross-country skis
běžný usual, common; **~ účet** current account
béžový beige [beiž]
bible the Bible
bibliografie bibliography
bicí nástroje percussion
bič whip; (*přen.*) scourge
bída **1** (*chudoba*) poverty **2** (*utrpení*) misery **3** (*starost*) distress
bidlo pole
bídný **1** (*ubohý, nešťastný*) poor, miserable **2** (*hanebný*) contemptible **3** (*směšně malý*) paltry
biftek beefsteak
bikini bikini [bi'ki:ni]
bilance balance; **obchodní ~** balance of trade
bílek white of egg
bílit **1** (*natřít na bílo*) whiten, paint white **2** (*chemicky / sluncem*) bleach **3** whitewash
bílkovina protein [prəuti:n]
bílý white
biograf cinema, the pictures *pl*
biologický biological
biologie biology
biorytmy biorhythms *pl* ['baiəu,riðmz]
biskup bishop
bít **1** (*tlouci*) beat*, strike* **2** (*zvon, hodiny*) chime, strike* **3** (*trestat bitím*) thrash; **~ se** fight (**s kým zač** sb. / with sb. for sth.)
bitevní battle; **~ loď** battleship
bití (*výprask*) thrashing, hiding
bitva battle
bižutérie costume jewellery
blaf humbug, bluff
blafovat bluff
blaho bliss
blahobyt **1** (*bohatství*) wealth **2** (*dostatek*) prosperity; **žít v ~u** live in prosperity
blahopřání good wishes *pl* (**k** for); congratulation(s) (**k** on)
blahopř|át congratulate (**komu k** sb. on); **~ komu k narozeninám** wish sb. many

happy returns of the day; **-eji vám** Congratulations!
blahopřejný congratulatory [kən'grætjulətri]
bláhový silly, foolish
blána **1** membrane **2** (*povlak*) film **3** (*rozmnožovací*) stencil
blanket form
blátivý muddy
blatník mudguard; fender
bláto mud; ~ **se sněhem** slush
blázlen **1** (*šílenec*) madman, lunatic **2** (*pošetilec*) fool ♦ **dělat si -ny z** make a fool of; **být ~ do** be crazy about
bláznivý **1** (*duševně chorý*) mad, insane **2** (*potřeštěný*) crazy
blbec idiot
blbost **1** (*tupost*) idiocy **2** (*nesmysl*) nonsense, rubbish, rot
blbý **1** (*slabomyslný*) imbecile, idiotic **2** (*hloupý*) stupid, silly **3** (*nezajímavý*) dull
bledě modrý pale blue
blednout turn pale; (*barva*) fade
bledý **1** pale **2** (*chabý*) poor
blecha flea
blesk lightning; **rychlostí ~u** with lightning speed; **jako ~em zasažen** thunderstruck
bleskov|ý lightning; **-é světlo** flashlight; **-á válka** blitzkrieg [blitskri:g]
blikat **1** (*očima*) blink **2** (*světlo*) twinkle **3** (*oheň*) flicker
blín henbane [henbein]
blízko *prep* near (**čeho** sth.), close (**čeho** to sth.) • *adv* near, near by, close by
blízkost proximity
blízký **1** (*přítel*) near, close; (*dům*) nearby **2** (*důvěrný*) intimate
blížit se come* / get* near; approach (**k čemu** sth.); (*čas*) draw* near
blok **1** block **2** (*na psaní*) writing pad
blokáda blockade
blokovat **1** block **2** (*blokádou*) blockade
blond blond(e), fair
blondýn fair-haired man
blondýn(k)a blonde, fair-haired woman / girl
bloudit **1** take* the wrong way, lose* one's way, (*sejít z cesty*) go* astray; (*bez cíle*) wander, ramble **2** (*mýlit se*) make* mistakes, go* wrong, err
blouznit **1** (*nadšeně*) rave (**o** about) **2** (*v nemoci*) be delirious
blůza **1** blouse **2** (*stejnokroje*) tunic
blýsk|at se **1** (*lesknout se*) glitter, glisten **2** (*o blesku*) lighten; **-á se** it is lightening **3** (*předvádět se*) show* off
bob **1** (*luštěnina*) bean **2** (*saně*) bobsled, bobsleigh
bobr beaver
bobtnat swell (up)
bobule berry
boční side, (*odb.*) lateral
bod **1** point; ~ **mrazu / varu** freezing / boiling point; **vyhrát na ~y** win on points **2** (*položka*) item **3** (*tečka*) dot **4** (*smlouvy*) article ♦ **opěrný ~** base; **být na mrtvém ~ě** be at a deadlock
bodat **1** stab (bb), prick **2** (*štípat*) sting*
bodlák thistle
bodnout *viz* **bodat**
bodov|ý point; **-é vítězství** victory on points

bohatě (zásoben penězi) amply (supplied with money)
bohatnout grow* rich
bohatství wealth, fortune, riches *pl*
bohatý **1** rich (*též přen.*); ~ **čím** rich in sth. **2** (*zámožný*) wealthy **3** (*událostmi*) eventful **4** (*postačující*) ample
bohémský Bohemian
bohoslužba public worship, divine service
bohudík thank God, thank goodness
bohužel unfortunately, I am afraid, I am sorry (to say)
bohyně goddess [godis]
bochník loaf
boj **1** (*úsilí*) struggle **2** (*jednotlivců*) fight **3** (*bitva*) battle **4** (*kampaň*) campaign, war **5** (*sportovní*) contest
bojácný timid
bóje buoy
bojiště battlefield; theatre
bojkot, *též v* **bojkotovat** boycott
bojler geyser, bath heater, water heater
bojovat **1** fight* (**proti** against, **s** with) **2** (*usilovat*) struggle (**o** for) **3** (*potírat*) combat (**proti čemu** sth.)
bojovník **1** fighter **2** (*zastánce*) partizan (**za** of)
bojovný fighting; (*válečnický*) warlike, militant
bok **1** (*na těle*) hip, side **2** (*strana*) side; ~ **po** ~**u** side by side **3** (*pas*) waist **4** (*přen.*) flank ♦ **ruce v** ~ arms akimbo
bolav|ý sore; (*bolestivý*) aching ♦ **-é místo** tender spot
bolest **1** pain, ache **2** (*nesnáz*) trouble, sorrow **3** (*svíravá*) pang ♦ **způsobit** ~ grieve; ~ **hlavy** headache; ~ **v krku** sore throat; ~ **břicha** stomach ache
bolestivý painful; (*intenzívně*) agonizing
bol|et **1** hurt*; **to nebude** ~ it won't hurt **2** (*jen tělesně*) ache; **-í mě hlava** my head aches, I have a headache **3** (*trápit*) grieve
Bolívie Bolivia [bə'liviə]
bolivijský Bolivian [bə'liviən]
bomba bomb; **atomová** ~ atom(ic) bomb
bombardovací bombing; ~ **letadlo** bomber
bombardování bombing
bombardovat bomb; (*ostřelovat*) shell
bon voucher [vaučə]
bonbón sweet, sweetmeat, (*ovocný*) drops, (*tvrdý*) boiled sweet
bonboniéra box of chocolates
bor pine wood
borovice pine(-tree)
borůvka (*evropská*) bilberry, (*americká*) blueberry
bořit **1** (*strhnout*) pull down **2** (*zničit*) destroy
bořit se **1** (*rozpadat se*) fall* into ruin, crumble (down), delapidate **2** (*zapadávat*) sink*
bos barefoot(ed)
bota **1** boot, (*zvl. polobotka*) shoe **2** (*omyl*) blunder
botanický botanical
botanika botany
botička (*zarážka na kole auta*) wheel clamp
bouda **1** hut **2** (*prkenná, prodejní*) booth, stall **3** (*horská*) chalet **4** (*pro psa*) kennel

bouchat bang; ~ **dveřmi** slam the door
boule 1 (*rána*) bruise, bump, swelling, lump 2 (*vydutí*) bulge
bourat pull down, tear* down, demolish
bourec morušový silkworm
bouře 1 storm; thunderstorm, (*prudká*) tempest; (*sněhová*) snowstorm, blizzard; (*smíchu*) roar of laughter 2 (*nepokoj*) riot
bouřit se rebel
bouřka storm, thunderstorm
bouřlivý 1 stormy (*též přen.*) 2 (*moře*) rough 3 (*schůze*) turbulent [tə:bjulənt] 4 (*potlesk*) frantic
box 1 (*sport.*) boxing; **utkání v ~u** boxing-match 2 (*oddíl*) box, stall, (*v kavárně apod.*) booth
boxer boxer
boxovat box
brada 1 chin 2 (*vousy*) beard
bradavice wart [wo:t]
bradla parallel bars *pl*
brak junk, refuse; trash
brambor potato; **nové ~y** new potatoes; **loupat ~y** peel potatoes
bramborov|ý potato; **-á kaše** mashed potatoes; ~ **salát** potato salad
brambořík cyclamen [sikləmən]
brána gate
bránit 1 (*chránit*) defend, protect (**před** from) 2 (*zabraňovat*) prevent (**komu v čem** sb. from doing sth.)
bránit se defend oneself (**před** from)
branka 1 (*vrátka*) gate 2 (*sport.*) goal
brankář goalkeeper
brann|ý: -á moc army; **-á povinnost** conscription; **-á výchova** pre-military training
brány (*nářadí*) harrow
brašna bag, (*školní*) satchel, school bag
brát 1 take*; ~ **do ruky** take in(to) one's hand; ~ **komu co** take (away) sth. from sb.; ~ **s sebou** take along with one ♦ ~ **na vědomí** note; ~ **vážně co** be in earnest about sth.; ~ **na sebe** accept, take on (**odpovědnost** the responsibility) 2 (*uznávat*) accept
brát si 1 (*jídlo*) help oneself (**ještě kousek** to another piece) 2 (*koho*) marry
bratr brother
bratranec cousin
bratrský brotherly, fraternal
bratrství brotherhood
brázda furrow
Brazílie Brazil
brazilský Brazilian
brigád|a 1 (*voj.*) brigade 2 (*pracovní skupina*) voluntary work team; (*práce*) voluntary work
briliant brilliant
Brit Briton, Englishman; Britisher; **~ové** the British
Británie Britain; **Velká** ~ Great Britain
britský British
brloh lair [leə], den
brn|ět tingle; **-í mě v uchu** my ear tingles; **-í mě noha** I have pins and needles in my leg
brnkat pluck (**na kytaru** a guitar)
brod ford
brodit se wade
brok (grain of) shot
brokolice broccoli [brokəli]
bronz, *též adj* **~ový** bronze

broskev peach
brouk beetle
brousek whetstone, grindstone
brousit **1** (*ostřit*) whet, sharpen **2** (*obrušovat*) grind* **3** (*vylepšovat*) polish, finish off
brož brooch
brožovan|ý in paper-covers; **-é vydání** paperback edition
brožura **1** brochure, stitched booklet **2** (*populární*) booklet, pamphlet
brslen spindletree
bručet growl; (*též reptat*) grumble (**na** at)
brunet dark / dark-haired man
brunet(k)a brunette [bru:'net]
Brusel Brussels
brusinka cowberry
bruslař, ~ka skater
brusle skate, a pair of skates; **kolečkové ~** roller skates *pl*
bruslit skate
brutalita brutality
brutální brutal, beastly
brutto gross; **~ cena** gross price; **~ váha** gross weight
brva eyelash
brýle glasses *pl*, spectacles *pl*; (*ochranné*) goggles *pl*
brzda brake; **záchranná ~** communication cord
brzdit brake (**auto** a car), apply a brake (**auto** to a car); (*přen.*) curb, check
brzo, brzy **1** (*zakrátko*) soon, before long; shortly, presently **2** (*časně*) early
břečťan ivy
břeh (*řeky*) bank; (*mořský / větší vodní plochy*) shore; (*pobřeží*) coast; (*rekreační oblast u moře*) seaside
břemeno burden; (*náklad*) load
březen March
břidlice slate
břicho belly; (*odb.*) abdomen
bříško: s bříškem pregnant
břitva razor
bříza birch
buben drum
bublanina cherry soufflé
bublat bubble, gurgle
bublina bubble
bubnovat drum
bůček side; **vepřový ~** side of pork
bučet low; (*mocně*) bellow
buď – anebo either – or
Budapešť Budapest [bju:də'pest]
budík **1** alarm(-clock) **2** (*hovor. kardiostimulátor*) pacemaker
budit **1** (*ze spánku*) wake* (up), waken; (*hosta*) call **2** (*přen.*) wake* up, rouse, stimulate (**zájem** interest); attract (**pozornost** attention); arouse (**podezření** suspicion)
budit se awake*, wake* (up), awaken
budka box; **telefonní ~** telephone box
budoucí future; **v ~ch letech** in the years to come
budoucnost future; **v ~i** in the years to come; **v blízké ~i** in the near future
budova building
budovat build* up
bufet snack bar, snack counter; (*se samoobsluhou*) cafeteria; **~ový vůz** refreshment car
Bůh God
buchta baked yeast dumpling
bujný **1** (*bohatý*) rank, lush **2** (*vyvinutý*) full(y developed) **3** (*neukázněný*) unruly

bujón beef tea, bouillon
buk beech
bukač bittern
Bukurešť Bucharest [bju:kərest]
buldozer bulldozer
Bulhar Bulgarian
Bulharsko Bulgaria
bulharský Bulgarian
bunda (*větrovka*) windcheater; (*lyžařská s kapucí*) anorak; (*zvl. teplá*) lumber jacket
buničina cellulose
buňka cell
burza exchange; ~ **cenných papírů** stock exchange
buržoasie bourgeosie, middle class
buržoasní bourgeois
busola (mariners') compass
by *viz* **bych**
bydlet live (**u** with); (*trvale*) reside; stay (**v hotelu** at a hotel, **u příbuzných** with relations)
bydliště (place of) residence, dwelling place
bych: **byl** ~ I should be; **šel by** he would go; **mohl** ~ I could, I might
býk bull
bylina herb
byrokracie bureaucracy; (*ironicky*) red tape
byrokrat bureaucrat
byrokratický bureaucratic
bysta bust
bystrý 1 (*inteligentní*) bright 2 (*všímavý*) acute, shrewd (**pozorovatel** observer)
byt flat; rooms *pl*; house; apartment; (*podnájem*) lodgings *pl* ♦ **být na ~ě** live in digs; **letní ~** summer resort, health resort; **stavba ~ů, ~ová výstavba** housing; **~ová komise** housing commission
být 1 be*; **co je to?** what is it?; **na stole je talíř** there is a plate on the table; **co je ti?** what is the matter with you?; **kolik je hodin?** what is the time?; **bude tu každou chvíli** he'll be along any minute now; **je mi dobře** I am / I feel well; **jak dlouho jste tady?** how long have you been here?; **je na vás, abyste** it is up to you to; ~ **dobrým manželem** make a good husband; ~ **pro** be all for; **jsem pro** I'm all for it; **ne~ toho omylu ...** but for the mistake 2 exist; **je na Marsu život?** does life exist on Mars?
bytná landlady
bytost being
bytový housing; (*ubytovací*) accommodation (**prostor** space)
bývalý former
bzučet buzz, hum

C

cákat splash
candát zander [zændə]
cár rag
cedit strain
cedník strainer
cejch mark, stamp; brand; stigma
cejn bream [bri:m]
cedr cedar
cela cell
celek **1** whole; **jako ~** as a whole, in its entirety **2** (*úhrn*) total
celer celery
celkem **1** (*dohromady*) altogether, all in all **2** (*povšechně*) on the whole
celkový **1** (*úhrnný*) total, entire **2** (*všeobecný*) general
cello (violon)cello
celní custom(s); **~ prohlášení** customs declaration; **~ prohlídka** customs examination; **~ poplatek** duty
celnice custom house, customs shed
celodenní all-day, whole day's; **~ zaměstnání** full-time job
celostátně on a nationwide scale
celostátní national, nationwide
celulóza cellulose
cel|ý **1** whole **2** (*v plném počtu*) complete, entire **3** (*u časových údajů*) all; **~ den** all (the) day; **po ~ rok** all (the) year, all the year round **4** (*po neurč. členu*) full, whole; **-ou hodinu** a full hour; **-é číslo** a whole number ♦ **~ muž** every inch a man; **to jsi ~ ty** that's just like you, that's you all over; **po ~ rok** throughout the year; **po -é zemi** throughout the country
cement cement
cen|a **1** (*kupní, prodejní*) price, cost **2** (*hodnota*) value **3** (*odměna v soutěži*) prize **4** (*vyznamenání*) award ♦ **udělit -u komu** award sb. a prize; **mít -u 10 liber** be worth £10; **udat -u** quote a price; **udání -y** quotation; **(to) nemá -u dělat co** it's no use doing sth.; **za každou -u** at all costs
ceník price list
cenný valuable
cenovka price tag
centrála **1** (*telefonní*) exchange **2** (*podniková*) headquarters *pl*, head office
cest|a **1** (*též přen.*) way; **přes -u** across the way **2** (*pro dopravu*) road **3** (*vyšlapaná*) path **4** (*podniknutá*) journey, trip; **~ kolem světa** trip round the world; **vydat se na -u** go on / make a journey, set out, start on a journey, take a trip; **šťastnou -u** pleasant journey **5** (*okružní*) tour **6** (*plavba*) voyage
cestopis book of travel
cestování travelling
cestovat travel; tour (**po světě** the world)
cestovatel traveller
cestovka travel agency
cestovné travelling money
cestovní travel(ling); **~ kancelář** travel agency; **~ pas** passport; **~ výlohy** travelling expenses *pl*
cestující **1** traveller; **obchodní ~** salesman, commercial traveller **2** (*pasažér*) passenger

céva vessel
cibule onion
cigareta cigarette
cihla brick
cikán gipsy
cikánka gipsy woman
cikánský gipsy; ~ **život** (*přen.*) down-at-heels existence
cikánština Romany
cíl 1 (*také snaha*) aim; (*přen.*) goal, end; **dosáhnout ~e** attain one's end, reach one's goal 2 (*terč*) target 3 (*voj., ekon.*) objective 4 ~ **cesty** place of destination
cílevědomý purposeful; methodical
cín tin
cíp tip, edge; (*látky*) corner
církev, *též adj* **~ní** church
císař emperor
císařský imperial
cistern|a cistern, tank; **-ová loď** tanker
cit 1 (*schopnost cítit*) feeling (**v prstech** in the fingers) 2 (*citlivost*) sensibility 3 (*pocit*) feeling, sensation 4 (*vzrušující*) emotion
citát quotation
cítit 1 (*mít pocit*) feel*; ~ **s kým** feel for sb.; ~ **se dobře** feel well 2 (*čichem*) smell*; **být** ~ smell (**čím** of sth.); (*silně páchnout*) reek
citlivost sensibility, sensitiveness; ~ **na dotyk** tenderness
citoslovce interjection
citovat quote
citový emotional; (*rozcitlivělý*) sentimental
citrón, *též adj* **~ový** lemon
citrusový citrus [sitrəs]
civilista civilian
civilizace civilization
civilní civilian; ~ **oblek** plain clothes *pl*, (*hovor.*) civvies *pl*; ~ **obrana** civil defence
cívka reel; (*niti*) spool
cizí 1 (*neznámý*) strange; ~ **tváře** strange faces; ~ **lidé** strange people; **jsem zde** ~ I am a stranger here 2 (*zahraniční, sem nepatřící*) foreign (**přízvuk** accent, **studenti** students, **těleso v oku** body in the eye); alien; ~ **státní příslušník** an alien; **taková myšlenka je mi** ~ such an idea is alien to me 3 (*ne můj vlastní, odjinud*) not one's own, other people's, outside; ~ **pomoc** outside help
cizin|a foreign country; **do -y**, **v -ě** abroad; **cestovat do -y** travel abroad; **z -y** from abroad
cizinec 1 foreigner, (*úředně*) alien 2 (*cizí člověk*) stranger
cizinecký ruch tourist traffic
cizojazyčný (in a) foreign language
cl|o customs *pl*, duty; **podléhající -u** liable to duty, dutiable; **prostý -a** duty-free
clona screen; (*fot.*) diaphragm
clonit screen; (*stínem*) shade
co *pron* 1 what, which; ~ **ještě**, ~ **jiného** what else; ~ **se týče** as for, as to, as regards 2 (*kolik*) how much ♦ ~ **nejdříve** as soon as possible, as early as possible; **a ~ ...?** what about ...?, how about ...?; ~ **já vím** for all I know; ~ **na tom?** what does it matter?, what's the odds?
• *conj (od té doby ~)* since; ~ **ho znám** since I have known him

cokoli(v) whatever; **ať to stojí ~** at any cost, at all costs
cop plait; pigtail
coul inch
couvat, couvnout 1 step back, back; retreat **2** (*přen.*) back (**z čeho** out of sth.) **3** (*podvolit se*) give* in; yield (**před nátlakem** to pressure)
crčet drip, trickle
ctít 1 respect, honour **2** (*uctívat*) worship
ctitel admirer
ctižádost ambition
ctižádostivý ambitious
ctnost virtue
cuketa, cukina courgette [kuəˈžet], zucchini [zuˈki:ni]
cukr sugar; **kostkový ~** lump sugar; **krystalový ~** granulated sugar; **práškový ~** castor sugar; **jako z ~u** spick and span
cukrárna sweetshop; a confectioner's
cukrovar sugar factory, sugar works
cukroví sweets *pl*; confectionery
cukrovka 1 (*řepa*) beet **2** (*nemoc*) diabetes
cukřenka sugar basin / bowl
cupanina lint
cválat gallop
cvičebnice textbook
cvičení 1 (*tělesné, také školní úloha*) exercise **2** (*výcvik*) training **3** (*opakování*) practice; **~ dělá mistra** practice makes perfect **4** (*lekce*) lesson
cvičený trained, drilled
cvičit 1 (*koho*) train, drill **2** (*cvičením udržovat*) exercise; **~ své schopnosti** exercise one's faculties **3** (*provádět tělesná cvičení*) go* in for gymnastics, do* physical jerks **4** (*opakování*) practise (**na klavír** the piano)
cvičitel instructor, trainer; (*sport. týmu*) coach
cvičky gym shoes *pl*
cvik 1 exercise **2** (*praxe*) practice; **vyjít ze ~u** get* out of practice
cvrček cricket
cyklista cyclist
cyklistický cycling
cyklus cycle, round
cylindr 1 (*válec*) cylinder **2** (*petrolejky*) chimney **3** (*klobouk*) top hat
cynický cynical
cypřiš cypress

Č

čaj tea
čajov|ý tea; **-á konvice** teapot; **-á lžička** teaspoon; **-á souprava** tea service
čalouněný upholstered
čalouník upholsterer
čáp stork
čá|ra line; **vítězství na celé -ře** a sweeping victory; **vzdušnou -rou** in a beeline; **udělat komu -ru přes rozpočet** queer sb.'s pitch
čárk|a 1 stroke **2** (*interpunkční*) comma **3** (*ležatá*) dash; **tečky a -y** dots and dashes **4** (*spojovací*) hyphen
čas 1 time; **dát si na ~** take one's time; **jednou za ~** once in a while; **mařit ~** have time to spare; **mít málo ~u** be pressed for time; **je nejvyšší ~, abys šel** it's high time you went; **v pravý ~** just in time, in the nick of time; **volný ~** free time, spare time, leisure time; **všechno má svůj ~** there is a time for everything **2** (*slovesný*) tense
časem 1 (*občas*) from time to time, every now and then, now and again **2** (*během času*) in the course of time
časně early
časopis periodical, journal, (*zvl. zábavný, ilustrovaný*) magazine
časování (*jaz.*) conjugation
časovat (*jaz.*) conjugate
časový 1 (*aktuální*) topical, up-to-date, modern **2** (*jaz.*) temporal
část 1 part; **největší ~** the best part; **z největší ~i** for the most part; **z velké ~i** largely **2** (*přidělená*) portion, share **3** (*skupina*) section **4 ~ oděvu** an article of clothing
částečně partly, in part
částečn|ý partial; **~ úspěch** partial success; **-é zatmění** partial eclipse
často often, frequently; **až příliš ~** only too often; **velmi ~** very often, more often than not
častý frequent; (*opětovný*) repeated
čedič basalt [bæso:lt]
Čech Czech
Čechy Bohemia
čekanka chicory [čikəri]
čekárna waiting room
ček|at 1 wait (**na** for); **~ s obědem** wait dinner (**na** for) **2** (*očekávat*) expect; **-ám vás** I am expecting you; **-ám, že přijdete** I expect you to come ♦ **co nás -á** what lies in store for us; **jak se dalo ~** as was to be expected
čembalo harpsichord
čelist jaw; (*kost*) jawbone
čel|o 1 forehead, brow **2** (*přední strana*) front; **být v -e čeho** head sth.; **v -e** at the head
čemeřice Christmas rose
čenich muzzle, snout
čenichat sniff
čep pin, journal; (*otočný*) pivot; (*ucpávající*) plug
čepelka blade
čepice cap
černobílý black-and-white
černobyl mugwort [magwə:t]
černoch Negro, negro, black man, African, West Indian

černoška Negro, negro, black woman, coloured woman
černošský Negro
černucha love-in-the-mist
čern|ý black ♦ **~ jako uhel** jet-black; **~ chléb** brown bread; **~ kašel** whooping cough; **~ pasažér** stowaway; **~ trh** black market; **-é na bílém** in black and white; **trefit do -ého** hit the bull's eye; **-é vlasy** dark hair
čerpací stanice filling-station
čerpadlo pump
čerpat **1** pump **2** draw* (**vodu ze studny** water from a well, **z úspor** on one's savings) **3** gather (**novou naději** fresh hope)
čerstvě natřeno wet paint
čerstv|ý fresh; **-á vejce** new-laid eggs
čert devil; **k ~u!** Oh, hell!, hang it all!, the devil take it!; **~ vezmi peníze!** damn the money!, to the devil with the money!
červ worm
červen June
červenat se be* red; (*ve tváři*) blush
červenec July
červený red
červivý worm-eaten
česáč picker [pikə]
česat **1** comb; **~ se** comb one's hair **2** (*plody*) pick, pluck
česky in Czech; **mluvit ~** speak Czech
český **1** (*Čechů se týkající*) Czech **2** (*z Čech*) Bohemian
česnek garlic
čest **1** honour; **mám tu ~ ...** I have the honour to ...; **pokládat si za ~** deem it an honour **2** (*dobrá pověst*) credit, reputation; **dělat ~ komu** do sb. credit; **všechna ~ komu** full marks to sb.
čestn|ý **1** honest, fair; aboveboard **2** honourable (**mír** peace) **3** (*neplacený*) honorary ♦ **-é slovo** word of honour; **-á vstupenka** complimentary ticket
Češka Czech (woman, girl)
čeština Czech
četa **1** (*voj.*) platoon **2** (*pracovní skupina*) team; **havarijní ~** breakdown gang
četař sergeant
četba reading
četný many, numerous
či or
čí whose
číhat **1** lurk **2** (*čekat na koho*) lie* in wait / in ambush for sb. **3** (*špehovat koho*) spy upon sb.
čich **1** smell **2** (*přen.*) flair (**pro** for)
čichat, čichnout smell* (**k čemu** sth.), sniff (at sth.)
čili or
čilý **1** (*živý*) lively **2** (*agilní*) active, busy
čím – tím the – the; **~ víc má, ~ víc chce** the more he has, the more he wants
čin **1** act, action **2** (*skvělý*) exploit; (*velký a úspěšný*) achievement ♦ **být dopaden při ~u** be caught red-handed
Čína China
Číňan Chinese
činitel factor; (*aktivně působící*) agent
činnost **1** activity, activities *pl* **2** (*provoz*) operation; **v ~i** in operation; **uvést v ~** put* into operation

činn|ý active; **v -é službě** on active service; **~ rod** (*jaz.*) active voice
činohra play, straight drama; (*rozhlasová*) radio drama
činovník functionary, official
čínský Chinese
činže rent
činžák block of flats, apartment house
čípek **1** (*v ústech*) uvula [ju:vjulə] **2** (*vložka*) suppository [sə'pozitəri]
čírka (*obecná*) teal; (*modrá*) garganey
číslice cipher, figure, digit; (*slovo, značka*) numeral
číslicový digital
číslo **1** number **2** (*jaz.*) **jednotné ~** singular, **množné ~** plural **3** (*velikost*) size **4** (*pořadové*) item **5** (*časopisu*) issue, number; (*výtisk*) copy
číslovat number
číslovka numeral
číst read*
čisticí cleaning, cleansing; **~ prostředek** cleaning agent; (*saponátový*) detergent
čistírna dry cleaner's
čistit **1** clean; (*též přen.*) cleanse **2** (*chemicky oděv*) dry-clean **3** (*průmyslově*) rafine **4** (*leštit*) polish
čistka purge
čistokrevný pedigree, thoroughbred [θarəbred]
čistopis fair copy
čistot|a **1** cleanness **2** (*čistotnost*) cleanliness **3** (*ryzost*) purity ♦ **péče o -u města** litter prevention
čistotný cleanly
čistý **1** clean **2** (*ryzí*) pure **3** (*průzračný*) clear **4** (*po srážce*) net; **~ výdělek** net earnings *pl*
číšnice waitress
číšník waiter
čítanka reader, manual
čítárna reading room
čitatel numerator [nju:məreitə]
čitelný **1** legible **2** recognizable
článek **1** (*spojovací*) link **2** (*též stať*) article **3** (*elektrický*) cell
člen **1** member **2** (*jaz.*) article
členka member
člensk|ý member('s); **-á legitimace** membership card
členství membership
člověk **1** (*obecně*) man **2** (*konkrétně*) person **3** (*lidská bytost*) human being **4** (*hovor.*) fellow **5** (*neurč. podmět*) one; you ♦ **~ nikdy neví, co se může stát** you never know what may happen; **~ by se z toho zbláznil** it is enough to drive you mad
člun boat; **nafukovací ~** (life) raft; **motorový ~** motorboat; **záchranný ~** lifeboat
čmáral scribble, scrawl
čmelák bumblebee
čočk|a **1** (*sklo*) lens **2** (*luštěnina*) lentils *pl*; **-ová polévka** lentil soup
čokolád|a, *též adj* **-ový** chocolate
čpavek ammonia
čtenář, ~ka reader
čtení reading; (*univerzitní přednáška*) lecture
čtrnáct fourteen; **~ dní** fortnight
čtrnáctidenní fortnightly, a fortnight's; **~ pobyt v horách** a fortnight's stay in the mountains
čtrnáctý fourteenth
čtvere|c, *též adj* **-ční** square

čtvrt quarter; ~ **hodiny** a quarter of an hour
čtvrť ward, district; **obytná ~** residential quarter
čtvrtek Thursday; **Zelený ~** Maundy Thursday
čtvrtina quarter
čtvrtletí quarter (of a year), three months
čtvrtý fourth
čtyřhra double
čtyři four
čtyřicátý fortieth
čtyřicet forty
čtyřk|a four; (*tramvaj*) Number Four; **jet -ou** take No. 4 line
čtyřmotorový four-engine(d)
čtyřsedadlový vůz four-seater
čtyřstup column of fours
čtyřtaktní motor four-stroke engine
čtyřúhelník tetragon [tetrəgən]
čtyřválcový four-cylinder
čtyřveslice (light) four
čubka bitch
čumět gape, stare (**na** at)
čurat pee
čurák (*vulg.*) prick, cock

D

dabovat dub
dál(e) **1** further, farther; **trochu ~** a little farther on; **~ vlevo** more / away to the left **2** (*se slovesem*) on; **postupte ~** pass on; (*pokračujte*) go on, proceed ♦ **~!** *(vstupte!)* come in!; **co ~?** what next?; **a ~ už to víte** and the rest you know
daleko **1** a long way (**odtud** from here) **2** (*v otázce a záporu*) far (away); **odstěhovat se ~** move far afield **3** (*před komparativem*) far; **~ lepší** far better
dalekohled binoculars *pl*; (*vytahovací / hvězdářský*) telescope
dalekozraký far-sighted
dalek|ý distant, far, a long way off; remote; **-á cesta** long way; **skok ~** long jump
dál|ka distance; **v -ce** in the distance, far away; **řízení na -ku** remote control
dálkov|ý long-distance (**vlak** train); **-é topení** district heating; **-é studium** extra-mural studies *pl*
dálnice motorway
dálnopis (*přístroj*) teleprinter; (*zpráva*) telex
Dálný východ the Far East
další **1** (*v řadě*) next, following, subsequent **2** (*navíc*) further, additional
dáma lady; (*v šachu*) queen; (*desková hra*) draughts, checkers
dámsk|ý lady's, ladies', woman's; **~ klobouk** lady's hat; **~ krejčí** ladies' tailor; **-é prádlo** (*hovor.*) undies *pl*; **obchod s -ým prádlem** underwear shop; **-é šaty** frock; (*společenské*) dress
Dán Dane
da|ň tax; **~ ze mzdy** wages tax; **~ z příjmu** income tax; **podléhající -ni** taxable, liable to taxation; **-ňové přiznání** declaration of income

Dánsko Denmark
dán|ský, *též n* **-ština** Danish
daný given; **za ~ch okolností** under the given conditions
dar 1 (*též přen., nadání*) gift; **~ jazyka** the gift of the gab 2 (*dárek*) present
dárce donor; **~ krve** blood donor
darebák scoundrel, rascal
dárek present; **vánoční ~** Christmas present
darovat 1 present (**komu co** sth. to sb., sb. with sth.) 2 (*prominout*) condone; **to ti nedaruju** you won't get away with it
dařit se 1 (*plodiny*) thrive*, get* on well 2 (*pokus*) succeed 3 (*komu*) get* on, be*, feel*; **jak se ti daří?** how are you?, how are you getting on?; **daří se mi docela dobře** I am (quite) all right
dáseň gum
dá|t 1 (*komu*) give* (sb. / to sb.) 2 (*někam*) put*, place 3 (*zpět*) replace, return 4 (*úkol*) set* ♦ **já ti -m!** I'll teach you!; **~ komu co proto** take it out of sb.; **~ to dál** pass it on; **~ komu košem** refuse, jilt; **~ co do pořádku** put sth. right; **~ pozor na** keep an eye on; **dejte na moje slova** mark my words; **~ stranou** *(částku)* put by / earmark (a sum of money); **~ se** *(do práce)* start (work / working), (*do němčiny*) take up (German), (*do koho*) turn on (sb.); **o tom se dá diskutovat** it is open to discussion; **to se nedá popsat** it baffles all description; **dá se podle toho tančit** it lends itself to dancing; **~ si spravit hodinky** have / get one's watch repaired; **~ si polévku** have soup; **co si dáte?** what will you have?; **~ si nohu přes nohu** cross one's legs
databáze database, data bank
datel woodpecker
datle date
datum date; **~ poštovního razítka** date as postmark
dav crowd; (*lůza*) mob
dávat 1 (*komu*) give* 2 (*kam*) put* 3 (*pořádat*) put* on, arrange, organize ♦ **~ pozor na telefon** listen for the telephone; **~ komu co proto** be hard on sb.; **~ se** be on (the programme); **~ si** *(popřávat si)* treat oneself to sth.; **~ si na čas** take one's time
dávit vomit, throw* up, be* sick
dávk|a 1 (*část*) portion 2 (*léku a přen.*) dose 3 (*příděl*) ration 4 (*poplatek*) rate; benefit; **-y nemocenského pojištění** rates of sickness benefit; **-y v mateřství** maternity benefits 5 (*nábojů*) round
dávno long ago; **už je to hodně ~** it's quite a long time (ago) now; **~ před** well ahead of
dávný ancient, of long standing
dbát 1 (*pečovat*) take* care (**o** of); keep* up (**oč** sth.) 2 (*dávat pozor*) be* careful (**na** about) ♦ **musím ~ na svou pověst** I have a reputation to live up to; **nedbat ani za mák** not care a tuppence [tapəns]
dcera daughter
debata 1 (*formální*) debate, discussion 2 (*spor*) argument
debatovat 1 discuss (**o čem** sth.) 2 (*přít se*) argue (**o** about)
decentní discreet; reserved, unobtrusive

dědeček **1** grandfather, (*hovor.*) grandpa, granddaddy **2** (*starý muž*) old man
dědic heir (**čeho** to sth.)
dědická daň death duties *pl*
dědictví **1** inheritance, (*též přen.*) heritage **2** (*odkaz*) legacy
dědičnost heredity
dědičný hereditary
dědit inherit (**co po kom** sth. from sb.)
defekt defect
definice definition
definitivní definitive, final
definovat define
deflace deflation
defraudovat embezzle
degenerovat degenerate
degradovat demote, degrade, reduce to a lower rank
dehet tar
dech breath; **bez ~u** out of breath; **se zatajeným ~em** with bated breath; **přečíst jedním ~em** read at one sitting
dechov|ý nástroj wind instrument; **-á hudba** brass music; (*kapela*) brass band
děj action; (*dějová osnova*) plot
dějepis history
dějinný historic (**okamžik** moment)
dějiny history
dějiště scene
dějství act
děkan dean
děkanát dean's office
deklamovat recite
deklarace declaration
dekoltáž décolletage [deikol'ta:ž]
dekorace decoration; (*výzdoba*) décor; (*divadelní*) scenery
dekorační decorative
děk|ovat thank (**komu za** sb. for); **-uji (vám)** thank you, thanks; **-uji, nechci** no, thank you; **~ se** *(div.)* take curtain calls
děkovný dopis letter of thanks
dekret decree, edict
dělat **1** make*; **~ čaj** (*boty, oheň, večeři)* make tea (shoes, the fire, supper); **~ dojem** make an impression (**na** on); **~ chyby** make mistakes; **~ ze sebe hlupáka** make a fool of oneself; **~ legraci** make fun; **~ pokroky** make progress; **~ scény** make scenes, make a fuss **2** do*; **co tu děláš?** what are you doing here?; **~ čest komu** do sb. credit; **to ti udělá dobře** that will do you good; **dělej, co chceš** do as you like; **~ nevinného** do the innocent; **~ svou povinnost** do one's duty; **~ (dobrou) službu** do (good) service; **~ úkoly** do one's lessons **3** act; **~ tlumočníka** act as interpreter; **~ ze sebe šaška** act the fool **4** (*pracovat*) work (**na** at / on) ♦ **kolik to dělá?** how much is it?; **měl co ~, aby** he was hard put to it to + *inf*; **nedá se nic ~** it can't be helped, there is nothing for it (**než** but); **nic si z toho nedělej** take it easy
dělba práce division of labour
déle longer
delegace delegation
delegát delegate
delegovat delegate
dělení division
delfín dolphin
delikt (criminal) offence
dělit divide; **~ na polovinu** divide in halves; **~ šest dvěma** divide six by two

dělit se **1** (*na části*) divide (**na** into) **2** share (**oč s kým** sth. with sb.)
dél|ka **1** length; **po -ce** lengthwise **2** (*zeměpisná*) longitude **3** (*hlásky*) quantity
dělnice **1** working woman **2** (*včela*) worker
dělnický working
dělnictvo workmen *pl*; labour; working classes *pl*
dělník workman, worker, working man; (*zvl. nevyučený*) labourer; (*vyučený řemeslník*) skilled worker, craftsman; **pekařský ~** baker's assistant
dělo gun
děloha womb, uterus
dělostřelba artillery fire
dělostřelec|tvo, *též adj* **-ký** artillery
delší longer
demagogický demagogic [deməˈgogik]
demagogie demagogy
demarkační čára demarcation line
dementi official denial
dementovat deny officially
demis|e resignation; **podat -i** send in one's resignation
demobilizace demobilization
demobilizovat demobilize
demokracie democracy
demokratický democratic
demonstrace demonstration
demonstrovat demonstrate
demontáž dismantling
demoralizace demoralization
demoralizovat demoralize
den day; **bílý ~** daylight; **celý ~** all day long; **~ za dnem** day by day; **~ pracovního volna** holiday; **za dne** in daytime; **dnem i nocí** day and night; **dnešní ~** this day; **dobrý ~** good morning / afternoon; **druhý ~** the next day; **všední ~** working day, weekday; **ve všední ~** on a weekday; **v těchto dnech**, **dnes** these days
deník **1** (*noviny*) daily, journal **2** (*zápisník*) diary
denně daily, every day
denní daily, everyday; **brát co jako ~ chleba** take sth. as a matter of fact / for granted
dentista dentist
depeše dispatch
deportovat deport
deprese depression; the doldrums *pl*, the dumps *pl*
depresívní depressive
deprimovat depress
deptat oppress, tyrannize
deputace deputation
děravý full of holes; leaky; (*zub*) hollow; (*propíchnutý*) punctured
desatero The Ten Commandments *pl*
deset ten
desetiboj decathlon
desetihaléř ten-heller piece
desetikoruna ten-crown coin
desetiletí decade
desetina tenth
desetinný decimal
desítka ten, decade; (*tramvaj*) Number Ten; (*sport.*) penalty kick
deska **1** (*zvl. dřevěná*) board **2** (*fot.*) plate **3** (*knihy*) cover **4** (*např. kamenná*) tablet; **pamětní ~** memorial tablet **5** (*gramofonová*) record, disk; **dlouhohrající ~** LP record, long-playing record
deskriptivní descriptive

despotický despotic
destilace distillation
destilovat distil
dešifrovat decipher
déšť rain; (*prška*) shower; ~ **ran / jisker** a rain of blows / sparks; **dalo se do deště** it started raining; **za hustého deště** in heavy rain
deštivý rainy, wet
deštník umbrella
detail detail
detektiv detective
detektivka detective story / novel; (*napínavá*) thriller
detektor detector
dětinsk|ý childish; **-é důvody** childish arguments
dětsk|ý childlike, child's, children's, baby's; **-á hra** child's play; ~ **kočárek** pram; ~ **lékař** children's doctor; ~ **pokoj** nursery; **-á postýlka** crib, cot
dětství childhood
devadesát ninety
devalvace devaluation
devatenáct nineteen
devatenáctý nineteenth
devátý ninth
děvče 1 girl; (*milá*) girlfriend 2 (*služebná*) maid; ~ **pro všechno** maid-of-all-work
dev|ět nine ♦ **jít od -íti k pěti** go from bad to worse
devětsil butterburr [batəbə:]
devítka nine; (*tramvaj*) Number Nine
devizov|ý: **-é předpisy** foreign exchange regulations *pl*; **-é obchody** business in foreign exchange; ~ **přestupek** currency offence
devizy foreign exchange / currency
dezert dessert
dezertér deserter
dezertní dessert (**víno** wine)
dezinfekce disinfection
dezorganizace disorganization
diagnóza diagnosis [daiəg'nəusis]
diagram diagram
dialekt dialect
dialektický dialectic(al)
dialektika dialectics
dialog dialogue
diamant diamond
diapozitiv slide; **přednáška s ~y** slide lecture
diář diary
diet|a diet; **mít -u** be on a diet; **předepsat -u komu** put sb. on a diet
dietní diet, dietary [daiətəri]; ~ **strava** dietary (food); ~ **chléb** diet bread
diety travelling expenses *pl*
dík a word of thanks; **~y** thanks (**vám** to you)
diktát 1 (*příkaz*) dictate 2 (*diktování*) dictation
diktátor dictator
diktatura dictatorship
diktovat dictate
díl 1 (*podíl*) portion, share 2 (*součást*) part; **náhradní** ~ spare part 3 (*knihy*) volume 4 (*světadíl*) continent ♦ **rozdělit stejným ~em** go halves, go fifty-fifty
dílčí: ~ **otázka / úspěch** partial issue / success
diletant amateur
dílna workshop
dílo work; **umělecké** ~ work of art; **to je vaše** ~ that's your doing
dioptrie dioptre [dai'optə]
diplom diploma; **čestný** ~ Diploma of Honour
diplomacie diplomacy

diplomat diplomat(ist)
diplomatický diplomatic
diplomová práce graduation paper, thesis
diplomovan|ý registered, chartered; **-á sestra** registered nurse
díra hole; (*z které teče*) leak; (*v pneumatice*) puncture
dirigent conductor
dirigovat conduct
dírk|a hole; **nosní ~** nostril; **udělat -y do** stab holes in(to)
disciplína **1** (*kázeň*) discipline **2** (*sport.*) event
disertace, disertační práce thesis
disident dissident [disidənt]
disk discus; **hod ~em** discus throw
disketa diskette, floppy disk
diskotéka **1** record library **2** disco
diskrétní discreet; (*taktní*) tactful, considerate
diskriminace discrimination (**koho** against sb.); **rasová ~** racial discrimination, colour bar
diskriminovat discriminate (**koho** against sb.)
diskuse discussion; **přihlásit se do ~** enter into the discussion, take the floor
diskusní: **~ námět** a matter for discussion; **~ příspěvek** a contribution to the discussion
diskutovat discuss (**o čem** sth.)
diskvalifikace disqualification
diskvalifikovat disqualify
dispečer intercom operator, controller, dispatcher
disponovat **1** (*manipulovat*) dispose (**čím** of sth.) **2** (*mít k dispozici*) have at one's disposal
dispozic|e **1** (*schopnost*) disposition **2** (*pokyny*) instructions *pl*, measures *pl* **3** (*možnost použití*) disposal; **být (dát) komu k -i** be (put / place) at sb.'s disposal; **mít k -i** have the disposal of sth.; **osuška je k -i** a bath towel is provided / available
distribuce distribution
dít se happen, occur, be* done; **co se děje?** what is the matter?, what's up?; **ať se děje cokoli** whatever may happen, come what may
dítě child; (*nemluvně*) infant; (*malé*) baby; (*hovor.*) kid; **nevlastní ~** stepchild; **zázračné ~** infant prodigy; **dozor u ~te** babysitter
div wonder; **není ~u, že** no / little wonder that
divadelní: **~ autor** dramatist, playwright; **~ hra** play; **~ kritik** dramatic critic; **~ návštěvník** playgoer, theatregoer; **~ plakát** playbill; **~ pokladna** box office; **~ program** theatre programme; **~ představení** theatrical performance; **~ věda** dramatics *pl*
divadl|o **1** theatre; **lístek do -a** theatre ticket; **loutkové ~** puppet show; **ochotnické ~** amateur theatricals / dramatics *pl* **2** (*budova*) playhouse **3** (*podívaná*) sight, spectacle
divák **1** spectator; (*televizní*) (television) viewer, (tele)viewer **2** (*přihlížející*) onlooker
dívat se **1** look; (*pozorně*) gaze (**na** at) **2** view, watch (**na televizi** television) **3** regard (**na koho jako na** sb. as) ♦ **~ z okna** look out of the window
dívčí: **~ jméno** maiden name; **~ škola** girls' school

diverzant diversionist, troublemaker
diverze sabotage
divit se wonder (**čemu** at sth.); (*žasnout*) marvel (**čemu** at sth.)
divize division
divizna mullein [malin]
dívka girl
divn|ý strange, peculiar, odd; (*podivínský*) queer; **zdá se mi to -é** I think it odd, it seems odd to me
divočák (wild) boar
divoch savage
divoký **1** wild **2** (*necivilizovaný*) savage, barbarous **3** (*prudký*) fierce; (*neukázněný*) unruly **4** (*fanatický*) rabid
dlaň palm
dláto chisel
dlažba pavement
dlážděný paved
dlaždice tile; (*kamenná*) paving stone
dláždit pave
dlouho long, a long time; **nebuď tam ~** don't be / stay long; **~ jsem tě neviděl** I haven't seen you for ages
dlouhodobý long-term
dlouh|ý long; **na -ou dobu** for a long time; **mít -ou chvíli** feel bored; **-é vlny** long waves
dluh debt; **dělat ~y** run into debt; **kupovat na ~** (*hovor.*) get goods on tick
dlužit owe (**komu co** sb. sth.)
dlužník debtor
dna gout [gaut]
dnes today; (*v dnešní době*) nowadays; (*hovor.*) these days; **~ odpoledne** this afternoon; **~ večer** tonight; **~ týden** a week ago today, this day last week
dneš|ek today, this day, the present day; **až do -ka** up to now, to this day; **ode -ka za týden** today week
dnešní today's; **~ den** this day; **~ odpoledne** this afternoon; **~ angličtina** present-day English
dn|o bottom; **na -ě mořském** on the bottom of the sea; **~ řeky** (river)bed
do **1** to, into, in, up to; **~ divadla** to the theatre; **~ Prahy** to Prague; **~ místnosti** into the room; **~ tašky** in(to) the bag; **~ angličtiny** into English; **dát si cukr ~ čaje** put sugar in one's tea; **počítat ~ sta** count up to a hundred **2** (*o čase*) to, till, until, by, within; **~ pondělí** till Monday; **~ tří hodin** until three o'clock; **musí to být hotové ~ konce týdne** it must be ready by the end of the week; **pracovat od pěti ~ šesti** work from five to six; **~ tří měsíců** within three months ♦ **co je vám ~ toho?** why do you care?; **~ toho vám nic není** that's none of your business
dob|a **1** time; **na dlouhou -u** for a long time **2** (*věk*) age; **~ kamenná / bronzová** stone / bronze age **3** (*období, trvání*) period, duration; **na -u tří týdnů** for a period of three weeks, **po -u války** for the duration of the war **4** (*roční*) season **5** (*pracovní*) hours *pl*; **máme osmihodinovou pracovní -u** we work eight hours a day ♦ **od té -y** since then; **od té -y, co** since; **do té -y** by then; **již něja-**

kou -u for some time past; **v poslední -ě** lately, of late, recently
doběhnout 1 (*dohonit*) overtake* 2 (*zastavit se*) run* down 3 (*napálit*) take* in
dobírk|a: **na -u** cash on delivery; **poslat co na -u** send sth. C.O.D. / collect
dobr|o the good; **připsat komu k -u částku** pass a sum to sb.'s credit, credit sb. with a sum
dobročinný charitable; ~ **koncert** benefit concert
dobrodiní boon
dobrodruh adventurer
dobrodružný adventurous
dobrodružství adventure
dobromysl pot marjoram
dobrosrdečný good-natured, generous, kind
dobroty goodies *pl*
dobrovoln|ý *adj* voluntary • *adv* **-ě** of one's own free will
dobr|ý good; ~ **den** good morning / afternoon; **-ou noc** good night; **-á!** all right, good, fine; **být ~ v čem** be good at sth.; **buďte tak ~ a ...** would you kindly ...; **do třetice všeho -ého** third time lucky; **v -ém i ve zlém** for better or worse; **to je -é** *(to ujde)* that will do; **být ~** (*hodit se*) come in useful
dobře 1 well; **není mi ~** I don't feel well; **~ ti tak** it serves you right; **je ~ si vzít ...** it is a good idea to take ... 2 (*dobrá*) all right, good
dobýt conquer, capture; **~ vítězství** gain a victory
dobytek cattle
dobytí conquest
dobývat *viz* **dobýt**
docela 1 (*úplně*) quite, completely; (*v záporu*) at all 2 (*dokonce*) even
docent assistant professor
dočasný temporary
dočkat se wait; **nemohu se ~** I just can't wait; ~ **čeho** *(dožít se)* live to see sth.
dodací lhůta time of delivery, delivery time / date
dodání delivery
dodat 1 (*doplnit*) add 2 (*doručit*) deliver, supply ♦ **~ si odvahu** pluck up courage
dodatečný additional; (*doplňující*) supplementary
dodatek addition; (*doplněk*) supplement
dodávat supply, deliver
dodavatel supplier
dodávk|a 1 (*zboží*) delivery (of goods); **státní -y** state deliveries *pl* 2 supply (**elektřiny** of electricity) 3 (*vůz*) delivery van
dodávkov|ý: ~ **vůz** delivery van; **-é nákladní auto** pick-up truck
dodnes up to now, till the present day, so far
dodržovat keep*, observe
doga mastiff; (*německá*) Great Dane
dogmatický dogmatic
dohad guess, conjecture
dohánět 1 catch* up on; **~ zpoždění** make* up for lost time 2 (*nutit*) drive* (**k zoufalství** to desperation)
dohled inspection, supervision; **v ~u** within sight
dohlédn|out 1 (*vidět*) see* (**až k** as far as); **až kam oko -e** as far as eye can see 2 (*dbát*) see* (**aby** to it that); keep* an eye (**na** on)

dohlížet supervise (**nač** sth.), watch (**nač** over sth.)
dohnat **1** (*koho*) overtake*, catch* up with sb. **2** (*co*) catch* up on sth. **3** (*donutit*) drive*, impel (**koho k čemu** sb. to sth.)
dohod|a agreement; arrangement; **to je věc -y** this is a matter of arrangement
dohodnout se agree (**o** on); come* to an agreement / understanding
dohola close-cropped
dohonit **1** (*chytit*) overtake* **2** (*zameškané*) catch* up on sth., make* up for sth.
dohromady (al)together, all in all; **měli jsme (oba) ~ pět liber** we had five pounds between us
docházet go*, come*, visit; (*do školy*) attend (school); (*často*) frequent
docházka attendance; **povinná školní ~** compulsory school attendance
dochvilný punctual
dojatý moved, touched
dojem impression (**z** of); **udělat ~ na koho** make an impression on sb., impress sb.
dojemný moving, touching, poignant; (*lítostivě*) pathetic
dojet *viz* **dojít 1**, **2**
dojetí emotion
dojička dairy maid
dojímat touch, move
dojit milk
dojít **1** (*kam*) go*, get*, reach (sth.) **2** (*pro*) fetch (sth.) **3** (*o zásobě*) **došel nám cukr** we are / we have run out of sugar **4** (*k čemu*) happen, occur; **došlo k nehodě** an accident occurred; **dojde-li k nejhoršímu** if the worst comes to the worst **5** (*na koho*) **došlo na mne** it's my turn
dojíždět **1** *viz* **docházet 2** (*do zaměstnání*) commute
dojmout **1** move, touch, affect **2** (*udělat dojem*) impress
dojnice dairy cow
dok dock
dokařský dock, dockers'
dokázat **1** (*podat důkaz*) prove **2** (*nezvratně*) demonstrate **3** (*umět*) achieve, accomplish **4** (*být schopen*) manage
doklad document; **~y** *(osobní)* credentials *pl*
dokola round, all (a)round
dokonalý perfect; (*naprostý*) thorough
dokonce even
dokončit finish, complete
doktor doctor
doktorka woman / lady doctor
dokud as long as; (*zatímco*) while; **~ ne** till, until
dokument document; (*práv.*) instrument, deed
dokumentace documentation
dokumentární documentary
dolar dollar
dolarka billfold
dole down, below; **~ na stránce** at the bottom of the page; **~ v budově** downstairs
dolejší lower, bottom
doleva (to the) left
doličný předmět (*u soudu*) exhibit
dolní lower, bottom
dolovat mine (**rudu** for ore)
doložka clause
dolů down(wards); (*po schodech*) downstairs
dóm cathedral; minster
doma at home; **být zpět ~** be back

home; **počínejte si jako ~** make yourself at home / comfortable; **střevíce pro ~** (a pair of) slippers
domácí *adj* **1** home (**trh** market) **2** domestic (**záležitosti** affairs, **zvíře** animal) **3** (*tuzemský*) inland, home **4** (*doma vyrobený*) homemade **5** (*v místě narozený*) native **6** (*pro doma*) household • *n* landlord, landlady
domácnost household; **potřeby pro ~** household utensils / requirements *pl*; **založit si ~** settle down; **žena v ~i** housewife
domek little house, cottage
domluva 1 (*jednání*) negotiation **2** (*porada*) consultation **3** (*pokárání*) talking-to
domluvit 1 (*sjednat*) arrange (**co** for sth.) **2** (*přestat mluvit*) finish speaking **3** (*pokárat*) talk to sb., give* sb. a good talking-to
domluvit se 1 (*dohodnout se*) come* to an agreement / arrangement; agree **2** (*cizím jazykem*) make* oneself understood
domnělý alleged
domněnka assumption, supposition
domnívat se suppose, believe; (*očekávat*) expect
domorod|ec, *též adj* **-ý** native; **-ci** aborigines *pl*, natives *pl*
domov home; **stýská se mi po ~ě** I feel homesick
domovní house; **~ dveře** front door; **~ řád** rules of the house *pl*
domovn|ice, -ík caretaker
domovský home, native
domů home
domýšlivý conceited, self-opinionated, arrogant

donášet inform (**na** against); (*ve škole*) sneak
donedávna until recently
donést 1 (*přinést*) bring* **2** (*až kam*) carry / take* as far as **3** (*jít pro*) fetch
donutit compel; make* (**koho k pláči** sb. cry)
dopadat fall* (**na** on) ♦ **~ na nohu** walk with a limp
dopadn|out 1 fall* down (**na** on) **2** (*přistihnout*) catch*; **~ při činu** catch red-handed **3** (*nějak*) turn out, come* off, come* out; **všechno dobře -e** everything will turn out well
dopis letter; (*krátký*) note; **doporučený ~** registered letter; **obchodní ~** business letter; **~y čtenářů** (*redakci*) letters to the editor
dopisní papír notepaper, writing paper
dopisnice postcard
dopisovat si keep* up correspondence (**s** with); have* a penfriend
dopisovatel correspondent
dopít finish one's drink
doplácet, doplat|it 1 (*rozdíl*) pay* the difference **2** (*nač*) be* the worse for sth.; **jednou na to -íš** you'll be sorry / pay for it one day
doplatek surcharge
dopl|něk 1 supplement **2** (*zákona*) amendment **3** (*jaz.*) complement **4** (*dámské módní*) **-ňky** accessories *pl* **5** (*dodatek*) addition
dopl|nit, -ňovat complete
dopoledne *n* morning, forenoon • *adv* (*kdy?*) in the morning; (*u časových údajů*) a.m.
dopolední morning

doporučeně: poslat dopis ~ have* a letter registered, send* a letter by Registered Post
doporučení recommendation
doporučený 1 recommended **2** registered (**dopis** letter)
doporuč|it, -ovat recommend; (*navrhovat*) suggest; (*radit*) advise; **-uje se vám, abyste** you will be well advised to + *inf*
doposud up to now, up to the present time, by now, so far
doprava[1] (to the) right
doprava[2] transport, transmission; (*lodí*) shipment; (*dálková motorová*) haulage; **letecká ~** air transport
doprav|it, -ovat transport, carry; (*lodí*) ship; (*letecky*) fly
dopravní: ~ prostředek means of transport; **~ předpisy** highway code; **~ ruch** traffic; **~ strážník** policeman on point duty; **~ světla** traffic lights *pl*; **~ tepna** thoroughfare
doprdelista (*vulg.*) brown noser, arse kisser, arse licker
doprodej (clearance) sale
doprostřed in(to) the middle
doprov|ázet, -odit accompany (*též hud.*); **~ domů** see* sb. home; **~ při odjezdu** see* sb. off; **doprovodím tě k autobusu** I'll walk you down to the bus stop
dopřát grant (**hodinu klidu** an hour of rest); **~ si** treat oneself to sth.; **nemohu si ~** I can't afford
dopředu forward, ahead; **obsazený na dva měsíce ~** booked two months ahead / in advance
dopustit se commit (**čeho** sth.)
dorost rising / younger generation
dorosten|ec, -ka adolescent
dorozumění understanding
dorozumět se 1 come* to an understanding **2** (*s cizincem*) make* oneself understood
dorozumívací prostředek means of making oneself understood
dorozumívat se *viz* **dorozumět se**
dort cake, pastry; (*ovocný*) tart
doruč|it, -ovat deliver
doručovatel, ~ka: poštovní ~ postman, postwoman
dosah reach, radius; **na ~ ruky** within easy reach; **z ~u nebezpečí** out of harm's way
dosáhnout reach (**čeho / nač** sth. / out for sth.); **~ úspěchu** achieve success; **~ svého cíle** achieve / attain one's aim
dosavadní hitherto, done / used until now / then
doslov epilogue, postscript, afterword
doslova verbatim, literally
doslovn|ý literal (**překlad** translation); **přeložit -ě** translate sth. word for word
dospělý adult, grown-up
dospět 1 (*dojít*) come* (**k závěru** to the conclusion); arrive (**k rozhodnutí** at a decision); attain (**k blahobytu** to prosperity) **2** (*dorůst*) grow* up, mature
dospívání growing up, puberty
dost 1 (*dostatek*) enough; **~ času** time enough, enough time **2** (*značně*) fairly (**dobrý** good); rather (**špatný** bad)
♦ **mám už toho ~** I am sick of it; **ani ~ málo** not in the least; **tak ~!** enough (of it)!, cut it out!, drop it!, that will do!
dostání: **je (není) k ~** it is (not) available, it can(not) be had

dostat get*, obtain ♦ ~ **chřipku** develop the flu; ~ **stipendium** be granted a scholarship; ~ **zpět** recover; **lístky lze ~ přímo v divadle** tickets can be obtained at the theatre (itself); **já tě z toho dostanu** I'll see you through
dostat se get (**domů** home, **na oběžnou dráhu** into orbit, **do špatné společnosti** in with bad company) ♦ **takhle se nikam nedostaneme** this gets us nowhere; **dost chlebíčků, aby se dostalo na každého** enough sandwiches to go round; **dostalo se mu vřelého uvítání** he was given a warm welcome
dostatečný sufficient; adequate
dostatek 1 (*hojnost*) plenty, abundance **2** (*postačující množství*) sufficiency
dostávat (se) *viz* **dostat (se)**
dostavit se appear, turn up, be* / come* along; **ne~** absent oneself / stay away from
dostihnout reach; overtake*
dostihy horse race, horse racing
dostřel range, radius
dostupný accessible; (*k dispozici*) available
dosud up to now, till the present time, by now, so far
dosvědčit testify (**co** to sth.)
dosyta to one's heart's content
dotace grant, subsidy
dotaz inquiry (**o** about, after); ~ **na další informace** inquiry for further information
dotazník questionnaire
dotčený hurt (**ve svých citech** in one's feelings)
dotek touch
dotěrný importunate, insolent
dotisk second impression, reprint
dotknout se 1 touch (**čeho** sth.) **2** (*narážkou*) allude (to), hint (at), touch (on) **3** (*urazit*) offend (**koho** sb.), hurt* (**čí city** sb.'s feelings)
dotyčný the aforesaid [ə'fo:sed], the above-mentioned
dotýkat se touch (**čeho** sth.)
doufat hope (**v to nejlepší** for the best)
doutník cigar
dovádět frolic [frolik], frisk
dovážet import
dovědět se (come* / get* to) know, learn*, hear*
dovedný skilful
dovést 1 (*kam*) take*, lead*, bring*, see* (**domů** home) **2** (*umět*) be* able to, know* how to; (*vědět si rady*) manage
dovézt bring*; (*obch.*) import
dovídat se hear*, learn*
dovnitř in, inside
dovolat se 1 (*telef.*) get* through **2** (*dosáhnout*) get* (**spravedlnosti** justice)
dovolávat se claim (**spravedlnosti** justice)
dovolen|á 1 (*zákonitá*) leave; **mateřská ~** maternity leave; **placená ~** leave with pay **2** (*volno*) holiday; **být na -é** be on holiday; **jet na -ou** go on holiday
dovol|it (*nezakazovat*) allow; (*výslovně dovolit*) permit; (*nechat*) let; **-te, abych se představil** let me introduce myself; ~ **se** ask sb.'s permission to + *inf*; ~ **si** afford
dovoz import
dovozce importer

dovozní import; ~ **clo** import duty; ~ **povolení** import licence
dovtípit se take* a hint, guess
dozadu back(wards)
dozor supervision; (*řízení*) control; (*s kontrolou*) inspection; **kdo má ~?** who is in charge?
dozorce overseer; (*kontrolující*) inspector; (*vězeňský*) guard
dozrávat ripen; (*víno*) mature
dožít se **1** live to see (**čeho** sth.) **2** reach the age (**šedesáti let** of sixty years)
doživotní lifelong
dr. Doctor (*v Británii zkratka za jménem:* **MUDr.** M.D.; **PhDr.** Ph.D.)
dráha **1** course **2** (*vyjetá*) track **3** (*oběžná*) orbit **4** (*železnice*) railway **5** (*životní*) career **6** (*jízdní*) roadway ♦ **podzemní** ~ underground (railway), tube; **lanová** ~ funicular; **lyžařská** ~ ski run, skiing piste
draho dear; **platit** ~ pay heavily (**za** for); **přijít** ~ come expensive; **to ti přijde** ~ that will cost you dear
drahocenný costly, precious, priceless
drahokam precious stone, gem, jewel
drahý dear; (*jen o ceně*) expensive, costly
drak dragon; (*papírový*) kite
drama drama
dramatický dramatic
dramatik dramatist, playwright
dramatizace dramatization [dræmətai'zeišn]
dramaturg literary director
dráp claw
draslík potassium [pə'tæsjəm]
drastický drastic
drát wire; **~y** *(kola)* spokes *pl*; **rozhlas po ~ě** rediffusion
drátěnka spring mattress
drátěný wire
dravec bird of prey
dravý wild, ferocious
dražb|a auction; **prodat v -ě** sell by auction
dráždit **1** irritate; (*rozčilovat*) upset*, rile **2** (*podněcovat*) stimulate
Drážďany Dresden
dráždivý **1** (*dráždící*) irritating **2** (*podléhající dráždění*) irritable
dres sports dress, sports clothes *pl*
drn sod, turf
drobit (se) crumble
drobné (small) change, silver
drobnost trifle, detail; **různé ~i** odds and ends, knick-knacks *pl*
drobný tiny, minute; **jít ~mi krůčky** walk with mincing steps
droga drug
drogerie chemist's, drugstore
drogovat be on drugs
drozd thrush
droždí yeast
drsný coarse (**jazyk, řeč** language); rough (**povrch** surface); rugged (**obličej** face)
dršťky, *též adj* **dršťkov|ý** tripe; **-á polévka** tripe soup
drtit crush
drůbež poultry
drůbežárna poultry farm
druh[1] (*společník*) companion; (*v zaměstnání*) mate, comrade, fellow, chum
druh[2] **1** sort, kind; (*zboží*) article, brand **2** (*přírodověda*) species
druhotný secondary
druh|ý **1** second; **na -ém místě**

in the second place; **Alžběta II.** Elizabeth the Second **2** (*ze dvou*) the other; **každý ~ den** every other day; **první ... ~** the former ... the latter **3** (*o umístění*) runner-up ♦ **~ den** the next day; **~ Einstein** another / a second Einstein; **-á jakost** second; **jeden -ého** one another, each other; **jeden po -ém** one by one, one after another; **na -ém břehu řeky** on the farther bank of the river; **na -ou** squared; **v půl -é** at half past one
družba friendship
družice satellite, sputnik; **televizní ~** TEL-star, Telstar
družička bridesmaid
družina company, retinue; **školní ~** after-school centre, play centre
družka companion
družstevní cooperative
družstevník member of a cooperative
družstvo **1** (*sport.*) team; (*voj.*) section **2** (*výrobní*) cooperative; (*stavební*) housing society
drzý impertinent; (*dotěrný*) insolent; (*hrubě*) arrogant; (*smělý*) bold; (*hovor.*) cheeky; **být ~** have a cheek
držadlo handle
držátko holder
država possession
držet **1** keep*, hold*; **~ v ruce** hold in one's hand; **~ při sobě** stick* together; **~ dietu / vánoce** observe a diet / Christmas; **~ krok** keep up (s with) **2 ~ se** *(dobře)* hold one's own; **~ se pravidel** stick to the rules; **pevně se ~** *(např. v autobusu)* hold tight
držitel holder
dřeň pith
dřep knees-bend
dřevák clog, wooden shoe
dřevařský průmysl timber industry
dřevěný wooden
dřevnatý woody
dřevo wood; **stavební ~** timber
dřevorubec woodcutter, lumberjack
dřevoryt woodcut
dřez (kitchen) sink
dřímat doze; (*hluboce*) drowse
dřina drudgery, toil
dřišťál barberry [ba:bəri]
dřít (se) **1** rub **2** (*namáhat se*) drudge, toil **3** (*ke zkoušce*) grind*, swot, cram (for an exam)
dříve before; formerly
dřívější former, previous
dříví wood; (*stavební*) timber ♦ **nosit ~ do lesa** carry coals to Newcastle
dub oak
duben April
dubový oak, made of oak
duet duet [dju:'et]
duha rainbow
duch **1** spirit, ghost **2** (*nálada*) morale **3** (*psychické schopnosti, vědomí*) spirit; mind
duchaplný spirited, intelligent, subtle
duchapřítomný showing presence of mind; quick-witted
důchod income; (*penze*) pension, superannuation; **bezpracný ~** unearned income; **invalidní ~** invalid pension; **starobní ~** old age pension; **poslat do ~u** retire, pension off, superannuate
důchod|ce, -kyně pensioner
důchodové zabezpečení social security

důkaz **1** proof; **pádný ~** striking proof **2** (*materiál*) evidence
důkladný thorough
důl mine; (*uhelný*) colliery, pit
důlek depression; (*v bradě*) dimple; (*oční*) socket
důležitost importance; **mít ~** matter; **přikládat ~** attach importance (**čemu** to sth.)
důležitý important; **životně ~** vital ♦ **dělat se ~m** give oneself / put on airs
důlní mining
dům house; **činžovní ~** apartment house, block of flats; **kulturní ~** arts centre; community centre
důmysl ingenuity
důmyslný ingenious
Dunaj Danube
dunět thunder, roll
dupat stamp
duplikát duplicate
dupnout stamp; **~ si** put one's foot down
dur: A dur A major
důraz emphasis, stress; **klást zvláštní ~ na** place special emphasis on
důrazný emphatic
dusík nitrogen
dusit **1** (*při vaření*) stew **2** (*bránit v dýchání*) smother, stifle; (*ucpáním*) choke; (*potlačit*) suppress; **~ se** stifle, suffocate, choke
důsled|ek consequence; implication; **vyvodit -ky** draw conclusions
důsledný consistent
dusno: je tu ~ it is close here
dusný close; (*parný*) sultry; (*přen.*) oppressive; (*nevětraný*) stuffy; (*dusící*) stifling
důstojník officer
důstojný **1** dignified; (*vážný*) solemn; (*hodný čeho*) worthy **2** (*titul*) reverend
duš|e **1** soul; **na mou -i** upon my soul; **z celé ~** whole-heartedly **2** (*pneumatiky*) tube **3** (*míče*) bladder
duševní mental; **~ pracovník** intellectual (worker), white-collar worker
Dušičky All Souls' Day
dutina cavity, hollow
důtka reprimand, rebuke
důvěr|a confidence, trust; **mít -u** have confidence (**k** in)
důvěrník: závodní ~ shop steward
důvěrný (*tajný*) confidential; (*intimní*) intimate
důvěřivý credulous
důvěřovat trust (**komu** sb.), confide (**komu** in sb.)
důvod reason, grounds *pl*; **pádný ~** weighty reason; **z tohoto ~u** for this reason; **z bezpečnostních ~ů** for safety reasons; **z náboženských ~ů** on religious grounds
důvtip wit, ingenuity
důvtipný ingenious
dužina pulp
dv|a two; **po -ou** two at a time; **brát schody po -ou** race two-at-a-time up the stairs
dvacát|ý twentieth; **-á léta** the twenties *pl*
dvacet twenty
dvakrát twice; **~ tolik** twice as much / many
dvanáct twelve
dvanáctý twelfth
dvě *viz* **dva**
dveř|e door; **domovní ~** front door; **za -mi** outside the door; **jít otevřít ~** answer the door

dvířka little door; **zadní ~** loophole
dvojbarevný two-coloured
dvojčata twins *pl*
dvojdílný two-piece
dvojhláska diphthong
dvojchyba double fault
dvojice couple, pair
dvojitý double
dvojjazyčný in two languages, bilingual
dvojka two; Number Two
dvojmo in duplicate
dvojnásob|ek, *též adj* **-ný** double
dvojsmyslný ambiguous
dvojstranný two-sided
dvojstup column of twos
dvojtečka colon
dvojveslice (sculling-)pair
dvojzpěv duet
dvorana hall
dvoudobý two-stroke
dvouhra (*tenis*) single
dvoukolejný double-railed
dvoulůžkový: ~ gauč double-size convertible sofa; **~ pokoj** double room
dvoumístný two-seated, two-seater
dvoumotorový twin-engined
dvoupatrový dům three-storey house
dvouřadový oblek double-breasted suit
dvousedadlový *viz* **dvoumístný**
dvůr courtyard; (*dvorek*) yard; (*panovnický*) court; (*selský*) farm
dýchací breathing; **~ přístroj** respirator [respəreitə]
dýchání breathing
dýchat breathe; (*rostliny*) transpire
dychtivý eager, keen
dýka dagger
dým smoke
dýmka pipe
dynamický dynamic
dynamit dynamite
dynamo dynamo [dainəməu]
dynastie dynasty
dýně pumpkin
džbán jug, mug, pitcher
džber bucket, pail
džem jam; (*pomerančový*) marmalade
džez, *též adj* **~ový** jazz
džín(s)y jeans
džínsovina denim
džungle jungle

E

efekt effect
efektivní effective, efficient
efektní impressive, spectacular, effective
egoismus egoism, selfishness
Egypt Egypt
egyptský Egyptian
ekonom economist
ekonomický 1 (*hospodářský*) economic 2 (*hospodárný*) economical
ekonomie 1 (*hospodaření, hospodářství*) economy 2 (*věda*) economics
ekonomika economy
elastický elastic
elegance elegance; (*pečlivé oblečení*) grooming
elegantní elegant, smart, stylish, dressy; (*muž*) dapper, elegant
elektrárna power station
elektrick|ý electric(al); **-é světlo** electric light; ~ **spotřebič** electric machine
elektrifikace electrification
elektrifikovat electrify [i'lektrifai]
elektrika tram
elektroda electrode
elektromagnet electromagnet [ilektro'mægnit]
elektromagnetický electromagnetic [ilektrəumæg'netik]
elektroměr electrometer
elektromontér electrical fitter
elektromotor electromotor [i,lektro'məutə]
elektrotechnik electrician
elektřina electricity
elementární elementary
elipsa ellipse
emancipace emancipation; **ženská** ~ emancipation of women
embargo embargo
emigrac|e emigration; **žít v -i** live in exile
emigrant emigrant; exile
emigrovat emigrate, go* into exile
encyklopedie encyclop(a)edia
energetick|ý power, energy; **-á krize** energy crisis
energetika energetics
energický energetic; vigorous
energie energy, power; (*elán*) drive; (*hovor.*) vim, pep
epický epic
epidemi|cký, *též n* **-e** epidemic
epizoda episode
epocha epoch
epopej epic
éra era
erb coat of arms
erotický erotic
erotoman sex maniac
esence essence
eskamotér conjurer
Eskymák Eskimo
eso ace
esperanto Esperanto [espə'ræntəu]
esperantský Esperantist [espə'ræntist]
estetický aesthetic
estetika aesthetics
Estonsko Estonia [e'stəuniə]
estráda variety programme, (variety) show
estrádní show; ~ **umělec** artiste
etablovaný well-established
etapa 1 stage 2 (*sport.*) lap; (*let.*) hop
etáž storey

éter ether
evakuace evacuation [ivækju'eišn]
evakuovat evacuate
evangelický evangelic(al) [i:væn'dželik(l)]
evangelík Protestant; Lutheran
evangelium Gospel
eventuálně alternatively, as the case may be, if need be
evoluce evolution
Evropa Europe
Evropan European
evropský European
exaktní exact
exemplář copy
exhibice exhibition
exhibiční exhibitional [eksi'bišənl]
exhibovat se make an exhibition of oneself
exil exile
existence existence
existenční minimum living / minimum wage
existovat exist
exkurze excursion
exotický exotic
expanze expansion
expanzívní expansive [iks'pænsiv]
expedice **1** (*výprava*) expedition **2** (*výpravna*) distribution department **3** (*odeslání*) dispatch
expedovat forward, dispatch
experiment experiment
experimentální experimental
expert expert
explodovat explode
exploze explosion
exponát exhibit
exponovat (*fot.*) expose
export, *též adj* **~ní** export
expozimetr exposure meter
expremiér former prime minister
expres express (**dopis** letter, **vlak** train)
expresionismus expressionism [iks'prešnizm]
externí external, outside; **~ pracovník** external worker; **~ pomoc** outside help; **~ studium** extramural studies *pl*
externista external worker / student
extrakt extract
extrém extreme

F

fabule plot, story
fack|a slap in the face; **dát -u komu** slap sb.'s face, slap sb. on the face
fádní boring, tedious, dull
fagot bassoon
fakt fact
faktický factual; actual, real
faktur|a, *též v* **-ovat** invoice; **prozatímní ~** pro-forma invoice
fakulta faculty; **právnická / lékařská ~** the Faculty of Law / Medicine
fakultní faculty; **~ nemocnice** teaching hospital
falešný 1 (*neupřímný*) false **2** (*nepravý*) false, artificial, spurious **3** (*rozladěný*) out of tune
falšovat forge (**podpis** a signature); adulterate (**víno** wine); falsify (**účty** accounts)
fáma rumour
familiární familiar (**k** with)
fanatický fanatic(al)
fanatik fanatic
fandit be* a fan, dig*; **~ kopané** be a football fan, dig football
fanfára flourish
fanoušek fan
fant forfeit
fantastický fantastic
fantazie fancy; (*živá*) imagination
fara parsonage, rectory
farář parish priest, parson
fárat go down the pit
farma farm
farmacie pharmacy
farmář farmer
farní parish
fasáda facade [fə'sa:d]
fascikl file
fašismus Fascism
fašist|a, *též adj* **-ický** Fascist
faul foul
favorit favourite
faxovat fax
fáze phase
fazole bean
federace federation
federál 1 federal institution **2** federal championship
federativní federal
fejeton feature, column
fén hairdryer [heədraiə]
fena bitch
fenykl fennel
festival festival; **filmový / hudební ~** film / music festival
feťák drug addict
fetovat be on drugs
feudalismus feudalism
feudální feudal
fialka violet
fialový violet, purple
figura figure; (*div. postava*) character
figurína dummy
figurka (*soška*) statuette [stætju'et]; (*v šachu*) chessman
fík fig
fíkus rubber plant
filatelie stamp collecting, philately
filatelista stamp collector, philatelist
filé fillet
filharmonický philharmonic
filiálka branch (office)
film film; **celovečerní ~** full-length film; **kreslený ~** (animated)

cartoon; **hlavní ~** feature film; **širokoúhlý ~** wide-screen film
filmař camera man
filmovat film (**hru** a play), shoot* (**scénu** a scene)
filmový film; **~ herec** film actor
filolog philologist
filologický philological
filologie philology
filozof philosopher
filozofický philosophic
filozofie philosophy
filtr filter; **cigareta s ~em** filter-tip
filtrovat filter
Fin Finn
finále finals *pl*
finan|ce, *též v* **-covat** finance
finanční financial
Finsko Finland
fin|ský, *též n* **-ština** Finnish
firma firm, house; (*velký podnik*) business, concern; (*štít*) sign; **~ Smith & spol.** Messrs. Smith & Co.
fix, ~ka felt-tip pen
fixlovat cheat
flambovaný flambé [flombei]
flanel flannel
flauš petersham [pi:təšəm]
flegmatický phlegmatic [fleg'mætik]
flétna flute
fluktuace personel turnover, changing jobs
fluór fluorine [fluəri:n]
folklór folklore
fond fund, foundation
fonetický phonetic
fonetika phonetics
fontána fountain
form|a form; (*tvar*) shape; **být ve -ě** be in good form
formalismus formalism
formalista formalist
formalita formality
formální formal
formát size; **umělec světového ~u** an artist of world renown [ri'naun]
formulace wording
formulář form; **vyplnit ~** fill in a form
formule formula
formulovat formulate, word
fosfor phosphorus [fosfrəs]
fosforový phosphorous [fosfərəs], phosphorescent [fosfə'resnt]
fotbal association football, (*hovor.*) soccer
fotbalový football, soccer
fotoamatér amateur photographer
fotoaparát camera
fotograf photographer
fotografický photographic
fotografie 1 (*obrázek*) photograph; (*zvl. amatérská*) snap, snapshot **2** (*obor*) photography
fotografovat photograph; take* snaps
fotokopie photostat [fəutəstæt]
fotomontáž photomontage [fəutəu'monta:ž]
fouk|at, -nout blow*
foyer foyer [foiei]
frak evening suit, dress coat, tailcoat, cutaway; (*hovor.*) tails *pl*
Francie France
Francouz Frenchman
francouzsk|ý *adj* French; **~ klíč** wrench • *adv* **-y** in French
francouzština French
franko post-paid
frankovat stamp (**dopis** a letter)
fraška farce, slapstick
fráze 1 (*slovní spojení*) phrase **2** (*otřepaná*) platitude

frčet be all the rage
frekvence frequency
frekventovaný frequented
freska fresco [freskəu]
fréza milling cutter / machine
fritovací hrnec frier
fritovat deep fry
front|a **1** front **2** (*nač*) queue; **stát ve -ě** queue up (**na** for); **postavit se do -y** join a queue
froté: ~ **látka** terry [teri] / sponge cloth; ~ **ručník** Turkish / bath towel
fuchsie fuchsia [fju:šə]
fungovat function, work
funkce **1** function **2** office, post
funkcionář functionary, official
fušer bungler, botcher
fyzický physical, material
fyzik physicist
fyzika physics
fyzikální physical
fyziologický physiological
fyziologie physiology

G

galantérie (*zboží*) haberdashery; (*obchod*) haberdasher's
galantní gallant
galérie gallery; **umělecká** ~ art gallery
galoše (a pair of) galoshes *pl*
galvanický galvanic [gæl'vænik]
garantovat warrant, guarantee
garáž, *též v* **~ovat** garage
garda guard
garsoniéra bed-sitter, flatlet, (one-roomed) bachelor flat
gauč couch; **rozkládací** ~ convertible (sofa); **dvoulůžkový** ~ double-sized convertible (sofa) / divan
gáza gauze [go:z]
gejzír geyser
generace generation
generál general
generalizovat generalize [dženrəlaiz]
generálka dress rehearsal
generální general; ~ **stávka** general strike
generátor generator
geniální: ~ **člověk** (man of) genius; ~ **myšlenka** brilliant idea; ~ **vynález** ingenious invention
génius genius
geofyzikální geophysical [dži:əu'fizikl]
geolog geologist
geologický geologic(al) [džiə'lodžik(l)]
geologie geology
geometrie geometry
geriatr geriatrician [džeriə'trišn]
geriatrie geriatrics [džeri'ætriks]
germánský Germanic, Teutonic
gesto gesture
gigantický gigantic
globální global [gləubl]
glazurovat (*keramiku*) glaze; (*pečivo*) ice
glóbus globe
gloriola halo, nimbus, (*též přen.*)
glosář glossary
gól goal; (*přen.*) surprise

gorila gorilla [gə'rilə]; (*přen.*) bodyguard
gotický Gothic [goθik]
gotika Gothic style / architecture
graf graph [græf]
grafický graphic
grafik graphic artist
grafiti grafitti art [græ'fi:ti]
gram gram(me)
gramatický grammatical [grə'mætikl]
gramatika grammar
gramofon record player, gramophone
gramofonov|ý gramophone; **-á deska** record
gramorádio radiogram
granát 1 (*voj.*) shell; (*ruční*) grenade [gri'neid] **2** (*kámen*) garnet [ga:nit]
gratis free (of charge)
gratulovat congratulate (**komu k** sb. on)
gravitace gravitation
grémium board, association
Grónsko, *též adj* **grónský** Greenland
guláš goulash
guma 1 rubber **2** (*na písmo*) india rubber, eraser ♦ **žvýkací ~** chewing gum; **prádlová ~** elastic
gumárenský průmysl rubber industry
gumička rubber / elastic band
gumový rubber
guvernér governor
gymnázium grammar school, college
gymnast|a, -ka gymnast [džimnæst]
gymnastika gymnastics
gynekolog, *též adj* **~ický** gynaecologist [gaini'kolədžist]

H

habr hornbeam
háček hook; **v tom je ~** there's a catch / snag in it somewhere
háčkovat crochet [krəušei]
had snake
hádank|a riddle; **dát komu -u** ask sb. a riddle
hádat guess; **hádej, co si myslím** guess what I'm thinking
hádat se quarrel; (*argumentovat*) argue
hadice hose
hádka quarrel, squabble
hadr rag; **~ na prach** duster; **~ na nádobí** dishcloth
háj grove
hájit **1** (*chránit*) protect, defend **2** (*obhajovat*) plead **3** preserve (**lovnou zvěř** game)
hajný gamekeeper
hájovna gamekeeper's lodge
hák hook
hala hall, vestibule; **hotelová ~** lobby, lounge
halenka blouse
haléř heller
haló hallo, hello
hamižný greedy
hanb|a shame, disgrace; **to je ~!** what a disgrace!; **dělat -u komu** be a disgrace to sb., bring disgrace / shame on sb.
hangár hangar
hanlivý defamatory
hanět criticize, find* fault with
hantýrka jargon
harfa harp
harmonický harmonious
harmonie harmony
harmonika (*tahací*) accordion [ə'ko:djən], concertina; (*foukací*) mouth organ, harmonica [ha:'monikə]
harmonogram progress chart, schedule
hasák (alligator) wrench
hasicí přístroj (fire-)extinguisher
hasič fireman
hasit **1** extinguish, put* out (**oheň** a fire) **2** quench (**žízeň** one's thirst)
hašé minced meat, mincemeat, mince
Havaj Hawaii [hə'waii:]
Havana Havana [hə'vænə]
havárie crash
havarijní: ~ pojistka general accident policy; **v ~m stavu** dilapidated
havarovat crash
havíř miner
havran rook
hazardní hazardous; risky; **~ hráč** gambler
házená handball
házet throw*, cast* ♦ **~ flintu do žita** throw in the sponge; **~ věci za hlavu** let things slide
hbitý nimble, swift, agile
hebrejský Hebrew [hi:bru:]
hedvábí silk; **umělé ~** rayon
hedvábný silk; **~ papír** tissue (paper)
hejno: ~ hus flock of geese; **~ much** swarm of flies; **~ koroptví** covey of partridges
hektar hectare
hektolitr hectolitre
helikoptéra helicopter
hélium helium

helma helmet
Helsinky Helsinki
herec actor; **filmový ~** film actor
herecký actor's
herečka actress
hermelín ermine [ə:min]
heřmánek camomile
heslo **1** (*reklamní, politické*) slogan, motto [motəu] **2** (*strážní*) password, watchword **3** (*ve slovníku*) entry
hever jack
hezk|ý **1** pretty; **-á dívka** a pretty girl; **-á zahrada** a pretty garden; **~ch pár korun** a pretty penny **2** nice; **~ den** a nice day; **-é počasí** nice weather **3** fine; **~ pohled** a fine view; **-é šaty** fine clothes **4** good-looking; handsome; **-á žena** a good-looking woman; **-ý muž** a handsome man; **-á sumička** a handsome sum of money ♦ **to je všechno -é, ale** it's all very well but
hezky **1** nicely, prettily; **je ~** it's fine, it's a fine day; **mějte se ~** have a good time **2** (*dosti*) pretty
Himálaje Himalayas [himə'leiəs]
historick|ý **1** (*významný*) historic; **-á událost** historic event **2** (*dějin se týkající*) historical (**román** novel)
historie **1** history **2** (*příběh*) story
historik historian
hlad hunger; (*hladomor*) famine; **mít ~** be / feel hungry; **mít ~ jako vlk** be hungry as a hunter; **mučit koho ~em** starve sb.; **umírat ~y** starve; **smrt ~em** starvation
hladin|a **1** surface; **vyplout na -u** rise to the surface **2** level; **nad -ou moře** above sea level
hladit **1** stroke, caress **2** (*leštit*) polish
hladký smooth
hladomor famine [fæmin]
hladov|ý **1** hungry **2** (*nenasytný*) greedy; **-é mzdy** starvation wages
hlas **1** voice; **tichým / zvučným ~em** in a soft / loud voice **2** (*ve volbách*) vote; **odevzdat svůj ~ komu** give one's vote to, record one's vote for
hlasatel, ~ka announcer
hlásit **1** report (**nehodu na policii** an accident at the police) **2** announce (**své úmysly** one's intentions, **dalšího řečníka** the next speaker)
hlásit se **1** report to, register with (**na policii** the police) **2** claim (**o své zavazadlo** one's luggage) **3** (*ve škole*) put* up one's hand
hlasitý loud
hlasivky vocal chords *pl*
hláska sound of speech
hláskosloví phonology [fə'nolədži]
hlasovací lístek ballot
hlasování vote, voting; (*tajné*) ballot
hlasovat vote (**pro** for, **proti** against)
hlášení **1** report **2** (*v rozhlase*) announcement **3** (*k pobytu*) registration
hlav|a head; **~ rodiny / státu** head of the family / of the state ♦ **lámat si -u** rack one's brains; **od -y k patě** from top to toe; **vzít si do -y** take it into one's head (to)
hlaváček spring pheasant's eye
hlavatka huchen [hu:kən]
hlaveň barrel
hlavička (*hřebíku, zápalky*) head;

(*záhlaví*) heading, letterhead; (*v kopané*) header
hlávka head (**zelí** of cabbage, **salátu** of lettuce)
hlavně mainly, chiefly
hlavní main, chief, principal; ~ **město** capital; ~ **pošta** general post office; ~ **potrubí** main; ~ **věc** the main thing
hledat look for; seek*; ~ **co v knize** look up sth. in a book
hledět **1** look (**na** at), regard (**nač** sth.) **2** (*dbát*) see* to it (**aby** that) ♦ ~ **si svého** mind one's own business
hledisk|o point of view, standpoint; **z tohoto -a** from this point of view
hlediště auditorium; (sports) arena [əˈri:nə], ground(s)
hlemýžď snail
hlen phlegm [flem]
hlídač guardian, keeper; **noční** ~ night watchman
hlídat watch, guard; ~ **dítě** *(za odměnu)* babysit, mind (the) children
hlídka watch; (*stráž*) guard, sentry; (*proti stávkokazům*) picket
hlína earth; (*jako materiál*) clay
hliněn|ý earthen; **-é nádobí** earthenware
hliník aluminium
hlíza bulb; (*nádor*) tumour [tju:mə]
hlodat gnaw (**co** sth., **na** at)
hlodavec rodent
hloh hawthorn
hloubat ponder (**o** over)
hloubit sink* (**studnu** a well)
hloubka depth
hloubkový let low flying
hloupost stupidity, foolishness; ~! nonsense!, rubbish!
hloup|ý stupid, dull; (*nesmyslný*) absurd; (*hovor.*) daft; **nebuď** ~ don't be silly; **dělat -ého** play the fool
hltan gullet [galit]
hltat devour [diˈvauə]
hluboký deep; ~ **dvě stopy** two feet deep
hlučný noisy, loud
hluchavka dead nettle
hluchoněmý deaf-mute
hluchý deaf
hluk noise
hlupák fool
hmat touch; **poznat po ~u** tell by the feel
hmatat touch, feel*; (*tápat*) grope (**po** for / after)
hmot|a matter; **stavební -y** building materials *pl*; **umělá** ~ plastic
hmotnost weight, mass
hmotn|ý material; **-é zabezpečení** social security; **-á zainteresovanost** pecuniary [piˈkju:njəri] incentive
hmoždinka plug, dowel [dauəl]
hmyz insect(s)
hnací driving; ~ **kolo** driving wheel; ~ **řemen** driving belt
hnát drive* (**dobytek** cattle, **stroje** machinery)
hnát se rush (**domů** home, **na koho** at sb.)
hned at once, immediately; straight away; ~ **ráno** first thing in the morning
hnědouhelný revír lignite field
hněd|ý brown; **kaštanově** ~ chestnut; **-á polévka** clear soup; **-é uhlí** soft coal, lignite
hněv anger, wrath

hněvat se be* angry, (*hovor.*) be* cross (**na koho** with sb.)
hniloba rot, decay
hnis pus, matter
hnisat fester
hnisavý purulent [pjuərulənt]
hnít rot, decay
hnízdo nest
hnojit manure, dung; (*uměle*) fertilize
hnojivo fertilizer
hnout move; **ne~ prstem** not lift a finger, take* things lying down; **~ se** move; **vlak se hnul** the train moved out
hnůj manure, dung
hnus disgust; (*na zvracení*) nausea
hnusit si loathe
hnusný disgusting, nauseating, revolting
hnutí 1 (*pohyb*) motion **2** movement
hobl|ík, *též v* **-ovat** plane
hoblina shaving
hoboj oboe
hodin|a 1 hour; **dvě a půl hodiny** two hours and a half **2** (*čas*) **kolik je hodin?** what time is it?, what is the time?; **v kolik hodin?** what time? **3** (*podle hodinek*) o'clock; **je šest hodin** it is six o'clock; **ve tři -y** at three o'clock **4** (*vyučovací*) lesson; **chodit na -y** take lessons
hodinář watchmaker
hodinářství watchmaker's
hodinky watch; **náramkové ~** wristwatch
hodinov|ý: hrubá -á mzda gross hourly wages
hodiny clock; **píchací / nástěnné / pouliční / věžní ~** time / wall / street / tower clock; **sluneční ~** sundial; **~ jdou napřed** the clock is fast / gains; **~ jdou pozdě** the clock is slow / loses; **nařídit ~** set the clock; **natáhnout ~** wind up the clock
hodit throw* (**kámen / kamenem** a stone); drop (**dopis do schránky** a letter in the letterbox)
hodit se 1 (*k sobě*) go* with (**k novému plášti** the new overcoat), team with (**k nedbale elegantnímu oblečení** casual clothes), match (**ke koberci** the carpet); (*lidé*) be* suited to each other; **~ komu** suit sb. **2** (*být vhodný*) lend* itself (**pro tanec** to dancing) **3** (*přijít vhod*) come* in handy
hodně 1 very (**silný** strong) **2** much, a lot of, lots of (**času** time); **~ čte** he reads a great deal
hodnost (*vojenská*) rank; (*akademická*) degree
hodnota value; denomination (**mince** of a coin)
hodnotit evaluate, rate
hodnotný valuable; of outstanding merit
hodný 1 good **2** (*čeho*) worthy of
hoch boy; (*milý*) boyfriend
hojit se heal (up)
hojivý healing
hojný plentiful
hokej (ice) hockey; **pozemní ~** field hockey
hokejista hockey player
hokejka hockey stick
hokejový hockey; **~ zápas** ice-hockey match
hokynář grocer
Holanďan Dutchman
Holandsko Holland, the Netherlands *pl*

holand|ský, *též n* **-ština** Dutch
holandská aukce Dutch auction
holčička little girl
holeň shin
holení shaving
holicí: ~ mýdlo shaving soap, (*tyčinka*) shaving stick; **~ strojek** safety razor; **elektrický ~ strojek** electric razor; **~ štětka** shaving brush
holič **1** barber, hairdresser **2** *viz* **holičství**
holičství barber's; hairdresser's, hairdressing salon [sælon]
holínky (*jezdecké*) top boots, riding boots *pl*; (*gumové*) wellingtons, gumboots *pl*
holit shave; **~ se** shave (oneself)
holka girl
holohlavý bald
holub pigeon; **poštovní ~** homing pigeon
holubice dove
hol|ý bare; **-é lebky** skinheads; **s ~ma rukama** empty-handed
homologovaný certificated
hon (*lov*) hunt, chase
honem quickly
honit **1** (*pronásledovat*) chase **2** (*lovit*) hunt
honit se: ~ po světě dash round the world
honorář fee, remuneration
honorovat remunerate [ri'mju:nəreit]; **~ směnku** honour a bill of exchange
hora mountain; **jet do hor** go to the mountains
horečk|a fever; **mít -u** have a temperature
horko: je ~ it's hot; **je mi ~** I am hot
horký hot
horlivý zealous; (*dychtivý*) eager; (*nadšený*) ardent, dedicated
hormon hormone
hornatý mountainous
horní upper
hornictví mining
horník miner; (*v uhelných dolech*) coal miner
hornina mineral
horolezec mountaineer
horsk|ý mountain; **-é slunce** sunlamp; **-á záchranná služba** mountain rescue service
horší worse [wə:s]
hořčice mustard
hořčík magnesium [mæg'ni:zjəm]
hořec gentian [dženšiən]
hořejší upper, top
hořet burn*; (*plamenem*) blaze; **nechce to ~** it won't burn / catch alight; **hoří!** fire!; **hoří vám ta cigareta?** have you got the cigarette alight?
hořký bitter
hořlavina combustible
hospoda pub(lic house), tavern
hospodárný economical
hospodář **1** (*zemědělec*) farmer **2** (*v podniku*) economic manager
hospodařit (*v zemědělství*) farm; manage a farm; **dobře ~** (*šetřit*) economize
hospodářský economic
hospodářství **1** economy **2** (*v zemědělství*) farm
hospodyně housekeeper
host guest
hostina feast; **svatební ~** wedding breakfast / reception
hostinec public house; (*ubytovací*) inn
hostinský innkeeper

hostit entertain, act as host to; **~ koho čím** treat sb. to sth.
hostitel host; **~ka** hostess
hostovat give* a guest perfromance
hotel hotel; **bydlit v ~u** *(trvale)* live in / at a hotel, (*přechodně*) stay at / in a hotel; **ubytovat se v ~u** put up at a hotel
hotovost cash; **platit v ~i** pay cash (down)
hotov|ý ready, finished; **kdy to bude -é?** when will it be ready?; **-é peníze** cash, ready money; **to je -á věc** that's a foregone conclusion
houb|a **1** mushroom; **jít na -y** go mushrooming; **růst jako -y po dešti** spring up like mushrooms **2** (*mycí*) sponge
houkačka horn
houkat hoot
houpačka swing, seesaw
houpat (se) rock, swing
housenka caterpillar
houser **1** gander **2** (*nemoc*) lumbago [lam'beigəu]
houska roll; **strouhaná ~** breadcrumbs *pl*
housle violin; **hrát na ~** play the violin
houslista violinist
houslový koncert violin concerto
houževnatý industrious (**pracovník** worker)
hovězí: ~ dobytek cattle; **~ maso** beef; **~ pečeně** roast beef; **~ polévka** beef tea
hovno (*vulg.*) shit, turd
hovor **1** talk, chat, conversation; **dát se do ~u** start talking **2** (*telefonický*) call
hovorový colloquial
hovořit speak*, talk (**s kým** to sb.); discuss (**o čem** sth.)
hra **1** play; **poctivá / nepoctivá ~** fair / foul play; **nerozhodná ~** draw **2** (*podle pravidel*) game; **~ v karty** a game of cards
hrabat rake; **~ se** poke around (**v** in)
hrabě count, earl
hrábě rake
hraběnka countess
hraboš vole
hrací karty playing cards *pl*
hráč, ~ka player
hračka toy
hračkářství toyshop
hrad castle
hradba (*též přen.*) barrier; (*zeď*) wall; (*plot*) fence
hradit cover (**výdaje** the expenses)
hrách peas *pl*
hrachov|ý: -á kaše pease pudding; **-á polévka** pea soup
hrana edge; (*roh*) corner
hranatý angular
hranice **1** (*zvl. státní*) frontier; **jet za ~** go abroad; **~ poznání** the frontiers of knowledge **2** (*mez*) boundary **3** (*hořící*) bonfire
hraničit adjoin (**s čím** sth.), border (**s čím** on sth.)
hranol prism
hranolky chips, French fries *pl*
hranostaj stoat
hrášek green peas *pl*
hrát play (**karty** cards, **kopanou** football, **na klavír** the piano, **šachy** chess) ♦ **~ divadlo** *(předstírat)* put* on an act; **~ z listu** play at sight; **tady něco nehraje** there's something wrong with it
hrát se: co se hraje v divadle? what's on at the theatre?; **ten**

film se hraje v Odeonu the film is showing at the Odeon
hrát si 1 play (**na honěnou** hit and run, **na školu** (at) school) **2** fidget (**se šálou** with one's scarf)
hráz dam; (*přístavní*) wharf
hrazda horizontal bar
hrb hump
hrbatý humpbacked
hrbol bump
hrbolatý bumpy
hrdina hero
hrdinský heroic
hrdinství heroism
hrdličk|a turtledove; **být jako dvě -y** be as friendly as puppies
hrdlo throat; (*láhve*) neck
hrdý proud (**na** of); **být ~ na** be proud of, take pride in
hrnec pot
hrnek 1 little pot **2** (*šálek*) cup
hrnout se rush
hrob grave
hrobka tomb [tu:m], vault [vo:lt]
hrobník gravedigger
hroch hippo(potamus)
hrom thunder; **úder ~u** thunderclap; **~ udeřil** there was a streak of lightning
hromada heap (**písku** of sand); pile (**knih** of books)
hromadit (ac)cumulate; (*vršit*) heap; (*křečkovat*) hoard; **~ se** accumulate
hromadn|ý: -á účast mass attendance; **-á výroba** mass production; **-é sdělovací prostředky** mass media
hromosvod lightning conductor
hrot point
hrouda clod, lump
hrozba threat, menace
hrozen bunch (**vína** of grapes)
hrozinka raisin
hrozit threaten (**komu čím** sb. with sth.); (*ohrožovat*) menace
hroznový grape
hrozný awful, terrible, grisly
hrst handful; **mít koho v ~i** have sb. well in hand
hrtan throat; (*odb.*) larynx
hrubost rudeness
hrub|ý 1 (*drsný*) coarse **2** (*nevychovaný*) rude **3** (*přibližný*) rough **4** (*brutto*) gross; **-á hodinová mzda** gross hourly wages *pl*
hruď chest; breast
hrudí: telecí ~ breast of veal
hrudník chest
hrušeň pear (tree)
hruška pear
hrůz|a horror, terror; **nahánět komu -u** horrify sb., give sb. the creeps
hřát warm, warm up (**mléko** milk); (*dávat teplo*) give* warmth; **~ se u ohně** warm oneself by the fire; **~ se na slunci** bask in the sun
hřbet back; **horský ~** mountain ridge; **skopový ~** saddle of mutton; **srnčí ~** (saddle of) venison
hřbitov cemetery; (*při kostele*) churchyard
hřeben 1 comb **2** (*horský hřbet*) ridge
hřebíček (*koření*) clove
hřebík nail
hřebínek 1 comb **2** (*kohoutí*) crest
hřib boletus; **~ na ponožky** darning egg
hříbě foal, colt
hřídel shaft
hřích sin
hříšný sinful

hřiště (*dětské*) playground; (*sport., např. fotbalové*) pitch, field; **tenisové ~** tennis court; **golfové ~** golf-links
hříva mane
hřmít thunder; **hřmí** it is thundering
hub|a mouth, muzzle; **držet -u** shut up, hold one's tongue
hubený lean, thin; (*vyhublý, skrovný*) meagre
hubička 1 (*polibek*) kiss **2** (*nádoby*) spout
hubit destroy; (*vymýtit*) exterminate
hubnout lose* weight
hubovat grumble (**na** at); scold (**koho proč** sb. for)
huč|et: moře -í the sea roars; **lesy -í** the woods crash; **vítr -í** the wind howls; **-í mi v uších** my ears burn
hudba music
hudební music(al); **~ sluch** musical ear
hudebník musician
hukot roar, howl(ing)
hůl stick; **golfová ~** golf club; **chodit o holi** walk with a stick
humanismus humanism
humanita humanity
humor humour; **smysl pro ~** sense of humour
humoristický humorous; **~ časopis** comic (paper)
humorný funny; humorous
humr lobster
husa goose
husita Hussite [hasait]
hustilka inflator [in'fleitə], bicycle pump
hustit inflate
hustota density (**mlhy** of the fog, **obyvatelstva** of the population)
hust|ý 1 thick (**-á polévka** soup, **-é vlasy** hair); dense (**zástup** crowd) **2** heavy (**déšť** rain, **provoz** traffic)
hutě foundry, metallurgical works *pl*
hutnictví metallurgy
hutník founder
hvězda star
hvězdárna observatory
hvězdář astronomer
hvízdat whistle
hyacint hyacinth [haiəsinθ]
hýčkat spoil, pamper
hýbat (se) stir, move
hydraulický hydraulic
hydrocentrála hydroelectric power station
hydroplán seaplane, hydroplane
hyena hyena
hygiena hygiene
hygienický hygienic, sanitary
hymna anthem; **národní ~** national anthem
hynout perish
hypnotizovat hypnotize [hipnətaiz]; (*okouzlit*) fascinate
hypnóza hypnotism
hypochondr hypochondriac [haipə'kondriæk]
hypotéka mortgage
hýřit revel
hysterický hysterical
hýždě buttocks

CH

chalupa cottage
chaos chaos
chápat 1 understand* **2** (*nahlížet*) see*; **nechápu, co chcete říct** I don't see your point; **chápu** (*rozumím*) I see ♦ **rychle chápe** he is quick on the uptake
charakter character
charakteristický characteristic
charakterní with a sense of honour
charta charter
chata cabin; weekend house, cottage; (*přízemní*) bungalow; (*horská*) mountain hut, chalet
chebdí dame violet, dame's rocket, damewort [deimwə:t]
chemický chemical
chemie chemistry
chemik chemist
Chile Chile
chilský Chilean [čiliən]
chirurg surgeon
chirurgický surgical
chirurgie surgery
chládek: **zde je ~** it's fairly cold here; **sednout si do chládku** sit down in the shade
chladicí zařízení cooling plant
chladič (*motor.*) radiator
chladírna cold-storage room
chladit cool (off)
chladnička refrigerator, (*hovor.*) fridge
chladno cold; **je ~** it is cold; **je mi ~** I am cold
chladnokrevně in cold blood
chladnout cool (down), get* cold
chladný cool, (*i přen.*); (*studený*) cold
chlap fellow, chap
chlapec boy; (*milý*) boyfriend
chlazený cool(ed), chilled
chléb bread; **černý / bílý ~** brown / white bread; **opékaný ~** toast; **bochník chleba** a loaf of bread; **~ s máslem** bread and butter
chlebíček (*anglický, obložený*) sandwich
chlebník lunchbox; (*voj.*) satchel, haversack [hævəsæk]
chlév cowshed
chlopeň valve
chlór chlorine
chlubit se pride oneself (**čím** on sth.), take* pride (**čím** in sth.), boast (**čím** of sth.)
chlup hair
chlupatý hairy
chmel (*rostlina*) hop; (*plodina*) hops *pl*; **trhat ~** pick hops; **jít na ~** go hop-picking
chmýří fuzz, down
chobot 1 (*sloní*) trunk **2** (*mořský*) bay **3** (*výrůstek*) process
chod 1 course; **oběd o třech ~ech** a three-course lunch **2** (*stroje*) gear; **uvést do ~u** put / bring* into action / operation
chodba corridor; (*spojovací*) passage
chodec walker; (*v městské dopravě*) pedestrian; **neukázněný ~** jaywalker
chodidlo sole; (*punčochy*) foot
chodit 1 go*; walk; **~ po městě** go about the town; **~ bos** walk barefoot; **~ pěšky** go on foot, walk; **~ s dívkou** go out with a girl, court a girl; **hodně ~** be on the go

a lot; **tak to na světě chodí** that's the way it goes 2 (*kam*) ~ **do školy** go to school, attend school; ~ **do divadla** go to the theatre; ~ **na hodiny klavíru** take* piano lessons; ~ **nakupovat** go shopping; ~ **za školu** cut lessons ♦ **umět v tom** ~ know the ropes
chodník pavement; sidewalk
chocholouš crested lark
choreografie choreography [kori'ogrəfi]
choroba disease
chorobopis case history
choromysln|ý insane; **ústav pro -é** insane asylum, mental home / hospital
choť (*muž*) husband, (*žena*) wife
choulostivý 1 (*citlivý*) delicate, sensitive 2 (*problém*) ticklish
chov breeding (**dobytka** of cattle, **kaprů** of carp); (*drůbeže*) poultry raising
chování behaviour, conduct
chovat 1 rear, breed* (**dobytek** cattle) 2 nurse (**dítě** a child) 3 cherish (**naději** hope); harbour (**myšlenky na pomstu** thoughts of revenge)
chovat se behave (**dobře** well, **špatně** badly, **hanebně** disgracefully); ~ **dobře** behave oneself
chovatel breeder
chrám temple; (*křesťanský*) church
chránič protector
chránit protect (**před nebezpečím** from danger, **před útokem** against attack)
chrápat snore
chraptět speak* in a husky voice
chraptivý husky, hoarse
chrastí brushwood
chrlit spout
chrochtat grunt
chróm chromium
chromovaný chromium-plated
chromý lame (**na jednu nohu** in one leg)
chronický chronic
chronologický chronological
chrpa cornflower
chrt greyhound
chrup teeth; (*umělý*) denture
chrupavka gristle [grisl]
chryzantéma chrysanthemum [kri'sænθəməm]
chřástal rail, crake
chřest asparagus
chřestýš rattlesnake
chřipk|a influenza; (*hovor.*) flu; **dostat -u** get / catch the flu
chtít 1 want; **chci jít s tebou** I want to go with you 2 (*zvl. o věcech v záporu*) will; **dveře se nechtějí zavřít** the door won't shut; **nechtěl se hnout** he wouldn't budge ♦ **chce se ti jít do kina?** do you feel like going to the flicks today?; **ať je to jak chce** anyhow; **ať chce nebo nechce** in spite of himself; **chceš říci, že** do you mean to say (that); **jak chcete** have it your own way; **sám jsi to chtěl** you have asked for it; **on to dovede, když chce** he can manage when he chooses
chudák poor fellow
chudinské čtvrti slums
chudnout get* poor
chudoba poverty
chudokrevnost anaemia
chudokrevný anaemic
chudý poor; ~ **na nerosty** poor in minerals
chuchvalec clot
chuligán (*výtržník*) hooligan, lout

chumelit snow
chundelatý shaggy
chuť 1 taste; **bez chuti** tasteless **2** (*příchuť*) flavour **3** (*k jídlu*) appetite ♦ **jíst s chutí** eat heartily; **mám ~ jít** I am / feel inclined to go; **mám tisíc chutí jít** I have a good mind to go; **nemám dnes na nic ~** I don't feel like eating anything today
chutnat taste (**dobře** good, **špatně** bad, **kysele** sour, **česnekem** of garlic); **jak vám to chutná?** how do you like it?
chutný nice, palatable; (*lahodný*) delicate, delicious
chůze walk; **tři minuty ~** three minutes' walk
chvála praise; **~ Bohu** thank God, thank Heaven(s)
chválit praise; speak* highly (**koho** of sb.)
chvályhodný commendable, praiseworthy
chvět se vibrate; (*strachem*) tremble; (*zimou*) shiver
chvíl|e while; **každou -i** every so often; **na -i** for a while; **na poslední -i** at the last moment; **před -í** a short while ago, just now; **na ukrácení dlouhé ~** to while away the time
chvilka short while
chvilkový passing
chvojí green brushwood
chvost tail
chyb|a 1 mistake; **udělat -u** make a mistake **2** (*z hlouposti nebo nedbalosti*) blunder **3** (*omyl*) error; **tisková ~** printer's error, misprint **4** fault; **má ji rád přes všechny její -y** he loves her in spite of all her faults; **čí je to ~?** whose fault is it?
chyb|ět 1 be* missing, be* wanting; **v knize -ějí dva listy** two leaves are missing from the book **2** be* absent (**ve škole** from school) ♦ **co vám -í?** what is the matter with you?, what's your trouble?; **-í mu vytrvalost** he fails in perseverance
chybný incorrect, mistaken; (*závadný*) defective
chystat prepare, make* ready, plan; **~ se** get* ready (**na cestu** for a journey); be* about to + *inf* (**něco říci** say something)
chyt|at, -it 1 catch*, take*; **~ za ruku koho** take sb. by the hand; **jít ~ ryby** go fishing **2** (*vznítit se*) catch fire
chytrý clever, bright, intelligent; (*moudrý, rozvážný*) wise, prudent

I

i *conj* and, both – and, as well; **otec ~ matka** father and mother, both father and mother, father and mother as well; **to se týká ~ tebe** that applies to you as well • *particle* even; **to pochopí ~ dítě** even a child can understand it; **~ když** even if
ideál ideal
idealismus idealism
idealistický idealistic [aidiə'listik]
idealizovat idealize [ai'diəlaiz]
ideální ideal
ideologie ideology
ideo|vý, -logický ideological [aidiəu'lodžikl]
idyla idyll
igelit plastic
igelitový plášť plastic mac
ignorant ignoramus
ignorovat ignore
ihned at once, immediately
ilegalita illegality [ili:'gæliti]
ilegální illegal
ilustrace illustration
ilustrovaný illustrated
iluze illusion; **nemít ~ o** have no illusions about
imatrikulace matriculation
imitace imitation; **~ kůže** imitation leather, leatherette
imperialismus imperialism
imperialist|a, *též adj* **-ický** imperialist
import import
impozantní imposing
impregnovat (water)proof
impresionismus impressionism [im'prešənizm]
impresionistický impressionistic [im,prešə'nistik]
improvizace improvisation [imprəvai'zeišn]
improvizovat improvise [imprəvaiz]
imunní immune (**proti** from / against)
incident incident; **došlo k ~u** there was an incident, an incident occurred
Ind Indian
index index
Indián (American) Indian, redskin
indiánek (*zákusek*) Moor's head
indi|ánský, -cký Indian
Indie India; **Západní ~** the West Indies *pl*
indiskrétní indiscreet
individualistický individualistic [individjuə'listik]
individuální individual
Indonésie Indonesia
indonéský Indonesian [indəu'ni:zjən]
indukce induction [in'dakšn]
indukční inductive
industrializace industrialization
industrializovat industrialize
infarkt coronary thrombosis, heart attack
infekce infection
infekční infectious
infinitiv infinitive
inflace inflation
inflační spirála inflationary spiral [in,fleišənri 'spaiərəl]
informace information; (*jednotlivá*) a piece of

information; **podat ~** give information (**o** on / about)
informační: ~ kancelář inquiry office; **~ středisko** information centre
informovat inform (**koho o** sb. of); **~ se** inquire (**na vlak** about a train); consult (**na poště** the post office)
inhalace inhalation [inhə'leišn]
iniciativ|a initiative; **z vlastní -y** on one's own initiative
iniciativní enterprising
injekce injection
injekční stříkačka hypodermic syringe
inkasovat collect; cash (**směnku** a draft)
inkoust ink; **psát ~em** write in ink
inscenace staging; production
inspektor inspector
inspirace inspiration
inspirovat inspire; **~ se** draw inspiration (**čím** from sth.), get inspired (**čím** by sth.)
instalace fitting, plumbing
instalatér plumber
instalovat install (**topení** a heating system, **děkana** a dean)
instantní instant
instinkt instinct
instinktivní instinctive
instituce institution
institut institute
instrukce instruction, direction
instruktáž briefing; **~ní film** educational film
instruktor instructor; (*sport.*) coach
intelektuál, *též adj* **~ní** intellectual
inteligence 1 intelligence, brains *pl*, abilities *pl* **2** (*vrstva*) intelligentsia
inteligent intellectual
inteligentní intelligent, bright
intenzita intensity
intenzívní intensive (**studium** study); intense (**vedro** heat)
internacionální international
internát boarding house; **škola s ~em** boarding school
interní internal
interpunkce punctuation
interval interval
intervence intervention
interview interview
intimní intimate
intrika intrigue
intuice intuition
invalida invalid; disabled worker; crippled soldier
invalidní důchod invalid pension
invaze invasion
inventář inventory
inventur|a stocktaking; **dělat -u** take stock, make an inventory
investice investment
investiční investment (**banka** bank)
investovat invest
inzerát advertisement; **dát si ~ do novin** put an advertisement in the newspaper
inzerovat advertise (**na** for, **své zboží** one's goods)
inzitní self-taught, naive
inženýr engineer; **důlní / stavební / strojní / zemědělský ~** mining / civil / mechanical / agricultural engineer
ion ion [aiən]
Ir Irishman; **~ové** Irishmen, the Irish
Irák Iraq
Írán Iran
ironický ironic(al)

ironie irony
Irsko Ireland
irský Irish
ischias sciatica
Island Iceland
islandský Icelandic
Ital Italian
Itálie Italy
ital|ský, *též n* **-ština** Italian
izolace **1** isolation **2** (*fyz.*) insulation
izolační insulation
izolovat **1** isolate **2** (*fyz.*) insulate
izotop isotope [aisətəup]
Izrael Israel
izraelský Israeli

J

já I; **tvoje lepší ~** your better self; **~ sám** myself; **to jsem ~** it is I, (*hovor.*) it's me
jablečník horehound, hoarhound [ho:haund]
jablko apple
jabloň apple tree
jaderný nuclear (**pokus** test)
jádro kernel; (*podstata*) substance; (*výroku*) gist; (*fyz.*) nucleus; (*přen.*) core; **historické ~ města** the historical core of the city
jáhly millet
jahoda strawberry
jahodník wild strawberry
jachta yacht [jot]
jak **1** how; **~ se máte?** how are you?; **~ jinak** how else **2** what – like; **~ to vypadá?** what does it look like? **3** the way; **nechutná mu, ~ ona vaří** he doesn't like the way she cooks **4** as; **~ následuje** as follows **5 ~ – tak** both – and; **pozoruhodný ~ pro svou inteligenci, tak pro svou obratnost** remarkable both for his intelligence and his skill
jakmile as soon as; the moment (that)
jako **1** as; **oblečený ~ žena** *(za ženu)* dressed as a woman; **vážíme si ho ~ státníka** we respect him as a statesman; **jedná se mnou ~ se sobě rovným** he treats me as his equal; **(tak) velký ~ ty** as tall as you; **silný ~ kůň** strong as a horse **2** like; **musím to udělat ~ ty** I must do it like you; **sněží ~ v lednu** snow is falling like in January; **pít ~ duha** drink like a fish; **padnout ~ ulitý** fit like a glove; **nestůj ~ socha** don't stand like a statue **3** in the way / nature of; **něco ~ přátelství** sth. in the nature of friendship
jakoby as if, as though; **~ nic** *(mimochodem)* in a casual way
jakost quality
jakostní first-quality, first-class
jaksi rather, in a way; as it were; **udělat to ~ proti své vůli** do it, as it were, against one's will
Jakub (*novozákonní*) James, (*starozákonní*) Jacob
jak|ý **1** what, what sort / kind of; **-ou velikost si přejete?** what size do you want?; **~ je tohle strom?** what sort of tree is this?; **v -é záležitosti přicházíte?** what is the nature of your business? **2** what

– like; **-é je to?** what is it like? ♦ **~ otec, takový syn** like father, like son
jakýkoli any
jakýsi: ~ pan Miller a (certain) Mr. Miller
jakžtakž: umí ~ anglicky he can speak English after a fashion
jalovec juniper [džu:nipə]
jáma pit
Jan John
Jana Jean, Jane, Joan [džəun]
janovec broom
jantar amber
Japonec Japanese
Japonsko Japan
japon|ský, *též n* **-ština** Japanese
jarmulka skullcap
jarní spring
ja|ro spring; **na -ře** in spring(time)
jasan ash
jásat cheer; rejoice (**nad vítězstvím** over a victory, **nad úspěchem** at one's success)
jasmín jasmin(e) [džæsmin]
jasnit se clear up
jasn|o: 1 je ~ *(je den)* it's broad daylight; (*jasné počasí*) the weather is bright, the sky is clear **2 mít ~ v čem** be quite clear on sth. ♦ **zčista -a** out of the blue
jasn|ý 1 (*též přen.*) clear; **-é nebe** clear sky, **~ hlas** clear voice, **-é vysvětlení** clear explanation; **je -é, že** it is clear that **2** (*zářivý*) bright **3** (*srozumitelný*) lucid **4** (*samozřejmý*) evident, obvious
jasnovidec clairvoiant [kleə'voiənt]
jásot cheers *pl*
jaspis jasper
jatky slaughterhouse, abattoir
játra liver
javor maple
jazyk 1 tongue; **mateřský ~** mother tongue; **uzený ~** smoked tongue; **vypláznout ~** put out one's tongue; **držet ~ za zuby** hold one's tongue; **mít co na ~u** have sth. on the tip of one's tongue **2** (*řeč*) language; **mluvit dvěma ~y** speak two languages; **znát cizí ~y** be a good linguist
jazykověda linguistics
jazykový language, of language(s)
ječet yell, scream (**strachem** with fright, **smíchem** with laughter)
ječmen barley
jed poison; **můžeš vzít ~ na to, že** you can bet your life that
jed|en 1 one; **~ druhého** one another, each other; **~ nebo druhý** *(ze dvou)* either; **~ po druhém** one after the other, singly; **je -na hodina** it is one o'clock **2 -ny** one / a pair of (**boty** shoes); **-ny šaty** one suit of clothes ♦ **ještě ~** another (**šálek čaje** cup of tea)
jedenáct eleven
jedině only, alone; **~ odborník** only an expert, an expert alone
jedinec individual
jedinečný unique
jediný only, sole; **ani ~** not a single
jedle fir
jedlý edible
jednací: ~ číslo exhibit number; **~ pořádek** agenda; **~ řád** standing orders *pl*
jednak on the one hand – on the other (hand); both – and; partly – partly
jednání 1 (*chování*) behaviour **2** (*vyjednávání*) negotiation **3** (*postup*) proceeding; (*sjezdové*) proceedings *pl* **4** (*div.*) act

jednat **1** act **2** (*vyjednávat*) negotiate; (*též počínat si*) deal* (**s** with) ♦ ~ **povýšeně** patronize (**s kým** sb.), condescend to sb.
jednatel **1** (*organizace*) secretary **2** (*obch.*) agent; (*burzovní*) broker
jedničk|a (number) one; **jet -ou** take No. 1 line
jedno **1** *viz* **jeden 2 je to ~** it doesn't make any difference; **je mi to ~** it's all the same to me, I don't care
jednobarevný plain-colour(ed)
jednoduchý simple
jednohlasný unanimous
jednolitý compact
jednolůžkový pokoj single room
jednopatrový two-storey
jednoroční one-year, annual
jednořadový oblek single-breasted suit
jednosměrný provoz one-way traffic
jednostranný one-sided
jednota unity
jednotit **1** unite, unify **2** (*řepu*) thin out
jednotka **1** unit **2** (number) one
jednotlivec individual
jednotlivý single, individual
jednotn|ý uniform; **-á sazba** flat / uniform rate
jednotvárný monotonous, dull; (*bez událostí*) uneventful
jednou **1** once; ~ **provždy** once for all; ~ **za čas** once in a while; **byl ~ jeden ...** once upon a time there was ... **2** (*jednoho dne*) one day, one of these days, some day
jednoznačný unambiguous
jedovatý poisonous
jehla needle; (*řeznická*) skewer
jehlan pyramid
jehlice (*ozdobná*) pin; (*pletací*) knitting needle
jehličí pine needles *pl*
jehličnatý coniferous [ko'nifərəs]
jehlový podpatek stiletto heel
jehně, *též adj* **~čí** lamb
jeho his
jelen stag; (*též laň*) deer
jelenice deerskin
jelito (blood) sausage
jemný fine; (*křehký*) delicate, tender; (*ušlechtilý*) gentle, refined
jen, jenom only, just; ~ **počkej a uvidíš** you just wait and see; ~ **tak** at random
jenomže only
jenž who, which, that
jeptiška nun
jeřáb **1** (*pták i stroj*) crane **2** (*strom*) mountain ash, rowan (tree)
jeřabina rowan(berry)
jeřábník crane driver / operator
jeseter sturgeon [stə:džn]
jeskyně cave
jesle crib, manger; **dětské** ~ crèche, nursery; **denní** ~ day nursery; **celotýdenní** ~ residential nursery
jesličky crib, crèche; (*betlém*) Nativity scene
jestli, ~že if
jestřáb hawk
jestřabina goat's rue, French lilac
ješitný conceited, vain
ještě **1** still, even; ~ **lepší** still better, (*dokonce* ~) even better **2** another; one / some more; ~ **jeden šálek čaje** another cup of tea; ~ **jeden den** one more day; ~ **trochu kávy** some more coffee **3** ~ **ne** not (just) yet ♦ **a k tomu**

~ *(navíc)* at that; into the bargain; **a to ~ jsem se nezmínil o** even now I haven't touched on
ještěr saurian
ještěrka lizard
jet 1 go*, travel (**vlakem** by train, **autem** by car, **tramvají** by tram; **na hory** to the mountains, **na dovolenou** on holiday, **do ciziny** abroad; **druhou třídou** second class) **2** ride* (**na koni** a horse, **na kole** a bicycle, **na motocyklu** a motorcycle, **v autobusu** in a bus) **3** (*vozem, který je nám k dispozici*) drive*; **pojedeme domů nebo půjdeme pěšky?** shall we drive home or walk? **4** (*být v provozu*) operate ♦ **jede tenhle autobus do ...?** is this the right bus for ...?
jetel clover
jev phenomenon
jeviště stage
jez weir
jezdec rider, horseman; (*v šachu*) knight
jezdeck|ý: -é boty riding boots *pl*; **-é kalhoty** riding breeches *pl*
jezdit *viz* **jet**
jezero lake
jezevec badger
jezevčík dachshund [dækshund]
ježek hedgehog
jícen gullet
jídelna 1 dining room **2** (*levná restaurace*) eating house, tearoom
jídelní: ~ kout recess; **~ lístek** menu; **~ příbor** (dinner) service; **~ vůz** dining / restaurant car
jídlo 1 (*potrava*) food **2** (*chod*) dish **3** (*denní pravidelné*) meal
jih south; **na ~u** in the south; **jet / jít k ~u** go south
jihoamerický South American
jihovýchod, *též adj* **~ní** southeast
jihozápad, *též adj* **~ní** southwest
jikrnáč spawner
jikry hard roe
jíl clay
jilm elm
jinak 1 otherwise, differently **2** (*sice*) otherwise, or else
jin|am, -de somewhere else, some other place
jindy some other time; (*po druhé*) another time, at other times
jinotaj allegory
jinovatka hoarfrost
jinudy (by) a different way
jin|ý 1 other, another; **několik -ých příkladů** a few other examples; **přines mi ~ ručník** bring me another towel **2** different (**než** from); **vaše metoda je -á než naše** your method is different from ours ♦ **kdo ~?** who else?; **mezi -ým** among other things
Jiří George
jiřina dahlia
jiskra spark
jíst eat*; (*stravovat se*) have* one's meals
jistě certainly, surely; **nevím to ~** I don't know for certain / for sure; **on ~ přijde** he is sure / certain to come; **~ to víte** I expect you know it
jistina principal
jistot|a certainty; (*bezpečnost*) security, safety; **pro -u (nosit)** take the precaution (of carrying)
jist|ý 1 sure (**důkaz** proof); **být si jist** be sure (**čím** of sth.) **2** certain (**úspěchem** of success); **-á osoba** a certain person;

za **-ých podmínek** on certain conditions; **-á smrt** certain death
jíška roux [ru:]
jít 1 go* (**do školy** to school, **do práce** to work, **do divadla** to the theatre, **do kina** to the cinema, **na koncert** to a concert, **spát** to bed, **si pro klobouk** go and get / fetch one's hat; **pěšky** on foot) **2** come*; **šel byste se mnou?** would you like to come with me? **3** walk; **pojedeme nebo půjdeme?** shall we ride or walk? **4** run* (**do tisíců** into thousands; **jako hodinky** like clockwork) **5** get* on; **jde na dvanáctou** it is getting on for twelve **6** work; **to nepůjde** it won't work
♦ **~ dobře / špatně nač** go the right / wrong way about sth.; **jazyky mi nejdou** I am not good at languages; **~ napřed** lead the way; **o to právě jde** that's the point; **jde mi o** I am concerned with; **oč jde?** what is it all about?; **~ otevřít** answer the door; **jde o velké peníze** there's a large sum of money involved; **pokud jde o** as to, as for, in the way of; **~ do společnosti** go out; **jděte po svých** go your way; **~ za čím** follow up sth.; **~ na dračku** sell like hot dogs
jitrnice sausage
jitro morning
jitrocel ribwort [ribwə:t]
jízd|a 1 ride, journey; **přerušit -u** break one's journey **2** (*jezdectvo*) cavalry
jízdenka ticket
jízdné fare
jízdní: ~ dráha roadway; **~ policie** mounted police; **~ řád** timetable, schedule; (*kniha*) railway guide
jízlivý malicious
jizva scar
již 1 already; **listonoš ~ tady byl** the postman has already been; **obchody ~ mají zavřeno** the shops have already closed / have closed by now; (*překvapeně*) **tak vy jste ~ snídal?** you have had your breakfast already? **2** yet; **~ jste snídal?** have you had your breakfast yet? **3** as – as; **~ v květnu** as early as May; **dostanete to ~ za deset pencí** you can get it for as little as tenpence
jižní south, southern; **J~ Amerika** South America; **~ Evropa** Southern Europe
jmelí mistletoe
jmění fortune, wealth; **stálo to malé ~** it cost a small fortune; **získat velké ~** acquire great wealth; **movité ~** personal estate; **nemovité ~** real estate
jmeniny name day
jmén|o name; **rodné ~** first name, (*ženy*) maiden name; **křestní ~** Christian name; **rodinné ~** surname, family name
♦ **-em koho** *(v zastoupení)* on behalf of sb.; **nazývat věci pravým -em** call a spade a spade
jmenovaný above-mentioned, aforesaid [ə'fo:sed]
jmenovat 1 name, call **2** (*ustanovit*) appoint, nominate (**koho ředitelem** sb. manager); (*ve volbách*) put* up (**kandidáta** a candidate) **3 ~ se** be called
jmenovatel denominator
jmenovitý specified
jód iodine

jogurt yoghurt
Josef Joseph
jubile|jní, *též n* **-um** anniversary, jubilee
JUDr. LL.D. (Doctor of Laws)

K

k (*fyz. kůň*) h. p. (horsepower)
k, ke, ku 1 (*směrem k*) to, towards; **~ holiči** to the barber's; **cesta ~ nádraží** the way to the station; **od města ~ městu** from town to town; **sklon ~ lenosti** tendency to laziness; **od začátku ~ konci** from beginning to end; **jít ~ moři** walk towards the sea; **směřovat ~ válce** drift towards war; **city ~ nám** feelings towards us **2** (*čas*) towards, about; **~ večeru** towards evening; **~ konci století** towards the end of the century; **~ páté hodině** about five o'clock **3** (*účel*) for; **~ čemu je to?** what is it for?; **mít ~ obědu** have for dinner ♦ **hodnota ~ 5. prosinci** value as at 5th December; **vázanka ~ obleku** tie to match the suit; **~ tomu** *(nadto)* in addition, furthermore
kabaret music hall, variety show, vaudeville
kabát coat; (*sako*) jacket; **bez ~u** in one's shirtsleeves
kabel cable
kabela bag
kabelka (hand)bag, purse
kabina cabin; (*výtahu*) cage; (*na plovárně*) cubicle; (*kosmonauta*) capsule
kabinet cabinet
kácet fell, cut* down
kacíř heretic
kačer drake
káď tub
kadeřnice hairdresser
kadeřnictví hairdresser's
kadeřník hairdresser, coiffeur [kwo'fə:]
kádr cadre
kádrovat screen
kádrový materiál dossier
kahan davy [deivi]
kachlík tile
kachna duck; **~ divoká** mallard [mæla:d]
kajak kayak
kajícník penitent
kajuta cabin
kakao cocoa
kakost herb Robert
kaktus cactus
kal mud, slush
kalamář inkstand
kalamita calamity
kalendář calendar; (*kapesní*) diary
kalhotky pants *pl*, knickers *pl*, (*hovor.*) panties *pl*
kalhoty trousers, slacks *pl*; (*flanelové*) flannels *pl*; (*šponovky*) stretch slacks *pl*
kalich chalice [čælis]; (*přen.*) cup
kalina guelder-rose
kalit 1 trouble **2** temper (**ocel** steel)
kalkulace calculation
kalkulačka pocket calculator

kalkulovat calculate
kalný **1** muddy, (*též přen.*) **2** troubled
kalorický caloric
kalorie calorie
kaluž pool, puddle
kam where (to); ~ **jinam** where else; **všude** ~ wherever; **nevědět kudy** ~ be in a tight corner, not know where to turn
kamarád, ~ka friend, chum; (*hovor.*) pal
kamaše (*vysoké*) leggins; (*kotníkové*) gaiters
Kambodža Cambodia [kæm'bəudjə]
kamélie camellia [kə'mi:ljə]
kamelot newsvendor, newsboy
kámen stone, rock; **stavební** ~ building stone; **zubní** ~ tartar; ~ **úrazu** stumbling block; **dlažební** ~ paving stone; **obrubní** ~ kerbstone; **co by kamenem dohodil** (within) stone's throw; **spadl mi** ~ **ze srdce** I had a weight taken off my mind
kamení stones *pl*
kamenitý stony
kamenn|ý stone, stony; **-á budova** stone building; **-é srdce** stony heart
kamenouhelný: ~ **dehet** coal tar; ~ **revír** coal field
kamera camera
kameraman cameraman
kamkoli anywhere; wherever
kamna stove; (*zvl. na vaření*) cooker
kamnář stovefitter
kampaň campaign, drive
kamzík chamois, mountain goat
Kanada Canada
Kanaďan Canadian
kanadský Canadian
kanál **1** (*stoka*) sewer; (*odtok*) drain; (*též přen.*) gutter **2** (*dopravní, zavodňovací*) canal **3** (*průliv*) channel; **K~ La Manche** English Channel
kanalizace sewerage; (*veřejné opatření*) sanitation
kanár, ~ek canary
kancelář office; **tisková** ~ press agency
kancelářský office
kancléř chancellor
kandidát, ~ka candidate
kandidátní listina list of candidates
kandidovat (be*) put* up as a candidate (**do parlamentu** for Parliamentary elections)
kanec boar
káně buzzard
kaňka blot
kánoe canoe
kanystr can
kaolín kaolin
kapacita capacity
kapalina liquid, fluid
kapalný liquid
kapat drip
kapela band
kapesné pocket money
kapesní pocket; ~ **nůž** penknife; ~ **zloděj** pickpocket
kapesník handkerchief
kapitál capital, funds *pl*
kapitalismus capitalism
kapitalist|a, *též adj* **-ický** capitalist
kapitán captain; (*lodi také*) master
kapitola chapter
kapitula chapter
kapitulace capitulation, surrender
kapitulovat capitulate, surrender
kapka drop

kaple chapel
kápnout drop, drip
kapota bonnet, hood
kapr carp
kapradí fern
kaps|a pocket; **náprsní ~** breast pocket; **dát do -y** (put in one's) pocket
kapuce hood
kapusta cabbage; **růžičková ~** Brussels sprouts *pl*
kára (push)cart
karafiát carnation
karanténa quarantine
karas crucian [kru:šən] (carp)
kárat rebuke, reprimand (**koho za** sb. for); (*vinit*) blame (**koho z** sb. for)
karavana caravan
karbanátek hamburger; **rybí ~** fishcake; **sýrový ~** cheeseburger
kardinál cardinal
kardiostimulátor pacemaker
Karel Charles
kariéra career
kariérista careerist
karikatura caricature
karikaturista cartoonist
karma geyser
karmín, *též adj* **~ový** crimson
karneval carnival, Mardi Gras
karosérie (carriage) body
karotka carrot
Karpaty Carpathian [ka:'peiθjən] Mountains
kart|a card; **hrát -y** play cards; **míchat -y** shuffle the cards; **ukázat -y** show one's cards, put one's cards on the table
kartáč brush
kartáček brush; **~ na zuby** toothbrush
kartáčovat brush (up)
kartotéka card index, file
kasárny barracks *pl*
kastrol saucepan
kaše 1 pulp; **bramborová ~** mashed potatoes *pl* **2** (*nesnáz*) mess
♦ **chodit kolem horké ~** mince matters, beat about the bush
kašel cough; **dostat ~** get* a cough
kašlat cough; **~ na** not care a hang for
kašna fountain
kaštan chestnut
kat hangman
kát se repent, be penitent
katalog catalogue
katar catarrh
katastrofa catastrophe, disaster
katastrofální disastrous
katastrofický catastrophic
katedra chair
katedrála cathedral
kategorie category
katol|ický, *též n* **-ík** Catholic
kaučuk india rubber, latex [leiteks]
káv|a coffee; **bílá / černá ~** white / black coffee, **turecká ~** Turkish coffee; **vařit -u** make coffee
kavárna café, coffee house
kaviár caviar(e) [kævia:]
kávomlýnek coffee-mill
kávov|ý coffee; **-á lžička** teaspoon; **-é zrno** coffee bean
kaz flaw; **zubní ~** dental decay; **zboží s ~em** imperfect goods
kázat preach
kazatel preacher
kazatelna pulpit
kázeň discipline
kazeta 1 cassette **2** (*s mýdlem atd.*) collection
kazit spoil*; **~ se** decay, go* bad

kazov|ý imperfect; **-é zboží** imperfect goods
každ|ý *adj* **1** every, each; **~ chlapec ve třídě** every boy in the class (*tj. všichni*); **~ chlapec se může pokusit třikrát** each boy may have three tries (*každý jednotlivě*); **to se nestává ~ den** such things don't happen every day **2** (*ze dvou*) either; **na -é straně stolu** at either / each end of the table
• *pron* each; **~ z nás** each of us
• *n* everybody, everyone, anyone; **~ mě tu zná** everyone knows me here
♦ **jako ~ druhý** as the next man
kbelík pail, bucket
Kč Czech crown(s)
kde where; **~ jinde** where else; **všude ~** wherever
kdekdo young and old, all and sundry
kdekoli anywhere, wherever
kdepak **1** (*kde?*) where **2** (*nikoli*) not at all, by no means
kdesi somewhere
kdežto while, whereas
kdo who, which; **~ z vás** which of you; **~ ještě** who else
kdokoli anyone, anybody
kdopak who
kdosi someone, somebody
kdy **1** when; **~ se vrátíš?** when will you be back? **2** ever; **nejlepší obrázek, jaký jsem ~ viděl** the best picture I have ever seen
kdyby if; **~ tak měl** if only he had, I wish he had; **co ~ měl** what if he had, suppose he had
kdykoli (at) any time, (at) any moment; (*vždycky když*) whenever, as often as
kdysi once
když **1** when; **smekl, ~ ji viděl** he raised his hat when he saw her **2** as; **viděl jsem ho, ~ vystupoval z autobusu** I saw him as he was getting off the bus **3** *(potom ~)* after; **přijel jsem, ~ už byl pryč** I arrived after he had left **4** (*jestliže*) if ♦ **vždycky ~** whenever; **teď ~** now (that)
kedluben kohlrabi [kəul'ra:bi]
kel tusk
kelímek pot
Kelt Celt
keltský Celtic
kemp campsite
keramický ceramic
keramika ceramics *pl*
keř shrub, bush
kéž: ~ bych měl I wish I had
kilo, ~gram kilogram(me)
kilometr kilometre
kilowatt kilowatt [kiləwot]; **~hodina** kilowatt hour
kin|o cinema, (*hovor.*) flicks *pl*; **jít do -a** go to the cinema / a film / the pictures
kinofilm cinefilm
kiosk stall, booth
klacek **1** stick, club **2** (*nevychovanec*) lout
klad merit
kláda log, beam
kladiv|o hammer; **hod -em** throwing the hammer
kladka pulley
kladně: **odpovědět ~** answer in the affirmative
kladný positive
klakson horn
klam deception; (*podvod*) deceit
klamat deceive
klamný deceptive

klanět se bow (**před** to)
klapka 1 valve 2 (*klávesa*) key
klarinet clarinet [klærinet]
klas ear
klasický classic(al)
klasifikace classification
klasifikovat classify
klasik classic
klást lay*, put*
♦ ~ **důraz** emphasize (**nač** sth.); ~ **otázky** ask questions
klášter (*mužský*) monastery; (*ženský*) convent
klaun clown
klávesa key
klávesnice keyboard
klávesy (*nástroje*) keyboards *pl*
klaviatura keyboard
klavír piano; **hrát na** ~ play the piano
klavírist|a, -ka pianist
klavírní piano
klec cage
kleč dwarf pine
klečet kneel
klek|at si, -nout si kneel* down
klekátko prie-Dieu [pri:djə:]
klempíř tin smith
klenba vault
klenot jewel
klenotnictví jeweller's
klenotník jeweller, gemologist
klep tale, scandal; **dělat ~y** tell* tales, talk scandal, spread gossip
klepat 1 knock (**na dveře** at the door); tap (**nohou o podlahu** one's foot on the floor) 2 (*pomlouvat*) tell* tales, talk scandal
klepnout rap; ~ **přes prsty koho** give sb. a rap on the knuckles
kles|at, -nout 1 fall*, sink*, go* down 2 (*prudce*) drop 3 (*upadat*) decline 4 (*sestupovat*) descend
kleště (*štípací*) pincers *pl*; (*uchopovací*) tongs *pl*; (*ohýbací*) pliers *pl*
kleštičky na cukr sugar tongs *pl*
kletba curse
klíč 1 key; ~ **od domu** latchkey; **francouzský** ~ wrench; **univerzální** ~ passkey 2 (*hud.*) clef [klef]; **houslový** ~ treble [trebl] clef
klíčit bud
klíční kost collarbone
klíčový key (**průmysl** industry)
klid 1 quiet; **dopřát si hodinku ~u** have an hour's quiet; **období ~u po volbách** a period of quiet after an election 2 peace; ~ **venkova** the peace of the countryside; ~ **duše** peace of mind 3 ease; **dopřát si ~u** take one's ease 4 (*sebeovládání*) composure; **chovat se s velkým ~em** behave with great composure
♦ **jen ~!** steady!, take it easy!
klidný quiet; (*ovládající se*) calm
klih glue
klik press-up, push-up
klika 1 door handle 2 (*knoflík*) knob 3 (*stroje*) crank 4 (*politická*) faction; clique [kli:k]
klikový hřídel crankshaft
klima climate
klimatický climatic
klimatizace air-conditioning
klín[1] (*nástroj*) wedge
klín[2] lap; **sedět komu na ~ě** sit on sb.'s lap / on sb.'s knee
klinika clinic
klisna mare
klíště tick

klít swear*, curse (**na** at)
klíž|it glue; **oči se mi -í** I am drowsy
klobása sausage
kloboučnictví (*pánské*) hatter's; (*dámské*) milliner
klobouk hat; **smeknout ~** raise one's hat (**před** to)
klokan kangaroo
klokta|dlo, *též v* **-t** gargle
klon|it se incline; **-ím se k názoru** I am inclined to think / to the opinion
klopa lapel
klopit tilt, cast* down; **~ oči** cast down one's eyes; **Ne~!** This Side Up!
klopýt|at, -nout stumble (**o** over)
kloub joint; (*prstu*) knuckle; **dostat se čemu na ~** get* to the bottom of sth.
klouzat (se) slide, glide; (*smykem*) skid
klov|at, -nout peck
klozet toilet, lavatory, WC
klub club; **~ čtenářů** book club
klubko ball (of thread)
klubovna clubroom
klusat trot
kluzák glider
kluziště skating rink
kluzký slippery
kmen 1 trunk **2** (*domorodců*) tribe
kmín caraway seeds *pl*, cumin
kmit|at (se), -nout (se) oscillate; (*světlo*) glitter
knedlíček (*do polévky*) quennel
knedlík dumpling
kněz priest
kněžna princess
kniha book; **hlavní ~** ledger; **třídní ~** class register; **školní ~** textbook
knihkupec bookseller
knihkupectví bookshop, bookseller's
knihomol bookworm
knihovna 1 library **2** (*skříň*) bookcase
knihovn|ice, -ík librarian
knír moustache
kníže prince
knižní: **~ poukázka** book token; **~ výraz** literary expression
knoflík button; (*na holi, na rádiu*) knob; **manžetové ~y** cuff links *pl*
koalice coalition
koberec carpet
kobliha doughnut
kobyla mare
kocour tomcat
♦ **K~ v botách** Puss in Boots
kočár carriage
kočárek pram, perambulator, (baby) buggy
kočí driver
kočka cat
kód code
Kodaň Copenhagen [kəupn'heign]
kohout cock, rooster
kohoutek 1 (*pušky*) cock; (*spoušť*) trigger **2** (*potrubí*) tap, cock
kojenec suckling, baby
kojit suckle, breast-feed*
koketa coquette [ko'ket], flirt
kokos coconut
kokoška shepherd's purse
koks coke
koktajl cocktail
koktat stutter, stammer
koktavý stuttering, stammering
kolaborant collaborationist
koláč cake; (*ovocný*) tart, pie
kolébat rock, roll
kolébka cradle

kolečko **1** wheel; **ozubené ~** cog (wheel) **2** (*trakař*) wheelbarrow
kolečkov|ý: -á taška shopping trolley; **-é brusle** roller skates *pl*
koleg|a, -yně colleague; (*na americké univerzitě*) classmate
kolej **1** (*železniční*) rail, line **2** (*vyjetá*) rut **3** (*studentská*) hostel, hall **4** (*vysoká škola*) college
kolek stamp
kolekce collection, assortment (**vzorků** of samples)
kolektiv group, team; **~ odborníků** panel of experts
kolektivní collective; **~ činnost** group activity; **~ práce** teamwork
kolem **1** round, around; **země obíhá ~ slunce** the earth moves round the sun; **postávat ~** hang around **2** (*čas*) about, towards; **~ druhé hodiny** about / towards two o'clock **3** (*mimo*) past; **spěchal ~ mne** he hurried past me ♦ **jde mi hlava ~** my head is going round
kolemjdoucí passerby
koleno knee; (*roury*) elbow
koliha curlew
kolik: ~ dní how many days; **~ času** how much time; **v ~ hodin** at what time; **~ je mu let** how old is he, what is his age
kolík peg; **~ na prádlo** clothes peg
kolikát|ý: **-ého je dnes**? what is the date today?
kolikrát how many times, how often
kolínská voda eau de cologne [əudəkə'ləun], cologne
kolísat **1** fluctuate; vary **2** (*váhat*) waver, hesitate
kolmice perpendicular
kolmý perpendicular, vertical
kol|o **1** wheel **2** (*jízdní*) bicycle, (*hovor.*) (push)bike; **jezdit na -e** ride a bicycle **3** (*při závodech*) round, lap ♦ **rádio hraje na celé ~** the radio is going (at) full blast; **být páté ~ u vozu** be the / a fifth wheel
koloběžka scooter
kolona column
kolonáda colonade
kolonialismus colonialism
koloniální colonial
kolonie colony
kolotoč merry-go-round, roundabout
kolovat circulate
komár gnat, mosquito
kombajn combine
kombajnér combiner
kombinace combination
kombinát combine
kombiné slip
kombinéza overall; (*kalhoty s náprsenkou*) overalls *pl*, dungarees *pl*
kombinovat combine
komedie comedy
komentář (*poznámka*) comment (**o** upon); (*souvislý*) commentary
komentovat comment, make* comments (**co** upon sth.)
komerční commercial
kometa comet
komfort comfort, amenities *pl*
komfortní comfortable, well-equipped
komický comic(al), funny
komik comedian; entertainer
komín chimney; **lodní ~** funnel
kominík chimney-sweep
komisař commissioner

komise commission; (*výbor*) committee
komonice sweet clover, melilot [melilot]
komora chamber; **obchodní ~** chamber of commerce; **temná ~** darkroom
komorní hudba chamber music
kompas compass
kompenzace compensation
kompetenc|e competence; **v -i soudu** within the competence of the court
kompetentní competent; **z ~ch míst** from a reliable source
komplexní complex
komplikace complication
komplikovaný complicated
komplikovat complicate
komponovat compose
kompot compote
kompozice composition; (*školní*) test, examination paper
kompresor compressor
kompromis compromise
kompromitovat (se) compromise (oneself)
komunální municipal; **~ služby** public utilities *pl*
komunikace communication
komuniké communiqué
komunismus communism
komunist|a, -ka, *též adj* **-ický** communist
koňak brandy; (*francouzský*) cognac [kəunjæk]
kona|t do*, perform; **~ cestu** make* a journey; **~ svou povinnost** do* / discharge one's duty; **~ zkoušku** sit* for / take* an examination; **~ dobro** do* good
kona|t se take* place, be* held; **volby se -jí každoročně** elections are held annually
koncem: ~ týdne at the weekend; **~ roku** at the end of the year; **~ let devadesátých** in the late nineties
koncentrační tábor concentration camp
koncepce conception
koncept rough copy; **vyvést koho z ~u** put* sb. out
koncern concern
koncert 1 concert; **jít na ~** go* to a concert; **na ~ě** at a concert **2** (*pro sólový nástroj*) concerto **3** (*sólisty / z děl jednoho skladatele*) recital
koncertní concert
koncil council
koncovka ending
končetina extremity, limb
končit end, close, be* over, come* to an end; (*škola*) break* up
kondenzátor condenser
kondenzovan|ý condensed; **-é mléko** condensed milk
kondicionér conditioner [kən'dišənə]
kondolenc|e (letter of) condolence; **přijměte moji -i** please accept my condolences
kondom condom, sheath
kon|ec end, close; (*závěr*) conclusion; **na -ci** at the end; **od začátku do -ce** from beginning to end ♦ **~ -ců** after all, in the long run; **být (s rozumem) v -cích** be at one's wits' end; **je s ním ~** he's done for; **pro dnešek ~** let's call it a day
konečně at last; (*nakonec*) finally, eventually
konečník rectum [rektəm]

konečný final, eventual
konev jug, pitcher; (*zahradní*) watering can / pot
konfekce ready-made garments / clothes *pl*; (*obchod*) clothier's, (*pánská*) outfitter's
konfekční ready-made, ready-to-wear
konference conference
konferenciér compère, emcee; (*reprodukované hudby*) discjockey
konfiskovat confiscate, seize
konflikt conflict
konfrontace confrontation
konfrontovat confront
kongres congress
koníč|ek hobby; **věnovat se svému -ku** pursue one's hobby
konjunktura boom
konkrétní 1 concrete **2** (*určitý*) definite, particular; **mít ~ důvody** have particular reasons
konkurence competition
konkurenční competitive
konkurovat compete (**komu v** against / with sb. in)
konkurs 1 (*soutěž*) competition; **vypisuje se ~ na místo** applications are invited for the post of **2** (*úpadek*) bankruptcy
konopí hemp
konopice downy hemp nettle
konstatovat state
konsternovat stun, dismay
konstrukce construction
konstrukční construction; **~ kancelář** design(ing) department; **~ prvek** structural element
konstruktér designer
konstruktivní constructive
konstruovat construct, design
kontakt contact, touch
kontaktní čočka contact lens
kontinent continent
kontinentální continental
kontingent quota
konto account
kontrabas double bass [beis]
kontrarevoluce counter-revolution
kontrast contrast
kontrola control, check; **~ zbrojení** arms control
kontrolní control
kontrolor controller, supervisor
kontrolovat control, check; (*dohlížet*) supervise
konvalinka lily of the valley
konvence convention
konvenční conventional
konverzace conversation; **společenská ~** *(o ničem)* small talk
konverzovat converse, talk
konvice jug, pitcher; (*na vaření vody*) kettle; **čajová ~** teapot
konvoj convoy
konzerva tin, can; (*ovocná*) preserves *pl*
konzervárenský průmysl canning / processing industries *pl*
konzervativní conservative
konzervatoř conservatoire
konzervovat conserve; (*zvl. ovoce*) preserve; (*v plechu*) tin, can
konzul consul
konzulární consular
konzulát consulate
konzultace tutorial
konzultovat (*radit se s kým*) consult (sb.); (*radit komu*) tutor (sb.)
konzumní společnost consumer society
kooperace co-operation
koordinovat co-ordinate
kop kick; **pokutový ~** penalty

kopa **1** (*šedesát*) threescore **2** (*hromada*) heap, lot
kopáč navvy
kopaná football, soccer
kopat **1** dig* **2** (*nohou*) kick
kopcovitý hilly
kopec hill
kopie copy; (*negativu*) print
kopnout kick, give* a kick
kopírovat copy; (*fot.*) print
kopr dill
kopretina ox-eye daisy
koprodukce joint production
kopřiva nettle
kopřivka nettle rash
kopule dome, cupola [kju:pələ]
kopyto **1** hoof **2** (*obuvnické*) last **3** (*napínák*) shoetree
korál coral
korejský Korean
korek cork
korektura **1** (*oprava*) correction **2** (*korigování*) proofreading **3** (*obtah*) proof
korespondence correspondence
korespondenční correspondence; **~ lístek** postcard
korespondent, ~ka correspondent
korigovat correct, set* right; (*sazbu*) read* the proofs, proofread
kormidelník steersman, helmsman
kormidlo helm, rudder
kormidlovat steer
kornatění tepen arteriosclerosis [a:tiəriəuskli'rəusis]
koroptev partridge
korouhev banner, standard
korun|a, -ka crown
korupce curruption, bribery
korýš crustacean [kra'steišn]
koryto trough; **~ řeky** riverbed
korzet corset [ko:sit], roll-on
kořalka liquor
kořen root; **jít na ~ věci** go* to the root of the matter
kořeněný spicy; (*okořeněný*) seasoned
koření spice(s) (*pl*)
kořist (*lup*) booty, loot; (*ulovená*) prey; (*lovné zvíře*) quarry
kos blackbird
kosa scythe ♦ **přišla ~ na kámen** he has met his match
kosatec iris
kosit: **~ obilí** reap corn; **~ trávu** mow* grass; (*přen.*) mow* down
kosmetický cosmetic
kosmetika cosmetics
kosmick|ý cosmic, space; **~ let** space flight; **-á loď** spaceship
kosmonaut spaceman, astronaut
kosmonautický astronautic, spaceman's
kosmopolitismus cosmopolitanism [kozmə'politənizm]
kosočtverec rhomb(us) [romb(əs)]
kosodélník rhomboid [romboid]
kost bone ♦ **promrzlý na ~** frozen to the bone; **~ a kůže** a bag of bones
kostel church
kostelník sexton, sacristan
kostival comfrey [kamfri]
kostka cube; **dlažební ~** paving stone; **~ cukru** lump of sugar; **hrací ~** die
kostkovaný check(ed)
kostra skeleton; (*stavby*) frame
kostrč coccyx [koksiks]
kostým costume, suit
koš basket; **~ na papír** wastepaper basket; **dát ~em komu** jilt sb.
košík basket
košíková basketball
košile shirt; (*dámská*) vest,

chemise; **noční ~** (*pánská*) nightshirt, (*dámská*) nightdress, nightgown, (*hovor.*) nightie
koště broom
kotě kitten, puss
kotel boiler, furnace
kotelna boiler room, furnace room
kotleta cutlet, chop
kotník (*na ruce*) knuckle; (*na noze*) ankle; **po ~y v blátě** ankle-deep in mud
kotouč disc; (*svitek*) roll; (*puk*) puck; **~ prachu** swirl of dust
kot|oul, -rmelec somersault
kotv|a anchor; **spustit / zvednout -u** drop / weigh anchor
kotvit lie* at anchor
koul|e ball; (*mat.*) sphere; (*fyz.*) globe; (*sport.*) shot; **vrh -í** putting the shot, shot put
koupací bathing; **~ oblek** swimsuit, swimming costume
koupaliště swimming pool, baths *pl*, lido
koupat 1 bath (**dítě** the baby) 2 bathe (**ránu** the wound)
koupat se 1 (*ve vaně*) (have* / take* a) bath 2 (*v řece apod.*) bathe
koupě purchase; **výhodná ~** bargain
koupel bath
koupelna bathroom
koupit buy*, purchase (**komu** for sb.)
kouř smoke
kouření smoking; **~ zakázáno** no smoking
kouř|it smoke; **~ se: -í se z komína** the chimney is smoking; **-í se z kávy** the coffee is steaming
kousat bite*
kousek 1 piece, bit; **~ papíru** a slip of paper 2 (*chytrý*) stroke
kousnout bite*, give* a bite
kout, ~ek corner
kouzelník magician; (*čaroděj*) sorcerer, wizard; (*šaman*) medicine man, witchdoctor
kouzelný magic; (*okouzlující*) weird, bewitching, charming
kouzlo magic; (*půvab*) charm
kov metal
kování: železné ~ iron fittings *pl*
kovárna smithy
kovář (black)smith
kovat forge, hammer
kovodělník metal worker
kovoobráběcí metal-working
kovoprůmysl metal-working industry
kovový metal
koza 1 goat 2 (*tesařská*) trestle [tresl] 3 (*vulg.*) tit
kozlík valerian [və'leəriən], allheal [o:lhi:l]
koželný tanning
koželuh tanner
koženka imitation leather
kožený leather
kožešina fur
kožešinový fur (**kabát** coat)
kožešnický furrier's
kožešník furrier
kožich fur coat
kožní skin
kra floe
krab crab, lobster
krabice box, case
kráčet march, step, walk
krádež theft; (*drobná*) pilfering; (*v samoobsluze*) shoplifting
krach slump, bankruptcy
kraj[1] (*okraj*) edge, margin; **na ~i**

lesa on the edge of a forest; **psát na** ~ write in the margin
kraj[2] **1** (*země*) country **2** (*krajina*) landscape **3** (*správní oblast*) region
krajan countryman
krajanka countrywoman
krájet cut*; (*maso*) carve; ~ **chleba** cut / slice bread
krajíc slice, round, piece (**chleba** of bread)
krajina landscape
krajk|a, -y lace
krajní 1 (*postranní*) side, outside **2** (*extrémní*) extreme, excessive
krajnost extreme
krajský regional
král king
králík rabbit
královna queen
královský royal
království kingdom
krám 1 shop **2** (*veteš*) trash, junk
kráp|at: -pe it's starting to rain, it's sprinkling
krás(k)a beauty
krásně beautifully
krásn|ý beautiful, lovely, wonderful; **-á literatura** belles-lettres [bel'letə] *pl*; **-é počasí** fine weather; **jednoho -ého dne** one fine day
krasobruslař, ~ka figure skater
krasobruslení figure skating
krást steal*; (*drobnosti*) pilfer
-krát times
krátce in short, shortly, briefly
kráter crater
krátit shorten; ~ **se** get* shorter; ~ **si dlouhou chvíli** while the time away
krátkodobý short-term
krátkozraký nearsighted, shortsighted
krátk|ý short; (*též stručný*) brief; **-é spojení** short circuit
kratochvíle pastime, diversion
kraul crawl
kráva cow
kravata (neck)tie
kravín cowshed, cowhouse
krb fireplace
krčit: ~ **rameny** shrug; ~ **čelo** knit one's eyebrows
krčit se 1 (*choulit se*) shrink* **2** (*servilně*) cringe **3** (*mačkat se*) crease
krejčí tailor; **dámský** ~ dressmaker, ladies' tailor
krejčovství tailor's; **dámské** ~ dressmaker's
krém 1 cream; (*vaječný*) custard **2** (*na boty*) polish
kremace cremation
krematorium crematorium
kresba drawing; (*návrh*) design
kreslení drawing
kreslený film (animated) cartoon, cartoon film
kreslit draw*
kretén cretin [kretin]
krev blood; **teče mi ~ z nosu** my nose is bleeding; **mám to v krvi** it runs in my blood
krevní blood; ~ **skupina** blood group; ~ **tlak** blood pressure
kriminální criminal
kritérium criterion [krai'tiəriən]
kritický critical
kritik critic
kriti|ka 1 criticism; **podrobit -ce** subject to criticism; **pod vší -ku** beneath criticism **2** (*literárního díla*) review
kritizovat criticize

krize crisis; (*jen hospodářská*) slump
krk neck; **bolí mě v ~u** I have a sore throat; **na to dám ~** I'll be bound
krkolomn|ý breakneck; **-ou rychlostí** at breakneck speed
krkovička neck
krmič feeder
krmit feed*
krmivo fodder
krmný feeding
krocan turkey (cock)
kroj costume; **národní ~** national costume
krok step; **na každém ~u** at every step; **udělat ~** make* a step; **držet ~ s** keep* abreast of, keep* up with
krokodýl crocodile
kromě **1** (*s výjimkou*) except; **každý den ~ neděle** every day except Sunday **2** (*navíc*) besides; **mám ještě troje hodinky ~ těchto** I have three other watches besides this; **~ toho** besides, in addition
kronika chronicle; annals *pl*
kropit sprinkle; **~ květiny / ulice** water the flowers / streets
krotit tame; **~ svoje nadšení** moderate one's enthusiasm
krotitel tamer
krotký tame
kroupy **1** pearl barley **2** (*krupobití*) hail; **padají ~** it is hailing
kroutit turn; (*násilím*) twist; **~ se** wriggle
kroužek **1** ring **2** (*též skupina*) circle
krtek mole
kručinka greenweed [gri:nwi:d]
kruh circle; ring ♦ **rodinný ~** family circle; **obchodní ~y** business circles; **bludný ~** vicious circle; **~y pod očima** dark rings under the eyes; **~ kolem měsíce** halo, ring round the moon
kruhy rings *pl*
krumpáč pick
krůpěj drop, bead
krupi|ce semolina; **-čná kaše** semolina pudding
krušina alder buckthorn [bakθo:n]
krůta turkey hen
krutý cruel (**na** to), hard (**na** on)
kružítko compasses *pl*
kružnice circle
krvác|et bleed*; **rána -í** the wound is bleeding; **-í mi z nosu** my nose is bleeding
krvesmilství incest
krvinka corpuscle
krychle cube
krychlový cubic; **~ obsah** cubic volume
krysa rat
krystal, *též adj* **~ový** crystal
kryt **1** cover; (*kapota*) bonnet, hood **2** (*úkryt*) shelter
krýt (*též přen.*) cover; (*chránit*) shield
křeč spasm; cramp
křeček hamster
křečové žíly varicose veins *pl*
křečovitý spasmodic [spæz'modik]
křehk|ý **1** fragile (**porcelán** china, **-é zdraví** health) **2** brittle (**-é sklo** glass) **3** frail (**-á žena** woman) **4** crisp (**-é pečivo** biscuits *pl*) **5** (*jemný*) delicate
křemen flint
křemík silicon
křen horseradish
křepelka quail [kweil]

křeslo (arm)chair; (*v divadle*) stall
křesťan, *též adj* **~ský** Christian
křesťanství Christianity
křestní: ~ jméno Christian / first name; **~ list** birth certificate
křičet shout (**na koho** at sb.); (*pronikavě*) scream, shriek
křída chalk
křídlo 1 wing **2** (*klavír*) grand(piano)
křik cry; (*pronikavý*) scream, shriek
křiklav|ý: -é bezpráví flagrant injustice; **-á barva** loud colour
křiknout *viz* **křičet**
křísit revive, bring* round
křišťál, *též adj* **~ový** crystal
křivda wrong
křivka curve
křiv|ý crooked; **-á přísaha** perjury
kříž cross; (*na zádech*) the small of one's back
křižácká výprava crusade
kříž|ek cross; **přijít ke -ku** come to heel; **přijít s -kem po funuse** come a day after the fair, miss the bus
křižník cruiser
křižovat (se) cross (oneself)
křižovatka crossroads; (*železniční*) junction
křížovka crossword
křoví bush(es *pl*), shrubs *pl*
křtít baptize
který 1 (*tázací*) **~ z vás?** which of you? **2** (*vztažné*) who, which, (that), as; **člověk, ~ chce s vámi mluvit** the man who wants to see you; **dům, ~ je na prodej** the house which is for sale; **dopis, ~ jsi mi poslal** the letter (that) you sent me; **takový omyl, ~** such a mistake as
kterýkoli any
Kuba Cuba
kubánský Cuban
kudrnatý curly(-headed), curly-haired
kudy which way
kufr suitcase; (*těžký, lodní*) trunk; (*auta*) boot, hood
kufřík executive case
kuchař cook
kuchařka 1 cook **2** (*kniha*) cookery book, cookbook
kuchařský cooking
kuchyně 1 kitchen **2** (*způsob vaření*) cuisine
kuchyňsk|ý kitchen; **-é jádro** kitchen unit
kukačka cuckoo
kukátko 1 (*divadelní*) opera glasses *pl* **2** (*ve dveřích*) peephole
kukla (*hmyzu*) chrysalis [krisəlis]
kuklík avens [ævnz]
kukuřice (*krmivo*) maize; (*potrava*) sweet corn
kůl post; (*špičatý*) stake; (*tyč*) pole
kulatý round
kulečník billiards *pl*
kulík plover
kulinář cullinary expert
kulma (*elektrická*) styling tong; (*kartáčová*) styling brush
kulhat limp, walk with a limp
kuličkov|ý: -é ložisko ball bearing; **-é pero** ballpoint (pen), biro [baiərəu]
kulis|y wings *pl*; (*hovor.*) props *pl*; **za -ami** behind the scenes, in the wings
kulka bullet
kůlna shed
kulomet machine-gun
kultura culture

kulturní cultural
kůň 1 horse; **na koni** on horseback **2** (*v šachu*) knight
kuna marten
kupa heap, pile; **~ sena** haystack
kupé compartment
kupec 1 (*kupující*) buyer, purchaser, shopper **2** (*obchodník*) shopkeeper
kupní: ~ cena purchase price; **~ síla** purchasing power; **~ smlouva** buying contract, sales agreement
kupodivu strange to say, funnily enough
kupón coupon
kupovat buy*; **~ zajíce v pytli** buy* a pig in a poke
kupředu forward; ahead
kupující buyer, shopper
kúra cure
kůra crust; (*stromu*) bark, rind; (*ovoce*) skin, peel
kůrka crust
kurs (*školení*) course, classes *pl*; **~ valut** rate of exchange
kurva (*vulg.*) whore [ho:]
kurzor cursor [kə:sə]
kuřácký vůz smokers' carriage, (*hovor.*) smoker
kuřák smoker; **oddělení pro ~y** smoking compartment
kuřárna smoking room
kuře chicken
kuří oko corn
kus piece, bit; (*beztvarý*) lump, chunk
♦ **~ cesty** part of the way; **zastavit se na ~ řeči** drop in for a chat
kusý incomplete
kutálet (se) roll
kůzle kid
kůž|e 1 (*pokožka*) skin; (*na hlavě*) scalp **2** (*nevydělaná*) hide; (*vydělaná*) leather
♦ **nejsem dnes ve své -i** I am not myself today, I feel uneasy; **mokrý na -i** wet to the skin
kužel cone; (*sport.*) (Indian) club
kuželky skittles, ninepins *pl*
kvalifikace qualifications *pl*
kvalifikovaný qualified; full(y)-fledged
kvalifikovat (se) qualify
kvalita quality
kvalitní first-rate
kvantita quantity
kvapný hasty, hurried
kvartál a quarter (of a year)
kvartet(o) quartet(te)
kvasit ferment
kvasnice yeast
kvedlačka twirling stick
kvést 1 bloom, flower; (*strom*) blossom **2** (*vzkvétat*) flourish
květ flower; (*stromu*) blossom; **v plném ~u** in full bloom
květák cauliflower
květen May; **1. ~** May Day
květina flower
květináč flowerpot
květinářství florist's
květovaný flowered
kvintet(o) quintet(te)
kviz quiz
kvočna mother hen, clucking hen
kvůli because of, on account of, for the sake of; **~ mně** for my sake, to please me
kybernetický cybernetic [saibə'netik]
kybernetika cybernetics [saibə'netiks]
kýč kitsch, trash
kyčel hip
kých|at, -nout sneeze

kýchavice hellebore [helibo:]
kýl keel
kýla rupture
kymácet se sway
kynout 1 (*gestem*) motion, give* a sign **2** (*těsto*) rise*
kyperský Cypriot [sipriot]
kypět seethe*, teem (**čím** with)
Kypr Cyprus
kypr|ý: **-á půda** loose soil; **-á žena** buxom woman
kypřit loosen
kysat (become*) sour
kyselina acid
kyselý sour; **~ obličej / úsměv** wry face / smile; **~ déšť** acid rain
kysličník oxide [oksaid]
kyslík oxygen
kyslíkov|ý: **-á bomba** oxygen bomb; **-á maska** oxygen mask; **~ stan** oxygen tent
kýta joint
kytara guitar
kytice bunch of flowers
kyvadlo pendulum
kývat (se) swing*
kývnout nod

L

Labe Elbe
labilní unstable
laboratoř laboratory, (*hovor.*) lab
labuť swan
labužník gourmet
labyrint labyrinth
laciný cheap
ladem: ležet ~ lie* fallow
ladit tune; (*hodit se k čemu*) match sth.
láhev bottle; **polní ~** flask
lahodný delicious, dainty
lahůdka delicacy, dainty
lahůdkářství delicatessen (shop)
lahvička phial
laický lay
laik layman
lajdácký slovenly
lak paint; **~ na nehty** nail polish / varnish
lákat allure, attract (**pozornost** attention)
lákavý attractive; tempting
lakomec miser
lakomý stingy, mean
lakovaný painted, varnished, lacquered
lakovat paint (**dveře** a door); varnish (**nehty** one's nails)
lakýrník painter
lámat (se) break*; **~ si hlavu** rack / cudgel one's brains
lampa lamp; **stolní ~** table lamp; **stojací ~** floor lamp
lampión Chinese lantern
laň hind, roe
lano rope; (*kovové*) cable
lanovka cable railway, funicular
lanýž truffle
larva larva [la:və]
lasička weasel
lásk|a love (**k** of, for); **~ k bližnímu** charity; **z -y k** for the love of
laskavost kindness, goodness; (*služba*) favour; **prokázat komu ~** do* sb. a favour
laskavý kind, good; **buďte tak laskav a počkejte tady** would

you mind waiting here, would you be so kind as to wait here
láskyplný loving, affectionate, tender
lastura seashell, conch
latina Latin
latinka Roman characters *pl*
latinský Latin
látk|a **1** (*též na šaty*) material; stuff **2** (*jen textil*) cloth **3** (*téma*) matter, subject matter ♦ **bojové chemické ~y** chemical warfare agents *pl*
laťka lath; (*sport.*) bar
laureát laureate [lo:riit]
láva lava
lavice bench; (*školní*) form, desk; **~ obžalovaných** dock
lavička bench
lavina avalanche
lávka footbridge
lázeň bath
lázně **1** (*krytá plovárna*) public swimming baths *pl*; **parní ~** Turkish baths *pl* **2** (*léčivé*) spa, watering place, health resort
lebka skull
leccos anything, whatever
léčba treatment; **~ prací** occupational therapy
léčebna medical institution
léčebný medical, health
léčení cure, treatment; **odjet na ~** take* a cure; **~ nádorů** treatment of tumours
léčit treat, cure; **~ se** cure oneself, undergo* a treatment
léčivý healing
léčka trap, pitfall
led ice
ledabylý careless, slipshod, casual, sloppy [slopi]
ledacos anything, whatever
ledaže unless
leden January
lednička refrigerator, fridge
lední ice; **~ revue** ice show
ledňáček kingfisher
ledoborec icebreaker
ledovec (*v horách*) glacier; (*v moři*) iceberg
ledov|ý ice, icy; **-á káva** iced coffee; **-é pole** icefield; **~ vítr** icy wind
ledvina kidney
ledvinky kidneys *pl*
legace legation
legální legal
legenda legend
legendární legendary
legie legion
legitimace card; **občanská ~** identity card; **členská ~** membership card
legitimovat se prove one's identity
legrac|e fun; **to je ~!** what fun!; **dělat si -i** kid; **dělat si -i z koho** make* fun of sb.
lehátko deckchair
lehátkový vagón couchette car
lehkoatletický athletic
lehkomyslnost thoughtlessness, frivolity
lehkomyslný (*bezstarostný*) thoughtless, frivolous; (*riskující*) reckless; (*ležérní*) easygoing
lehkověrný gullible, trusting, credulous
lehký **1** light **2** (*snadný*) easy
lehnout si lie* down
lechtat tickle
lék medicine; (*též metoda a přen.*) remedy (**proti** for)
lékárna (dispensing) chemist's
lékárnička medicine cabinet
lékárník (dispensing) chemist

lékař doctor, physician; **odborný** ~ specialist; **praktický** ~ general practitioner; **zubní** ~ dentist
lékařský medical
lékařství medicine
lekat frighten, scare; ~ **se** *viz* **leknout se**
lekce lesson
leknín water lily
leknout se start, be* frightened
lékořice liquorice [likəris]
lektor, ~ka reader
lem hem, border
lemovat hem, border; ~ **rukávy saka kůží** bind the cuffs of a jacket with leather
len flax
lenoch lazybones
lenost laziness
lenošit be* lazy, idle, lounge
lenoška armchair, easy chair
lepenka 1 (*kartón*) cardboard 2 (*lepicí páska*) adhesive tape
lepidlo paste, gum
lepit stick* (**známku na dopis** a stamp on a letter, **plakáty** bills)
lepkavý sticky
lepší better
lepšit se get* better, improve
lept etching
les wood; (*nepěstěný*) forest
lesk shine, gloss; (*leštěním*) polish; (*skvělost*) splendour, glamour
lesklý shiny, glossy
lesknout se shine*; (*třpytit se*) glisten, glitter
lesní forest (**požáry** fires, **zvířata** animals); ~ **roh** French horn
lesnický forestry
lesník forester
lest trick
lešení scaffold(ing)
leštěný papír glazed paper
leštit polish, glaze
let flight
letadlo aircraft
leták leaflet, pamphlet
létat fly*
letec airman, pilot
leteck|ý air; **-ou poštou** by airmail
letectví aviation
letectvo air force
letenka air ticket, flight ticket
letět fly*
letiště airport; (*plocha*) airfield
letní summer; ~ **čas** summer time
lét|o 1 summer; **v -ě** in (the) summer 2 (*roky*) **-a** *pl:* **-a devadesátá** the nineties *pl* ♦ **babí** ~ Indian summer; (*vlákno*) gossamer
letokruh annual ring
letopoč|et era; **před naším -tem** B.C. (before Christ)
letos this year
letošní this year's
letovat solder
letovisko summer resort
letuška air hostess
lev lion
levák left-hander
levandule lavender [lævəndə]
levice 1 left hand 2 (*polit. orientace*) the left
levicový left-wing, leftist
levičák leftist
levný cheap; (*úsporný*) economical
levoboček bastard
levý left
lexikon dictionary; encyclopaedia
lézt creep*; (*plazit se*) crawl; (*vzhůru*) climb ♦ **leze na mne rýma** I'm starting a cold
lež lie
ležák 1 (*pivo*) lager 2 (*zboží*) dead / idle stock

ležet lie*; **musit ~** *(pro nemoc)* be* laid up
lhář liar
lhát tell* lies, lie
♦ **on lže** he's lying, he's telling lies; **lhal mi** he lied to me
lhostejně casually
lhostejnost indifference
lhostejn|ý indifferent; **to je mi -é** I don't care
lhůta term, time; (*konečná*) deadline; **dodací ~** time of delivery, delivery time / date
-li if
líbánky honeymoon
líbat kiss
liberální liberal
líbit se please; **je těžké ~ každému** it is difficult to please everybody
♦ **líbí se mi to** I like it, I enjoy it; **ta ulice se mi nelíbí** I don't like the look of this street; **jak se vám to líbí?** how do you like it?; **dát si líbit** put* up with, stand* for; **to si nedám ~** I am not going to put up with it / to stand for it
líbivý pleasing
libovat si take* pleasure, indulge (**v** in)
libovolný arbitrary
libový lean
libra pound
libreto libretto [li'bretəu]
líc face, front; (*mince*) obverse [obvə:s]
licence licence
licitovat (*v dražbě*) auction; (*v kartách*) bid
líčení **1** (*popis*) description; (*události*) account **2** (*soudní*) hearing; (*trestní*) trial **3** (*obličeje*) putting on one's makeup
líčidlo make-up, paint
líčit **1** (*popisovat*) depict, describe **2** (*tvář*) make* up; **~ se** make up
lid people
lid|é people; **je tam mnoho -í** there are many people there; **před -mi** in public, in front of people
lidnatost density of population
lidnatý densely populated
lidov|ý people('s), folk; **-á tvořivost** folk art activity; **-á píseň** folk song
lidskost humanity
lidský human; (*humánní*) humane
lidstvo mankind, humanity
liga league
lignit lignite [lignait]
líh spirit
líheň incubator [inkjubeitə]
líhnout se hatch
lihovar distillery
lihoviny spirits *pl*
lihový alcoholic
lichoběžník trapezium [trə'pi:zjəm]
lichotit flatter (**komu** sb.)
lichotivý flattering
lichotka flattery
lichvářský usurious [ju:'zjuəriəs]
lichý odd
liják downpour
likér liqueur
liknavý tardy
likvidace liquidation; (*platby*) settlement
likvidovat liquidate; (*uhradit*) settle
lilie lily
líme|c, -ček collar
limonáda lemonade
lín tench
lingvistický linguistic

linie line; **stranická / politická ~** party / political line
linka 1 line; **autobusová ~** bus route; **výrobní ~** production line **2** (*telef.*) extension
linoleum linoleum
líný lazy
lípa lime(tree)
lipan grayling
lipový lime; **~ čaj** lime-blossom infusion
lis press
líska hazel
lisovaný pressed
lisovat press
list 1 leaf **2** (*noviny*) paper ♦ **domovský ~** certificate of residence; **~ papíru** sheet of paper
lístek 1 ticket **2** (*kartotéční*) card **3** (*kousek papíru*) slip ♦ **korespondenční ~** postcard; **jídelní ~** menu; **okvětní ~** petal; **předplatní ~** season ticket; **volný ~** free pass; **zpáteční ~** return ticket
listí foliage
listina document
listnatý leafy; **~ strom** deciduous tree
listonoš postman
listonoška postwoman
listopad November
listovat turn over the leaves / pages
listovní tajemství secrecy of private correspondence
lišejník lichen
lišit se differ (**od** from)
liška 1 fox **2** (*houba*) chanterelle [čæntə'rel]
lišta ledge
lít (se) pour (down); **lije jako z konve** it's pouring with rain, the rain is coming down in sheets, it's raining cats and dogs
lítačky (*hovor.*) swing door
literární literary
literatura literature
litina cast iron
litinový cast-iron
líto: je mi ~ I am sorry (**koho** for sb.)
lítost regret; (*soucit*) pity (**s** for)
lítostivý rueful
litovat be* / feel* sorry (**koho** for sb.); **~ ztracené příležitosti** regret lost opportunities; **ne~ námahy / peněz** spare no pains / expense
litr, *též adj* **~ový** litre
Litva Lithuania [liθju'einjə]
lítý ferocious
lívanec pancake
lízat lick
lízátko lollipop
lněný flaxen, linen
loajální loyal
loď boat, ship; **na palubě lodi** on board (a) ship; **jet lodí** go by ship; **obchodní ~** merchantman, merchant ship; **válečná ~** warship; **vyhlídková ~** pleasure boat
loděnice shipyard
lodičky (*boty*) court shoes, pumps *pl*
loďka boat
lodní naval, ship's; **~ doprava** water transport; **~ náklad** ship's cargo; **~ lékař** ship's surgeon
lodník sailor, seaman
loďstvo fleet; (*válečné*) navy
logaritmické pravítko slide rule
logaritmický logarithmic [logə'riθmik]
logický logical
lochneska (*pouťová atrakce*) big dipper, roller coaster
loket elbow

lokomotiva locomotive, engine
lom quarry
Londýn London
loni last year
loňský last year's
lopata shovel
lopatka 1 (*lopata stroje*) blade 2 (*kost*) shoulder blade 3 (*na smetí*) dustpan
lopuch burdock [bə:dok]
los[1] lot; (*výherní*) lottery ticket
los[2] (*zvíře*) elk
losos salmon
losovat draw* lots
loterie lottery
Lotyšsko Latvia
loučení leave taking, parting, saying goodbye, farewell
loučit se part (**s** with), say* goodbye (**s** to), take* leave (**s** of)
loudat se lag behind
louka meadow
loupat peel, pare (**jablko** an apple, **brambory** potatoes); strip (**kůru ze stromu** the bark off a tree)
loupež robbery, burglary
louskat crack
loutka (*dětská*) doll; (*divadelní a přen.*) puppet, marionette [mæriə'net]
loutkov|ý puppet; **-á vláda** puppet government; ~ **film** puppet film
loutna lute
louže puddle, pool
lov hunt, hunting; (*pronásledování*) chase
lovec hunter
lovecký hunting
lovit hunt; (*shánět*) hunt (**co** for sth.)
lovná zvěř game
lože bed
lóže box
ložisko 1 (*rudy*) deposit 2 (*stroje*) bearing; **kuličkové** ~ ball bearing
ložnice bedroom; **obytná** ~ bedsitter, bedsitting room; **hromadná** ~ dormitory
lpět adhere, cling* (**na** to)
lstivý sly, artful
luční meadow
Lucembursko Luxembourg
lůj suet
luk bow
lukostřelba archery
lulka pipe
lump lout, scoundrel, bad lot, rotter
luňák kite
lunapark fairground, amusement park
lupa magnifying glass
lupič robber; (*noční, domovní*) burglar
lupy dandruff
lusk pod
lustr chandelier
luštěniny pulse *pl*, leguminous plants *pl*
luštit solve
luxovat vaccum, hoover
luxus, *též adj* **~ní** luxury
lůza mob, rabble
lůžko bed; (*na lodi, ve vlaku*) bunk, berth; **upoutaný na** ~ bedridden
lůžkový: ~ **vůz** sleeping car, (*hovor.*) sleeper; ~ **gauč** convertible sofa
lýko bast [bæst]
lýkovec mezereon [mi'ziəriən]
lynčovat lynch
lyra lyre
lyrický lyric(al)
lyrika lyric poetry, lyrics *pl*
lysý bald
lýtko calf

lyžař, ~ka skier
lyžařský skiing
lyž|e, *též v* **-ovat** ski
lze it is possible
lžíce spoon; **~ polévky** a spoonful of soup; **zednická ~** trowel
lžičák shoveller [šovələ]
lžička teaspoon; **~ léku** a teaspoonful of medicine
lživý false

M

macecha stepmother
maceška pansy, heartsease [ha:tsi:z]
máčet steep, soak
mačkat (*tisknout*) press; (*zmuchlat*) crease, crumple; (*vymačkat*) squeeze
Maďar, *též adj* **maďarský** Hungarian
mafie mafia [mæfiə]
mafián mafioso [mæfi'əusəu]
magnát magnate, tycoon
magnet magnet
magnetický magnetic
magnetofon tape recorder ♦ **nahrát na ~** tape
máchat rinse (**prádlo** the clothes)
máj May; **1. ~** May Day
maják lighthouse
majet|ek 1 (*peníze*) fortune **2** property; **movitý ~** personal effects *pl*; **nemovitý ~** real estate **3** possession; **mít v -ku** have* in one's possession **4** (*osobní*) belongings *pl*
majetkov|ý property; **-é poměry rodiny** the financial standing of the family
majitel, ~ka proprietor
majonéza mayonnaise
major major
majordom butler
májový May
mák poppy; (*zrnka*) poppyseed
makaróny macaroni [mækə'rəuni]
makléř broker
makrela mackerel
malárie malaria
malátný languid
malba painting
malebný picturesque
málem nearly, almost
malíček little finger
maličkost trifle, mere detail
malicherný petty
malina raspberry
malíř painter; **~ pokojů** decorator
malířský: ~ atelier studio; **~ stojan** easel; **~ štětec** paintbrush
malířství painting
málo 1 little (**času** time) **2** few (**oken** windows) **3** a little; **~ rozumím** I understand only a little; **je o ~ starší** he is a little older ♦ **máme ~ místa** we are cramped for room
maloměšťácký provincial, small-town
maloměšťák philistine [filistain]
málomluvný taciturn
malomyslný despondent

maloobchod retail (business), retail trade
maloobchodní retail
malorážka smallbore rifle
malovat **1** paint (**obraz** a picture) **2** decorate (**byt** the flat)
malovat se make* (oneself) up
malovýroba small-scale production
malovýrobce small-scale producer
malta mortar
mal|ý **1** small; ~ **důvod k vděčnosti** small cause for gratitude; **-é město** small town; **-á písmena** small letters *pl* **2** (*citově zabarveno*) little; **-é děti** *(dětičky)* little children; **hezký ~ dům** *(domeček)* a pretty little house **3** (*pod míru, také o lidech*) short; ~ **člověk** short man; **dávat -ou váhu** give short weight ♦ **sníst něco -ého** have* a little bite of sth.
maminka mum(my)
maňáskové divadlo puppet show, marionette theatre
mandarínka tangerine
mandl mangle
mandle **1** almond **2** (*v krku*) tonsils *pl*
mandlovat mangle [mæŋgl]
manekýnka mannequin
manévry manoeuvres *pl*
manifest manifesto
manifestace rally, protest march, protest meeting, demonstration
manifestovat manifest; (*demonstrovat*) rally, demonstrate
manikýra manicure
manipulovat handle (**s čím** sth.)
manko difference
mansarda attic, garret
manšestr cord(uroy)
manšestrov|ý cord(uroy); **-é kalhoty** corduroys *pl*; **-é sako** curduroy jacket
manuální manual
manžel husband
manželé husband and wife, a married couple
manželka wife
manželsk|ý matrimonial; conjugal; **-é nesnáze** matrimonial troubles *pl*; **-é štěstí** conjugal happiness
manželství marriage
manžeta cuff
mapa map
maratón marathon [mærəθn]
margarín margarine
Marie Mary
maringotka caravan, trailer
marmeláda jam; (*pomerančová, citrónová*) marmalade
marně in vain
marný vain, useless
Maroko Marocco
maršál marshal
mařit **1** (*křížit*) thwart **2** waste (**čas** time)
masa mass
mas|áž, *též v* **-írovat** massage
masit|ý **1** fleshy; **-é rty** fleshy lips; **-á hruška** a fleshy pear **2** meat(y); **-á strava** meat diet
masívní massive, solid
maska mask; **plynová ~** gas mask
maskovat **1** (*zastírat*) camouflage **2** (*líčit*) make* up
másl|o butter; **jde to jako po -e** it is plain sailing, it goes along swimmingly, it's as easy as butter
masný meat; ~ **den** meat day; ~ **průmysl** meat industry
maso **1** (*živé*) flesh **2** (*k jídlu*) meat

masov|ý[1] meat; **-á konzerva** tinned meat
masov|ý[2] mass; **-é hnutí** mass movement
masožravý carnivorous
mast ointment, grease
mást confuse
mastit grease
mastn|ý **1** (*zamaštěný*) greasy **2** fat; **-á kyselina** fat acid
maškarní: ~ **kostým** fancy dress costume; ~ **ples** fancy-dress / masked ball
mašle bow
máta peprná peppermint
matematický mathematical
matematika mathematics
materiál material, (*hovor.*) stuff; **kádrový** ~ dossier
materialismus materialism
materialista materialist
materiální material
mateřídouška wild thyme
mateří kašička royal jelly
mateřsk|ý maternal, motherly; **-á dovolená** maternity leave; ~ **jazyk** mother tongue; **-á letadlová loď** aircraft carrier; **-á škola** nursery school
mateřství motherhood
mateřština mother tongue
matice nut
matiné matinée
matka mother
matný dull, dim
matrace mattress; **nafukovací** ~ inflatable mattress, airbed
matrika registry
maturit|a leaving examination; **dělat -u** take* / sit* for a leaving examination
maturitní leaving-examination
máv|at, -nout wave, swing*; ~ **na rozloučenou** wave goodbye
maxim|ální, *též n* **-um** maximum
mazat **1** spread* (**máslo na chléb** butter on bread) **2** oil, lubricate (**stroj** a machine)
mazlit se caress (**s kým** sb.)
mdloba swoon; (*slabost*) faintness
mdlý (*matný*) dull, dim; (*malátný*) languid; (*činnost*) slack
mecenáš patron, sponsor
meč sword
mečík gladiolus
med honey
měď copper
medaile medal
měděný copper
média (mass) media [mi:diə] *pl*
medicína medicine
medvěd bear
medvídek (*hračka*) teddy bear
megafon (loud)hailer
mech moss
mechanický mechanical
mechanik mechanic
mechanika mechanics
mechanismus mechanism; (*zařízení*) gadget
mechanizace mechanization
mechanizovat mechanize
měchýř bladder
měkký soft; (*maso, zelenina*) tender
měkkýš mollusc [moləsk]
melancholi|cký, *též n* **-e** melancholy
mělčina shoal, shallows *pl*
meliora|ce, *též adj* **-ční** amelioration [əˌmi:liə'reišn]
mělký shallow
melodický melodious
melodie melody, tune
meloun melon

měna currency
méně less
méněcenný inferior
měnit **1** change (**adresu** one's address, **názory** one's ideas, **peníze** money) **2** alter (**situaci** matters) **3** turn (**vodu v led** water into ice) ♦ ~ **hlas** disguise one's voice
měnit se **1** change **2** alter **3** turn
měnový currency, monetary
menstruace menstruation [menstru'eišn]
menší **1** smaller **2** lesser (**důležitost** importance, **zlo** evil)
menšina minority
menu set lunch / dinner; menu [menju:]
menza students' dining hall
meruňk|a, *též adj* **-ový** apricot
měřicí measuring
měřit measure; ~ **čas** time (**čeho** sth.); ~ **olovnicí** plumb; ~ **teplotu komu** take* sb.'s temperature
měřítk|o scale, standard; **v celostátním -u** on a nationwide scale; **ve velkém / malém** ~ on a large / small scale
měsíc **1** (*těleso*) moon; **svítí** ~ there is a moon **2** (*kalendářní*) month; **jednou za uherský** ~ once in a blue moon
měsíček pot marigold
měsíční **1** ~ **světlo** moonlight, moonshine; ~ **povrch** moon's surface **2** monthly; ~ **příjem** monthly income
mést sweep*
město town; (*velké, důležité*) city; **hlavní** ~ capital
městsk|ý town, city; **-á čtvrť** quarter
meta goal, aim, objective
metalurgický metallurgical
metalurgie metallurgy
meteor meteor
meteorologický meteorological
metla rod, switch, cane
metoda method
metodický methodical
metr metre
metrický cent two hundredweights *pl*, quintal
metro underground, *US* subway
mexický Mexican
Mexiko Mexico
mez **1** boundary **2** (*pěšina*) (country) lane **3** (*krajní*) limit; **v ~ích možnosti** within limits, within the bounds of possibility
mezanin mezzanine [mezəni:n]
mezek mule
mezera gap; (*časová*) interval; (*prázdné místo*) blank
mezerník space bar
mezi **1** (*dvěma*) between; ~ **oběma válkami** between the two wars; ~ **druhou a třetí hodinou** between two and three o'clock **2** (*více než dvěma*) among; ~ **dětmi** among the children; ~ **horami** among the hills; ~ **jiným** among other things
mezičlánek connecting link
mezidobí interval
mezikontinentální intercontinental
meziměstský telefonní hovor trunk call
mezinárodní international
meziplanetární interplanetary
mezistátní international; (*ve federaci*) interstate
mezitím in the meantime, meanwhile
mezník landmark; (*přen.*) turning point

mhouřit oči shut* one's eyes, blink
míč ball
migréna migraine [mi:'grein]
mih|at se, -nout se flash, twinkle, shimmer
mícha spinal cord
míchačka mixer
míchan|ý mixed; **-é karamely** assorted toffees *pl*; **-á vejce** scrambled eggs *pl*
míchat 1 stir (**čaj** one's tea) 2 mix (**mouku s vodou** flour and water) 3 shuffle (**karty** cards)
míchat se meddle (**do** in), butt (**do** in / on)
míjet 1 (*čas*) pass 2 pass (**koho** sb., **kolem koho** by sb.)
mikrob microbe, germ
mikrobus minibus
mikrofilm microfilm [maikrəufilm]
mikrofon microphone, (*hovor.*) mike
mikroskop microscope
mikrovlnná trouba microwave (oven)
miláček darling; (*hovor.*) love, duck(y)
míle mile
milen|ec, -ka lover
miliarda milliard, *US* billion
milice militia
milimetr millimetre
milión million
milionář millionaire
militarismus militarism
militarist|ický, *též n* **-a** militarist
militarizovat militarize
milost 1 grace 2 (*přízeň*) favour; **prokázat komu** ~ do* sb. a favour ♦ **udělit komu** ~ grant sb. pardon; **bez ~i** ruthlessly, without mercy
milostný love (**dopis** letter)
milovaný beloved
milovat love
mil|ý *adj* 1 (*drahý*) dear 2 (*příjemný*) nice, sweet, pleasant • *n* boyfriend; **-á** girlfriend
mim mime
mimo *prep* 1 besides, in addition to, apart from; **bylo nás pět ~ tebe** there were five of us besides you 2 except; **nikdo nepřišel pozdě ~ tebe** nobody was late except you • *adv* 1 (*kolem*) past 2 (*vně*) outside
mimoděk unawares
mimochodem by the way; incidentally
mimořádn|ý extraordinary; **-é zasedání** extraordinary / emergency meeting
mimoškolní out-of-school (**činnost** activities *pl*)
mimoto besides, in addition, apart from that
mimoúrovňová křižovatka flyover
mimozemský extraterrestrial [ekstrətə'restriəl]
mina mine
mince coin
mincovna mint
mínění opinion; **podle mého ~** in my opinion; **mít dobré ~ o** think highly of
minerálka mineral water
minerální mineral
minim|ální, *též n* **-um** minimum
ministerský ministerial; **~ předseda** prime minister, premier
ministerstvo ministry, department; **~ školství** Ministry of Education; **~ vnitra** Home Office; **~ zahraničí** Foreign Office

ministr, ~yně minister
ministrant server, altar boy, acolyte
mínit mean*
minout 1 (*zmeškat*) miss 2 (*přejít kolem*) pass (**koho** sb.)
minout se 1 (*s kým*) pass (one another) 2 (*cílem*) miss the mark; ~ **se účinkem na koho** be* lost upon sb.
minule last time
minulost the past
minulý last, previous
minuta minute; **je za 5 minut 6** it is five (minutes) to six
mír peace; **žít v ~u s** live in peace with; **holubice ~u** dove of peace; **uzavřít ~** make* peace
mír|a 1 measure; measurement; **šitý na -u** made to measure; **vzít komu -u** take* sb.'s measurements 2 (*velikost, číslo*) size 3 (*měřidlo*) gauge
♦ **do určité -y** to a certain degree, in a manner / way
mírnit moderate, temper; ~ **se** keep* one's temper
mírný 1 mild; ~ **svah** gentle slope 2 (*klidný*) peaceful
mírov|ý: **-á smlouva** peace treaty; **-é soužití** peaceful coexistence
mírumilovný peaceful
míř|it aim (**na** at); **kam -íte?** what are you leading up to?
mísa dish, bowl; **polévková ~** tureen
misionář, *též adj* **~ský** missionary
miska dish
místenka seat-reservation ticket
místní local
místnost room
míst|o *n* 1 (*prostor*) room; **zabrat příliš mnoho -a** take* up too much room 2 (*konkrétní; též umístění, postavení, zaměstnání*) place; **být na dvou -ech najednou** be* in two places at once; **vrátit se na své ~** go* back to one's place; **znát své ~** know* one's place; **mít všechno na svém -ě** have* everything in its place; **nebýt na -ě** be* out of place 3 spot; **zemřít na -ě** die on the spot 4 (*jen zaměstnání*) post, job, situation, appointment 5 (*stavební*) site ♦ ~ **určení** (place of) destination; ~ **dalekého rozhledu** scenic point
• *prep* instead of; ~ **toho** instead
místopředseda deputy chairman
místopřísežné prohlášení statutory declaration
mistr 1 master 2 (*dílovedoucí*) foreman 3 (*sport.*) champion
mistrný masterly, brilliant
mistrovsk|ý masterly; **-é dílo** masterpiece
mistrovství 1 mastery 2 (*sport.*) championship
mistryně 1 master 2 (*sport.*) champion
místy here and there, in places
míšenec hybrid [haibrid]; (*člověk*) half-caste
mít have*, possess
♦ ~ **za následek** result in; ~ **raději** prefer; **už toho mám dost** I am sick of it; **měl bys jít** you ought to go; **co máte proti mně?** what have you got against me?; **mám teď být doma** I am supposed to be at home now; **co máte za lubem?** what are you up to?
mít se: ~ **dobře** enjoy oneself, have* a good time; (*materiálně*)

be* well off; **jak se máte?** how are you?
mixér blender
míza sap
mizerný miserable, wretched
mizet disappear, vanish
mlácení threshing
mládě young; (*šelmy*) cub
mládenec young man, lad, youth
mlád|ež, -í youth, young people, younger generation
mládežnický youth
mladík young man, youth, teenager
mladistvý *adj* youthful • *n* juvenile
mládnout grow* / get* young(er)
mladší younger; junior
mladý young
mlaskat click one's tongue; smack one's lips
mlátička threshing machine, thresher
mlátit **1** beat* **2** (*obilí*) thresh
mlčenlivý (*nemluvný*) taciturn; (*diskrétní*) discreet
mlčet be* silent, say* nothing
mlčky silently, without a word
mléčn|ý **1** milk; ~ **bar** milk bar **2** dairy; **-é výrobky** dairy products **3** milky; **M-á dráha** Milky Way
mlékárna dairy
mlékař (*obchodník*) dairyman; (*při rozvozu*) milkman
mléko milk
mletí grinding, milling
mlha fog; (*lehká*) mist
mlhavý misty, foggy
mlít **1** grind*, mill **2** (*odříkávat*) rattle away
mlok salamander, newt
mlsat nibble; **rád** ~ have* a sweet tooth
mlsný fastidious
mluvčí **1** (*zástupce*) spokesman; **tiskový** ~ PRO, public relations officer **2** (*mluvící*) speaker
mluvit speak*, talk; ~ **anglicky** speak English; **chci s tebou** ~ I want to speak / talk to you; ~ **nahlas** speak out / up; ~ **o politice** talk politics; ~ **o zaměstnání** talk shop ♦ **moc toho nenamluví** he isn't much of a talker
mluvnice grammar
mluvnický grammatical
mlýn mill; **větrný** ~ windmill
mlynář miller
mlýnek na kávu coffee grinder
mnich monk
Mnichov Munich
mník burbot [bə:bət]
mnohem much, far, a lot
mnoho **1** much, (*hovor.*) a lot of, lots of (**času** time) **2** many, (*hovor.*) a lot of, lots of (**stromů** trees) **3** a great / a good deal of, plenty of (**času** time)
mnohokrát many times ♦ **děkuji** ~ thank you very much
mnohomluvný talkative
mnohonásobný manifold, multiple
mnohostranný many-sided; (*činnost*) versatile
mnohotvárný multiform
mnohoznačný having many different meanings, ambiguous, meaningful
mnohý: ~ **člověk** many a man
mňoukat miaow
mnout rub; ~ **si ruce** rub one's hands
množina (*mat.*) set

množit se increase in number; multiply
množství **1** quantity **2** (*spousta*) plenty
mobilizace mobilization
mobilizovat mobilize
moc[1] **1** power **2** (*pravomoc*) authority **3** (*násilí*) force ♦ **plná ~** power of attorney; **dostat se k ~i** come* to power; **z úřední ~i** by authority; **vyšší ~** act of God
moc[2] very, much; **~ dobře** very well; only too well; **~ zpívat neumí** she isn't much of a singer
moci be* able to + *inf*, be* in a position to + *inf*; **mohu** I can; **nemohu** I cannot; **mohu si to nechat?** may I keep it?; **mohl bych** I could, I might
mocnina power; **druhá ~** square; **třetí ~** cube
mocnost power
mocný powerful
moč urine
močál marsh, bog
močit urinate, make* / pass water
močový urinary [juərinəri]
mód|a fashion, style; **být v -ě** be* in fashion / in vogue
model **1** model **2** (*vzor*) pattern, design
modelář modeller
modelka model
modelovat model
moder|átor, *též v* **-ovat** emcee [em'si:]
moderní modern, fashionable, up-to-date
modernizovat modernize
modistka milliner
modlit se pray
modla idol
modlitba prayer
módní fashionable, smart, stylish; **~ přehlídka** fashion show
modrat se be* blue
modrý blue
modřín larch
modřina bruise; **být samá ~** be* black and blue
mohutný powerful, mighty; (*objemný*) bulky
mochna husí silverweed
mochyně winter cherry
moknout get* wet
mokr|o, *též adj* **-ý** wet
mol moth
molekula molecule
molekulární molecular
moll: a moll A minor
molo pier
momentka snapshot
monarchie monarchy
monarchistický monarchist
monitor (*počítače*) monitor
monografie monograph
monokiny topless bikini
monopol monopoly
monoskop (*televizní*) test card
montáž assembly; fitting, mounting, montage [mon'ta:ž]
montážní: ~ hala assembly hall; **~ linka** assembly line
montér fitter
montérky overall, boilersuit
montovat fit, assemble, mount
monumentální **1** (*mistrovský*) superb **2** (*mohutný*) monumental
moped moped
morálk|a **1** (*mravnost*) morality **2** (*mravy*) morals *pl*; **člověk bez -y** a man without morals **3** (*mravní naučení*) moral **4** (*duch*) morale
morální moral
Morava Moravia

moravský Moravian
morče guinea pig
morfium morphia [mo:fjə], morphine [mo:fi:n]
morseovka Morse code
moruše mulberry
moř|e sea; **na -i** at sea; **plout po -i** sail on the sea; **u ~** at the seaside; **v -i** in the sea; **za ~(m)** overseas
mořsk|ý sea; **-é lázně** sea resort; **-á nemoc** seasickness; **mít -ou nemoc** be seasick; **-á ryba** salt-water fish; **-é pobřeží** coast, seaside, seashore
mosaz brass
moskevský, *též n* **Moskva** Moscow
most bridge
mošt must; sweet cider
motat wind* up / in, reel in
motiv motive; incentive
motocykl motorcycle
motocyklist|a, -ka motorcyclist
motocyklový motorcycle
motor motor
motorismus motoring
motorka motorcycle
motorový motor
motyka hoe
motýl butterfly
motýlek 1 bow tie **2** (*sport.*) butterfly
moučník sweet
moudrost wisdom
moudrý wise; **nebyl jsem z toho ~** I couldn't make head or tail of it
moucha fly
mouka flour
movitost personal estate; **~i** effects *pl*
mozaika mosaic
mozeček (*jídlo*) brains *pl*
moz|ek, *též adj* **-kový** brain
mozol horny skin, callus
možná perhaps, maybe; **~, že máš pravdu** you may be right
možno: je ~ it is possible
možnost 1 possibility, chance; opportunity; **dát ~ komu** enable sb. **2 ~i** *pl* facilities *pl*
možný possible
mračit se 1 (*obloha*) be* cloudy, be* overcast **2** (*v obličeji*) frown
mrak cloud
mrakodrap skyscraper
mramor, *též adj* **~ový** marble
mrav custom, practice
mravenec ant
mraveniště ant hill
mravní moral
mravnost morals *pl*; morality; (*mravopočestnost*) decency
mravný moral
mravy 1 morals *pl* **2** (*zvyky*) customs *pl*
mráz frost
mrazírna cooling plant
mraznička freezer
mražený frozen; deep-frozen
mrholit drizzle
mrkat blink; wink (**na** at)
mrkev carrot
mrknout *viz* **mrkat**; **ani ne~** not bat an eyelid
mrož walrus
mršina carrion
mrštný nimble, brisk
mrtvice apoplexy
mrtvola corpse, (dead) body
mrtv|ý dead; **být na -ém bodě** be* at a deadlock
mrva manure, dung
mrzák cripple
mrz|et: -í mě, že I am very / awfully sorry (that)
mrzn|out freeze*; **-e** it is freezing

mrzutost annoyance
mrzutý **1** (*věc*) annoying **2** (*rozmrzelý*) peevish
mřenka loach [ləuč]
mříž lattice; bars *pl*; **být za ~emi** be* behind bars
msta vengeance, revenge
mstitel avenger
mstít se revenge oneself (**komu zač** on sb. for sth.)
mstivý revengeful
mše mass
mučedn|ík, -ice martyr
mučit **1** (*též při výslechu*) torture **2** torment
MUDr. M.D. (Doctor of Medicine)
mucholapka flypaper
muchomůrka fly agaric, toadstool
můj **1** my (**kabát** coat) **2** mine; **ten kabát je ~** the coat is mine
mul gauze
munice ammunition
můra moth; **noční ~** nightmare
mus|et have* (got) to + *inf*, be* obliged to + *inf*; **musím** I must; **nemusím** I need not; **musil jsem** I had to; **nemusil jsem** I didn't have to ♦ **to se -í oslavit** this calls for a celebration
můstek (*na loď*) gangway; (*kapitánský*) bridge; (*lyžařský*) ski jump; (*zubní*) bridge(work)
mušle shell
muškát **1** nutmeg **2** (*víno*) muscatel **3** (*pelargónie*) geranium
muškátový: ~ oříšek nutmeg; **~ květ** mace
muzeum museum
muzikál musical
muž man; male; **jako jeden ~** to a man; **~ činu** a man of action
mužný virile, manly
mužský male, masculine
mužstvo (*posádka*) crew; (*družstvo*) team
my we; ourselves; **u nás** *1.* (*v ČR*) in this country *2.* (*doma*) at our place
mycí washing
myčka na nádobí dishwasher
mydlice soapwort
mydlit, *též n* **mýdlo** soap
mýdlov|ý soap; **-á pěna** lather
mýlit se be* mistaken, be* wrong
mýlka mistake
mylný wrong
mys cape
mysl mind; **být dobré ~i** be* of good cheer; **mít na ~i** have* in mind; **pustit co z ~i** dismiss sth. from one's mind, forget* sth.
mysl|et think* (**na** of / about); (*předpokládat*) suppose ♦ **nevím, co si o tom ~** I don't know what to make of it; **-ím to dobře** I mean well; **-ím to vážně** I mean it; **to jsem si -el** I thought as much; **proč -íte?** what makes you think so?
myslivec huntsman
myslivna gamekeeper's lodge
myš mouse
myšlení thinking, thought
myšlenka thought
mýt wash; **~ nádobí** wash up; **~ si ruce** wash one's hands; **~ si hlavu** wash one's hair, shampoo one's hair
mýt se wash, have* a wash
mýto toll
mzda wage(s) (*pl*); **hrubá hodinová ~** gross hourly wages; **postačitelná ~** living wage
mzdový wage (**spor** dispute)
mžít drizzle
mžourat blink

N

na **1** on; **~ stole / ~ stůl** on the table; **~ stěně / ~ stěnu** on the wall; **~ dovolené / ~ dovolenou** on holiday; **~ Nový rok** on New Year's Day **2** to; **jít ~ koncert / nádraží / schůzi** go* to a concert / the station / a meeting; **jet na hory / Slovensko** go* to the mountains / Slovakia **3** at; **být ~ nádraží / rohu / schůzi** be* at the station / the corner / a meeting; **~ první pohled** at first sight; **~ Vánoce** at Christmas **4** in; **být ~ horách / náměstí / Slovensku** be* in the mountains / the square / Slovakia; **ležet ~ slunci** lie* in the sun; **~ ulici** in the street; **~ jaře / podzim** in (the) spring / autumn **5** for; **jít ~ procházku** go* for a walk; **~ okamžik** for a moment; **~ tři měsíce** for three months ♦ **být ~ mizině** be* down and out; **~ tom není nic divného** there's nothing strange about it; **spravit co ~ počkání** repair sth. while you wait; **~ shledanou** goodbye, see* you later; **je ~ vás, abyste** it's up to you to
nabádat urge, incite, instigate, encourage
nabarvit **1** (*natřít barvou*) paint **2** (*obarvit*) dye
naběhlý swollen
nabídka **1** offer; **~ a poptávka** supply and demand **2** (*sňatku*) proposal
nabídnout **1** offer **2** (*sňatek*) propose
nabíjet *viz* **nabít 1, 2**
nabírat *viz* **nabrat**
nabít **1** load (**pušku** a gun, **aparát** a camera) **2** charge (**akumulátor** a battery) **3** (*zbít*) beat*, thrash (**komu** sb.)
nabízet offer
nabodnout stick* on, stab
náboj **1** (*patrona*) cartridge **2** (*elektr.*) charge
nábor recruitment; (*reklama*) advertising campaign
naboso barefoot
náboženský religious
náboženství religion
nábožný devout, pious
nabrat **1** take* in **2** gather (**sukni v pase** a skirt at the waist)
nabrousit sharpen
nábřeží quay; (*řeky ve městě*) embankment
nabýt acquire, gain
nábytek furniture
nabývat *viz* **nabýt**
nacionalismus nationalism
nacionální national
nacismus Nazism
nacpaný crammed, filled
nacvič|it, -ovat study, drill
nácvik study, drill, training, practice
načas on time
načatý begun; (*téma*) broached; (*činnost*) initiated
náčelník chief; **~ stanice** station master
načerno: kupovat ~ buy* under the counter / on the black market; **cestovat ~** stow away
načerpat draw*

načež hereupon, whereupon, thereupon
načichnout catch* the smell (**čím** of sth.)
načínat start; (*téma*) broach; (*činnost*) initiate
náčiní implement(s *pl*); kit
načisto completely; **přepsat ~** make* a fair copy (**co** of sth.)
načít *viz* **načínat**
náčrt, ~ek sketch; (*obrys*) outline
načrtnout sketch; **~ si** jot down
nad 1 above; **~ obzorem / mraky / kolena / průměrem** above the horizon / the clouds / the knees / the average **2** over; **lampa ~ stolem** a lamp over the table; **usnout ~ prací** fall* asleep over one's work; **hovor ~ šálkem kávy** a chat over a cup of coffee
nadále from now on, in the future
nadání talent, gift
nadaný talented, gifted
nadarmo in vain
nadávka bad name, term of abuse, insult
nádavkem over and above, in addition, into the bargain
nadbytečný superfluous, redundant
nadbyt|ek abundance; **žít v -ku** live in affluence
naděje hope (**na** of, **že** of -ing)
nadějný hopeful, encouraging; promising
nádeník navvy
nadepsat inscribe
nádhera splendour
nádherný wonderful, splendid, gorgeous, (*hovor.*) fabulous
nadhodnota surplus value
nadchnout inspire
nadiktovat dictate
nadílka distribution of presents
nádivka stuffing; (*masová*) forcemeat
nadjezd overhead crossing, flyover
nadlidský superhuman
nadlouho for a long time
nadměrn|ý excessive; **-á velikost** outsize
nadmořský above sea level
nádoba vessel; **~ na odpadky** rubbish bin
nádobí (*jídelní*) dishes *pl*, tableware; (*kuchyňské*) crockery; **~ pro snídani** breakfast things *pl*
nadobro for good
nádor tumour
nadpis inscription
nadpoloviční většina absolute majority
nadporučík first lieutenant
nadprůměrný above the average
nadpřirozený supernatural
ňadra bossom, breasts *pl*
nádraží (railway) station; **nákladové ~** goods station; **seřaďovací ~** shunting station
nádrž basin; (*cisterna*) tank
nadsázka exaggeration
nadstavba superstructure
nadšení enthusiasm
nadšený enthusiastic; dedicated, devoted (**kánoista** canoeist, **sportovec** sportsman)
nadváha overweight
nadvláda rule; domination
nádvoří court(yard)
nadvýroba overproduction
nadzvukový supersonic
nafoukaný conceited, haughty
nafouknout (se) inflate
nafta oil; (*motorová*) diesel
nafukovat (se) inflate

nahlas (a)loud, loudly; **mluvit ~** speak* up / out
náhle suddenly, all of a sudden
nahluchlý hard of hearing
náhlý sudden, abrupt
nahmatat feel*
nahnout (se) tilt, tip
náhoda **1** chance; **šťastná ~** a stroke of (good) luck; **nešťastná ~** accident, misadventure **2** (*shoda okolností*) coincidence ♦ **co kdyby náhodou** on the off chance
náhodný accidental; hit-or-miss; **~ vzorek** random sample
náhodou by chance, as it happens; **~ jsem ho potkal** I happened to meet him; **nešťastnou ~** as ill luck would have it, by misfortune
náhon (*motor.*) drive
naho|ru up; upwards; (*po schodech*) upstairs; **~ a dolů** up and down; **-ře** up there; (*v patře*) upstairs
náhrada compensation, amendments *pl*; **~ škody** damages *pl*, indemnity
nahradit **1** (*odškodnit*) compensate (**komu co** sb. for sth.); reimburse (**výlohy** expenses); make* up (**co** for sth.); **~ ztracený čas** make up for lost time **2** (*vyměnit*) replace (**koho kým** sb. by sb.); (*zaujmout čí místo*) take* the place of sb.
náhradní spare; **~ díl** spare (part)
náhradník substitute; (*sport.*) stand-in
nahrá|t, -vat record
nahrávka recording
nahrazovat *viz* **nahradit**
náhražka substitute
náhrdelník necklace
náhrobek tomb
nahromadit heap, pile (up), accumulate; **~ se** heap / pile up, accumulate
náhubek muzzle
nahustit: ~ pneumatiku pump up / inflate a tyre
nahý naked
nahýbat se: ~ z okna lean* out of the window
nacházet find*; **~ se** occur, find* oneself
nachladit se catch* (a) cold
nachlazení cold
nachlazený: být ~ have* a cold
náchylný (*k nemocem atd.*) liable to, susceptible to; (*k omylům*) prone to
naivní naive, artless
najednou **1** suddenly, all of a sudden **2** (*současně*) at the same time
nájem hire; (*podle smlouvy*) lease
nájemce hirer, renter
nájemné rent
nájemník tenant
najet run* (**nač** against sth.)
najevo: dát ~ show*; **vyjít ~** come* to light
najímat hire
najíst se have* sth. to eat, have* a meal
najít find*
najmout hire
nákaza infection
nakazit infect; **~ se** contract (**nemocí** a disease)
nakažlivý infectious
náklad **1** (*břemeno*) load, freight; (*lodní*) cargo **2** (*výdaje*) expense, cost **3** (*počet výtisků*) circulation (**novin** of a newspaper); impression (**knihy** of a book)

nakládat load
nakladatel publisher
nakladatelství publishing house
nákladní: ~ **auto** lorry; ~ **list** bill of freight, (*konosament*) bill of lading; ~ **vlak** goods train
nákladný expensive, costly
nakl|ánět (se), -onit (se) **1** lean*; ~ **se z okna** lean out of the window **2** slant, slope; **písmo se -ání** the handwriting slants / slopes (**vlevo** to left)
naklíčit germinate
nakloněn|ý inclined; **být nakloněn čemu** be* inclined to; **-á rovina** inclined plane
náklonnost inclination, affection
nakonec in the end, finally, eventually
nakoupit buy*
nakrájet cut*; ~ **cibuli** chop up an onion; ~ **salám** slice a sausage
nakrátko for a short time
nákres drawing, design
nakreslit draw*
nakrmit feed*
nakropit (*prádlo*) sprinkle (with water)
nákup purchase; **jít na** ~ go* shopping
nakupit heap, pile
nákupčí buyer, buying agent
nákupní buying, purchasing
nákyp pudding, soufflé [su:flei]
nálad|a mood, temper; **být v dobré / špatné -ě** be* in a good / bad temper; **nemít -u na** be in no mood for; **mít smutnou -u** have* the blues
naladit tune
náladový moody, capricious
náledí: je ~ the streets are slippery (with ice)
naléhat insist
naléhavý pressing, urgent
nalepit stick* (on); ~ **známku** stick on a stamp; ~ **fotografii** mount a photo
nalepovat stick* (on)
nálepka label
nálet air raid
nalevo (to the) left, on the left
nález find; (*objev*) discovery
nálezce finder
naleziště (*rudy*) deposit; ~ **nafty** oil field
nalézt find*; (*objevit*) discover; **není nikde k nalezení** he is nowhere to be found
náležet belong
náležitý appropriate; (*řádný*) proper
nalíčit (se) make* up
nalít pour (out); ~ **si šálek čaje** pour oneself (out) a cup of tea
nalodit se embark
nálož (explosive) charge
naložen|ý: -é okurky pickled cucumbers *pl*; **-é ovoce** preserved fruit; **dobře** ~ good-humoured; **špatně** ~ out of sorts
naložit **1** load (**zboží na vůz** goods on a cart, **vůz zbožím** a cart with goods) **2** (*konzervovat*) preserve; (*do octa*) pickle **3** (*s kým*) treat sb. (**špatně** badly, **jako s dítětem** as a child)
namáčet soak
námaha effort, pains *pl*; ~ **spojená se studiem** the strain of studying
namáhat strain (**oči** one's eyes); ~ **se** exert oneself, take* pains
namáhavý troublesome, difficult
namalovat paint; ~ **se** make* up
namátkou at random

namazat 1 (*stroj*) grease, lubricate, oil **2** spread; ~ **chléb máslem** spread* (a slice of) bread with butter, spread butter on (a slice of) bread
námel ergot [ə:gət]
náměsíčník sleepwalker, somnabulist
náměstek deputy, (*hovor.*) stand--in; ~ **ředitele** deputy manager
náměstí square, place; (*kruhové*) circus
námět 1 subject **2** (*návrh*) suggestion
námezdní práce wage labour
namíř|it aim (**na** at); **kam máte -eno?** where are you off to?
namítat object (**proti** to)
námitka objection
namítnout object (**proti** to)
namluv|it 1 (*přesvědčit*) persuade (**komu co** sb. of sth.) **2 ten toho -í** he talks nineteen to the dozen
namluvit si pick up (**děvče** a girl)
namočit soak; ~ **ruku do vody** dip one's hand into the water
námořnick|ý sailor('s); **-á blůza** sailor blouse
námořník sailor
namožený kotník sprained ankle
namydlit soap; ~ **se** soap oneself down
nanejvýš at most
naneštěstí unfortunately
nános deposit
naobědvat se have* one's lunch
naolejovat oil
naopak on the contrary; **a** ~ and the other way round
nápad idea
napad|at 1 (*útočit*) attack **2 teď mě -á, že budeme musit** come* to think of it, we shall have to; **co tě -á!** that's out of the question! **3** (*na nohu*) walk with a limp
napadnout 1 (*zaútočit*) attack **2 to mě nenapadlo** I didn't think of it, it didn't occur to me; **napadlo mě** it flashed upon me
nápadný striking, conspicuous, loud
napajedlo watering place
napařovací žehlička steam iron
napětí tension; (*vypětí*) strain
napínáček drawing pin, thumbtack
napínat 1 stretch **2** (*vzrušovat*) thrill ♦ ~ **uši** prick up one's ears
napínavý thrilling
nápis 1 inscription **2** (*firma*) sign
napít se have* a drink
napjatý 1 tense **2** (*natažený*) tight
naplánovat plan
náplast sticking plaster, adhesive tape
náplň (*kuličkové tužky*) refill; (*pera*) cartridge; (*zapalovače*) fuel
naplnit fill
naplno: jít / hrát ~ go* (at) full blast
naplňovat fill
napnout 1 (*natáhnout*) stretch; (*utáhnout*) tighten **2** (*vzrušit*) thrill
napodobenina imitation
napodobit imitate
nápodobně (the) same to you
napodobovat imitate
nápoj drink
napojit 1 give* to drink **2** (*spojit*) join, attach
napolovic half
napom|enout, -ínat warn, admonish
napomenutí warning
nápor storm, attack

naposled finally, last(ly), for the last time
napouštět *viz* **napustit**
nápověda prompter
napovídat prompt
náprava **1** remedy **2** (*vozu*) axle
napravit put* right, remedy (**chybu** a mistake); undo* (**škodu** harm); reform (**hříšníka** a sinner)
♦ **~ křivdu** make* amends
nápravný corrective; **~ tělocvik** rehabilitation exercises *pl*
napravo (*kam*) (to the) right; (*kde*) on the right
napravovat *viz* **napravit**
naprázdno: běžet ~ idle
naprosto entirely, absolutely, altogether, utterly
naprostý absolute
naproti *prep* opposite (**nádraží** the station); **~ tomu** on the other hand
• *adv:* **jít ~ komu** (go to) meet sb.
náprsní taška wallet, pocketbook
náprstek thimble
náprstník foxglove
napřed **1** (*vpředu*) in front, ahead **2** (*nejdříve*) first of all
napříč across
například for example, for instance; **já ~ ...** I, for one, ...
napsat write* (down), put* down
napudrovat powder; **~ se** powder one's face
napůl half; **dělit se ~** go* halves (**s kým o** with sb. in)
napumpovat pump up, inflate
napustit: ~ vanu run* a bath
náramek bracelet
náramenik epaulet [epə'let]
náramkové hodinky wristwatch
naráz at a blow, at one go
náraz blow; (*vzduchové vlny*) blast
narazit hit (**na zeď** a wall); bump (**hlavou oč** one's head against sth.); **~ na odpor** meet* with opposition
nárazník bumper, buffer
naráž|et drive* (**na** at); **nač -íte?** what are you driving at?
narážka allusion; (*pro herce*) cue
narcis narcissus
narkóza narcosis [na:'kəusis], anaesthesia
náročný exacting
národ nation, people
narodit se be* born
národní national; **~ důchod** national income; **~ hospodářství** national economy, (*věda*) economics
národnost nationality
národnostní national
národohospodářský economic
národopis ethnography
národopisný ethnographic
nárok claim (**na** to); **činit si ~y** lay* claims (**na** to)
narovnat (se) straighten
narození birth
narozeniny birthday
narozený born
nárt instep
naruby wrong side out, inside out
náruč, ~í 1 arms *pl*; **s otevřenou ~í** with open arms; **vzít do ~í** take* into one's arms, embrace **2** (*čeho*) armful
narukovat join the army, join up
narůst, ~at grow*, increase
narušovat disturb, disrupt; (*vzdušný prostor*) violate
náruživý passionate, ardent, enthusiastic
narýsovat draw*, outline
nářadí tools *pl*, kit

nářečí dialect
nářek lament; wails *pl* (**dítěte** of a child)
nářez 1 (*bití*) thrashing, hiding 2 (*uzeniny*) sliced salami
nařezat 1 (*zbít*) thrash 2 (*krájet*) cut*, slice
nařídit 1 (*poručit*) order 2 ~ **hodiny** put* the clock right; ~ **budík na sedm hodin** set* the alarm (on) for seven
naříkat 1 complain (**na** of) 2 (*bědovat*) lament
nařízení order; ruling
nařizovat *viz* **nařídit**
nasadit set*, put*; ~ **si** put on (**klobouk** one's hat)
nasazovat (si) *viz* **nasadit (si)**
nasbírat collect
nased|at, -nout get* (**do autobusu** on bus, **do vlaku** into a train)
násep bank
naschvál on purpose, deliberately
násilí violence; (*porušení práv*) outrage
násilný violent
nask|akovat, -očit jump (**do** into)
náskok start; advantage
naskytnout se present oneself; arise*
následek consequence; **mít za ~** result in, entail
následkem: ~ **čeho** owing to, due to, in consequence of; ~ **toho** consequently
následky aftereffects *pl*
následník successor
následovat follow; succeed (**po kom** sb.)
následování follow-up
následující following
nasnídat se have* breakfast
násobení multiplication
násobilka multiplication table
násobit multiply
nast|at, -ávat start, set* in; **-ává noc** night is falling
nastavit 1 (*nohu komu*) trip up sb. 2 (*prodloužit*) extend
nastavovat (*čeho je málo*) eke out; ~ **noci** burn* the midnight oil
nastěhovat se move in
nástěnka notice board; bulletin board
nástěnn|ý wall; **-á malba** mural
nástin outline
nastoupit 1 (*do řady*) form up 2 (*po kom*) succeed sb. 3 (*do vlaku*) get* (on train) 4 (*službu*) enter upon one's duties
nástraha snare, trap
nástroj implement; (*jemný, hud., med.*) instrument; (*rukodělný*) tool
nástrojař toolmaker
nástup 1 (*do práce*) entrance (upon one's duties) 2 (*voj., sport.*) lining up
nástupce successor
nástupiště platform
nastupovat *viz* **nastoupit**
nastydlý having a cold
nastydnout catch* (a) cold
nasvačit se have* one's afternoon tea; (*dopoledne*) have* a midmorning snack
nasvědč|ovat be* in favour (**čemu** of sth.); **všechno -uje tomu, že** the indications are that, everything points to the fact that
nasypat pour, sprinkle
nasytit feed*; (*tekutinou a přen.*) saturate; ~ **se** eat* one's fill
náš our; ours
našinec one of us
naštěstí fortunately, luckily

nať tops *pl*; leaves *pl*
natáhnout, natahovat
1 (*prodloužit*) stretch, extend
2 hold* out (**ruku** one's hand)
3 wind* up (**hodiny** a clock)
nátěr (coat of) paint
natěrač painter
natírat paint, coat
nátlak pressure
natočit 1 turn on (**vodu** water); ~ **vodu do vany** run* the bath
2 shoot* (**film** a film)
natolik to such an extent (**že** that)
natrhat pick, pluck (**květiny** flowers, **ovoce** fruit)
nátrubek mouthpiece
natřít paint, coat
naturáli|e: v -ích in kind
naturalistický naturalistic
natvrdo vařené vejce hard-boiled egg
naučit teach*; ~ **se** learn*
naučný instructive; ~ **slovník** encyclopaedia
nauka doctrine
náušnice earring
nával (*lidí*) rush; **vánoční** ~ the Christmas rush; ~ **krve do hlavy** hot flush; ~ **vzteku** surge of anger
navázat styky open up / enter into relations (**s** with)
náves village green
návěští signal; (*avízo*) advice
navézt (*na hromadu*) heap up, pile
navíc (*ještě*) into the bargain
naviják reel; **sežrat i s ~em** (*hovor.*) swallow hook, line and sinker
navíjet, navinout wind* up, reel in
navlé|ci, -kat (si) put* on, slip on
navlhč|it, -ovat wet
návnada bait, lure
návod k použití directions *pl* for use
navonět perfume, scent; ~ **se** apply scent to oneself
návrat return
návrh proposal; (*nadhození*) suggestion; (*konstrukční*) design; (*na schůzi*) motion
návrhář designer
navrh|nout, -ovat propose; (*doporučit*) suggest; (*výrobek*) design; (*na schůzi*) move
návrší hill, elevation, rise
návštěva 1 visit (**Prahy** to Prague); call (**u koho** on sb.)
2 (*docházka*) attendance (**školy** at school)
návštěvní hodiny visiting hours *pl*
návštěvn|ice, -ík visitor, caller
navštěvovat 1 visit, frequent
2 attend (**školu** school)
navštívenka visiting card, calling card
navštívit call (**koho** on sb.); (*též město*) visit; (*formálně*) pay* a call / visit; (*krátce*) drop in
návyk habit, custom
navyk|at, -nout accustom; ~ **si** get* used, get* accustomed (**na** to), get* into the habit of
navzájem one another, each other; mutually
navždy for ever
nazdar (*při setkání*) hallo; (*při rozchodu*) cheerio
název name, title
nazmar: přijít ~ go* to waste
naznač|it, -ovat indicate; (*nepřímo*) imply, insinuate; signify
náznak suggestion, implication, insinuation
názor opinion, view (**na** of); **mít**

~ view (**nač** sth.), take* a view (**na** of); **podle mého ~u** in my opinion
názorné pomůcky visual aids *pl*
nazpaměť by heart
nazvat name, call
nazývat call; **~ se** be* called
naživu alive
ne 1 not; **~ že bych ...** not that I ... 2 (*nikoli*) no
nealkoholický non-alcoholic
neamerický un-American
nebe heaven; (*obloha*) sky; **pod širým ~m** in the open air
nebeský heavenly
nebezpečí danger; **v ~** in danger; **na vlastní ~** at one's own peril / risk
nebezpečný dangerous
nebo or; (*sice*) or else, otherwise; **buď – nebo** either – or
nebojácný fearless
neboli or
neboť for
nebozez auger [o:gə]
nebydlící homeless
nebývalý unprecedented
necelý incomplete; **za ~ch dvacet let** in less than twenty years
necesér vanity bag; travel set
necitelný unfeeling, callous
necitlivý insensitive; numb
něco 1 something; **mám ~ pro vás** I have something for you 2 anything; **máte ~ pro mne?** have you got anything for me? ♦ **~ jiného** something else; **o ~ lepší** somewhat better, a little better
nečekaný unexpected
nečestný dishonest
něčí somebody's
nečinnost inactivity; (*lenost*) idleness
nečinný idle
nečisto: napsat co na ~ make* a rough copy of
nečistota impurity
nečitelný illegible
nedaleko not far (**od** from); **bydlí ~** he does not live* far (away) from here
nedat se hold* one's own
nedávn|o not long ago, lately, recently; **až do -a** until recently
nedávný recent, late
nedbalost carelessness, negligence; **nehoda byla zaviněna ~í** the accident was due to negligence
nedbalý careless; (*nepořádný*) slovenly; (*povrchní*) slapdash
nedbat 1 (*zanedbávat*) neglect (**o děti** one's children, **studium** one's studies) 2 (*přehlížet*) disregard (**dopravních předpisů** the highway code)
neděl|e Sunday; **v -i** on Sunday; **každou -i** on Sundays
nedělní Sunday; **~ šaty** one's Sunday clothes, one's best *pl*
nedílný inseparable
nediskrétní indiscreet, tactless
nedobytný impregnable
nedočkavý impatient
nedokonalý imperfect
nedokonavý (*jaz.*) imperfective
nedokončený unfinished, incomplete
nedopalek stub
nedopatření oversight
nedorozumění misunderstanding
nedoslýchat be* hard of hearing
nedoslýchavý hard of hearing
nedostatečný insufficient

nedostatek **1** (*naprostý*) lack; absence; **pro ~ důkazů** in the absence of evidence; (*částečný*) shortage; **pro ~ pracovníků** owing to shortage of staff **2** (*vada*) defect, shortcoming
nedostavit se fail to turn up
nedostupný inaccessible; unapproachable; **-é ceny** prohibitive prices
nedotknutelný inviolable [in'vaiələbl]
nedovolený illicit
nedůsledný inconsistent
nedůstojný undignified
nedůtklivý touchy
nedůvěra mistrust, want of confidence
nedůvěřivý distrustful
nefrankovaný unstamped
negace negation
negativ, *též adj* **-ní** negative
negramotný illiterate
něha tenderness
nehet nail
nehezký plain, unattractive
nehledě na apart from, irrespective of
nehlučný noiseless
nehod|a accident; **mít dopravní -u** meet* with / have* a road accident
nehospodárný uneconomical, wasteful
nehybný immobile, motionless
nech|at, -ávat 1 let*, leave*; **~ koho být** leave / let sb. alone; **~ co na poslední chvíli** leave sth. till the last minute; **~ okno otevřené** leave the window open; **~ vzkaz** leave a message; **~ koho na holičkách** let sb. down, fail sb. **2** (*čeho*) give* up sth.; **~ kouření** give up smoking; **-te toho** come* off it, (*hovor.*) chuck it
nechat si keep*; **~ si co pro sebe** *(zamlčet)* hold* sth. back, keep sth. to oneself
nechráněný: **~ plamen** naked flame; **~ přejezd** level crossing
nechuť dislike (**k** of); aversion (**k** to)
nechutný unpalatable (**pokrm** food); nasty (**případ** case)
nechvalný infamous
nějak somehow, in one way or another ♦ **vy ~ nemáte strach** you don't seem to be afraid
nějak|ý some; a sort of, a kind of ♦ **máte ~ dobrý román?** what have you got in the way of a good novel?; **znáte -ého Smithe?** do you know a man named Smith?
nejasný **1** (*mlhavý*) hazy; (*rozmazaný*) dim **2** (*neurčitý*) vague; ambiguous
nejdříve first (of all), in the first place; **co ~** as soon as possible
nejednotný not united, not uniform
nejen, nejen že not only; **~ – ale také** not only – but also
nejistota uncertainty
nejistý **1** (*neurčitý*) uncertain (**věk** age) **2** (*nepevný*) insecure (**led** ice)
nejméně at least
nejprve first of all, in the first place
nejvýše at most
někam somewhere, anywhere; some place
nekázeň indiscipline
někde somewhere, anywhere; some place
někdo somebody, someone; anybody, anyone

někdy 1 (*občas*) sometimes **2** (*jednou*) sometime, one day, one of these days; **~ jindy** some other time
neklid 1 unrest; **politický ~** political unrest **2** (*nervozita*) restlessness, uneasiness
neklidný restless, uneasy
několik a few, some, several
několikanásobný multiple, manifold
několikrát several times
nekompromisní uncompromising
nekonečný endless
nekritický undiscriminating
některý some
někudy some way
nekuřák nonsmoker
nekvalifikovaný unqualified, unskilled, incompetent
nekvalitní inferior, substandard; (*hovor.*) bad quality
nelíčený unfeigned
nelidský inhuman
nelítostný merciless; (*bezohledný*) ruthless
nelogický illogical
nelze it is not possible
nemačkavý crease-resistant
nemajetný poor, needy
nemanželský illegitimate
němčina German
Němec German
Německo Germany
německý German
německy in German; **mluvit ~** speak* German
neměnný unchangeable
nemilosrdný merciless, ruthless
nemilý unpleasant
nemístn|ý out-of-place; **-á poznámka** untimely remark
nemluvně baby
nemluvný taciturn, inarticulate
nemoc illness; (*vážná choroba*) disease; **dostat mořskou ~** get* seasick
nemocenské sickness benefit; (*placené zaměstnavatelem*) sick pay
nemocenské pojištění health insurance
nemocnice hospital; **odvézt do ~** take* to hospital
nemocn|ý *adj* sick; ill; **~ člověk** a sick man; **jsem ~** I am ill • *n* patient; **pro staré a -é** for the aged and infirm
nemoderní old-fashioned, outdated
nemotorný clumsy, awkward, uncouth
nemovitost real estate
nemožnost impossibility
nemožný (*neproveditelný*) impossible; (*nerozumný*) absurd
nemravný immoral; (*neslušný*) indecent
němý dumb; (*neschopný slova*) speechless
nenadálý sudden, unexpected
nenahraditelný irreplaceable [iri'pleisəbl]
nenápadný inconspicuous
nenapodobitelný inimitable
nenapravitelný: ~ omyl irreparable mistake; **~ zločinec / pijan** habitual criminal / drunkard; **~ hlupák** hopeless idiot
nenáročný modest
nenasytný insatiable [in'seišəbl]
nenávidět hate
nenávist hatred
nenucený informal
neobdělaný incultivated
neoblomný unyielding

neobratný awkward, clumsy
neobvyklý unusual; (*mimořádný*) extraordinary
neobydlený uninhabited
neocenitelný priceless
neočekávaný unexpected
neodborník layman, amateur
neodborný lay, amateurish
neodbytný importunate
neoddělitelný inseparable
neodkladný urgent, pressing
neodpovědný irresponsible
neodpustitelný unpardonable
neodůvodněný baseless, unfounded
neodvolatelný irrevocable
neodvratný inevitable
neoficiální unofficial
neohebný inflexible, stiff
neohrabaný clumsy, awkward
neohrožený intrepid, dauntless
neochotný unwilling
neomalený blunt
neomezený unlimited; boundless
neomluvitelný unforgivable, unpardonable
neomylný infallible; impeccable [im'pekəbl], unerring (**vkus** taste)
neón, *též adj* **~ový** neon; **~ová reklama** neon sign
neopatrný careless
neopodstatněný unjustified
neoprávněný unauthorized
neosobní impersonal
nepatrný slight; tiny
neplatný invalid
neplavec nonswimmer
neplodný (*též přen.*) sterile, barren
nepoctivý dishonest; (*proti pravidlům*) unfair
nepočítajíc apart from, not counting / including
nepodařený unsuccessful
nepoddajný unyielding
nepohoda bad / foul weather; **člověk do nepohody** a man of all seasons
nepohodlný uncomfortable
nepochopení lack of understanding
nepochopitelný incomprehensible; (*tajemný*) mysterious, obscure
nepochybně doubtless, indubitably
nepolepšitelný incorrigible
nepolitičnost political disinterestedness
nepoměr disproportion
nepoměr|ný, *též adv* **-ně** out of (all) proportion
nepopiratelný undeniable
neporušený intact
nepořád|ek disorder, muddle, clutter; **nechat pokoj v -ku** leave* the room in a muddle
nepořádný disorderly
neposedný fidgety, restless
neposkvrněný immaculate
neposlušný disobedient
nepostradatelný indispensable
nepotřebný unnecessary
nepovinný voluntary
nepoznání: změnit k ~ change beyond recognition
nepozorný inattentive; (*nedbalý*) careless; (*bezohledný*) thoughtless, inconsiderate
nepozorovaně without being noticed, stealthily
nepoživatelný uneatable, unfit to eat
nepraktický impractical, unpractical
nepravděpodobný improbable, unlikely
nepravdivý untrue, false
neprávem wrongfully, unjustly

nepravidelný irregular
neprav|ý wrong; (*imitace*) imitation, sham, mock; **-á želví polévka** mock turtle soup
neprodejný unsaleable
neproduktivní unproductive
neprodyšný airtight
nepromokavý waterproof; **~ plášť** mac(kintosh)
nepropustný watertight
neprospěch: v ~ to the detriment (**koho** of sb.)
neproveditelný impracticable
neprozřetelný unwise
neprůhledný opaque
neprůchodný (*slang.*) unacceptable
nepřátelský 1 (*zlovolný*) unfriendly **2** (*válečný*) hostile
nepřátelství enmity, hostility; (*nepřátelské akce*) hostilities *pl*
nepředstavitelný inconceivable
nepředvídaný unforeseen
nepřehledn|ý confused, badly arranged; **-á zatáčka** blind bend
nepřechodný (*jaz.*) intransitive
nepřekonatelný insuperable
nepřemožitelný invincible
nepřesný inaccurate, inexact
nepřesvědčivý inconclusive
nepřetržit|ý continuous; **-é předvádění** (*filmu*) continuous performance
nepříčetný insane
nepřijatelný unacceptable
nepříjemnost inconvenience, nuisance
nepříjemn|ý unpleasant, disagreeable; **to je -é!** what a nuisance!
nepřiměřený inadequate
nepřímý indirect; **~ důkaz** circumstantial evidence
nepřípustný inadmissible
nepřirozený unnatural
nepřístupn|ý inaccessible; (*o člověku*) unapproachable; **-é ceny** prohibitive prices
nepřítel enemy
nepřítomnost absence (**ve škole** from school)
nepřítomný absent (**ve škole** from school)
nepříznivý unfavourable
nepřízvučný unstressed, unaccented
nerad: ~ jezdím vlakem I don't like / I hate going by train; **~ vidím, když** I resent it when; **já polévku ~** I don't care for soup
nerez stainless steel
nerost, *též adj* **~ný** mineral
nerovnoměrný uneven, disproportionate
nerozbitný unbreakable, break-resistant
nerozhodně: **hrát ~** draw*; **skončit ~** end in a draw
nerozhodný indecisive; **~ výsledek zápasu** draw
nerozlučný inserable
nerozumný unreasonable, unwise, silly, foolish
nerozvážný thoughtless, ill-advised
nerušený undisturbed
nerv nerve; **jít komu na ~y** get* on sb.'s nerves
nervový nervous
nervózní nervous (**kvůli** about); restless
nesčetný innumerable
neselhávající unfailing, infallible; fool-proof
neshoda disagreement
neschopnost inability; impotence
neschopný incapable; (*činu*) inef-

fective; (*nekvalifikovaný*) incompetent; (*po úrazu*) disabled; **~ platit** bankrupt; **~ slova** speechless
neschůdný, nesjízdný impassable
neskutečný unreal
neslaný unsalted; **~ nemastný** dull, insipid
neslušný impolite, badly behaved; (*oplzlý*) indecent
neslýchaný unheard-of
nesmělý shy, self-conscious
nesmírný immense
nesmiřitelný irreconcilable
nesmrtelný immortal
nesmysl nonsense
nesmyslný absurd, meaningless
nesnadný difficult, hard
nesnášenlivost intolerance
nesnášenlivý intolerant
nesnáz **1** difficulty; **~ porozumět čemu** difficulty in understanding sth.; **bez velkých ~í** without much difficulty; **finanční ~e** financial difficulties *pl* **2** trouble; **~ je v tom, že** the trouble is that; **rodinné ~e** family troubles *pl*
nesnesitelný unbearable, beyond endurance
nesouhlas (*neshoda*) disagreement; disapproval
nesouměrný assymetrical
nesourodý heterogeneous [hetərəu'dži:njəs]
nesouvislý incoherent
nespavost sleeplessness
nesplniteln|ý impracticable; **-é přání** a wish which cannot come true
nespokojenost dissatisfaction
nespokojený dissatisfied, discontented
nespolehlivý unreliable
nesporný positive, indisputable [indis'pju:təbl]
nespravedlivý unjust, unfair
nesprávný wrong, incorrect
nesrozumitelný incomprehensible
nést **1** carry (**bednu na rameni** a box on one's shoulder, **dítě v náručí** a child in one's arms, **váhu střechy** the weight of the roof, **úrok** interest); **jak daleko nese ta puška?** how far does the gun carry? **2 ~ vejce** lay* eggs **3** bear* (**stopy po ranách** the marks of blows, **odpovědnost** the responsibility, **náklady** the expenses, **ovoce** fruit)
nést se **1** (*vznášet se*) fly* **2** carry oneself (**jako voják** like a soldier) **3** (*vykračovat si*) strut, sweep*
nestálý unstable, unsteady; (*proměnlivý*) changeable, fickle
nestejný unequal
nestraník non-party man
nestranný impartial, unbias(s)ed
nestravitelný indigestible [indi'džestəbl]
nestřídmý intemperate
nestvůra monster
nestydatý impudent, shameless
nesvědomitý irresponsible
nesvůj: být ~ be* / feel* ill at ease; be out of sorts, be not oneself
nešetrný **1** (*marnotratný*) uneconomical **2** (*bezohledný*) inconsiderate
nešikovný awkward, clumsy; incompetent
neškodný harmless
nešťastný **1** unhappy **2** (*smolař*) unlucky
neštěstí **1** (*nešťastný život*) unhappiness, misfortune **2** (*smůla*)

bad luck **3** (*katastrofa*) disaster; accident; **dopravní ~** (street / road) accident
neštovice smallpox
nešvar abuse
netaktní tactless, inconsiderate
netečný impassive
neteř niece
netopýr bat
netrpělivý impatient
netto net, clear
netvor monster
neúcta disrespect
neúčast absence (**na** from)
neúčelný useless
neúčinný ineffective
neudržitelný untenable [an'tenəbl]
neukázněný undisciplined, difficult
neúměrný disproportionate [disprə'po:šnit]
neúmyslný unintentional
neúnavný untiring
neúplný incomplete
neupraven|ý untidy; **vypadat ~** not look very tidy, (*hovor.*) look a mess
neupřímný insincere
neurčitý indefinite; (*nejasný*) vague ♦ (*jaz.*) **~ člen** indefinite article; **~ způsob** infinitive
neúroda crop failure
neúrodný barren, infertile
neuskutečnitelný unrealizable
neúspěch failure
neúspěšný unsuccessful
neuspokojivý unsatisfactory
neustálý steady, constant
neútočení nonaggression; **smlouva o ~** nonaggression pact
neutralita neutrality
neutrální neutral; nonaligned (**země** country)
neútulný dreary, dismal
neuvědomělý **1** (*bezděčný*) instinctive **2** (*neosvícený*) unenlightened
neuvěřitelný incredible, unbelievable
neužitečný useless
nevázaný **1** (*kniha*) unbound **2** (*smích*) unrestrained; (*radost*) exuberant
nevděčný ungrateful
nevděk ungratefulness, ingratitude
nevědomky unawares
nevěrný unfaithful
nevěřící Tomáš doubting Thomas
nevěsta bride; **Prodaná ~** The Bartered Bride
nevěstinec brothel
nevhod inconvenient, embarrassing (**komu** to sb.); **to mi přichází ~** this comes at an awkward moment for me
nevhodný inconvenient, inappropriate
nevídaný unprecedented
neviditelný invisible
nevidomý blind
nevina innocence
nevinný innocent
nevítaný unwelcome
nevkus bad taste
nevkusný tasteless; in bad taste
nevlastní: **~ otec** *atd.* stepfather *atd.*
nevměšování nonintervention
nevodič nonconductor
nevolnictví serfdom
nevolno: **je mi ~** I feel* sick, I am out of sorts; (*hovor.*) I feel seedy
nevolnost nausea; **trpět ~í v letadle** get* airsick
nevšední uncommon, remarkable
nevšímavý indifferent (**k** to)

nevybíravý undiscriminating [andis'krimineitiŋ]
nevybuchl|ý live; **-á puma** live bomb
nevyčerpatelný inexhaustible
nevyhnutelný inevitable, unavoidable
nevýhoda disadvantage
nevýhodný disadvantageous
nevychovaný ill-mannered, rude, impolite, badly behaved; (*rozpustilý*) naughty
nevyjímaje including
nevylíčitelný indescribable [indis'kraibəbl]
nevyplacený dopis unstamped letter
nevypočitatelný incalculable
nevýrazný drab
nevýslovný unspeakable
nevyspalý: jsem ~ I didn't have a wink of sleep last night
nevysvětlitelný inexplicable
nevytopený unheated
nevzdělaný uneducated, ignorant
nevzhledný plain, ugly, unsightly, unattractive [anə'træktiv]
nezadržitelný irresistible
nezájem lack of interest (**o** in)
nezákonný illegal
nezaměstnanost unemployment
nezaměstnaný unemployed, out of work, jobless
nezaopatřený unprovided for
nezapomenutelný unforgettable
nezaručený 1 (*nezajištěný*) not guaranteed **2** (*nepotvrzený*) unconfirmed
nezaujatý unbias(s)ed
nezávazn|ý *adj* not binding; **-á odpověď** noncommittal answer • *adv* **-ě** without obligation
nezávislost independence
nezávislý independent (**na** of)
nezáživn|ý dull; **-á četba** stiff reading
nezbytný necessary
nezdaněný tax-free
nezdar failure; **setkat se s ~em** fail
nezdárný mischievous, naughty
nezdravý 1 (*nemocný*) unhealthy **2** (*zdraví škodlivý*) unwholesome
nezdvořilý impolite
neziskový non-profit(-making)
nezištný unselfish, disinterested
nezkušený inexperienced
nezletilý minor, under age
neznalost ignorance
neznámý unknown; (*cizí*) strange; **~ člověk** stranger
nezpůsob bad habit
nezralý unripe
nezvěstný missing
nezvyklý uncommon, strange
než 1 than; **starší ~ vy** older than you; **lépe pozdě ~ nikdy** better late than never **2** before; **udělej to, ~ půjdeš domů** do it before you go home
něžný tender
nic nothing; **to ~ není** that's nothing; **z ničeho ~** all of a sudden; **pro ~ za ~** for nothing; **~ než** nothing but
ničema scoundrel, a bad lot
ničí no one's
ničit destroy, ruin
ničivý destructive
nijak in no way; **není to ~ lehké** it is by no means easy
nikam nowhere, not anywhere
nikde nowhere, not anywhere; **~ jinde** nowhere else
nikdo nobody, no one; **~ z vás** none of you

nikdy never; **již** ~ never more, never again
nikl nickel
nikoli no
nikotin nicotine [nikəti:n]
nit thread; **cívka ~i** a reel of thread; **viset na ~i** hang* by a thread; **navléci ~ do jehly** thread a needle
nitro interior; soul, heart
nízko low; **letět ~** fly* low; **zpívat ~** sing* flat
nízký low (*též přen.*)
Nizozemsko the Netherlands
níže (*tlaková*) depression
nížina lowlands *pl*
noc night; **přes ~** overnight; **v ~i** at night, in the night, by night; **ve dne v ~i** day and night; **celou ~** all night (long)
nocleh a night's lodging; **~ se snídaní** bed and breakfast
noclehárna hostel
noční night; **~ košile** *(dámská)* nightgown, *(pánská)* nightshirt; **~ podnik** nightclub; **~ stolek** bedside table
noh|a **1** (*celá, též u nábytku*) leg **2** (*od kotníku dolů*) foot ♦ **dát si -u přes -u** cross one's legs; **vzít -y na ramena** take* to one's legs; **stát na vlastních -ou** stand* on one's own legs; **být jednou -ou v hrobě** have* one foot in the grave
nohavice leg
noky gnocchi [noki]
normalizovat normalize
normální normal; standard
normovat standardize
Norsko Norway
nor|ský, *též n* **-ština** Norwegian
nos nose ♦ **ohrnovat ~ nad** turn one's nose up at; **strkat ~ do** poke one's nose into; **vodit koho za ~** lead* sb. by the nose
nosič **1** porter **2** (*přimontovaný*) carrier
nosit **1** carry (**v ruce** in one's hand, **v kapse** in one's pocket) **2** wear* (**šaty** clothes, **brýle** spectacles, **náramkové hodinky** a wristwatch, **dlouhé vlasy** one's hair long)
nositel, ~ka bearer; (*držitel*) holder
nosítka stretcher
nosník girder
nosnost load; (*střelné zbraně*) range
nosný sloup supporting pillar
nosohltan nasopharynx [neizəu'færiŋks]
nosorožec rhino(ceros)
nota, nóta note
notář notary (public)
notářství notary's office
notes notebook, diary
noty (*hudebniny*) (sheet) music
nouze **1** (*chudoba*) poverty, distress **2** (*nedostatek*) want, need (**o peníze** of money) ♦ **v případě ~** in an emergency
nouzový: ~ stůl makeshift table; **~ východ** emergency exit
nováček novice, newcomer (**v** to); (*voják*) recruit
novátor innovator
novela long short story, short novel
novinář, ~ka journalist
novinářský newspaper
novinka novelty
novinový newspaper; **~ papír** newsprint
noviny (news)paper, journal
novomanžel newly married man, bridegroom

novomanželé newly married couple, (*hovor.*) newlyweds *pl*
novomanželka newly married woman, (young) bride
novoroční New Year's; ~ **přání** greetings of the season
novorozeně newborn baby
novostavba new building
novověk modern times *pl*
nov|ý **1** new; ~ **film** new film; **-é šaty** new clothes *pl* **2** fresh; ~ **nátěr** fresh paint; **-á košile** fresh shirt; **-é zprávy** fresh news; ~ **list papíru** fresh sheet of paper
nožní brzda foot brake
nucen|ý forced; **-é práce** hard labour; ~ **smích** strained laughter
nuda boredom
nudipláž nudist beach
nudit se be* bored, feel* bored
nudle noodle
nudlov|ý noodle; **-á polévka** noodle soup
nudný boring; (*bez událostí*) uneventful
♦ ~ **patron** bore, dull fellow
nukleární nuclear
nul|a **1** zero, nought; **nad / pod -ou** above / below zero **2** (*sport.*) nil; **prohrát 3:0** lose three nil; (*v tenise*) **15 : 0** fifteen love ♦ (*přen.*) **jedna nula** fifteen love **3** (*při čtení číslic*) O [əu]
nutit force (**koho k čemu** sb. into doing sth.), make* (**koho k čemu** sb. do sth.)
nutnost necessity; **v případě ~i** in case of necessity; **z ~i** (out) of / from necessity
nutný necessary; essential
nutrie (*zvíře*) coypu [koipu:]; (*kožešina*) nutria [nju:triə]
nůž knife; **vystřelovací ~** flick knife, switchblade
nůžky scissors *pl*; (*zahradnické*) shears *pl*, secateurs
nýbrž but
nylon, *též adj* **~ový** nylon
nynější present, present-day
nyní now, at present, these days
nýt rivet

O

o **1** about; ~ **tobě** about you **2** **starší** ~ **dva roky** two years older **3** at; ~ **čtvrté hodině** at four o'clock; ~ **Vánocích** at Christmas **4** on; ~ **nedělích** on Sundays **5** against; **narazit hlavou** ~ **dveře** hit one's head against the door ♦ ~ **co jde?** what is the matter?; **jde** ~ **to, že** the point is that; ~ **co, že** ten to one (that); ~ **překot** head over heels
oáza oasis
ob: ~ **den** every other day; ~ **dva roky** every two years
ob|a both; ~ **domy** both (the) houses; **vy** ~ you both, both of you; **v -ou rukou** in both hands
obal cover; (*tovární balení*) packing ♦ **bez ~u** *(přímo)* bluntly
obalit (*knihu*) wrap up; (*řízky*) cover with breadcrumbs
obálka envelope
obarvit dye
obava (*strach*) fear; (*starostlivost*) anxiety
obávaný dreaded
občan, ~ka citizen
občansk|ý civil; ~ **průkaz** identity card; **-á výchova** civics
občanství citizenship; **státní** ~ nationality
občas from time to time, at odd moments, now and again, every now and then
občerstvení refreshment
občerstvit refresh; ~ **se** refresh oneself (**šálkem čaje** with a cup of tea)
obděl|at, -ávat cultivate
obdélník oblong
obdiv admiration (**k** of, for)
obdivovat se admire (**čemu** sth.)
obdivovatel admirer
období period; **funkční** ~ term of office; **roční** ~ season
obdržet obtain, get*; **další informace lze** ~ further information is available
obec community
obecenstvo audience, the public
obecný common
oběd lunch(eon); (*hlavní jídlo dne n. ve školní jídelně*) dinner; **mít k ~u** have* for dinner; **pozvat na** ~ invite to dinner
obědvat have* (one's) lunch, dinner
oběh circulation; **dát do ~u** put* into circulation; **stáhnout z ~u** withdraw* from circulation
oběhnout run* round
obejít **1** go* round **2** evade (**otázku** a question)
obejít se do* (**bez** without)
obejmout embrace, put* one's arms round; ~ **se** embrace
obelstít outwit
obeplout sail round
oběsit hang; ~ **se** hang oneself
oběť **1** (*od koho*) sacrifice **2** (*čeho*) victim **3** (*neštěstí*) casualty; **počet obětí** the (casualty / death) toll
obětavý devoted
obětovat sacrifice
oběživo currency
oběžnice planet
oběžník circular
oběžná dráha orbit

obhájce barrister; (*též zastánce*) advocate
obhajoba defence
obhajovat defend
obcházet **1** go* round **2** evade (**zákon** the law)
obchod **1** business, commerce, trade; **zahraniční** ~ foreign trade; **vnitřní** ~ home trade; ~ **ve velkém** wholesale, ~ **v drobném** retail; **výhodný** ~ bargain **2** (*prodejna*) shop
obchodní commercial, business; ~ **blokáda** embargo; ~ **dům** department store; ~ **korespondence** business correspondence; ~ **loďstvo** mercantile marine; ~ **známka** trademark
obchodnice businesswoman
obchodník businessman; (*majitel obchodu*) shopkeeper
obchodovat trade (**kožešinami** in furs), deal* (**zbožím všeho druhu** in goods of all kinds)
obchodovatelný negotiable [ni'gəušiəbl]
obchvat detour [di:tuə]
obíh|at **1** circulate; **peníze rychle -ají** money circulates quickly **2** go* round; **měsíc -á kolem země** the moon goes round the earth
obilí corn
obilnářský corn-growing
obilniny cereals *pl*
obinadlo bandage
objas|nit, -ňovat make* clear, clarify, explain
objedn|at, -ávat order; ~ **se** make an appointment (**k zubnímu lékaři** with the dentist); **jste -aný?** have* you an appointment?
objednávk|a order (**na** for); **vyrobený na -u** made to order
objekt object
objektiv lense
objektivní objective
objem volume; ~ **přes prsa** bust measurement / size
objemný bulky
objet go* round
objetí embrace
objev discovery
objevit discover; (*zjistit*) find* out
objevit se appear, put* in an appearance; (*dostavit se*) turn up
objevovat discover; ~ **se** appear
objímat embrace, put* one's arms round
objímka socket
objíždět bypass
objížďka bypass, (traffic) diversion, detour [di:tuə]
obklad **1** compress **2** (*omítka*) plaster
obklíčení encirclement
obklíčit encircle
obklopit surround, hem in; ~ **se** surround oneself
obkresl|it, -ovat copy
oblačno cloudy; **je** ~ it is cloudy, the sky is overcast
oblačnost cloudiness
oblak cloud
oblast **1** region, area **2** (*přen.*) sphere, field; ~ **vědění** field of knowledge
oblastní regional
obléci put* on; ~ **se** dress, put* on one's clothes; ~ **si** put* on one's (**šaty** clothes, **kabát** coat)
oblek suit; **vycházkový** ~ lounge suit
oblék|at, -nout (se, si) *viz* **obléci**
obletět fly* round

obleva thaw
obležení siege
oblib|a favour, popularity; **být / nebýt v -ě u** be* in / out of favour with; **těšit se velké -ě u koho** stand* high in sb.'s favour
oblíbený popular (**u** with)
oblíbit si take* a fancy / liking (**co** to sth.)
obličej face
oblo|ha sky; **na -ze** in the sky
oblouk bow; (*tech.*) arch; (*mat.*) arc; **~ová lampa** arc lamp
obložený garnished; **~ chléb** open sandwich
obměkčit soften, move; **~ se** give* in
obměna modification
obnažený stripped
obnos amount, sum
obnošený worn-out, shabby
obnova (*do původního stavu*) restoration; (*renovace*) renovation, refurbishing
obnov|it, -ovat restore, renew; (*opět začít*) resume (**styky** contact)
obočí (eye)brows *pl*; **svraštit ~** knit one's brows
oboha|covat, -tit enrich; **~ se** enrich oneself
obojek (dog) collar
obojí both; **~ho pohlaví** of both sexes
obojživelník amphibian
obor line
obora (deer / game) park
oboustranný mutual
obou|t, -vat (se, si) put* on (one's shoes)
obr giant
obráběcí stroj machine tool
obrábět work
obráceně the other way round
obrácený turned over; (*vzhůru nohama*) upside down
obracet (se) turn round
obrana defence
obránce defender; (*v kopané*) back
obranný defensive
obrat turn; (*obch.*) turnover; **~em pošty** by return of post
obratel vertebra [vəːtibrə]
obrátit turn; **~ čí pozornost** turn sb.'s attention (**na** to); **~ list** turn over a new leaf; **~ na ruby** turn inside out
obrátit se 1 turn round **2** (*s žádostí*) apply (**na** to), turn (**na** to)
obratlovec vertebrate
obrátka turn; (*otočení*) revolution
obratník tropic
obratný deft; (*zručný*) skilful
obraz picture
obrazárna picture gallery
obrázkový illustrated
obrazný symbolic
obrazotvornost imagination
obrazovka screen
obrna polio(myelitis) [pəuliəu(maiə'laitis)]
obrněný armoured
obroubit border, hem
obroučka rim
obrousit grind* off
obrovský gigantic
obrození revival
obruba border; (*látky*) hem
obruč hoop
obrys outline
obřad ceremony
obsadit 1 occupy (**území** a territory, **důležité místo** an important position) **2** reserve (**sedadlo** a seat) **3** fill (**volné místo** a va-

cancy) **4 (telefonní) linka je obsazena** the line is engaged / busy
obsah 1 contents *pl* (**knihy** of a book, **kapes** of the pockets, **sudu** of a barrel) 2 (*přehled obsahu*) table of contents
obsáhnout 1 (*rukou*) span 2 (*zahrnout*) include, involve
obsahovat contain, comprise
obsazovat *viz* **obsadit**
obsažný comprehensive
observatoř observatory
obsloužit serve, attend to, wait on
obsluha service, attendance
obsluhovat 1 (*koho*) serve, attend to 2 operate (**stroj** a machine)
obstar|at, -ávat (si) get*, provide, obtain
obstarožný elderly
obstát hold* one's ground
obšírný full, detailed
obtěž|ovat 1 trouble, bother; **promiňte, že -uji** excuse my troubling you; **neobtěžujte se tím** don't trouble about that 2 (*sexuálně*) molest
obtíž difficulty; (*nesnáz*) trouble
obtížný difficult
obuv footwear
obuvník shoemaker, cobbler
obvaz dressing, bandage
obv|ázat, -azovat dress (**ránu** a wound)
obvesel|it, -ovat cheer up, amuse, entertain
obvi|nit, -ňovat accuse (**koho z** sb. of)
obvod 1 circumference (**kruhu** of a circle) 2 (*okruh, okrsek*) district
obvykle usually; **jako ~** as usual
obvyklý usual
obyčej habit, custom
obyčejně usually
obyčejný ordinary
obydlený inhabited
obydlí dwelling
obytn|ý: -á čtvrť residential district
obývací: ~ ložnice bed-sitting room; **~ pokoj** living room, sitting room
obyvatel inhabitant
obyvatelstvo inhabitants *pl*, population
obzor horizon
obžaloba accusation, charge
obžalovaný the accused, defendant
obžalovat accuse (**z** of)
obživ|a living; **nalézt -u** make* one's living
ocas tail
oceán ocean
ocel steel
ocejchovat (*přístroj*) calibrate; (*přen.*) brand, stigmatize
ocelárna steel works
ocelový steel
ocenění appreciation; (*odhad*) estimate
oce|nit, -ňovat appreciate, value; (*odhadnout cenu*) estimate
ocet vinegar
octan hlinitý aluminium acetate [æljəˌminjəm ˈæsiteit]
octnout se find* oneself
ocún meadow saffron
očekávání expectation; **proti ~** contrary to expectation
očekáv|at 1 (*čekat na*) await; **-áme vaše pokyny** we await your instructions 2 (*čekat od*) expect; **-ají, že budu pracovat v sobotu** they expect me to work on Saturdays; **to se dalo ~** that was to be expected
očíslovat number

očis|tit, -ťovat clean, cleanse, (*přen.*) purge
očko private eye
očkování inoculation
očkovat inoculate
oční: ~ choroba eye complaint; **~ klinika** eye hospital; **~ lékař** oculist, ophthalmologist
od 1 from (**tebe** you, **prvního května** the first of May, **pěti do šesti** five to six, **začátku do konce** beginning to end) **2** since (*až do přítomné doby*); **jsem tu ~ neděle** I have been here since Sunday; **prší ~ večera** it has been raining since last night; **~ té doby (co)** since **3** by; **hra ~ Shakespeara** a play by Shakespeare
odbarv|it, -ovat bleach
odbelhat se limp away / off
odběr 1 subscription (**časopisu** to a periodical) **2** consumption (**elektřiny** of electricity)
odběratel 1 (*obch.*) customer, buyer **2** (*pravidelný, např. časopisu*) subscriber
odbíjená volleyball
odbírat subscribe to, take* in (**časopis** a periodical)
odboč|it, -ovat 1 (*od směru*) deflect **2** digress (**od tématu** from the subject)
odbočka digression
odboj resistance
odbojové hnutí resistance movement
odbor department
odborář, *též adj* **~ský** trade unionist
odborn|ík, *též adj* **-ý** specialist, expert
odborový trade union
odbory trade unions *pl*
odbýt 1 scamp (**práci** work) **2** (*koho*) rebuff, snub **3** pass (**si zkoušku** an exam)
odbyt, ~iště market
odbývat scamp (**práci** work)
odcestovat go* away, leave*
odcizit 1 steal* (**peníze** money) **2** estrange (**si přítele** one's friend); alienate (**koho přátelům** sb. from his friends)
odčerp|at, -ávat draw* on
odčítání subtraction
odčítat subtract, deduct
odepsaný written-off
oddací list marriage certificate
odd|álit, -alovat take* away, remove (**od** from)
oddaný devoted, loyal
oddat marry (**s kým** to sb.)
oddech rest, respite; **pracovat bez ~u** work without (a) respite
oddělení 1 (*odloučení*) separation **2** (*oddíl*) department, section **3** (*ve vagónu*) compartment
oddělený separate
odděl|it, -ovat separate, detach
oddíl section, department; (*vagónu*) compartment
odebrat take* away
odebírat 1 take* away **2** take* in, subscribe to (**noviny** a newspaper)
odečíst subtract
odedávna for a long time; from time immemorial
odehnat drive* away
odehrávat se take* place
odejít (*odkud*) go* away (from); leave*, quit (sth.)
odejmout take away
odemknout unlock
odep|isovat, -sat 1 (*na dopis*) an-

swer (a letter), reply (to a letter) **2** write* off (**ztrátu** a loss)
odepnout (*řemínek*) unstrap; (*knoflík*) unbutton
odepřít deny
oděrka scratch
odesílat send* away, dispatch
odesílatel sender
odeslat *viz* **odesílat**
oděv clothes *pl*, clothing, dress
oděvní průmysl garment-making industry
odevšad from all parts
odevzd|at, -ávat 1 give* in (**kompozice** examination papers, **výkresy** drawings) **2** return (**vypůjčenou knihu** a borrowed book) **3** cast* (**hlas** a vote)
odevzdat se surrender (**osudu** to fate)
odezva response
odhad estimate
odhad|nout, -ovat 1 (*též posoudit*) assess **2** (*jen cenu*) estimate
odhal|it, -ovat 1 disclose, reveal (**tajemství** a secret) **2** unveil (**pomník** a statue)
odhánět *viz* **odehnat**
odhazovat *viz* **odhodit**
odhlásit: ~ **noviny** cancel / discontinue the subscription to a newspaper; ~ **se** sign out / off
odhláška (form of) notice of departure
odhodit throw* away
odhodlaný resolute
odhodl|at se, -ávat se decide, make* up one's mind
odhrab|at, -ávat rake off
odhrn|out, -ovat draw* aside
odcházet *viz* **odejít**
odchod departure
odch|ýlit se, -ylovat se depart; ~ **od stanovené dráhy** stray off the course
odchylka departure
odívání clothing
odjakživa ever
odjet leave*, depart
odjezd departure
odjinud from elsewhere
odjíždět *viz* **odjet**
odkašlat si clear one's throat
odkaz 1 (*dědictví*) legacy, heritage **2** (*nač*) reference (to)
odkazovat 1 (*komu*) bequeath, leave* (to sb.) **2** (*na*) refer (to)
odkdy since when
odklad delay; (*voj.*) deferment
odkládat delay, postpone, put* off (**na zítřek** until tomorrow)
odklánět (se) deflect (**od** from)
odkl|idit, -ízet 1 remove, take* away **2** (*odložit*) put* away **3** clean (**ze stolu** the table)
odklonit deflect
odkrást se steal* away
odkrýt uncover; detect
odkud where ... from
odkvést wither (up / away)
odlakovač varnish remover
odlep|it, -ovat unstick*; ~ **se** get* unstuck
odlesk reflection
odlet departure
odl|etět, -état fly* away, depart by plane
odliš|it, -ovat distinguish (**jeden od druhého** one from the other)
odlišný different, distinct (**od** from), unlike
odl|ít, *též n* **-itek** cast*
odliv ebb (tide), low tide
odložit 1 lay* aside **2** leave* off, discard (**zimní oděv** one's winter

clothing) **3** postpone, put* off (**na zítřek** till tomorrow)
odložit si take* off (**kabát** one's coat); ~ **si v šatně** leave* one's things in the cloakroom
odluka separation
odměna reward; (*prémie*) bonus; (*honorář*) fee
odmě|nit, -ňovat reward
odměřený measured, stiff
odpírač vojenské služby conscientious objector
odmítavý negative
odmítnout refuse; (*zamítnout*) reject, turn down (**nabídku** an offer)
odmlčet se stop talking, pause
odmlouvat answer / talk back
odmocnina root; **druhá ~ ze 100** the square root of 100
odmoc|nit, -ňovat find* the root of
odmontovat dismount
odmrazit defrost
odmykat unlock
odnášet *viz* **odnést**
odnaučit undo* the teaching of; ~ **se** unlearn*
odněkud from some place
odnést take* away, carry away
odnož offshoot
odol|at, -ávat resist (**čemu** sth.)
odolný tough, sturdy
odpad **1** (*odtok*) sink **2** (*odpadky*) waste
odpadky garbage, refuse, rubbish, litter
odpadnout fall* off, drop off
odpálit let* off; ~ **raketu** launch a rocket
odpalovací rampa launching site
odpára|t undo*, unpick; ~ **se** come* undone; **knoflík se -l** a button has come off
odpeckovat stone
odplata retaliation
odplatit pay* back
odplou|t, -vat sail off
odpočinek rest
odpoč|inout si, -ívat have* a rest, relax
odpoledne *n* afternoon • *adv* (*kdy?*) in the afternoon; p.m.; **v pět odpoledne** at 5p.m.
odpor **1** (*odporování*) resistance, opposition; **postavit se na ~** resist (**čemu** sth.) **2** (*nechuť k*) disgust (at), repugnance (to); **cítit ~ k čemu** resent sth.; **látky vzbuzující ~** offensive materials *pl*
odporný abominable, digusting; (*nechutný*) distasteful
odporovat **1** (*klást odpor*) resist (**komu v čem** sb. in sth.) **2** (*v názoru*) contradict (**komu** sb.)
odporovat si contradict oneself
odpouštět forgive*
odpověď answer, reply (**na** to); **znát na všechno ~** know all the answers
odpovědět (*na dopis, na otázku*) answer (a letter, a question), reply (to a letter, to a question)
odpovědnost responsibility (**za** for)
odpovědný responsible
odpovídat **1** (*na otázky*) answer (questions), reply (to questions) **2** (*účelu, popisu*) answer, correspond (to a purpose, to a description)
odpracov|at, -ávat work off
odpradávna from time immemorial
odpřisáhnout swear*

odpůrce adversary; opponent
odpustit forgive*
odradit dissuade (**od** from)
odraz **1** (*odskok*) bounce; (*odraziště*) take-off **2** (*odlesk*) reflection
odr|azit, -ážet knock off (**ránu** a blow); (*od břehu*) cast* off
odr|azit se, -ážet se **1** (*odskočit*) bounce (off) **2** reflect, be* reflected (**v zrcadle** in the mirror)
odrážka natural (sign)
odrůda variety
odřenina scratch
odřený scratched, grazed; (*látka*) threadbare
odřezat cut* off
odříci cancel; ~ **se** *(čeho)* renounce
odřít rub; ~ **si** scrape (**koleno** one's knee)
odříznout cut* off
odsoudit condemn (**špatné chování** bad behaviour, **k smrti** to death, **ke dvěma letům vězení** to two years' imprisonment); (*vynést rozsudek*) sentence
odsouzený convicted person, convict
odstartovat start (off)
odstavec paragraph
odstěhovat se move out; ~ **k rodičům** go* to live with one's parents
odstín shade, hue
odstoupit **1** (*z cesty*) step off / back **2** (*vzdát se*) resign, retire **3** (*postoupit co*) cede
odstra|nit, -ňovat remove
odstrašující deterrent
odstr|čit, -kovat push aside, push back
odstředivka centrifuge, separator
odstřediv|ý centrifugal; **-á síla** centrifugal force
odstřižek bit, scrap, clipping
odstup (*času*) lapse of time
odstupné compensation
odstupovat *viz* **odstoupit**
odsun transfer
odsuno|ut, -vat **1** shift aside **2** displace (**tisíce lidí** thousands of people) **3** postpone, put* off (**o týden** for a week)
odškodné damages *pl*, indemnity
odškod|nit, -ňovat indemnify
odškrtnout tick off, check off
odšroubovat unscrew, screw off
odtáhnout **1** pull away **2** (*odejít*) draw* off
odtamtud from there
odté|ci, -kat flow away
odtok discharge; (*odtoková cesta*) drain
odtrhnout **1** tear* off **2** divorce (**od života** from life)
odtrhnout se break* away (**od** from)
odtučňovací kúra reducing / slimming diet
odtud from here; **dvě míle** ~ two miles away
odůvod|nit, -ňovat justify, motivate
odvádět **1** take* away **2** drain (**vodu** the water away) **3** divert (**pozornost** one's attention)
odvah|a courage; **dodat si -y** pluck up courage
odv|ázat, -azovat untie, undo*
odvážet take* away, carry away
odv|ážit se, -ažovat se dare*; (*riskovat*) risk, venture
odvážný courageous
odvažovat weigh out
odvděčit se reciprocate

odvést 1 (*vrátit*) give* back, return 2 (*pryč*) take* away 3 (*na vojnu*) conscript, enlist (**nováčka** a recruit)
odveta retaliation
odvetný zápas return match
odvětví line, branch
odvézt take* away, carry away, cart away
odvlé|ci, -kat drag off, carry away
odvod conscription
odvod|nit, -ňovat drain
odvodňovací systém drainage system
odvolání 1 (*zrušení*) repeal, withdrawal 2 (*rekurs*) appeal 3 recall (**velvyslance** of an ambassador)
odvol|at, -ávat 1 call off (**zasnoubení** an engagement); withdraw* (**tvrzení** a statement); cancel (**schůzi** a meeting) **2** recall (**velvyslance** an ambassador)
odvol|at se, -ávat se 1 refer (**na** to) **2** appeal (**k soudu o milost** to the court for mercy)
odvoz transport, carting; **~ odpadků** refuse collection
odvozenina derivative
odvr|acet, -átit 1 avert, stave off (**neštěstí** an accident) **2** avert, divert (**oči** one's eyes, **pozornost** one's attention)
odvr|acet se, -átit se turn away
odvyk|at si, -nout si unlearn*
odzátkovat uncork
odzbrojení disarmament; **všeobecné a úplné ~** general and complete disarmament
odzbroj|it, -ovat disarm
odznak badge
ofenzíva offensive
oficiální official
ohánět se brandish, swing* (**čím** sth.); (*přen.*) show* off (sth.)
ohavn|ý abominable; **-é počasí** atrocious weather
ohebný flexible, supple
oheň fire; **rozdělat ~** make* a fire; **uhasit ~** put* out the fire
ohlas response
ohl|ásit, -ašovat announce; **být -ášen** have* an appointment (**u** with)
ohlášky banns *pl*
ohled respect, consideration (**k** for); **bez ~u na** irrespective of, regardless of; **bez ~u na to, zda** no matter whether; **brát ~ nač** respect sth., take* sth. into consideration; **v tomto ~u** in this respect
ohledně as to, as regards, concerning (**čeho** sth.)
ohlédnout se look back / round
ohleduplný considerate
ohlížet se 1 (*dozadu*) look back, look round 2 (*mít ohled*) respect (**na** sth.)
ohluchnout turn deaf
ohlušující deafening
ohmat|at, -ávat feel*
ohnisko focus
ohniště fireplace
ohnivý fiery
ohnivzdorný fireproof
ohňostroj fireworks *pl*
ohnout (se) bend*
ohnutý bent; (*zkřivený*) crooked
oholit shave; **~ se** shave (oneself), have* a shave
ohrada fence; (*též prostor*) enclosure
ohradit enclose, fence
ohradit se protest (**proti** against)
ohranič|it, -ovat border, bound
ohrazovat (se) *viz* **ohradit (se)**

ohromit stagger, cause consternation
ohromný huge, immense
ohro|zit, -žovat 1 endanger (**svou naději na úspěch** one's chances of success) **2** threaten (**válkou** with war)
ohryzek core; (*v krku*) Adam's apple
ohř|át, -ívat warm up, heat up
ohyb bend
ohýbat (se) bend*; (*sklonit se*) bow (down), stoop
ochablý slack; (*schlíplý*) limp
ochladit (se) cool (down)
ochlazení cooling
ochlazovat (se) cool (down)
ochoč|it, -ovat tame
ochota readiness, willingness
ochotnick|ý amateur(ish); **-é divadlo** amateur dramatics
ochotný willing, obliging, accommodating
ochrana protection
ochránce protector
ochranka bodyguards
ochranný protective; **~ pás** safety belt
ochraptět get* hoarse
ochrnout become* paralysed
ochromit paralyse
ochutn|at, -ávat taste
ojedinělý isolated, unique
ojetina, ojetý vůz second-hand car
okamžik moment, minute; **v tom ~u** at that moment; **v posledním ~u** at the last moment; **za ~** in a moment; **počkejte ~** wait a moment / minute, just a moment / minute
okamžitě immediately, at once
okamžitý immediate
okap gutter
okartáčovat brush off
okenice shutter
oklamat deceive
oklik|a roundabout; **-ou** in a roundabout way
okno window; **křídlové ~** casement window; **stahovací ~** sash window
ok|o 1 eye; **pouhým -em** with the naked eye; **válka (jen) na ~** mock war; **na vlastní oči** with one's own eyes; **od -a** by rule of thumb; **mezi čtyřma očima** in private; **jdi mi z očí** clear out of my sight **2** (*sítě*) mesh; (*na zvěř*) snare; (*na punčoše*) ladder
okolí environs *pl*; (*prostředí*) surroundings *pl*
okolní neighbouring, surrounding
okolnost circumstance; **polehčující ~i** extenuating circumstances; **za těchto ~í** in / under the circumstances
okolo (a)round; about
okop|at, -ávat hoe
okopírovat copy
okořenit season, flavour
okoun perch
okouzlit charm, fascinate
okouzlující charming
okov pail, bucket
okované boty hobnailed [hobneild] shoes *pl*
okovat shoe (**koně** a horse)
okrádat rob
okraj margin, edge; (*pokraj*) brink; **~ chodníku** kerbstone; **~ města** outskirts (of a town) *pl*; **na ~i Prahy** on the outskirts of Prague
okr|ájet, -ajovat cut* off
okrasa ornament, decoration
okrást rob
okr|es, -sek district

okruh 1 circle (**přátel** of friends) 2 circuit; radius; **v ~u 10 mil** within a radius of 10 miles 3 scope (**činnosti** of activity)
okružní circular; **~ jízda** circular tour; **~ plavba** cruise
oktáva octave
okupa|ce, *též adj* **-ční** occupation
okupovat occupy
okurka cucumber; **kyselá ~** pickled gherkin
okurková sezóna silly season
okusit try, taste
oleandr rose bay, oleander [əuli'ændə]
olej oil
olejnička oilcan
olejomalba oil painting
olejovka sardine
olejov|ý oil; **-á barva, ~ nátěr** oil paint
olemovat hem, border, trim
oliva olive
oloupat peel (**banán** a banana, **brambory** potatoes); pare, peel (**jablko** an apple)
olověný lead; (*též přen.*) leaden
olovo lead [led]
olše alder
oltář altar
olympiáda Olympiad
olympijsk|ý Olympic; **-é hry** Olympic Games *pl*
omáčka sauce
omámit drug
omastek fat, grease; (*sádlo*) lard
omastit add fat (**co** to sth.)
omdl|ít, -évat faint
omeleta omelet(te)
oměj monkshood
omezený limited
omez|it, -ovat limit (**výdaje** the expense); confine (**své poznámky na** one's remarks to); **~ se** 1 confine oneself (**na téma** to the subject) 2 (*šetřit*) retrench [ri'trenč]
omítka plaster
oml|ouvat, -uvit excuse (**čí nepřítomnost při vyučování** sb. from a lesson); **~ se** apologize
omluva apology
omráčit (*též přen.*) stun; stagger
omrzet weary
omrzlina frostbite, chilblain
omrznout get* chilblains
omyl mistake, error; (*hloupý, z nepozornosti*) blunder; **~em** by mistake; **být na ~u** be* mistaken, be wrong
on he; **~ sám** himself
ona she; **~ sama** herself
onanovat masturbate
ondatra muskrat
ondulace perm, (permanent) wave
onehdy the other day
oněmět become* dumb
onemocnět fall* / be* taken ill
onen that; **~ – tento** the former – the latter
opačný contrary, opposite
opad|nout, -at, -ávat 1 fall*; **listy -ávají** the leaves are falling 2 lose* its leaves 3 (*zmenšovat se*) fall* off, decrease, abate, diminish
opak contrary, opposite
opakování repetition; (*soustavné*) revision
opakovat 1 repeat, say* again 2 (*učivo*) revise 3 (*ročník*) stay on probation for a year
opál opal [əupl]
opálený sunburnt, tanned
opálit se get* tanned / sunburnt; tan

opalovačky (*dětské*) sunsuit, (*dámské*) bikini
opalovat se sunbathe, bask (in the sun)
opánky sandals *pl*
opar **1** mist, haze **2** (*na rtu*) herpes (on the lip)
opařit scald; ~ **se** get* / be* scalded
opatrnost caution, care
opatrný careful
opatrovat take* care of, tend, look after
opatření **1** measure; **učinit potřebná** ~ take* the necessary measures **2** (*zákona*) provision **3** (*předběžné*) precaution
opatřit (si) get*, provide, secure
opé|ci, -kat roast, grill
opékač topinek toaster
opera opera; (*budova*) opera house
operace operation
operační sál operation theatre
opěradlo back; (*pro paže*) arm
operatér surgeon
operátor operator
operet|a, *též adj* **-ní** operetta, musical comedy
operní opera
opěrný bod base
operovat operate
opět again
opevnění fortification
opice monkey; (*lidoop a přen.*) ape
opičit se ape, copy
opíjet se drink* in excess, get* drunk; (*hovor.*) booze
opilství drunkenness
opilý drunk, intoxicated; **být** ~ be* drunk / intoxicated
opírat (se) lean* (**o** against)
opis copy
opisovat copy; (*ve škole*) crib
opít make* drunk, intoxicate; ~ **se** get* drunk
oplácet *viz* **oplatit**
opl|áchnout, -achovat rinse; ~ **se** have* a wash
oplatit repay*, pay* back
oplatka wafer
oplátk|a return; **-ou za** in return for
oplod|nit, -ňovat fertilize
oplývat abound (**čím** in)
oplzlý lewd
opon|a curtain; ~ **jde nahoru // dolů** the curtain rises / goes up // falls; **děkovat se před -ou** take* curtain calls
oponent opponent
oponovat (*komu*) object (to sb.), contradict (sb.)
opora support
opotřebovat se wear* (out)
opouštět leave*
opovážlivý rash, foolhardy, reckless
opovrhovat despise (**kým** sb.)
opovržení contempt
opovržlivý contemptuous
opozdilec latecomer
opozdit se be* late
opozi|ce, *též adj* **-ční** opposition
opožď|ovat se **1** be* late; **hodiny se -ují** the clock is losing **2** (*zaostávat*) fall* behind, lag behind
opracov|at, -ávat work up, make* smooth, polish
opratě reins *pl*
oprátka noose
oprav|a **1** (*chyby*) correction **2** (*správka*) repair (**bot** to shoes); **neschopný -y** beyond repair
opravář repairman
opravářská dílna repair shop

opravdový real, true; ~ **kůň** *(tj. živý)* live horse
opravdu indeed
opravit 1 (*chybu*) correct 2 (*spravit*) repair, mend
oprávněný authorized
opr|ávnit, -avňovat 1 (*ospravedlnit*) justify 2 (*zmocnit*) authorize, entitle
opravovat 1 (*chyby*) correct 2 (*spravovat*) repair, mend; ~ **přírodu** improve upon nature
opruzenina sore spot / place
opřít lean*, prop up (**o** against); ~ **se** lean* (**o zeď** against a wall, **o stůl** on a table)
opsat 1 copy 2 (*ve škole*) crib 3 (*vyjádřit jinak*) express in other words
optický optical (**klam** illusion)
optik optician
optika optics
optimismus optimism
optimista optimist
optimistický optimistic
opulentní luxurious
opustit abandon, desert
opuštěný desolate, abandoned
orámovaný framed
oranžový orange
orat plough
orazítkovat rubber-stamp
orba tillage
ordinace surgery
ordinační hodiny surgery hours *pl*
ordinovat hold* surgery
orel eagle
orgán organ
organický organic
organismus organism
organizace organization; **O~ spojených národů** the United Nations Organization
organizační záležitosti matters of organization *pl*
organizátor organizer
organizovat organize
orchestr orchestra
orchidej orchid
orientac|e orientation; **ztratit -i** lose* one's bearings
orientovat se orientate oneself (**na** on); (*zjistit pozici*) take* one's bearings
originál, *též adj* **~ní** original
orloj astronomical clock
ornice mould
orný arable
ortel sentence, verdict
ořech nut; **vlašský ~** walnut; **para ~** Brazil nut
ořez|at, -ávat 1 (*odříznout*) cut* off 2 (*ztenčit*) whittle (**kousek dřeva** a piece of wood) ♦ ~ **tužku** sharpen a pencil
ořezávátko pencil-sharpener
oříšek: lískový ~ hazel nut; **burský ~** peanut; **tvrdý ~** a hard nut (to crack)
osa 1 axis; **zemská ~** the Earth's axis 2 (*kola*) axle
osada parish; **uzavřená ~** residential zone
osádka crew
osamělý lonely
osamostatnit se gain independence, become* independent
osazenstvo staff, personnel
osázet plant
osek|at, -ávat hew* off
osel donkey, ass (*též přen.*)
osevní sowing
oschnout dry
osídl|it, -ovat settle
osiřet be orphaned, lose* one's parents

osít sow*
osivo seed corn
oslab|it, -ovat weaken
osladič polypody [polipəudi]
osladit sweeten
oslava celebration
oslav|it, -ovat celebrate
oslepnout become* blind
oslnit dazzle
oslovení 1 form of address **2** (*v dopise*) greeting
oslovit address
osm eight
osmažit fry
osmdesát eighty
osmdesátý eightieth
osmerka octavo
osmička eight, Number Eight
osmihodinov|ý eight-hour; **-á pracovní doba** eight-hour working day
osmina eighth
osmiveslice eight
osmnáct eighteen
osmnáctý eighteenth
osmý eighth
OSN U.N.O. (the United Nations Organization)
osnova 1 (*notová*) staff **2** (*přednášky*) syllabus **3** (*školní*) curriculum **4** (*tkalcovská*) warp
osoba person
osobitý individual
osobně personally; **být ~ přítomen** be* present in person
osobní personal
osobnost personality
osolit salt
ospalý sleepy
ospravedl|nit, -ňovat justify; **~ se** clear oneself
ostatně after all; besides; by the way
ostatní the other(s), the rest
osten prickle, prick; (*ježka, též přen.*) sting
ostnatý drát barbed wire
ostražitý wary, watchful
ostropes trubil Scotch thistle
ostrouhat grate
ostrov island
ostružina blackberry
ostrý sharp; **~ čich** acute sense of smell; **~ úhel** acute angle
ostřelovač sniper
ostří edge
ostříhat cut*; **dát se ~** have* one's hair cut, have* a haircut
ostříž hawk
ostud|a shame, discredit, disgrace; **dělat -u** be* a discredit / disgrace (**komu** to sb.); **to je ~!** what a disgrace!
ostudný shameful, disgraceful, scandalous
ostýchavý shy
osud fate, lot
osudný fatal
osušit dry (up); **~ se** dry one's hands / face / body
osvědčení certificate
osvědč|it se, -ovat se prove (**jako** to be)
osvěta adult education
osvětlení lighting; **veřejné ~** street lighting
osvětlený lit up; **slavnostně ~** floodlit
osvětlit light* (up)
osvětlovací těleso lighting fixture
osvětlovat light* (up)
osvětov|ý: -é zařízení adult education centre; **~ pracovník** worker in adult education
osvěžit refresh
osvobo|dit, -zovat 1 (*propustit*)

set* free **2** (*z nesvobody*) liberate **3** (*rozsudkem*) acquit
osvobo|dit se, -zovat se free oneself (**od** from)
osvobození liberation; **~ od daní** exemption from taxes
osvojit si **1** pick up (**cizí jazyk** a foreign language) **2** adopt (**dítě** a child)
ošetření treatment (**menšího zranění** for a minor injury)
ošetř|it, -ovat treat (**koho v nemoci** sb. for an illness); attend (**koho** sb. / on sb.)
ošetřovatel male nurse
ošetřovatelka nurse
ošidit cheat
ošklivý ugly; (*přen.*) nasty
oškrábat scrape, scratch off
oškubat pluck
oštěp javelin; **hod ~em** throwing the javelin
ošumělý shabby
otáčení rotation, revolution
otáčet (se) turn (round), revolve
otakárek swallowtail
otázk|a **1** question; **položit -u komu** ask sb. a question **2** (*sporná*) issue, problem
otazník question mark
otec father
oté|ci, -kat swell*
oteklý swollen
oteplení: **nastává ~** it is warming up
otepl|it se, -ovat se warm up
otevřený open; (*upřímný*) frank
otevřít (se) open; **~ láhev** uncork a bottle
otírat wipe
otisk print; **~y prstů** fingerprints *pl*
otisknout print
otlačit si chafe (**krk** one's neck)
otlou|ci, -kat batter
otlučený battered
otočit (se) turn (round)
otok swelling
otop **1** (*topení*) heating **2** (*palivo*) fuel
otrava **1** poisoning **2** (*nuda*) bore; (*nepříjemnost*) nuisance
otr|ávit, -avovat **1** poison **2** (*nudit*) bore
otrávit se **1** (*úmyslně*) take* poison **2** (*náhodou*) get* poisoned **3** (*nudit se*) get bored
otravný **1** (*jedem*) poisonous **2** (*nudný*) boring
otravovat se be* bored (stiff / to death / to tears)
otrhaný ragged (**kabát** coat, **člověk** man)
otrhat pick (**květiny** flowers, **ovoce** fruit)
otrocký **1** slavish (**překlad** translation) **2** servile
otroctví slavery
otrok slave
otrokářsk|ý: **-á loď** slave ship; **-é státy** slave states *pl*
otrokářství slavery; slave trade
otruby bran
otryskávat (*pískem*) sandblast
otřás|at, -t (se) shake
otřepaný **1** threadbare, frayed **2** trite, hackneyed (**vtip** joke)
otřes shock
otřesný ghastly
otřít whipe off
otupělý dull; (*otrlý*) callous
otupit blunt
otužilý hardy
otuž|it, -ovat harden; **~ se** become* hardened
otvírací doba hours of opening
otvírač konzerv tin opener

otvírat (se) open; ~ **se do zahrady** open on to the garden
otvor opening; (*díra*) hole; (*štěrbina*) slot
otylost obesity [əu'bi:səti]
otylý obese [əu'bi:s]
otýpka bundle
ovace ovation; **připravit ~ komu** give* sb. an enthusiastic welcome / reception
ovál, *též adj* **~ný** oval
ovar boiled pork
ovce sheep
ovčák (*člověk*) shepherd; (*pes*) sheepdog
ovčí: ~ kožišina sheepskin; **~ vlna** sheep's wool
ovdovět be* left a widow(er)
ověř|it, -ovat verify; (*překontrolovat*) check
oves oats *pl*
ovesn|ý: -á mouka oatmeal; **-á kaše** porridge
ovládání control; **~ na dálku** remote control
ovládat control; **dobře ~ jazyk** have* a good command of a language; **~ se** control oneself; control / keep* one's temper
ovládnout 1 (*řízení, vedení*) get* control (**co** over sth.) **2** master (**jazyk** a language)
ovládnout se keep* one's temper
ovliv|nit, -ňovat influence
ovoce fruit
ovocnářský fruit-growing
ovocn|ý fruit; **-á zahrada** orchard
ovšem of course
ovzduší atmosphere
oxidace oxidization
ozařování irradiation
ozbrojen|ý armed; **-é síly** armed forces *pl*
ozbroj|it, -ovat (se) arm
ozdoba decoration, ornament
ozdobit decorate; garnish (**rybu plátky citrónu** fish with slices of lemon)
ozdobný decorative, ornamental
ozdravovna convalescent home
ozim|ý: ~ ječmen winter barley; **-á pšenice** winter wheat
označ|it, -ovat mark, indicate; (*nálepkou*) label; designate, describe (**koho za** sb. as)
oznámení announcement; (*vyhláška*) notice
ozn|ámit, -amovat announce (**komu co** sth. to sb.), inform (sb. of sth.)
ozón ozone [əuzəun]
ozubené kolo cogwheel, gearwheel
oz|vat se, -ývat se 1 (*znít*) sound **2** (*být slyšen*) be* heard **3** protest (**proti** against)
ozvěna echo
ožehnout singe, scorch
oženit marry (**s** to); **~ se** marry (**s kým** sb.); get* married
ož|írat, -rat nibble (**listí** the leaves)

P

pacient patient
paběrkovat glean
pád **1** fall; (*též přen.*) downfall **2** (*jaz.*) case
padák parachute
pad|at fall* ♦ **~ únavou** drop with fatigue; **-á sníh** it is snowing; **-á omítka** the plaster comes off
padělat forge
padělaný forged
padělek forgery
padesát fifty
padesátiny fiftieth anniversary
padesátý fiftieth
pádlo, *též v* **~vat** paddle
padnout **1** fall*, drop **2** (*slušet*) fit; be* a good fit ♦ **~ komu kolem krku** fall on sb.'s neck
pádný weighty; convincing (**důkaz** argument)
pahorek hill
pahýl stump
pachatel offender, trespasser
páchnout reek (**čím** of sth.)
pájka solder
pak then
páka lever
paklíč master key, pass key; (*zlodějský*) picklock
pakt pact; **~ o neútočení** nonaggression pact
palác palace
palačinka pancake
palanda plank bed; (*poschoďová*) bunk bed
palba fire
palčivý burning; (*naléhavý*) pressing
palec **1** (*na ruce*) thumb; (*na noze*) big toe **2** (*míra*) inch
paleta palette [pælit]
palice mallet
paličatý stubborn
palička pestle
pál|it **1** burn* **2** bake (**cihly** bricks) **3** (*kořalku*) distil **4** (*střílet*) fire ♦ **co tě nepálí, nehas** let sleeping dogs lie; **-í mě žáha** I have heartburn
palivo fuel
pálka bat
palma palm
palouk meadow
palub|a deck; **na -ě lodi** on board (a) ship; **přes -u** overboard
památk|a **1** memory (**na** of) **2** (*upomínka*) souvenir **3** (*historická, literární*) monument ♦ **nechte si to na -u** keep it as a souvenir
památník monument, memorial
památný memorable
pamatovat si / se remember (**nač** sth.)
paměť memory; **mít dobrou / špatnou ~** have* a good / poor memory; **selhala mi ~** my memory failed me
pamětní memorial (**deska** tablet)
pamflet pamphlet, leaflet; (*hanlivý*) lampoon
pamlsek titbit, dainty
pampeliška dandelion
pan: **~ Smith** Mr. Smith; **~e** Sir; **~e Browne** Mr. Brown
pán **1** (*muž*) man, gentleman; **~ové** gentlemen **2** (*majitel*) master ♦ **být ~em situace** control the situation; **být svým ~em** be* one's own master

pancéřový armoured
panel panel; **~ový dům** prefab(ricated) house
panenka **1** (*hračka*) doll **2** (*v oku*) pupil
pánev **1** frying pan **2** (*zeměp.*) basin **3** (*med.*) pelvis [pelvis]
paní **1** (*žena*) woman, lady **2** (*jen v oslovení bez jména*) madam **3** (*též v oslovení*) ~ **Smithová** Mrs. Smith **4** (*majitelka*) mistress; ~ **domu** the lady of the house **5** (*manželka*) wife; **moje** ~ my wife
panika panic
panikář alarmist, panicmonger
pankáč punk
panna **1** virgin; **stará** ~ spinster, old maid **2** (*loutka*) doll
panoráma panorama [pænə'ra:mə]
panoramatický panoramic [pænə'ræmik]
panovačný possessive, masterful
pan|ovat **1** (*v zemi*) rule (a country / over a country), reign (over a country) **2** (*převládat, existovat*) prevail; **-ující poměry** prevailing conditions *pl*
panský: vést ~ život live like a lord
pánsk|ý: -á čtyřhra men's doubles *pl*; **-á jízda** stag party; **-á košile** man's shirt; **-é rukavice** (gentle)men's gloves *pl*
pantofel slipper
pantomima dumb show
papaláš bigwig
papež *n* pope • *adj* **~ský** papal
papír paper; **balicí** ~ brown paper, wrapping paper; **cenné ~y** stock, securities *pl*; **dopisní** ~ notepaper; **hedvábný** ~ tissue paper; **karbonový** ~ carbon (paper); **linkovaný** ~ ruled paper; **novinový** ~ newsprint
papírenský průmysl paper industry
papírna paper-mill
papírnictví stationer's
papírový paper
papoušek parrot
paprika paprika [pæprikə]
paprs|ek ray; **-ky slunce** the rays of the sun; ~ **naděje** a ray of hope; **sluneční** ~ sunbeam; **ultrafialové -ky** ultraviolet [altrə'vaiəlit] rays *pl*
pár **1** pair (**bot** of shoes, **rukavic** of gloves) **2** pair, couple (**milenců** of lovers, **tanečníků** of dancers); **šťastný** ~ the happy pair / couple **3** (*několik*) (*hovor.*) a couple of, a few, several
para ořech Brazil nut
pára steam; **plnou parou vpřed** full steam ahead
paradoxní paradoxical
parafovat initial; (*mezinárodní dohodu před ratifikací*) sign
paragraf paragraph
paralelní parallel
parašutist|a, *též adj* **-ický** parachutist; (*voj.*) paratrooper
párat unpick [an'pik]; ~ **se** *(s jídlem)* pick at one's food; *(s prací)* dawdle [do:dl] (away)
párátko toothpick
parcela site, plot
pardon (I) beg your pardon, pardon me; sorry
párek **1** (*uzenka*) frankfurter [fræŋkfətə] **2** (*dvojice*) pair, couple
parfém perfume
park park; **vozový** ~ rolling stock
parket; **~a**, *též adj* **~ový** parquet

parkety parquet(ed) floor, parquet flooring
parkování parking; **P~ zakázáno** No parking
parkovat park
parkoviště park, car park, parking lot
parlament parliament
parlamentní parliamentary
parma barble
parní steam (**stroj** engine); **~ lázně** Turkish baths
parník steamship
parno: je ~ it is sultry, the heat is stifling
parný sultry
parodie parody (**na** of)
parohy antlers *pl*; **nasadit ~** cuckold [kakəld] (**komu** sb.)
paroplavba steam navigation, steamboating
parta (*pracovní*) team, gang; (*veselá*) company
parte death notice
partie 1 (*část*) part, section **2** (*ve hře*) game **3** (*na vdávání*) match
partiové zboží seconds *pl*
partner partner
partyzán guerilla
partyzánsk|ý guerilla; **-á válka** guerilla warfare
paruka wig
pařák steam basket
pařeniště hotbed
pařez stump
Paříž, *též adj* **pařížský** Paris
pas 1 waist; **svlečený do ~u** stripped to the waist **2 cestovní ~** passport
pás belt; **~ zeleně** green belt; **podvazkový ~** suspender belt; garter belt; (*bokovka*) girdle
pasáž passage
pásek 1 (*opasek*) belt **2** (*magnetofonový*) tape
paseka clearing
pasivita passivity
pasívní passive
páska: cílová ~ the tape; **lepící ~** adhesive tape; **~ do psacího stroje** typewriter ribbon
pásmo zone
pasová kontrola passport examination / control
pásový traktor caterpillar tractor
past trap
pást (se) graze
pasta paste; **zubní ~** toothpaste
pastel, *též adj* **~ový** pastel
pasterizovaný pasteurized [pæstəraizd]
pastinák wild parsnip
pastv|a, -ina pasture
pastýř shepherd
pašovat smuggle
paštika pâté [pæ'tei]; pasty, pie
pat stalemate
pat|a 1 heel **2** (*úpatí*) foot ♦ **být komu v -ách** be* at sb.'s heels; **nemá to hlavu ani -u** I can't make head or tail of it
pátek Friday; **Velký ~** Good Friday
patent patent
patentka press stud
páteř backbone
patnáct fifteen
patnáctý fifteenth
patník guard stone
pátrání investigation
pátrat search (**kde po čem** sth. for sth.); (*provádět pátrání*) investigate
pátravý searching, scrutinizing, questioning
patrně apparently, probably
pat|ro 1 (*podlaží*) storey; floor;

dům o jednom -ře *(dvou podlažích)* a two-storeyed house; **v prvním -ře** on the first floor 2 (*v ústech*) palate
patrona cartridge
patronát patronage
patronátní sponsored
patrový autobus double-decker
patř|it 1 belong (**komu** to sb.) 2 rank (**mezi** among); **-í k nejlepším spisovatelům své doby** he ranks among the best authors of his time ♦ **k vašim povinnostem bude ~** your duties will include; **to nepatří k věci** that is beside the point
pát|ý fifth ♦ **-é kolo u vozu** fifth wheel; **mlít -é přes deváté** talk nineteen to the dozen
paušál lump sum
pauza interval
páv peacock
pavilón pavilion
pavlač gallery
pavouk spider
pavučina cobweb
paže arm
pažitka chive [čaiv]
pec furnace; **vysoká ~** blast furnace
péci 1 (*pečivo*) bake 2 (*maso*) roast
pecka stone
péče care (**o** of); attendance; **lékařská ~** medical attendance ♦ **neměj péči!** not to worry!
pečeně roast; **hovězí ~** roast beef
pečený roast; baked
pečeť seal
pečivo pastry
pečlivý careful
pečovat take* care (**o** of); (at)tend
pedagog pedagogue
pedagogický pedagogic
pedagogika pedagogy
pedikúra pedicure
pěchota infantry
pekáč baking / roasting tin
pekárna bakery
pekař baker
pekařství baker's
peklo hell
pěkně nicely, fine; **je ~** the weather is fine, the day is fine
pěkný nice, fine; (*částka peněz*) tidy
pelargónie geranium [dži'reinjəm]
pelichat moult [məult]
pelyněk wormwood
pěna foam; (*na koni*) lather
penalta penalty kick
pendlovky pendulum clock
peněženka purse
peněžní financial; **~ poukázka** money order; **~ reforma** monetary reform; **~ ústav** banking institution
penicilín penicillin
pěnit foam, froth; (*kůň*) lather
peníz coin
peníze money; **hotové ~** ready money, cash
pěnkava finch
pěnové cukroví meringues
penze 1 (*důchod*) pension 2 (*v hotelu*) **plná ~** full board, inclusive terms *pl*; **částečná ~** partial board
penzijní pension; **~ pojištění** pension / old age insurance
penzión boarding house, guest house
penzista pensioner
pepř, *též v* **~it** pepper
periferní peripheral [pə'rifərəl]
periodický periodic(al)
perla pearl

perleť mother-of-pearl, nacre [neikə]
perleťový mother-of-pearl
perlička guinea hen
perník gingerbread
pero (*na psaní*) pen; (*špička*) nib; **plnicí ~** fountain pen; **kuličkové ~** ballpoint (pen)
péro 1 (*ptačí*) feather **2** (*pružina*) spring
perokresba pen-and-ink drawing
pérovat be* springy
perský Persian
personál personnel, staff; **vlakový ~** car attendants *pl*; guards *pl*
perspektiv|a, *též adj* **-ní** perspective
perzián astrakhan [æstrə'kæn]
peří feathers *pl*
peřina eiderdown
pes dog; **hlídací ~** watch dog; **lovecký ~** hound
pesimismus pessimism
pesimistický pessimistic
pěst fist; **zatínat ~i** clench one's fists; **na vlastní ~** on one's own (hook)
pěstit si care for, tend (**vlasy** one's hair, **nehty** one's nails)
pěstitel grower, cultivator, planter
pěstovat 1 grow* (**růže** roses), raise (**plodiny** crops, **ovce** sheep), breed (**dobytek** cattle), cultivate (**plodiny** crops, **přátelství** friendship) **2** (*sport*) go* in for
pestrý motley, many-coloured; bright
pěšák infantry man
pěší: ~ túra hiking tour; **přechod pro ~** pedestrian crossing
pěšinka 1 footpath **2** (*ve vlasech*) parting
pěšky on foot; **jít ~** go* on foot, walk
pět five
pětiboj pentathlon [pen'tæθlən]
pěticíp|ý five-pointed; **-á hvězda** (*obrazec*) pentagram
pětiletý five-year
pětina fifth
pětka five; Number Five
petrklíč cowslip, primrose
petrolej petroleum; (*na svícení*) kerosene
petrolejový oil
petržel parsley
pěvecký sbor choir
pevně firm(ly), fast; **~ se držet čeho** hold* firm / fast to sth.; **držte se ~** *(v autobusu)* hold tight; **stát ~** stand* firm
pevnina mainland, continent
pevnost 1 (*stavba*) fortress **2** (*odolnost*) firmness, stability
pevný 1 firm **2** (*nikoli tekutý*) solid **3** (*stálý*) stable, steady, set; **~ plán cesty** a set itinerary **4** (*silný*) sturdy
pianino upright (piano)
pianista pianist
piano piano
píce forage; (*sušená*) fodder
píča (*vulg.*) cunt
piha freckle
pích|at, -nout prick, sting; **~ příchod** clock in (at the gate); **~ odchod** clock out
piják 1 drinker **2** (*papír*) blotting paper
pijan serious drinker, drunkard
pijavice leech
pikantní piquant [pi:kənt]
pila saw
píle diligence
piliny sawdust

pilíř pillar; (*mostu*) pier
pilková podešev ripple sole
pilně hard; ~ **pracovat** work hard, ~ **se učit** study hard
pilník file
pilný industrious, diligent; hardworking
pilot, *též v* **~ovat** pilot
pilulka pill
ping-pong, *též adj* **~ový** ping pong
pinzeta tweezers *pl*
pionýr pioneer
písařka typist
pisatel, ~ka writer
písčitý sandy
písek sand; **hrubý** ~ gravel
písemně in writing
písemn|ý written, in writing; **-á práce** essay, thesis
píseň song
písk|at, -nout whistle
pískovec sandstone
pískový sand
písmeno letter; **malé** ~ small letter; **velké** ~ capital letter
písmo writing; (*tiskařské*) type; (*rukopis*) hand
píst piston
pistole pistol
piškot sponge biscuit / finger
píšťala whistle; (*varhan*) pipe
pít drink*
pití drinking; (*nápoj*) drink
pitná voda drinking water
pitomý silly
pitva (*studijní*) dissection; (*úřední*) autopsy
pivo beer; **černé** ~ porter, stout; **světlé** ~ ale
pivoňka peony
pivovar brewery
pižmo musk
placený paid
placka flat cake
pláč weeping, crying
plagiát plagiarism [pleidžərizm]
plachetnice sailing boat, sailboat
plachta canvas; (*lodní*) sail; (*nepromokavá na vůz*) tarpaulin
plachtit (*vzduchem*) glide, sail
plachý shy, self-conscious
plakat cry, weep*
plakát bill, poster, placard; **lepení ~ů zakázáno** stick* no bills
plaketa plaque
plamen flame
plán 1 plan, schedule; **podle ~u** according to plan, on schedule; **splnit** ~ meet the target **2** (*města*) map
planeta planet
planetárium planetarium [plæni'teəriəm]
plánov|ací, *též n* **-ání** planning
plánovaný planned
plánovat plan; arrange
plánovitý planned
plantáž plantation
planý 1 barren **2** (*marný*) vain, idle, futile **3** false (**poplach** alarm)
plastick|ý plastic; **-á hmota** plastic (material)
plastik plastic
plastika sculpture
plašit scare, frighten; ~ **se** get* frightened
plášť 1 coat; ~ **do deště** raincoat, mac(kintosh) **2** (*pneumatiky*) tyre **3** (*hodinek*) case
pláštěnka cape, cloak
plat pay; (*příjem*) income, salary; (*mzda*) wage(s)
plátce payer
platební payment; ~ **podmínky** conditions *pl* of payment

plátek slice (**chleba** of bread, **šunky** of ham, **citrónu** of lemon)
plátěný linen
platina platinum
plat|it **1** pay* (**za** for); **~ účet** pay a bill; **~ fakturu** pay an invoice; **~!** the bill, please! **2** (*mít platnost*) **jízdenka -í tři dny** the ticket is good / available for three days; **pravidlo ještě -í** the rule still obtains / holds good **3** (*týkat se koho*) apply to, go* for; **to -í také pro vás** that applies to you / that goes for you, too
plátno linen; (*knihařské*) cloth; (*malířské*) canvas; (*filmové*) screen; **široké ~** wide screen; **voskové ~** oilcloth
platnost validity; force; **být v ~i** be* in force, hold* good; **vejít v ~** come* into force; **uvést v ~** put* into force
platný valid
platov|ý pay, salary; **-á stupnice** salary scale
plavání swimming
plavat swim*
plavba navigation
plavčík lifeguard
plavební navigation, shipping
plavec swimmer
plaveck|ý swimming; **-é závody** swimming competitions *pl*
plavit float; **~ se** sail
plavky (*dámské, jednodílné*) swimsuit; (*pánské*) slips *pl*, (bathing) trunks *pl*
plavkyně swimmer
plav|ovlasý, -ý fair
plavuň stag's-horn clubmoss
plazit se crawl
pláž beach
plážový beach (**oblek** dress)
plebiscit plebiscite
plec shoulder
plech **1** sheet of tin, tinplate **2** (*na pečení*) baking tin
plechový tin
plechovka tin, can
plemenný brood; **~ kůň** stud horse, breeding mare
plemeno breed
plena napkin, diaper
plenární plenary (**schůze** meeting)
plénum general assembly
ples ball; **pořádat ~** give* a ball; **maškarní ~** fancy-dress / masked ball
plesnivět become* mouldy
plesnivý mouldy
plést **1** (*svetr*) knit **2** (*koho*) puzzle **3 ~ si** mistake* (**koho s kým** sb. for sb.)
plést se **1** (*při počítání*) make* mistakes **2** (*do čeho*) meddle in, butt in
pleš: mít ~ be* bald
pleť complexion
pleten|ý knitted (**svetr** sweater); **-á vesta** cardigan
pletivo network
plevel weed
plíce lungs *pl*
plicní lung
plicník lungwort
plíseň mould
plisovaný pleated
plít weed
pliv|at, -nout spit*
plížit se creep*; (*kradmo*) steal*
plnicí pero fountain pen
plnit **1** fill (**láhev** a bottle) **2** discharge (**své povinnosti** one's duties)
plno plenty, a lot (**práce** of work),

a great many, a great number (**lidí** of people)
plnoletý of age
pln|ý 1 full; **-á moc** power of attorney **2** (*korpulentní*) plump
plod fruit
plodina product; **hlavní ~** staple
plodný fertile, fruitful
plocha area; (*mat.*) plane; **plakátovací ~** hoarding, billboard; **vodní ~** sheet of water
plochý flat
plomba 1 (*zubní*) stopping, filling **2** (*pečeť*) seal
plombovat stop, fill (**zub** a tooth)
plošina platform; (*autobusu*) deck
plošná míra area
plot fence; **živý ~** hedge
plotice roach
plotna 1 (*plát*) plate **2** (*kamna*) (cooking) stove, (cooking) range
plotýnka slipped disc
plout float, sail
ploutev fin
plovárna (*bazén v přírodě*) swimming pool; (*krytý bazén*) swimming bath(s)
plst, *též adj* **~ěný** felt
pluh plough
pluk regiment
plukovník colonel
plurál plural
plus plus
plyn gas; **pustit / zastavit ~** turn the gas on / off; (*motor.*) **přidat ~** step / put* one's foot on the accelerator
plynárna gasworks
plynně fluently
plynojem gasometer
plynoměr gas meter
plynov|ý: ~ hořák gas burner; **-á maska** gas mask; **~ pedál** accelerator
plynulý fluent, smooth
plyš, *též adj* **~ový** plush
plýtvat waste (**čím** sth.)
pneumatický pneumatic
pneumatika tyre
po 1 (*časově*) after (**tobě** after you, **jeho smrti** after his death); past (**dvě minuty ~ sedmé** two minutes past seven); for (**tři roky** for three years); in (**dvou dnech** in two days); up to, until (**tuto chvíli** up to now, until now) **2** (*místní*) over (**celém světě** all over the world); about (**městě** about the town); along (**ulici** along the street); up to (**kolena** up to the knees) **3** (*cena*) **~ dvou librách** at two pounds a piece, two pounds each **4** (*způsob*) **rozvod ~ italsku** divorce Italian style ♦ **být ~ ruce** be* handy; **být ~ otci** take* after one's father; **ať je tedy ~ vašem** have* it your own way
pobavit amuse, entertain; **~ se** have* a good time
pobídnout invite; (*podnítit*) incite; (*popohnat*) urge
pobízet (*k jídlu*) coax
pobočka branch (office)
pobouření anger, indignation (**nad** at)
pobouřit anger; fill with indignation; (*mravně*) disgust
pobožný pious
pobřeží coast
pobřežní coastal
pobyt stay (**v hotelu** at a hotel); **přechodný ~** temporary stay, sojourn; **trvalý ~** residence
pocákat splash, (be)spatter

pocit feeling, sensation
poct|a homage, tribute; **vzdát -u** pay* homage / tribute; (*čest*) honour
poctivost honesty
poctivý honest
pocukrovat (sprinkle with) sugar
počasí weather; **krásné / špatné / deštivé / proměnlivé ~** fine / bad / rainy, wet / changeable weather; **za každého ~** in all weathers; **dovolí-li to ~** weather permitting
počáteční initial, original, opening
počát|ek beginning; **na -ku** at the beginning
počest honour; **na ~ koho** in honour of sb.
počet number; **~ obětí dopravních nehod** the toll of the roads
početní arithmetical
početnice arithmetic book
početný numerous
počítač computer
počítat 1 count, reckon **2** (*vypočítávat*) calculate, compute **3** (*účtovat*) charge **4** (*mezi*) number (among) **5** (*spoléhat se na*) reckon on; (*počítat s kým*) reckon with, count on
počkání: na ~ while you wait
počkat 1 wait (**na koho** for sb.) **2** (*u telefonu*) hold* the line; (*na časový signál*) stand* by for the time signal
počty arithmetic
pod 1 under (**stolem** the table, **kopcem** the hill, **dvacet korun** twenty crowns) **2** below (**kolena** the knees, **obzorem** the horizon, **nulou** the freezing point / zero, **hladinou moře** the sea level, **průměrem** the average, **moji důstojnost** my dignity) **3** beneath (**moji důstojnost** my dignity)
podání 1 (*na úřad*) handing in (**žádosti** an application) **2** (*sport.*) (*v kopané*) pass; (*v tenise*) service **3** (*léku*) administering, dispensing
podařì|t se: -lo se mi I succeeded, I was successful
pod|at, -ávat give*, hand, pass; **~ lék** administer a medicine; **~ ruku komu** shake* hands with sb.; **~ trestní oznámení proti** file a charge against
podběl coltsfoot [kəultsfut]
podce|nit, -ňovat underestimate
poddajný supple, lithe
poddůstojník noncommissioned officer
podebrat se fester
podej zavazadel luggage office
poděkovat thank (**komu** sb.)
podél along
podélný lengthways, lengthwise, oblong
podepřít prop up, support
poděsit alarm, shock, scare, frighten, terrify
podepsat sign; **~ se** sign one's name
podezírat suspect (**z** of)
podezíravý suspicious
podezřelý suspicious; **~ člověk** suspect (**z** of)
podezření suspicion (**z** of)
podezřívat suspect (**z** of)
podchy|covat, -tit catch* up
podíl share; (*k dělení*) portion; (*výsledek dělení*)) quotient [kwəušnt]
podílet se share (**s kým na čem** sth. with sb.)

podít se: kam se poděl? what has become of him?
pódium platform
podívan|á spectacle; **na tebe je ale ~!** what a sight you are!; **stojí to za -ou** it is worth seeing
podívat se **1** look, have* a look (**na** at); **~ do zrcadla** look into the mirror; **~ komu do očí** look into one's eyes **2 ~ do Prahy** make* a trip / pay a visit to Prague
podivín freak
podivný strange, quaint
podivuhodný admirable, wonderful
podjezd underpass
podklad basis
podkolenky knee socks *pl*
podkop|at, -ávat sap, undermine
podkova horseshoe
podkožní subcutaneous [sabkju'teinjəs]
podkrov|í, -ní místnost garret, attic
podlaha floor
podlahová krytina flooring
podlamovat sap, undermine (**své zdraví** one's health)
podle **1** (*podél*) along (**řeky** the river) **2** according to, in accordance with (**tvého přání** your wish) **3 malováno ~ Rembrandta / ~ přírody** painted after Rembrandt / from nature ♦ **~ mého názoru** in my opinion; **~ poslední módy** in the latest fashion; **~ všeho** to all appearances; **musíte jednat ~ toho** you must act accordingly
podléhat **1** be* liable, be* subject (**čemu** to sth.) **2** be* inferior, be* subject (**komu** to sb.)
podlehnout succumb (**čemu** to sth.); yield (**nátlaku** to pressure)
podlévat baste
podléz|t, -at creep* under; **-at komu** toady / cringe to sb.
podlitina blotch
podlomené zdraví undermined health
podloubí arcade [a:'keid]
podlouhlý oblong
podložit **1** underlay*; (*vycpávkou*) pad **2** (*důkazy*) found
podložka (writing) pad
podlý base, mean
podmáslí buttermilk
podmínk|a condition; term; **klást -y** lay* down conditions; **pod -ou, že** on condition that; **za jakých podmínek** on what conditions; **za žádných podmínek** on no condition, under no circumstances
podmítka break-up
podnájem lodgings *pl*; (*hovor.*) digs *pl*
podnájemník lodger
podnapilý tipsy
podnebí climate
podněcovat instigate, incite
podnět stimulation; (*návrh*) suggestion; **dát ~, aby** prompt to
podnětný stimulating
podnik undertaking, enterprise; (*obchod*) business
podnikání enterprise
podnikat *viz* **podniknout**
podnikatel contractor, businessman
podnikavý enterprising
podnik|nout undertake*; **~ cestu** make* / set* out on a journey; **~ potřebné kroky** take* the necessary steps

podnos tray
podoba 1 (*vzhled*) form, shape 2 (*podobnost*) resemblance
podobat se resemble, look like (**komu** sb.)
podobizna portrait
podobně in a similar way, likewise; **a tak** ~ and so on
podobn|ý similar; **obě sestry jsou si velmi -é** the two sisters are very much alike; **to je ti -é** that's just like you
podojit milk
podotknout add
podpalubí lower deck
podpatek heel
podpaží armpit
podpěra support, prop; (*konzole*) bracket
podpírat prop up, support
podpis signature
podpisovat sign; ~ **se** sign one's name
podpl|ácet, -atit bribe
podpor ležmo pressup, pushup
podpora 1 support 2 (*mravní*) encouragement, backing 3 (*výživa*) maintenance, relief 4 (*v nezaměstnanosti*) dole
podporovat 1 support 2 (*vydržovat*) maintain, aid, support 3 (*mravně*) encourage, back, patronize; (*akci*) advocate, sponsor
podporučík second lieutenant
podpořit *viz* **podporovat**
podprahový subliminal [sab'liminəl]
podprsenka brassière, (*hovor.*) bra
podprůměrn|ý below the average; **-á velikost** undersize
podrazit: ~ **boty** sole the shoes; ~ **komu nohy** trip up sb.
podrážděný irritated, irritable, edgy, cross
podráždit irritate
podrážet *viz* **podrazit**
podrážka sole
podrobit subject; ~ **se** submit, yield (**čemu** to sth.); ~ **se zkoušce** take* an examination, sit* for an examination; ~ **si** subdue
podrobnost detail
podrobně in detail
podrobný detailed
područí bondage
podruhé a second time; (*příště*) next time
podržet hold*, keep*, retain; ~ **se** hold* (**čeho** on to sth.)
podřadný inferior
podřeknout se let* out
podřídit se submit (**čemu** to sth.)
podřízený subordinate
podřizovat se submit (**čemu** to sth.), put* up with
podstat|a substance, essence; **máte v -ě pravdu** you are right in the main
podstatný essential
podstavec stand, base; (*sochy*) pedestal [pedistl]; (*malířský*) easel
podšívka lining
podtitulek subtitle
podtrh|ávat, -nout underline
poduška cushion
podvádět deceive, cheat
podvazek (*dámský*) garter; (*pánský*) suspender
podvědomí subconsciousness
podvědomý subconscious
podvést deceive, cheat; (*hovor.*) double-cross
podvod deception, deceipt
podvodník cheat, swindler; (*kdo se vydává za jiného*) impostor

podvozek undercarriage
podvratný subversive
podvýživa undernourishment
podvyživený undernourished, underfed
podzemí underground
podzemní dráha underground, (*v Londýně*) tube, *US* subway
podzim, *též adj* **~ní** autumn, *US* fall
poezie poetry
pohádat se quarrel
pohádka fairy tale
pohan heathen
pohanět blame
pohánět drive*, propel
pohár cup
pohladit stroke, caress
pohlavek box on the ear
pohlaví sex
pohlavní sexual; ~ **choroba** venereal disease
pohled 1 (*pohlédnutí*) look; (*letmý*) glance; (*upřený, pátravý*) gaze; **na první ~** at first sight, on the face of it **2** (*výhled*) sight; view (**na hrad** of the castle) **3** (*pohlednice*) (picture) postcard
pohledávka claim; outstanding debt
pohlednice (picture) postcard
pohmožd|ěnina, *též v* **-it** bruise
pohnojit manure; (*uměle*) fertilize
pohnout (*též dojmout, přimět*) move; **~ k slzám** move to tears; **~ ho, aby šel** move him to go
pohnutí emotion
pohnutka motive; incentive
pohodlí comfort
pohoda wellbeing, contentment
pohodlný comfortable
pohon drive, propulsion
pohonná hmota fuel
pohoršení scandal
pohoršovat shock; **~ se** be* shocked (**nad** at)
pohoří (range of) mountains
pohostinný hospitable
pohostinství hospitality
pohostit treat (**koho čím** sb. to sth.); (*dát komu oběd / večeři*) entertain sb. to dinner / supper
pohoštění entertainment; **děkuji vám za ~** thank you for your hospitality
pohotovost 1 (*připravenost, bystrost*) promptness, readiness **2** (*voj.*) alert
pohotovostní emergency
pohotový ready, prompt
pohov! (stand) easy!; **stát v ~u** stand at ease
pohovka couch, settee, sofa
pohovor talk, chat; interview
pohovořit (si) have* a talk / chat
pohraničí border region(s *pl*), frontier territory
pohrdání contempt
pohrdat despise, disdain (**čím** sth.)
pohrdavý contemptuous
pohrobek posthumous child
pohroma calamity, fatality, disaster
pohromadě gathered; together
pohrozit threaten (**komu čím** sb. with sth.)
pohrudnice pleura [pluərə]; **zánět ~** pleurisy [pluərisi]
pohřbí|t, -vat bury
pohřeb funeral
pohřební: ~ obřad burial service; **~ ústav** undertaker's; **~ vůz** hearse
pohřešov|at miss; **být -án** be* missing
pohyb motion; (*určitý, též hnutí*)

movement; (*tělesný, cvičení*) exercise
pohyblivý mobile; (*pohybující se*) moving; (*přemístitelný*) movable
pohybovat (se) move
pocházet come* (**z** from); (*původem*) descend (**od** from)
pochlubit se boast (**čím** of)
pochmurný gloomy
pochod, *též v* **~ovat** march
pochopení understanding
pochopit understand*; take* in
pochopitelný comprehensible, understandable
pochoutka dainty, titbit
pochutn|at si, -ávat si relish (**na čem** sth.)
pochvala praise, compliment
pochválit praise; speak* highly of, compliment
pochybnost doubt; **mít ~i o** be* doubtful about; **brát v ~ co** challenge sth.; **nade vší ~** beyond all doubt, indubitably
pochybný doubtful; (*podezřelý*) dubious
pochybovat doubt (**o čem** sth.); **nepochybuji, že** I do not doubt that, I am satisfied that
pojednání treatise (**o** on)
pojednávat deal* (**o čem** with sth.); treat (sth. / of sth.)
pojem concept; (*představa*) notion, idea (**o** of)
pojetí conception
pojistit insure (**proti ohni** against fire)
pojistk|a 1 (insurance) policy 2 (*elektr.*) fuse; **spálit -u** blow* a fuse, fuse the lights
pojištění insurance; **národní ~** national insurance; **nemocenské ~** health insurance; **~ na život** life assurance
pojišťovna insurance company
pojízdný mobile
pojmenovat name, call
pojmout hold*; (*diváky*) seat
pokání repentance
pokárat reprove, reprimand
pokazit mar
pokaždé every time, each time
poklad treasure
pokládat 1 (*klást*) lay* (down), deposit 2 (*považovat*) take* for (**za přítele** a friend)
pokladna (*nádražní*) booking office; (*divadelní*) box office; (*státní*) public treasury; (*kontrolní*) cash register; (*nedobytná*) safe
pokladní kniha cash book
pokladní(k) cashier
pokles fall (**návštěvnosti** in attendances); drop (**počtu zraněných** in the number of injured); decline (**cen** in prices)
poklička lid
poklonit se bow
pokoj 1 (*klid*) peace, quiet; **žít v míru a ~i** live in peace and quiet; **nechat na ~i koho** leave* sb. alone; **dej ~** keep* quiet 2 (*místnost*) room; **obývací ~** living room, sitting room; **jednolůžkový / dvoulůžkový ~** single / double bedroom; **nemocniční ~** ward
pokojný quiet, peaceful
pokojská chambermaid
pokolení generation
pokorný humble
pokoř|it, -ovat humiliate
pokousat bite*

pokoušet se try, attempt; dabble (**o psaní / psát** in writing)
pokovování plating
pokožka skin; (*pleť*) complexion
pokračování continuation, sequel
pokračovat go* on, go* ahead (**v čem** with sth.); continue
pokrčit wrinkle; ~ **rameny** shrug one's shoulders
pokrm food, dish
pokročilý advanced; ~ **věkem** advanced in years
pokrok advance; progress; **dělat ~y** make* progress
pokrokový progressive
pokropit sprinkle
pokrýt (se) cover (oneself)
pokrytecký hypocritical
pokrytectví hypocrisy
pokrývač tiler, slater
pokrývat (se) cover (oneself)
pokrývka cover; (*deka*) blanket; **prošívaná** ~ quilt; ~ **na postel** bedspread
pokřik cry; **strhnout** ~ raise a hue and cry (**proti** against)
pokud **1** (*dokud*) as long as **2** (*jestli*) if ♦ ~ **možná** as far as possible; ~ **jde o** as to, as for, as far as … is concerned
pokus **1** attempt (**oč** at sth., to do sth., at doing sth.); **nezdařený** ~ abortive attempt **2** (*vědecký*) experiment
pokusit se **1** attempt (**oč** sth.); ~ **o sebevraždu** attempt to commit suicide **2** (*snažit se*) try, do* one's best
pokusný experimental
pokušení temptation
pokuta penalty; (*peněžní částka*) fine
pokutovat fine
pokyn direction, hint (**o** on)
pól pole; **severní / jižní** ~ north / south pole
Polák Pole
polák (*kachna*) pochard [pəučəd]
polární polar; ~ **kruh** the Arctic Circle; ~ **záře** aurora borealis [bo:ri'eilis], northern lights *pl*
pole field
poledne noon, midday; **v** ~ at noon, at midday
polední midday (**jídlo** meal)
poledník meridian
polekat frighten, scare; ~ **se** be* frightened, be* scared
polemika polemic, controversy
polemizovat argue
poleno log
polepšit: ~ **si** improve one's conditions; ~ **se** correct oneself
poleva (*na nádobí*) glaze; (*na pečivu*) icing
polévat pour over
polévka soup; **bílá** ~ thick soup; **hnědá** ~ clear soup
pol|ibek, *též v* **-íbit** kiss
polic|ejní, *též n* **-ie** police
policista policeman, police officer
políček slap in the face
polička shelf; ledge (**na křídu** for chalk)
polít pour over
politický political
politik politician
politika **1** (*věda i praxe*) politics **2** (*politická linie*) policy
politování regret
polka polka
polknout swallow
polní field; ~ **maršál** Field Marshal
pólo polo [pəuləu]; **vodní** ~ water polo
polobotky shoes *pl*

poločas half-time
polodrahokam semiprecious stone
poloha position, situation
polokoule hemisphere
pololetí half-year; (*školní*) term
pololetní: ~ prázdniny midyear holidays *pl*; **~ vysvědčení** midyear / half-yearly report
poloměr radius
poloostrov peninsula
polorozpadlý dilapidated
polotovar (*kuch.*) oven-ready / ready-to-cook food
polovi|ční, *též n* **-na** half
polovodič semiconductor
položit lay* (down), put*, set* (down), deposit
položka item; (*zapsaná*) entry
Polsko Poland
polsk|ý Polish
polštář cushion; (*jen na lůžku*) pillow
polština Polish
polykat swallow
polymer polymer [poliməl]
polytechnický polytechnic
pomačkaný battered
pomáhat help (**komu** sb.)
pomalu slowly ♦ **~ ale jistě** slowly but surely; **~, ~!** easy, easy!
pomalý slow
pomást se become* mentally deranged, go* insane
pomatený insane
pomazánka spread
poměr 1 proportion; **v ~u k vykonané práci** in proportion to work done **2** (*vztah*) relation, relationship (**mezi matkou a dětmi** between mother and children) **3** (*postoj*) attitude (**k práci** towards work) ♦ **mít ~** carry on (**s kým** with sb.)
pomeranč orange
poměrně relatively, comparatively
poměrn|ý 1 relative, comparative **2** (*úměrný*) proportionate; **~ počet** proportion; **-é zastoupení** proportional representation
pomfrity chips, French fries
pomlčet not mention (**o čem** sth.)
pomlčka dash
pomlouvačný slanderous
poml|ouvat, -uvit, *též n* **-uva** slander; (*tiskem*) libel
pomněnka forget-me-not
pomník (*socha*) statue; monument
pomoc 1 help; **lékařská ~** medical help **2** (*organizovaná*) aid; **první ~** first aid **3** (*částečná*) assistance; **přijít na ~ komu** come* to sb.'s assistance **4** (*zvl. sociální*) relief, assistance
pomocí by means of, with the assistance of, with the aid / help of
pomoci help (**komu** sb.); give* / lend* a hand; **pomoz mi s tím kufrem** would you mind giving me a hand with this suitcase?
pomocn|ice, -ík helper; assistant (**ředitele** manager's assistant)
pomocný auxiliary
pomsta revenge
pomstít avenge (**bezpráví** an injustice, **přítele** one's friend); **~ se** take* revenge (**na kom zač** on sb. for sth.)
pomůck|a aid; **audiovizuální -y** audiovisual aids *pl*; **vyučovací ~** teaching aid
pomyslit think* (**na** of); **jen si pomysli!** just fancy!
pomýšlet think* (**na** of); get* one's mind set (**na** on); intend (**na / že** to + *inf*)
ponaučení warning

pondělí Monday
poněkud rather, somewhat
ponětí idea; **nemám ~ o** I have no idea of
poněvadž because, as, since
pon|ížit, -ižovat humiliate; **~ se** humiliate oneself
ponižující humiliating
ponorka submarine
ponořit plunge (**ruku do vody** one's hand into water); **~ se 1** plunge (**do bazénu** into a swimming pool); dive **2** become* engrossed (**do knihy** in a book)
ponožka sock
popálenina burn
popel 1 ash, ashes *pl* **2** (*tělesné pozůstatky*) one's ashes *pl*
popelnice 1 (*pohřební*) urn **2** (*na odpadky*) dustbin
popelník ashtray
popírat deny (**obvinění** the charge); dispute (**nárok** a claim)
popis 1 description **2** (*líčení*) account
popisovat 1 describe **2** (*líčit*) give* an account of
poplach alarm
poplašn|ý: -á zpráva alarming news; **-é zařízení** alarm; **-é znamení** alarm signal
poplatek charge; fee; **za malý ~** on payment of a small fee
poplést (*co*) mix up; (*koho*) puzzle, perplex; (*uvést do rozpaků*) embarrass
♦ **~ komu hlavu** turn sb.'s brain
poprat se have* a row
poprava execution
popravit execute
poprosit ask
poprsí bust
poprvé (for) the first time
popředí: stavět do ~ bring* into prominence; **v ~** in the foreground
popřípadě respectively, as the case may be
popřít deny
popsat describe, give* a description / an account of
poptávka 1 (*dotaz*) inquiry **2** (*nedostatek*) demand (**po** for)
popud impulse
populace population
popularita popularity
popularizovat popularize
populární popular; **~ zpěvák** (*hovor.*) pop singer
pór 1 pore **2** (*pórek*) leek
porada meeting, conference
porad|it (*komu*) advise (sb.), give* sb. (a piece of) advice (**v čem** on sth.); **dát si (odborně) ~ od koho** take* sb.'s (expert) advice; **nějak si s tím -íme** we'll manage somehow
poradit se consult (**s advokátem** a lawyer); take* sb.'s advice
poradna: advokátní ~ legal aid (and advice) centre; **~ pro matky a děti** maternity and child welfare centre
poranit hurt*, injure; **~ se** get* hurt
porazit 1 knock down; overthrow* **2** (*protivníka*) beat*, defeat **3** (*dobytče*) kill
porážet 1 (*stromy*) fell **2** (*dobytek*) slaughter
porážka 1 defeat **2** (*dobytka*) slaughter
porce helping
porcelán china; (*kvalitní*) porcelain
porod childbirth; **zemřít při ~u** die in childbirth

porodit give* birth to
porodní: ~ **bolesti** labour;
~ **asistentka** midwife
porodnice maternity hospital
porodnost birth rate
porota jury
poroučet order, command; ~ **si** order
porozumění understanding
porozumět understand* (**čemu** sth.)
portrét portrait
Portugalec Portuguese
Portugalsko Portugal
portugal|ský, *též n* **-ština** Portuguese
poručík lieutenant
poručit order
poručník guardian
poruch|a **1** disorder (**zažívací soustavy** of the digestive system) **2** (*tech.*) failure, defect; **atmosférické -y** atmospherics *pl* **3** breakdown
poruš|it, -ovat break* (**zákon** the law); violate (**něčí soukromí** sb.'s privacy); disturb
pořad programme; ~ **jednání** agenda; **dát na** ~ **jednání** put* on the agenda
pořadač file
pořádat **1** (*dát do pořádku*) put* in order, sort **2** (*konat*) arrange, give* (**ples** a ball)
pořadatel organizer, promoter
pořád|ek order; **dát do -ku** put* in order; **něco není v -ku** there is something wrong; **po -ku** one by one; ~ **slov** word order; **v -ku!** all right!, O.K.!; **ve vzorném -ku** in apple-pie order
pořadí order
pořadník list
pořádný **1** proper, sound; (*pořádkumilovný*) orderly **2** (*notný*) substantial, square
pořadové číslo serial number
pořekadlo saying
pořezat se cut* oneself
pořídit si get*, buy
posadit seat; ~ **se** sit* down, take* a seat
posádka garrison; (*osádka*) crew
posekat mow* (down) (**trávu** grass); cut* (**pšenici** wheat)
poselství message
poschodí floor; **v druhém** ~ on the second floor
posila **1** help; (*morální*) encouragement **2** (*zvl. voj.*) reinforcement
posílat send*
pos|ílit, -ilovat **1** (*morálně*) encourage; (*vzpružit*) (*hovor.*) buck up **2** (*voj.*) fortify, reinforce
poskytnout provide
poslanec deputy; *GB* Member of Parliament (M.P.)
poslanecký parliamentary
poslání mission
poslat send*; (*lodí*) ship; ~ **poštou** post, send* by post / through the post; ~ **pro doktora** send for a doctor
posledně last time
poslední last; **v** ~ **době** lately, of late, recently
♦ ~ **kapka** the last straw
poslech listening; ~ **rozhlasu** listening-in
poslechnout **1** obey (**rodiče** one's parents) **2** follow, take* (**čí rady** sb.'s advice)
poslouchat **1** listen (**hudbu** to music); (*rozhlas*) listen in; ~ **přednášku v rozhlase** listen

in to a lecture **2** obey (**rodiče** one's parents)
posloužit (*komu*) serve (sb.), do* a service (to sb.); **dobře ~ komu** stand* sb. in good stead; **~ si** help oneself (**ještě kousek** to another piece)
posluhovačka charwoman; (*hovor.*) daily
posluchač listener; (*student*) undergraduate
posluchárna lecture-hall
poslušný obedient
posměch mockery; **být pro ~** be* the laughing stock; **být vydán ~u** be held up to ridicule
posměšný mocking
posmívat se (*komu*) jeer (at sb.), mock (sb.)
posolit (sprinkle with) salt
posoudit **1** judge; **posuďte sami** judge for yourself **2** review (**knihu** a book)
posouvat shift
pospí|chat, -šit si hurry (up), be* in a hurry, make* haste ♦ **nepospíchej** take your time
postarat se **1** (*o*) look after, see* about (**děti** the children); take* care of; (*hmotně zabezpečit*) provide for, cater for **2** (*aby*) see* to it that
postav|a **1** figure; physique; **muž silné -y** a man of strong physique **2** (*v uměleckém díle*) character
postavení position, situation; (*společenské*) rank
postavit place, stand*; pitch (**stan** a tent); **~ se** oppose (**proti komu** sb.); **~ se na vlastní nohy** strike* out on one's own
postel bed; **v ~i** in bed; **zůstat v ~i** lie* in
poste restante poste restante [pəust 'resta:nt]
postěžovat si complain (**na** of)
postižený afflicted (**reumatismem** with rheumatism); **tělesně ~** invalid
postoj **1** (*držení těla*) posture **2** (*stanovisko*) attitude; **přátelský ~** a friendly attitude; **~ k práci** attitude towards work
postoupit **1** (*pokročit*) advance **2** refer (**spor do OSN** the dispute to the U.N.O.) **3** (*majetek*) cede
postráda|t **1** (*nemít*) lack **2** (*hledat*) miss; **velmi jsme vás -li** we missed you very much
postrach fright
postranní side-, lateral; **~ cesta** by--way; **~ úmysl** secondary motive
postrašit terrify, scare
postřeh perception
postřelit shoot*, wound with a gun; (*do ruky*) wing
postřik spray; **~ proti hmyzu** fly spray
postříkat sprinkle, spray; (*pocákat*) splash
postup **1** (*vpřed*) advance **2** (*metoda*) method, procedure **3** (*pokrok*) progress **4** (*v zaměstnání*) promotion
postupně gradually, step by step
postupný gradual
postupovat **1** (*vpřed*) advance; pass (**dál do vozu** along / down the bus) **2** (*pokračovat*) proceed
posudek **1** (*recenze*) review; **lektorský ~** reader's report **2** (*kádrový*) character
posuno|ut, -vat shift, move; (*vpřed*) advance
posuzovat judge
posvátný sacred

posvěcovat hallow, sanctify
posypat sprinkle, strew* (**pískem** with sand)
pošeptat whisper
pošetilý foolish, silly
poško|dit, -zovat damage (**nábytek** furniture); harm (**čí dobré jméno** sb.'s reputation)
poškrábat scratch; (*při mýtení*) graze
pošlapat trample (**co** on sth.)
pošpinit 1 soil, dirty 2 sully (**čí pověst** sb.'s reputation); ~ **se** bring* discredit upon oneself
pošt|a post, mail; (*úřad*) post office; **poslat -ou** post, send by post / through the post; **dát na -u** post; **obratem -y** by return of post; **leteckou -ou** by air mail
poštípat (*žihadlem*) sting*; (*štěnice*) bite; (*prsty*) pinch
poštolka kestrel
poštovné postage
poštovní post(al); ~ **úřad** post office; ~ **poukázka** postal order; ~ **schránka** letter box, *GB* pillar box; ~ **spořitelna** post office savings bank; ~ **známka** postage stamp
pot sweat; (*pocení*) perspiration
potácet se stagger, reel
potah 1 (*spřežení*) team 2 (*na nábytek*) upholstering
pot|áhnout, -ahovat 1 cover, coat 2 (*nosem*) sniff 3 (*kovem*) plate
potápěč diver
potápět plunge; ~ **se** sink*; (*úmyslně*) dive
potápka grebe [gri:b]
potaz: brát něco v ~ take sth. into consideration
potěšení pleasure, delight; **mít** ~ enjoy (**z čeho** sth.)
potěšit please, give* pleasure; ~ **se** be* pleased (**čím** with sth.), enjoy (sth.)
potěšitelný pleasant
potírat spread*, rub
potit se sweat, perspire
potíž 1 difficulty, trouble; **nemít ~e při cestování** have* no difficulty in travelling 2 (*překážka*) snag; ~ **je v tom, že** the snag is that ♦ **s tím chlapcem je** ~ what a nuisance the boy is; **nedělejte ~e** don't be difficult
potkan sewer rat
potk|at (se), -ávat (se) meet* (**přítele / se s přítelem** a friend); **-alo ho neštěstí** he met with an accident
potlač|it, -ovat suppress; ~ **zívnutí** stifle a yawn
potlesk applause
potlouci se get* battered all over
potmě in the dark
potměchuť bittersweet, woody nightshade
potočnice watercress
potok brook
potom then, afterwards, later on; ~ **když** after; **hned** ~ next
potomek descendant
potopit plunge, sink*; ~ **se** sink*; (*úmyslně*) dive
potrat miscarriage; (*umělý*) abortion
potrava food
potravina foodstuff
potravinářský food; ~ **obchod** grocery
potrestat punish
potrpět si (*na*) set* great store (by); be* particular (about)
potrubí piping
potřeb|a 1 need, necessity;

v **případě -y** in case of need; **konat svou -u** relieve oneself **2 -y** *pl*: **-y pro domácnost** household utensils; **kancelářské -y** writing materials; **sportovní -y** sports equipment; **školní -y** school books and stationery; **toaletní -y** toilet articles
potřebný necessary
potřebovat need, want; **nutně ~** need badly
potřít smear, rub
potud (*prostorově*) as far as here; (*časově*) **~ – pokud** as long – as
potvr|dit 1 (*správnost*) certify, confirm; **tímto se -zuje, že** this is to certify that **2** acknowledge (**příjem čeho** receipt of)
potvrzení 1 (*správnosti*) confirmation, certificate **2** acknowledgement (**příjmu** of receipt)
potvrzovat *viz* **potvrdit**
pouč|it, -ovat instruct, enlighten (**o tématu** on a subject); **~ se** learn*
poučka precept [pri:sept]
poučný instructive
pouhý mere
poukaz 1 (*odkaz*) reference (**na** to) **2** (*na zboží, služby*) voucher **3** (*peněz*) remittance
pouk|ázat, -azovat 1 (*nač*) refer (to), suggest **2** (*peníze*) remit (money)
poukázka: poštovní ~ postal order, money order
pouliční: street; **~ ruch** traffic
poupě bud
poušť desert
pouštět 1 let* go (**co** of) **2** (*upustit*) drop **3** (*dovolit*) permit **4** (*barva*) lose* colour
pouť fair
poutavý attractive
poutko loop
pout|o tie, bond; **-a** shackles *pl*, handcuffs *pl*
pouzdro case
pouze only
použít 1 use, make* use of (**peněz** money, **násilí** force) **2** employ (**kamene při stavbě** stones in building) **3** apply (**pravidla na určitý případ** a rule to a case) **4** avail oneself (**každé příležitosti** of every opportunity) ♦ **~ tramvaje** take* a tram; **~ práva veta** exercise the veto
použití use; **návod k ~** directions for use
používat *viz* **použít**
povaha character; nature
povaleč idler, loafer
poválečný postwar
povalit 1 knock down (**člověka** a man) **2** overthrow* (**vládu** the government)
povalovat se lounge
považov|at consider, regard (**za** as); take* (**za** for); **~ za samozřejmé** take for granted; **být -án za Angličana** pass for an Englishman
povědět tell*
povědomý familiar
povel command
pověra superstition
pověrčivý superstitious
pověřenec commissioner
pověření commission
pověř|it, -ovat (*koho čím*) entrust, charge (sb. with sth.); delegate (**koho, aby** sb. to + *inf*)
pověsit hang* (up)
pověst 1 (*vypravování*) tale,

story; (*starobylá*) saga **2** (*jméno*) **dobrá ~** (good) reputation; (*špatná*) bad reputation, discredit; **udělat si špatnou ~ u** bring* discredit upon oneself with
povést se go* off well
pověstný notorious
povětrnostní weather (**podmínky** conditions)
povídat talk, tell*, chat; **~ si** have* a chat
povídka (short) story, tale
povidla jam
povinnost duty; **konat svou ~** do* one's duty; **pokládám za svou ~** I think* it my duty; **smysl pro ~** sense of duty
povinn|ý compulsory; **-é ručení** third-party insurance; **-á školní docházka** compulsory school attendance; **-á vojenská služba** compulsory military service
povlak cover; (*barvy, rzi*) coat(ing); (*na polštář*) pillowcase, pillowslip; (*na nábytek*) loose cover; slipcover
povlé|ci, -kat (*postel*) change the bedclothes
povlé|ci se, -knout se get* coated (**čím** with sth.)
povodeň flood
povolání occupation; (*vysoce kvalifikované*) profession
povolaný competent, qualified
povol|at, -ávat call (in); (*k vojenské službě*) call up
povolení 1 (*svolení*) permission **2** (*koncese*) licence
povol|it, -ovat 1 (*dovolit*) allow, permit; (*úředně*) licence **2** (*ochabnout*) slacken; (*v úsilí*) relent; (*ustoupit*) give* in, give* way (**násilí** to force) **3** (*zvětšit*) let* out (**kalhoty** the trousers) **4** (*uvolnit*) ease (**šroub** a screw)
povoz vehicle, carriage
povrch surface
povrchní superficial
povrchov|ý surface; **~ důl** opencast coalmine; **-á těžba** opencast mining, strip mining
povstalec rebel
povstání (up)rising
povstat 1 stand* up, get* up; (*též přen.*) rise* **2** (*vzbouřit se*) rebel, revolt
povýšený haughty, patronizing
povýšit, povyšovat 1 promote, advance **2** (*mat.*) (*na druhou*) square
povyšovat se give* oneself airs
povyk din, racket
povzbudit cheer up, encourage
povzbuzení encouragement
povzbuzovat cheer up, encourage
povzdech sigh
pozadí background
pozadu backward(s); **být ~** be* behind (**s** with); **být ~ za** lag behind; **být ~ s placením činže** be in arrears with the rent
pozdě late; **hodiny jdou ~** the clock is slow / losing; **přijít ~** be* late (**do / na** for) ♦ **~ bycha honit** it's no use crying over spilt milk
pozděj|i, *též adj* **-ší** later
pozdní late
pozdrav greeting; **vyřiďte mu můj ~** give* him my regards
pozdravit greet
pozdravný greeting
pozdrav|ovat: -uj ho ode mne remember me to him
pozem|ek (*parcela*) plot; **rekreační ~** recreation ground; **-ky** lands *pl*

pozice position
pozitiv, *též adj* **~ní** positive
poznamen|at, -ávat remark; **~ si** make* a note (**co** of sth.); (*chvatně*) jot down
poznámk|a remark, note; (*kritická*) comment (**o** on); **~ pod čarou** footnote; **dělat si -y** take* notes (**o** of)
poznání knowledge
poznávací: ~ schopnost power of perception; **státní ~ značka** registration number
pozn|at, -ávat 1 (get* to) know **2** recognize (**starého přítele** an old friend, **fotoamatéra** an amateur photographer) **3** (*zjistit*) find* out **4** (*koho*) make* sb.'s acquaintance, meet sb.; **těší mě, že vás -ávám** pleased to meet you
pozor attention; **dát si ~ na** take* care of, be* careful about; (*varovat se čeho*) beware of; **mít se na ~u před** be on the watch for; **~!** look out!; (*voj.*) **P~!** Attention!
pozornost attention; **s napjatou ~í** with rapt attention; **odvádět ~** distract attention (**od** from); **věnovat ~** pay* attention (**čemu** to sth.)
pozorný attentive; (*ohleduplný*) thoughtful, considerate
pozorovat 1 (*sledovat*) watch, observe **2** (*všimnout si*) notice
pozorovatel observer
pozoruhodný remarkable
pozpátku backwards
pozůstalost inheritance
pozůstalý *n* (*truchlící*) mourner
pozvání invitation
pozvánka invitation card
pozvat invite (**na oběd** to dinner; **k sobě** to one's house)
požádání: na ~ on application
požádat ask (**o** for); (*důrazně*) demand; (*nač mám nárok*) claim
požadavek demand; (*nárok*) claim; (*nezbytnost*) requirement
požadovat demand; (*nač mám nárok*) claim; (*jako nutnost*) require
požár fire
požární: ~ sbor fire brigade; **~ pojištění** fire insurance
požehnat bless
požitek enjoyment, pleasure
prababička great-grandmother
prác|e work; (*povolání*) job; (*námaha*) labour; **duševní ~** brain work; **manuální ~** manual work; **~ přes čas** overtime ♦ **být v -i** be* at work; **být bez ~** be out of work / off work; **jít do ~** go* to work; **mít mnoho ~** be very busy (**s čím** doing sth.)
prací washable; **~ prášek** washing powder
pracovat 1 work (**pilně** hard); **~ přes čas** work overtime **2** (*stroj též*) operate
pracoviště workplace
pracovitý hard-working
pracovna study
pracovní: ~ doba working hours *pl*; **~ četa** work squad / gang; **~ síla** hand; **~ oděv** working rig
pracovník worker
pracující *n* working man; *pl* working people; **střední škola pro ~** adult education college
pračka washing machine
pradědeček great-grandfather
prádelna laundry; (*v domě*) wash-house; (*se samoobsluhou*) launderette

prádlo 1 (*spodní*) underwear, underclothing; **ložní ~** bedclothes *pl*; **stolní ~** linen 2 (*do prádelny*) washing, laundry
práh threshold
Praha Prague
prach 1 (*nečistota*) dust; **utřít ~ z nábytku** dust the furniture 2 **střelný ~** gunpowder 3 (*peří*) down
prak catapult; slingshot
praktický practical; **~ lékař** general practitioner
praktik: starý ~ old hand
prales virgin forest
pramen 1 (*zřídlo*) spring; **minerální ~** mineral spring 2 (*zdroj*) source 3 (*původ*) origin 4 (*provazu*) strand ♦ **~ informací** a mine of information
pramen|it rise*; **Labe -í v Krkonoších** the Elbe rises in the Giant Mountains
pramenitý spring
prapor flag; (*vojenský oddíl*) battalion
prase pig
praskat crackle
praskl|ý cracked, burst; **-á žárovka** broken bulb
prask|nout crack, burst*; **-ly pojistky** the light has fused
prášek 1 (*prach*) powder; (*zrníčko*) speck of dust 2 (*lék*) pill; **~ pro spaní** sleeping pill
prášit stir up the dust
práškový powdered; **~ cukr** castor [ka:stə] sugar
prát wash; do* the washing
prát se 1 fight* (**s kým oč** with sb. for sth.) 2 launder; **tato prostěradla se dobře perou** these sheets launder well
pravd|a truth; **máš -u** you are right; **nemáš -u** you are wrong / mistaken; **to je ~** it is true; **mluvit -u** tell* the truth; **abych řekl -u** to tell the truth
pravděpodobnost probability; **s největší ~í** as likely as not
pravděpodobný probable, likely
pravdivý true
pravdomluvný truthful
právě just; **~ teď** just now, at this moment; **~ !** precisely!; **to je ~, co potřebujeme** that is the very thing we need; **~ tak jako** as well as; **proč ~ on?** why he of all people?
pravěk primeval ages *pl*
pravěký primeval
právem rightly, justly; **plným ~** with good reason
pravice right hand; (*politická*) the Right
pravicový right-wing
pravidelný regular
pravidlo rule
pravítko ruler; **logaritmické ~** slide rule
právní legal (**pomoc** aid, **porada** advice); **~ zástupce** attorney; counsel
právnický juridical [džu'ridikl]
právník lawyer
právo 1 right; **~ na práci** right to work; **volební ~** right to vote, franchise 2 law; **mezinárodní ~** international law
pravomoc authority
pravopis spelling
právoplatný valid
pravoúhlý right-angled; **~ trojúhelník** right(-angled) triangle
pravý 1 (*vpravo*) right, right-

-handed **2** (*skutečný*) true, real **3** (*nefalšovaný*) genuine, real
praxe practice
prázdninový holiday
prázdniny holidays *pl*
prázdno: mít ~ have* a day off; **máme zítra ~** we have a day off tomorrow, we have no lessons tomorrow
prázdn|ý empty; **-é sedadlo** vacant seat; **-é místo** (*na papíře*) blank
Pražan, ~ka inhabitant of Prague
pražec sleeper
praž|ený, *též v* **-it** roast
pražský Prague
prdel (*vulg.*) arse; **do ~e!** fuck it!
prdět (*vulg.*) fart
prémie bonus
premiéra first night; **~ filmu** first run
preparát preparation
prestiž prestige
preventivní preventive
prezenc|e attendance; **zjistit -i** call the roll
prezenční: ~ listina list of those present; **~ služba** national service
prezervativ condom [kondəm]
prezident president
prezidium board
prchlivý hot-headed
primář head physician
primitivní primitive
princ (royal) prince
princezna (royal) princess
princip principle
privatizace privatization [praivətai'zeišən]
privatizovat privatize [praivətaiz]
privilegovaný privileged
prkno board, plank; **rýsovací ~** drawing board; **žehlicí ~** ironing board
pro 1 for; **~ tebe** for you; **~ tvé zdraví** for your health; **být (hlasovat) ~ návrh** be* (vote) for the proposal; **plakat ~ koho** cry for sb.; **potrestat ~ krádež** punish for stealing; **jít ~ lékaře** go* for a doctor, fetch a doctor **2** because of (**špatné počasí** bad weather) ♦ **být ~** *(souhlasit)* be all for it, be agreeable; **~ každý případ** to make sure
proběhnout (*uplynout*) pass
probíhat pass
probírat 1 take* up (**téma** subject) **2** sift (**důkazy** evidence)
problém problem
problematický questionable
probodnout stab
proboha! my goodness!
probojovat fight* out
probo|řit, -urat break* through
probouzet (se) wake* (up)
probrat 1 deal* with (**téma** a subject) **2** (*roztřídit*) sift
probudit (se) wake* (up)
procento 1 percent, per cent; **deset procent** ten per cent **2** percentage; **malé ~ knih** a small percentage of books
proces 1 process **2** (*soudní*) trial
procesí procession
procestovat tour
proclení: máte něco k ~? have* you anything to declare?
proclít declare
proč 1 why; **~ jste tady?** why are you here? **2** what ... for; **~ to potřebuješ?** what do you need it for?
prodat sell*
prodavač, ~ka shop assistant

prodávat (se) sell*
prodej sale; **být na ~** be* on sale; **~ v drobném** retail; **~ ve velkém** wholesale
prodejna shop; **~ novin** newsagent's
prodejní: **~ cena** selling price; **~ doba** hours *pl* of business
proděl|at, -ávat 1 (*ztrácet*) lose* **2** (*zakusit*) experience; undergo* (**operaci** an operation); go* through (**nemoc** an illness)
prodiskutovat discuss
prodloužit 1 lengthen (**sukni** a skirt); prolong, extend (**pobyt** one's stay) **2** renew, prolong (**si pas** one's passport)
prodloužit se get* longer, lengthen
prodlužovat make* longer, lengthen; **~ se** get* longer, lengthen
produkce 1 production **2** (*představení*) performance
produkt product
produktivita productivity
produktivní productive
profesionál, *též adj* **~ní** professional
profesor, ~ka (*zvl. vysokoškolský*) professor; schoolmaster (schoolmistress)
profík (*hovor.*) pro
profil profile
program programme, schedule; (*cestovní*) itinerary; (*v nočním podniku*) floor show; **být na ~u** be* on the programme; **co je na ~u v divadle?** what's on at the theatre?
prohlásit declare, state
prohlášení statement; **P~ nezávislosti** Declaration of Independence
prohlašovat declare
prohled|at, -ávat search
prohlédnout examine (**nemocného** a patient); **~ si** have* a look / a gaze at; **~ si Londýn** see* the sights of London
prohlídka 1 examination **2** sightseeing (**Londýna** in London) **3** visit (**muzea** to a museum)
prohlížet examine (**nemocného** a patient); **~ si knížky** browse among the books; **~ si výkladní skříně** go* window-shopping
prohl|oubit, -ubovat deepen
prohnaný artful
prohnout se sag; (*v zádech*) arch one's back
prohra loss; (*porážka*) defeat
prohrá|t, -vat 1 lose* (**peníze** money, **s mužstvem** to a team) **2** (*hazardně*) gamble away
prohýb|at se 1 sag; **strop se -á** the ceiling sags **2** double up (**smíchy** laughing)
procházet pass (**dveřmi** through a door)
procházet se walk, stroll
procházk|a walk, stroll; **jít na -u** go* for a walk
projedn|at, -ávat discuss
projekt project
projektovat project; (*nakreslit*) design
projet (*autobus*) ride* (**ulicí** through the street); (*auto*) drive*
projet se go* for / have* a joy-ride
projev 1 display (**odvahy** of courage) **2** address (**v rozhlase** over the radio), speech **3** utterance
projev|it se, -ovat se be* shown, manifest oneself, express oneself
projímadlo laxative

projít pass (through) ♦ **to ti neprojde** you won't get away with it
projít se go* for a walk
projíždět ride* / drive* through; **~ se** go* for / have* a joy-ride
projížďka joy ride, pleasure ride, drive
prok|ázat, -azovat 1 prove (**svou nevinu** one's innocence) **2** do* (**laskavost** a favour); render (**službu** a service)
prokazatelný conclusive
prokurátor public prosecutor
prokuratura prosecution
prolhaný mendacious
prolomit (se) break* through
promarnit squander, waste (**čas** time, **peníze** money); misspend* (**mládí** one's youth)
proměna change
proměnit 1 (*též* **~ se**) change (**stokorunu** a hundred-crown note) **2** (*sport.*) gain a point
proměnlivý changeable
promeškat miss (**příležitost** an opportunity)
promíjet pardon, forgive*
prominout excuse; (*odpustit*) forgive*, pardon; **promiňte!** (I) beg your pardon; sorry
prominutí: prosím za ~ (I) beg your pardon; **~ části trestu** remission of sentence
promítací: ~ plátno screen; **~ přístroj** projector
promítat project; screen, show*
promlčený out-of-date
promluvit (*s kým*) talk to sb., have* a word with sb.
promoce graduation ceremony
promoknout get* wet through, get* wet to the skin
promovaný graduate
promovat take* one's degree (**z** in)
prom|yslit (si), -ýšlet (si) think* sth. over, work sth. out
pronaj|mout, -ímat, let*, rent
pronásledování 1 pursuit **2** (*šikanování*) persecution
pronásledovat 1 (*honit*) pursue **2** (*šikanovat*) persecute
pronést deliver, make* (**řeč** a speech)
pronik|at, -nout penetrate (**do** sth. / into sth.)
pronikavý 1 penetrating (**hlas** voice), shrill (**výkřik** cry) **2** sweeping (**úspěch** success) **3** pungent (**pach** smell)
propadák (*hovor.*) flop
propad|nout 1 fall*, sink* (**otvorem** through a hole) **2** fail (**při zkoušce** an examination) **3** be* forfeit; **záloha -á** the deposit is forfeit **4** flop; **hra propadla** the play flopped / was a flop **5** abandon oneself (**zoufalství** to despair)
propadnout se 1 fall* in; **střecha se propadla** the roof has fallen in **2 ~ se hanbou** die with shame
propaga|ce, *též adj* **-ční** publicity, advertising
propaganda propaganda
propagátor propagator [propəgeitə]
propagovat propagate, spread* (**znalosti** knowledge); promote (**jeho dílo** his works)
propan-butan Calor gas
propast abyss
propást miss
propíchnout pierce; (*proštípnout*) punch; puncture (**pneumatiku** a tyre)
propiska ballpoint

propočet calculation
propočítat calculate
proporcionální proportionate
propouštět **1** discharge, dismiss (**zaměstnance** employees) **2** let* in (**světlo** light); (*vodu*) leak
propracovat work out
propustit **1** discharge (**ze zaměstnání** from work, **z nemocnice** from hospital) **2** dismiss (**z práce** from work, **z armády** from the service) **3** release (**z vězení na kauci** from prison on bail)
propustka permit
prorazit pierce; **~ tunel** drive* a tunnel
prorok prophet
prosa|dit, -zovat enforce; **-dit svou** carry one's point
prosba appeal
prosebný dopis appeal letter
prosím **1** please; **kolik je hodin, ~ (vás)?** what is the time, please? **2** certainly; **omluvte mě na okamžik – -ím** excuse me for a moment – certainly **3 děkuji vám – ~** thank you – not at all, that's quite all right, don't mention it **4 ~?** (I) beg your pardon?
prosinec December
prosit ask, beg, implore (**soud o milost** the judge for mercy)
proslavit make* famous; **~ se** become* famous
proslov speech, address
proso millet [milit]
prospěch **1** advantage, benefit; **ve váš ~** in your favour; **mít ~ z** benefit by **2** (*ve škole*) marks *pl*
prospěchář self-seeker
prospekt prospectus
prospěšný useful; beneficial (**pro zdraví** to one's health)
prospět (*komu*) do* sb. good
prospívat **1** do* good, be* beneficial (**čemu** to sth.) **2** (*ve škole*) have* good marks; do* well, succeed
prostě simply; just; **~ a jasně** in plain English
prostěradlo sheet
prostírat: ~ na stůl lay* the table; **~ se** spread*, stretch (**na tisíce mil** for thousands of miles)
prostituce prostitution
prostitutka prostitute
prostná gymnastics
prostor space
prostorný spacious
prostorový space
prostořeký flippant
prostovlasý bareheaded
prostranství space
prostřed|ek **1** (*střed*) middle; **v -ku** in the middle **2** (*k čemu*) means; **dopravní ~** means of transport; **peněžní -ky** funds *pl*
prostředí environment; (*okolí*) surroundings *pl*; (*pozadí*) background
prostřední middle, central
prostřednictví mediation; **~m** through, by means of
prostřít spread* (**ubrus na stůl** a cloth on the table); **~ k obědu** lay* the table for dinner
prostudovat study
prost|ý **1** (*jednoduchý*) simple **2** (*nehledaný*) plain ♦ **-á většina** a bare majority
prošedivělý grizzled
prošívan|ý quilted (**župan** dressing gown); **-á pokrývka** quilt
prošlý overdue (**účet** bill)
prošpikovat lard
prot|áhnout, -ahovat protract

(**návštěvu** a visit, **hádku** an argument); ~ **se** stretch one's body
protějšek counterpart
protější opposite
protékat flow (**zemí** through a country)
protekce patronage
protektorát protectorate
protest protest
protestant Protestant
protestní protest
protestovat protest (**proti** against)
protéza prosthesis [pros'θi:sis]; (*zubní*) denture, dental plate
protěž edelweiss [eidlvais]
protežovat push
proti **1** opposite (**poště** the post office) **2** against (**nepříteli** the enemy, **větru** the wind, **své vůli** one's will, **rannímu nebi** the morning sky) **3** for; **prostředek ~ nachlazení** remedy for colds; **vezmi si prášek ~ bolení hlavy** take* an aspirin for a headache ♦ **lék ~ kašli** cough drop, cough mixture; **~ proudu** upstream; **něco ~ mně má** he has a grudge against me
protiatomový anti-atomic
protifašistický antifascist
protihodnota antidote
protiklad contradiction
protilehlý opposite
protiletecký anti-aircraft
protínat intersect
protinávrh counterproposal
protiopatření countermeasure
protiprávní (*nezákonný*) illegal; (*odporující právu*) contrary to law
protisměr: vozidla v ~u on-coming vehicles
protistátní hostile to the state
protitankový antitank
protiúčet: dát na ~ starý vysavač trade in one's old vacuum cleaner
protiútok counterattack
protiválečný antiwar
protivit se resist (**čemu** sth.)
protivit si detest
protivník adversary; (*odpůrce*) opponent
protivný **1** (*opačný*) opposite **2** (*nepříjemný*) nasty; objectionable
protizákonný illegal
protlak: rajský ~ tomato paste
proto therefore; that is why; **už jenom ~, že** if only because
protokol minutes *pl* (**o schůzi** of a meeting)
prototyp model
protože because, since, as
proud stream, current; **~y lidí** streams of people; **stejnosměrný / střídavý ~** direct / alternating current; **po ~u** downstream; **proti ~u** upstream ♦ **být v plném ~u** be* in full swing
proudit stream
proutěný wicker (**nábytek** furniture)
proužkový striped
provádět **1** show* (**po městě** round the town) **2** (*konat*) perform, practise
provaz rope, cord
provazolezec tightrope walker
provdaná married (**za** to)
provdat marry (**dceru za** one's daughter to); **~ se** marry (**za koho** sb.), get* married (**za koho** to sb.)
prověrka screening; **~ efektivnosti** efficiency test
prověř|it, -ovat screen, test

provést 1 show* (**cizince po městě** a foreign visitor round the town) 2 (*vykonat*) perform, carry out, execute; ~ **potřebná opatření** take* the necessary steps ♦ (*voj.*) **Provedu!** Yes, Sir!
provinění offence
provinilec offender
provinilý guilty
provinit se offend (**proti dobrým mravům** against good manners)
proviz|e, *též adj* **-ní** commission
provizorní makeshift (**lůžko** bed), provisional
provokace provocation
provokatér agent provocateur [eidžənt prəvokə'tə:], heckler
provokativní provocative
provokovat provoke
provolání proclamation
provoz 1 (*dopravní*) traffic 2 (*služební*) service 3 (*stroje, podniku*) operation; **uvést do ~u** put* into operation
provozní operational, working; ~ **místnosti** premises *pl*
provozovat carry on; practise
provozovna premises *pl*
provrt|at, -ávat bore (**díru do dřeva** a hole in wood, **tunel** a tunnel)
próza prose
prozaický prosaic; (*nezajímavý*) prosy [prəuzi]
prozaik prose writer
prozatím meanwhile; for the time being
prozatímní provisional (**vláda** government); temporary (**pobyt** stay)
prozíravý wise
prozkoumat investigate, explore
prozradi|t 1 disclose (**tajemství** a secret) 2 betray; **jeho cizí přízvuk ho -l** his foreign accent betrayed him
prozradit se give oneself away
proží|t, -vat live through (**dvě války** two wars); spend* (**sobotu a neděli venku** a weekend in the country)
prs, ~a breast
prst finger; (*na noze*) toe
prsten ring
prš|et rain; **-í** it rains, it is raining (**jako z konve** cats and dogs)
průběh course
průběžný running
průčelí front
prudk|ý 1 violent (**vítr** wind, **-á rána** blow, **-á bolest zubů** toothache) 2 abrupt (**-á zatáčka** turn)
průdušky bronchi [broŋkai] *pl*
pruh stripe; ~ **země** tract / strip of land
průhledný transparent
pruhovaný striped
průchod passage; **dát volný ~ čemu** let* sth. take its course; ~ **zakázán** no thoroughfare
průchodný acceptable
průjem diarrhoea [daiə'riə]
průjezd passage; ~ **zakázán** no thoroughfare
průkaz card; **občanský ~** identity card; **řidičský ~** driving licence
průkazný conclusive
průklep carbon (copy)
průkopník pioneer
průliv channel; **Lamanšský ~** English Channel
průměr average; (*geom.*) diameter
průměrně on an / the average; ~ **činit** average
průměrný average ♦ ~ **občan** the man in the street

průmysl industry; **lehký / těžký / klíčový** ~ light / heavy / key industry
průmyslník industrialist
průmyslový industrial
průplav canal
průřez cross section
průsmyk pass
průsvitný translucent [træns'lu:snt]
prut rod; **rybářský** ~ fishing rod
průtrž mračen cloudburst
průvan draught; **sedět v ~u** sit* in a draught
průvod 1 procession **2** (*doprovod*) train
průvodce 1 (*společník*) companion **2** (*vůdce*) guide; (*kniha*) guide(-book)
průvodčí (*v autobuse*) conductor; (*ve vlaku*) guard
průvodka dispatch note
průvodní incidental
průzkum (*vědecký*) research; (*voj.*) reconnaissance; **~ veřejného mínění** (public) opinion poll
pružina spring
pružnost elasticity
pružný elastic (*též přen.*)
prvek element
prvenství priority
první first; **P~ Máj** May Day; **na ~ pohled 1** at first sight **2** (*při povrchním pozorování*) on the face of it
prvobytný primitive
prvotní primary
prvotřídní first-class
prý they say; **je ~ nemocen** he is said to be ill, I hear he is ill
pryč away; **zima je ~** winter has gone
♦ **ruce ~ od ...!** hands off ...!
pryskyřice resin [rezin]
přádelna (spinning) mill
přadeno skein [skein]
přání 1 wish; **podle vašeho ~** as you wish; **P~ je otcem myšlenky** The wish is father to the thought **2** (*blahopřání*) congratulations *pl* (**k** on); wishes; **s ~m všeho nejlepšího k Novému roku** with best wishes for the New Year
přát wish (**komu dobré jitro** sb. good morning, **mnoho štěstí** good luck, **šťastnou cestu** a pleasant journey, **mnoho štěstí k narozeninám** many happy returns of the day); **ne~ nikomu nic zlého** wish nobody ill
přát si 1 want; **budete si ještě něco ~?** will you want anything else?; **přejete si, abych to otevřel?** do you want me to open this? **2** wish for; **má všechno, co si může člověk ~** he has everything a man can wish for **3** desire (**zdraví** health) **4 velmi si ~** be* anxious to + *inf* (**vyhovět** please) ♦ **co si přejete?** (*čím vám posloužím?*) can I help you?, what can I do for you?; **jak si přejete** as you please
přátelit se associate, mix (**s mladými lidmi** with young people)
přátelský friendly
přátelství friendship
přeběhnout, přebíhat run* over; (*dezertovat*) desert
přebírat 1 (*třídit*) sort **2** (*převzít*) take* over
přebor championship
přeborník champion
přebrat 1 (*třídit*) sort **2** (*převzít*) take* over **3** (*opít se*) have*

one over the eight **4 ~ komu dívku** cut* sb. out with a girl
přebudovat rebuild*
přebytečný superfluous
přebyt|ek, -ky surplus
přece 1 (*~ jenom*) still, yet, all the same **2** (*vždyť*) **vy mě ~ znáte** you know me, don't you?; **vy jste ~ pan …** I suppose you are Mr. …
přece|nit, -ňovat overestimate
přečin misdemeanour, transgression
přečíst read* (out); **~ si o čem** read* up (on) sth.
přečkat live through (**dvě války** two wars)
před 1 (*časové*) before (**válkou** the war, **Vánoci** Christmas); ago; **~ dvěma lety** two years ago **2** (*místní*) (*vně*) outside (**nádražím** the station); (*přímo před*) in front of (**domem** the house); before; **stát ~ soudem** stand* before the judge; **mluvit ~ dětmi** speak* before children; (*též pořadí*) **já přijdu ~ tebou** I come* before you
předák (*politický*) leader; (*v práci*) foreman
před|at, -ávat hand over
předběhnout outdistance
předběžný preliminary
předbíhat anticipate (**čemu** sth.); **~ ve frontě** go* ahead of the queue
předbíhat se: hodiny se předbíhají the clock is fast
předčasný premature
předčíslí city code
předehra overture
předejít 1 (*čemu*) prevent sth. **2** forestall (**konkurenta** a competitor)
předěl|at, -ávat do* again, remake
předem in advance, beforehand
předepsat prescribe; **~ komu dietu** put* sb. on a diet
předešlý previous
předevčírem the day before yesterday
především first of all
předhánět *viz* **předhonit**
předhistorický prehistoric
předhonit outdistance, outstrip (**koho v závodě** sb. in a race)
předcházet 1 prevent (**nemocem** illnesses) **2** precede (**před bouřkou** the storm)
předchůdce predecessor
před|jet, -jíždět overtake* (**vůz na silnici** a car on the road)
předkládat present, submit
předklon forward bend
předkrm hors d'oeuvre [o:'də:v], (*hovor.*) starter
předloha model; **~ zákona** bill
předloni the year before last
předložit 1 present, submit **2** (*k jídlu*) serve
předložka 1 (*na podlahu*) rug, mat **2** (*jaz.*) preposition
předměstí suburb
předmět 1 object; (*obchodu*) article **2** (*školský, též námět*) subject; (*téma*) topic
předmluva preface
přednášející lecturer
přednášet lecture (**o** on)
přednáška lecture (**o** on)
přední front; (*vynikající*) prominent
přednost priority, preference; **dávat ~** prefer (**čemu před** sth. to)
přednostní priority

předpis **1** (*lékařský*) prescription **2** (*zvl. kuch.*) recipe **3** (*úřed.*) regulation
předpisovat prescribe
předpjatý beton prestressed concrete
předpl|ácet, -atit subscribe (**co** to sth.)
předplatné subscription fee
předpoklad assumption; **za ~u, že** on the assumption that, provided that
předpokládat assume, suppose
předpona prefix
předposlední second last, last ... but one; **naše ~ lekce** our last lesson but one
předpověď forecast; **~ počasí** weather forecast
předpov|ědět, -ídat foretell* (**komu budoucnost** sb.'s future)
předprodej advance booking office, ticket-agency
předseda chairman; **~ třídy** monitor
předsedat preside (**schůzi** at a meeting), chair (a meeting)
předsednický presidential
předsednictvo board
předsíň hall, lobby
představa idea (**o** of)
představení **1** performance **2** (*seznámení*) introduction
představený chief; (*voj.*) superior
představ|it, -ovat introduce (**koho komu** sb. to sb.); **~ se** introduce oneself; **dovolte, abych se -il** let* me introduce myself; **~ si** imagine
představitel, ~ka representative
předstírat pretend; (*simulovat*) simulate
předsudek prejudice
předškolní preschool
předtím before
předvádět show*, perform; **~ se** show* off
předválečný prewar
předvést show*, perform; demonstrate (**novou pračku** the new washing machine)
předvídat anticipate
předvoj vanguard
předvolání summons
předvolat summon (**jako svědka** to appear as a witness)
předvolební preelection
předzápas preliminary
přehánět exaggerate
přeháňka shower
přehlasovat outvote
přehled survey; **~ zpráv** *(v rozhlase)* news summary
přehlédnout **1** (*zběžně*) survey, view **2** (*omylem*) overlook, miss **3** (*prominout*) overlook, condone
přehledný lucid; (*graficky*) tabular
přehlídka (*vojenská*) parade, march-past; **módní ~** fashion show; (*hudby apod.*) festival
přehnat exaggerate
přehodit throw* over; **~ rychlost na vyšší** gear high; **~ rychlost na nižší** gear low; **~ si nohu přes nohu** cross one's legs
přehrada **1** barrier **2** (*údolní*) dam
přehradit bar (**silnici** a road); dam (**řeku** a river)
přecházet pass, cross; **~ sem a tam** pace up and down (**po pokoji** the room)
přechod passage; **~ pro chodce** pedestrian crossing
přechodník (*jaz.*) participle
přechodný **1** temporary **2** (*jaz.*) transitive

přejet run* over (**koho** sb.); cross (**co** sth.)
přejezd passage, crossing; **nechráněný** ~ level crossing
přejíst se overeat*
přejít 1 cross (**přes ulici** the street) 2 (*pominout, např. novinka*) wear* off
přejíždět cross (**přes řeku** the river)
přejmenovat rename
překazit thwart (**komu plány** sb.'s plans)
překážet 1 obstruct (**v pohledu** the view) 2 hinder (**komu v práci** sb. in his work)
překážka obstacle; (*sport.*) hurdle
překážkový běh hurdle race
překlad translation; **čtený** ~ voice over
překládat translate
překladatel translator
překlep typing error
překližka plywood
překonaný out-of-date, outdated
překon|at, -ávat overcome*; (*sport.*) ~ **rekord** break* a record
překousnout bite* (in two)
překračovat *viz* **překročit**
překročit 1 cross 2 overstep (**svou pravomoc** one's authority)
překrojit cut* (in two)
překvapení surprise
překvapený surprised
překvapit surprise
přelet passage, flight
přel|état, -etět fly* past / over; cross
přelézt climb over
přeliv tint; **dát si dělat** ~ have* one's hair tinted
přeložit 1 translate (**do angličtiny** into English) 2 (*přemístit*) transfer
přemáhat overcome*; ~ **se** control oneself
přemet somersault; **udělat** ~ turn a somersault
přemís|tit, -ťovat transfer
přeml|ouvat, -uvit (*koho, aby*) talk sb. into -ing sth., argue sb. into -ing sth.
přemoci overcome*, get* the best of; ~ **se** control oneself
přemýšl|et think* over, reflect; **když tak o tom -íte** when you come* to think of it
přenášet (*rozhlasem*) broadcast*; (*televizí*) televise
přenesený metaphorical (**význam** meaning)
přenést 1 transfer 2 (*účetně*) carry over
přenocovat stay overnight, stay the night
přenos 1 (*rozhlasový*) transmission 2 (*účetní*) carry-over
přenosný 1 transferable (**lístek** ticket) 2 portable (**psací stroj** typewriter)
přepadení assault, attack
přepadnout attack
přepážka 1 (*přepažení*) partition 2 (*např. na poště*) counter
přepínač switch
přepis transcription
přepisovat copy
přeplavat swim* across
přeplněný overflowing; ~ **lidmi** overcrowded; ~ **byt** cramped flat
přepl|nit, -ňovat overfill; (*lidmi*) overcrowd
přepočí|st, -tat, -távat recount; **-tat se** miscalculate

přepoj|it, -ovat switch over (**na** to)
přepracovan|ý overworked; **-é vydání** revised edition
přepracovat revise; ~ **se** overwork
přeprava transport
přeprav|it, -ovat transport, carry
přepsat **1** rewrite* **2** (*na stroji*) retype; copy
přepych luxury
přepychový luxury, luxurious
přeruš|it, -ovat break* (off), interrupt; (*dočasně*) suspend; ~ **spojení** disconnect; (*a nedokončit*) abandon (**fotbalový zápas** a football match)
přeřa|dit, -zovat rearrange
přeřeknout se make* a slip of the tongue
přeříznout cut* (in two); (*vulg.*) fuck
přes **1** over (**obličej** one's face, **hranice** the frontier, **neděli** Sunday, **deset mil** ten miles); across (**ulici** the street, **řeku** the river) **2** via, by way of; **jet do Londýna ~ Paříž** travel to London via / by way of Paris **3** in spite of, for all (**všechny své peníze** his money, **všechnu svou snahu** all his efforts)
přesadit transplant
přesahovat exceed
přesazovat *viz* **přesadit**
přesčas, *též adj* **~ový** overtime
přesedat change (**na jiný vlak** trains)
přesednout (si) change (**na autobus** to a bus)
přeseknout cut* (in two)
přesídlenec displaced person
přesídlit displace; (*přestěhovat se*) move
přesila superiority
přesk|očit, -akovat **1** jump; ~ **(přes) potok** jump (over) a brook **2** skip (**řádku** a line)
přeslička field horsetail
přeslechnout miss, not catch*; ~ **se** misunderstand*
přesmyčka anagram
přesně precisely, exactly; (*dochvilně*) punctually
přesnídávka mid-morning snack
přesnost precision, exactness; (*dochvilnost*) punctuality
přesný precise, exact; (*též přísný*) strict; (*dochvilný*) punctual
přespat pass the night, stay overnight
přespolní nonresident; from the neighbourhood; ~ **běh** cross-country (race)
přestárlý superannuated
přest|at, -ávat stop, cease; **to už -ává všechno** that's the limit
přestavba reconstruction
přestavět reconstruct
přestávka break, interval; ~ **na oběd** lunch hour
přestavovat reconstruct, rebuild*
přestěhovat (se) move (**do jiného bytu** to / into another flat)
přesto in spite of that, even so; **~, že pršelo** in spite of the rain
přestoupit **1** overstep (**svou pravomoc** one's authority) **2** change (**na tramvaj č. 3** to tram No. 3, **na autobus** to a bus) **3** turn (**k profesionálům** professional)
přestože although
přestrojit se disguise oneself (**za ženu** as a woman)
přestřelka brush, shoot-out
přestřihnout cut* (in two)
přestupek offence

přestupní: ~ **stanice** transfer stop, connection junction; ~ **lístek** transfer ticket
přestupný rok leap year
přestupovat change (**na autobus** to a bus, **na trojku** to tram No. 3, **do jiného vlaku** trains)
přesvědčení conviction, belief
přesvědč|it, -ovat convince, persuade (**o** of); ~ **se** make* sure
přeší|t, -vat alter
přeškolit (se) retrain
přeškrtnout cross (out)
přeté|ci, -kat overflow
přet|ěžovat, -ížit overload, overburden
přetrhnout (se) break*, snap
přetvářet reform, reshape
přetvářka hypocrisy
přetvařovat se dissemble
převádět *viz* **převést**
převaha superiority
převařit boil
převaz re-bandage
přev|ázat, -azovat 1 bandage **2** tie up (**balíček** a parcel / a package)
převážet carry across
převést take* across; (*účetně*) carry over
převézt carry across, take* over
převino|ut, -vat rewind*
převládající prevailing
převlád|at, -nout prevail
převlé|ci, -kat (se) change (**do letních šatů** into a summer dress, **z kostýmu do letních šatů** one's suit for a summer dress)
převod 1 (*úřední*) transfer **2** (*soustrojí*) gear
převodovka gearbox
převrat revolution
převrátit (se) turn upside down
převrhnout (se) topple (over)
převýchova re-education
přev|ýšit, -yšovat exceed, surpass; (*počtem*) outnumber
převzetí take-over, taking over
převzít take* over; assume (**plnou odpovědnost** full responsibility)
přezimovat winter
přezíravý patronizing
přezka buckle
přezkoušet test; check
přezou|t se, -vat se change one's shoes
přezůvky galoshes, rubbers *pl*
přežít 1 (*žít déle než*) outlive **2** (*zůstat na živu*) survive
přežitek survival
přežvykovat ruminate; munch
při 1 at (**hře** play, **jídle** table, **obědě** dinner, **práci** work, **vyučování** the lesson); **být ~ ruce** be* (near) at hand **2** on (**mém příjezdu** my arrival, **této příležitosti** this occasion) ♦ **být ~ sobě** be conscious; ~ **nejmenším** at least
příběh (*vypravování*) story; (*případ*) event
přiběhnout come* / run* along
přibí|jet, -t nail (down)
přibl|ížit, -ižovat (se) approach
přibližně approximately
příboj surf, surge
příbor knife, fork and spoon; cover
přibrat 1 (*koho*) take* on **2** (*na váze*) put* on weight
příbuzenský family
příbuzenstvo family; relatives *pl*, relations *pl*
příbuzný *adj* related (**s** to) • *n* relative, relation
přibýt arrive (**kam** at, in)
přibývat (*na váze*) put* on weight
příčestí (*jaz.*) participle

příčina cause (**požáru** of the fire); (*důvod*) reason
příčka bar; (*dělicí*) partition
příčný transverse
příď bow
přid|at, -ávat add; ~ **se** join in; ~ **se ke komu** join sb.
přídavek addition; (*k platu*) bonus; **rodinný** ~ family allowance
přídavné jméno adjective
příděl allocation
přiděl|at, -ávat attach
přidělenec attaché
přiděl|it, -ovat allocate (**byt** a flat)
přihl|ásit (se), -ašovat (se) report; ~ **se** *(ve škole)* put* up one's hand
přihláška 1 application (**členská** for membership) **2** (*policejní*) registration form
přihl|édnout, -ížet 1 take* account (**k čemu** of sth.) **2 -ížet** watch (**zápasu** a match)
přihnat se dash along; come* rushing up
příhoda incident, event
přihodit se happen, occur
příhodný suitable, appropriate, opportune
přihrádka shelf; (*na zámek*) locker
přihrá|t, -vat pass (**míč** a ball)
přihrávka pass
přicházet *viz* **přijít**
příchod arrival (**do** at, in)
příchuť smack, flavour
přijatelný acceptable
příjem 1 (*čeho*) receipt; **potvrdit** ~ acknowledge receipt **2** (*plat*) income **3** (*rozhlasový, televizní*) reception
příjemce recipient
příjemný agreeable, pleasant, nice
přijet come*; arrive (**kam** at, in)
přijetí 1 reception (**hostů** of guests) **2** adoption (**nových metod** of new methods)
příjezd arrival (**do** at, in); **při ~u** on arrival
přijímací reception; ~ **zkouška** entrance examination
přijímač receiver
přijímat 1 receive **2** (*hosty*) entertain (guests)
přijít 1 come* (**do, na** to), arrive (**do, na** at, in) **2** (*dostavit se*) be* along, turn up (*hovor.*) ♦ ~ **draho** come* expensive; **to přijde na 10 korun** it comes to / works out at 10 crowns; **nemohu na to** ~ I can't work it out; ~ **na kloub čemu** get* the hang of sth.; ~ **na návštěvu** come and see, come round; ~ **na oběd** come and have lunch (**k** with); ~ **pozdě** be late (**do divadla** for the theatre); ~ **nevhod** come amiss; ~ **k penězům** come into money; ~ **o zdraví** forfeit one's health
přijíždět come*, arrive
příjmení surname, family name
přijmout 1 (*co se nabízí*) accept **2** (*obdržet*) receive **3** (*za své*) adopt **4** admit (**za člena** into membership) **5** take* up (**zaměstnání** employment)
příkaz order
příklad example, instance; **následovat ~u** follow suit; **jít ~em** set a good example
přikládat 1 put* (**do kamen** fuel on the fire) **2** attach (**velkou důležitost čemu** much importance to sth.) **3** enclose (**fakturu k dopisu** an invoice with a letter)
příkon load
příkop ditch

příkrm garnish(ing), vegetables
příkrý steep; (*strohý*) abrupt
přikrý|t, -vat cover; ~ **se** cover oneself
přikrývka cover; (*vlněná*) blanket; **prošívaná ~** quilt
přílba helmet
přiléhat 1 (*látka*) fit tight **2** (*místnost*) adjoin
přiléhav|ý tight-fitting, clinging (**svetr** sweater)
♦ **-á poznámka** apposite remark
přilepit stick* (on); ~ **se** get* stuck
přílet arrival (by plane)
přil|etět, -état arrive (by plane)
přilévat pour (on)
příležitost 1 opportunity; **vhodná ~** good / favourable opportunity; **mít ~, aby** have* an opportunity to do sth.// of / for -ing; **propást ~** miss an opportunity **2** occasion; **při této šťastné / smutné ~i** on this happy / sad occasion
příležitostný occasional
příliš too
přílišný excessive
přilít pour (on)
příliv flood; (*mořský*) high tide
příloha (*dopisu*) enclosure
přiložit 1 (*do kamen*) put* (fuel on the fire) **2** apply (**obklad** a compress) **3** enclose (**k dopisu** with a letter)
příložník T-square
přiměřený adequate; (*cena*) reasonable
příměří truce, armistice
přimět make* (**koho k čemu** sb. do sth.); induce (sb. to do sth.)
přimhouřit: ~ oko connive (**nad** at), wink an eye (at)
přimíchat admix, add
přímka straight line
přimlouvat se *viz* **přimluvit se**
přímluva a good word (**za** for)
přimluvit se put* in a good word (**za** for)
přímo direct(ly); **jděte ~** go* straight on; ~ **domů** straight home
přimontovat mount
přímořsk|ý: -é město seaside town; **-é oblasti** maritime provinces *pl*
přímý 1 (*rovný*) direct, straight **2** (*vzpřímený*) upright
♦ ~ **vlak** through train; ~ **(rozhlasový) přenos** live broadcast
přin|ést, -ášet bring*; (*jít a ~*) fetch; ~ **s sebou** entail (**potíže** trouble)
přínos contribution
přinucení compulsion; **z ~** under compulsion
přinutit compel, force; ~ **se** bring* oneself (**aby** to + *inf*)
případ case; (*událost*) event
♦ **v ~ě, že** in case; **v žádném ~ě** on no account, by no means; **v nejhorším ~ě** at the worst; **pro každý ~** just in case
připada|t seem; **-lo mi, že** it seemed to me that; ~ **si** feel* (**jako v ráji** like paradise)
připadnout 1 fall* (**na neděli** on a Sunday, **na tebe** on you) **2** hit (**na myšlenku** on an idea)
případný incidental
připáli|t (se) singe; ~ **si** light* (a cigarette); **-l byste mi laskavě?** may I trouble you for a light?
připev|nit, -ňovat fasten, fix
připíjet *viz* **připít**
připínáček drawing pin
přípis note

připít: ~ komu na zdraví drink* sb.'s health
přípitek toast; **pronést ~** propose a toast
příplatek extra charge
připlatit (si) pay* extra charge
připlout arrive (**do přístavu** at a port)
připnout attach
připočí|st, -távat add
připoj|it, -ovat attach, affix; **~ se** join (**k čemu** sth.)
připomenout remind (**komu co** sb. of sth.); **~ si** recall
připomínat commemorate (**památku** the memory)
připomínka reminder
přípona (*jaz.*) suffix
připouštět admit
připoutat tie, attach; **~ se** (*pásem*) belt oneself, fasten one's belt
příprav|a, -ek preparation
připravený prepared, ready
připravit prepare; **~ se** get* ready
přípravka preparatory school
přípravný preparatory
připravovat *viz* **připravit**
připsat: ~ k dobru credit, place to the credit; **~ na vrub** debit, place to the debit (**komu** of sb.)
připustit admit; (*přiznat*) let* on
přirážka extra charge; **~ k dani** surtax
přírod|a nature; **horská ~** mountain scenery; **krásy -y** beauties of scenery; **ve (volné) -ě** outdoors, in the open
přírodní natural; **~ kino** open-air cinema
přírodovědecký scientific
přirovnání comparison
přirovn|at, -ávat compare (**k** to)
přirozený natural
příručka book of reference, handbook
příruční hand; **~ knihovna** reference library
přírůstek addition; acquisition
přísada ingredient
přísaha oath
přísahat swear*
přísedící assessor [ə'sesə]
příslovce (*jaz.*) adverb
přísloví proverb
přisluhovač toady
příslušenství accessories *pl* (**auta** of a car); **moderní ~** (*bytu*) modern conveniences *pl*
příslušník member; **státní ~** citizen, *GB* subject; **rodinný ~** dependant
příslušnost: státní ~ nationality
příslušný (*odpovídající*) corresponding; (*zvl. případu se týkající*) respective, relevant
přísný severe, strict (**na** with)
přispět contribute, subscribe (**na** to)
příspěvek contribution; (*peněžní*) allowance; (*členský*) subscription
přispívat *viz* **přispět**
příst 1 (*len*) spin* **2** (*kočka*) purr
přistání landing
přistát land
přístav port
přistávat *viz* **přistát**
přístavba extension
přistavět annex
přístaviště quay, wharf
přístavní port; **~ dělník** stevedore
přistěhovalec immigrant
přistěhovat move (in); **~ se** move in; (*do země*) immigrate
přistihnout catch*
přistoupit 1 come* nearer, step

nearer (**k oknu** the window)
2 accede (**na návrh** to a proposal)
přístroj apparatus; (*vědecký*) instrument
přístřeší shelter
přístup access (**k domu** to the house, **ke knihám** to books); approach (**k problému** to a problem)
přístupný accessible (**veřejnosti** to the public)
přistupovat *viz* **přistoupit**
přísudek (*jaz.*) predicate
přísun supply
přisvědč|it, -ovat agree, consent (**čemu** to sth.)
přiší|t, -vat sew* on
přišroubovat screw on
příště next (time)
příští next, following
přít se argue
přit|áhnout, -ahovat attract
přitažlivost attraction (**země** of the earth, **kina** of the cinema)
přitažlivý attractive
přítel friend; **~kyně** girl / woman friend
přítěž ballast; **být ~í pro koho** be* a burden to / on sb.
přitěžující okolnosti aggravating circumstances *pl*
přitisknout se press (**k** against)
přitlou|ci, -kat nail (down)
přítok tributary (**Labe** of the Elbe)
přitom at the same time
přítomnost **1** (*dnešek*) present; **pro ~** for the present **2** (*kde*) presence
přítomný present
příušnice mumps
přivádět *viz* **přivést**
přiv|ázat, -azovat tie (up), bind* (up)
přívažek makeweight
přívěs trailer, caravan; **cestování v ~u** caravanning
přívěsek pendant
přívěsný: ~ vozík sidecar; **~ motor** *(na člunu)* outboard motor
přivést bring*; (*jít pro*) fetch; **~ komu na mysl co** remind sb. of sth.; **~ koho k životu** bring sb. back to life
přivézt bring*; (*jet pro*) fetch
přivítat welcome
přívlastek attribute
přivlastnit si appropriate
přívod supply; (*antény*) lead-in
přivolat call in
přívoz ferry
přívrženec follower, supporter
přivřít: ~ dveře leave* the door ajar
přivydělávat si eke out one's income (**čím** by)
přivyk|at si, -nout si get* used to, get* accustomed to
příze yarn
přízemí ground floor; (*v divadle*) stalls *pl*
přízemní dům one-storey house; bungalow
přízeň favour
příznak symptom
příznačný typical, characteristic
přizn|at, -ávat admit, concede; **~ se** confess (**k čemu** sth.); (*připustit*) let* on; **~ejme si to!** let's face it!
příznivý favourable
přizpůsobit adapt, adjust; **~ se** conform (**čemu** to sth.)
přízrak phantom, spectre, apparition
přízvučný stressed
přízvuk accent, stress; **mluvit**

s cizím ~em speak* with a foreign accent
příživnický parasitic
příživník parasite
psací: ~ **potřeby** writing materials; ~ **stroj** typewriter; ~ **stůl** desk
psaní 1 writing 2 (*dopis*) letter
psát write*; ~ **perem / inkoustem / tužkou** write with a pen / in ink / in pencil; ~ **komu** write (to) sb.; **píši ti, že** I am writing to tell you that; ~ **si s kým** be* in correspondence with sb.; ~ **na stroji** type
pseudonym pseudonym, pen name
pstruh trout
psychiatr psychiatrist
psychiatrická léčebna mental hospital
psychický psychic(al)
psycholog psychologist
psychologický psychologic(al)
psychologie psychology
pšeni|ce, *též adj* **-čný** wheat
pštros ostrich
pták bird; **stěhovavý** ~ bird of passage
ptákovina (*hovor.*) nonsense
ptát se 1 ask (**koho na cenu** sb. the price, **na cestu** one's way, **na jméno** sb.'s name, **na to** about it; **po kom** after sb., **po tvém zdraví** after your health) 2 inquire (**na tvé zdraví** after / about your health, **na vlak do Prahy** about a train to Prague, **po řediteli** for the manager) ♦ **to se mě moc ptáš** ask me another
puberta puberty [pju:bəti]
publikace publication
publikovat publish
puč putch [puč]
pučet bud, sprout
pud instinct; drive
půda 1 (*země*) land; (*též prsť*) soil 2 (*podstřeší*) loft, attic
pudink (*nákyp*) pudding; (*z prášku*) custard
půdorys ground plan
pudr, *též v* **~ovat** powder
pudřenka compact
puchýř blister
půjč|it, -ovat lend*; ~ **si** borrow; (*za poplatek*) hire, rent
půjčka loan
půjčovn|a: ~ **knih** lending library; **vypůjčit si vysavač z -y** (*průmyslového zboží*) hire a vacuum cleaner
puk¹ (*na kalhotách*) crease
puk² (*v hokeji*) puck
půl half; **~hodina** half hour; ~ **hodiny** half an hour; **dva a ~ dne** two days and a half
pulec tadpole
půlit halve
půlkruh semicircle
půllitr half a litre
půlnoc midnight; **o ~i** at midnight
pulovr pullover
pult counter; (*na noty*) music stand
puma bomb
pumpa pump; **benzínová** ~ filling station
pumpovat pump
punč punch
punčocha stocking; **bezešvá** ~ seamless stocking
punčochové kalhoty tights *pl*
puntíkovaný dotted
pupen bud
působiště place (of work)
působit 1 (*pracovat*) work 2 affect (**na čí zdraví** one's health) ♦ ~ **bolest** pain (**rodičům** one's parents)

působivý impressive
půst fast(ing)
pustit **1** (*na zem*) drop, let* . . . fall **2** (*koho, aby šel*) let* sb. go; (*na svobodu*) release; (*dát komu volno*) let* sb. off **3** (*nedržet co*) let* go of ♦ **~ z hlavy** dismiss, forget*
pustit se **1** (*nedržet se čeho*) let* go of **2** go* into (**do podrobností** details); take* up (**do němčiny** German); set* out (**do světa** into the world)
pustošit ravage
pustý **1** (*neobydlený*) waste, desert **2** (*ponurý*) dreary, bleak
puška gun; (*vojenská*) rifle; (*lovecká*) shotgun
puškvorec sweet flag
putovní travelling; **~ pohár** challenge cup
půvab charm, grace
půvabný attractive, charming
původ **1** origin, descent, lineage, extraction, ancestry; (*rodinný*) parentage **2** (*zdroj*) source
původní original
pých|a pride (**na** in); **je -ou rodiny** he is the pride of his family
pyl pollen
pýr couch (grass)
pyramida pyramid
pyré purée [pjuərei]
pyšný proud (**na** of)
pytel sack; (*vak*) bag
pyžam|o pyjamas *pl*; **kabátek / kalhoty od -a** pyjama jacket / trousers

R

rabat discount
rabín rabbi [ræbai]
racek (sea) gull
racionalizace rationalization
ráčit deign; **račte se posadit** will you take a seat, please; **jen račte** go* ahead
rád **1** (*s radostí*) glad; **~ vám pomohu** I'll be only too glad to help you **2** (*čemu*) glad (of, to); **jsem ~, že máte úspěch** I am glad of your success; **jsem ~, že vás vidím** I am glad to see you; **~ slyším, že** I am glad to hear that **3 ~ bych** I should like to (**přišel** come) **4** (*dělat co*) like, love, enjoy, be fond of (**číst** reading, **chodit do kina** going to the pictures) **5 mít ~** like, be* fond of; (*láskou*) love (**děti** children, **svou ženu** one's wife, **hudbu** music, **čaj** tea) ♦ **on ~ zapomíná** he is apt to forget
rad|a **1** advice (**jak žít** on how to live); **řídit se čí -ou** take* / follow sb.'s advice; **žádat koho o -u** ask / seek* sb.'s advice; **na tvoji -u** on your advice; **požádat o -u lékaře / právníka** take* medical / legal advice; **dobrá ~** a piece of good advice ♦ **nevědět si -y** be* at one's wits' end **2** (*osoba*) counsellor, adviser **3** (*instituce*) council, board; **závodní ~** works council; **ministerská ~** cabinet
radar, *též adj* **~ový** radar
rádce adviser
raději **1** better, rather; **~ se podívej na** better look at; **~ postojím** I'd rather stand **2 mít ~** like better (**hokej než kopanou** hockey than football), prefer (**čaj než kávu** tea to coffee) **3 ~ bych měl** I had better, I had rather (**jít** go)
radiátor radiator
rádio radio; broadcasting station
radioaktivita radioactivity
radioaktivní radioactive; **~ spad** (radioactive) fallout
radioamatér radio ham [hæm]
radiotechnika radio engineering
rádiovka beret
rádiov|ý **1** radio (**přijímač** set); **-á lampa** valve **2** radium; **-é paprsky** radium rays *pl*
radit advise, give* sb. advice (**v čem** on sth.); **~ se** consult (**s kým** sb.)
rádium radium
radnice town hall
radost pleasure, joy; **s ~í** with pleasure; **k mé velké ~i** to my great delight; **mít ~ z** be* glad of, be pleased with; **udělat komu ~** please sb.
radostný cheerful
radovat se rejoice (**z čeho** in / at sth.)
rafinerie refinery
rafinovaný **1** refined (**cukr** sugar, **vkus** taste) **2** cunning (**trik** trick)
ragby rugby (football)
ragú ragout [rægu:]
rachot crash, roll (**hromu** of thunder)
ráj paradise, Eden
rajón (*oblast*) area; (*policisty*) beat; (*číšníka*) station
rajské jablíčko, rajče tomato

rajský paradisiac [pærə'disiæk], paradise
rak crayfish; **obratník R~a** the tropic of Cancer
raketa **1** (*tenisová*) racket **2** (*zápalná*) rocket; **kosmická ~** space rocket **3** (*světelná*) flare
raketov|ý rocket; **-á základna** missile base
rakev coffin
rákos reeds *pl*
Rakousko Austria
rakouský Austrian
rakovina cancer
Rakušan Austrian
rám frame
rámcový in outline, skeleton; general
rámeček frame
ramenatý square-shouldered
rameno **1** shoulder **2** (*řeky*) arm
ramínko **1** (*na šaty*) coat hanger **2** (*na prádle*) shoulder strap **3** (*vepřové*) shoulder (of pork)
rampa **1** platform; (*šikmá*) ramp **2** (*div.*) footlights *pl*
rampouch icicle
rámus din, racket
rána **1** blow (*též přen.*); **~ do hlavy** blow on the head; **jednou ranou** at a (single) blow; **byla to pro něho těžká ~** it was a great blow to him **2** (*otevřené zranění*) wound; (*řezná*) cut; (*bodná*) stab **3** report (**z pušky** of a gun)
ranec bundle, pack
raněný **1** (*zbraní*) wounded (**do nohy** in the leg) **2** (*při nehodě*) injured
ranit **1** (*zbraní, též přen.*) wound (**koho do ruky** sb. in the arm, **čí ješitnost** sb.'s vanity) **2** (*při nehodě, též přen.*) injure, hurt*; **ranil se do hlavy** he injured / hurt his head
ranní morning
ráno *n* morning
• *adv* (*kdy?*) in the morning
♦ **dnes ~** this morning; **zítra ~** tomorrow morning; **v neděli ~** on Sunday morning; **v 6 hodin ~** at six a.m.
raný early
rasa race
rasismus racialism, racism
rasistický racialist
rasový racial
rašelina peat
rašit sprout
rašple rasp
ratifikace ratification
ratifikovat ratify
ráz **1** stroke; **~ dva, tři** one, two, three; **na jeden ~** at one blow **2** (*povaha*) nature, character
razantní forcible, impressive, strong
rázem suddenly, all of a sudden
razit coin
razítko rubber stamp; **poštovní ~** postmark
rdesno bistort [bisto:t], snakeroot, snakeweed
rčení saying
reagovat react, respond (**na** to)
reakce **1** reaction **2** (*jen reagování*) response (**na** to)
reak|cionář, -cionářka, *též adj* **-ční** reactionary
reaktivní reactive; **~ letadlo** jet plane
reaktor reactor, atomic pile
realistický realistic
realizovat bring* into being, achieve
reálný real

recepce reception
recepční receptionist
recept **1** (*med.*) prescription **2** (*kuch.*) recipe
recenze review
recitační recitation
recitátor, ~ka reciter
recitovat recite
recyklovatelný recyclable [ri:'saikləbl]
redakce **1** (*místnost*) editor's office **2** (*činnost*) edition, editorship **3** (*redaktoři*) editorial board
redaktor, ~ka editor
redigovat edit
referát report, account; **mít ~** read* a paper (**o** on)
referent **1** (*řečník*) speaker **2** (*funkcionář*) secretary
referovat report (**o** on); review (**o knize** a book)
reflektor spotlight; (*vozu*) headlight
reflex reflex
reforma reform
reformátor reformer
refrén chorus
regál shelf
regionální regional
registratura filing cabinet
regulovat regulate; adjust
rehabilitace rehabilitation
rehabilitovat rehabilitate; **~ se** reestablish one's good name
rejstřík **1** (*v knize*) index **2** (*úřed., hud.*) register
reklam|a **1** (*zvl. v tisku*) advertisement; (*činnost*) advertising **2** publicity; **herec, který se vyhýbá -ě** an actor who avoids publicity ♦ **neónová ~** neon sign
reklamace claim
rekomando: dopis ~ a registered letter; **poslat dopis ~** have* a letter registered
rekonstrukce reconstruction
rekonvalescent, ~ka convalescent
rekord record; **překonat ~** beat* / break* a record
rekordman, ~ka champion, record-breaker
rekordní record; **~ sklizeň** record / bumper harvest
rekreace recreation
rekreační recreation(al); **~ plocha** recreation grounds *pl*
rekreant holiday-maker; vacationer, vacationist
rektor rector
relativita relativity
relativní relative
reliéf relief
relikvie relic
remilitarizace remilitarization
remíza **1** tram depot, tram shed **2** (*sport.*) draw
remorkér tug
rendlík saucepan
renesan|ce, *též adj* **-ční** renaissance
renta annuity
rentabilní paying
rentgen, *též v* **~ovat** X-ray; **poslat koho na ~** send* sb. to have* an X-ray taken
rentovat se pay*
reorganizace reorganization
reorganizovat reorganize
reostat rheostat [ri:əustæt]
repertoár repertory
reportáž reportage
reportér reporter
represálie reprisals *pl*
reprezentační **1** representative (**mužstvo** team) **2** (*vybraný*) choice

reprezentant, ~ka representative
reprezentovat represent
repríza (repeat) performance; (*filmu*) rerun
reprodukce (*též ekon.*) reproduction
reprobedna (*hovor.*) speaker
reprodukovat reproduce
reproduktor loudspeaker
republika republic
respekt, *též v* **~ovat** respect
restaurace 1 restaurant; **lidová ~** tearoom, teashop; **~ se samoobsluhou** cafeteria **2** restoration (**obrazu** of a painting)
restaurovat restore
resumé summary
ret lip; **horní / dolní ~** upper / lower lip; **kousat se do rtů** bite* one's lips
réva vine
reveň rhubarb
revír (*honební*) hunting ground; (*uhelný*) coalfield
revize revision; (*účtů*) auditing
revizionismus revisionism
revizor (*účetní*) auditor
revma, ~tismus rheumatism
revoluce revolution
revolu|cionář, -cionářka, *též adj* **-ční** revolutionary
revolver revolver, gun
revue 1 (*časopis*) review; (*zábavná, obrázková*) magazine **2** (*div.*) revue, show; **lední ~** ice show / revue
rez rust
rezavět get* rusty
rezavý rusty
rezerva reserve
rezervace reserve; reservation; **indiánská ~** Indian reservation
rezervní spare (**kolo** wheel, **náplň** refill)
rezervovat (si) reserve, book (**místa v divadle** seats at the theatre, **pokoj v hotelu** a room at a hotel)
rezignovat resign (**na funkci tajemníka** one's position as secretary)
rezoluce resolution
rezonanční deska soundboard
režie 1 (*div.*) direction, staging, stage-managing **2** (*podniku*) overheads *pl*, oncost
režijní 1 (*div.*) direction(al) **2** (*ekon.*) **~ náklady** overhead expenses *pl*
režim regime
režisér stage manager, director
ribstol wall bars *pl*
rifle jeans *pl*
rigol pothole
ring prize ring, boxing ring
riskovat risk
rizik|o risk; **vydávat se -u, že** run* the risk of -ing
rizoto risotto [ri'zotəu]
robertek dildo
robot (*kuch.*) (food) processor
ročky (*hodiny*) lantern clock
ročně annually
roční annual
ročník 1 (*časopisu*) volume **2** (*školní*) form, class
rod 1 (*přírodovědný*) genus [dži:nəs]; race; **lidský ~** the human race; **~em** by birth **2** (*jaz.*) gender; (*slovesný*) voice
rodák native
rodiče parents
rodičovské sdružení parent-teacher association

rodin|a family; **máme to v -ě** it runs* in the family
rodinný family; **~ přídavek** family allowance; **~ příslušník** family dependant
rodiště birthplace
rodit bear*; (*dávat úrodu*) yield
rodný native; **~ list** birth certificate
roh 1 (*zvířete, též hud. nástroj*) horn **2** corner; **na ~u** at the corner; **v ~u** in the corner; *též v kopané*
roháč (*brouk*) stag beetle
rohlík roll, croissant [krwa:saŋ]
rohování boxing
rohovník boxer
rohož(ka) mat
ro|k year; **v letošním / minulém / příštím -ce** this / last / next year; **za ~** in a year; **v -ce 1989** in 1989; **před ~em** a year ago; **je mladší o dva ~y** he is two years younger; **školní ~** school year; **Nový ~** New Year's Day; **Šťastný Nový ~!** Happy New Year!
rokle gorge [go:dž]
rokoko rococo [rə'kəukəu]
rolák (*svetr*) polo neck, turtleneck
role role, part
roleta (roller-)blind
rolnický farming
rolnictvo farmers *pl*, farming community
rolník farmer
román novel
románský 1 Romance [ro'mæns] (**jazyk** language) **2** Romanesque [rəumə'nesk] (**sloh** style)
romantický romantic
romantika romance
romantismus romanticism
ropa crude oil
ropovod pipeline
ropucha toad
rosa dew
rosnička tree frog
rosol jelly
rostlina plant
rostlinný vegetable
rošt grate; grill
roštěná sirloin steak
rota (*voj.*) company
rotace rotation
rotačka rotary printing machine
rotační frézka (*elektr. holicího strojku*) floating head
roubovat graft
rouhat se blaspheme [blæs'fi:m]
rouhavý blasphemous [blæsfəməs]
roura pipe, tube
rovina 1 (*geom.*) plane **2** (*zeměp.*) plain **3** (*vodorovná*) level
rovnat put* in order; arrange; **~ se** equal (**čemu** sth.)
rovně straight; **jděte pořád ~** go* straight on
rovnice equation
rovník equator
rovnoběž|ka, *též adj* **-ný** parallel (**s** to / with)
rovnocenný equivalent
rovnoměrný even
rovnoprávnost equality (before the law)
rovnoprávný with equal rights
rovnost equality
rovnováh|a balance; **udržet / ztratit -u** keep* / lose* one's balance
rovný 1 (*přímý*) straight **2** (*plochý*) level **3** (*stejný*) equal, even
rozbal|it, -ovat unpack
rozběhnout se start; **~ k tramvaji** make* a dash for the tram
rozbíhat se diverge; (*vidlicovitě*) fork

rozbí|jet, -t break* (up), smash (**na kusy** to pieces)
rozbor analysis
rozbourat pull down, demolish
rozbouřené moře rough / stormy sea
rozbroj discord, trouble
rozcestí crossroads
rozcuchaný dishevelled
rozcuchat ruffle (**koho** sb.'s hair)
rozcvička limbering up
rozčilení excitement
rozčilený excited
rozčil|it, -ovat excite; **~ se** get* excited, lose* one's temper (**kvůli** about); (*hartusit*) make* a fuss
rozd|at, -ávat 1 give* away; (*rozdělit*) distribute **2** (*karty*) deal*
rozděl|at, -ávat 1 (*rozvázat*) undo* **2** (*namíchat*) mix ♦ **~ oheň** make* a fire
rozděl|it, -ovat distribute (**knihy** the books); divide (**peníze** the money)
rozdíl difference; **na ~ od** in distinction from, unlike
rozdílný different
rozdrtit crush up
rozdvojka adaptor
rozeb|írat, -rat 1 take* to pieces, take* apart, dismantle (**stroj** a machine, **hodinky** a watch, **motor** an engine) **2** analyse (**příčiny** the causes) **3** parse (**větu** a sentence) ♦ **kniha je -rána** the book is out of print
rozední|t se: -vá se the day is breaking / dawning
rozehnat disperse, scatter (**dav** the crowd); dispel (**mlhu** the fog)
rozehřát warm, heat (up)
rozejít se 1 (*rozptýlit se*) disperse **2** (*odloučit se*) separate **3** part company (**s kým v názoru** with sb. on a question)
rozemlít grind* (down)
rozen|ý born (**řečník** orator); **-á** née [nei]
rozepnout undo* (the buttons); **~ se** unbutton (one's coat *etc.*)
rozepře dispute
rozes|lat, -lat send* (off)
rozesmát make* sb. laugh; **~ se** burst* out laughing
rozetřít 1 spread* (**máslo na chleba** butter on bread) **2** crush (**česnek** garlic)
rozeznat 1 distinguish **2** make* out (**co říká** what he is saying) ♦ **~ Angličana od Američana** know an Englishman from an American
rozhalenka open-neck shirt
rozhánět *viz* **rozehnat**
rozh|ázet, -azovat 1 scatter (**písek** gravel) **2** squander (**peníze** money)
rozhlas radio, wireless; (*vysílání*) broadcast(ing); **místní ~** public address system; **~ po drátě** rediffusion ♦ **vysílat ~em** broadcast; **oznámit ~em** announce over the radio; **bude to v ~e** it will be on the air; **slyšet v ~e co** hear sth. on the radio
rozhlasový radio; **~ hlasatel / posluchač** radio announcer / listener
rozhled outlook (**do údolí** over the valley); (*též přen.*) **člověk s úzkým ~em** a man with a narrow outlook
rozhl|édnout se, -ížet se look round

rozhodčí (*sport.*) referee; (*v tenise*) umpire
rozhodně by all means; ~ **odmítnout** refuse point-blank; ~ **ne** by no means
rozhod|nout, -ovat 1 (*činit rozhodnutí*) decide **2** (*určit*) determine
rozhodnout se decide, determine, make* up one's mind
rozhodnutí decision
rozhodný decisive; (*energický*) resolute
rozhodující decisive; crucial
rozhořčení indignation
rozhovor 1 conversation, talk **2** (*novinářský, přijímací*) interview
rozhrnout push aside
rozcházet se *viz* **rozejít se**
rozchod 1 separation, parting **2** (*kolejí*) gauge **3** (*voj.*) **R~!** Dismiss!
rozchodník stonecrop
roz|jet se, -jíždět se 1 (*různými směry*) leave* in various directions **2** (*vlak*) move out
rozkaz order
rozk|ázat, -azovat order (**komu, aby** sb. to + *inf*)
rozkazovací způsob (*jaz.*) imperative
rozklad decay
rozkládací folding (**člun** boat, **lůžko** bed, **židle** chair)
rozkládat take* to pieces; decompose (**světlo** light)
rozkládat se 1 (*tlít*) decay **2** extend (**až k řece** as far as the river)
rozkladný destructive, disruptive
rozkop|at, -ávat dig* up
rozkošný lovely, delightful
rozkousat chew
rozkr|ájet, -ajovat, -ojit (*na půl*) cut* sth. in half; (*na kusy*) cut* to pieces
rozkrá|st, -dat pilfer
rozkročmo astride
rozkvé|st, -tat burst* into bloom, (*strom*) blossom
rozkvět bloom; **v ~u mládí** in the bloom of youth
rozlámat break*
rozléhat se resound (**křikem** with shouts)
rozlepit unstick*; ~ **se** come* unstuck
rozl|etět se, -étnout se 1 disperse, scatter **2** (*dveře*) fly* open
rozliš|it, -ovat distinguish
rozlít (se) spill*
rozloha area
rozloučen|í farewell; **večírek na -ou** farewell (party)
rozloučit se (*s kým*) take* leave (of sb.), say* goodbye (to sb.)
rozložit take* to pieces; (*chem.*) analyse; spread* out (**po stole** on the table)
rozluštit solve (**křížovku** a crossword puzzle); decipher (**škrabanici** a scrawl)
rozmačkat crush
rozmáhat se spread*
rozmach high tide
rozmanitý varied; diverse
rozmarýn rosemary
rozmazat blur
rozmazl|it, -ovat spoil*
rozměnit change (**stokorunu** a hundred-crown note)
rozměr dimension
rozmíchat mix
rozmís|tit, -ťovat distribute
rozmlouvat talk (**s kým o čem** to sb. about sth.)

rozmluva talk, conversation
rozmluvit talk (**komu co** sb. out of doing sth.)
rozmnož|it, -ovat 1 increase (**počet** the number) **2** (*dělat kopie*) reproduce
rozmnožovat se breed*, multiply (**jako králíci** like rabbits)
rozmoci se spread*
rozmotat disentangle
rozmrazit defrost, unfreeze
rozmrznout thaw
rozmyslit se change one's mind
rozmysl|it si (*co*) think* sth. over; **já si to -ím** I'll think it over; **dobře si to -ete** think twice
rozmyšlen|á: čas na -ou time to think / for thought
rozmýšlet se think* twice
rozmýšlet si reflect (**co** upon sth.)
rozn|ášet, -ést distribute; (*poštu*) deliver
roznětka (percussion) primer
rozpačitý embarrassed; (*zmatený*) puzzled, confused
rozpad disintegration
rozpad|at se, -nout se crumble, fall* into ruin
rozpa|ky embarrassment; **být na -cích** be* at a loss (**co říci** for words); **uvést do -ků** embarrass, puzzle
rozpárat rip up (**švy** the seams, **břicho** the belly); **~ se** come* unsewn
rozpětí 1 span **2** margin (**cenové** on the price)
rozpínavost expansion (**plynů** of gases)
rozpis specification
rozplakat se burst* into tears
rozpočet budget
rozpor contradiction
rozpouštědlo solvent
rozpouštět dissolve; (*tavit*) melt; **~ se** dissolve, melt
rozpoutat unleash (**válku** a war); **~ se** burst* out
rozpraskaný cracked (**ret** lip)
rozpr|ášit, -ašovat 1 disperse (**dav** the crowd) **2** spray (**parfém** a perfume)
rozprod|at, -ávat sell* out
rozproudit se start moving
rozpt|ýlit, -ylovat divert (**hudbou** with music)
rozpůlit cut* in half
rozpustilý 1 naughty, unruly (**chlapec** boy) **2** naughty, dirty (**vtip** joke)
rozpustit 1 dissolve (**sůl** salt, **parlament** Parliament) **2** dismiss (**žáky** the class)
rozpustit se dissolve
rozpustný soluble
rozrazil health speedwell
rozruch stir; **zbytečný ~** fuss
rozrůst se, ~at se spread*
rozrušit upset*; **~ se** be* upset
rozře|dit, -ďovat dilute
rozřešit solve
rozř|ezat, -ezávat, -íznout cut* (**knihu** a book); **~ obálku** slit an envelope open
rozsadit divide (up), separate, seat apart (**žáky** the pupils)
rozsah extent
rozsáhlý extensive
rozsek|at, -nout cut* (in two, to pieces), cut* up
rozsoudit sit* in judgement (**případ** on a case)
rozstonat se fall* ill
rozstříh|at, -nout cut* (in two, to pieces)

rozsudek sentence; **osvobozující ~** acquittal; **vynést ~** pass sentence
rozsv|ěcovat, -ítit switch / turn on the light
rozsypat (se) spill*
rozš|ířit, -iřovat (se) spread*, extend
rozšroubovat unscrew
rozštípat split
rozt|áhnout, -ahovat stretch
roztát thaw
roztavit melt
roztěkaný distrait, absent-minded
roztlouci pound, crush, hammer, break* (to pieces)
roztok solution
roztomilý sweet, charming, nice
roztrh|at, -nout tear* up
roztrpčit embitter, gall
roztržitý absent-minded, preoccupied
roztřídit assort (**vzorky** samples); classify (**knihy podle oborů** books by subjects)
rozum reason
♦ **být s ~em v koncích** be* at one's wits' end; **to dá ~** it's common sense, that stands to reason; **máš ~?** are you serious?; **to mi nejde na ~** it's quite beyond me; **přijít k ~u** come* to one's senses; **zdravý ~** common sense
rozum|ět understand* (**čemu** sth.); **promiňte, nerozuměl jsem vám** I am afraid I didn't get what you mean; **nerozumí žertu** he can't take a joke; **to se -í samo sebou** that goes without saying; **~ si s kým** see* eye to eye with sb.
rozumn|ý 1 (*inteligentní, též přiměřený*) reasonable; **-á omluva** reasonable excuse; **-é ceny** reasonable prices **2** (*praktický*) sensible; **-é oblečení** sensible clothing ♦ **to je -á řeč** now you're talking sense
rozvádět se be* having a divorce (**s manželkou** from one's wife)
rozv|ázat, -azovat undo*, untie
rozvážet deliver
rozvedený divorced
rozveselit (se) cheer up
rozvést se have* a divorce (**s kým** from sb.)
rozvézt deliver
rozvědka espionage (group)
rozv|íjet, -inout 1 unfold (**ubrousek** a table napkin, **plány** one's plans) **2** develop (**průmysl** industry)
rozvíjet se develop
rozvít se open out, burst* into bloom
rozvod divorce (**s kým** from sb.)
rozvodka adapter
rozvod|nit se, -ňovat se overflow the banks
rozvodná deska switchboard
rozvoj development
rozvojové země developing countries *pl*
rozvrat ruin, decay
rozvrátit subvert
rozvrh timetable; schedule
rozvrhnout plan; lay* out
rozzlobit make* angry; **~ se** get* angry
rozžhavit heat, make* sth. glow; **~ se** glow
rožeň spit
rožnit grill
rtěnka lipstick
rtuť mercury
rub the reverse side (**látky** of cloth, **mince** of a coin)
rubat mine (**uhlí** coal)

rubín ruby
rubl rouble
rubrika column
ručička hand
ručit guarantee (**zač** sth.)
ruční hand
ručník towel
ruda ore
rudnout grow* red
rudný ore (**důl** mine)
rudý red
ruch bustle; **dopravní ~** traffic
ruina ruin
ru|ka hand; (*celá paže*) arm; **po pravé / levé -ce** on one's right / left hand ♦ **práce mu jde od -ky** he's a deft worker; **po -ce** at hand; **pod -kou** underhand; **z první -ky** at first hand; **přiložit -ku k dílu** pull one's weight; **-ku v -ce** hand in hand; **je to z -ky** it is out of hand; **z -ky do -ky** from hand to hand; **vzít za -ku** take* by the hand
rukáv sleeve
rukavice glove
rukávník muff
rukojeť handle
rukojmí hostage
rukopis 1 hand(writing); **mít hezký ~** write* a good hand **2** (*díla*) manuscript
rula gneiss [nais]
roláda (*piškotová s džemem*) Swiss roll
rulík deadly nightshade
rum rum
rumělka (*barva*) red cinnabar; (*barvivo*) vermillion [və'miljən]
rumpál winch, windlass
Rumun, ~ka Romanian [rəu'meinjən]
Rumunsko Romania
rumun|ský, *též n* **-ština** Romanian
Rus, ~ka Russian
Rusko Russia
ruský Russian
růst *n* growth (**výroby** of production)
• *v* grow*; (*dospívat*) grow up
rušit 1 disturb (**spící dítě** the sleeping child, **veřejný pořádek** the peace) **2** trouble; **nedejte se tím ~** don't let it trouble you **3** jam (**nepřátelské vysílání** the enemy's broadcasts)
rušno: **je zde ~** this is a busy place
rušný busy
ruština Russian
různobarevný many-coloured
různorodý diverse, varied
různ|ý 1 (*odlišný*) different; **-í lidé se stejným jménem** different people with the same name **2** (*rozmanitý*) various; **z ~ch důvodů** for various reasons
růž rouge
růže rose
růženec rosary
růžový pink, rosy
rvačka brawl, row
rvát tear*
ryb|a fish; **chytat -y** fish, (*na udici*) angle; **jít na -y** go* fishing
rybář fisherman; (*na udici*) angler
rybářsk|ý fishing; **~ prut** fishing rod; **-é náčiní** fishing tackle
rybí fish; **~ karbanátek** fish cake; **~ polévka** fish soup
rybíz (red, black, white) currant
rybník (*vesnický*) pond; (*velký*) lake
rybolov fishing
rýč spade
rýha (*žlábek*) groove; (*vráska*) furrow

rychle **1** fast; **mluvit ~** speak* fast **2** quick(ly); **jdeš moc ~** you're walking too quick
rychlík fast train
rychlit speed*
rychlobruslař speed skater
rychlobruslení speed skating
rychločistírna express dry-cleaner's
rychlodabing voice over
rychlospravkárna express repair shop
rychlost **1** speed; **~í 10 mil za hodinu** at a speed of 10 miles an hour; **plnou ~í** at full speed **2** (*motor. vozidla*) gear; **zařadit vyšší / nižší ~** gear // change up / down
rychlostní skříň gearbox
rychlý fast, quick
rým rhyme
rým|a cold (in one's head); **dostat -u** catch* (a) cold
Rýn the Rhine
rypadlo excavator
rypák snout
rýp|at, -nout dig*, jab; **-nout koho do žeber** dig sb. in the ribs
rys[1] lynx
rys[2] **1** (*znak, charakteristika*) feature, trait **2** (*výkres*) drawing **3** (*obrys*) outline; **v hrubých ~ech** in rough / broad outline
rýsovací: ~ pero drawing pen; **~ prkno** drawing board
rýsovadlo geometry set
rýsování technical drawing
rýsovat draw*; **~ se** *(na obzoru)* loom
rýt **1** dig* (**půdu** the ground) **2** engrave (**do kovové desky** on a metal plate) **3** nag (**do koho** at sb.)
rytec engraver
rytina engraving
rytíř knight
rytmický rhythmic(al)
rytmus rhythm
ryzí pure
rýž|e, *též adj* **-ový** rice
ržát neigh, whinny

Ř

řád 1 order; **společenský ~** social order **2** (*organizační*) rules *pl* **3** (*vyznamenání*) decoration ♦ **jízdní ~** timetable, (*kniha*) railway guide, (*abecední*) ABC; **prvního ~u** of the first order, of the first water

řad|a 1 row (**domů** of houses, **sedadel** of seats) **2** (*série*) series (**známek** of stamps) **3** (*časový sled*) succession (**porážek** of defeats) ♦ **celá ~** a number of; **je na mně ~** it's my turn; **kdo je teď na -ě?** whose turn is it now?; **v jedné -ě** abreast (**s** of, with)

řádek line

řadicí páka gear lever

řadit 1 arrange (**knihy na police** books on shelves, **abecedně** in alphabetical order) **2** rank (**koho mezi velké spisovatele** sb. among the great authors) **3 ~ rychlosti** change gear **4** (*do kartotéky*) file

řádit rage

řádný 1 (*vhodný*) proper **2** (*poctivý*) righteous **3** (*patřičný*) due **4** (*odpovídající předpisu / řádu*) regular, ordinary

řadov|ý ordinary; **-á číslovka** ordinal numeral; **-é snímkování** mass miniature radiography

řapík leafstalk, petiole

řasa 1 (*oční*) eyelash **2** (*mořská*) seaweed

řasenka mascara [mæ'ska:rə]

řebříček yarrow [jærəu], milfoil

Řecko Greece

řeckořímský zápas wrestling

řecký Greek

řeč 1 (*jazyk*) language, tongue; **mateřská ~** mother tongue **2** (*proslov*) speech; **přímá / nepřímá ~** direct / indirect speech ♦ **dát se do ~i s kým o čem** start sb. off on sth.; **zavést ~ nač** broach sth.

řečiště river bed

řečník speaker; (*profesionální*) orator

řečtina Greek

ředidlo thinner

ředit dilute

ředitel director; manager; **~ školy** headmaster

ředitelství management

ředk|ev, -vička radish

řehole (religious) order

Řek Greek

řeka river

řemen strap; (*obtahovací*) strop; (*opasek, též hnací*) belt

řemesln|ický, *též n* **-ík** craftsman

řemesln|ý (*ruční*) hand-made; **-é provedení** workmanship, craftsmanship

řemeslo (handi)craft

řemínek strap

řepa beet; **červená ~** beetroot; **cukrová ~** sugar beet

řepařský beet-growing

řepka rape

řepný beet

řeřicha watercress

řešení solution

řešeto riddle

řešit tackle (**úlohu** a problem); work out; try to solve

řetěz chain

řetězov|ý chain; **-á reakce** chain reaction
řetízek chain
řev roar
řez cut
řezačka cutter
řezák incisor [in'saizə]
řezat 1 cut* **2** (*pilou*) saw* **3** (*bít*) thrash
řezbář (wood)carver
řeznictví butcher's
řezník butcher
řezný cutting
říci 1 say*; **řekněte to ještě jednou** say it again; **co jste říkal?** what did you say?; **co říkáte malé procházce?** what do you say to a short walk?; **řekl mi: „Já tomu nerozumím"** he said to me: 'I don't understand it' **2** tell*; **řekni mi, jak se jmenuješ** tell me your name; **řekl mi, že tomu nerozumí** he told me he didn't understand it; **~ pravdu** tell the truth **3 ~ si o** ask for ♦ **řekněme** let us say
říční river
řídicí steering
řidič driver
řidičský průkaz driving licence
řídit 1 direct (**práci** the work); manage, run (**obchod** a business, **prodejnu** a shop); control (**dopravu** the traffic); guide (**střelu** a missile) **2** drive* (**auto** a car)
řídit se follow (**pokyny** the instructions)
řiditelný dirigible
řídítka handlebar(s)
řídký 1 thin, rare **2** (*vzácný*) rare; scarce
říje rut
říjen October
říkat *viz* **říci**
Řím Rome
Říman Roman
římsa ledge; (*ozdobná*) cornice
římský Roman
řinčet clatter
říše empire
řítit se dash, rush
řízek steak; cutlet; escalope; **smažený telecí ~** Wiener schnitzel
řízení 1 (*vedení*) direction, management **2** (*ovládání*) control; **dálkové ~** remote control **3** (*mechanismus*) steering (gear); controls *pl*
říznout (se) cut* (**do prstu** one's finger)
řízný smart
řvát 1 roar (**smíchem** with laughter) **2** bawl (**na** at)

S

s, se 1 with; **s přítelem** with a friend; **s vaší pomocí** with your help; **kabát s dvěma kapsami** a coat with two pockets; **dívka s modrýma očima** a girl with blue eyes; **nemám s sebou peníze** I have no money with me **2** and; **chléb s máslem** bread and butter; **whisky se sodovkou** whisky and soda ♦ **film s Melem Gibsonem** a film starring Mel Gibson

sabot|áž, *též v* **-ovat** sabotage

sací suction (**potrubí** pipe)

sáček bag

sad orchard

sada set

sadař fruiter, fruit grower

sadařství fruit-growing farm

sadba seed

sadismus sadism

sadist|a, *též adj* **-ický** sadist

sádlo lard

sádra plaster of Paris

sahat 1 reach out (**po noži** one's hand for a knife) **2** reach, extend (**až k řece** as far as the river) **3** touch (**na exponáty** the exhibits) **4** go* back (**do 18. stol.** to the 18th century)

sáhnout 1 (*nač*) touch, feel*, (*prsty*) finger (sth.) **2** reach out one's hand (**po novinách** for a newspaper) **3** put* one's hand (**do kapsy** in one's pocket) **4** resort (**k násilí** to force)

sajdkár sidecar

sako jacket

sál hall; **operační ~** operating theatre

salám (highly-seasoned) sausage, salami [sə'la:mi]

salát salad; (*hlávkový*) lettuce

sálat radiate

saldo balance

salón drawing room; **~ krásy** beauty parlour, beauty salon [sælon]

salónní drawing-room

salto somersault

sám 1 (*samoten*) alone, on one's own, by oneself; **je dnes ~** he is alone / on his own / by himself today **2** (*osobně, samostatně*) -self, on one's own, by oneself; **musím to udělat ~** I must do it myself; **pracuje ~** he is working (all) on his own / (all) by himself **3** (*samovolně*) of one's own accord; **řekl mi to ~** he told me of his own accord ♦ **samo sebou** it goes without saying

samec male

samet velvet

samice female

samočinný automatic

samohláska vowel

samolepka self-adhesive label

samolibý self-satisfied, complacent

samomluva soliloquy [sə'liləkwi]

samoobsluh|a self-service; **obchodní dům se -ou** supermarket; **prádelna se -ou** launderette; **restaurace se -ou** cafeteria

samopal submachine-gun

samorostlý original, racy

samospráva self-government; autonomy

samostatnost independence

samostatný independent
samota solitude; (*též osamocenost*) loneliness
samotář recluse [ri'klu:s]; **žít jako ~** live the life of a recluse
samotný alone
samoúčelný: být ~ be* an end in itself
samouk self-taught person
samovazba solitary confinement
samozřejmě *adv* as a matter of course • *částice* ~! of course!, that stands to reason!, naturally!
samozřejmost matter of course
samozřejm|ý obvious; **považovat za -é** take* for granted
sam|ý 1 very; **na -ém začátku** at the very beginning **2** nothing but; **-é dobré zprávy** nothing but good news
sanatorium nursing home
sandál sandal
sáně sledge, sled, sleigh; toboggan *sg*
sanitní sanitary; **~ auto** ambulance
sáňkovat toboggan, sledge; **jít ~** go* tobogganing / sledging
saponát detergent
sardelka anchovy, sardelle [sa:'del]
sardinka sardine
sasanka anemone
Sasko Saxony
sát suck
satira satire
satirický satirical
satisfakce satisfaction
savec mammal
saxofon saxophone
sazba rate, tariff
saze soot *sg*
sazeč compositor
sazenice seedling
sázenka football coupon, pools coupon
sázet 1 plant (**květiny** flowers) **2** set* up (**rukopis** a manuscript) **3** stake, bet* (**na koně** on horses)
sázet se make* a bet, lay* a wager
sáz|ka stake, bet; **být v -ce** be* at stake
sazka football pools *pl*
sbalit pack up
sběr (*odpadových surovin*) salvage
sběračka skimmer
sběratel collector
sbíhat se 1 (*do jednoho bodu*) converge **2** (*shromažďovat se*) gather
sbíječka chipping hammer, pneumatic drill
sbíjet hammer together
sbírat 1 collect (**známky** stamps, **poházené papíry** the wastepaper) **2** gather (**informace** information, **zkušenosti** experience) **3** skim (**mléko** milk) **4** (*odpadové suroviny*) salvage ♦ **jít ~ houby** go mushrooming
sbírka collection
sbít hammer together
sblížení approach, understanding
sbl|ížit se, -ižovat se get* closer (**navzájem** to each other / together)
sbohem goodbye
sbor 1 (*pěvecký*) choir **2** (*učitelský*) staff **3** (*vojenský, diplomatický, baletní, policejní*) corps
sborník symposium
sborovna staff room
sborový choral [ko:rəl]
scel|it, -ovat consolidate; (*látku*) do* invisible mending
scéna scene
scénář screenplay, script

scestovalý travelled
scestovat travel (**celý svět** the whole world / all over the world)
sčítání addition; (*lidu*) census
sdělení communication; (*vzkaz*) message
sděl|it, -ovat (*komu co; komu, že*) inform (of; that); let* sb. know (about; that); ~ **špatnou zprávu šetrně komu** break* the bad news to sb.
sdělovací communication
sdělovat *viz* **sdělit**
sdílný communicative
sdružení association; **rodičovské** ~ parent-teacher association
sdružovat (se) associate
se 1 -self; **bavit se** amuse oneself **2** *u mnoha sloves není v angl. vyjádřeno:* **učit se** learn; **dívat se** look; **snažit se** try **3** (*vzájemnost*) each – other, one – another; **měli se rádi** they loved each other
sebedůvěra self-confidence
seběhnout run* down (**ze schodů** the steps)
sebekritický self-critical
sebekritika self-criticism; self-examination
sebemenší the least
sebeobrana self-defence
sebeurčení self-determination
sebevědomí self-confidence
sebevědomý self-confident
sebevra|h, -žda suicide
sebevzdělání self-education
sebezapření self-denial
sebou: vezměte s ~ syna take* your son with you
sebrat 1 pick up (**minci** a coin, **člověka na ulici** a person on the street) **2** (*odcizit*) pinch (**někomu tužku** sb.'s pencil)
secese Art Nouveau [a: 'nu:vəu]
sečí|st, -tat add up, sum up
sedačka stool
sedadlo seat
sedat si sit* down, take* a seat
sedět sit*; ~ **na bobku** squat; ~ **modelem** pose as a model; ~ **na vejcích** brood
sedlář saddler
sedlák farmer
sedlina sediment
sedlo saddle; (*krejčovské*) yoke
sedm seven
sedmdesát seventy
sedmička seven; Number Seven
sedmikráska daisy
sedmiletý seven-year old
sedmina seventh
sedmnáct seventeen
sedmnáctý seventeenth
sedmý seventh
sednout si sit* down, take* a seat
sehnat get*; ~ **peníze** raise / rake up the money; ~ **něco k jídlu komu** fix sb. up with sth. to eat
sehnout se bend* down, stoop
sehrát play (**zápas** a match); put* on (**scénu** an act)
sejít 1 walk down (**ze schodů** the stairs); step off (**z chodníku** the pavement) **2** (*zchátrat*) run* to seed ♦ **sešlo z toho** it came to nothing, it fell through
sejít se meet* (**s kým** sb.); (*náhodou*) meet* (**s kým** with sb.)
sejmout take* off, take* down; ~ **karty** cut* cards
sekaná meat loaf
sekat cut*, chop; (*trávu*) mow*, (*obilí*) reap; (*na drobno*) mince

sekce section
sekera axe
seknout cut*; **~ se do prstu** cut one's finger
sekretariát secretariat
sekretář, ~ka secretary
sektor sector
sekunda second
selanka idyll
sele suck(l)ing pig
selh|at, -ávat fail; (*puška, motor*) misfire
sem here; **pojď ~!** come* here!, come this way!, come over here!; **pobíhat ~ a tam** rush about; **~ a tam** to and fro
semafor traffic lights, the lights
semeno seed
semestr term
semifinále semifinal(s *pl*)
seminář seminar
semiš suède
sen dream
senát senate
senátor senator
senilní senile
senná rýma hay fever
seno hay; **sklízet ~** make* hay
senoseč haymaking
sentimentální sentimental
senzace sensation
senzační sensational
sep|isovat, -sat write* down; (*do seznamu*) list
septik septic tank
seriál serial
série series
sériový serial
seriózní respectable
serpentina hairpin bend
sérum serum [siərəm]
servilní servile, obsequious
servírka waitress
servírovat serve (**komu co** sb. with sth.)
servis (*ve všech významech*) service
seřadit (se) line up
seř|ídit, -izovat regulate, adjust
sesa|dit, -zovat depose, remove
sesk|akovat, -očit jump off
seskok jump; **~ padákem** parachute jump
sesou|t se, -vat se slide down
sestava arrangement; system
sestav|it, -ovat make* up; compile; draw* up (**plán** a plan)
sestoupit come* down, descend (**ze schodů** the stairs)
sestra 1 sister **2** (*zdravotní*) nurse; **vrchní ~** matron
sestrojit construct
sestřelit shoot* down
sestřenice cousin
sestup descent
sestupovat *viz* **sestoupit**
sešit 1 notebook, exercise book **2** (*časopisu*) number
sešíl|t, -vat sew* up; (*sešívačkou*) staple
sešívačka stapler
sešlý (*vzhledem*) shabby; (*věkem*) decrepit
set set
set|ba, -í sowing
setina hundredth
setkání meeting
setk|at se, -ávat se meet* (**s kým** sb.)
setmět se grow* dark
setrvačník flywheel
setrvačnost inertia
setřít wipe off
sever north; **na ~ od** (to the) north of; **na ~u** in the north
severně north (**od** of)

severní 1 north; ~ **pól** the north pole; ~ **vítr** a north wind; **S~ Amerika** North America **2** northern; ~ **polokoule** the northern hemisphere; **S~ Irsko** Northern Ireland
severoamerický North American
severovýchod northeast
severovýchodní northeast(ern)
severozápad northwest
severozápadní northwest(ern)
severský Scandinavian
sevřít clasp; grip
sexuální sexual
seznam list
seznámení acquaintance
sezn|ámit, -amovat acquaint, make* acquainted (**koho s** sb. with); (*představit*) introduce (**koho komu** sb. to sb.); ~ **se** get* acquainted (**s** with); make* sb.'s acquaintance
sezóna season
sezónní seasonal
sežrat devour
sfinga sphinx
shánět hunt (**co** for sth.)
shazovat 1 throw* down, cast* off **2** shed* (**listí** leaves, **parohy** horns)
shledan|á: na -ou see* you later, goodbye (for the present)
shledání meeting again, next meeting; reunion
shnilý rotten
shnít rot (away)
shoda 1 agreement, conformity; ~ **okolností** coincidence **2** (*tenis*) deuce
shodit 1 throw* down, cast* off **2** shed*, lose* (**přebytečnou váhu** excess weight)
shodnout se agree (**s kým v čem** with sb. on sth.)
shodný identical
shodovat se tally; **oba seznamy se shodují** the two lists tally
shon rush; **předvánoční ~** the pre-Christmas rush
shora from above; **zmíněný ~** mentioned above, above-mentioned
shořet be* burnt down
shovívavý indulgent
shrbený stooping, bent (**stářím** with old age)
shrn|out, -ovat 1 draw* (**záclonu přes okno** a curtain across the window) **2** (*na hromadu*) pile up **3** (*obsah*) sum up, summarize
shromáždění gathering, meeting; (*manifestace*) rally; **Národní ~** National Assembly
shrom|áždit (se), -ažďovat (se) gather, assemble
shýb|at (se), -nout (se) bend* down; ~ **se pro** reach down for
scházet 1 go* down, walk down (**ze schodů** the stairs) **2** (*chybět*) be* missing, be* absent
scházet se meet* (**s kým** sb.)
schéma design, pattern
schematický schematic
schnout (get*) dry
schod step, stair
schodek deficit
schodiště staircase
schod|y stairs *pl*; **po -ech nahoru / dolů** upstairs / downstairs
schopnost 1 ability; **podle svých nejlepších ~í** to the best of one's abilities **2** (*kvalifikace*) competence
schopný 1 able, capable **2** (*kvalifikovaný*) competent **3** (*tělesně*) fit, able-bodied

schov|at (se), -ávat hide*; **~ co (do kapsy)** put* sth. away (in one's pocket), pocket away
schovávaná hide-and-seek
schránka box; **poštovní ~** (*též soukromá*) letter box, *GB* pillar box
schůdný passable
schůze meeting
schůzka appointment; (*hovor.*) date
schválení approbation; (*souhlas*) consent; (*dohoda*) agreement
schvál|it, -ovat 1 pass (**předlohu zákona** the bill) **2** ratify (**smlouvu** an agreement) **3** approve (**její sňatek** of her marriage, **zápis o schůzi** the minutes of the meeting)
schválně on purpose, deliberately ♦ **~ se jdi na to podívat** make* a point of going to see it
si 1 *v angl. zpravidla sloveso nezvratné:* **koupit si** buy, **myslit si** think, **představit si** imagine, **uvědomit si** realize **2** *v angl. zájm. přivlastňovací:* **oblékl si kabát** he put on his coat, **vyčistil si zuby** he cleaned his teeth, **dal si to do kapsy** he put it away in his pocket **3** *při vzájemnosti:* each – other, one – another; **pomáhali si** they helped each other
sice 1 (*jinak, nebo*) or else; **pospěš si, ~ přijdeš pozdě** hurry or else you will be late **2** (*přípustkově*) it is true; **činže je ~ vysoká, ale ...** the rent is high, it is true, but ...
síci mow
Sicílie Sicily
sídliště housing estate
sídlo seat, residence
sifon siphon [saifən]
signál signal; (*světelná raketa*) flare
signalizovat signalize
signatura (*knihy*) class mark, shelf mark; (*podpis umělce*) autograph
síl|a 1 strength **2** (*též násilí*) force **3** (*energie, moc*) power ♦ **koňská ~** horsepower; **kupní ~** purchasing power; **odstředivá ~** centrifugal [sen'trifjugl] force; **pracovní -y** manpower; **snažit se ze všech sil** do one's best; **to je nad mé -y** that is beyond my power
siláž, *též v* **~ovat** ensilage
sílit grow* strong
silnice road; (*hlavní*) highway
siln|ý 1 strong (**čaj** tea, **-á hůl** stick, **-é nervy** nerves, **pach** smell, **-é světlo** light, **vítr** wind, **-á vůle** will) **2** powerful (**lék** remedy, **nepřítel** enemy) **3** keen (**zájem** interest) **4** heavy (**déšť** rain, **kuřák** smoker, **-á poptávka po** demand for)
silueta outline; (*na obzoru*) skyline
silvestr New Year's Eve; **slavit ~a** celebrate New Year's Eve
simulovat malinger (**nemoc** illness); simulate (**nadšení** enthusiasm)
síň hall
síra sulphur
siréna siren [sairən]
sirka match
sirotek orphan
sirup treacle
sít sow*
síť 1 net **2** (*soustava*) network
sítnice retina [retinə]
síto sieve
síťovka string bag
situace situation

sjedn|at, -ávat arrange (**co** sth.; **aby** for sth. to + *inf*)
sjednocení unification
sjedno|covat (se), -tit (se) unite
sjezd 1 (*shromáždění*) congress; 2 (*lyžařský*) downhill run / race
sjezdař downhill racer
sjízdný passable, carriageable
skafandr diving suit / dress; (*pro kosmonauta*) spacesuit
skákat *viz* **skočit**
skála rock
skandál scandal
Skandinávie Scandinavia
skandinávský Scandinavian
skica sketch
sklad stock; **být / nebýt na ~ě** be* in / be out of stock
skládací folding, collapsible (**člun** boat, **židle** chair)
skládat 1 (*do záhybů*) fold (**dopis** a letter) 2 compose (**hudbu** music)
skládat se z be* composed of, consist of
skladatel composer
skladba 1 composition 2 (*jaz.*) syntax
skladiště warehouse
skladný space-saving
skladovat store, keep
sklánět se 1 (*o terénu*) slope (down) 2 (*před kým*) bow to sb.
sklápěcí sedadlo tip-up seat
sklárna glassworks
sklář glassworker
sklářský průmysl glass industry
sklenář glazier
sklenářství glazier's
sklen|ěný, *též n* **-ice** glass
sklenička tumbler; **~ hořčice** jar of mustard
skleník hothouse, greenhouse
sklep cellar
skleróza sclerosis [sklə'rəusis]
sklíčený dejected, gloomy
sklidit 1 remove, clear away (**nádobí po svačině** the tea things) 2 harvest (**obilí** the corn, **brambory** potatoes), reap (**obilí** the corn); get* the crops in
sklizeň 1 (*žně*) harvest 2 (*výtěžek*) crop(s *pl*)
sklízet *viz* **sklidit**
sklo 1 glass; **tabulové ~** plate glass; **broušené ~** cut glass 2 (*výrobky*) glassware
sklon 1 inclination (**hlavy** of the head); slope (**střechy** of the roof); **dvacetiprocentní ~** a slope of 1 in 5 2 (*náklonnost*) inclination, tendency (**k tloustnutí** to grow* fat)
sklonit incline, bow (**hlavu** the head); **~ se** bow (**před** to)
skloňování (*jaz.*) declension
skloňovat (*jaz.*) decline
sklopit sedadlo tip a seat forward
sklouznout slip off
skluzavka slide
skoba hook; (*tesařská*) cramp; (*na obraz*) picture hook
skočit jump, spring*; **~ do řeči** butt in; **~ do vody** dive
skok jump; **~ daleký / vysoký** long / high jump; **~ o tyči** pole vault; **~ na lyžích** ski jump; **~ do vody** *(po hlavě)* dive
skokan (*člověk*) jumper; (*žába, zelený*) edible frog
skokanský můstek ski jump
skončit 1 end (up), come* to an end, be* over, finish; **~ s kým** be* through with sb. 2 (*ukončit*) end, finish, put* an end to
skopové maso mutton

skóre score
skoro almost, practically ♦ **já jsem ji ~ neznal** I hardly knew her; **~ nic** next to nothing; **~ stejný** much the same; **~ hodinu** the best part of / nearly an hour
skořápka shell
skořice cinnamon
skot cattle
Skot Scotchman, Scotsman
Skotsko Scotland
skotsk|ý Scotch, Scottish; **-á suknice** kilt
skoupý mean, stingy
skráň temple
skrčit (se) stoop; duck (**hlavu** one's head)
skrečovat (*zápas*) annul, declare void
skromný modest
skrovný scanty, meagre (**oběd** dinner)
skrýš hiding place
skrý|t (se), -vat (se) hide*
skrz(e) through; **znát co ~ naskrz** know* sth. inside out
skřehotat croak
skříň: ~ na šaty wardrobe; **~ na knihy** bookcase; **výkladní ~** shop window
skříňka box; (*v šatně na zámek*) locker
skřípat creak, grate; **~ zuby** grind* one's teeth
skřivánek skylark
skulina opening, chink
skupenství state of aggregation
skupina group
skupinový group; **~ telefon** party line
skutečně really; indeed
skutečnost reality, fact; **ve ~i** as a matter of fact, actually
skutečn|ý **1** (*pravý*) real (**důvod** reason, **ředitel** manager, **život** life) **2** actual; **-é cifry** actual figures *pl*
skutek act, deed
skútr scooter
skvělý brilliant, fine, wonderful
skvost jewel
skvrn|a **1** (*přirozená*) patch, spot; **pes s bílými ~mi** a dog with white patches; **levhart má -y** a leopard has spots **2** (*špíny, barvy*) spot (**od bláta** of mud); stain (*též přen.*); **-y od krve / inkoustu** blood / ink stains; **~ na vaší pověsti** stain on your reputation
slabika syllable
slabikář primer
slabikovat spell* out
slabina **1** (*na těle*) groin **2** (*nedostatek*) weak point
slábnout grow* weak, weaken
slaboch weakling
slabomyslný idiotic
slabost weakness; **~ pro co** indulgence in sth.
slabý **1** weak **2** (*tenký*) thin **3** (*špatný*) poor
slad malt
sládek brewer, maltster
sladit[1] sweeten (**čaj** one's tea)
sladit[2] harmonize (**barvy** colours, **zájmy** interests)
sladkokyselá okurka sweet pickled gherkin
sladkovodní freshwater
sladký sweet
slalom slalom; **obří ~** giant slalom
sl|áma, *též adj* **-aměný** straw; **-aměný vdovec** grass widower
slamník straw mattress
slaneček pickled herring
slang slang

slanina bacon
slánka saltcellar, salt shaker
slaný salt(y)
slaňovat rope down
slast delight, bliss
sláv|a 1 (*proslulost*) fame; **toužit po -ě** be* anxious for fame 2 (*v historii, náboženství*) glory ♦ **provolávat komu -u** cheer sb.
slavík nightingale
slavistika Slavonic studies *pl*
slavit celebrate (**narozeniny** one's birthday, **Vánoce** Christmas, **vítězství** victory)
slavnost festival; **zahradní ~** garden party
slavnostní 1 festive (**příležitost** occasion, **tabule** board) 2 solemn (**přísaha** oath, **tváře** faces)
slavný famous, celebrated (**čím** for sth.)
slazený sweetened
slečn|a young lady; **~ Smithová** Miss Smith; **-o** madam; **Vážená -o** Dear Madam
sled sequence
sleď herring
sledovat follow, watch; (*detektiv*) tail
slepec blind man
slepeck|ý for the blind; **-é písmo** braille [breil]
slepice chicken, hen
slepičí hen; **~ polévka** chicken soup
slep|it, -ovat paste / glue together
slepota blindness
slep|ý blind; **-á ulička** blind alley; **~ pasažér** stowaway; **zánět -ého střeva** appendicitis [əˌpendi'saitis]; **hrát si na -ou bábu** play (at) blindman's buff
slepýš slowworm
sleva reduction (**z ceny** in price)
slevač founder
slévárna foundry
slev|it, -ovat 1 make* a reduction (**z ceny** in price) 2 reduce (**z požadavků** one's requirements)
slez mallow
slézat: ~ horu climb up a mountain
slezina spleen
Slezsko Silesia [sai'li:zjə]
slézt 1 get* off (**z tramvaje** the tram), get* out of (**z postele** bed) 2 descend (**ze schodů** the stairs)
slib, *též v* **slíbit, slibovat** promise
slída mica
slídit spy (**za** on)
slimák slug
slin|a saliva; (*vyplivnutá*) spittle; **sbíhaly se mi na to -y** it made my mouth water
slintáček bib
slintat slobber
slintavka mouth disease
slitina alloy
slitování pity (**s** for)
slitovat se have* pity (**nad** on)
slíva greengage [gri:ngeidž]
slivovice plum brandy
slizký slimy
sloh 1 style 2 (*slohové cvičení*) composition
sloka verse
slon elephant
slonovina ivory
slosování draw
sloučenina compound
sloučit (se) fuse; (*chem.*) compound
sloup post; (*archit.*) column
sloupec column
sloupnout (se) strip

sloužit serve (**jako** as / the purpose of)
Slovák Slovak
Slovan Slav
slovanský Slav, Slavonic
Slovenka Slovak (woman / girl)
Slovensko Slovakia
slovensk|ý Slovak; **S-á republika** Slovak Republic
slovenština Slovak
sloveso verb
slovní: ~ **hříčka** pun; ~ **zásoba** vocabulary
slovníček (*školní*) vocabulary
slovník dictionary; **naučný** ~ encyclopaedia
slov|o word; **čestné** ~ my word upon it; **držet** ~ keep* one's word; **jinými -y** in other words; **svými -y** in one's own words; **vzít koho za** ~ take* sb. at his word
slovosled word order
složení composition
složenka postal order
složit **1** (*přeložením*) fold up **2** deposit (**peníze** money) **3** pass (**zkoušku** an exam) **4** lay* down (**funkci** one's office)
složitý complicated
složka component
slučovat unite, combine, join
sluha servant; (*zřízenec*) attendant
sluch hearing
sluchátk|o **1** (*telefonu*) receiver **2 -a** *pl* headphones *pl*
sluchový auditory [o:ditəri] (**nerv** nerve)
slunce sun; **elektrické (topné)** ~ electric fan heater; **horské** ~ sunlamp
sluníčko sedmitečné ladybird
sluneční: ~ **hodiny** sundial; ~ **soustava** solar system; ~ **světlo** sunshine
slunečnice sunflower
slunečník sunshade
slunečný sunny
slunit se bask
slunovrat solstice [solstis]
slupka skin; peel
slušet become*, fit; ~ **se** be* necessary; **to se nesluší** it is not done
slušivý becoming
slušnost decency; **ze ~i** for reasons of delicacy
slušný fair; (*též přijatelný*) decent; **docela ~ oběd** quite a decent dinner
služb|a **1** service; **státní** ~ *GB* Civil Service **2** (*povinnost*) duty; **ve -ě** on duty **3** (*prokázaná*) favour
služebná servant girl, maid servant
služební service
slyšet hear*; **špatně** ~ be* hard of hearing
slyšitelný audible
slza tear
slz|et: -í mi oči my eyes are watering
slzný plyn tear gas, CS gas
smalt enamel
smaltovaný enamel(led)
smát se **1** laugh (**čemu** at sth.) **2** smile (**na koho** at sb.)
smazat wipe off (**písmo z tabule** the writing from the blackboard)
smažen|ý fried; **-é brambůrky** chips *pl*
smažit fry
smeč smash
smečka pack
smek|at, -nout take* off one's hat
smělý daring

směna 1 (*pracovní*) shift 2 (*výměna*) exchange
směnárna exchange office
směnit exchange (**za** for)
směnka bill (of exchange); draft
směr direction; (*studijní*) stream ♦ **proti ~u hodinových ručiček** anticlockwise; **ve ~u jízdy** facing the engine; **jdete stejným ~em?** are you going my way?
směrnice instruction, guideline
směrodatný decisive
směrovací číslo postcode, zip code
směrová tabulka (direction) signpost
směrovka indicator
směs mixture
smést sweep* off
směšný ridiculous; (*nemožný*) absurd
smět be* allowed to + *inf*, be* at liberty to + *inf*; **smím** I may; **nesmím** I may not / I must not; **směl jsem** I was allowed to, I could; **nesměl jsem** I wasn't allowed to, I couldn't
smeták soft broom
smetana cream; **šlehaná ~** whipped cream
smetanový cream
smetí sweepings *pl*; rubbish
smetiště dump, junk heap
smích laughter; **dát se do ~u** burst* out laughing; **to není k ~u** that's no laughing matter
smíchat mix up
smirkovat sandpaper
smirkový emery
smíření reconciliation
smířit, smiřovat reconcile; **~ se** 1 become reconciled, make* it up (**s kým** with sb.) 2 reconcile oneself (**s čím** to sth.); put* up (with)
smířlivý conciliatory
smísit (se) mix up, blend*
smíšený mixed
smlouv|a 1 contract 2 (*mezistátní*) treaty; **mírová ~** peace treaty ♦ **uzavřít -u** make* a contract; conclude a treaty
smlouvat 1 (*dohodnout*) arrange 2 (*při koupi*) bargain
smlouvat se negotiate
smluvit se agree
smluvní contract(ual)
smoking dinner jacket, tuxedo
smrdět stink*
smrk spruce, fir
smrkat blow* one's nose
smršť whirlwind, tornado
smrt death; **~ hladem** starvation; **odsoudit k ~i** sentence to death; **rozsudek ~i** death sentence; **trest ~i** capital punishment ♦ **být na ~ nemocen** be* dangerously ill; **být k ~i unaven** be dead tired; **až do ~i** for the rest of one's life
smrtelný mortal; (*ve významu „smrtící" též*) deadly
smůl|a 1 pitch 2 (*neštěstí*) bad luck; **mít -u** have* bad luck, be* down on one's luck
smuteční: ~ šaty mourning; **~ vrba** weeping willow
smutek 1 grief; sadness 2 (*za zemřelého*) mourning
smutno: je mi ~ I feel* sad / lonely
smutný sad
smyčcový: ~ kvartet string quartet; **~ nástroj** stringed instrument
smyčec bow
smyčka sling
smyk skid; **dostat ~** skid
smysl sense; **pět ~ů** the five senses; **~ pro humor / povinnost** sense of humour / duty;

~ **slova** the sense of the word ♦ **v pravém slova ~u** in the proper sense of the word; **nedává to ~** it doesn't make* sense; **nejsou při ~ech** they are not in their right senses; **nemá ~ to dělat** there's no point / sense in doing it
smyslný sensual, voluptuous
smyslový sensuous
smýšlení opinion
smýt wash (off), wipe (off)
snad perhaps, maybe, possibly; ~ **máte / jste měl pravdu** you may be / may have been right
snadno easily
snadný easy; ~ **recept** easy-to-make recipe
snaha endeavour, effort
snacha daughter-in-law
snášenlivý tolerant
snášet 1 (*vejce*) lay* (eggs) **2** (*trpět*) bear*; (*vystát*) suffer, tolerate ♦ ~ **dobré i zlé** take* the rough with the smooth
snášet se 1 drift (**k zemi** to the ground) **2** (*s kým*) be* on easy terms with
sňatek 1 marriage **2** (*svatba*) wedding
snažit se try, be* anxious, take* pains; **velmi se ~** go* out of one's way to + *inf*
snědý swarthy
sněhov|ý snow; **-á koule** snowball; **-á vločka** snowflake; **-á závěj** snowdrift
sněhulák snowman
sněm parliament, assembly
sněmovna parliament, house; *GB* the Houses of Parliament; **horní ~** the House of Lords, Upper House; **dolní ~** the House of Commons, Lower House
snesitelný tolerable
snést 1 (*vydržet*) bear*, stand*, endure **2** (*na hromadu*) pile (up)
snést se alight; swoop down (**na kořist** on the prey)
sněženka snowdrop
sněž|it snow; **-í** it is snowing
snídaně breakfast
snídat (have* one's) breakfast
sníh 1 snow; ~ **s deštěm** sleet **2** (*cukrová pěna*) stiff froth, whisked whites, meringue; **šlehat ~** beat* whites of eggs
snímat: ~ **zvuk** record sound; ~ **karty** cut* cards
snímek photo, snap(shot)
sníst eat* up, finish; ~ **něco malého** have* a little bite of sth.
snít dream*, have* dreams
snítka twig, sprig, spray
snížení 1 lowering **2** reduction (**cen** in prices), cut (**mezd** in wages)
snížit, snižovat 1 lower, bring* down **2** cut*, reduce (**ceny** prices, **platy** salaries, **rychlost** speed)
snížit se degrade oneself (**ke lži** by telling lies); stoop (**k podvodu** to cheating)
snop sheaf
snouben|ec fiancé; **-ka** fiancée
snubní prsten wedding ring
sob reindeer
sobec egoist
sobecký selfish
sobectví selfishness
soběstačný self-sufficient
sobota Saturday
socialismus socialism
socialist|a, *též adj* **-ický** socialist
sociální social
soda soda

sodík sodium
sodovka soda (water)
socha statue
sochař, ~ka sculptor
sochařství sculpture
sój|a, *též adj* **-ový** soya [soiə]
sojka jay [džei]
sokl plinth; pedestal, base
sokol falcon
solený salted
sólista soloist
solit salt
solný salt
sólo, *též adj* **~vý** solo
sonáta sonata
sonda probe
sopečný volcanic [vol'kænik]
sopka volcano
soprán, sopranistka soprano [sə'pra:nəu]
soptit 1 (*o sopce*) be* in a state of eruption 2 be* foaming (**hněvem** with rage)
sortiment assortment, range; **široký ~ výrobků** a wide range of products
sosna pine
soška statuette [stætju'et]
sotva *adv* hardly; **~ stojím na nohou** I can hardly walk; **~ můžete očekávat** you can hardly expect; **~ někdo** hardly anybody • *conj* as soon as; no sooner … than; **~ mě spatřil, …** no sooner did he see me than …
soubor 1 set, collection 2 ensemble; **pěvecký ~** choir
souborný collective; (*úplný*) complete
soucit pity (**s kým** for sb.)
soucitný sympathetic
současně at the same time
současník contemporary
současn|ý 1 contemporaneous, simultaneous 2 (*nynější*) present-day; **v -é době** at present
součást, ~ka part
součet total, sum
součin product
součinnost cooperation
soud 1 (*instituce i budova*) court (of law), law court 2 (*proces*) trial 3 (*úsudek*) judg(e)ment
soudce 1 judge; (*policejní, vyšetřující*) magistrate 2 (*sport.*) referee; (*v tenise*) umpire
soudcovat referee (**zápas v kopané** a football match); umpire
soudit 1 try, put* on trial (**koho pro zločin** sb. for a crime) 2 (*mít názor*) judge, tell*, be* of the opinion
soudní law, judicial; **~ pře** lawsuit; **~ řízení** proceeding at law, legal proceeding(s)
soudnictví justice
soudný judicious
soudobý contemporary
souhlas 1 consent (**s návrhem** to the proposal); approval (**s plánem** of the plan) 2 conformity; **v ~e se zákonem** in conformity with the law
souhlasit 1 agree (**s kým v čem** with sb. on / about sth., **s čím** to sth.) 2 (*schvalovat*) approve (**s** of sth.)
souhláska consonant
souhra teamwork
souhrn (*shrnutí*) summary; (*celek*) total
souhrnný total, comprehensive
souhvězdí constellation
souchotiny consumption
soukolí (*ozubené*) gear
soukromí privacy

soukromý private
soulad harmony
soulož coitus [kəuitəs], sexual intercourse
souložit have sex
souměrný symmetrical
soumrak dusk
souostroví archipelago [a:ki'peligəu]
soupeř opponent; (*sok*) rival
soupis list; (*obyvatelstva*) census
souprava set, service; **jídelní ~** dinner service; **~ nábytku** suite
sourozenci brothers and sisters *pl*
souřadný co(-)ordinate
soused neighbour
sousedit (s) adjoin (sth.)
sousedka neighbour
sousední neighbouring; adjoining, next-door
sousedství neighbourhood
souslednost sequence; (*jaz.*) **~ časů** sequence of tenses
sousoší group of statues
soustava system
soustavný systematic
sousto mouthful
soustrast 1 sympathy **2** (*vyjádření soustrasti*) condolences *pl*; **projevit ~ komu** condole with sb. on
soustruh lathe
soustružník turner
soustředěný concentrated
soustře|dit (se), -ďovat (se) concentrate (**na** upon)
souš (dry) land; **po ~i** by land, overland
soutěska pass
soutěž competition; **hudební ~** musical contest / competition
soutěžení emulation
soutěžící competitor, contestant
soutěžit compete (**v závodě** in a race, **o cenu** for a prize, **s jinými** with others)
soutok confluence
souvětí complex sentence
souviset cohere, be* connected, have* something to do (**s** with)
souvislost continuity
souvislý coherent
soužit harass, plague
soužití: **manželské ~** married life; **mírové ~** peaceful coexistence
sova owl
spací: **~ pytel** sleeping bag; **~ vůz** sleeping car
spad fallout
spád 1 slant, slope **2** (*tempo*) pace
spadnout fall* down, fall* off
spáchat commit (**přestupek** an offence, **sebevraždu** suicide)
spájet solder, weld
spála scarlet fever
spálenina burn
spálit burn* (down); cremate (**tělo** a corpse)
spalničky measles *pl*
spalovací motor combustion engine
spalovat burn*
spánek 1 sleep **2** (*kost*) temple
spaní sleep; **mluvit ze ~** talk in one's sleep; **před ~m** at bedtime
spása salvation
Spasitel the Saviour
spát sleep; **~ jako dřevo** sleep like a log; **jít ~** go* to bed
spatra: dívat se ~ na look down on; **mluvit ~** speak* off the cuff
spatřit see*, behold*
speciál charter plane / flight
specialista specialist
specialita speciality
specializace specialization
specializovat se specialize (**na** in)

speciální special
specifický specific
spěch haste, hurry; **proč ten ~?** why all this hurry?; **ve ~u** in a hurry
spěchat hurry, be* in a hurry; **to nespěchá** there's no hurry
spektrum spectrum
spekulace speculation
spekulant speculator
spekulovat speculate
spěšně hurriedly, in a hurry
spěšnina express parcel; express goods *pl*
spěšný hasty; **~ dopis** express letter
spiklenec conspirator
spiknout se conspire, plot
spiknutí conspiracy, plot
spínač switch
spirála spiral
spis publication; (*úřední*) folder
spisovatel writer, author
spisovatelka woman writer, authoress
spisovný literary
spíše rather; **tím ~, že** the more so because
spíž larder, pantry
splácet pay* off by instalments
spláchnout, splachovat flush; rinse off
splašit se take* fright; **kůň se splašil** the horse shied
splatit pay* up (**dluh** a debt)
splátk|a instalment; **koupit na -y** buy* on instalments
splatnost maturity (**směnky** of a bill)
splatný payable, due
splav weir
splávek (*rybářský*) float
splavný navigable
splést 1 twine (**květiny do věnce** flowers into a garland) **2** confuse (**koho** sb.)
splést se make* a mistake
splín melancholy, depression, low spirits
splnění fulfilment
splnit 1 fulfil **2** perform, do* (**povinnost** one's duty) **3** grant (**přání** sb.'s wish)
splnit se come* true
splňovat fulfil (**požadavky zákona** the requirements of the law)
splynout, splývat merge, melt; **barvy splývaly** one colour melted into another
spočítat count
spodek bottom; (*v kartách*) knave, jack
spodem down through
spodky drawers *pl*, underpants *pl*
spodní bottom (**police** shelf)
spodnička petticoat, slip
spoj communication
spojenec ally
spojenecký allied
spojenectví alliance
spojení 1 connection; **~ mezi oběma názory** connection between the two ideas; **zmeškat (vlakové) ~** miss one's connection; **telefonní ~** telephone connection; **dostat (telefonické) ~** get* through **2** (*různého*) combination; **ve ~ s** in combination with **3** (*styk*) communication; touch; **být ve ~ s kým** be* in communication / touch with; **udržovat ~ s přáteli** keep* in touch with friends
♦ **krátké ~** short circuit
spojen|ý united; combined; **S-é státy** United States; **S-é národy** United Nations

spoj|it, -ovat 1 link, connect (**dvě města železnicí** two towns by railway) **2** unite; **společné zájmy -ují obě naše země** common interests unite our two countries **3** combine (**práci se zábavou** work with pleasure) **4** join (**muže a ženu v manželství** a man and a woman in marriage) **5** (*v duchu*) associate
spoj|it se 1 unite (**v boji za** in fighting for) **2** join; **horské potoky se -ují ve velké řeky** mountain torrents join up to form large rivers
spojitost connection
spojiv|ka conjunctiva [kondžaŋk'taivə]; **zánět -ek** conjunctivitis [kəndžaŋkti'vaitis]
spojka 1 (*auta*) clutch **2** (*jaz.*) conjunction
spojovací důstojník liaison [li'eizən] officer
spokojenost satisfaction
spokojený satisfied
spokojit se (*s čím*) be* satisfied with, put* up with
společensk|ý 1 social; **-é místnosti** social-purpose rooms **2** (*společensky obratný, družný*) sociable
společenství 1 companionship **2** (*obchodní*) partnership **3** (*lidské*) community **4** (*národů*) commonwealth
společně together, in common (**s** with)
společn|ice, -ík companion; (*obchodní*) partner
společnost 1 (*také obchodní*) company; **akciová ~** joint-stock company; **dceřiná ~** daughter company **2** (*zábavní*) party **3** (*vyšší, též vědecká*) society; **lidská ~** human society
společn|ý common; **~ trh** common market; **-é prohlášení** joint statement ♦ **nemám s tím nic -ého** I have nothing to do with it
spoléhat se rely (**na** on)
spolehlivý reliable
spolehnout se rely, depend (**na** on)
spolek union, association, club
spolknout swallow (up)
spolkov|ý 1 club (**život** life) **2** federal; **-á republika** federal republic
spolu together, at the same time; **~ s** along with
spoluautor joint author
spolubojovník fellow combatant [kombətənt]
spolucestující fellow passenger
spoluhráč partner
spoluobčan fellow citizen
spolupachatel accomplice [ə'komplis]
spolupráce cooperation
spolupracovat cooperate
spolupracovn|ice, -ík co-worker, fellow worker, collaborator, associate
spoluúčinkovat take* part (**na** in)
spoluviník accomplice [ə'komplis]
spolauž|ačka, -ák classmate, schoolmate, schoolfellow
spolužití coexistence
spona clasp; (*přezka*) buckle
sponka (*do vlasů*) hairgrip
spontánní spontaneous
spor dispute, argument; **beze ~u** beyond dispute; **o tom není ~u** there's no mistake about it
sporák cooker; **plynový ~** gas cooker

sporný controversial; (*problematický*) questionable
sport sport; **pěstovat ~** go* in for sport
sportov|ec sportsman; **-kyně** sportswoman
sportovní sports, sporting; (*sportovce důstojný*) sportsmanlike ♦ **~ oblečení** sports togs *pl*; **po ~ stránce** sportswise; **~ disciplína** event
spořit save
spořitelna savings bank
spořitelní knížka bankbook, passbook
spotřeba consumption
spotřebič: **elektrický ~** electrical appliance
spotřebitel consumer
spotřební zboží consumer goods *pl*
spotřebovat consume, use up
spousta a lot, lots
spoušť **1** (*zpustošení*) devastation **2** (*kohoutek*) trigger; (*fot.*) release
spouštět let* down; drop (**oponu** the curtain)
spoutat fetter
správa **1** (*řízení*) administration, management **2** (*oprava*) repair
správce **1** manager, administrator **2** (*hospodářský*) steward **3** (*domu*) caretaker
správcová caretaker
spravedlivý just
spravedlnost justice
spravit repair, mend
správka repair, mending
správkárna repair shop
správní administrative
správný right, correct
spravovat **1** (*opravovat*) repair, mend; darn (**punčochy** stockings) **2** (*řídit*) manage, administer
sprcha shower
sprchovací kout shower cabinet
sprchovat se have* a shower
sprint sprint
sprintér sprinter
spropitné tip; **dát ~ komu** tip sb.
sprost|ý mean (**trik** trick); **-é slovo** dirty word; **-é chování** vulgar behaviour
spřátelit se make* friends (**s** with)
spustit **1** let* down **2** (*uvést do chodu*) start, get* going; **~ magnetofon** get* the tape recorder going **3** (*zbraň*) go* off **4** launch (**novou loď na vodu** a new ship) **5** (*začít*) start
sraz meeting; rally
sráz precipice
srazit, srážet **1** knock down **2** cut* (**ceny** the prices) **3** (*odečíst*) deduct
srazit se **1** clash **2** (*v dopravě*) collide **3** (*látka*) shrink* **4** (*mléko*) curdle
sraženina sediment
srážk|a **1** (*konflikt*) clash **2** (*katastrofa*) collision **3** (*snížení*) deduction, reduction ♦ **vodní -y** rainfall
Srb Serb
srbochorvat|ský, *též n* **-ština** Serbo-Croatian [sə:bəukro'eišən]
Srbsko Serbia
srbský Serbian
srdc|e **1** heart **2** (*zvonu*) tongue ♦ **v hloubi ~** in one's heart of hearts; **co máš na -i?** what's on your mind?; **mít to ~ a** have* the heart to + *inf*; **vzít si co k -i** take* sth. to heart; **z celého ~** with all one's heart; **zlaté ~** a heart of gold

srdečně: ~ **děkovat** thank very much; ~ **uvítat** give* sb. a hearty welcome
srdeční 1 heart; ~ **choroba** heart disease 2 cordial (**lék** medicine) 3 cardiac (**příznaky** symptoms)
srdečník motherwort [maðəwə:t]
srdečný cordial, hearty
srkat sip
srna doe
srnčí roe; (*maso*) venison
srnec roebuck
srolovat roll up
srostlý coalesced [kəuə'lest]
srovnání comparison; **ve** ~ **s** in comparison with
srovn|at, -ávat 1 (*uspořádat*) arrange 2 (*zarovnat*) level, plane 3 settle (**spor** a dispute) 4 (*přirovnávat*) compare ♦ **tyto dvě věci se nedají** ~ there's no comparison between these two things
srozumitelný intelligible
srp sickle
srpek (*měsíce*) crescent (of the moon)
srpen August
srst hair, fur
sršeň hornet
srub log cabin
srůst concretion [kən'kri:šn]
srůstat grow* together; coalesce [kəuə'les]; (*o ráně*) heal up
stabilizace stabilization [steibilai'zeišn]
stabilizovat stabilize [steibilaiz]; ~ **se** become* stabilized
stabilní stable
stačit 1 (*postačovat*) be* enough, do*; **dva kusy budou** ~ two pieces will be enough / will do 2 (*vydržet*) last; **jídlo nám bude** ~ **na tři dny** the food will last us three days; **to mu bude** ~ **na celý život** that will last him a lifetime 3 (*v hloubce*) be* within one's depth 4 (*stihnout co*) make*, take* in; **co můžeme** ~ **za jeden den** what we can take in in one day 5 cope (**na problém** with a problem) ♦ ~ **s příjmem** make* both ends meet; **na to nestačím** it is beyond me
stadión stadium
stadium stage
stádo herd (**dobytka** of cattle); flock (**ovcí** of sheep)
stagnace stagnation
stáhnout, stahovat 1 pull down (**roletu** a blind); take* off (**ubrus** the tablecloth, **rukavice** one's gloves); skin (**králíka** a rabbit) 2 contract (**slovo** a word, **sval** a muscle); knit (**obočí** the brows) 3 withdraw* (**peníze z oběhu** money from circulation)
stáhnout se contract
stáj stable
stále always; all the time; ~ **ještě** still; ~ **větší počet** an ever greater number
stálice fixed star
stálobarevný colourfast
stáložárná kamna slow combustion stove
stál|ý constant, permanent; steady (**vítr** wind, **-á rychlost** speed)
stan tent; **postavit** ~ put up / pitch a tent; **hlavní** ~ headquarters *pl*
standard standard
standarta banner
stánek stall; (*s knihami a časopisy*) bookstall
stání 1 (*soudní*) hearing 2 **místo k** ~ standing room

stanice **1** tram stop; bus stop; **~ na znamení** request stop **2** (*nádraží*) station **3** (*konečná*) terminal, terminus
staniol tin foil
stanné právo martial law
stanovat camp in tents
stanoven|ý: ve -é lhůtě within the fixed period of time
stanovisk|o standpoint, point of view; **z mého -a** from my point of view
stanoviště stand
stanovit fix (**datum** a date, **ceny** prices); lay* down (**pravidla** rules); **~ si úkol** set* oneself a task
stanovy rules *pl*
starat se **1** look after (**o děti** the children) **2** care; **nestarám se o to, co říkají** I don't care what they say ♦ **o to se nestarejte** that's no business of yours
stárnout grow* old, be* getting on in years
starobní důchod old-age pension
starobylý time-honoured
starodávný old-time
staromódní old-fashioned
starost **1** (*péče*) care (**o** of); **mít na ~i co** be* concerned with sth. **2** (*nesnáz, úzkost*) sorrow, trouble; anxiety (**o** for, about)
starosta mayor
starostlivý solicitous (**o** about)
starověk antiquity
starověký ancient
starozákonní Old Testament
starožitnictví antique shop
starožitník antique dealer
starožitnost antique
start start
startér starter
startovat start; (*letadlo*) take* off
startovní starting
sta|rý old; **~ chléb** stale bread; **~ papír** waste paper; **-ré železo** scrap iron; **~ mládenec** bachelor; **-rá panna** spinster, old maid; **-ří a nemocní** the aged and infirm ♦ **na -rá kolena** in one's old age
stařec old man
stařena old woman
stáří **1** age; **ve tvém ~** at your age **2** (*vysoký věk*) old age
stát[1] *n* state
stát[2] *v* **1** stand* (**na stole** on the table); **~ při kom** stand* by sb.; **~ komu v cestě** stand in sb.'s way; **obrázek nechce ~** the picture won't stay put; **~!** stop!; **~ na svém** insist **2** (*nepracovat*) be* idle; **stroj stojí** the machine is idle **3** (*oč*) care for, be* keen on; **o polévku nestojím** I don't care for soup; **on o ni nestojí** he isn't keen on her **4** (*kolik, zač*) cost*, be*; **kolik to stojí?** how much does it cost?, how much is it?; **ten film stojí za zhlédnutí** the film is worth seeing; **stojí to za to** it is worth while; **jako herec za mnoho nestojí** he isn't much of an actor; **za mnoho to nestojí** it isn't up to much **5** (*sdělení*) say*, read*; **na firmě stálo** the sign said; **v telegramu stálo** the wire read
stát se **1** (*kým, čím*) become*, get*, turn; **stal se malířem** he became a painter; **~ hašteřivým** get quarrelsome **2** (*přihodit se*) happen, occur; **co se stalo?** what happened?, what is the matter?; **ať už se to nestane** don't let this

occur again; **kdyby se něco (zlého) stalo** if anything went wrong
stať essay, article
statečnost bravery, courage
statečný brave, courageous
statek estate, farm
statický static
statista extra
statistický statistical
statistika statistics
stativ tripod
statkář landowner
státní state
státník statesman
statný robust, sturdy
statut statute
stav[1] (*tkalcovský*) loom
stav[2] state, condition; **v dobrém / špatném ~u** in good / bad condition ♦ **být v jiném ~u** be* in the family way
stávat se *viz* **stát se**
stavba building, construction
stavební: ~ dělník construction worker; **~ dříví** timber; **~ inženýr** civil engineer; **~ hmoty** building materials *pl*; **~ místo** (building) site
stavebnictví building trade
stavení building
staveniště building site
stavět 1 stand*, put* (**lampu / knihu na stůl** a lamp / a book on the table) **2** build*, construct (**dům** a house) **3** (*o vlaku*) stop
stavět se 1 (*do řady*) line up **2** make* a stand (**za svoje zásady** for one's principles, **proti nepříteli** against the enemy) ♦ **~ se do cesty čemu** obstruct sth.; **~ se na odpor čemu** defy sth.
stavit se drop in
stavitel builder, architect
stavitelství architecture; **pozemní ~** civil engineering
stávka strike; **generální / okupační / solidární / výstražná ~** general / sit-down / sympathetic / token strike
stávkokaz blackleg
stávkovat strike*, be* on strike
stávkující striker
stéblo (*slámy*) straw; (*trávy*) blade of grass
steh stitch
stehlík goldfinch
stehno thigh; **~ z kuřete** chicken leg
stěhovací vůz removal van
stěhování removal
stěhovat move; **~ se** move house
stejně 1 (*totožně*) in the same way, equally **2** (*beztak*) as it is; **~ jdeme pozdě** we are late as it is; **~ utrácíme už tak dost peněz** we're spending too much money as it is
stejnokroj uniform
stejnoměrný (*rysy*) regular; (*teplota*) constant; (*rozdělení*) even
stejnosměrný even, equable
stejnosměrný proud direct current
stejný the same (**jako** as)
stékat flow down
stelivo bed of straw
stěna wall; **bledý jako ~** as white as a sheet
sténat groan
stenograf stenographer
stenografovat take* down in shorthand
stenotypistka shorthand typist
step, *též adj* **~ní** steppe
stěrač windscreen wiper

stereofonní stereophonic [steriə'fəunik]
stereotypní stereotyped [steriətaipt]
sterilizovat sterilize
sterilní sterile
stesk longing; **~ po domově** homesickness
stevardka air hostess
stezka path; trail
stěžeň mast
stěží hardly
stěžovat si complain (**na** of, **komu** to sb.)
stíhací: ~ letadlo fighter plane, interceptor; **~ letec** fighter pilot
stíhačka *viz* **stíhací letadlo**
stíhat prosecute (**pro nepřiměřenou rychlost** for exceeding the speed limit)
stihnout catch* (**vlak** the train); be* in time for (**začátek** the beginning)
stín 1 (*vržený*) shadow; **bojí se svého vlastního ~u** he is afraid of his own shadow; **ani ~ podezření** not a shadow of suspicion **2** (*chladivý*) shade; **jaká je teplota ve ~u?** what is the temperature in the shade?
stínidlo lamp shade
stínit shade
stinný shady
stíny eye shadows *pl*
stipendista aided student, scholarship holder
stipendium scholarship; grant
stírat wipe (off)
stisknout press, squeeze
stísněn|ý 1 (*prostor*) cramped; **jsme tu -i** we are cramped for room here **2** (*duševně*) distressed
stížnost complaint (**na** of)
stlač|it, -ovat compress
stlát 1 strew (**slámu** straw) **2** (*postel*) make* the bed
stmív|at se: -á se it is getting dark
sto hundred
stočit 1 roll up (**koberec** the carpet, **mapu** the map) **2** coil (**lano** a rope) **3** turn (**auto vpravo** the car to the right)
stodola barn
stoh stack
stojací lampa standard lamp, floor lamp
stojan stand; **malířský ~** easel
stojka (*na rukou*) handstand; (*na hlavě*) headstand
stoka sewer, drain
stokoruna hundred-crown note
stolek table; **noční ~** bedside table
století century
stolice 1 stool **2** (*katedra*) chair
stolička (*zub*) molar
stolní table; **~ prádlo** table linen; **~ tenis** table tennis
stonat be* ill, be in bad health
stonek stalk, stem
stop: cestovat ~em hitchhike
stop|a 1 (*vytlačená*) track, footprint **2** trace (**staré civilizace** of an ancient civilization, **po zloději** of a thief) **3** (*míra*) foot ♦ **zmizet beze -y** disappear without (leaving) a trace
stopař(ka) hitchhiker
stopka 1 (*auta*) rear light, taillight **2** (*ovoce, sklenice*) stem
stopky stopwatch *sg*
stopovat 1 trace (**zločince** a criminal) **2** track (**zvíře** an animal) **3** (*auto*) hitch [hič], thumb
stoprocentní hundred-percent
stornovat cancel
stoupání rise (**cen** in prices)

stoupat rise*; climb, mount (**na horu** a mountain)
stoupenec follower
stoupnout 1 rise* 2 (*šlápnout*) tread* (**komu na nohu** on sb.'s toes)
stovka hundred
stožár mast; pole; (*elektrického vedení*) pylon
strach fear (**z čeho** of sth.); **ze ~u před** for fear of; **ze ~u aby** for fear that; **mít ~** fear (**z čeho** sth.), be* afraid (**z čeho** of sth., **o koho** for sb.)
strakapoud spotted woodpecker
strakatý motley
stráň slope
stran|a 1 side; **levá ~ ulice** the left side of the street; **psát po jedné -ě papíru** write on one side of the paper; **na všech -ách** on all sides; **ze všech stran** from all sides; **na druhé -ě stolu** on the other side of the table 2 (*v knize*) page 3 (*politická*) party 4 (*směr*) direction; **rozprchnout se na všechny -y** scatter in all directions; **světové -y** cardinal points ♦ **na druhé -ě** 1 (*naproti tomu*) on the other hand 2 (*na rubu*) overleaf; **na kterou -u je váš dům?** which way does your house face?
stranický 1 party 2 (*zaujatý*) bias(s)ed
straník party member
stranit side (**komu** with sb.); **~ se** keep* aloof (**čeho** from sth.)
stránka 1 (*v knize*) page 2 (*hledisko*) aspect 3 point; **dobrá / slabá ~** good / weak point
strašidelný ghostly
strašidlo ghost, spectre
straš|it frighten; **v domě -í** the house is haunted
strašný awful, dreadful, terrible; (*velmi špatný*) (*hovor.*) ghastly (**oběd** dinner)
strategický strategic
strategie strategy
stratosféra stratosphere
strava 1 (*jídlo*) food 2 (*způsob stravování*) diet; **bohatá ~** rich diet 3 (*stravování*) board; **~ a byt** board and lodging
strávit 1 (*potravu*) digest 2 (*čas*) spend*, pass
stravitelný digestible
strávník boarder
stravování board
stravovat se take* meals
stráž guard; (*vojenská*) sentry; **pomocná dopravní ~** traffic warden
strážce guard
strážní služba guard duty
strážník policeman
strčit 1 push (**do čeho** sth.) 2 put* (**do kapsy** in / into one's pocket)
strefit se hit* the target
strhnout 1 tear* down (**vyhlášku** a notice); pull down (**budovu** a building) 2 **být stržen (uměním)** be* swept off one's feet (by the art) 3 deduct (**částku** a sum)
striptérka stripper
strkat push; **~ nos do cizích věcí** poke one's nose into other people's affairs
strmý steep
strnad bunting [bantiŋ]
strniště stubble
strnout stiffen
strnulý stiff, rigid
strohý abrupt
stroj 1 machine; (*motor*) engine 2 **~e** *pl* machinery

strojek na maso mincer
strojený affected
strojírenství engineering
strojírna machine works
strojit 1 decorate (**vánoční stromek** Christmas tree) **2** (*úklady*) scheme
strojit se dress, get* dressed
strojník mechanic, engineer
strojopis typescript
strojovna engine room
strojov|ý mechanical, machine-made; **-é pohyby** mechanical movements
strojvůdce engine driver
strom, ~ek tree; **vánoční ~ek** Christmas tree
strop ceiling
strouha ditch, gutter
strouhač electric grater
strouhanka breadcrumbs *pl*
stroužek česneku clove of garlic
strouhat grate (**sýr** cheese)
strpení: okamžik ~! just a moment, please
stručný brief; (*zhuštěný*) concise ♦ **~ a jasný** succinct
struhadlo grater
struktura structure; pattern
struna string
strun|ový, -ný stringed (**nástroj** instrument)
strup scab [skæb]
struska slag
strýček uncle
strž ravine
střádat save (up)
střapec tassel
střed 1 centre (**kruhu** of a circle, **Londýna** of London) **2** middle (**místnosti** of a room, **století** of the century, **ulice** of the street)
středa Wednesday
středisko centre; **zdravotní ~** health centre
střední 1 central; **S~ Evropa / Amerika** Central Europe / America **2** middle; **zlatá ~ cesta** middle course; **S~ východ** the Middle East **3** mean (**roční teplota** annual temperature) **4** secondary (**škola** school) **5** medium (**vlny** waves)
středník semicolon
středoevropský Central European
středoškolsk|ý secondary (school); **-é vzdělání** secondary education
středověk the Middle Ages *pl*
středověký medieval
Středozemní moře the Mediterranean (Sea)
střecha roof; **~ klobouku** the brim of a hat
střela bullet, shell; **řízená ~** guided missile; **~ na branku** a shot at the goal
střelba fire, shooting
střelec 1 shot, marksman; **vynikající ~** crack shot **2** (*v šachu*) bishop
střelit shoot*, fire; **~ branku** score a goal
střelivo ammunition
střelnice (*vojenská*) shooting range; (*zábavní*) shooting gallery
střeln|ý: ~ prach gunpowder; **-á zbraň** firearm
střemhlav headlong; **letět ~** nosedive
střenka knife handle
střep crock
střepina splinter
střeva bowels *pl*
střevíc shoe
střevle minnow

střevní intestinal
střevo intestine
střežit guard, watch
stříbr|ný, *též n* **-o** silver
stříbřit silverplate
střídat **1** change (**názory** one's views, **obleky** one's clothes) **2** alternate (**vlídnost s přísností** kindness with severity)
střídat se **1** alternate **2** take* turns (**v čem** at sth.)
střídavý alternating (**proud** current)
střídmý moderate, self-restrained
střih **1** cut **2** (*krejčovský*) model, pattern
střih|at, -nout cut*
střik squirt; (*ovocný*) fruit cup
stříkačka (*injekční*) syringe; (*hasičská*) fire engine
střík|at, -nout squirt
střílet shoot*, fire
střízlivý sober
stud shame
studánka spring
student, ~ka student; (*vysokoškolák*) undergraduate
studentský student
studený cold; **~ jako led** ice-cold; (*o člověku*) cold as ice
studie study
studijní research; **~ cesta** educational journey, study tour
studio studio
studium study; **školské ~** studies *pl*; **dálkové / večerní ~** extramural / evening courses *pl*
studna well
studovat study; **~ ke zkoušce** read* up for an examination
studující student
stuha ribbon, bow
stůl table; **psací ~** writing desk; **sedět u stolu** sit* at a table
stulík yellow waterlily
stupačka (*na motorce*) footrest
stupátko footboard
stupeň **1** (*schod*) step, stair **2** (*dílek*) degree, grade; **40 °C** forty degrees Celsius; **ve vysokém stupni** to / in a high degree
stupnice scale; (*přijímače*) dial
stupňovat **1** step up (**výrobu** production) **2** (*jaz.*) compare
stupňovat se increase
stužka bow, ribbon
stvol stalk, stem
stvoření **1** (*čin*) creation **2** (*tvor*) creature
stvrzenka receipt
stý hundredth
stydět se be* ashamed (**za** of); **měl by ses stydět** you should be ashamed of yourself
stydlivý bashful
styk **1** intercourse; **obchodní ~** commercial intercourse; **pohlavní ~** sexual intercourse **2** contact, touch; **být ve ~u s** be* in contact with; **udržovat ~ s** keep* in touch with; **navázat ~ s kým** make* a contact / get* into contact with sb., contact sb.; **ztratit ~ s** lose* touch with ♦ **písemný ~** correspondence
stýkat se be* in contact, associate, mix (**s přáteli** with friends)
styl style
stylistický stylistic
stylový stylish
stýsk|at se: -á se mi po domově I am homesick; **-á se mi po něm** I miss him
subjektivní subjective

subskripce subscription
subtilní subtle
subtropický subtropical
subvence subsidy, grant
sud barrel
sudý even
sugesce hypnotic suggestion
sugestivní suggestive
suchar **1** biscuit, cracker, rusk **2** (*nudný člověk*) killjoy, wet blanket
such|o drought; **být na -u** *(bez peněz)* be* broke
suchopárný dry, tedious, unimaginative
suchý dry; **~ zip** velcro
suk knot
sukně skirt
sukno cloth
sůl salt
suma sum (of money)
sumec barbel
sundat take* down, take off
sup vulture
surovec brute
suplent supply teacher
surovina raw material
surovinový raw-material
surový **1** (*nezpracovaný*) raw, crude **2** (*brutální*) brutal, cruel
sušenka cracker, biscuit
sušen|ý dried; **-é mléko** powdered milk, milk powder; **-á vejce** dried eggs
sušit (se) dry; **~ vyvěšením** drip-dry
suterén basement
suvenýr souvenir
suverénní **1** sovereign (**stát** state) **2** masterful (**způsoby** manners) **3** (*mistrovský*) masterly
svačina (*dopolední*) midmorning snack; (*odpolední*) tea
svádět **1** tempt (**k pití** to drink); seduce (**ženu** a woman) **2** (*dolů*) lead* down, take* down **3** blame (**co na koho** sth. on sb., sb. for sth.)
svah slope
sval muscle
svalit **1** roll down (**kámen** a stone) **2** (*vinu*) blame (**na koho zač** sth. on sb.)
svalit se roll down; (*upadnout*) fall* down
svalnatý muscular (**muž** man)
svalový muscular (**revmatismus** rheumatism)
svářeč welder
svářet weld
svařit **1** (*tech.*) weld **2** boil (**vodu** water); mull (**víno** wine)
svatba wedding
svatebčan wedding guest
svatební: **~ obřad** wedding ceremony; **~ cesta** honeymoon
sváteční festive; **~ den** holiday, red-letter day
svátek **1** holiday; (*slavnost*) festival; **státní ~** statutory public holiday **2** (*jmeniny*) name day
svatodušní svátky Whitsuntide [witsəntaid]
svátost sacrament
svatostánek tabernacle
svatý (*posvátný*) holy; saint; **~ Jan** St. John
svaz federation; **odborový ~** trade union
svázat tie, bind* (up)
svazek **1** bunch (**klíčů** of keys) **2** (*kniha*) volume **3** alliance (**států** of states)
svazovat *viz* **svázat**
svážet (*dolů*) bring* down; (*dohromady*) bring* together

svěcená voda holy water
svědčit 1 give* evidence (**u soudu** in court); testify (**proti komu** against sb., **o rychlém vývoji** to a rapid development) **2** (*jít k duhu*) agree; **káva mi nesvědčí** coffee does not agree with me
svědectví testimony, evidence
svědek witness
svědět itch
svědkyně witness
svědomí conscience; **mít čisté ~** have* a clear conscience; **mít co na ~** have sth. on one's conscience
svědomitý conscientious
svépomoc self-help
svěrák vice
svérázný peculiar
svěřenec ward
svěř|it, -ovat 1 confide (**děti péči koho** the children to the care of sb.) **2** entrust (**úkol komu** a task to sb., sb. with a task)
svěř|it se confide (**se svými potížemi příteli** one's troubles to a friend, **matce** in one's mother; **-il se mi, že** he confided to me that)
svést 1 (*dokázat*) manage **2** (*na scestí*) mislead*, lead* astray; seduce (**ženu** a woman) **3** blame (**co na koho** sth. on sb., sb. for sth.)
svět world; **na ~ě** in the world; **po celém ~ě** all over the world; **za nic na ~ě** for the life of me
světadíl continent
světelnost (*objektivu*) lens speed
světelný luminous
světle: ~ modrý / zelený light blue / green
světlice signal rocket
světlík meadow eyebright; (*okno*) light
světlo light; **bleskové ~** flashlight, flashbulb; **denní ~** daylight; **přední ~** (*auta*) headlight; **~ reflektoru** spotlight; **sluneční ~** sunlight; **umělé ~** artificial light
světlomet searchlight
světlovlasý fair
světl|ý light; **-é pivo** ale
světov|ý world(-wide); **~ jazyk** world language; **~ kongres** world congress; **~ názor** world outlook; **-á sláva** worldwide fame; **-é strany** cardinal points; **-á válka** world war
světoznámý world-famous
svetr pullover; (*lehký dámský*) jumper; (*vesta*) cardigan; (*vlněný sportovní*) sweater
světsk|ý 1 worldly; **-é radosti** worldly pleasures **2** secular; **-á hudba** secular music
svézt 1 (*dolů*) bring* down; (*dohromady*) bring together **2** (*koho autem*) give* sb. a lift
svěží fresh
svícen candlestick
svíčka 1 candle **2** (*do auta*) spark(ing) plug
svíčková fillet (of beef)
svině sow
svin|out, -ovat roll up (**koberec** a carpet); coil (**lano** a rope)
svírat 1 (*pevně*) hold* tight **2** contain (**úhel** an angle)
svislý perpendicular
svišť marmot [ma:mət]
svítání dawn; **za ~** at dawn
svítat dawn
svítilna lamp; **kapesní ~** torch, flashlight; **pouliční ~** street lamp
svítiplyn gas

svít|it **1** shine*; **-í měsíc** the moon is shining **2** light* (**komu na cestu** sb. on his way) **3** (*mít rozsvíceno*) keep* the lights on
svízel **1** (*potíž*) trouble, difficulty **2** (*rostlina*) lady's bedstraw
svižný supple, numble
svlačec field bindweed
svlé|ci, -kat take* off, strip; **~ se** undress, take* off one's clothes, strip (oneself)
svobod|a **1** freedom (**projevu** of speech, **svědomí** of conscience, **tisku** of the press) **2** liberty (**socha -y** Statue of Liberty) ♦ **pustit koho na -u** set* sb. free, release sb.
svobodník lance corporal; private 1st class
svobodn|ý **1** free **2** (*neženatý, neprovdaná*) single, unmarried; **-á matka** unmarried mother
svol|at, -ávat convene, call (**schůzi** a meeting)
svolení consent; **dát ~ (k)** give* one's consent (to), acquiesce (in)
svolit consent (**k návrhu** to the proposal)
svolný willing, ready
svorka clip
svorný united, unanimous
svrhnout overthrow* (**vládu** the government)
svrchník overcoat
svrchovanost sovereignty
svrchu: dívat se ~ na look down one's nose at; **~ uvedený** the above-mentioned
svůdný tempting
svůj: nejsem ve své kůži I am not myself; **hleď si svého** mind your own business; **všechno má ~ čas** all in good time; **udělej si to po svém** have* it your own way
sýček screech owl
syčet hiss; (*tuk*) sizzle
syfilis syphilis
sychravý raw
sýkora tit
symbol symbol
symbolický symbolic(al)
symetrický symmetric(al)
symfonický symphonic; **~ orchestr** symphony orchestra
symfonie symphony
sympatický nice, pleasant, likable
sympatie liking (**k** for)
sympatizovat **1** sympathize (**s kým v jeho ztrátě** with sb. in his loss) **2** (*stranit komu*) side (with sb.)
syn son
synovec nephew
syntetický synthetic
syntéza synthesis
sypat shower, sprinkle
sýpka granary
sypký loose
sýr cheese
syrov|ý raw; **-é maso** red meat
sysel ground squirrel
systém system
systematický systematic
systematizace systematization [sistimətai'zeišn]
sytit feed*
sytý **1** (*nasycený*) replete **2** (*vydatný*) substantial
sžíravý savage, vitriolic [vitri'olik]

Š

šablona pattern; (*malířská*) stencil
šach: dát ~ check; **držet koho v ~u** keep* sb. at bay; **~ mat** checkmate
šachista chessplayer
šachová figura chessman
šachovnice chessboard
šach|ový, *též n* **-y** chess *sg*
šachta shaft
šála scarf, shawl
šálek cup; **~ na čaj** teacup
šálivý deceptive, illusory
šalvěj clary, sage
šamot fireclay
šampaňské champagne
šampión champion
šampon shampoo
šanson chanson [šan'son]; song
šasi chassis [šæsi]
šaš|ek (*dvorní*) fool, jester; (*cirkusový*) clown ♦ **dělat ze sebe -ka** make* a fool of oneself
šátek (*na hlavu*) headscarf; (*kapesník*) handkerchief
šatna cloakroom; (*pro herce*) dressing room
šatnářka cloakroom attendant
šatník wardrobe
šaty clothes *pl*; (*dámské*) dress *sg*, frock *sg*
šavle sabre
šedesát sixty
šedesátý sixtieth
šedivět (grow*) grey
šedivý grey
šedomodrý greyish blue
šedovlasý grey-headed
šéf principal, chief, boss
šéfkuchař chef [šef]
šéfredaktor editor-in-chief
šek cheque; **vydat ~ na koho** draw* a cheque on sb.
šeková knížka chequebook
šelma beast of prey
šep|ot, *též v* **-tat** whisper
šeptem in a whisper
šerm fencing
šermovat fence; **~ rukama** make* gestures
šer|o dusk, twilight; **za -a** in the dusk / twilight
šeřík lilac
šeř|it se: -í se it is getting dark
šest, ~ka six
šestiúhelník hexagon
šestnáct sixteen
šestnáctý sixteenth
šestý sixth
šetrný economical, thrifty
šetřit 1 save, put* by (**peníze** money) 2 (*neutrácet*) economize 3 conserve (**si síly** one's strength) 4 (*vyšetřovat*) investigate
šev seam
šibenice gallows
šicí stroj sewing machine
šidit cheat
šídlo 1 (*nástroj*) awl 2 (*hmyz*) dragonfly
šifra cipher
šifrovaný in cipher, coded
šíje 1 neck 2 (*zemská*) isthmus
šik line, file
šikmo aslant
šikmý oblique, slanting
šikovný handy; (*jen o lidech*) dexterous, competent, capable
šílenství madness, frenzy; (*odb.*) insanity
šílený mad; (*odb.*) insane

šílet be* mad; be* crazy (**po čem** about sth.)
šilhat squint
šilink shilling
šiml (*úřední*) red tape
šimrat tickle
šíp arrow
šípek **1** (*keř*) dog rose **2** (*plod*) hip
šipka **1** dart **2** (*ukazatel*) arrow
šípkov|ý: Š-á Růženka the Sleeping Beauty
širokorozchodný wide-gauge
širokoúhlý panoramic
širok|ý **1** wide; **látka -á pět stop** cloth five feet wide; **-é dveře** wide doorway **2** broad; **-á ramena** broad shoulders
šíř|it (se) **1** spread* (**nemoc** disease); **oheň se rychle -í** fire spreads quickly **2** enlarge (**o problému** on a problem)
šířka **1** width **2** (*zeměp.*) latitude
šiška cone
šišlat lisp
šít sew*; **šitý na míru** made-to-measure, tailored
šití sewing; needlework
škádlit tease
škaredý ugly
škeble shell
šklebit se grin
škoda **1** damage, harm **2 to je ~** what a pity; **~, že nemám …** I wish I had
škodit (*komu*) harm sb., do* sb. harm; be* harmful to sb.
škodlivý harmful
škodná vermin
škodolibý malevolent
škol|a **1** school; **ekonomická ~** school of economics; **mateřská ~** nursery school, **odborná ~** vocational school; **průmyslová ~** technical school; **střední (všeobecně vzdělávací) ~** secondary (modern) school; **střední ~ pro pracující** adult education college; **večerní ~** night school, evening courses *pl*; **vysoká ~** university; **základní ~** primary school **2** (*vyučování*) lessons; **dnes nemáme -u** there are no lessons today ♦ **být po -e** be* kept in (after school); **chodit do -y** go* to school, attend school; **chodit za -u** play truant
školačka schoolgirl
školák schoolboy
školení training, schooling
školit train, school; **~ se** train (**jako** as)
školka nursery
školné schoolfee(s *pl*)
školní school; **~ rok** school year
školník school caretaker
školský school, education(al); **~ zákon** Education Act
školství (system of) education; **ministerstvo ~** Ministry of Education
škráb|at, -nout scratch, scrape
škrabka scraper
škraboška mask
škraloup skin
škrob, *též v* **~it** starch
škrtat cross out
škrtit strangle
škrtn|out **1** strike* (**zápalku** a match) **2** (*přeškrtnout*) cross out, strike* (**ze seznamu** off the register); delete; **nehodící se -ěte** delete which is not applicable
škubat jerk
škůdce **1** (*člověk*) evildoer **2** (*zvíře, hmyz, rostlina*) pest
škvára slag

škvarky pork scraps, greaves [gri:vz] *pl*
škvařit stew; (*máslo*) melt
škvor earwig
škytat hiccup
šlágr hit; evergreen
šlacha sinew
šlapat trample; (*na kole*) pedal
šlápnout tread* (**komu na nohu / na paty** on sb.'s toes / heels); ~ **na plyn** step on the gas
šle braces *pl*
šlehačka whipped cream
šleha|t whip, beat*; **-né vejce** beaten egg
šlehnout 1 lash **2** flash; **hlavou mu šlehla myšlenka** an idea flashed through his mind
šlechetný noble, generous
šlechta aristocracy
šlechtěný improved, refined, cultivated
šlechtic nobleman
šlechtitel cultivator
šmelina profiteering
šmelinář profiteer, spiv
šnek (*šroub*) worm
šněrovací boty lace-up boots, lace-ups *pl*
šněrovadlo bootlace
šněrovat lace (up)
šňůra 1 line, cord, string; ~ **na prádlo** clothesline **2** (*k elektrickému spotřebiči*) flex **3** (*série představení*) tour
šofér driver; (*zaměstnavatelova osobního vozu*) chauffeur [šəufə]
šokovat shock
šortky shorts *pl*
šoupátko slide valve
šoustat (*vulg.*) fuck
šovinismus jingoism [džiŋgəuizm]
špaček 1 starling **2** (*nedopalek*) stub; (*tužky*) stump
špagety spaghetti [spə'geti]
špachtle spatula [spætjulə]
špalek block
Španěl, ~ka Spaniard
Španělsko Spain
španělsk|ý Spanish; **-á stěna** folding screen; **to je pro mne -á vesnice** it's Greek to me
španělština Spanish
špatně badly, wrong; **je mi** ~ I feel sick; **je na tom** ~ he is badly off
špatný 1 bad **2** (*nesprávný*) wrong **3** (*zlý*) evil **4** (*chatrný*) poor
špehovat spy (**koho** upon sb.)
špenát spinach
špendlík pin; **spínací** ~ safety pin
šperk jewel
špičatý pointed
špičk|a 1 point, tip **2** (*hory*) peak **3** (*boty*) toe **4** (*kuřácká*) holder **5** (*dopravní*) rush hours *pl*, peak time; (*energetická*) peak load ♦ **po -ách** on tiptoe
špičkový peak
špikovat (*maso*) lard
špína dirt
špinavý dirty
špinit dirty, soil
špión spy
špionáž, *též adj* **~ní** espionage
špíz skewer [skju:ə]
šplhat climb (**na strom** a tree)
šponovky stretch slacks *pl*
šproty (smoked) sprats *pl*
šprým joke
šrot scrap (iron)
šroub screw; (*s maticí*) bolt
šroubek screw
šroubovák screwdriver
šroubovat screw

štáb staff
štafeta relay
šťastn|ý **1** (*blažený*) happy **2** (*úspěšný*) lucky ♦ **-ou cestu!** (a) pleasant journey!
šťáva juice; (*z masa*) gravy
šťavnatý juicy
štěbetat twitter
štědrý generous; **Š~ večer** Christmas Eve
štěkat bark
štěně puppy
štěnice bug (*též odposlouchávací zařízení*)
štěpit (se) split*
štěpovat graft
štěrbina slot
štěrk gravel
štěstí **1** (*šťastný život*) happiness **2** (*šťastná náhoda*) good luck; **zkusit** ~ try one's luck; **to je ale ~!** what a (great) piece of luck!; **mnoho ~!** good luck! **mít** ~ be* lucky ♦ **~ v neštěstí** a blessing in disguise
štětec brush
štětina bristle
štětka **1** (*nástroj*) brush **2** (*prostitutka*) streetwalker
štíhlý slender, slim
štika pike
štípat split*, chop (**dříví** wood)
štipec pinch
štípnout pinch (**koho do tváře** sb.'s cheek, **komu tužku** sb.'s pencil)
štít **1** shield **2** (*vývěsní*) sign **3** (*domu*) gable
štítek **1** (*nálepka*) label **2** (*čepice*) peak
štítit se **1** loathe (**jídla** the food) **2** shrink* (**práce** from work)
štítná žláza thyroid [θairoid] (gland)
štoček (process) block
štola gallery
štvanec outlaw
štvát **1** (*zvěř*) hunt with hounds; chase **2** agitate (**proti** against)
šuměnka sherbet [šə:bət] powder
šumět (*potok*) murmur; (*listí*) rustle; (*nápoj*) fizz
šumivé víno sparkling wine
šunka ham
šupina scale
šustět rustle
šváb cockroach
švadlena dressmaker
švagr brother-in-law
švagrová sister-in-law
švec shoemaker, cobbler
Švéd, ~ka Swede
Švédsko Sweden
švéd|ský, *též n* **-ština** Swedish
švestka plum
švihadlo skipping rope, jump rope
švih|at, -nout lash
Švýcar, ~ka Swiss
Švýcarsko Switzerland
švýcarský Swiss

T

tabák tobacco
tablet|a, -ka tablet (**aspirinu** of aspirin)
tábor, *též adj* **~ový** camp
tábořiště camping site
tábořit camp
tabule 1 sheet (**skla** of glass, **plechu** of iron) **2** (*okenní*) pane **3** (*školní*) blackboard **4** (*vývěsní*) signboard
tabulka 1 (*diagram*) chart **2** (*s nápisem*) tablet **3** bar (**čokolády** of chocolate)
tác tray
tácek saucer
tady here
taft taffeta
tágo cue
tah 1 (*zatažení*) pull **2** (*v loterii*) draw **3** (*vzduchu*) draught; (*pece*) blast **4** (*rys*) feature **5** (*v šachu*) move
tahací harmonika accordion
tahák crib
tahat pull (**vůz** a cart); pull out (**zuby** teeth)
táhlý 1 drawn-out (**zvuk** sound) **2** gradual (**vrch** hill)
táhnout 1 pull; drag **2** (*v šachu*) move **3** (*ptáci*) migrate ♦ **~ za jeden provaz** pull at the same end of the rope; **příklady táhnou** example works miracles
tachometr speedometer
tajemník secretary
tajemný mysterious
tajemství secret
tajit (*co před kým*) conceal (sth. from sb.), keep* sb. in the dark about sth.
tajný secret; **volí se ~m hlasováním** election is decided by secret ballot
tak 1 so; **~ krásný** so beautiful; **~ – jako** as – as; **ne ~ – jako** not so – as; **~ že** so that **2** (*hovor.*) that; **vždyť to není ~ těžké** it's not that heavy ♦ **~ tedy** well; now then; **~ asi** thereabout; **~ já to nemyslím** I don't think it that way; **píše ~, jak hovoří** he writes the way he talks; **nelíbí se mi to ~ ani ~** I don't like it either way; **~ ~ že ho zachránili** he was only just saved
také also; too ♦ **a ~** as well; **já ~** so ... I; **já ~ ne** neither ... I
takov|ý such (**člověk** a man); **něco -ého** something like that, that sort of thing
takt 1 (*hud.*) bar **2** (*taktnost*) tact ♦ **udávat ~** beat (the) time
taktický tactical
taktika tactics
taktní tactful
takto like this, in this way, thus
taktovka baton
takže so that
talár gown, robe
talent talent, gift
talíř plate; **hluboký ~** soup plate; **mělký ~** dinner plate
talířek 1 (*dezertní*) tea plate **2** (*podšálek*) saucer
tam there
tamější local, of that place
tamten that (over there)
tančit dance
tandem pillion; **jet na ~u** ride* pillion

tanec dance
taneční: ~ hodiny dancing lessons; **~ hudba** dance music; **~ škola** dancing school
tanečn|ice, -ík dancer
tání thaw
tank tank
tankovat tank up
tápat grope (**po** for)
tapeta wallpaper
tarif tariff
tasemnice tapeworm
taška 1 (*brašna*) bag; (*školní*) satchel; (*náprsní*) wallet, notecase **2** (*krytina*) tile
tát thaw, melt; **taje** it is thawing
tatarský Tartar
tatínek dad(dy)
Tatry: Vysoké / Nízké ~ the High / Low Tatra (Mountains)
tavba smelting
tavený sýr processed cheese
tavič smelter
tavit smelt, melt
taxa rate, charge
taxi taxi, cab
taxikář taxi driver, cabman
tázací interrogative
tázat se ask (a question), inquire
tázavý inquiring
tažební listina listed results *pl* of the draw
tažení campaign
tažný: ~ kůň draught horse; **~ pták** bird of passage
teatrální dramatic, showy
téci 1 flow, run* **2** (*propouštět vodu*) leak
tečka 1 point, dot **2** (*interpunkční znaménko*) full stop, period
teď now; (*v dnešní době*) at present, nowadays, these days; **~ když** now (that)
tedy then, so; accordingly; consequently
teflonový non-stick
tehdejší of that time, the then
tehdy then, at that time
těhotenství pregnancy
těhotná pregnant
technick|ý technical; **vysoká škola -á** College / Institute of Technology
technik (technical) engineer
technika 1 technology; **věda a ~** science and technology **2** (*vypěstovaná zručnost*) technique
technolog technologist
technologie technology
tekoucí: ~ horká a studená voda hot and cold running water
tekut|ina, *též adj* **-ý** liquid
tele calf
telecí: ~ maso veal; **~ léta** the awkward age
telefon telephone; **meziměstský ~** long-distance call; **mít ~** be on the phone
telefonický telephonic
telefonist(k)a (switchboard) operator
telefonní: ~ budka call box, phone booth; **~ seznam** telephone directory, phone book; **~ ústředna** exchange; **~ vzkaz** message
telefonovat phone, ring* up, call up (**komu** sb.)
telegraf telegraph
telegrafický telegraphic, wire
telegrafie telegraphy
telegrafista operator
telegrafní wire
telegrafovat telegraph, wire, cable; send* a wire

telegram telegram, wire, (*kabelogram*) cable
telekomunikace telecommunication
teleobjektiv telephoto [telifəutəu] lens
tělesn|ý 1 physical; **-é cvičení** physical exercise **2** manual; **-á práce** manual labour **3** animal; **-é potřeby** bodily needs *pl*
televiz|e television, TV, (*hovor.*) telly; **dívat se na -i** watch TV; **v -i** on the telly; **vysílat -í** televise
televizor television (set), TV set
těl|o body; **držet koho od -a** keep* sb. at arm's length
tělocvična gymnasium
tělocvik physical training, P.T.
tělocvikář P.T. master
tělovýchova physical culture
tělovýchovný P.T.
téma subject, topic
tematický of subjects
tematika scope of problems
téměř almost, nearly, practically
temn|ý dark; **-á komora** dark room
temperament temperament, disposition
temperamentní temperamental
temp|o pace; **udávat ~** set* the pace; **rychlým -em** at a good pace
ten 1 the; **tohle je ~ dům** this is the house **2** that; **kdo je (tamhle)~ člověk?** who is that man?; **~ tvůj ošklivý zvyk** that bad habit of yours ♦ **pan T~ a ~** Mr. So-and-so
tendence tendency, trend
tendenční tendentious [ten'denšəs]
tenis tennis
tenisky plimsolls *pl*, tennis shoes *pl*
tenisový: ~ kurt tennis court; **~ míček** tennis ball
tenista tennis player
tenkrát at that time
tenký thin
tenor, ~ista tenor
tento this; (*ze dvou jmenovaných*) the latter
tentokrát this time; **pro ~** for this once
tentýž the same (**jako** as)
teolog theologian [θiə'ləudžən]
teoretický theoretical; academic
teorie theory
tep pulse
tepelný heat, thermal
tepláky track suit
teplárna district heating plant
teplo warmth ♦ **je ~** it is warm; **je mi ~** I am warm
teploměr thermometer
teplomet electric fan heater
teplot|a temperature; **mít (zvýšenou) -u** have* a temperature
tepl|ý 1 warm **2** heavy(weight); **~ zimník** heavy winter coat; **-é ponožky** heavy(weight) socks
tepna artery
teprve 1 only; **přišel ~ včera** he only came yesterday **2** not – till; **přijde ~ zítra** he won't come till tomorrow
terasa terrace
terceto trio
tercie third; **malá / velká ~** minor / major third
terč target
terén ground, country; (*voj.*) terrain [te'rein]
termín 1 term **2** (*konečný*)

deadline
♦ **před ~em** ahead of schedule
terminologie terminology
termoska vacuum flask
teror terror
terorist|a, *též adj* **-ický** terrorist
terpentýn turpentine
tesař carpenter
tesařská pila carpenter's saw
tesat hew*
těsnění packing
těsnopis shorthand; **psát ~em** take* down in shorthand
těsn|ý close, tight; **v -é blízkosti** in close proximity; **v -é souvislosti** in close connection; **bota je příliš -á** the shoe is too tight
test test
těst|o dough; **být ze stejného / z jiného -a** be* made in the same / in a different mould
těstoviny pasta [pæstə]
těš|it please; **velmi mě -í, že vás poznávám** I am very pleased to meet you
těšit se 1 enjoy (**z čeho** sth.) **2** look forward (**na** to)
teta aunt
tetanus tetanus [tetənəs]
tetička auntie [a:nti]
tetovat tattoo [tə'tu:]
tetřev capercailzie [kæpə'keilzi]
texasky (blue) jeans *pl*
text text; **~ písně** lyric
textil textiles *pl*
textilní textile
teze thesis
též also, too
těžba output
těžce: ~ pracovat work hard; **~ dýchat** breathe heavily
těžiště centre of gravity, point of balance
těžit 1 exploit, extract **2** make* the best (**z čeho** of sth.)
těžítko paperweight
těžko: ~ chápat be* slow on the uptake; **to půjde ~** that won't be easy; **~ říci** it's difficult to say
těžkopádný clumsy
těžký 1 heavy (**kámen** stone, **průmysl** industry) **2** difficult, hard (**úkol** task)
tchán father-in-law
tchoř polecat [pəulkæt]
tchyně mother-in-law
tíha weight, load
ticho silence
tichý 1 silent, quiet **2** low, soft (**hlas** voice)
♦ **T~ oceán** the Pacific Ocean
tílko (*nátělník*) vest
tikat tick
tiket coupon
tip tip (**na** for)
tipovat tip (**vítěze** the winner)
tis yew [ju:]
tíseň distress
tisíc thousand; **T~ a jedna noc** the Arabian Nights *pl*
tisk 1 print(ing) **2** (*noviny*) the press
tiskací: ~ písmeno block letter; **~m písmem** in block letters
tiskárna printing works
tisknout 1 press (**tlačítko zvonku** the button of a bell); squeeze (**čí ruku** sb.'s hand) **2** print (**knihu** a book)
tiskopis 1 form **2** (*v poštovní dopravě*) printed matter
tiskov|ý press; **-á konference** press conference; **-á chyba** misprint
tísnit oppress, vex
tísnit se 1 throng (**kolem koho**

around sb.) **2** be* cramped for space (**v bytě** in a flat)
tísnivý oppressive
tísňové volání emergency call
tištěný printed
titul title
titulek headline; (*pod obrázkem*) caption; (*filmový*) subtitle
tíže weight; **zemská ~** gravity
tíž|it weigh down (**koho** on sb.); **co tě -í?** what's your problem?
tj. i.e. (that is)
tkadle|c, -na weaver
tkalcovna weaving mill
tkalcovský weaving; **~ stav** loom
tkáň tissue
tkanička (*do bot*) shoelace, shoestring
tkanina fabric, tissue
tkát weave*
tlačenice crush, crowd, throng
tlačenka headcheese
tlačit **1** (*mačkat*) press; (*bota*) pinch **2** (*strkat*) push (**vozík** a cart); wheel (**kolečko** a barrow)
tlačítko button
tlak pressure
tlakoměr barometer
tlakov|ý: -é mazání forced lubrication; **-á výše** pressure height
tlampač loudspeaker
tlapa paw
tleskat applaud, clap
tlouci beat*, strike*, knock (**na dveře** at the door); (*máslo*) churn
tloustnout grow* fat, put* on weight
tloušťka **1** thickness (**podrážky** of the sole) **2** (*člověka*) corpulence, stoutness
tlumený subdued
tlumit subdue (**hlasy** voices); dampen (**svoje nadšení** one's ardour)
tlumočit **1** interpret, act as interpreter **2** (*vyřídit*) tell*, express
tlumočn|ice, -ík interpreter
tlumok knapsack
tlupa band, gang
tlustý **1** thick **2** (*člověk*) fat, stout
tm. inst. = of this month
tm|a darkness, dark; **je ~** it is dark; **za -y** in the dark; **~ jako v pytli** pitch darkness
tmavomodrý navy-blue
tmavovlasý dark(-haired)
tmavý dark
tmel putty
to it, that
♦ **a to** namely; **to jest** that is (to say); **to jsem já** that's me; **to je krásný obraz!** what a beautiful picture!; **to jsem si myslil** I thought so, I thought as much; **to je ono** that's it; **v tom s tebou souhlasím** I agree with you there; **deštník, a k tomu ještě nový** an umbrella and a new one at that
toaleta toilet
toaletní: ~ mýdlo toilet soap; **~ papír** toilet / lavatory paper, toilet tissue; **~ potřeby** toilet requisites *pl*
tobogan roller coaster
tobolka **1** purse **2** capsule [kæpsju:l]
toč|it **1** turn (**kolem** the wheel) **2** roll (**cigarety** cigarettes) **3** shoot* (**film** a film)
točit se turn (**kolem slunce** round the sun)
♦ **-í se mi hlava** I feel* dizzy / giddy, my head is going round
točitý winding

točna pole; **severní ~** the North Pole
tok flow; **vodní ~** stream
tolik so much / many; **dvakrát ~** twice as much / many
tolikrát so many times, so often
tomatový tomato
tombola raffle
tón tone; (*barevný*) shade; (*hud.*) note
tonáž tonnage
tónina key
topení heating
topič stoker
topinka toast
topit (*v kamnech*) heat
topit se be* drowning
topivo fuel
topné těleso radiator
topol poplar
torna knapsack
torpédo torpedo
torpédoborec destroyer
torzo torso [to:səu]
totální total (**válka** war)
totiž namely; that is to say
totožnost identity
totožný identical
touha longing, desire (**po** for)
toulat se wander, stroll, ramble
toulec quiver
touš puck
toužebný wistful
toužit long (**po** for)
továrna factory, plant
tovární factory
továrník manufacturer
tr. this year
tradice tradition
tradiční traditional
trafika tobacconist's
tragédie tragedy
tragický tragic
traktor tractor; traction engine
traktorista tractor driver
trám beam
tramp **1** (*osoba*) rambler **2** (*trampování*) ramble; **jít na ~** go* on a ramble, go tramping
tramvaj tram; **jet ~í** go* by tram, take* a tram
transformátor transformer
transfúze transfusion
transport transport
transportér conveyer belt
tranzistor transistor
tranzistorové rádio transistor (set)
tranzit, *též adj* **~ní** transit
trápení worry
trápit trouble, worry, bother
trapný painful; awkward
trasa line, track
trať **1** line, track **2** (*směr*) route ♦ **~ pouliční dráhy** tramline; **železniční ~** railway line
tráva grass
trávení digestion
traverza girder
trávit **1** digest (**potravu** food) **2** spend* (**čas** time)
travnatý grassy
trávní|ček, -k lawn; (*účes*) crew cut, buzz
trefit **1** (*zasáhnout*) hit **2** find* one's way, know one's way (**domů** home)
tréma (*divadelní*) stage fright; (*školní*) exam fever
trenér trainer, coach
trénink training
trénovat train
trenýrky trunks *pl*, training shorts *pl*
trepky slippers *pl*
treska cod
trest **1** punishment; **~ smrti**

capital punishment; **za ~** for a punishment **2** (*školní písemný*) imposition [impə'zišn]
tresť essence
trestanec convict
trestat punish
trestní: ~ právo criminal law; **~ soud** Criminal Court; **~ zákoník** penal code
trestný: ~ bod penalty point; **~ čin** criminal act; offence
tretry spiked shoes *pl*
trezor safe
trh market; **výroční ~** fair
trhat 1 tear* (**na kusy** to pieces) **2** pick (**květiny** flowers, **ovoce** fruit, **chmel** hops) **3** pull (**provazem** at a rope, **zub** out a tooth)
trhavina explosive [ik'spləusiv]
trhlina breach; (*podélná*) split
trhnout jerk; **~ sebou** jerk, start
triangulační triangulation [traiæŋgju'leišn]
tribuna platform; (*sport.*) stand
tričko vest, top; (*bez límce, s krátkými rukávy*) T-shirt
triedr fieldglasses, binoculars *pl*
trik trick; **reklamní ~** publicity stunt, gimmick
triko vest
trikot tights *pl*
trikotýn stockinet [stoki'net]
trio trio
tristní (*smutný*) sad; (*trapný*) pathetic
triumf triumph
triumfovat triumph, be* triumphant (**nad** over)
trknout butt; (*přen.*) strike*
trn thorn; **být jako na ~í** be* on pins and needles
trnka (*keř*) blackthorn; (*plod*) sloe
trnout (*strachem*) be* in fear (**o** of) ♦ **trnou mi zuby** my teeth are (set) on edge
trnož footrest
trofej trophy
trochu a little, a bit, slightly; **~ čaje** a little / some / a spot of tea; **~ unaven** a little / a bit / slightly tired
trojí three sorts of, of three sorts
trojka three; Number Three
trojklanný (*nerv*) trigeminal [trai'džeminl]
trojkolka three-wheeler
trojskok triple jump
trojúhelník triangle
trolejbus trolleybus
trombóza thrombosis [θrom'bəusis]
tropick|ý tropical; **-á přílba** sun helmet
tropy tropics *pl*
trosky ruins *pl*, debris [deibri:]
trouba 1 (*trubka*) trumpet **2** (*na pečení*) oven **3** (*roura*) pipe **4** (*hlupák*) fool
troubit blow* (**na trubku** a trumpet)
troufat si dare*
trouchnivět moulder, rot
trpaslík dwarf, midget
trpělivost patience
trpělivý patient
trpět 1 suffer (**čím** from sth.) **2** tolerate, stand* for (**co** sth.)
trpký bitter
trpný passive; **~ rod** (*jaz.*) passive voice
trsátko plectrum
trubec drone (bee)
trubička tube
trubk|a 1 (*hud.*) trumpet **2** (*trubice*) tube, pipe

♦ **-y** *(úzké kalhoty)* (*hovor.*) drainpipe trousers *pl*
truhlář joiner
truchlit mourn (**nad** for, over)
truchlivý mournful
trumf trump; **dát ~** play one's trump card
trůn throne; **nastoupit na ~** ascend the throne; **sesadit z ~u** dethrone
trup trunk
truskavec knotgrass
trust trust
trvalka perennial
trval|ý lasting, permanent; **-á ondulace** perm
trvání duration
trvanliv|ý durable, long-lasting; (*barva*) fast; **-é pečivo** biscuits *pl*
trva|t 1 last; **vánoce -jí tři dny** Christmas lasts three days; (*činnost*) take*; **práce -la tři hodiny** the work took three hours **2** (*naléhat*) insist (**na čem** on sth.)
trychtýř funnel
trysk 1 (*běh*) gallop **2** (*proud*) jet
tryska nozzle, jet
tryskat jet, produce a jet
tryskov|ý jet-propelled; **~ motor** jet engine; **-é letadlo** jet plane
tržba receipts *pl*
tržiště marketplace
tržit (*za zboží*) take* in
tržní market; **~ hospodářství** free-market economy
tržnice market hall
třaskavina explosive
třást (se) shake* (**stromem** a tree, **zimou** with cold)
třeba 1 (*nutno*) **je ~** it is necessary; **bude-li ~** if necessary **2** (*možná*) **~ je to pravda** it may be true; **~ přijde pozdě** he may be late
♦ **mohu spát ~ v křesle** I can sleep in a chair for that matter
třebaže (al)though
třecí ručník bath towel, rough towel
tření friction
třepat shake* (**lahví** the bottle)
třesk: velký ~ Big Bang
třeš|eň, -ně cherry
třešňovka cherry brandy
třetí third
třetice: do ~ všeho dobrého third time lucky
třetihory the Tertiary [tə:šəri] (period)
třetina third
třezalka St. John's wort
tři three
tříbarevný in three colours
třicátý thirtieth
třicet thirty
tříčtvrteční three-quarter
třída 1 (*společenská, studijní*) class **2** (*jen studijní*) form **3** (*místnost*) classroom **4** (*ulice*) road
třídit classify; grade
třídní class; **~ kniha** class register; **~ učitel** class master, form master
třináct thirteen
třináctý thirteenth
třípatrový four-storey(ed)
třípokojový three-room
třísk|a splinter; **vrazit si -u do ruky** run* a splinter into one's hand
tříslo groin
tříštit shatter; **~ síly** fritter away one's energy
třít rub
třít se 1 rub oneself (**o** against) **2** (*ryby*) spawn
třmen stirrup
třpytit se glitter

třtina cukrová sugarcane
tu here; **tu máš** here you are; **tu a tam** here and there, at odd moments
tuba tube
tuberkulóza tuberculosis
tucet dozen
tučňák penguin
tučný fat
tudy this way
tuhnout grow* stiff, stiffen
tuhý stiff, tough; severe (**mráz** frost)
tuk fat; **umělý** ~ margarine
ťukat tap, knock (**na dveře** at the door)
ťuknout tap; ~ **si** clink glasses (**s kým** with sb.)
tulák tramp
tuleň seal
tulipán tulip
tůň pool
tuna ton
tuňák tunny [tani]
tunel tunnel
tupírovat backcomb
tupý 1 blunt (**nůž** knife) 2 dull, slow-witted (**člověk** person)
túra tour
turbína turbine
turbovrtulový turboprop
Turecko Turkey
ture|cký, *též n* **-čtina** Turkish
Turek Turk
turista tourist
turistick|ý tourist; **-á chata** mountain hut; **-á značka** tourist sign
turistika tourism; (*pěší*) hiking
turnaj tournament
turné tour
turnus shift
tuš Indian ink
tušení presentiment [pri'zentimənt], inkling; **nemám** ~ I have no idea
tušit anticipate
tuzemský inland, home
tuzér tip
tužka pencil
tvar 1 form 2 (*vnější, obrys*) shape
tvárnice moulded brick
tvaroh curds *pl*, cottage cheese
tvář 1 (*líce*) cheek 2 (*obličej*) face ♦ **říci co komu do ~e** say* sth. to sb.'s face; **~í v ~ čemu** in the face of sth.
tvářit se look
tvor creature
tvorba production; (*dílo*) work(s) *pl*
tvořit create, form
tvořivost: lidová ~ folk art
tvořivý creative
tvrdě hard; **spát** ~ sleep* soundly
tvrdit affirm, allege
tvrdohlavý headstrong, obstinate
tvrdý hard; ~ **jako kámen** as hard as rock; ~ **spánek** sound sleep
tvrz fortress, stronghold
tvrzení assertion
tvůj your; yours
tvůrce creator
tvůrčí creative
ty you
tyč pole, bar
tyčinka stick
týden week; **tento / minulý / příští** ~ this / last / next week; **ode dneška za** ~ today week; **dnes** ~ a week ago today
týdeník weekly; **filmový** ~ newsreel
týdenní weekly (**mzda** wages)
týdně every week; **dvakrát** ~ twice a week

tyfus typhoid fever
tygr tiger
tykat si be* on familiar terms (s **kým** with sb.)
týkat se (*čeho*) concern (sth.); refer, apply (to sth.)
♦ **to se tě netýká** that doesn't concern you; **pokud se mne týká** as far as I am concerned; **ta poznámka se mě netýká** that remark does not refer to me; **co se týká jídla** as regards food
tykev pumpkin
tyl tulle [tju:l]
týl nape; (*voj.*) rear
tým team
tympán kettledrum
typ type
typický typical
typizace standardization
typizovat standardize
týrat maltreat
tyrkys turquoise [tə:kwoiz]
tzv. the so-called

U

u **1** at; **u stolu** at the table; **u oběda** at dinner; **u tabule** at the blackboard; **u moře** at the seaside; **u nás** *(doma)* at our place; **u strýce** at my uncle's **2** by; **u řeky** by the river; **u kamen** by the fire **3** with; **bydlit u rodičů** live with one's parents **4** about, on; **nemám u sebe peníze** I haven't any money about / on me ♦ **u nás** *(v ČR)* in this country; **brát hodiny u koho** take* lessons from sb.; **bitva u Trafalgaru** the battle of Trafalgar
uběhnout **1** (*čas*) pass, fly* **2** (*lhůta*) expire
ubíjet **1** (*zabíjet*) beat* to death **2** kill (**čas** the time)
ubikace quarters *pl*
ubl|ížit, -ižovat hurt* (**komu** sb., **jeho zájmům** his interests); injure (**svému zdraví** one's health, **čí dobré pověsti** sb.'s reputation)
úbočí slope
ubohý poor
úbor dress, rig; **cvičební ~** gym suit; **sportovní ~** sportswear; **večerní ~** evening dress
ubránit maintain; **~ se** resist (**čemu** sth.)
ubrousek napkin, serviette
ubrus tablecloth
ubýt, *též n* **úbytek** decrease
ubytování accommodation
ubytovat (se) put* up (**v hotelu** at a hotel)
ubýv|at decrease, (be* on the) wane; **měsíc -á** the moon is on the wane
ucítit **1** (*hmatem*) feel* **2** (*čichem*) smell*
ucelený self-contained, integral
ucp|at, -ávat stop
úcta respect (**k** for)
uctít **1** pay* tribute (**čí památku** to sb.'s memory) **2** treat (**koho dobrým obědem** sb. to a good dinner)
uctívat worship (**koho jako hrdinu** sb. as a hero)
uctivý respectful
účast **1** (*podíl*) part; **mít ~** take* part (**na** in) **2** (*soustrast*) sympathy (**s** with)
účastn|ice, -ík participant; **-íci** those taking part
účastnit se take* part (**čeho** in sth.)
učebna classroom
učebnice textbook
účel purpose; **za tímto ~em** to this purpose; **za tím ~em, aby** in order to / that
účelný expedient
učeň apprentice
učenec scientist, scholar
učení **1** (*studium*) study **2** (*vyučování, nauka*) teaching **3** (*řemesla*) apprenticeship
účes hairdo, hairstyle
učesat comb; **chci ~** I want my hair set; **~ se** comb / do* one's hair
účet **1** account; **otevřít ~ u banky** open an account with a bank; **vyrovnat ~** settle the account **2** (*účtenka*) bill **3** (*za zboží*) invoice
účetní *n* book-keeper • *adj* book-keeping; **~ hodnota** book value; **~ zápis** record

účetnictví book-keeping
učiliště training institution
účinek effect
učinit do*, make*; ~ **možným** make* possible
účinkovat 1 (*lék*) take* 2 (*vystupovat*) perform
účinkující performer
účinný effective
učit teach* (**děti** children, **děti počtům** mathematics to children)
učit se 1 learn* (**cizímu jazyku** a foreign language) 2 study; **musím se** ~ I must study 3 be* apprenticed (**řemeslu** to a trade / craft)
učitel, ~ka teacher, (school)master
učivo subject matter
učňovská škola school for apprentices
účtárna accounting department
účtenka bill
účtovat 1 (*vést účty*) keep* books 2 (*počítat*) charge (**komu 50 korun za opravu** sb. 50 crowns for a repair)
úd limb
údaj(e) data, information
událost event
udání indictment, denunciation
udat 1 state, tell* 2 (*policii*) denounce, inform (**koho** against sb.)
udát se happen, occur
udavač, ~ka informer
udávat: ~ **tempo / módu** set* the pace / the fashion; *jinak viz* **udat**
udělat make*, do*; **dát si co** ~ have* / get* sth. made; ~ **co pro koho** do sb. a good turn; ~ **se** (*vulg.*) come; ~ **si obrázek o čem** build* up a picture of sth.
uděl|it, -ovat give*, grant (**komu co** sb. sth.)
úder blow, hit; ~ **hromu** clap of thunder
udeřit strike*, hit
úděs fright, alarm, consternation
udice fish hook
údiv astonishment
udivený astonished (**čím** at sth.)
udiv|it, -ovat astonish
údolí valley
údržba upkeep, maintenance
údržbář maintenance / service man, repairer
udrž|et, -ovat keep*, maintain (**styky** relations)
udupat trample (down); ~ **k smrti** trample to death
udusit stifle, smother, suffocate; ~ **se** be* stifled, suffocate
udýchaný out of breath
uhádnout guess
uhájit defend
uhasit 1 put* out, extinguish 2 quench (**žízeň** thirst)
uhel coal; (*kreslířský*) charcoal
úhel angle
uheln|ý coal; **-á oblast** coalfield; ~ **důl** colliery
uher pimple
uherský Hungarian
uhlí coal; **černé** ~ black coal; **hnědé** ~ brown coal; **dřevěné** ~ charcoal
úhloměr protractor [prə'træktə]
uhlový papír carbon paper
uhnout (se) swerve, turn aside
uhodit strike*, hit
uhodnout guess
úhoř eel
uhořet be* burnt to death
úhrad|a settlement, payment; **na -u** in settlement

uhradit **1** (*vyrovnat*) settle **2** (*krýt*) cover (**výdaje** the expenses)
úhrn (sum) total
úhrnem altogether
uhřát se become* hot, become* flushed
uhýbat (se) *viz* **uhnout (se)**
uchazeč applicant
ucházet **1** (*být uspokojivý*) be* fairly good, pass muster **2** (*unikat*) leak, escape
ucházet se apply (**o** for)
ucho **1** ear **2** (*jehly*) eye **3** (*tašky*) handle
uchopit grasp, grip, seize
uchovat preserve, keep*; **~ se** keep* well
úchylka deviation
úchylný abnormal, perverted
uchylovat se resort (**k násilí** to force)
ujas|nit, -ňovat make* clear; **~ si** size up (**situaci** the situation)
ujednání arrangement, settlement
ujedn|at, -ávat arrange, settle
ujet leave*, go* away
ujímat se **1** (*čeho*) take* up (sth.), take* possession (of sth.) **2** (*uchytit se*) catch* on
ujistit assure; **můžete být ujištěn** you may rest assured
ujištění assurance
ujít (*být přijatelný*) be* fairly good, pass muster ♦ **nechat si co ~** miss sth.; **nenechat si ujít návštěvu těch míst** make* a point of visiting those places
ujmout se **1** take* possession (**dědictví** of the heritage); take* charge (**dítěte** of the child); enter (**úřadu** upon one's office); set* about (**úkolu** one's task) **2** (*uchytit se*) catch* on
ukázat **1** show* (**lístek** one's ticket, **komu cestu** sb. the way) **2** point (**k severu** to the north, **prstem na koho** one's finger at sb.)
ukáza|t se **1** (*dostavit se*) appear, turn up **2** (*jako*) prove to be, prove as ♦ **-lo se, že** it turned out that; **to se ukáže!** time will tell!
ukazatel (*cesty*) signpost
ukázk|a **1** (*zboží*) specimen, sample; **zboží na -u** goods on approval **2** (*reprezentativní*) showpiece (**moderní architektury** of modern architecture) **3** (*literární úryvek*) passage
ukázněný well-disciplined, orderly
ukazováček index finger, forefinger
ukazovat *viz* **ukázat**
ukazovátko pointer
ukládat **1** (*stranou*) put* aside **2** put* (**děti do postele** children to bed) **3** put* by (**peníze** money); save up (**peníze na dovolenou** money for a holiday); deposit (**peníze do banky** money in a bank) ♦ **~ komu o život** attempt sb.'s life
úklid cleaning up, cleanup
ukl|idit, -ízet clean, tidy up; **~ ze stolu (po snídani)** clear away (the breakfast things)
uklidnit (se) calm down
uklízečka cleaner, cleaning lady
uklonit se bow
uklouznout slip
úkol **1** task **2** (*penzum*) stint; **domácí ~** homework; **uložit domácí ~** set* homework **3** (*písemný*) exercise

úkolov|ý: -á mzda piece wage; **-á práce** piecework
ukončit finish, bring* to an end
úkor: na ~ čeho to the detriment of sth.
ukousnout bite* off
Ukrajina Ukraine [ju:'krein]
ukrást steal*; pinch
ukrojit cut* off
úkryt hiding place
ukrý|t, -vat (se) hide*
ukvapený hasty
ukvapit se rush things; act rashly
úl hive
ulehč|it, -ovat (si) facilitate, make* easy (**práci** one's work)
ulehnout take* to one's bed
uletět fly* away
úleva 1 (*oddech*) relief, letup **2** (*prominutí čeho*) concession
ulevit give* vent (**svým citům** to one's feelings); **~ si** let* off steam
ulic|e street; **na -i** in the street
ulička (*mezi domy*) lane, alley; (*mezi sedadly*) gangway
úloha 1 (*školní*) exercise; (*šachová*) problem **2** (*herecká*) part, role
úlomek fragment
ulomit (se) break* off
úlovek, *též v* **ulovit** catch*
uložit 1 (*uschovat*) put* away **2** set* (**úkol** a task) **3** deposit (**peníze ve spořitelně** money in a savings bank) **4** impose (**daň** a tax)
ultrafialový ultraviolet [altrə'vaiəlit]
ultrakrátké vlny very high frequency (v.h.f.)
ultrazvuk ultrasound
umazat soil; **~ se** get* soiled
umělec artist; **estrádní ~** artiste
uměleckoprůmyslová škola college of applied arts
uměleck|ý artistic; **-é dílo** a work of art
umělkyně artist
uměl|ý artificial; **-é dýchání** artificial respiration; **-é hedvábí** rayon; **-á hmota** plastic; **-é vlákno** man-made fibre
umění art; **výtvarné ~** the fine arts *pl* ♦ **v tom je celé to ~** that is all there is to it
úměrný proportionate
um|ět know*, know how to + *inf*; can*; be* good at ♦ **-í anglicky** he knows English, he speaks English; **-í tančit** he knows how to dance; **-í matematiku** he is good at mathematics; **-í to s dětmi** he has a way with children; **-í rychle počítat** he is quick at figures; **německy moc neumí** his German is on the sketchy side
umíněný obstinate
umínit si set* one's mind (**co** on sth.)
umírat be* dying
umístění 1 placement **2** (*též zaměstnání*) place, situation
um|ístit, -isťovat place, situate, house; **~ se** (*v závodě*) be* placed ♦ **v kině se -ístí 500 diváků** the cinema accommodates 500 people
umlčet silence
umlít grind*
úmluva agreement, arrangement
umoc|nit, -ňovat (*na druhou*) square, (*na třetí*) cube
úmorn|ý: -á práce wearisome work; **-é vedro** scorching heat
umož|nit, -ňovat 1 (*co*) make*

(sth.) possible **2** enable (**komu, aby** sb. to + *inf*)
úmrtí death
úmrtnost mortality; (*statisticky*) death rate, mortality rate
umrtv|it, -ovat 1 mortify (**tělo** the flesh) **2** anaesthetize [æ'ni:sθitaiz] (**zub** a tooth)
umřít die
umučit torture to death
úmysl intension ♦ **mít v ~u** intend; **mám s vámi dobré ~y** I mean* well by you; **měl jsem ten nejlepší ~** I had the best of intentions
úmyslně on purpose, purposely, deliberately
úmyslný intentional, deliberate
umýt wash; **~ se** (have* a) wash
umývadlo washbasin, washbowl
umývárna lavatory; **~ nádobí** scullery
umývat (se) wash
únava fatigue
unavený tired
unavit tire; **~ se** get* tired
únavný tiresome, tedious, tiring
Unesco UNESCO (United Nations Educational, Scientific, and Cultural Organization)
unést 1 be* able to carry (**náklad** a load) **2** (*uloupit*) kidnap (**dítě** a child); hijack (**letadlo** a plane) ♦ **nenechte se ~ hněvem** don't let your rage run away with you
unie union
uniforma uniform
únik escape; **~ o vlas** a narrow escape; **daňový ~** evasion
unik|at escape, leak; **plyn -á** gas is escaping / leaking
uniknout 1 escape (**z vězení** from prison) **2** evade (**vojenské službě** military service)
úniková četba escapist reading
univerzální universal; **~ klíč** master key, pass key
univerzita university
únor February
únos (*dítěte*) abduction, kidnap(ping); (*letadla*) hijack(ing)
únosný bearable, endurable
upadat decline
úpadek decline; (*obch.*) bankruptcy; **udělat ~** go* bankrupt
úpadkový decadent
upadnout fall* down; **~ do špatných návyků** lapse into bad habits
úpal sunstroke
upálit burn* to death
úpatí foot (**hory** of a mountain)
upéci bake (**chléb** bread); roast (**maso** meat); **~ se** bake, be* baked, be* melted
upejpavý coy, demure, bashful
úpěnlivý imploring, pleading
úpět groan
upev|nit, -ňovat 1 fasten, fix **2** (*posílit*) strengthen
úpis bond
upjatý prim
uplakaný tearful
úplatek bribe
uplat|nit, -ňovat 1 (*použít*) put* into practice **2** exercise (**svá práva** one's rights) **3** exert (**svůj vliv** one's influence)
uplést knit
úplně fully, completely; **máte ~ pravdu** you are perfectly right
úplněk full moon
úplný complete, entire
uplynout pass, elapse
uplynul|ý past; **v -ém týdnu** during the past week
upom|enout, -ínat 1 remind

(**koho nač** sb. of sth.) **2** claim (**o zaplacení** payment)
upomínka **1** souvenir [su:və'niə] **2** (*dopis*) reminder
upomínkový: ~ předmět souvenir; **obchod s ~mi předměty** gift shop
úporný fierce, stubborn
uposlechnout obey
upotřebit use, make* use of
upouštět give* up (**od čeho** sth.)
upout|at, -ávat attract (**pozornost** attention)
upozornění warning; reminder (**na** of)
upozor|nit, -ňovat **1** call sb.'s attention (**na** to) **2** (*dát výstrahu*) warn
úprava arrangement
upravený prepared; (*úhledný*) trim, neat
uprav|it, -ovat **1** arrange **2** (*přizpůsobit*) adjust, adapt **3** (*uklidit*) tidy up **4** (*přizdobit*) trim **5** dress (**salát** salad)
uprázdnit vacate; **~ se** become* vacant
upražit roast
uprchlík **1** fugitive **2** (*zvl. politický*) refugee
uprchnout fly*, run* away, escape (**z vězení** from prison)
uprostřed in the middle (**čeho** of sth.)
upřený pohled stare
upřímný sincere, frank
upustit **1** drop (**špendlík** a pin) **2** (*od čeho*) give* up (sth.), desist (from sth.)
uragán hurrican
uran, *též adj* **~ový** uranium
úraz accident, injury; **přijít k ~u** have / meet with an accident
urazit **1** (*co*) knock off **2** (*koho*) insult, offend
urazit se take* offence
uražený offended
urážet **1** (*koho*) insult, offend **2** outrage (**veškerou slušnost** all decency)
urážka insult, offence
urážlivý **1** (*urážející*) insulting, offensive **2** (*citlivý*) sensitive
určení destination
urč|it, -ovat determine (**čí budoucnost** sb.'s future); appoint (**čas pro schůzku** the time for the meeting)
určitě surely, certainly; **on ~ přijde** he is sure / bound to come
určit|ý certain, definite; **v -ém smyslu** in a way
urgence reminder, follow-up letter
urgovat press (**co u koho** sth. with sb.)
urna **1** urn **2** (*volební*) ballot box
úroda crop, harvest
urodi|t se crop; **letos se -lo hodně pšenice** the wheat cropped well this year, there was a heavy crop of wheat this year
úrodný fertile
úrok(y) interest
urostlý shapely
úroveň level, standard; **životní ~** standard of living, living standard
urovn|at, -ávat settle, arrange (**spor** a dispute)
Uruguay Uruguay
urychleně speedily
urychl|it, -ovat speed* up, accelerate
úryv|ek (*literární*) passage; **-ky rozhovoru** scraps of conversation
úřad **1** (*též místnost*) office

2 (*úřední moc*) authority
♦ **pracovní ~** job centre
úřadovat be* in office ♦ **dnes se neúřaduje** Office closed today
úřední official; **~ kruhy** officials *pl*; **~ osoba** official
úředn|ice, -ík (*státní, veřejný*) official; (*podřízený a soukromý*) clerk ♦ **státní ~** Civil Servant
uříznout cut* off
USA the United States of America *sg*
usa|dit se, -zovat se 1 (*na židli*) sit* down, take* a seat **2** (*též přen.*) settle (down); establish oneself **3** (*prach*) collect
úsečka abscissa [æb'sisə]
úsečný brief, short
usedlost (*zemědělská*) holding, farm
úsek section; length (**dálnice** of the motorway)
useknout cut* off
useň leather
uschnout (get*) dry
úschova custody, safekeeping
úschovna zavazadel cloakroom, left-luggage office
usídlit se settle down
úsilí effort (**o** at); endeavour; **pracovní ~** the working effort
usilovat endeavour, make* an effort; aspire (**o** after / to + *inf*); aim (**o** at)
usínat doze off
úskalí (*přen.*) stumbling block
usklad|nit, -ňovat store
úskočný tricky, cunning
uskrov|nit se, -ňovat se skimp
uskuteč|nit, -ňovat realize, bring into effect; **~ se** come* true, materialize
úsloví saying, phrase
uslyšet hear*
usmát se smile (**na** at), give* a smile (**na** to)
usmažit fry
usměr|nit, -ňovat coordinate, unify
úsměv smile
usmíření reconciliation
usm|ířit, -iřovat reconcile; **~ se** become* reconciled
usmívat se smile (**na** at)
usmrtit kill; (*domácí zvíře*) destroy
usnad|nit, -ňovat facilitate, make* sth. easy
usnesení resolution; **vypracovat a schválit ~** draw* up and pass a resolution
usnést se resolve; pass a resolution
usnout fall* asleep
usoudit conclude
usp|at, -ávat 1 lull sb. to sleep **2** (*před operací*) narcotize [na:kətaiz]
úspěch 1 success (**v životě** in life) **2** achievement; **vědecké ~y** scientific achievements
♦ **mít ~** be* successful (**v** in); **nemít ~** fall, be a failure
uspěchaný flurried
úspěšný successful
uspokojení satisfaction
uspokoj|it, -ovat satisfy
uspokojivý satisfactory
uspokojování gratification (**potřeb** of one's needs)
úspor|a saving; **mít svoje -y v poštovní spořitelně** keep* one's savings in the Post Office
úsporn|ý economical; **-á kamna** economical stove
uspořádat 1 (*dát do pořádku*) arrange, put* in order **2** give* (**koncert** a concert)

uspořit save (**komu práci** sb. a lot of work); save up (**trochu peněz** some money)
ústa mouth *sg* ♦ **z ruky do úst** from hand to mouth
ust|álit, -alovat (*fot.*) fix
ustálit se get* settled
ustalovač (*fot.*) fixing bath
ustanovení **1** appointment (**za ředitele** as manager) **2** provision (**zákona** of the law)
ustanovit **1** appoint (**koho ředitelem** sb. manager) **2** (*nařídit*) determine, order, provide (**že ponesete náklady za opravu** that you shall bear the cost of the repair)
ustaraný anxious, worried
ustát se set*; **nechat pudink ~** leave* the jelly to set
ústav institute
ústava constitution
ustavit set* up (**výbor** a committee)
ústavní **1** (*k „ústava"*) constitutional **2** (*k „ústav"*) institute('s)
ústavodárn|ý constituent (**-é shromáždění** assembly)
ustavovat set* up
ústí mouth (**řeky** of a river, **tunelu** of a tunnel); (*do moře*) estuary
ústit empty (**do moře** into the sea)
ústně by word of mouth
ústní oral; **~ zkouška** oral (examination)
ustoupit **1** (*stranou*) step aside; (*zpět*) step back, (*couvat*) retreat **2** (*povolit*) yield (**tlaku** to force); **ne~ ani o krok** not yield an inch
ústraní retirement; **odejít do ~** retire
ustrašený frightened, scared
ústrojí organ
ustrojit (se) dress, get* dressed
ústředí headquarters *pl*
ústředna: telefonní ~ (telephone) exchange
ústřední central (**topení** heating)
ústřice oyster
ustřihnout cut* off
ústřižek (*látky*) cutting; (*lístku*) counterfoil
ústup retreat
ústup|ek concession; **politika -ků** appeasement policy
ustupovat *viz* **ustoupit**
úsudek judg(e)ment; opinion (**o** of)
usušit dry
usuzovat assume, judge; (*jako závěrem*) conclude
usvědč|it, -ovat convict (**ze zločinu** of a crime)
ušetřit save (**komu námahu** sb. the trouble); save up (**částku peněz** a sum of money)
ušít sew*, make*; **dát si ~ oblek** have* a suit made
ušití: **zaplatit za ~** pay* the tailor's bill
uškodit (do*) harm; **~ si** do oneself harm
uškrtit strangle
ušlechtilý noble, generous
ušní ear; **~ lékař** otolaryngologist [əutəuˌlæriŋˈgolədžist]
ušpinit soil; **~ se** get* soiled
uštěpačný mocking, derisive [diˈraisiv]
uštknout bite*
utábořit se put* up a tent
ut|áhnout, -ahovat tighten (**šroub** a screw, **provaz** a rope)
utajit keep* secret, conceal
utéci run* away, escape
útěcha comfort
útěk flight, escape; **dát se na ~**

take* (to) flight; **zahnat na ~** put* to flight
utěrka tea cloth; (*na prach*) duster
úterý Tuesday
útes cliff
utěs|nit, -ňovat pack
utichnout quiet down, calm down
utíkat run* away
utírat wipe, dry (up); **~ nádobí** wipe (up) the dishes; **~ se** wipe (one's face / hands *atd.*)
útisk oppression
utiskovat oppress
utiš|it, -ovat soothe (**dítě** a baby, **bolavý zub** an aching tooth); **~ se** calm down
utišující soothing
utkání match, meeting
utkat se play (**s kým v šachu** sb. at chess); meet (**s ním v semifinále** him in the semifinals)
utkvělá myšlenka fixed idea
utlačovat oppress
útlak oppression
útlý slender
útočiště refuge
útočit attack (**proti komu** sb.)
útočník aggressor; **střední ~** centre forward
útok attack (**proti** against / on)
utopie Utopian scheme; (*polit.*) Utopia
utopit drown; **~ se** be* drowned, drown
utrácet squander
útrat|a: na státní -y at the public expense; **soudní -y** the costs (of the action); **zaplatit -u** pay* the bill
utratit 1 spend* (**mnoho peněz** a lot of money) **2** destroy (**kočku** a cat)
utrhačný slanderous; (*poznámka*) vituperative [vi'tju:pərətiv]
utrhnout 1 tear* off **2** pluck (**květinu** a flower)
utrhnout se come* off
utrpení suffering
utrpět suffer (**těžké ztráty** heavy losses)
útržek 1 scrap (**hovoru** of conversation) **2** counterfoil (**vstupenky** of a ticket)
utřít wipe (sth. dry), dry; **~ nádobí** wipe the dishes; **~ si** wipe (**nos** one's nose, **ruce do ručníku** one's hands on a towel, **slzy** the tears away)
útulek shelter
útulný cosy, homely
útvar formation
utvářet form, shape; **~ se** form
utvořit (se) form
uvaděč usher
uvaděčka usherette [ašə'ret]
uvádět 1 (*prohlašovat, oznamovat*) state; set* out (**základní informace** basic information) **2** (*zavádět*) introduce **3** put* (**do pohybu** in motion); put on (**hru** a play) **4** list (**seznam hotelů** the hotels) **5** (*konferovat*) emcee [em'si:]
úvah|a consideration; **vzít v -u** take* sth. into consideration; **přicházet v -u** come* into question; **to nepřichází v -u** that is out of the question
uvařit 1 boil (**vodu** water) **2** cook (**oběd** dinner) **3** make* (**čaj** tea, **kávu** coffee)
uvařit se boil
uvázat tie, bind*; **~ si kravatu** tie a tie (around one's neck)
úvazek: učební ~ teaching load

uváznout get* stuck, stick*
uvazovat tie, bind*
uvážit take* into account
uvažovat 1 (*dobře*) think* twice (**než** before) **2** (*o čem*) take* into account, consider (sth.)
uvědomělý: třídně ~ class conscious; **politicky ~** politically mature
uvědomění consciousness
uvědom|it, -ovat inform; **~ si** realize
úvěr credit
uveřej|nit, -ňovat publish, make* public
uvěřit believe (**čemu** sth.)
uvést 1 (*zavést*) introduce; (*do úřadu*) install; show* (**do pokoje** into the room) **2** put* on, stage (**hru** a play) **3** (*říci*) state, set* out (**potřebné údaje** the necessary data) **4** (*v diskusi*) bring* up (**otázku** a question)
uvěznit imprison
uvidět see*; **~ se** see* each other, meet*
uvítací: ~ proslov welcome address; **~ výbor** reception committee
uvítání welcome, reception
uvítat welcome
uvnitř inside, within
úvod introduction; (*předmluva*) preface
úvodní opening
úvodník leader
uvolnění 1 relaxation (**svalů** of muscles) **2** easing (**mezinárodního napětí** of international tension), détente
uvolněn|ý: -á kázeň lax discipline
uvol|nit, -ňovat loosen, release
uvol|nit se 1 (*rozvázat se*) come* undone **2** (*oddychnout si*) relax **3** ease; **situace se -nila** the situation has eased (up)
uvozovky inverted commas *pl*
uzákonit enact
uzávěr (*láhve*) cap, stopper
uzávěra barrier; (*silnice*) roadblock
uzávěrka (*fot.*) shutter; (*redakční*) time of going to press
uzav|írat, -řít 1 close down, shut* down (**závod** a factory) **2** conclude (**smlouvu** a treaty); take* out (**pojistku** an insurance policy); make* (**mír** peace) **3** wind* up (**debatu** a debate)
uzda bridle
uzdrav|it, -ovat cure, restore to health; **~ se** get* well, recover
uzel knot
území territory
uzemnění earth
územní territorial
uzem|nit, -ňovat earth
uzenáč kipper
uzenář pork butcher
uzenářství pork butcher's
uzené smoked / cured meat
uzeniny smoked sausages *pl*
uzený smoked
úzkost anxiety
úzkoprsý narrow-minded
úzkostlivý meticulous
úzk|ý 1 narrow (**most** bridge) **2** close (**styk** contact) **3** tight; **-é kalhoty** tight trousers ♦ **~ profil** bottleneck; **být v ~ch** be* in a tight corner
uznání acknowledgement; **dojít všeobecného ~** find* general recognition; **mluvit s ~m o** speak* highly of
uzn|at, -ávat 1 acknowledge

(**jeho zásluhy** his merits, **svou chybu** one's mistake); admit (**svou chybu** one's mistake) **2** recognize (**novou vládu** the new government)
uzrá|t, -vat ripen
už 1 je ~ pozdě it's too late now; **~ to vím** now I know* **2 ~ před rokem** already a year ago; **to jste ~ snídal?** you have had breakfast already?; *viz též* **již**
úžasný amazing, marvellous
úžeh sunstroke
úžina straits *pl*
užít 1 use (**čeho** sth.), make* use of (sth.) **2** enjoy (**si dovolené** one's holiday)
užitečný useful
užitek 1 use **2** (*zisk*) profit; (*výhoda*) benefit
užitkový utility
užitý applied
užívat 1 use (**čeho** sth.); **~ se** be* used **2** (*lék*) take* (a medicine)
uživit maintain (**rodinu** one's family); **~ se** make* a living
užovka ringed snake

V

v, ve I *místní* **1** in; ~ **Londýně** in London; ~ **pokoji** in the room; ~ **nemocnici** in hospital; ~ **třídě** in the classroom; ~ **uniformě** in uniform; ~ **dobrém stavu** in good repair; ~ **dálce** in the distance; **žít** ~ **míru** live in peace **2** at; ~ **Etonu** at Eton; ~ **škole** at school **II** *časové* **1** in; ~ **roce 1978** in (the year) 1978; ~ **prosinci** in December; ~ **létě** in (the) summer; ~ **noci** in the night; ~ **mé nepřítomnosti** in my absence; ~ **době války** in time of war **2** at; ~ **poledne** at noon; ~ **pět hodin** at five o'clock; ~ **noci** at night; **vždy** ~ **sobotu a** ~ **neděli** at weekends; ~ **každém okamžiku** at any moment; ~ **věku 15 let** at (the age of) 15; ~ **pravidelných intervalech** at regular intervals; **být** ~ **válce s kým** be* at war with sb. **3** on; ~ **neděli (odpoledne)** on Sunday (afternoon); ~ **předvečer** on the eve of ♦ ~ **minulém roce** last year; ~ **těchto dnech** (in) these days; ~ **dne** by day; **cestovat** ~ **noci** travel by night
vada fault, defect
vábný enticing, tempting
vadi|t **1** hamper; **-l mi těžký zimník** I was hampered by a heavy overcoat **2** (*v záporu*) mind; **zima mi nevadí** I don't mind the cold; **nevadí vám, když kouřím?** do you mind my smoking? ♦ **to nevadí** never mind, it doesn't matter
vadnout wither
vadný defective
vagón wag(g)on; **železniční** ~ carriage, coach; **nákladní** ~ truck
váh|a **1** (*přístroj*) balance; scales *pl* **2** (*hmotnost*) weight; **hrubá / čistá** ~ gross / net weight ♦ **brát co na lehkou -u** make* light of
váhat hesitate
vaječný egg
válcovat roll
valach gelding
válcovna rolling mill
valčík waltz
válčit be* at war (**s** with)
válec cylinder; **parní** ~ steamroller
válečník warrior
válečn|ý war; ~ **materiál** munitions *pl*; **-á loď** warship; **-é námořnictvo** navy
válenda divan [di'væn]
válet roll; roll out (**těsto** dough)
válet se **1** roll (**v penězích** in money) **2** (*lenošit*) lounge ♦ ~ **se smíchy** roar with laughter
valcha washboard
válk|a war; **občanská / obranná / světová / útočná** ~ civil / defensive / world / aggressive war; **za -y** during the war, in wartime
valník dray [drei]
valuty foreign exchange *sg*
vana bath
vánice snowstorm
vanilka vanilla
Vánoc|e Christmas *sg;* **o -ích** at Christmas (time)
vánočka Christmas loaf
vánoční Christmas (**stromek** tree, **dárek** present)
vápenec limestone
vápenný lime

vápník calcium [kælsiəm]
vápno lime
var: bod ~u boiling point
varhany organ *sg*
varhaník organist
varieté music hall, variety theatre, vaudeville [vəudəvil]
várka batch
varovat warn (**před** against); **~ se** avoid, shun (**špatné společnosti** bad company)
Varšava Warsaw
vařečka (wooden) ladle
vařený boiled
vařící boiling hot
vařič cooker
vařit 1 boil (**vodu** water, **brambory** potatoes) **2** cook (**oběd** dinner) **3** make* (**čaj** tea)
vařit se boil, be* boiling
váš your; yours; **ať je tedy po vašem** have* it your own way
vášeň passion
vášnivý passionate
vata cotton wool; (*literární*) padding; **cukrová ~** candy floss
vavřín laurel; **získat ~y** gain laurels
váza vase
vázání (*lyžařské*) binding; **bezpečnostní ~** safety-release binding
vázanka (neck)tie
vázan|ý bound; **-á kniha** bound book
vázat bind* (**knihu** a book, **oba státy** the two countries, **pšenici do snopů** wheat in sheaves)
vazba 1 (*knihy*) binding **2** (*soudní*) custody **3** (*jaz.*) phrase
vázn|out stagnate; **kde to -e?** where's the hitch?, what's the catch?; **někde to -e** there's a catch in it
vážený respected, esteemed; **~ pane** dear sir
vážit weigh (**cukr** sugar, **deset liber** ten pounds)
vážit si 1 esteem, respect (**svého otce** one's father) **2** appreciate (**čí pomoci** sb.'s help)
vážka dragonfly
vážně in earnest, seriously; **myslím to ~** I mean* it; **myslíte to ~?** are you serious?
vážn|ý 1 (*snaživý*) earnest (student) **2** serious; **-á nemoc** serious illness; **-á kniha** serious book; **~ obličej** serious face
vcelku altogether, on the whole
včas in (good) time; (*přesně*) on time; **přijít ~ na představení** be* in (good) time for the performance; **vlak přijel ~** the train came in on time
včasný timely
včela bee
včelař beekeeper, apiarist [eipiərist]
včelařství beekeeping
včera yesterday
včerejší yesterday's
včetně including
vdaná married (**za** to)
vdá|t, -vat marry off (**dceru za koho** one's daughter to sb.); **~ se** marry (**za koho** sb.), get* married (to sb.)
vděčnost gratitude
vděčný grateful
vdech|nout, -ovat breathe in
vdova widow
vdovec widower
věc 1 thing **2** (*záležitost*) matter, affair **3** (*soudní, mravní*) cause; concern ♦ **to je tvoje ~** that's your business, it's up to you; **to**

je ~ celého státu it is the concern of the whole country; **přistupme k ~i** let's get* down to business; **zjistit, jak se ~i mají** find* out how the land lies; **mluvit k ~i** speak* to the point
věcný matter-of-fact, factual
večer *n* evening • *adv* in the evening; **dnes ~** tonight, this evening; **včera ~** last night
večerní evening (**škola** classes *pl*, **šaty** dress *sg*)
večerník evening paper
večeř|e supper; (*hlavní jídlo dne / slavnostní*) dinner; **jít někam na -i** dine out
večeřet have* dinner / supper; (*mimo domov*) dine out
večírek (evening) party
věčnost eternity
věčný eternal
věda 1 (*zvl. přírodní*) science **2** (*učenost*) learning, scholarship
vědec 1 (*zvl. přírodní*) scientist **2** (*učenec*) man of learning, scholar
vědecký scientific; scholarly
vedení 1 lead, leadership; **ujmout se ~** take* the lead **2** (*správa*) management **3** (*elektr.*) circuit
vědět know* ♦ **člověk nikdy neví** you can never tell; **pokud vím** to my knowledge; **~ si rady** know what to do; **ne~ si rady** be* at one's wits' end; **ne~ o sobě** be unconscious
vedle *prep* **1** beside, next to (**mne** me, **našeho domu** our house); (*podél*) alongside **2** (*navíc*) in addition to • *adv* next door
vedlejší 1 adjoining (**pokoj** room) **2** side; **~ činnost** sideline; **~ účinky** side effects **3** (*navíc*) extra (**poplatky** charges)
vědom: být si ~ čeho be* aware of sth.
vědomí consciousness; **brát na ~** note
vědomosti knowledge *sg*
vědomý conscious
vedoucí *adj* leading • *n* head, chief, manager
vedro heat (wave)
vegetace vegetation
vegetarián vegetarian
věhlasný famous, renowned
vejce egg; **~ na tvrdo** hard-boiled egg; **~ na měkko** soft-boiled egg; **míchaná ~** scrambled eggs ♦ **být si podoben jako ~ vejci** be* as like as two peas
vějíř fan
vejít 1 enter (**do pokoje** the room) **2** come* (**v platnost** into force) ♦ **~ ve styk s** get* in touch with, contact sb.
vejít se: do kufru se ty šaty nevejdou the trunk will not hold these clothes
věk 1 (*stáří*) age; **ve tvém ~u** at your age **2** (*epocha*) era
veka French loaf
velbloud camel
velení command
velet command; be* in command (**komu** of sb.)
veletoč grand circle
veletrh fair
velice very, greatly, most
veličina 1 (*mat.*) quantity **2** (*osobnost*) big bug; V.I.P. (Very Important Person)
Velikonoce Easter *sg*
velikost 1 greatness (**Shakespearova** of

Shakespeare) **2** size (**místnosti** of a room, **rukavic** of gloves); **nadměrná ~** oversize
veliký *viz* **velký**
velitel commander
velitelství command; **vrchní ~** the Supreme Command
Velká Británie Great Britain
velkoměsto city
velkoobchod wholesale
velkorysý liberal
velkostatek estate
velký **1** large (**dům** house, **majetek** fortune) **2** big (*hovorovější než* large) **3** great (*citově zabarvené*); **~ umělec** great artist **4** loose (**límec** collar) **5** tall; **je větší než její sestra** she is taller than her sister
velmi very, greatly, most; **~ mnoho** very much / many, (*hovor.*) a lot; **~ krátké vlny** very high frequency (v.h.f.)
velmistr grand master
velmoc great / big power
velryba whale
velvyslanec ambassador
velvyslanectví embassy
vemeno udder
ven out, outwards; **~ s tím** out with it
věnec wreath
venkov the country(side); **na ~** into the country; **na ~ě** in the country
venkovan countryman; **~ka** countrywoman
venkovský country; (*provinciální*) provincial
venku outside; (*pod širým nebem*) in the open air
věno dowry
věnování dedication
věnovat devote; **~ pozornost** give* one's attention (**čemu** to sth.); **~ se** devote oneself (**čemu** to sth.)
ventil valve
ventilace ventilation
ventilátor (electric) fan
vepř pig
vepřín piggery [pigəri]
vepřov|ý: **vepřová, -é maso** pork
veranda veranda, porch
vermut vermouth [və:məθ]
věrnost faithfulness, loyalty
věrný faithful, loyal
verš verse, line
veřejnost the public
veřejný public
věřící believer
věřit **1** believe (**čemu** sth., **komu** sb., **v koho** in sb.) **2** (*důvěřovat*) trust (**komu** sb., **své paměti** to one's memory)
věřitel creditor
veselo: bylo ~ all went merrily
veselohra comedy
veselý merry
veslař oarsman
veslo oar
veslování rowing
veslovat row
vesměs altogether
vesmír universe
vesnic|e village; **na -i** in the village
vesnický village, country
vespod below
vést **1** lead* (**koho za ruku** sb. by the hand, **návštěvníky** the visitors, **výpravu** an expedition, **pěvecký sbor** the choir, **v závodě** in a race, **k závěru** to the conclusion, **dvojí život** a double life; **silnice vede přes most** the road leads across a bridge) **2** run* (**podnik** a business,

divadlo a theatre) **3** keep* (**domácnost** house, **účetní knihy** books) **4** direct (**práci** the work) ♦ **okna vedou na ulici** the windows look out on to the street; **~ válku** make* war (**proti** upon)
vesta waistcoat; **pletená ~** cardigan; **plovací ~** life jacket
vestavěný built-in
vestibul (*divadla*) (entrance) hall, foyer [foiei]; (*hotelu*) lobby; (*nádraží*) (station) hall
věstník bulletin
veš louse
věšák rack, peg; (*v předsíni*) hall stand, hall tree
věšet hang* (up)
veškerý all, entire
věštba prophesy, prediction
věta 1 (*jaz.*) sentence; (*v souvětí*) clause **2** (*hud.*) movement
větev branch; (*studijní*) stream
vet|o veto; **uplatnit právo -a** (exercise the) veto
větrák air shaft
větrání ventilation
větrat ventilate
větrný windy; **~ mlýn** windmill
větroň glider
větry flatulence
větrovka windcheater, windjammer; (*s kapucí*) anorak
většina majority; **mlčící ~** silent majority
většinou mostly
veverka squirrel
vevnitř inside
vězeň prisoner
vězení prison, jail
věznit keep* in prison
vézt carry; drive*
věž tower; (*šachy*) castle
vhod: přijít ~ komu come* in handy to sb.
vhodný suitable; suited (**pro moje potřeby** to my needs); (*doporučeníhodný*) advisable; eligible (**kandidát** candidate)
vcházet enter (**do pokoje** the room)
vchod entrance
viadukt viaduct [vaiədakt]
víc(e) more; **~ než** more than, over ♦ **~ méně** more or less; **stále ~** more and more, increasingly; **o jednoho ~** one too many; **ať se snaží sebe~** no matter how he tries
víčko 1 lid, cover, cap **2** (*oční*) eyelid
vid[1] (*jaz.*) aspect; **(ne)dokonavý ~** (im)perfective aspect
vid[2]: **není po něm ~u ani slechu** he vanished (into space)
Vídeň Vienna
video video [vidiəu]
vid|ět 1 see* (**na vlastní oči** with one's own eyes, **pouhým okem** with the naked eye, **do koho** through sb.) **2 být ~** show* (up); **je vám ~ spodnička** your petticoat is showing; **světla jsou dobře ~** the lights show up well ♦ **nemohu ho ani ~** I hate the sight of him; **přijde co ne~** he will be coming in no time; **tak -íte!** there you are!
viditelnost visibility
vidle pitchfork
vidlička fork
vichřice gale
víkend weekend; **jet na ~** weekend; **o ~u** at the weekend
vikev vetch
viklat se be* loose

víko lid, cover
vila villa
víla nymph
vin|a **1** guilt (**obžalovaného** of the accused) **2** fault; **je to moje ~** it's my own fault **3** blame; **dávat -u zač komu** put* the blame for sth. upon sb.; **čí je to ~?** who is to blame?
vinárna wine cellar, wine restaurant
vinařství viniculture [vinikalčə]
vinice[1] vineyard
vin|ice[2], **-ík** culprit, offender
vinit blame (**koho z chyby** sb. for a mistake, a mistake on sb.)
vinný[1] guilty (**ze zločinu** of a crime)
vinn|ý[2] wine; **~ kámen** wine stone, tartar; **~ sklep** wine cellar / vault; **-á réva** vine
víno wine
vinobraní vintage
vinohrad vineyard [vinjəd]
viola viola [vi'əulə]
violoncello violoncello
vír whirl
víra **1** belief (**v jeho poctivost** in his honesty) **2** (*náboženská*) faith
virový virus [vaiərəs]
virtuos virtuoso
vir(us) virus [vaiərəs]
vířit whirl
viset hang*
viš|eň morello [mə'reləu]; **-ně** morello cherries
višňový morello; **~ likér** cherry brandy
vít weave*
vitamín vitamin
víta|ný, *též v* **-t** welcome
vítěz **1** (*sport.*) winner **2** (*dobyvatel*) conqueror
vítěz|it win*; **pravda -í** the truth prevails
vítězný victorious
vítězství victory
vítr wind
vitrína showcase
viz see
vizitka visiting card, calling card
vízum visa *sg*
vjem perception
vj|et, -íždět enter (**do města** a town)
vjezd **1** (*brána*) gateway **2** (*příjezdová cesta*) drive **3** (*vstoupení*) entry
vkl|ad, *též v* **-ádat** deposit
vkladatel depositor
vkladní knížka bankbook, passbook
vkus taste; **podle mého ~u** to my taste
vkusný tasteful
vláčet **1** (*vléci*) drag **2** harrow (**pole** a field)
vlád|a **1** government; **sestavit -u** form a government; **předseda -y** Prime Minister **2** (*nadvláda*) rule **3** control (**nad motorovým vozidlem** of a motorcar)
vládce ruler
vládní government(al)
vládnoucí ruling
vládnout govern; rule
vláha moisture; (*déšť*) rainfall
vlahý tepid, mild
vlajka flag
vlak train; **osobní ~** slow train; **nákladní ~** goods train; **jet ~em** go* by train; **~ přijíždí // odjíždí ve 2 hodiny** the train arrives // leaves / departs at 2 o'clock
vláknina roughage
vlákno fibre

vlas hair; **~ v polévce** a hair in the soup; **~y** hair *sg;* **vstávají mi z toho ~y** it makes my hair stand on end
vlast (home / native) country
vlastenec patriot
vlastenecký patriotic
vlastizrada high treason
vlastně as a matter of fact
vlastní **1** own; **jeho ~ syn** his own son **2** proper; **~ Anglie má 44 miliónů obyvatel** England proper has 44 million inhabitants
vlastnický proprietary
vlastnictví ownership
vlastník owner
vlastnoručně podepsat sign
vlastnost quality, characteristic; **dobrá ~** merit
vlaštovičník celandine [selэndain]
vlaštovka swallow
vlát fly*
vlažný lukewarm
vlčák Alsatian [æl'seišэn]
vlčí mák field poppy
vléci drag; (*na laně*) tow; **~ se** drag along
vlečka **1** (*šatů*) train **2** (*dráhy*) siding
vlečný: ~ člun tug; **~ vůz** trailer
vlečňák trailer
vlek tow; **vzít do ~u** take* in tow
vlévat se empty, fall* (**do moře** into the sea)
vlevo (to the) left, (on the) left
vlézt crawl into
vleže lying
vlhk|o, *též adj* **-ý** damp
vlhnout become* damp, damp(en)
vlídný kindly, friendly
vliv influence; **mít dobrý ~ na** have* a good influence upon
vlivný influential
vlk wolf
vln|a **1** (*ovčí*) wool **2** (*zvlnění*) wave; **dlouhé / krátké / střední -y** long / short / medium waves; **velmi krátké -y** very high frequency
vlněný woollen
vločk|a flake; **ovesné -y** rolled oats *pl*
vloha talent, ability, aptitude
vloni last year
vloupat se break* (**do bytu** into a flat)
vložit put* in(to), insert; invest (**peníze** money); feed* (**do počítače** into the computer)
vložka **1** (*do bot*) insole; (*do kabátu*) wadding **2** (*v programu*) interlude **3** (*do tužky, pera*) refill
vměšování interference
vměšovat se interfere, meddle (**do** in)
vnadidlo decoy, bait
vnějšek outside, exterior
vnější outside
vnik|nout, -at penetrate (**do** sth. / into sth.)
vnímat perceive, take* in
vnitrozemí inland
vnitřek interior, inside
vnitřní internal; **~ obchod** home trade
vnitřnosti bowels *pl*
vnucovat impose (**co komu** sth. upon sb.); **~ se** impose oneself
vnučka granddaughter
vnuk grandson
vod|a water; **dešťová ~** rainwater; **měkká / tvrdá ~** soft / hard water; **držet se nad -ou** keep* afloat
vodácký aquatic
vodárna waterworks
vodič conductor

vodík hydrogen
vodit show* (**po městě** round the town)
vodivý conductive [kən'daktiv]
Vodnář Aquarius [ə'kweəriəs]
vodní water; ~ **sporty** aquatics *pl*
vodník water sprite
vodojem reservoir
vodoléčba watercure
vodoměrka water measurer
vodomil water beetle
vodopád waterfall
vodorovný horizontal
vodotěsný watertight
vodotrysk fountain
vodouš (*rudonohý*) redshank; (*kropenatý*) green sandpiper
vodovod water supply
vodov|ý water; **-é barvy** watercolours
voják soldier
vojensk|ý military; **-á služba** military service; ~ **soud** court martial
vojín private
vojsko army, troops *pl*
vojtěška alfalfa
volačka (*slang.*) city code
volant steering wheel
volavka (*popelavá*) heron; (*stříbřitá*) little egrett [i:grit]
volat call (**na koho** to sb.); call up (**žáka** a pupil); (*telefonicky*) ring* sb. up, give* sb. a ring
volba **1** (*výběr*) choice (**povolání** of career) **2** (*kandidáta*) election; (*hlasování*) voting
volební: ~ **místnost** polling station; ~ **okres** constituency; ~ **právo** suffrage; ~ **seznam** register of electors
volejbal volleyball
volič, ~ka voter, elector
volit **1** choose* (**mezi kinem a divadlem** between the cinema and the theatre) **2** elect (**kandidáta** a candidate) **3** (*účastnit se voleb*) go* to the polls, vote
volno **1** free time, leisure; **odpoledne mám** ~ I am free in the afternoon; **vzít si den** ~ take* a day off **2** (*vstupte!*) come in!
voln|ý **1** (*svobodný*) free **2** (*uvolněný*) loose **3** (*uprázdněný*) vacant, free ♦ ~ **čas** leisure; **-é místo** vacancy
voňavka perfume
voňavý fragrant
vonět smell* good
vor raft
vosa wasp
vosk wax
vousatý bearded
vousy beard *sg*
vozidlo vehicle
vozík cart; (*ruční*) trolley; (*invalidní*) wheelchair
vozit carry; drive*
vozovka roadway, carriageway
vpád invasion
vpadlý sunken
vpadnout **1** invade (**do města** a city) **2** burst* in (**ke komu** on sb.)
vplout sail into
vpravo (to the) right, (on the) right
vpřed forward
vpředu in front, ahead
vrabec sparrow
vracet return, give* back
vrah murderer
vrak wreck
vrán|a crow ♦ ~ **k -ě sedá** birds of a feather flock together
vrásčitý wrinkled
vráska wrinkle
vrata gate *sg*

vrátit 1 return (**knihu** a book, **odesílateli** to the sender); give* back, hand back (**kapesník** the handkerchief) 2 refund (**zálohu** the deposit)
vrátit se return, come* back (**domů** home, **z cesty** from a journey)
vratký unsteady, unstable
vrátnice porter's lodge
vrátný doorman, porter
vrávorat stagger
vrazit 1 bump (**do koho** into sb., **do zdi** against a wall) 2 thrust* (**nůž do těla** a knife into the body, **ruce do kapes** one's hands into one's pockets) 3 burst* (**do místnosti** into the room)
vražda murder; (*politická*) assassination
vraždit murder
vrba willow
vrčet snarl
vrh koulí putting the weight, shot put
vrhat 1 cast* (**stín** a shadow) 2 put* (**koulí** the weight)
vrhat se dash
vrhnout 1 (*zvracet*) vomit 2 throw* (**zlý pohled na** an angry look at)
vrhnout se throw* oneself, pounce (**na** on)
vrch hill
vrchní *adj* top, upper • *n* (*číšník*) headwaiter
vrchol summit (**hory** of a mountain, **ctižádosti** of one's ambition)
vrcholek peak
vrcholn|ý peak, highest; **-é baroko** baroque at its peak
vrozený inborn
vrstevnice contour line [kontuə]
vrstva 1 layer 2 section (**obyvatelstva** of the community)
vrt bore
vrt|ačka, -ák drill
vrtat drill, bore; **~ komu hlavou** bother sb.
vrtě|t 1 shake* (**hlavou** one's head); wag; **pes -l ocasem** the dog wagged its tail 2 churn (**máslo** cream)
vrtět se fidget
vrtoch whim, caprice [kə'pri:s]
vrtule propeller
vrtulník helicopter
vryp nick
vrý|t, -vat engrave; **~ se** be* / become* engraved (**komu do paměti** in sb.'s memory)
vrzat creak
vřed ulcer
vřel|ý 1 boiling hot 2 warm; **-é přivítání** a warm welcome
vřes heather
vřeteno spindle
vřídlo spring
vřít boil
vsadit 1 fix (**okno** a windowpane); put* (**koho do vězení** sb. in prison) 2 back (**na vítěze** a winner); stake (**deset liber na favorita** ten pounds on the favourite)
vsadit se bet* (**s kým o deset liber, že** sb. ten pounds that)
vsáknout se get* soaked
vsedě sitting
vstá|t, -vat get* up, stand* up, rise*
vstoje standing
vstoupit 1 enter (**do pokoje** the room); come* (**do třídy** into the classroom, **v platnost** into force) 2 set* foot (**na britskou půdu**

on British soil) **3** join (**do strany** the party) ♦ **vstupte!** come in!
vstřelit score (**branku** a goal)
vstříc: vyjít komu ~ meet* sb. halfway
vstup 1 (*vchod*) entrance **2** (*vpuštění*) admittance, admission; **~ volný** admission free; **~ zakázán** no admittance
vstupenka ticket
vstupné admission
vstupovat enter
však however; **později si to ~ rozmyslil** later, however, he changed his mind ♦ **~ ty si vzpomeneš** you'll remember all right
vše all, everything
všední ordinary, everyday; **~ den** weekday
všechen all, entire
všelijak in all sort of ways
všelija|ký all sorts of; **lidé jsou -cí** it takes all kinds
všeobecně generally, in general; **~ řečeno** generally speaking, by and large
všeobecn|ý general, universal; **-é hlasovací právo** universal suffrage
všestranný allround (**sportovec** sportsman); versatile (**umělec** artist)
všímat si, všimnout si (*čeho*) notice (sth.), take* notice (of sth.)
všude everywhere; **~, kde** wherever
vtéci flow, empty (**do** into)
vteřin|a second; **přesně na -u** right on the dot
vtip 1 (*žert*) joke **2** (*vtipnost*) wit; **jiskřit ~em** sparkle with wit ♦ **~ je v tom, že** the point is (that)
vtipný witty
vtom at that moment; suddenly
vtrhnout invade (**do města** a city)
vůbec in general; **~ ne** not at all
vůči towards
vůdce 1 leader **2** (*turistický*) guide
vůl ox
vůl|e will; **při nejlepší -i** with the best will in the world; **děkuji za dobrou -i** thanks for trying
vulgarizovat vulgarize [valgəraiz]
vulgární vulgar
vůně sweet smell, fragrance
vůz car; **dodávkový ~** delivery van; **jídelní / spací ~** dining / sleeping car; **kuřácký ~** smoking carriage; **nákladní ~** truck; **stěhovací ~** removal van ♦ **Velký vůz** Plough, Charles Wain, Big Dipper; **Malý vůz** Little Bear, Little Dipper
vy you
vybal|it, -ovat unpack
výbava 1 (*nevěsty*) trousseau [tru:səu] **2** (*vybavení*) outfit, equipment
vybavení equipment
výbavička (*pro novorozeně*) layette
vybavit equip
vyběhnout run* out
výběr selection, choice
výběrčí collector
výběrový choice
výběžek projection
vybídnout ask, invite
vybíjet discharge
vybírat 1 choose* (**nové rukavice** new gloves) **2** clear out (**popel** the ashes); levy (**daně** taxes)
vybíravý finicky
vybít discharge (**baterii** a battery)
vybízet ask, invite
vybledlý faded

výbojný aggressive
vybojovat fight* out
výbor **1** committee; **dílenský ~** workshop committee **2** (*z díla*) anthology
výborně excellent, fine; **to se mi bude ~ hodit** that'll suit me fine
výborný excellent
vybraný choice, exquisite
vybrat **1** choose*, select (**vánoční dárek** a Christmas present) **2** withdraw* (**peníze z banky** money from the bank)
vybrat si choose*, take* one's choice
vybudovat build* up
výbuch **1** explosion **2** outburst (**hněvu** of anger)
vybuchnout explode
výbušn|ina, *též adj* **-ý** explosive
vyclít declare
vycpat stuff
vycvičit train
výcvik training, drill
výčep bar
vyčerpaný exhausted; all in
vyčerpat exhaust; **~ se** exhaust oneself, wear* oneself out (**těžkou prací** with hard work)
vyčerpávající exhaustive (**odpověď** answer); exhausting (**práce** work)
vyčerpávat *viz* **vyčerpat**
výčet enumeration
vyčichnout evaporate
vyčistit clean; (*chemicky*) dry-clean
vyčítat reproach; (*zahrnout výčitkami*) nag
vyčítavý reproachful
výčitk|a reproach; **-y svědomí** the prick of conscience; compunction
vyčnívat protrude, jut out, stick* out
výdaj expense, outlay
vydání **1** (*finanční*) expenses *pl*, expenditure **2** (*uveřejnění*) publication **3** (*náklad knihy*) edition; issue **4** (*provinilce*) extradition [ekstrə'dišn]
vydařit se pan out well
vyd|at, -ávat **1** (*odevzdat*) give* up / in, surrender **2** (*utratit*) spend* **3** (*uveřejnit*) publish **4** (*redigovat*) edit **5** expose (**koho riziku** sb. to a risk) **6** utter (**zvuky** sounds) **7** draw* (**směnku na koho na £ 100** a bill on sb. for £100)
vyd|at se, -ávat se **1** set* out (**na dlouhou túru** on a long tour), start (**na cestu** a journey) **2** expose oneself (**nebezpečí** to danger) **3** set* up (**za lékaře** for / as a doctor); pass off
vydatný substantial, hearty (**oběd** dinner)
vydavatel publisher
výdech expiration
vydechnout (*naposled*) expire
vydechovat breathe out
výdej issue
výdejna (*jídel*) servery
vyděl|at, -ávat earn, make* money; **~ si na živobytí** earn one's living
výdělečně: ~ činný gainfully employed; **osoba ~ činná** wage earner
výdělek earnings *pl*
vyděrač blackmailer
vyděračský blackmail(ing); (*o cenách*) extortionate
vyděsit startle, scare; **~ se** be* startled

vyděšený startled
vydírat blackmail (**koho** sb.); extort (**peníze** money)
vydra otter
výdrž tenacity, persistence
vydrž|et 1 stand* (**chladné počasí** the cold weather); ~ **to** stick* it out **2** hold*; **počasí -í** the weather is going to hold **3** last; **-í mi to dva měsíce** it will last me two months **4** (*klást odpor*) hold* out
vydržovat keep* (up), maintain
vyfotografovat photograph; make* a picture (**koho** of sb.)
výfuk exhaust
vygumovat rub our, erase
vyhánět turn out
vyhasnout go* out
vyhazovat throw* out
výherce winner
vyhl|ásit, -ašovat declare, proclaim
vyhláška notice
výhled view (**na** of)
vyhledat look up (**číslo v telefonním seznamu** a number in the telephone book, **známého ve městě** a friend in a town)
vyhlédnout look (**z okna** out of the window); ~ **si** choose*
vyhlídk|a outlook (**do údolí** over the valley, **pro průmysl** for the industry); **dům s -ou do zahrady** a house overlooking a garden
vyhlídkov|ý: ~ **autokar** sightseeing coach; **-á restaurace** terrace restaurant with a view
vyhlížet 1 look out (**koho** for sb.) **2** look (**dobře** well)
vyhnanec exile, expatriate
vyhnanství exile
vyhnat expel, turn out
vyhnout se 1 avoid (**nebezpečí** the danger) **2** evade (**povinnosti** one's duty)
výhoda advantage
vyhodit throw* out; (*do vzduchu*) blow* up; (*ze zaměstnání*) sack, fire
výhodný advantageous
vyhořet burn* out
vyhovět comply (**přání koho** with sb.'s wish); accommodate (**komu** sb.)
vyhovovat suit (**komu** sb.)
vyhovující suitable, convenient
výhra winning, prize; (*v sázce, sportce*) dividend
výhrada reservation
vyhradit (si) reserve (**místo** room)
výhradně exclusively
výhradní exclusive
vyhrá|t, -vat 1 win* (**dvě libry na kom** two pounds from sb.) **2** gain a victory (**nad** over); (*hovor.*) lick (sb.)
vyhrazený reserved
vyhrazovat si reserve
vyhrnout si rukávy roll up / tuck up one's (shirt)sleeves
vyhrožovat threaten (**komu čím** sb. with sth.)
výhrůžka threat
výhřevný calorific
vyhřívat se bask (**na slunci** in the sunshine)
vyhubit exterminate, root out
vyhubovat scold (**komu** sb.)
vyhýbat se 1 avoid (**nebezpečí** danger) **2** evade (**povinnostem** one's duties); shirk (**škole** school); shun (**pokušení** temptation)
vyhýbavý evasive
výhybka points *pl*
vyhynout die out, become* extinct

vycházet 1 go* out, come* out **2** (*slunce*) rise* **3** (*časopis*) appear, be* published **4** (*s kým*) get* on (with sb.), be* on good terms (with sb.)
vycházka outing
vycházkový oblek lounge suit
vychladlý cool, cold
vychladnout cold, get* cold
východ 1 (*odkud*) exit, way out **2** (*světová strana*) east; **na ~ě** in the east; **na ~** to the east, eastward ♦ **~ slunce** sunrise; **Blízký / Střední / Dálný ~** the Near / Middle / Far East
východisko 1 starting point **2** (*z nouze*) way out
vychodit finish (**školu** school)
východní east (**vítr** wind, **Afrika** Africa); eastern (**Evropa** Europe)
výchova education, upbringing; **tělesná ~** physical training, P. T.
vychování manners *pl*
vychovaný well-mannered
vychovatel tutor
vychovatelka governess
výchovný educational
výchozí starting
vychrtlý skinny
vych|ýlit (se), -ylovat (se) deflect
vyinkasovat withdraw
vyjádření statement
vyj|ádřit, -adřovat express; **~ se** express oneself
vyjas|nit se, -ňovat se clear up
vyjednat arrange
vyjednávání negotiation
vyjednat negotiate
vyjet pull out (**z nádraží** of the station); **~ si** go* (**autem** for a drive, **na výlet** for an outing, for / on a trip)
výjezdní: ~ vízum exit visa; **~ povolení** exit permit
vyjímat take* out
vyjímat se 1 ~ dobře / špatně cut* a fine / poor figure **2** stand* out (**proti obloze** against the sky)
výjimečně exceptionally
výjimečný exceptional; **~ stav** state of emergency
výjimka exception (**z pravidla** to the rule)
vyjít 1 go* out, come* out **2** (*kniha*) appear **3** (*slunce*) rise* **4** (*podařit se*) come* off ♦ **~ s platem** make* both ends meet; **~ vstříc (komu)** assist (sb.), meet* (sb.) halfway; **~ ze cviku** get* out of practice
vyjíždět pull out (**z nádraží** of the station)
vyjížďka drive; ride, outing
vyjmenovat enumerate, name
vyjmout take* out; produce (**z kapsy** from one's pocket)
vykácet fell
vykartáčovat brush
vykat (*komu*) not be* on familiar terms with sb.
výkaz return, statement
vyk|ázat, -azovat 1 assign (**místo** room) **2** (*vyhnat*) turn out **3** show* (**výsledky** results)
výklad 1 (*vysvětlení*) explanation **2** (*výkladní skříň*) shop window, display
vykládat 1 (*vysvětlovat*) explain, expound **2** unload (**zboží** the goods) **3** inlay* (**zlatem** with gold)
výkladní skříň shop window
vyklánět se lean* out (**z okna** of the window)
vyklápět *viz* **vyklopit**

výklenek recess; (*arkýř*) bay
vyklepat beat* (**koberec** the carpet)
vykl|idit, -ízet clear; (*uprázdnit*) vacate
vyklonit se lean* out
vyklopit (*z pečicí formy*) turn out; (*vysypat*) dump
vykloubený dislocated
vykloubit (si) dislocate (**ruku** one's arm)
vyklouznout slip out
vykolejit derail
výkon performance; (*skvělý*) accomplishment, feat, achievement
vykon|at, -ávat 1 perform (**úkol** a task) **2** discharge (**svou povinnost** one's duty, **funkci** a function)
výkonnost efficiency
výkonn|ý efficient (**stroj** machine); **-á moc** executive power
výkop 1 excavation **2** (*v kopané*) kickoff
vykop|at, -ávat dig* (**studnu** a well); dig up (**strom** a tree); lift (**brambory** potatoes)
vykopávka excavation
vykořisťování exploitation
vykořisťovat exploit
vykoupat 1 bathe (**ránu** the wound) **2** bath (**dítě** the baby)
vykoupat se 1 (*v koupelně*) (have* a) bath **2** (*v přírodě*) (have* a) bathe
vykrást rob (**banku** a bank)
výkres drawing
vykrmit fatten
vykrvácet bleed* to death
vykřičník exclamation mark
výkřik, *též v* **vykřiknout** scream, shriek
výkup purchase
výkupní: ~ cena purchasing price; **~ středisko** buying centre
výkvět flower
vykynout rise*
výkyv swing
vyladit tune (up)
vyléčit cure (**nemoc** an illness, **koho ze špatných návyků** sb. of bad habit(s))
vyléčit se recover
vyleštit polish (up)
výlet trip, outing, excursion; **jet na ~** go* on a trip
vyl|etět, -étnout fly* out; (*do výše*) soar
výletník excursionist
vylévat pour out
výlevka sink
vyléz|t, -at 1 creep* out (**z díry** of a hole) **2** climb (**na strom** up a tree)
vylíčit give* an account (**co** of sth.), depict
vylíhnout se hatch
vylisovat press (**hrozny** grapes)
vylít pour out
vylodit (se) disembark
výloha shop window, display
vylosování draw
vylosovat draw* (the winning numbers)
vyloučeno: to je ~ that's out of the question
vyloučený expelled (**ze školy** from school)
vyloučit 1 expel (**ze školy** from school) **2** eliminate (**možnost** a possibility)
vyloupat (*ořechy*) shell; (*luštěniny*) husk; (*ovoce*) stone
výlov draught of fish
vylovit catch*
vyložený 1 unloaded (**vagón**

waggon) **2** displayed (**ve výkladech** in the shop windows) **3** downright (**nesmysl** nonsense)
vyložit 1 expound (**svoje názory** one's views) **2** unload (**zboží** the goods) **3** display (**ve výkladní skříni** in the shop window) **4** inlay* (**slonovou kostí** with ivory) ♦ **~ karty** put* one's cards down; **~ karty komu** tell* sb. his fortune
výložky facings *pl*
vylučovací závod elimination contest
vylučovat 1 expel (**ze školy** from school) **2** eliminate (**možnost** a possibility) **3** discharge (**hnis** pus)
vyluštit solve
vymačkat squeeze
vymáhat (si) exact
vymáchat rinse
vymazat erase; (*z magnetofonového pásku*) wipe out
výměna exchange
vymě|nit (si), -ňovat (si) exchange (**pozdravy** greetings); swop (**místo s kým** places with sb.)
výměra area, acreage
vyměř|it, -ovat 1 survey (**plochu** an area) **2** allot (**čas** time)
výměšek secretion
vymez|it, -ovat define
vym|ínit si, -iňovat si stipulate
vymírat die out
vymknout (si) sprain (**kotník** one's ankle)
vymlouvat (se) *viz* **vymluvit (se)**
výmluva excuse
vymluvit talk (**komu co** sb. out of sth.); **~ se** blame (**na špatné nářadí** bad tools, **na učitele** the teacher)
výmluvný eloquent
vymoci (si) exact
výmol pothole
vymoženost achievement, gain
vymřít die out
vymykat se defy (**řešení** solution); baffle (**jakémukoli popisu** all description)
výmysl invention, fabrication
vymyslit devise, think* out / up
vymyšlený fabricated
vymýšlet (si) fabricate
vynadat (*komu*) call sb. names; tell* sb. off
vynahra|dit, -zovat (*komu co*) make* it up to sb.; **~ si** *(co na kom)* take* it out of sb.
vynález invention
vynalézavý inventive, ingenious
vynálezce inventor
vynaléz|t, -at invent
vynaložit expend (**úsilí** effort)
výňatek extract
vynd|at, -ávat take* out; produce (**z kapsy** from one's pocket)
vynech|at, -ávat 1 leave* out; omit **2** skip (**řádku** a line)
vynést 1 take* out, carry out **2** (*kolik*) fetch **3** pass (**rozsudek** sentence)
vynikající excellent, distinguished, outstanding
vynik|at, -nout excel
vynořit se emerge; (*náhodou se objevit*) crop up
výnos 1 (*rozhodnutí*) decree **2** (*výtěžek*) yield; proceeds *pl*
výnosný lucrative
vynu|covat, -tit (si) enforce
vyorávač brambor potato digger
vypáčit force (open); **~ dveře** force (open) a door
vypadat look (**mladě** young,

unaveně tired, **na svůj věk** one's age, **jako ze škatulky** as if one came out of a bandbox)
vypad|ávat, -nout fall* out; **~ z paměti** slip from one's mind; **-la mi plomba** the filling has come out
vypálit 1 burn* down (**město** a town) **2** brand (**značku dobytku** cattle); cauterize [ko:təraiz] (**ránu** a wound) **3** (*střelnou ránu*) fire (off)
výpalné protection money
vypárat unpick
výpary fumes *pl*
vypař|it se, -ovat se evaporate
vypátrat detect
vypěstovat grow*
vypětí strain
vypíchnout jab out
vypínač switch
vypínat switch off
výpis z účtu statement of account
výpisek note, abstract
vypískat hiss sb. of the stage
vypisovat *viz* **vypsat**
vypít drink* up
vyplaceně carriage free
vyplacený post paid
vyplácet se pay*
vypl|áchnout (si), -achovat (si) rinse (out)
vyplašit startle
výplata wages *pl*, salary
vyplatit se pay*
vyplavat emerge (**z vody** from the water)
vyplivnout spit* out
vypl|nit, -ňovat 1 fill in (**formulář** a form) **2** fulfil (**slib** one's promise) **3** comply (**čí přání** with sb.'s wish)
vyplnit se 1 fill (**čím** with sth) **2** (*splnit se*) come* true
vyplou|t, -vat sail, put* to sea
vyplývat result, follow (**z** from)
vypnout switch off
výpočet calculation
vypočítaný calculated
vypočítat calculate
vypom|áhat, -oci help
výpomocný auxiliary
vypořádat se dispose (**s čím** of sth.)
vypotit se sweat out (**z nachlazení** a cold)
vypotřebovat use up
vypouklý convex; (*vytlačený*) embossed
vypouštět let* out
výpověď 1 (*prohlášení*) statement **2** (*propuštění*) notice; **dát ~** give* notice; **měsíční ~** a month's notice **3** deposition (**svědka** of a witness)
vypov|ědět, -ídat 1 (*prohlásit*) state, declare **2** (*propustit koho*) give* sb. notice **3** terminate (**dohodu** an agreement) **4** banish (**koho ze země** sb. from the country)
vypracovat work out; **~ se** work one's way up
vypraný washed
výprask thrashing, hiding
vyprášit dust
vyprat wash
výprava 1 expedition **2** (*jevištní*) setting, scenery
výpravčí train dispatcher
vyprávění story(telling)
vyprávět tell*, relate
vypravit se 1 equip oneself **2** set* out (**na cestu** on a journey)
výpravný narrative
vypravovat tell*, relate

vypravovat se **1** equip oneself **2** be* setting out
vypr|ázdnit (se), -azdňovat (se) empty
vyprch|at, -ávat evaporate
vyprodáno all seats sold; full house
vyprod|at, -ávat sell* out
výprodej (clearance) sale
vyprov|ázet, -odit see* (**koho domů** sb. home, **z domu** out, **koho při odjezdu** sb. off)
vyprovokovat provoke
vypršet expire
vypsat **1** excerpt (**pasáž z knihy** a passage from a book) **2** write* out (**slovy** in words) **3** (*podrobně*) write* up **4** (*konkurs*) invite applications (**na** for)
vypsat si excerpt; make* notes (**co** of sth.)
vypůjčit si borrow; (*za poplatek*) hire
vypuknout break* out
vypustit let* out; **~ kosmickou loď na oběžnou dráhu** launch a space ship into orbit
výr eagle owl
vyrábět make*, manufacture, produce, turn out
výraz expression
vyrazit **1** knock out (**zátku** a stopper) **2** (*rostlina*) shoot*, sprout **3** (*na cestu*) set* out, get* started on one's journey
výrazný striking, significant
vyrážet *viz* **vyrazit**
vyrážka rash
výroba production; (*vyrobené zboží*) output
výrobce manufacturer, producer
výrobek product, make
vyrobit make*, produce, manufacture
výrobní production
výročí anniversary
výroční annual
výrok statement; (*soudu*) sentence
výron discharge
výrostek adolescent, teenager
vyrovnaný well-balanced
vyrovn|at, -ávat **1** balance (**rozpočet** the budget) **2** (*uhladit*) smooth; **~ nesnáze** smooth out difficulties **3** settle (**účet** a bill) **4** (*sport.*) level
vyrovnat se arrive at a settlement (**s** with); (*smířit se*) reconcile oneself (**s** to) ♦ **jemu se nevyrovnáš** you can't compare with him; **tomu se nic nevyrovná** there's nothing to beat it
vyrozumění notification
vyrozumět **1** (*pochopit*) understand* **2** (*oznámit*) notify
vyrůst, ~at grow* up
vyruš|it, -ovat disturb
vyrý|t, -vat engrave
vyřadit discard
vyřazený discarded
vyřazovat *viz* **vyřadit**
vyřešit solve; sort out (**problém** a problem)
vyřezat carve
vyřezávaný carved
vyřezávat carve (**sochu ze dřeva** a statue out of wood)
vyřídit **1** carry out, execute (**objednávku** an order) **2** (*vzkázat*) tell* ♦ **mám něco ~?** will you leave a message?
vyříznout cut* out
vyřizovat *viz* **vyřídit**
výsada privilege
výsadek landing force

vysadit **1** plant out (**stromy** trees) **2** land (**cestující z letadla** passengers); drop (**koho z auta před domem** sb. off at his flat) **3** (*z práce*) lay* off
výsadkář paratrooper
výsadní privileged
vysá|t, -vat suck; (*vysavačem*) hoover, vacuum
vysavač vacuum cleaner
vys|ázet, -azovat *viz* **vysadit**
vyschnout dry up; run* dry
vysílací stanice broadcasting station
vysílač, ~ka transmitter
vysílání broadcasting; (*relace*) transmission
vysílat transmit, broadcast; **~ televizí** televise
vysk|akovat, -očit jump up
výskyt occurrence
vyskyt|nout se, -ovat se occur, crop up
vyslanec minister
vyslanectví legation
výsled|ek result; **volební -ky** election returns *pl*
výslech interrogation, examination
vyslechnout listen (**koho** to sb.)
vyslovit **1** pronounce (**správně** correctly) **2** (*vyjádřit*) express, utter
výslovnost pronunciation
vyslovovat pronounce
výslužb|a pension; **odejít do -y** retire
vyslýchat examine, question
vysmát se laugh (**komu** sb. down)
výsměch mockery
výsměšný derisive
vysmívat se mock (**komu** sb.)
vysmrkat se blow one's nose
vysoce highly
vysočina highlands *pl*
vysokoškol|ák, -ačka undergraduate
vysokoškolský university
vysok|ý **1** high (**dům** house, **úředník** official, **hlas** voice) **2** (*a štíhlý*) tall (**muž** man, **stožár** mast) **3** heavy; **-é clo** heavy duty; **-á pokuta** heavy fine ♦ **-á škola** university
vysoustruhovat turn out
vyspat se have* a sleep; (*z čeho*) sleep* off sth.
vyspělý mature
vystačit **1** make* do (**se starým oblekem** with one's old suit) **2** keep*; **to mi vystačí do oběda** that will keep me going till lunchtime **3** last (**komu dva měsíce** sb. two months) ♦ **~ s platem** make both ends meet
výstava exhibition
výstavba construction; **bytová ~** housing (scheme)
vystavět build*
výstaviště exhibition ground(s *pl*)
vystav|it, -ovat **1** display, exhibit (**zboží** goods) **2** expose (**nebezpečí** to danger) **3** make* out (**šek** a cheque, **potvrzení** a receipt)
vystav|it se, -ovat se expose oneself (**nebezpečí** to danger)
výstavní exhibition
vystěhovalec emigrant
vystěhovat evict; **~ se** **1** (*z bytu*) move out **2** (*z vlasti*) emigrate
vystihnout grasp (**jak to myslíte** your meaning); choose* (**pravý okamžik** the right moment) ♦ **správně co ~** hit the nail on the head
výstižný lifelike (**portrét** portrait)

vystoupení (*umělce*) performance
vystoupit **1** get* out of, get* off, alight from (**z vlaku** the train, **z autobusu** a bus) **2** mount (**na pódium** a platform) **3** (*před publikum*) appear, make* one's appearance **4** stand* up (**proti** against) **5** secede (**z organizace** from an organization)
výstra|ha, *též adj* **-žný** warning
vystrašit frighten, scare
vystrčit push out
výstroj equipment, outfit
výstřední eccentric
výstřednost eccentricity
výstřel shot
výstřelek (*módní*) fad
vystřelit shoot*; fire (a shot)
vystřídat relieve (**koho** sb.); **~ se** take* turns
výstřih decolletage; **šaty s ~em** low-cut / low-necked dress
vystřih|nout, -ovat cut* out
vystřízlivět sober (down)
výstřižek cutting
vystudovat finish (one's studies)
výstup **1** (*na horu*) climb **2** (*div.*) appearance; (*výkon*) performance; (*scéna, též hádka*) scene
vystupňovat intensify
vystupovat **1** behave; conduct oneself (**dobře** well); **~ sebevědomě** give* oneself airs **2** (*před obecenstvem*) appear, perform **3** get* off, alight from (**autobusu** a bus)
vystydnout get* cold
výsuvný (*deska*) extensible; (*anténa*) telescopic
vysvědčení (*školní*) report; **lékařské ~** health certificate; (*pracovní*) testimonial
vysvětlení explanation
vysvětl|it, -ovat explain; **~ se** be* explained
vysvětlivka explanatory note
vysvobodit set* free; deliver (**od** from)
vysypat (se) pour out, empty
výše[1]: **~ uvedený** the above (mentioned); **uvedený ~** mentioned above
výš|e[2] height; **být na -i** be* at one's best; **na -i situace** equal to the occasion; **ve -i očí** at eye level ♦ **držet ve -i** hold* sth. aloft
vyšetření examination
vyšetř|it, -ovat examine (**nemocného** a patient, **svědka** a witness); look into, investigate (**případ** a case)
vyšetřovací vazba custody on remand
vyšetřování investigation
vyšetřující: ~ komise fact-finding commission; **~ soudce** magistrate
vyšívat embroider
výšivka embroidery
výška height
vyškolit train
výškoměr altimeter [æl'timitə]
výškový: ~ dům high rise (building); **~ rozdíl** difference in altitude
vyšroubovat (*ven*) unscrew
vyšší moc force majeure [ˌfo:s mæ'žə:]
výt howl
výtah **1** (*zdviž*) lift **2** (*obsah*) abstract, summary, digest
vyt|áhnout, -ahovat pull out (**hřebík** a nail, **zásuvku** a drawer, **zub** a tooth); **~ zátku z láhve** uncork a bottle
vytápět heat
výtažek extract

vytéci flow / run* out
výtečný excellent
vytékat *viz* **vytéci**
výtěžek proceeds *pl*
vytěžit **1** extract (**uhlí** coal) **2** profit (**ze zkušenosti** by the experience)
výtisk copy
vytisknout print
výtka rebuke
vytknout **1** (*zdůraznit*) point out **2** (*vyčítat*) rebuke (**komu co** sb. for sth.)
vytlač|it, -ovat **1** squeeze out (**šťávu z hroznů** juice from grapes) **2** (*koho z místa*) displace, oust **3** push (**vozík z kůlny** a cart out of the shed)
výtlak displacement
vytočit telefonní číslo dial a (telephone) number
vytopit heat (**pokoj** a room)
výtopna locomotive shed
vytrénovaný trained
vytrh|at, -ávat, -nout pull out
vytrpět suffer
vytrvalec long-distance runner
vytrvalostní běh long-distance run
vytrvalý persistent, assiduous
vytrysknout spurt out
výtržnost riot, disturbance
výtržník troublemaker, rowdy
výtvarné umění the fine arts *pl*
výtvarník artist; (*scénický*) designer
vytvářet (se) form
výtvor creation
vytvořit form; ~ **rekord** set* up a record; ~ **se** form, be* formed
vytyč|it (si), -ovat (si) set* (**úkol** a task)
vytýkat rebuke (**komu co** sb. for sth.)
vyučený skilled (**řemeslník** craftsman)
vyučit se: ~ **truhlářem** become* a skilled joiner
vyučovací teaching (**metody** methods)
vyučování **1** teaching (**jazyků** of languages) **2** (*vyučovací hodiny*) classes, lessons *pl*; **nemáme dnes** ~ we have no lessons today **3** (*soukromé*) tuition, lessons *pl*
vyučovat teach* (**děti hudbě** music to children)
vyúčtování clearance of accounts
vyúčtovat account (**co** for sth.)
využí|t, -vat use; make* the most of; take* advantage of (**této příležitosti** this opportunity)
využití use, utilization
vyvádět **1** *též* **vyvést** take* out **2** (*skotačit*) romp
vývar: hovězí ~ broth, beef tea, beef stock
vyvářet (se) boil
vyvařit boil down; (*prádlo*) boil; ~ **se** boil out
vyvážet export
vývěska notice
vývěsní štít signboard
vyvést take* out; ~ **z omylu** undeceive; ~ **z rovnováhy** unbalance
vyvětrat air
vyvézt export
vyvíjet (se) develop
vývin development
vyvinout (se) *viz* **vyvíjet (se)**
vyvinutý developed
vyvlast|nit, -ňovat expropriate [eks'prəuprieit]
vyvodit závěry draw* conclusions (**z** from)
vývoj **1** development (**událostí** of

events) **2** (*zákonitý, k dokonalosti*) evolution
vývojka developer
vývojové země developing countries
vyvol|at, -ávat 1 call (**herce** an actor before the curtain; **žáka** a boy's name) **2** develop (**film** a film) **3** excite (**obdiv** admiration, **výtržnost** a riot); give* rise to (**nedorozumění** misunderstandings)
vývoz export
vývozce exporter
vývozní export
vyvr|acet, -átit refute (**argument** an argument); disprove (**teorii** a theory)
vyvrcholit culminate (**čím** in sth.)
vyvrtat bore, drill
vývrtka corkscrew
vyvrtat bore
vyvrtnout si sprain (**kotník** one's ankle)
vyzařovat radiate
výzbroj 1 armaments *pl*, munitions *pl* **2** (*odborné znalosti*) stock-in-trade
vyzbroj|it, -ovat arm, supply with arms
výzdoba decoration, décor
vyzdobit decorate; ~ **ulice prapory** dress the streets with flags
vyzdvih|nout, -ovat 1 raise, lift **2** (*zdůraznit*) stress
vyzkoušet 1 examine (**žáka** a pupil) **2** test (**lék** a medicine)
výzkum research; ~ **veřejného mínění** public opinion poll
výzkumník research worker
výzkumný research
význačný prominent, distinguished
vyznačovat se be* distinguished (**čím** for sth.)
význam 1 meaning (**slova** of a word) **2** (*důležitost*) importance, significance ♦ **to nemá ~** that's of no importance
vyznamenání 1 distinction (**za statečnost** for bravery); (*školní*) honours *pl* **2** (*řád*) decoration, order
vyznamenat 1 distinguish **2** (*řádem*) decorate
vyznamenat se distinguish oneself ♦ **nijak zvlášť se ne~** make* a poor showing
významný important, significant, outstanding
vyznání confession; **náboženské** ~ denomination; ~ **lásky** declaration of love
vyznat confess (**svou vinu** one's guilt); ~ **lásku komu** declare one's love to sb.
vyzn|at se 1 confess (**z čeho** sth.) **2** (*v čem*) make* sth. out; be* familiar with ♦ **ten se -á** he's been around a lot
výzv|a 1 call; **volat telefonicky na -u** make* a fixed-time / a person-to-person call **2** (*k soutěži*) challenge
vyzvání invitation
vyzvat 1 invite **2** (*k soutěži*) challenge
vyzvědač spy
vyzved|at, -nout 1 (*do výše*) lift **2** (*zdůraznit*) stress, emphasize **3** withdraw* (**peníze z banky** money from the bank) **4** collect (**šaty z čistírny** one's clothes from the cleaner's)
výzvědn|ý reconnaissance; **-á služba** intelligence service

vyzvídat pump information (**na kom** out of sb.)
vyzývavý provocative
vyžádat si demand, ask for
vyžadovat require, call for
vyždímat wring*
vyžehlit iron (**košili** a shirt); press (**oblek** a suit)
vyžilý dissipated, debauched
výživa 1 (*jídlo*) nourishment 2 (*podpora*) support
výživné maintenance grant
výživný nourishing
vzácný rare; ~ **kov** precious metal
vzadu behind, at the back
vzájemně mutually, one another
vzájemný mutual
vzbouřenec rebel, insurgent
vzbouření rebellion, mutiny
vzbouřit raise; ~ **se** rebel, revolt
vzbudit 1 *též* ~ **se** wake* (up) 2 arouse (**podezření** suspicion, **zájem** interest)
vzbuzovat arouse (**podezření** suspicion, **sympatie** sb.'s sympathy); ~ **dojem** make* an impression
vzdálenost distance
vzdálený distant; a long way off
vzdalovat se recede
vzdá|t, -vat (*závod*) scratch; ~ **čest** pay* tribute
vzdát se 1 surrender (**nepříteli** to the enemy) 2 give* up (**kariéry** one's career); abandon (**veškeré naděje** all hope)
vzdělání 1 education; **všeobecné / středoškolské / vysokoškolské** ~ general / secondary / university education 2 (*souhrn znalostí*) knowledge
vzdělaný educated
vzdělávat educate; ~ **se** study
vzdor defiance
vzdorovat defy, brace (**čemu** sth.)
vzduch air; **na čerstvém ~u** in the open air
vzducholoď airship
vzduchoprázdný vacuum
vzduchotěsný airtight
vzduchovka air gun
vzdušn|ý airy; **dopravit -ou cestou** (transport by) airlift
vzdych|at, -nout si sigh
vzejít (*o obilí*) sprout (up)
vzepřít se resist (**čemu** sth.)
vzestup rise (**výroby** in output)
vzestupný rising
vzhled looks *pl*, appearance; **~em k tomu, že** in view of the fact that
vzhůru up(wards) ♦ **být** ~ be* up; **hlavu ~!** cheer up!; ~ **nohama** upside down
vzcházet sprout (up)
vzchopit se pull oneself together
vzít 1 take* (**co do ruky** sth. in one's hand, **koho za ruku** sb.'s hand, **čí klobouk** sb.'s hat, **dopis na poštu** a letter to the post, **dceru do kina** one's daughter to the cinema, **dítě ze školy** the child away from school, **v úvahu** into account, **komu míru na šaty** sb.'s measurements for a suit of clothes, **koho za slovo** sb. at his word) 2 accept (**dar** a gift, **nového zaměstnance** a new employee); conscript (**na vojnu** a recruit) ♦ ~ **na sebe odpovědnost** assume the responsibility; ~ **komu odvahu** discourage sb.
vzít se get* married ♦ **jak se to vezme** that's a matter of opinion; **když se to tak vezme** considering
vzít si 1 take (**s sebou jídlo** some

food); ~ **si do hlavy** take into one's head **2** ~ **si za ženu / muže** marry **3** (*posloužit si*) help oneself to sth.
vzkaz message; **nechat ~ u** leave* word with
vzk|ázat, -azovat (*komu*) let* sb. know, give* sb. a message
vzklíčit sprout (up)
vzkřísit revive
vzl|etět, -étnout (*letadlo*) take* off
vzlykat sob
vzmáhat se **1** (*růst*) grow*, increase **2** (*zlepšovat se*) improve (one's position)
vznášedlo hovercraft
vznášet se float, hover, drift
vznést se (*letadlo*) take* off
vznešený noble
vznětlivý **1** inflammable (**látka** material) **2** excitable (**člověk** person)
vznik rise, origin; **dát ~** give* rise (**čemu** to sth.)
vznik|at, -nout arise*, originate, come* into being
vznítit se catch* fire
vzor **1** model; ~ **píle** a model of industry; **pařížský** ~ a Paris model **2** example (**pro použití** for use); **řídit se ~em koho** follow sb.'s example; **být ~em pro** set* an example to **3** design; **květinový** ~ a design of flowers **4** (*též střih*) pattern; **geometrický** ~ a geometrical pattern
vzorec formula
vzorek **1** (*hromadného zboží*) sample **2** (*část celku*) pattern; ~ **bez ceny** a free sample
vzorný model
vzpamatovat se come* to one's senses
vzpažit raise one's arms
vzpěrač weightlifter
vzpírání weightlifting
vzpírat se defy, resist (**čemu** sth.)
vzplanout flare up
vzpom|enout, -ínat commemorate (**čeho** sth.); ~ **si** remember, recollect (**nač** sth.) ♦ **nemohu si ~, odkud ho znám** I can't place him
vzpomínka memory (**na** of)
vzpoura mutiny
vzpruha **1** stimulus, incentive **2** (*povzbuzení*) encouragement
vzpružit buck up, pep up
vzpřímený upright
vzpřímit se rise*
vzrůst *n* increase (**výroby** in production) • *v též* **~at** grow*; (be* on the) increase
vzrušení excitement; (*rozruch*) commotion
vzrušený excited; upset
vzruš|it, -ovat excite; ~ **se** get* excited
vzrušující exciting, thrilling, intriguing
vztah relation(ship)
vztahovat reach (**ruku po čem** for sth.); ~ **se** relate, refer, extend (**na** to)
vztažný (*jaz.*) relative
vztek rage, fury, anger (**na koho** with sb., **nač** at sth.)
vzteklina rabies
vzteklý furious; ~ **pes** mad dog
vztyč|it, -ovat erect; ~ **vlajku** hoist a flag
vzývat invoke
vždy(cky) always; ~ **když** whenever
vždyť why; ~ **přece létat je snadné!** why, it's quite easy to fly!
vžít se do čí situace stand* in sb.'s shoes, put* oneself in sb.'s shoes

Z

z, ze 1 from (**Londýna** London, **ciziny** abroad / overseas, **domova** home, **dne na den** day to day); **ukázka ~ Shakespeara** a passage from Shakespeare; **pít ~ potoka** drink* from a brook; **víno ~ hroznů** wine from grapes; **jednat ~ nutnosti** act from necessity; **přeloženo ~ angličtiny** translated from the English **2** out of; **vyskočit ~ postele** jump out of bed; **dívat se ~ okna** look out of the window; **udělat to ~ soucitu / zvědavosti** do* it out of pity / curiosity; **být ~ módy** be* out of fashion; **pít ~ šálku** drink* out of a cup **3** of; **dům ~ dřeva / cihel** a house of wood / brick; **dopis ~ 1. dubna** a letter of 1st April; **kdo ~ vás** which of you; **pocházet ~ dobré rodiny** come* of a good family ♦ **~ tohoto důvodu** for this reason; **zkouška ~ fyziky** examination in physics; **jen dva ~ sta** only two people in a hundred. *viz též* **s, se**

za 1 (*místní*) behind (**stromem** the tree, **mraky** the clouds, **ostatními žáky** the other boys); beyond (**řekou** the river) **2** (*pořadí*) after; **den ~ dnem** day after day; **~ sebou** one after another **3** (*zastoupení; též cena*) for; **jednat ~ koho** act for sb.; **trpět ~ svoje chyby** suffer for one's mistakes; **medaile ~ statečnost** medal for bravery; **zboží ~ £ 100** goods for £100 **4** (*o čase*) during (**války** the war, **mé nepřítomnosti** my absence); in (**dvacet let** twenty years); under (**socialismu** socialism) ♦ **již tři dny ~ sebou** for three days running; **koupit ~ babku** buy dirt-cheap; **překládat slovo ~ slovem** translate word for word; **zavřít ~ sebou dveře** shut the door after oneself; **~ prvé** first(ly); **~ druhé** secondly; **~ třetí** in the third place

zabalit pack up, wrap up; **~ se** muffle oneself up

zábava 1 (*potěšení, příležitost*) amusement **2** (*organizovaná*) entertainment **3** pastime; **šachy jsou jeho oblíbená ~** chess is his favourite pastime

zabavit seize, confiscate

zábavní park funfair

zábavný amusing

záběh: v ~u running in

záběr (*filmový*) shot; **~ zblízka** close-up

zabezpečení security

zabíjet kill

zabírat take*, occupy

zabít (se) kill (oneself); **~ dvě mouchy jednou ranou** kill two birds with one stone

zablácený muddy

záblesk flash

zablokovat block, obstruct

zabloudit lose* one's way

zabodnout stick*; **~ se** get* stuck

zabořit (se) sink*, bury (oneself)

zábradlí railing, banisters *pl*

zabránit prevent (**komu v čem** sb. from -ing sth.)

zabrat 1 occupy (**území** a territory); take* up (**málo**

místa little space) **2** (*lék*) take* **3** take* in (**šaty** a dress)
zabrzdit brake
zábst: zebe mě I'm freezing
zabýv|at se occupy oneself (**čím** with sth.); **čím se teď -áte?** what are you at now?
záclona curtain
zácpa constipation; (*dopravní*) traffic jam
začáteční elementary
začátečník beginner
začát|ek beginning; **na -ku** at the beginning; **na -ku příštího týdne** early next week
začervenat se blush
začí|nat, -t begin*, start; **~ od začátku / z ničeho** start from scratch; **~ rozhovor** strike* up a conversation
začlenit incorporate
zád|a back; **obrátit se -y ke komu** turn one's back upon sb.; **za mými -y** behind my back
zadaný engaged, occupied, reserved; **ne~** *(mládenec)* fancy free
zadarmo free of charge; **nechtěl bych to ani ~** I wouldn't take* it as a gift
zad|at, -ávat 1 reserve, book (**pokoj** a room) **2** place (**objednávku** an order)
zadek (*zvířete*) rump; (*člověka*) buttocks *pl*; (*vozu*) rear
zadělávaný thickened
zadlužený in debt
zadní back (**osa** axle), rear (**kola** wheels, **vchod** entrance); hind (**nohy koně** legs of a horse)
zadostiučinění satisfaction
zadrž|et, -ovat stop, hold (up)
záducha asthma [æsmə]
zadusit suffocate
zádušní mše requiem mass
zadýchat se get* out of breath
záhada mystery
záhadný mysterious
zah|ájit, -ajovat open; (*kampaň*) launch
zahajovací opening
zahálet idle
zahalit envelop, veil
zahanbit shame, make* sb. feel ashamed
zahladit efface
záhlaví title, heading
zahlédnout catch* sight (**koho** of sb.)
zahnat drive* away; **~ na útěk** put* to flight
zahnout bend*
zahodit throw* away
zahojit se heal
záhon flower bed
zahoukat hoot
zahrabat bury
zahrada garden; (*ovocná*) orchard
zahrádka 1 (*za domem*) back garden **2** (*na střeše auta*) roof rack
zahrádkář spare-time gardener
zahradní garden
zahradnictví gardening
zahradník gardener
zahraničí foreign countries *pl*; **v ~, do ~** abroad; **zprávy ze ~** news from abroad, overseas news; **ministerstvo ~** Ministry of Foreign Affairs, *GB* Foreign Office
zahraniční foreign, overseas
zahrát play
zahrn|out, -ovat include
zahř|át, -ívat warm (up)
zahřmět thunder
záhyb fold, crease

zahýbat bend*
zahynout perish
záhuba ruin, undoing
zacházet 1 enter (**do podrobností** into details) **2** work (**s karmou v koupelně** the geyser) **3** handle (**s knížkou opatrně** the book carefully)
zacházka detour [deituə]
záchod lavatory, toilet
zachovalý well-preserved
zachovat 1 preserve (**své zdraví** one's health) **2** maintain (**mír** peace)
zachovávat keep*, observe (**pravidla** the rules)
záchrana rescue
zachránce rescuer
zachr|ánit, -aňovat rescue, save; **~ co se dá** make* the best of a bad job
záchrann|ý: -á brzda communication cord; **-á četa** rescue party; **~ člun** lifeboat; **-á vesta** life jacket
záchvat fit; **srdeční ~** a heart attack
zachvět se tremble, shake
zachy|covat, -tit 1 (*záznamem*) take* down; (*na desku, pásek*) record **2** (*v pohybu*) intercept **3** (*vyjádřit*) express
zainteresovanost financial interest (**v** in)
zajatec prisoner (of war)
zajatý captive
záj|em interest (**o** in); **v tvém vlastním -mu** in your own interest; **mít ~** be* interested (**o** in)
zájemc|e person interested; **-i** *pl* those interested
zajet 1 drive* (**do ulice** into the street) **2** (*koho*) run* over
zajetí captivity
zájezd trip; (*okružní*) tour
zajíc hare
zajímat interest; **~ se** be* interested (**o** in)
zajímavost matter of interest
zajímavý interesting
zaji|stit, -šťovat secure, ensure
zajít 1 call (**pro knížku** for a book, **pro koho** for sb.) **2** (*slunce*) set*; **slunce zašlo** the sun has set **3** (*zahynout*) perish
zajíždět 1 visit (**kam** sth.) **2** run* in (**auto** a car)
zajížďka detour [deituə]
zájmeno pronoun
zajmout capture
zájmový kroužek hobby group
zákal (*oční*) cataract [kætərækt]
zákaz ban (**jaderných pokusů** on nuclear tests); **~ zastavení** no stopping
zakáz|at forbid*, prohibit; (*úředně*) ban ♦ **kouření -áno** no smoking; **-ané uvolnění** (*v hokeji*) icing; **vstup -án** no entry
zakázk|a order; **oblek na -u** suit made to order
zákazník customer; shopper
zakazovat forbid*, prohibit
zákeřný insidious
základ basis, foundation; **mít dobré ~y v angličtině** have* a good grounding in English; **začít od ~u** start from scratch
zakládat 1 found (**nové město** a new city, **důvody na faktech** one's arguments on facts) **2** take* in (**šaty** a dress)
zakladatel founder
základna base; **letecká / námořní / raketová ~** air / naval / rocket base; **krmivová ~** fodder resources *pl*

základní **1** basic, fundamental **2** (*počáteční*) elementary ♦ **~ barvy** primary colours; **~ číslovky** cardinals; **~ devítiletá škola** elementary nine-year school
zaklepat knock (**na dveře** at the door, **na okno** on the window)
záklon backward bend
záklopka valve
zákon law; (*schválený parlamentem*) act ♦ **~ schválnosti** sod's law; **Starý / Nový ~** the Old / New Testament
zakončit finish, close
zákoník code
zákonitost regularity
zákonitý rightful (**majitel** owner)
zákonnost legality
zákonný legal, legitimate
zákonodárný legislative
zákop trench
zakopat bury
zakopnout stumble (**oč** over sth.)
zakouřený smoke-stained (**strop** ceiling); smoky (**vzduch** atmosphere)
zakouřit si have* a smoke
zakročit intervene
zákrok intervention
zakrý|t, -vat cover; (*ukrýt*) hide*
zakuckat se choke
zákulisí behind the scenes; **život v ~** backstage life
zákusek sweet; dessert
zalepit stick* down (**obálku** an envelope)
zales|nit, -ňovat afforest
zalévat water
zalézt crawl (**do** into)
zálež|et **1** matter, count; **-í na charakteru** it's character that matters / counts **2 dát si ~** do* one's best; put* one's mind (**na** to) **3** depend (**na** on); **-í na vás (abyste rozhodl)** it's up to you (to decide)
záležitost matter, affair
záliba liking (**pro** for); (*koníček*) hobby
zalidněný populated
zalít water
záliv gulf
zálivka sauce, dressing
záloha **1** (*peněžní*) deposit, advance **2** (*voj.*) reserve
založit **1** found (**město** a town); establish (**podnik** business) **2** take* in (**šaty** a dress) **3** (*někam*) mislay*
záložka **1** (*do knihy*) bookmark(er) **2** (*kalhot*) turn-up
záložník reservist
zamastit grease; **~ se** get* greasy
zamazat soil; **~ se** get* soiled
zamčený locked (up)
zámečník locksmith
zámek **1** (*u dveří*) lock **2** (*dům*) castle
zamě|nit, -ňovat mistake* (**co zač** sth. for sth.)
záměr design, scheme
záměrný deliberate
zaměření direction
zaměřit direct (**pozornost na** one's attention to); **~ se** aim (**na** at)
zamést sweep*
zaměstnanec employee
zaměstnání employment; **~ na částečný úvazek** part-time employment
zaměstn|at, -ávat **1** (*dát zaměstnání*) employ **2** (*udržovat v činnosti*) occupy, keep* busy
zaměstnavatel employer
zameškat miss

zametat sweep*
zamhouřit oči 1 close one's eyes **2** shut* one's eyes (**nad** to)
zamíchat stir (**čaj** one's tea)
zamilovaný in love (**do** with)
zamilovat si (**co**), **zamilovat se** (**do**) fall* in love (with)
záminka pretext
zamířit 1 aim (**pušku na** one's gun at) **2** (*kam*) make* one's way to
zamítavý negative
zamítnout reject
zamknout lock (up)
zamlčet (*co*) keep* sth. secret
zamluvit si book, reserve
zamontovat install, fit in
zamořit infest; contaminate
zámořský oversea(s)
zamotat entangle
zamračený 1 (*obloha*) cloudy **2** (*člověk*) frowning
zamračit se frown (**na** at)
zamrzlý frozen over
zamrznout freeze* over
zamykat lock
zamyslit se think* (**nad** about); think* to oneself (**nad tím, jak** how)
zamyšlený lost in thought; brooding
zanedb|at, -ávat neglect
zaneprázdněný busy
zanést 1 (*vodou, větrem*) drift **2** (*zapsat*) enter, register
zánět inflammation
zánik downfall, decline, ruin
zanícený 1 (*podebraný*) festered **2** (*nadšený*) dedicated, devoted
zaniknout become* extinct
zaoceánský transatlantic
zaokrouhlený round
zaopatření provision, maintenance; **celé ~** full board and lodging
zaostalý backward
západ 1 west; **Západ** the West; **na ~ě** in the west; **na ~** (to the) west, westward; **na ~ od** west of **2 ~ slunce** sunset
zapad|at 1 dobře ~ do fit in well with **2 slunce -á** the sun sets*
západní west (**vítr** wind, **Z~ Indie** West Indies); western (**polokoule** hemisphere, **Evropa** Europe)
zapadnout 1 (*dolů*) sink* **2** (*do sebe*) fit in **3** (*být zapomenut*) sink* into oblivion **4** (*slunce*) set*
zápach (bad) smell; stink
zapáchat smell* (**česnekem** of garlic); (*intenzívně*) stink*
zápal 1 inflammation; **~ plic** pneumonia **2** (*nadšení*) zeal
zapálit light* (**svíčku** a candle, **cigaretu** a cigarette, **oheň** a fire)
zápalka match
zápalný 1 (*hořlavý*) inflammable **2** (*zapalující*) incendiary (**puma** bomb)
zapalovač lighter
zapalovat light*; **jemu to zapaluje** he is quick on the uptake
zapamatovat si remember; keep* sth. in mind
zápas 1 fight; struggle (**o existenci** for existence) **2** (*zvl. sport.*) contest, match; **řeckořímský ~** wrestling
zápasit 1 fight*, struggle **2** (*soutěžit*) contend, contest, compete
zápasník wrestler
zapečený oven-baked
zapečetit seal (up)

zapínání fastening (with buttons); (*kalhot*) fly
zapínat button (up)
zapírat deny
zápis **1** (*záznam*) entry, record **2** (*protokol*) minutes *pl* (**o schůzi** of a meeting)
zápisné registration fee
zápisník notebook, diary
zapisovat note down; make* notes (**co** of sth.)
zapisovatel secretary
zapít **1** (*lék*) wash down; (*tvrdý nápoj*) chase down **2** (*oslavit*) celebrate
zaplacený paid(-for)
záplata patch
zaplatit pay* (**komu** sb., **za** for)
záplava flood
zaplav|it, -ovat flood (**čím** with sth.)
zápletka (*ve hře*) plot
zaplombovat **1** stop (**zub** a tooth) **2** seal (**žok** a bale)
zapnout **1** button up; zip up; fasten up (**háčky** the hooks) **2** start (**motor** a motor); switch on
zapnutý **1** (*na knoflíky*) buttoned up; (*na zip*) zipped up, done up **2** (*motor*) switched on, on
započít|at, -ávat include; reckon in
zapoj|it, -ovat connect; plug in (**rádio** the radio)
zapom|enout, -ínat forget* (**nač** sth.) ♦ **abych nezapomněl** that reminds me
zapomnětlivý forgetful
zápor negation
záporný negative
zapovědět forbid*
zapracovaný skilled, familiar (with the work)
zapracov|at, -ávat train, make* sb. familiar (with the work)
zaprášený dusty
zaprodat sell*
zapř|áhnout, -ahovat harness
zapřít deny
zapsat **1** write* down, put* down **2** enter (**položku do účetní knihy** an item in an account book)
zapsat se enroll (**do kursu** for a course, **do spolku** in a society)
zapůsobit impress (**na koho** sb.)
zaradovat se rejoice (**nad čím** over / at sth.)
zarazit **1** (*zastavit*) stop, check **2** (*překvapit*) puzzle, intrigue
zarazit se stop, pause
zarazit si get* (**třísku do prstu** a splinter into one's finger)
zaražený puzzled
zármutek grief
zárodek embryo; germ
zarostlý bearded
zároveň at the same time; **~ s** along with
zaručit warrant, guarantee; **~ se** vouch (**za** for)
záruční: ~ lhůta period of guarantee; **~ list** guarantee, certificate of warranty
záruka guarantee
zařadit class, classify; **nevím, kam vás mám ~** *(nevzpomínám si na vás)* I can't place you
zařazovat file (**došlou korespondenci** incoming correspondence)
záře glare; shine, light
záření radiation
zářný shining
zářez notch; score
září September

zařídit (si) **1** (*obstarat*) arrange; (*hovor.*) fix up **2** (*nábytkem*) furnish
zářit shine*; beam (**štěstím** with happiness)
zářivka fluorescent tube / fitting
zařízení **1** (*bytu*) furnishings *pl* **2** (*vybavení*) equipment **3** (*mechanismus*) device, appliance **4** **rekreační ~** recreational amenities *pl* / facilities *pl*
zařizovat **1** arrange **2** (*byt*) furnish
zásad|a **1** principle; **ze -y** on principle **2** (*chem.*) alkali [ælkəlai]
zasadit **1** plant (**strom** a tree) **2** put* in, insert **3** deal* (**ránu komu** sb. a blow)
zásadní fundamental
zásah **1** (*trefa*) hit **2** (*zákrok*) intervention; (*zasahování*) interference
zas|áhnout, -ahovat **1** (*trefit*) hit **2** intervene (**do sporu** in a dispute), interfere (**do mých věcí** in my business)
zasazovat *viz* **zasadit**
zase **1** (*opět*) again **2** (*naproti tomu*) on the other hand, for one's part; **já ~ s vámi nesouhlasím** I for my part don't agree with you
zasedací síň assembly hall
zasedání session, sitting, meeting
zasedat be* sitting, be* in session
zasílat send*
zásilka (*poštovní*) parcel; (*zboží*) consignment; (*lodní*) shipment
zásilkový obchodní dům mail-order house
zasít sow*
zaslat send*
zaslechnout overhear*
Zaslíbená země Promised Land
zasloužený well-deserved
zasloužit (si) deserve
zásluh|a merit; **vaší -ou** thanks to you; **mít -u o** be* credited with
zasluhovat deserve
záslužný creditable (**pokus** attempt)
zasmát se laugh
zasněný lost in dreams
zasnoubit se get* engaged (to be married)
zásob|a supply, stock; **udělat si -u** lay* a stock
zásob|it, -ovat supply (**čím** with sth.)
zásobování supply (**obyvatelstva potravinami** of food / **surovinami** of raw materials / **vodou** of water for the population)
zaspat oversleep* (oneself)
zastaralý obsolete, out of date, outmoded
zastarat become* obsolete
zastat se stand* up, stick* up (**koho** for sb.)
zastavárna pawnshop
zastávat hold* (**úřad** an office)
zastavení **1** suspension; cessation (**jaderných pokusů** of nuclear tests) **2** (*křížové cesty*) station **3** **zákaz ~** no stopping
zastavěný built up, developed (**pozemek** area)
zastavět build* up
zastavit **1** stop, cease **2** (*dát do zástavy*) pledge, pawn **3** clutter (**nábytkem** with furniture)
zastavit se **1** stop; (*vůz též*) pull up, draw* up **2** (*na krátkou návštěvu u koho*) drop in (on sb.)
zastávka stop; **~ na znamení** request stop
zastavovat stop

zástěra apron
zastihnout reach, catch*
zastoupení agency
zastoupit **1** block, obstruct (**komu cestu** sb.'s way) **2** (*nahradit*) substitute (**koho** for sb.)
zástrčka plug
zastřelit shoot* (dead)
zástřih haircut
zástup **1** crowd **2** (*jeden za druhým*) line
zástupce **1** (*představitel*) representative **2** (*obchodní*) agent **3** (*právní*) lawyer **4** (*lékaře*) locum
zastupitelství agency
zastupovat **1** (*reprezentovat*) represent **2** (*u soudu*) defend; plead (**koho** for sb.)
zásuvka **1** (*stolu*) drawer **2** (*elektr., ve zdi*) power point
zásyp talcum [tælkəm] powder
zasyp|at, -ávat (*hlínou*) bury; scatter (**prachem** with dust, **pískem** with sand); load (**balíčky** with parcels)
zašít sew* up
záškodnický sabotage
záškodník saboteur [sæbə'tə:]; (*střelec*) sniper
záškrt diphtheria
zaškrtnout tick off
zašlápnout crush (with one's foot)
zašpinit soil; ~ **se** get* soiled
zašroubovat screw down, screw in
zášť hatred
záštita sponsorship
zatáčet turn, bend*
zatáčk|a **1** bend; **ostrá** ~ a sharp bend in the road **2** turning; **dejte se první -ou vpravo** take* the first turning to the right
zat|áhnout, -ahovat pull, draw*; ~ **záclony** draw the curtains
zataj|it conceal (**co před kým** sth. from sb.); **se -eným dechem** with bated breath
zatčen(ý) under arrest
zatelefonovat (*komu*) ring* sb. up
zatemnit black out
zatěžkávací zkouška loading test
zatěžkávat load
zatím **1** meanwhile, in the meantime **2** (*prozatím*) for the time being **3** (*do té doby*) by then
zatímco while
zátiší **1** seclusion **2** (*malířské*) still life
zatížení load, burden
zátka stopper, cork
zatknout arrest
zatleskat clap (one's hands)
zatlouci drive* (**hřebík do prkna** a nail into a plank)
zatmění eclipse
zato **1** (*na oplátku*) in return **2** (*naproti tomu*) on the other hand
zatočit turn, swing* (**za roh** round the corner)
zátoka inlet
zatopit **1** (*v kamnech*) make* a fire **2** (*vodou*) flood
zatřást shake* (**čím** sth.)
zatřpytit se glitter
zatykač warrant
zatýkat arrest
zauč|it, -ovat train; ~ **se** make* oneself familiar (**do** with)
zaúčtovat place to account
zaujatý partial, prejudiced
zaujímat occupy; (*plochu*) cover
zaujmout **1** occupy, take* (**sedadlo** a seat, **své místo** one's place) **2** (*upoutat*) catch* sb.'s

fancy, attract (**čí pozornost** sb.'s attention)
zaútočit attack (**nač** sth.)
závada defect
zavádět introduce
závadný defetive, faulty; offending
zavalit overwhelm
zavařenina preserve; jam; **pomerančová** ~ marmalade
zavař|it, -ovat preserve
zavát: ~ **cestu sněhem** snow up the way
zavazadlo luggage
zavázat 1 bind* (**provazem** with a rope); tie (**si šněrovadla** one's shoelaces) 2 (*koho*) engage, oblige
závazek commitment
závazný binding
zavazovat *viz* **zavázat**
závaží weight
závažný weighty
zavděčit se oblige (**komu** sb.)
závěj snowdrift
závěr 1 (*konec*) finish, close 2 (*úsudek*) conclusion, deduction; **dělat ukvapené ~y** jump to conclusions
závěrečný final
závěs hangings *pl*
zavést 1 (*kam*) take*, lead* 2 (*uvést*) introduce 3 (*nesprávně*) mislead*
závěť (last) will, testament
zavézt take*; (*vlastním vozem*) drive*
závidět envy (**komu co** sb. sth.)
závin (a sort of) apple pie, apple strudel
zavinit cause, be* the cause of
zavírací: ~ **hodina** closing hour; ~ **špendlík** safety pin
zavírat close, shut*
záviset depend (**na** on)
závislý dependent (**na** on)
závist envy; **ze ~i** out of envy
závistivý envious
závit (*šroubu*) thread; (*spirály*) coil
zavlaž|it, -ovat irrigate
zavlažovací irrigation
závod 1 (*závodění*) race, contest, competition; ~ **s časem** race against time 2 (*podnik*) plant, works, establishment
závodit race, contest, compete
závodní 1 race, racing; ~ **dráha** racing track, (*lyžařská*) ski run 2 works (**jídelna** canteen, **lékař** doctor, **výbor** committee); ~ **rozhlas** intercom system
závodn|ice, -ík competitor
zavod|nit, -ňovat irrigate
zavodňovací irrigation
závoj weil
zavolat 1 call; ~ **lékaře** call in a doctor 2 (*telefonicky*) ring* sb. up, give* sb. a ring 3 (*též mávnutím*) hail (**na taxi** a taxi)
závor|a 1 (*na dveřích*) latch, bolt 2 **-y** (*železniční*) gates *pl*
závorka bracket
závrať dizziness; **mám** ~ I am dizzy
zavraždit murder
zavrženíhodný reprehensible
zavřít shut*, close; turn off (**plyn** gas, **vodu** water)
zázemí (*voj.*) the rear; (*přen., zvl. kulturní / politické*) background
záznam 1 (*zápis*) note, entry 2 (*též gramofonový / magnetofonový*) recording 3 (*na pokoj v hotelu*) reservation
záznamník answerphone
zaznamen|at, -ávat 1 (*zapsat si*) write* down, make* a note of

2 (*do seznamu*) register **3** (*též na desku / pásek*) record
zaznít sound
zazpívat (si) sing*
zázračný miraculous
zázrak miracle; **dělat ~y** work miracles
zazvonit ring* the bell
zážitek experience
zaživa alive
zažívací ústrojí digestive organs *pl*
zažívání digestion
zbabělec coward
zbabělý cowardly
zbavit deprive (**koho čeho** sb. of sth.); **~ se** get* rid (**čeho** of sth.)
zběh deserter
zběžně casually; perfunctorily
zbít beat* up
zbláznit se go* mad; be* crazy (**do** about)
zblednout turn pale
zblízka closely; at close quarters
zbohatnout get* rich
zbořit, zbourat demolish
zboží goods *pl*; (*nabízené k prodeji*) wares *pl*; **partiové ~** seconds *pl*, substandard goods *pl*
zbra|ň weapon; **-ně** arms *pl*; **střelná ~** gun
zbrojařský průmysl armaments industry
zbrojení armament
zbrojit arm
zbylý leftover, remaining
zbý|t, -vat be* left, remain; **do zvonění -vá 5 minut** there's 5 minutes left before the bell
zbytečný unnecessary
zbyt|ek remainder; **-ky** remains *pl*; (*jídla*) leftovers *pl*
zcela quite, entirely
zčernat turn black
zčervenat turn red
zda whether, if
zdaleka **1** (*zdálky*) from afar; **~ i zblízka** from far and near **2** by far (**nejlepší** the best)
zdali whether, if
zdání appearance; **~ klame** appearances are deceptive; **nemám ani ~** I have* no idea
zdanit tax
zdánlivý seeming; apparent
zdar success
zdarma free (of charge); **~ na požádání** free on application
zdařilý successful
zdát se seem, appear
♦ **jak se zdá** apparently; **zdá se mi to lehké** I find* it easy; **zdálo se mi** I had a dream (**o** of, **že** that)
zdatný efficient
zde here
zdědit inherit
zdechlina carcass
zdejší local
zděný brick(-built)
zděšení dismay, alarm
zdivočet run* / go* wild
zdířka socket
zdlouhavý lengthy, tedious
zdokonal|it (se), -ovat (se) improve
zdramatizovat dramatize
zdraví health; (*dobrý zdravotní stav*) good health; **duševní ~** sanity; **na vaše ~** to your health; **pít na čí ~** drink* a health to sb.
zdravit greet
zdravotní health; **~ středisko** health centre
zdravotn|ice, -ík (*lékař / ~ka*) doctor; (*sestra*) nurse
zdravotnický medical
zdravotnictví health service

zdravý 1 healthy (**hoch** boy, **způsob života** way of living); sound (**názor** view) **2** wholesome (**pokrm** food, **vzhled** appearance)
zdražit raise the price (**co** of sth.)
zdroj source
združstevnit form a cooperative (**co** out of sth.)
zdržení delay; ~ **se hlasování** abstention
zdrženlivý 1 (*rezervovaný*) reserved **2** (*odpírající si*) abstemious [æb'sti:mjəs]
zdrž|et, -ovat detain, delay, hold* back; ~ **se** abstain (**čeho** from sth.)
zdůraz|nit, -ňovat stress, emphasize
zdv|ihnout, -íhat lift, hoist
zdviž lift
zdvojnásobit double
zdvořilý polite
zdymadlo lock
zebra zebra
zeď wall
zedník bricklayer
zejména especially
zelenat se be* green
zelenina vegetables *pl*
zelený green
zelí cabbage; **kyselé** ~ sauerkraut
zelinářský vegetable-growing
zelinářství greengrocer's, greengrocery
země 1 (*území*) country; (*pozemek*) land **2** (*půda*) soil, ground, earth **3** (*zeměkoule*) the earth
zemědělec farmer
zemědělsk|ý farming; agricultural; ~ **stroj** farming machine; **-é družstvo** farming / agricultural cooperative
zemědým fumitory [fju:mitəri]
zeměkoule globe
zeměměřičský surveying
zeměpis geography
zeměpisný geographical
zemětřesení earthquake
zemřít die (**na** of)
zemský 1 (*administrativně*) provincial **2** (*pozemský*) earthly
zeptat se ask (**koho na něco** sb. a question)
zes|ílit, -ilovat intensify, amplify, strengthen
zesilovač amplifier
zeslabit weaken
zesměš|nit, -ňovat ridicule
zesnulý the deceased, the late
zespod from below
zestárnout get* / grow* old
zestátnění nationalization
zestát|nit, -ňovat nationalize
zešedivět turn grey
zeť son-in-law
zevně outwardly
zevnějšek exterior
zevnitř from within
zezadu from behind
zezdola from below
zfilmovat film
zhasínat 1 put* out (**plamen** a flame) **2** switch off, turn off (**elektrické světlo** electric light)
zhasnout 1 go* out **2** (*vypnout světlo*) switch off, turn off
zhmožděnina contusion
zhodnotit evaluate
zhorš|it (se), -ovat (se) deteriorate, worsen
zhospodárnit economize
zhoubný pernicious (**vliv** influence); malignant (**nádor** tumour)

zhroutit se collapse, break* down
zhubnout se lose* weight
zhudebnit put* to music
zchoulostivělý squeamish
zchudnout become* poor, be* improverished
zim|a 1 winter; **v -ě** in (the) winter **2** (*chlad*) cold; **je ~** it is cold; **je mi ~** I am cold
zimní winter; **~ stadion** ice rink, winter sports stadium
zimnice ague [eigju:]
zimník overcoat
zimolez honeysuckle [hanisakl]
zimomřivý shivery [šivəri]
zimostráz box tree
zinek zinc
zip zip (fastener), zipper; **zapnout na ~** zip up
zisk profit; gain
získ|at, -ávat obtain (**knihu** a book); gain (**zkušenosti** experience); win* (**čí přátelství** sb.'s friendship, **stipendium** scholarship)
zištný egoistic
zítra tomorrow
zítřejší tomorrow's
zívat yawn
zjednoduš|it, -ovat simplify
zjev appearance; (*jev*) phenomenon
zji|stit, -šťovat find* out, discover, ascertain
zkamenělina fossil
zkapalnit liquefy [likwifai]
zkáz|a destruction, ruin; **podléhající -e** perishable
zkazit spoil*; **~ se** go* bad
zklamání disappointment
zklamaný disappointed; (*po marném úsilí*) frustrated
zklamat disappoint; (*nechat koho na holičkách*) let* sb. down
zkolabovat collapse
zkomolenina garble
zkomolit corrupt (*text*); (*znetvořit*) disfigure
zkomplikovat complicate
zkontrolovat check (**hodinky podle rozhlasu** one's watch with the radio time signal)
zkoumat examine, investigate, look into
zkoušet 1 examine (**žáka** a pupil) **2** test (**komu zrak** sb.'s eyesight, **přístroj** a machine, **lék** a medicine) **3** rehearse (**hru** a play) **4** try on (**oblek** a suit)
zkoušet si *(velikost)* try on (sth. for size)
zkoušk|a 1 examination, (*hovor.*) exam (**z matematiky** in mathematics) **2** (*pokus*) test **3** (*divadelní*) rehearsal; **generální ~** dress rehearsal **4** (*u krejčího*) fitting **5** (*útrapy*) ordeal, trial ♦ **dělat -u** sit* for an exam, go* (up) for an exam; **udělat -u** pass an exam
zkrat short circuit
zkrátit shorten; (*text*) abridge
zkratka abbreviation; (*zkrácená cesta*) short cut
zkrátka in short; **~ a dobře** to cut a long story short
zkresl|it, -ovat distort
zkritizovat criticize
zkřehlý numb (**zimou** with cold)
zkřivit (se) bend*, crook
zkřížit cross
zkumavka test tube
zkus|it 1 try; **já to -ím** I'll try, let* me have a try **2** (*trpět*) suffer
zkusmo tentatively

zkušební: ~ **jízda** trial ride; ~ **let** trial flight; ~ **pilot** test pilot
zkušenost experience; **dlouholeté ~i** long accumulated fund of experience
zkušený experienced
zkvalitnit improve the quality of
zlatnictví goldsmith's
zlatník goldsmith
zlato gold
zlatobýl goldenrod [gəuldn'rod]
zlat|ý **1** gold (**prsten** ring) **2** golden (**věk** age) ♦ ~ **hřeb** highlight; **-á mládež** gilded youth; **-á střední cesta** the golden mean
zle: **je mi** ~ I am sick; **bylo** ~ the fat was in the fire
zledovatělý iced
zlehka lightly, gently
zlepšení improvement
zlepšit improve; ~ **si kvalifikaci** extend one's qualifications
zlepšovat improve
zletilý: být ~ be* of age
zleva from the left
zlevnění reduction in prices, price reduction
zlev|nit, -ňovat reduce the price of
zlo evil, wrong
zlobit annoy; ~ **se** be* angry (**na** with sb., at / about sth.); (*hovor.*) be* cross (**na koho** with sb.), be* huffy
zločin crime
zločinec criminal
zločinnost criminality
zloděj thief; **krámský** ~ shoplifter
zlomek **1** (*úlomek*) fragment **2** (*mat.*) fraction ♦ **na ~ vteřiny** for a split second
zlomenina fracture
zlomit (se) break*
zlomyslný malicious
zlořád abuse
zlořečený damned
zlořečit curse
zlost anger (**na** with sb., at sth.); annoyance; **k naší velké ~i** much to our annoyance
zlostný angry
zlozvyk bad habit
zl|ý **1** (*k jiným*) evil; ~ **jazyk** evil tongue **2** (*špatný*) bad ♦ **to je -é!** that's too bad!; **brát co ve -ém** take* sth. amiss
zmačkaný crumpled, crushed
zmačkat crumple, rumple, crush
zmařit foil, frustrate (**čí plány** sb.'s plans)
zmatek **1** confusion **2** (*nepořádek*) mess **3** (*ohromení*) bewilderment ♦ **uvést ve** ~ confuse, bedevil
zmatený confused, chaotic; (*v rozpacích*) puzzled
změknout soften
změn|a **1** change (**k lepšímu** for the better, **počasí** in the weather, **v programu** in the programme, **vzduchu** of air); **pro -u** for a change **2** (*pozměnění, úprava*) alteration (**plánu** to the plan)
změnit change; (*přizpůsobit, opravit*) modify; (*pozměnit*) alter; ~ **se** change
zmenš|it (se), -ovat (se) diminish, decrease
změřit measure
zmeškat miss
zmetek (*ve výrobě*) reject
zmije viper
zm|ínit se, -iňovat se mention (**o čem** sth.)
zmínka reference (**o** to)
zmírnění mezinárodního napětí

easing of international tension, détente
zmír|nit, -ňovat 1 alleviate (**bolest** pain); mitigate (**trest** the punishment) **2** ease (**napětí** a tension); (*rychlost*) slow down
zmizet disappear, vanish
zmlknout hush
zmocnění warrant
zmocnit authorize; **~ se** *(čeho)* take* possession (of sth.), seize (sth.)
zmodernizovat update, bring* up-to-date
zmoknout wet* (**na kůži** to the skin)
zmrzačit cripple, mutilate; **~ se** become* a cripple
zmrzlina ice cream
zmrzlý frozen
zmrznout freeze* (to death)
zmýli|t mislead*; **~ se** make* a mistake; **-li jsme se v čísle** we've mistaken the number
značka 1 sign, mark **2** (*turistická*) way-mark **3** (*zboží*) brand ♦ **dopravní ~** traffic sign; **státní poznávací ~** registration number
značný considerable
znak 1 sign, mark; symbol **2** (*erb*) coat of arms
znalec 1 expert, connoiseur **2** (*schopný posuzovat*) judge
znalost knowledge; (*obeznámenost*) familiarity (**čeho** with sth.)
znamenat mean*
znamení 1 sign; **staré domovní ~** old house sign **2** signal; **časové ~** time signal
znaménko 1 mark; **interpunkční ~** punctuation mark; **rozdělovací ~** division sign **2** (*mat.*) sign
známka 1 sign (**života** of life) **2** (*školní*) mark **3** (postage) stamp
známost 1 (*styky*) connexion; **mít ~i** have* connexions **2** (*s dívkou, chlapcem*) courtship; **po roční ~i** after a year's courtship; **mít ~ s kým** court sb., walk out with sb. ♦ **uvést ve všeobecnou ~** make* sth. public
známý *adj* well-known • *n* friend, acquaintance
znárodnění nationalization
znárod|nit, -ňovat nationalize
znát know*; **dát komu ~** give* sb. to understand; **~ koho od vidění** know* sb. by sight
znázor|nit, -ňovat represent, demonstrate
znečistit pollute
znehodnotit debase
znehybnět stiffen
znělka 1 (*báseň*) sonnet **2** (*rozhlasová*) signature tune
znemož|nit, -ňovat make* impossible
znění wording (**textu** of a text)
znepokojení concern
znepokoj|it, -ovat worry; **~ se** be* concerned (**kvůli** about)
znepřátelit se s kým, ~ si koho make* an enemy of sb., fall* out with sb.
znervóz|nit, -ňovat make* nervous
zneškod|nit, -ňovat make* harmless
zneuží|t, -vat abuse (**čeho** sth.)
zničit destroy
znít 1 sound (**krásně** sweet, **přijatelně** plausible); **tahle klávesa nezní** this key won't sound **2** run*, read*, say*; **věta**

zní takto the sentence runs as follows; **vyhláška zněla** the notice read / said **3** din (**komu v uších** in sb.'s ears)
znova again; (*ještě jednou*) once more, once again
♦ **~ a ~** time and again
zobák beak, bill ♦ **mluv, jak ti ~ narost** speak* plain English
zobat peck (**zrní** at the corn)
zobcová flétna recorder
zobec|nit, -ňovat generalize
zobrazit render (**malířsky** with brush)
zobrazovat represent (**scénu** a scene)
zodpovědný responsible (**za** for); answerable (**komu** to sb.)
zóna zone
zoologick|ý zoological; **-á zahrada** zoological gardens *pl*, the zoo
zoologie zoology
zootechnik animal husbandry adviser
zootechnika animal husbandry
zopakovat (si) **1** recapitulate **2** revise (**učivo** one's lessons)
zorat plough (**pole** a field)
zorganizovat organize; (*hovor.*) fix up
zorný úhel **1** viewing angle **2** (*přen.*) viewpoint
zostř|it (se), -ovat (se) sharpen
zotav|it se, -ovat se recover
zotavovna convalescent home
zotročit enslave
zoufalství despair
zoufalý desperate
zou|t (se), -vat (se) take off one's shoes
zpaměti by heart ♦ **mluvit ~** speak* from memory; **naučit se ~** learn* by heart, memorize
zpáteční: ~ lístek return ticket; **~ rychlost** reverse (gear)
zpátečn|ický, *též n* **-ík** reactionary
zpátky back(wards); **dát ~ komu** give* sb. change (**na libru** for a pound note); **tady máte ~** here's your change
zpestřit vary
zpět *viz* **zpátky**
zpětn|ý reverse; **se -ou platností** retrospectively
zpěv singing; **není mi dnes do ~u** I don't feel* like singing today
zpěvák singer
zpívat sing*
zpocený **1** perspiring (**člověk** person) **2** sweaty (**prádlo** underwear)
zpočátku at first, at the beginning
zpod from under
zpomalený film slow-motion picture
zpomal|it, -ovat slow down
zpopelnit cremate
zpotit se perspire
zpověď confession
zpo|zdit se, -žďovat se be* late; **hodiny se -žďují o 10 minut** the clock is 10 minutes slow
zpoždění delay
zpracov|at, -ávat **1** work (**hlínu** clay) **2** process (**maso** meat) **3** work up (**téma** a theme)
zprava from the right
zpráv|a **1** (*novina*) news; **-y** news *sg*; (*hlášení zpráv*) news bulletin; **přehled zpráv** news headlines; **vyslechněte si -y** here is the news ♦ **to je důležitá ~** this is important / great news; **dostat -u od koho** hear* from sb. **2** (*hlášení, reportáž*) report;

~ o zdravotním stavu a report / bulletin on the state of health
zpravidla as a rule
zpravodaj reporter
zpronevěra embezzlement
zpronevěřit embezzle
zprostit acquit (**koho obvinění** sb. of a charge)
zprostředkovat mediate
zprostředkovatel intermediary
zprošťovat acquit (**koho čeho** sb. of sth.)
zprotivit se disgust (**komu** sb.)
zpředu from the front; **fotografie ~** full face; **pohled ~** front view
zpřes|nit, -ňovat specify
zpříjem|nit, -ňovat make* pleasant
zpříma straight; **dívat se ~** look straight ahead; **stát ~** stand* erect
zpuchřelý rotten
způsob 1 way, method; **tímto ~em** in this way, like this; **určitým ~em** in a way **2** (*jaz.*) mood
způsobilý qualified, competent
způsobit cause, bring* about
způsobný well-mannered
způsoby manners *pl*; **co je to za ~?** aren't you forgetting your manners?
zpustlý 1 dilapidated (**dům** house) **2** dissolute [disəlu:t] (**život** life)
zpustnout become* desolate; (*mravně*) become* dissolute
zpustošit ravage
zrada 1 treachery **2** (*státu*) treason
zrádce traitor
zradit betray
zrádný treacherous
zrak (eye)sight
zralý ripe; (*vyspělý*) mature
zranění 1 injury **2** (*násilné*) wound
zranit 1 injure, hurt* **2** (*násilně*) wound
zrát ripen
zrazovat 1 betray **2** dissuade [di'sweid], discourage (**od** from)
zrcadlo mirror, looking glass
zrcadlovka reflex camera
zrcátko mirror; **zpětné ~** wing mirror, side mirror
zrezavět rust
zrn|í, -o corn, grain
zrovna: potkat koho ~ na nádraží meet* sb. at the station of all places
zručný skilful
zrudnout turn red
zrušit 1 abolish (**otroctví** slavery) **2** cancel (**objednávku** an order)
zrychl|it (se), -ovat (se) speed* up, accelerate
zrzavý ginger-haired, red-haired
zředit dilute
zřejmě obviously
zřejmý obvious, evident
zřetel respect ♦ **bez ~e na** irrespective of; **brát ~ nač** take* sth. into consideration
zřetelný distinct
zřícenina ruin
zříci se renounce (**čeho** sth.)
zřídit set* up, establish
zřídka seldom
zřídlo spring; fountain
zříkat se renounce (**čeho** sth.)
zřítit se crash
zřízenec attendant
zřízení institution, establishment; **společenské ~** social order
zřizovat set* up, establish
ztěžovat make* difficult
ztížený aggravated

ztížit make* difficult, aggravate
ztloustnout get* fat, put* on weight
ztlumit subdue
ztmavět darken
ztracený lost
ztrácet lose*
ztrát|a 1 loss (**krve** of blood, **času** of time) **2** (*plýtvání*) waste (**času** of time, **energie** of energy) **3** (*na životech*) casualty; **těžké -y** heavy casualties
♦ **oddělení ztrát a nálezů** lost property office
ztratit lose* (**peníze** one's money)
♦ **~ vědomí** pass out; **nechci ten zub ~** I don't want to part with that tooth
ztratit se get* lost; (*o dopise*) go* astray
ztrátový losing
ztroskotat be* wrecked; (*přen.*) fail
ztuhlý stiff
ztuhnout stiffen
ztvrdnout harden
zub tooth; **bolí mě ~** I have* (the) toothache; **mít čeho plné ~y** be* fed up with sth.; **dát si vytrhnout ~** have a tooth out; **zatnout ~y** grit one's teeth
zubit se grin
zubní dental; **~ kámen** tartar; **~ kartáček** toothbrush; **~ lékař** dentist; **~ pasta** toothpaste
zúčastnit se take* part (**čeho** in sth.)
zúročit (*přen.*) make use of
zúrod|nit, -ňovat fertilize
zuřit rage, be* furious
zuřivý 1 furious **2** ardent (**fanoušek** fan)
zůst|at, -ávat stay, remain; **-at stát** stop; **-at vzhůru** stay up; **-at u telefonu** hold* the line
zúžit se taper
zužitkovat utilize
zužovat (se) taper
zvadlý faded, withered
zvadnout wither (away)
zvan|ý invited; **jen pro -é** admission by invitation only
♦ **tak~** the so-called
zvát invite
zvážit 1 weigh **2** (*uvážit*) consider
zvážnět become* serious
zvěd scout
zvedat heave*, lift; **~ se** rise*
zvědavý curious; inquisitive
♦ **být ~, zda / jak / kdy** *apod.* wonder if / how / when *etc.*
zvednout raise, lift; (*sebrat*) pick up; **~ se** rise*, stand* up, get* up
zvenčí from without, from the outside
zvěrolékař veterinary surgeon, vet
zvěrstvo atrocity
zvěř animals *pl*; **vysoká ~** red deer
zvěřina game; (*jen z vysoké*) venison
zvěstovat announce
zvětšit 1 increase (**rychlost** speed) **2** enlarge (**dům** a house, **fotografii** a photograph)
zvětšit se increase; grow*
zvětšovací: ~ aparát enlarger; **~ sklo** magnifying glass
zvětšovat (se) *viz* **zvětšit (se)**
zvíře animal; (*zvl. domácí, též přen. člověk*) beast
zvířit stir up
zvítězit 1 win* **2** beat*, conquer (**nad kým** sb.)
zvládnout (*co*) cope (with sth.); manage (sth.)
zvlášť 1 separately; **svaž je**

každý ~ tie them up separately 2 extra; **balení se účtuje ~** packing is extra
zvláště especially, particularly
zvláštní 1 special, particular; (*oddělený*) separate; (*navíc*) extra 2 (*podivný*) strange, extraordinary, peculiar
zvláštnost peculiarity
zvlhnout get* damp
zvolit elect
zvon, ~ek bell
zvon|it 1 (*znít*) ring*; **zvonek -í** the bell rings 2 (*zazvonit*) ring the bell; ~ **na koho** ring for sb.
zvracet vomit
zvrhlý vicious
zvučný 1 sonorous (**hlas** voice) 2 high-sounding (**titul** title)
zvuk sound; **rychlejší než ~** supersonic
zvukotěsný soundproof
zvyk 1 (*návyk*) habit (**kouřit** of smoking, **pozdě vstávat** of getting up late) 2 (*zvyklost*) custom ♦ **mít ve ~u** be* in the habit of -ing; **ze ~u** from habit
zvykat si get* used (**na** to)
zvyklý (*na*) used (to), accustomed (to)
zvyknout si get* used (**na** to)
zv|ýšit, -yšovat increase; raise; step up ♦ ~ **ceny** raise prices; ~ **si kvalifikaci** extend one's qualifications; ~ **výrobu** step up production
zv|ýšit se, -yšovat se increase, rise*
zženštilý effeminate

Ž

žába 1 frog 2 (*dívka*) lassie [læsi]
žací stroj reaper
žádanka application form
žádat 1 ask (**co** for sth.); request; (*energicky vyžadovat*) demand 2 (*podat si žádost*) apply (**oč** for sth.)
žadatel applicant
žádný 1 no; (*samostatně*) none; (*ze dvou*) neither 2 (*nikdo*) nobody, no one 3 (*po záporu*) any ♦ ~ **jiný** nobody else; **není to ~ herec** he isn't much of an actor
žádost 1 request (**o** for); **na moji ~** at my request 2 (*zvl. písemná*) application (**o** for); **podat si ~** make* an application
žák pupil
žákovský domov hostel
žákyně pupil
žal grief
žalář jail; prison
žalob|a 1 (*stížnost*) complaint (**na** about) 2 (*soudní*) suit; **podat -u** bring* a suit (**proti** against) 3 (*obžaloba*) prosecution
žalobce 1 (*žalující strana*) plaintiff 2 (*prokurátor*) prosecutor
žalovat 1 complain (**komu na** to sb. of / about) 2 (*školní slang*) sneak 3 (*koho u soudu*) bring* an action / a suit against sb.
žalud acorn; (*med.*) glans
žaludeční gastric (**vřed** ulcer)
žaludek stomach